WINSTON CHURCHILL

Le pouvoir de l'imagination

" Success is not final, failure is not fatal
it is the courage to continue that counts "

If you can dream it you can do it —

DU MÊME AUTEUR

Les Jeux de la guerre et du hasard, Hachette, 1977.
Churchill and De Gaulle, Collins, Londres, 1981. Traduction française par l'auteur :
De Gaulle et Churchill : la Mésentente cordiale, Perrin, 2001.
La Guerre du fer, Tallandier, 1987. Traduction anglaise par l'auteur : *Norway 1940,* Collins, 1989.
Vi stoler på England 1939-1949, Cappelens Forlag, Oslo, 1991. (En norvégien seulement.)
Churchill et Monaco, Éditions du Rocher, 2002.
Staline, Le Mémorial de Caen, 2003.
MacArthur, Le Mémorial de Caen, 2003.
De Gaulle et Roosevelt : le Duel au sommet, Perrin, 2004. (Prix Henri Malherbe 2005, prix Maurice Baumont 2005.)
Franklin Roosevelt, Le Mémorial de Caen, 2005 (en anglais seulement).
L'Affaire Cicéron, Perrin, 2005.
Lord Mountbatten, l'Étoffe des héros, Payot 2006. (Prix Guillaume le Conquérant 2006.)
Le Monde selon Churchill, Alvik, 2007.

FRANÇOIS KERSAUDY

WINSTON CHURCHILL

Le pouvoir de l'imagination

TALLANDIER

À la mémoire de Georges Lebeau,
Fantassin de la Résistance,
Homme de cœur et d'action

SOMMAIRE

AVANT-PROPOS

En janvier 1950, l'hebdomadaire américain *Time Magazine* avait nommé Winston Churchill « l'Homme du demi-siècle » ; en juin 2000, le mensuel français *Historia* a jugé le « demi » superflu, et l'a baptisé « Homme d'État du siècle ». Comment justifier un tel honneur ? Le général de Gaulle s'en est chargé lui-même, en décrivant Churchill comme « le grand champion d'une grande entreprise, et le grand artiste d'une grande Histoire », et en ajoutant : « Dans ce grand drame, il fut le plus grand. » Depuis le grand drame, pourtant, Winston Churchill est resté au centre de furieuses controverses, qui ont terni son image sans jamais affecter sa stature ; en France, le personnage se résume trop souvent à Dresde et Mers el-Kébir ; en Grande-Bretagne, la presse se plaît à souligner ses travers, et la liste de ses crimes imaginaires est souvent plus longue qu'un discours de Fidel Castro.

Derrière un tel rideau de fumée, le personnage risque fort de s'estomper ; or, cet homme-là présente un intérêt unique : existe-t-il au cours du XXe siècle une vie aussi fabuleuse que celle de Winston Spencer-Churchill ? D'innombrables biographies ont tenté de la ressusciter : certaines sont trop courtes pour être lisibles, d'autres trop longues pour être lues ; certaines sont férocement critiques, d'autres béatement hagiographiques ; certaines sont si anciennes qu'elles sont devenues introuvables, d'autres si ennuyeuses qu'elles méritent de le rester ; certaines n'existent qu'en langue anglaise, d'autres ont été bien hâtivement traduites ; certaines font mourir le héros avant sa naissance, d'autres le font renaître après sa mort ; le somptueux *Winston Churchill* de William Manchester ne présente aucun de ces inconvénients, mais il s'arrête à 1940 – un quart de siècle trop tôt...

Décidément, nous voici obligés de repartir à la découverte du plus prodigieux homme-orchestre des temps modernes. Le voyage sera long, agité, parfois désopilant, souvent exténuant, et toujours affreusement dangereux... Mais, comme Winston Churchill lui-même, le lecteur ne trouvera jamais le temps de s'ennuyer ; et en revivant pas à pas cette existence fabuleuse, il ne peut manquer d'enrichir la sienne.

La première édition de cet ouvrage a été par nécessité quelque peu synthétique. Avec la disparition des contraintes d'espace et la parution d'innombrables nouveaux ouvrages et documents, il est devenu possible de présenter une version bien plus complète – tenant compte en outre des nombreux commentaires et témoignages suscités par l'édition originale.

CHAPITRE PREMIER

LES CAPRICES DU DESTIN

Le 30 novembre 1874, au palais de Blenheim, dans l'Oxford-shire, naît Winston Leonard Spencer-Churchill, fils de Randolph Churchill et de Jennie, née Jerome. L'heureux père s'est empressé d'écrire à sa belle-mère : « Le garçon est merveilleusement beau, [...] avec des cheveux noirs, et il est en très bonne santé, compte tenu de sa naissance avant terme[1]. » C'est là une version officielle : le bébé n'est probablement pas né avant terme, mais ses parents s'étant mariés sept mois plus tôt seulement, il fallait bien sauvegarder les apparences ; « merveilleusement beau » est sans doute un peu outré, s'agissant d'un gros poupon aux yeux tombants et au nez en trompette ; quant aux cheveux noirs, c'est une vue de l'esprit : le petit Winston est d'un roux flamboyant...

Il reste tout de même une certitude : le nouveau-né a d'illustres ancêtres. Du côté de son père, il descend de John Churchill, premier duc de Marlborough, qui vainquit les troupes de Louis XIV à Blenheim, Malplaquet, Ramillies, Oudenarde, et partout ailleurs où il les rencontra. En récompense, la reine Anne lui offrit un somptueux château à Woodstock, dans l'Oxfordshire, que l'on baptisa Blenheim, du nom de sa plus belle victoire. Étonnant édifice que ce palais de Blenheim, qui pouvait fort bien rivaliser avec Versailles : des tours imposantes, trois hectares de toits, trois cents pièces, un parc de mille quatre cents hectares... Après la mort du duc en 1722, son château comme son titre revint à sa fille aînée Henriette, puis au fils de sa seconde fille, Charles Spencer. Dès lors, d'un Spencer à l'autre, le nom de Churchill va disparaître, jusqu'à ce qu'en 1817, le 5e duc de Marlborough se voie accorder par décret royal la permission de s'appeler désormais « Spencer-Churchill », afin de perpétuer la mémoire de son illustre ancêtre.

On ne saurait dire en conscience que ce 5ᵉ duc, esthète indolent et jouisseur impénitent, ait ajouté au patronyme familial un lustre particulier. Il faudra attendre le milieu du XIXᵉ siècle et l'avènement du 7ᵉ duc, John Winston, homme profondément religieux et dévoué à la Couronne, pour voir redorer quelque peu le blason des Spencer-Churchill, ducs de Marlborough – une entreprise apparemment sans lendemain, car son fils aîné et héritier, George, marquis de Blandford, va promptement renouer avec la tradition d'oisiveté et de débauche si chère aux Spencer. Mais le 7ᵉ duc a aussi un fils cadet, Randolph, sur qui il a reporté tous ses espoirs – sans que l'on sache trop pourquoi, car à l'âge de vingt-trois ans, lord Randolph Spencer-Churchill, jeune homme éloquent, spirituel et impétueux, n'a encore rien fait. Rien du tout ? Eh bien si : à l'été de 1873, il a rencontré dans un bal donné à Cowes, sur l'île de Wight, une jeune Américaine prénommée Jennie, et l'a demandée en mariage trois jours plus tard…

Jennie Jerome, jeune beauté aussi romantique qu'énergique, est la deuxième fille de Clara et Leonard Jerome. Ce dernier, descendant d'une vieille famille huguenote qui a émigré en Amérique au début du XVIIIᵉ siècle, est le type même du *self-made-man* : financier, magnat de la presse, courtier en Bourse, impresario, propriétaire d'écuries de course, fondateur du Jockey Club, philanthrope, armateur de voiliers et yachtsman lui-même, c'est là une description très incomplète de ce fabuleux Yankee à l'heureuse nature et à la prodigieuse énergie qu'est Leonard Jerome. Son épouse Clara, généreuse et entreprenante, a parmi ses ancêtres une Iroquoise et un lieutenant de Washington ; elle est très ambitieuse pour son mari, pour elle-même… et pour leurs trois filles, avec lesquelles elle s'est installée dans le Paris du second Empire, espérant par-dessus tout les voir épouser des Français bien nés. Voilà qui était en très bonne voie lorsqu'en 1870, les Prussiens viennent intempestivement contrecarrer ses projets, l'obligeant à se réfugier en Angleterre avec ses filles. C'est ce qui explique que Mᵐᵉ Clara Jerome et ses filles aient été présentes au bal donné à Cowes en l'honneur du tsarévitch* le 12 août 1873. C'est à ce bal, on s'en souvient, que

* Le futur Alexandre III.

Jennie Jerome a rencontré un jeune homme aux yeux globuleux mais à la moustache conquérante, à la taille brève mais au titre séducteur : lord Randolph Spencer-Churchill, qu'elle épousera le 15 avril 1874. Tel est l'enchaînement de hasards dynastiques, géographiques, politiques, sociologiques, psychologiques, sentimentaux et physiologiques qui explique l'apparition sept mois plus tard, le 30 novembre 1874, d'un petit rouquin replet dans le palais ancestral des ducs de Marlborough...

Tandis que le nouveau venu commence à considérer son imposant environnement, on peut à loisir se poser quelques questions ; et d'abord celle-ci : Winston Leonard Spencer-Churchill a-t-il vu le jour dans une famille riche ? Le palais de sa naissance ne doit pas faire illusion : il appartient certes à son grand-père, le 7e duc de Marlborough, mais son père Randolph n'en est pas l'héritier. Ce n'est pas forcément un malheur, du reste, car les frais d'entretien, d'ameublement, d'amélioration et d'agrandissement de l'auguste demeure ont déjà ruiné plus d'un Marlborough – à commencer par George Spencer, le 4e duc, qui l'enrichit d'une fabuleuse collection de tableaux et de joyaux, et lui adjoignit un somptueux parc avec un immense lac artificiel ; sans oublier le 5e duc, qui y fit ajouter des appartements, des pavillons, une bibliothèque de livres précieux, une collection d'instruments de musique, un jardin botanique, un jardin chinois, une roseraie, des fontaines, un temple, des grottes, une rocade et un pont... avant d'être rattrapé par ses créanciers. Il est vrai que le palais n'est pas seul en cause : depuis Charles Spencer, petit-fils de l'illustre premier duc, jusqu'à George Blandford, fils aîné du 7e duc, l'attrait du jeu semble avoir constitué chez les Marlborough une tare congénitale, qui engloutira en moins d'un siècle et demi une immense fortune. Rien d'étonnant dès lors à ce que le Premier ministre Disraeli ait pu écrire en 1875 à la reine Victoria que le 7e duc de Marlborough n'était « pas riche pour un duc[2] ». Il aurait pu ajouter que ses deux fils, George et Randolph, vivaient très au-dessus des moyens de leur père...

Dans l'aristocratie anglaise du XIXe siècle, ces questions de détail pouvaient se régler aisément à l'aide d'un judicieux mariage. D'ailleurs, n'est-ce pas précisément ce que vient de faire Randolph Spencer-Churchill en épousant Jennie Jerome, fille du millionnaire Leonard Jerome ? À vrai dire... pas tout à fait ; car si, à la différence des Spencer, le fabuleux entrepreneur qu'est Leonard Jerome possède un réel talent pour amasser de l'argent, il est plus doué encore pour le dépenser. S'étant constitué une fortune respectable à New York depuis 1850, il se trouve bientôt ruiné par son train de vie, sa philanthropie et quelques investissements hasardeux. Nullement découragé, ce diable d'homme entreprend d'amasser une seconde fortune plus considérable encore – qu'il perd tout aussi rapidement dans les années qui suivent la guerre civile. L'argent qu'il n'a plus lui permettra toutefois de continuer à mener grand train, d'assurer une existence luxueuse à son épouse et à ses filles installées dans le Paris frivole du second Empire, et même d'offrir à Jennie une dot confortable lors de son mariage avec lord Randolph. Tout comme les Spencer, les Jerome semblent avoir toujours considéré qu'«il est déjà triste d'être pauvre, si en plus il fallait se priver».

Lorsque le petit Winston fait ses premiers pas hésitants dans les interminables galeries du palais de Blenheim, il est constamment entouré d'une quantité de reliques martiales : armes, armures, étendards, tableaux de batailles à foison. C'est l'ombre du grand Marlborough, bien sûr, et celle, très atténuée, de quelques successeurs, comme le 3e duc, Charles Spencer, colonel de la garde royale, qui commande la malheureuse expédition de Rochefort en 1756, puis celle d'Allemagne, au cours de laquelle il trouvera la mort. Peut-être instruits par cet exemple, ses héritiers occuperont surtout dans l'armée des postes honorifiques, et se feront davantage remarquer sur les champs de courses que sur les champs de bataille ; ce qui ne les empêchera pas de rester toujours de fidèles serviteurs de la Couronne, animés au plus haut point par la passion de la politique. Le 3e duc fut ainsi nommé lord du Trésor, puis, en 1755, lord du Sceau privé – une fonction qu'occupera également son fils George, le 4e duc. Son successeur, le 5e duc, déjà connu pour ses dépenses extravagantes, sera nommé... commissaire au Trésor. En 1867, c'est le 7e duc, John Winston, le père de Randolph, qui est nommé lord président du Conseil dans le gouvernement conservateur de Disraeli – une fonction dont il s'acquittera plus qu'honorablement. Sept ans plus tard, Disraeli lui offrira même le poste de lord lieutenant (vice-roi) d'Irlande ; mais les frais de représentation seraient à sa charge, ils sont vertigineux, et le 7e duc de Marlborough, pour les raisons que nous connaissons, n'a rien d'un homme riche ; il va donc refuser cet honneur.

Lorsque les ducs de Marlborough ne sont pas occupés à restaurer leur palais de Blenheim, à servir leur roi, à chasser le renard, à fuir leurs créanciers ou à éponger les dettes de leur progéniture, ils se livrent à une occupation traditionnelle : représenter leur circonscription au Parlement. Depuis plus d'un siècle, en effet, les bonnes gens de Woodstock ont réélu le châtelain – ou son fils – avec une touchante fidélité, et certains des élus prendront leur rôle très au sérieux ; c'est le cas du 7ᵉ duc, qui passera quinze ans aux Communes et s'y taillera une réputation d'excellent orateur – un don qui va bientôt se révéler héréditaire. Si son fils aîné George est bien trop absorbé par la poursuite du plaisir pour se mêler sérieusement de la chose publique, son cadet Randolph se découvrira très tôt une fibre politique et un talent certain pour l'exprimer. En février 1874, il est élu triomphalement au siège « familial » de Woodstock, et trois mois plus tard, tout le monde, à commencer par le Premier ministre Disraeli, s'accorde pour dire que le premier discours aux Communes du jeune député conservateur – et jeune marié – Randolph Spencer-Churchill laisse fort bien augurer de son avenir politique*.

Lorsque son fils Winston, ce beau garçon joufflu aux boucles rousses, commence à étudier de plus près son environnement immédiat, il remarque que beaucoup de personnes se succèdent dans la nouvelle demeure londonienne de Charles Street – et que ses parents, eux, s'en absentent souvent. De fait, les mondanités semblent remplir l'essentiel de l'existence de Randolph et de sa jeune épouse. Il est vrai qu'ils ont de qui tenir : les ducs de Marlborough ont tous été célèbres pour le luxe ostentatoire de leurs réceptions et la démesure du cercle de leurs fréquentations ; depuis le collège et l'université – invariablement Eton et Oxford – jusqu'à l'exercice des fonctions – le plus souvent honorifiques – qui leur sont confiées par le roi et le Premier ministre, les Marlborough de Blenheim se sont toujours trouvés au centre d'un véritable tourbillon mondain où se mêlaient vieux lords, notabilités locales, enfants de bonnes familles, députés, ministres, financiers, officiers et diplomates. Depuis le règne de la reine Anne jusqu'à ceux de George III et de Victoria, ils ont été *persona gratissima* à la Cour, et les souverains ont parfois jugé bon de se rendre eux-

---

* Un lord aux Communes ? En fait, Randolph n'avait de lord que le nom : il s'agissait d'un « titre de courtoisie ».

mêmes en visite au château de Blenheim. Dès lors, le goût presque inné de lord et lady Randolph Spencer-Churchill pour les mondanités devient plus facile à comprendre... Même tableau mondain outre-Atlantique, avec bien sûr la royauté en moins : qu'il soit riche ou ruiné, Leonard Jerome donne des réceptions coûtant jusqu'à 70 000 $ (de l'époque) par soirée ; on y rencontre tout le gratin du monde des arts, de la politique et de la finance. Après cela, on s'en souvient, sa fille Jennie connaîtra le faste des réceptions et des bals donnés à Paris par la famille impériale.

Immédiatement après la naissance de leur fils, les heureux parents vont s'y replonger avec délices. « Nous vivions, se souviendra Jennie, dans un tourbillon de réjouissances et de fièvre. J'ai assisté à de nombreux bals absolument merveilleux qui [...] se prolongeaient jusqu'à cinq heures du matin[3]. » Leur fils Winston écrira lui-même que ses parents « menaient une joyeuse existence, sur un pied un peu plus grand que ne le justifiaient leurs revenus. Disposant d'une excellente cuisinière française, ils recevaient sans discernement. Le prince de Galles, qui leur avait témoigné dès le début une grande gentillesse, venait quelquefois dîner chez eux[4]. » C'est un fait : Son Altesse Royale Albert Édouard de Saxe-Cobourg, futur Édouard VII, s'est constituée une petite cour de noceurs bien nés, le « cercle de Marlborough House », dont les principaux piliers sont lord Beresford, lord Carrington, le duc de Sutherland, le comte d'Aylesford, et bien sûr lord Randolph Churchill lui-même. Les principales activités de ce cercle princier ? Réceptions, bals, courses de chevaux, jeux de hasard et chasse à courre...

Ces mondanités, le petit Winston dans ses premières années n'en percevra que l'éclat ; elles cachent pourtant quelques réalités plus sordides. L'abus d'alcool en est une, et pas nécessairement la plus insignifiante. Dans l'Angleterre des XVIIIe et XIXe siècles, la boisson n'a pas été seulement « le fléau des classes laborieuses » ; dès leurs années de collège, les enfants de l'aristocratie organisaient d'interminables bacchanales, et l'âge ne faisait qu'améliorer leurs performances à cet égard – lorsque leur organisme ne les trahissait pas prématurément. À cette pratique désastreuse, les Marlborough paieront un bien lourd tribut : depuis William, marquis de Blandford, le propre petit-fils du premier duc de Marlborough, qui mourra à 23 ans sans avoir dessoûlé, jusqu'à Randolph, fils cadet du 7e duc, qui sera arrêté à 20 ans pour ivresse et voies de fait, il y a exactement un siècle et demi d'alcoolisme mondain et de libations dévastatrices.

Ces mondanités comportent un autre aspect tout aussi trivial, mais encore plus lourd de conséquences : il s'agit des multiples liaisons extraconjugales des intéressés – que l'on hésite à nommer affaires de cœur, tant le cœur semble y tenir une place réduite. Que les jeunes aristocrates participent à des orgies initiatiques n'est certes que la continuation d'une tradition qui remonte au Xe siècle, et même aux temps de l'occupation romaine. Que les jeunes filles de bonne famille soient écartées de telles pratiques jusqu'au mariage se conçoit aisément ; mais une fois mariées – souvent à des hommes beaucoup plus âgés qu'elles, auprès de qui elles s'ennuient mortellement –, ces dames s'emploient avec entrain à rattraper le temps perdu. Que les nobles lords aient eux-mêmes des maîtresses en plus de leurs légitimes épouses, voilà qui ne scandalise personne, même durant la sévère époque victorienne – d'autant que l'exemple vient de haut : le prince de Galles est un fieffé libertin, entouré d'un cercle fermé – quoique démesurément large – de dames du meilleur monde qui se succèdent dans son lit, sans que son épouse, la princesse Alexandra, y trouve grand-chose à redire. Dans tout cela, une seule concession à l'époque victorienne : en dehors du cercle des initiés, la plus grande discrétion est de rigueur.

Dans la haute société de l'ancienne colonie d'outre-Atlantique, on retrouve les mêmes appétits, avec les titres de noblesse et la discrétion en moins. Le père de Jennie, Leonard Jerome, en est un exemple extrême : immensément généreux à tous égards, fort épris de chanteuses d'opéra*, il a d'innombrables maîtresses et quelques enfants illégitimes. Son épouse Clara ne s'en formalise guère plus que la princesse Alexandra. Il est vrai que Clara est elle-même très loin de mener une existence monacale ; durant son séjour à Paris, la liste de ses amants se lit comme un abrégé du gotha européen. Il va sans dire que ces pratiques sportives étaient rigoureusement interdites à sa fille Jennie avant son mariage. Après ? Eh bien ! elle a suivi l'exemple de ses parents, et celui de son époux…

C'est justement dans le cas de l'époux que commencent à apparaître les graves inconvénients de cette frénésie d'activité sexuelle.

---

* Sa fille a été baptisée Jennie en hommage à Jennie Lind, le « rossignol suédois ».

Est-ce à l'occasion d'un rapport mondain, demi-mondain ou purement prolétarien que lord Randolph Churchill a contracté la syphilis, quelques mois seulement avant son mariage ? Lui seul aurait pu
le dire... et encore. Mais il n'existe à l'époque aucun remède efficace contre les maladies vénériennes, et tout cela se terminera très
mal.

Autre affaire d'alcôve qui aura de lourdes conséquences : celle du
frère aîné de Randolph, le très érudit, très talentueux et très
débauché George, marquis de Blandford. Marié depuis six ans à
lady Albertha, la fille du duc d'Abercorn, Blandford est également
devenu l'amant d'une belle Galloise, elle-même mariée au comte
d'Aylesford – « *Sporting Joe* » pour les intimes. Rien là que de très
banal, compte tenu des mœurs de l'époque, si Blandford n'avait
commis la seule erreur impardonnable dans ce genre d'affaire : il a
manqué de discrétion, et le mari a été informé. Or, le comte d'Aylesford est un des membres les plus en vue du « cercle de Marlborough
House », et donc un intime du prince de Galles, qui le soutient
lorsqu'il menace d'entamer une procédure de divorce contre
l'épouse volage. C'est alors qu'intervient Randolph Churchill : pour
aider son frère George, qui ne manquerait pas d'être quelque peu
éclaboussé par l'action en justice, il se rend auprès de la princesse
Alexandra. Ne pourrait-elle intercéder auprès de son auguste
époux, afin qu'il modère les ardeurs procédurières de son vieil acolyte « *Sporting Joe* » ? Il est vrai que Randolph a des arguments de
poids ; en l'occurrence, une série de lettres enflammées écrites à lady
Aylesford... par le prince de Galles lui-même ! Eh oui : l'héritier du
trône, fin connaisseur qui ne fait pas le détail, a été lui aussi l'amant
de lady Aylesford. Mais en faire état – ou même laisser entendre que
l'on pourrait en faire état – constitue un nouveau manquement de
taille au fameux devoir de discrétion. La reine Victoria en personne
se déclare choquée ; quant au prince de Galles, il écrit à Disraeli que
lord Blandford et lord Randolph Churchill font courir sur son
compte « des bruits mensongers », et qu'il est « fort dommage qu'il
n'y ait point d'île déserte sur laquelle ces deux jeunes *gentlemen* (?)
puissent être bannis⁵. » Mais à Son Altesse il n'est rien d'impossible,
même de créer une île déserte ; il décrète que dorénavant, sa porte
sera fermée aux deux frères – et à toute personne qui continuerait à
les recevoir. Aucun courtisan ne s'aviserait de braver un tel édit ;

pour Randolph et sa jeune épouse, si dépendants de la vie mondaine, c'est quasiment un arrêt de mort...

Quelques personnalités influentes vont tenter de faire appel de cette sentence – à commencer par le vieux duc de Marlborough, qui ira lui-même plaider la cause de son fils auprès du prince de Galles. Mais c'est la duchesse son épouse qui finira par obtenir un résultat, en faisant appel au Premier ministre. Disraeli est un fin renard, qui sait que sa souveraine ne se résoudra jamais à brouiller définitivement la Couronne avec les ducs de Marlborough. Il faut dans cette affaire de l'imagination et de la diplomatie, deux qualités dont Disraeli n'a jamais manqué; il fera donc à la duchesse cette réponse : « Ma chère lady, il n'y a qu'une solution. Persuadez votre époux d'accepter le poste de lord lieutenant d'Irlande, et d'emmener lord Randolph avec lui. Cela mettra un terme à toute l'affaire[6]. »

On se souvient que le duc de Marlborough avait refusé deux ans plus tôt la charge pénible et onéreuse de vice-roi d'Irlande. Mais c'est maintenant une porte de sortie honorable pour son fils préféré, qui deviendrait à Dublin son secrétaire particulier et échapperait ainsi au mortel ostracisme qui le guette à Londres. Voilà donc pourquoi, à la mi-décembre 1876, le duc et la duchesse de Marlborough, accompagnés de lord et lady Randolph Churchill et d'un enfant de deux ans prénommé Winston, embarquent sur le paquebot *Connaught* à destination de l'Irlande. Il se passera bien des années avant que Winston Churchill ne comprenne l'engrenage complexe des circonstances qui ont motivé ce départ; pour l'heure, en tout cas, personne ne fait très attention à lui.

Personne, si ce n'est sa nurse. Jennie et Randolph Churchill savaient sans doute que leurs obligations mondaines les empêcheraient de s'occuper sérieusement de leur enfant. D'ailleurs, le fils d'un lord doit impérativement avoir une nurse : les convenances l'exigent. Mais le destin voudra que lord et lady Churchill en engagent une excellente, et bien des choses s'en trouveront changées. Elle se nomme Mrs Everest – un patronyme, il faut bien l'avouer, à l'exacte mesure de la tâche qui l'attend...

CHAPITRE II

UN CANCRE BRILLANT

C'est en grande cérémonie que le nouveau vice-roi et sa suite sont accueillis à Dublin. Depuis plusieurs décennies déjà, l'Irlande est en proie à une forte agitation autonomiste, qui s'exprime politiquement au Parlement de Londres et plus violemment sur le terrain, avec l'action terroriste des fenians. Tout cela se produit dans un contexte économique catastrophique : après la grande famine des années quarante, qui a pratiquement réduit la population de moitié – sous l'œil souverainement indifférent des Anglais –, la misère et l'émigration sont restées le lot quotidien des Irlandais. Une première réforme agraire a bien été votée en 1870, mais elle a laissé l'essentiel des terres aux mains de riches propriétaires anglais, qui ne s'en occupent que de très loin ; l'agitation politique se nourrit donc d'une revendication économique et sociale, encore aggravée par la haine religieuse trois fois séculaire qui oppose catholiques irlandais et colons protestants.

Dans ce contexte difficile, le duc de Marlborough, nouveau vice-roi d'Irlande, obtiendra en trois années des résultats plus qu'honorables : une diminution de l'agitation politique et une modeste amélioration des conditions économiques. Il est vrai qu'en 1878, une nouvelle famine guette l'Irlande : du fait des pluies incessantes, les récoltes de pommes de terre, essentielles à la survie du pays, sont très mauvaises. Mais la duchesse de Marlborough s'engage personnellement et lance une campagne de souscription en faveur des Irlandais les plus touchés ; appuyé par la presse anglaise, son « fonds de secours » parvient à réunir 135 000 £, une somme colossale pour l'époque, qui va servir à l'achat d'aliments, de vêtements, de carburant et de semences. La reine Victoria elle-même sera si impressionnée qu'elle enverra à la duchesse une lettre de félicitations...

En Irlande, Randolph Churchill est bien plus occupé qu'il ne l'a jamais été en Angleterre. Logé avec sa famille dans la « Petite Résidence », à proximité immédiate de l'imposante demeure du vice-roi, il y reçoit des représentants de presque toutes les factions politiques irlandaises et leur prête une oreille attentive ; secrétaire du fonds de secours de sa mère, secrétaire particulier de son père, membre d'une commission parlementaire d'enquête sur le système scolaire, il va parcourir l'Irlande en tous sens et se faire une idée assez précise des réalités économiques et sociales du pays.

Pour un jeune député qui n'a jamais caché ses ambitions politiques, l'Irlande constitue un tremplin de choix. De passage dans sa circonscription de Woodstock, il prononce un discours aussi féroce qu'éloquent, qui va effarer les honorables membres du gouvernement conservateur : « Il y a en Irlande des questions importantes et urgentes auxquelles le gouvernement n'a pas porté attention, ne semble pas enclin à porter attention, et n'a peut-être même pas l'intention de porter attention [...]. Tant que ces questions seront négligées, le gouvernement sera en butte à des mesures d'obstruction de la part des Irlandais[1]. » Devant l'émotion suscitée à Londres par de tels propos, son père le vice-roi est contraint d'écrire au ministre responsable de l'Irlande que les prises de position de son fils n'engagent que lui ; et il ajoute : « La seule excuse que je puisse trouver à Randolph est qu'il est devenu fou, ou encore qu'il a été singulièrement affecté par le champagne ou le bordeaux local[2]. »

Le champagne et le bordeaux irlandais n'y sont sans doute pour rien, mais il est exact que Randolph ne les dédaigne pas : « Je n'arrêtais pas de boire, avouera-t-il, d'abord avec mesure, puis imprudemment[3]. » D'ailleurs, l'Irlande a bien d'autres attraits pour lord Randolph : les régates, la chasse à courre et la pêche au saumon en font naturellement partie. Il n'est pas étonnant dès lors que les premiers souvenirs du petit Winston soient des souvenirs d'absence – de son père, bien sûr, mais aussi de sa mère : « Mon père et elle chassaient continuellement sur leurs énormes chevaux ; et l'on avait parfois de grandes frayeurs, car l'un ou l'autre rentrait avec plusieurs heures de retard[4]. » « L'un ou l'autre... » Très tôt, Winston a donc remarqué que ses parents rentraient rarement ensemble, et les absences de sa mère, l'enfant les supporte plus mal encore que celles de son père ; une de ses toutes premières déclarations catégoriques : « Je ne veux pas que maman s'en aille. Si elle part, je courrai après le train et je sauterai dedans[5] ! » Mais maman part toujours, et s'occupe bien peu du petit Winston...

C'est que la belle Jennie a rapidement découvert que Dublin offrait des plaisirs mondains très comparables à ceux de Londres et de Paris : réceptions interminables, bals, spectacles, courses de chevaux ; et puis, il y a la chasse au renard, qui permet de découvrir l'incomparable campagne irlandaise – et d'élargir le cercle de ses connaissances. Ainsi, on la voit beaucoup avec un fort bel officier, le lieutenant-colonel John Strange Jocelyn, qui possède une vaste propriété près de Dublin ; et lorsque Jennie donnera naissance à un second fils en février 1880, il sera baptisé John Strange Spencer-Churchill. Il peut évidemment s'agir là d'une coïncidence... étrange, mais il est clair que lady Randolph Churchill aurait aisément pu reprendre à son compte les fortes paroles d'une illustre contemporaine : « Mon époux m'a tellement trompée que j'ignore même si mon fils est de lui. » Ajoutons que Jennie ne s'occupera guère plus du second fils que du premier, ce que Robert Rhodes James expliquera ainsi : « Sa beauté éclatante et sa chaleureuse vivacité cachaient un caractère fondamentalement égoïste et frivole[6]. »

Son fils aîné ne lui en tiendra jamais rigueur : « Ma mère brillait à mes yeux comme l'étoile du soir. Je l'aimais tendrement... mais de loin[7]. » Il est vrai que le petit Winston n'est pas vraiment abandonné : à la « Petite Résidence » de Phoenix Park, il y a une armée de domestiques pour veiller sur le fils de lord et lady Randolph Churchill – à commencer par sa nurse, la très dévouée et très volumineuse Mrs Everest, rebaptisée « Woom » : « Mrs Everest était ma confidente. [...] J'épanchais auprès d'elle mes nombreux ennuis[8]. » De fait, les ennuis ne manquent pas : d'une part, le petit garçon a les poumons fragiles et, le climat humide de l'Irlande aidant, il est sans cesse cloué au lit par des grippes et des bronchites ; c'est aussi un enfant extrêmement remuant, qui se cogne partout et fait des chutes impressionnantes ; c'est enfin, de son propre aveu, un « garçon difficile », dont les caprices, l'entêtement et la véhémence provoquent souvent l'effarement de son entourage – à commencer par celui de ses parents, qui ne semblent jamais s'être demandés si leur désintérêt marqué pour l'enfant n'avait pas contribué dans une certaine mesure à cet état de fait...

Sa nurse seule parvient, non sans mal, à le tenir en respect. Elle l'emmène chaque matin en promenade, à Phoenix Park tant que les Churchill resteront en Irlande, à Hyde Park, au musée de Madame Tussaud et aux spectacles de pantomimes après leur retour à Londres en 1880. À la nursery, elle le surveille discrètement tandis qu'il s'occupe de son inépuisable réserve de soldats de plomb, qui voisinent avec de nombreux autres trésors. C'est aussi Mrs Everest qui parviendra à lui enseigner les rudiments de la lecture : « Elle m'avait apporté un livre intitulé *La Lecture sans larmes* – un titre qui se révéla tout à fait injustifié en ce qui me concerne. [...] C'était un labeur quotidien [...] et tout cela me paraissait bien lassant[9]. »

Mais Winston n'a encore rien vu. En 1881, lorsqu'il a sept ans, ses parents décident de l'envoyer à l'école ; ce sera l'internat Saint George d'Ascot, une école privée très à la mode, très coûteuse et très sévère, censée préparer l'entrée au collège d'Eton. Pour l'enfant, ce sera un véritable arrachement : « Après tout, je n'avais que sept ans et j'avais été si heureux dans ma nursery, avec tous mes jouets. [...] À présent, il n'y avait plus que des leçons : sept ou huit heures par jour [...] avec du football et du cricket en plus[10]. » Bien des enfants ont vécu tout cela, mais très peu étaient aussi obstinés que Winston Spencer-Churchill ; sa scolarité ne sera donc qu'un très long combat...

Pour commencer, il y a une incompatibilité certaine entre les intérêts de l'enfant et les matières jugées fondamentales dans le système scolaire de l'époque. Le grec, le latin et les mathématiques en constituent l'essentiel, et Winston y est absolument réfractaire – sans doute parce que personne n'a jugé opportun de lui en expliquer l'utilité : « Quand ni ma raison, ni mon imagination, ni mon intérêt n'étaient sollicités, je ne voulais ou ne pouvais apprendre[11]. » Ses résultats dans ces matières resteront donc lamentables ; en outre, cet écolier réticent découvre rapidement qu'il est allergique aux examens – une allergie qui le paralyse et le rend même physiquement malade ; enfin, il y a la conduite, ou plutôt l'inconduite, un domaine dans lequel il atteint très tôt des sommets vertigineux : à l'école Saint George, les appréciations vont de « très dissipé » à « insupportable ». Faisant preuve d'une certaine intrépidité dans la dissipation, notre trublion participe à toutes les bagarres, vole du sucre à l'office et met en pièces le chapeau de paille du directeur[12]. Ces défis à l'autorité sont généralement sanctionnés par des coups de fouet, distribués généreusement et non sans sadisme par le révérend H. W. Sneyd-Kynnersley, directeur de l'école. Sont-ce les traces laissées par ces sévices qui ouvrent les yeux de lord et lady Randolph Churchill ? Toujours est-il qu'à l'été de 1884, ils retirent leur fils de l'école Saint George, pour le placer dans un petit internat de Brighton. On considère que l'air y sera meilleur pour ses bronches ; et puis, c'est là qu'exerce le docteur Robson Roose, médecin habile et ami de la famille.

L'air marin de Brighton est effectivement salutaire, et la pension des sœurs Thomson nettement plus humaine que l'école Saint George, mais le jeune Winston n'en reste pas moins un rude garnement ; il est 29e sur 32 en conduite au premier trimestre, bon dernier au second... et les suivants ! Pour le reste, ses notes auraient tendance à s'améliorer, mais on trouve dans son bulletin cette mention éloquente : « Les notes de ce bulletin sont pratiquement sans valeur, car de fréquentes absences de la classe ont rendu très difficile toute compétition avec les autres élèves[13]. » Il est vrai que Winston s'est trouvé bien d'autres occupations : il collectionne les timbres, monte régulièrement à cheval, s'occupe de papillons et de poissons rouges, se passionne pour la pantomime et le théâtre, et joue lui-même dans plusieurs pièces, en dépit d'un léger bégaiement et d'un fort zézaiement. C'est un lecteur vorace pour son âge, et il semble écrire mieux que ses camarades ; mais il n'en fait pas moins le désespoir de ses professeurs. Ce passage d'une lettre à sa mère permet de le comprendre aisément : « Lorsque je n'ai rien à faire [pendant les vacances], ça ne me gêne pas de travailler un peu, mais lorsque j'ai le sentiment qu'on me force la main, c'est contraire à mes principes[14]. » À son professeur de danse, comme à tous les autres, il laissera un souvenir impérissable : « C'était un petit élève rouquin, le plus méchant de la classe. Je pensais même que c'était le plus méchant enfant du monde[15]. » Voilà qui aurait pu constituer son épitaphe, car en mars 1886, il contracte une double pneumonie, qui fait redouter une issue fatale. Mais le bon docteur Roose veille au grain et le sauve *in extremis*...

Au printemps de 1888, Winston va entrer au collège. Comme tous les Spencer-Churchill, il devrait aller à Eton, mais le docteur

Roose s'y oppose : le climat brumeux des bords de la Tamise est formellement contre-indiqué à ce jeune garçon aux poumons fragiles ; ce sera donc Harrow, à proximité de Londres *. Encore faut-il passer l'examen d'entrée, et le gamin, nous le savons, ne supporte pas les examens ; d'autant que celui-ci ne comporte que trois épreuves : latin, grec et mathématiques – tout ce qu'il déteste ! En latin, il rend une copie blanche ; le reste est à peine meilleur. À la sortie des épreuves, Winston est pris de vomissements ; c'est un désastre complet... Mais il est reçu ! Winston, qui ne doute de rien, en déduira que le directeur du collège avait su discerner ses capacités latentes derrière les apparences de la plus parfaite ignorance. Touchante naïveté ! Le révérend Welldon, principal de Harrow, avait seulement jugé délicat de refuser l'admission au fils de lord Randolph Churchill...

Il y a toutefois des limites à l'indulgence ; Winston est placé dans la 3ᵉ et dernière section de la 4ᵉ (et dernière) classe. Il saura d'emblée s'en montrer digne : son latin reste nul, sa connaissance du grec se limite à l'alphabet, son français est fantaisiste et son niveau en mathématiques pitoyable : « Les sujets auxquels les examinateurs étaient le plus attachés se trouvaient presque invariablement être ceux qui me plaisaient le moins. [...] J'aurais aimé qu'on me demandât de dire ce que je savais, tandis qu'ils essayaient toujours de me questionner sur ce que je ne savais pas. Alors que j'aurais volontiers étalé ma science, ils cherchaient à faire ressortir mon ignorance[16]. » En outre, Winston méprise ostensiblement le cricket et le football, sports sacrés à Harrow ; sa conduite ne s'est pas améliorée non plus, comme l'écrira le 12 juillet 1888 son maître d'internat, Henry Davidson, à lady Randolph Churchill : « Winston est perpétuellement en retard aux cours, perd ses livres, ses papiers et diverses autres choses. [...] Il est si régulier dans son irrégularité que je ne sais vraiment que faire[17]. » Seule la diplomatie empêche M. Davidson d'ajouter que le jeune Winston est insolent, grossier, batailleur, et enfreint à peu près toutes les règles du collège. Toutefois, il s'occupe très consciencieusement de son album de timbres-poste, de ses deux chiens et de son élevage de vers à soie ; il fait aussi de la menuiserie, de l'escrime, du tir au fusil, du cheval, s'intéresse aux courses et fume comme un sapeur. Venue lui rendre visite, sa

---

* Voir carte, p. 30.

grand-mère maternelle Clara Jerome le décrira comme « un petit bouledogue méchant aux cheveux roux [18] ».

Elle n'aura guère de contradicteurs, car seul un œil très exercé aurait pu voir en cet affreux garnement autre chose qu'un cancre ordinaire. Mais peut-être un œil attentif aurait-il au moins décelé en lui un enfant profondément malheureux... À vrai dire, le petit Winston a de bonnes raisons de l'être : d'une part, comme à Ascot et à Brighton, sa santé laisse beaucoup à désirer ; d'affreuses bronchites toujours, des crises de foie, des rages de dents insupportables (il s'en fera retirer plusieurs), des migraines, des douleurs aux yeux, des accès de dépression et une hernie inguinale ; à quoi il faut ajouter les plaies et bosses qui font partie du bagage de tout enfant batailleur, d'impressionnantes chutes de cheval et une mauvaise chute de bicyclette, avec commotion cérébrale. Par ailleurs, l'hérédité étant ce qu'elle est, le jeune Winston est perpétuellement à court d'argent ; sa mère, experte en la matière, lui a écrit : « Tu es une véritable passoire », ce qui est indéniable. Il est vrai qu'il a des hobbies coûteux, que la cuisine des *public schools* anglaises est si notoirement infecte qu'il est indispensable d'améliorer l'ordinaire, qu'un gentleman doit distribuer de nombreux pourboires, que le dentiste et l'oculiste coûtent fort cher, et que les cigarettes et l'alcool ne sont pas gratuits non plus. Quoi qu'il en soit, notre jeune monsieur est perpétuellement en train de demander de l'argent à sa mère, à son père, et même à sa nurse...

Mais il y a autre chose, qui explique sans doute tout le reste : comme à Ascot et à Brighton, Winston ne cesse de supplier ses parents de venir le voir. Depuis des années, il leur écrit des lettres touchantes, organise d'avance leurs visites, prépare des pantomimes, des concerts, des spectacles de magie, des expositions, joue dans des pièces de théâtre et participe à des compétitions dans l'espoir de les intéresser – le plus souvent en vain. Pendant ses deux années à Ascot, sa mère est venue le voir deux fois, c'est-à-dire beaucoup plus que son père. Pendant les quatre ans d'internat à Brighton, elle viendra quatre fois, et son père une seule ; il passera même deux fois à Brighton lors de tournées électorales, sans trouver le temps de rendre visite à son fils. À Harrow, qui n'est pourtant qu'à une demi-heure de Londres par le train, sa mère ira six fois en quatre ans et demi, et son père une seule – à la demande expresse du directeur de l'institution ! Il arrive aussi à sa mère de promettre de

Bradford

Oldham

Manchester

mer du Nord

Leicester

Birmingham

Cambridge

Blenheim

Oxford

Chequers

Epping

Bristol
Bath

Londres Harrow

Sandhurst

Margate

Chartwell

Southampton

Brighton

l a M a n c h e

N

0   50 km

L'Angleterre de Winston Churchill, 1874-1965

venir... et d'y renoncer sans prévenir, laissant son fils attendre en vain des après-midi entiers. Enfin, lorsqu'il rentre à la maison pour les vacances, c'est souvent pour s'entendre dire que son père est en campagne électorale ou à l'étranger, et sa mère en visite chez des amis, à moins que ce ne soit à Dublin ou à Paris. Pour le consoler, il reste Mrs Everest, fidèle parmi les fidèles, et son petit frère Jack, qui n'est pas non plus étouffé par les attentions parentales – ce qui évitera au moins au petit Winston de connaître les affres de la jalousie. Mais l'idée que cette négligence catastrophique ait pu affecter d'une quelconque manière l'évolution psychologique ou les performances scolaires de leur fils ne semble jamais avoir effleuré lord et lady Randolph Churchill... Faut-il y voir l'origine du « *black dog* », cette dépression périodique qui affectera Winston tout au long de son existence ? Il semble que ce soit plutôt une tendance héréditaire chez les Spencer-Churchill ; mais le désintérêt presque complet de ses parents n'a certainement pas arrangé les choses.

Il est vrai que depuis son retour d'Irlande, lord Randolph a été pris corps et âme dans le tourbillon de la politique. C'est paradoxalement la défaite électorale des conservateurs et le retour au pouvoir de Gladstone en 1880 qui va propulser Randolph Churchill sur le devant de la scène. Tant que son parti restait au gouvernement, ce jeune homme fougueux était tenu à distance – surtout depuis la malheureuse affaire Aylesford. Mais une fois le parti conservateur chassé du pouvoir et Disraeli retiré à la Chambre des lords, Randolph, spirituel, cultivé et servi par une mémoire exceptionnelle, va occuper les bancs de l'opposition avec un talent indéniable. Il n'a que trois véritables alliés : le diplomate sir Henry Drummond Wolff, l'avocat John Gorst et le jeune Arthur Balfour, neveu de lord Salisbury. C'est ce quatuor remuant qui sera baptisé avec quelque exagération « le quatrième parti* ». Mais comme le dira A. L. Rowse : « S'ils ne furent jamais plus de quatre, ils faisaient autant de bruit que quarante et occupaient plus de temps que cent quarante[19]. »

Le plus éloquent d'entre eux, le plus dynamique, le plus opportuniste aussi est sans conteste Randolph Spencer-Churchill. Avant tous les autres, il comprend que le parti conservateur doit, sous

---

* Après les libéraux, les conservateurs et les nationalistes irlandais.

peine de disparaître, s'adresser aux masses citadines, à qui l'on vient d'octroyer le droit de vote, et même aux masses des campagnes, qui ne vont pas tarder à l'acquérir. La « vieille garde » de son parti a beau tourner en dérision cette « *Tory Democracy* » et le slogan inspiré de son principal animateur : « *Trust the people, and they will trust you** », les événements – et les électeurs – donneront bientôt raison à lord Randolph. Ses harangues brillantes et sarcastiques au Parlement, ses triomphales tournées électorales relayées par la « Ligue de la primevère » qu'animent sa mère et son épouse, ses appels répétés au changement et à la démocratisation, ses attaques féroces contre la politique économique, sociale, étrangère et irlandaise des libéraux – et contre la vieille garde de son propre parti –, en font dès 1884 l'un des politiciens les plus populaires du royaume.

Lorsque les conservateurs forment un premier gouvernement de transition dirigé par lord Salisbury en 1885, il est impossible de tenir Randolph Churchill à l'écart ; on le nomme secrétaire d'État aux Indes. L'année suivante, après le triomphe électoral du parti conservateur, dû en grande partie à la popularité et à l'habileté manœuvrière de Randolph Churchill, lord Salisbury ne peut que lui offrir un ministère essentiel : celui de chancelier de l'Échiquier, en même temps que les responsabilités de leader de la Chambre des communes. Il n'a que 36 ans, et c'est l'apogée de sa carrière. À Brighton, un petit garçon de 12 ans est transporté de joie ; depuis des mois, il faisait campagne pour les conservateurs, poussant ses condisciples à rejoindre la « Ligue de la primevère » et exhortant tous les adultes, depuis les instituteurs jusqu'au maître nageur, à voter pour « l'homme à la moustache bouclée » – son père, qu'il admire tant et connaît si peu…

Hélas ! Le gouffre est bien près des sommets. Au cours de son irrésistible ascension, lord Randolph Churchill s'est fait bien trop d'ennemis, chez les libéraux comme dans son propre parti, et les victimes de son habileté manœuvrière et de sa redoutable éloquence attendent silencieusement l'heure de la revanche. D'ailleurs, le pire ennemi de lord Randolph n'est autre que lui-même : raide, cassant, vindicatif, impulsif, téméraire, tour à tour exalté et dépressif, il souffre aussi d'une excessive confiance en lui et d'une tendance

---

* « Faites confiance au peuple, et le peuple vous fera confiance »

certaine à se croire indispensable ; en outre, il réussit l'exploit de se quereller avec *neuf* de ses collègues du gouvernement, ainsi qu'avec le Premier ministre en personne[20] ; enfin, il y a autre chose, qui est plus grave encore : sa syphilis progresse, et les manifestations du mal deviennent de plus en plus difficiles à ignorer. En 1881, il a été frappé d'un premier accès de paralysie, qui a laissé peu de traces physiques, mais a sans doute affecté un mental déjà fragilisé par une tension nerveuse extrême et une consommation d'alcool manifestement excessive.

Tout cela permet dans une certaine mesure d'expliquer l'inexplicable ; le 20 décembre 1886, lord Randolph Churchill, excellent leader de la Chambre des communes et honorable chancelier de l'Échiquier, à qui la reine Victoria vient de dire qu'il est « un véritable homme d'État », envoie à lord Salisbury une lettre de démission ! Il entend par là forcer la main du Premier ministre, qui vient de rejeter son programme de réduction des impôts et des dépenses militaires. Mais tout cela a été fait avec une telle soudaineté, sans la moindre concertation avec ses collègues du Cabinet ou ses amis politiques, que l'audacieux coup de dés fait long feu : lassé de ce ministre remuant qui se mêle constamment des affaires de ses collègues et brigue manifestement la place du premier d'entre eux, Salisbury accepte sa démission et lui trouve un remplaçant. Redevenu simple député, abandonné par la plupart de ses amis politiques, Randolph voit s'effondrer d'un seul coup sa carrière politique. Il n'interviendra plus qu'épisodiquement au Parlement, pariera gros aux courses de chevaux et partira pour de longs mois à l'étranger, toujours suivi de loin par son premier admirateur et principal partisan, un petit cancre insolent et batailleur – son fils. Il n'avait guère vu son père lorsqu'il était célèbre ; alors que lord Randolph va quitter le devant de la scène, il ne le verra pas davantage.

Quant aux absences de lady Randolph, elles s'expliquent bien sûr par le soutien sans faille qu'elle apporte à son époux. Mais c'est une explication bien partielle ; en vérité, comme auparavant à Paris, à Cowes, à Londres ou à Dublin, la frivole Jennie est surtout absorbée par les bals, la chasse, le jeu et les dîners mondains[21]. Elle a aussi, il faut bien l'avouer, de nombreux amants, généralement (mais pas toujours) fort titrés, diplomates, officiers, politiciens, artistes et rentiers venus de nombreux horizons : Autrichiens, Anglais, Français,

Américains, Allemands, Italiens... Est-il besoin d'ajouter qu'elle est aussi la maîtresse du prince de Galles ? C'était sans doute inévitable, considérant l'amateur éclairé qu'a toujours été Son Altesse Royale, la jeune femme pleine d'attraits que reste lady Randolph Churchill, et le très grand éclectisme qui caractérise l'un comme l'autre. Le jeune Winston s'offusque-t-il des liaisons de sa mère ? Absolument pas, et il a sans doute raison : toutes ces relations lui seront précieuses un jour. Mais pour l'heure, cette mère, qui brille toujours à ses yeux « comme l'étoile du soir », ressemble surtout à une étoile filante.

On conçoit que des occupations aussi prenantes aient pu empêcher lord et lady Churchill de s'occuper de leur fils ; d'ailleurs, ses maîtres l'ont décrit comme un cancre indiscipliné, et ses parents n'ont guère le temps de regarder au-delà des apparences. Ayant davantage ce loisir, nous le ferons à leur place. Première surprise : cet écolier exécrable lit beaucoup plus que ses camarades ; il dévore *L'Île au trésor* à 9 ans, s'absorbe à 11 ans dans les récits de voyages des gazettes, lit les romans d'aventures de Haggard à 12 ans, et demande pour son 13ᵉ anniversaire... l'histoire de la guerre de Sécession, par le général Grant ! À 14 ans, il découvre avec émerveillement l'*Histoire d'Angleterre*, de Macaulay ; après cela, il y aura Thackeray, Wordsworth, et l'essentiel du contenu de la bibliothèque du collège. Tout cela est rarement en rapport avec ses programmes scolaires, mais lorsqu'un professeur fera à Harrow une conférence sur Waterloo, il sera stupéfait d'entendre un petit rouquin impertinent faire la critique de son exposé, en citant des sources inconnues du conférencier lui-même[22] ! D'ailleurs, Winston s'aperçoit très tôt que, tout comme son père, il possède une remarquable mémoire ; il l'exerçait déjà à Brighton en jouant dans d'innombrables pièces de théâtre, depuis Aristophane jusqu'à Molière en passant par Shakespeare. Mais ses parents n'ayant pas daigné venir aux représentations, il a renoncé au théâtre – sans jamais perdre ses talents de comédien... Quant à sa mémoire, elle trouvera bien d'autres emplois : à 13 ans, le cancre de Harrow reçoit un prix d'honneur pour avoir récité 1 200 vers des *Lays of Ancient Rome* de Macaulay, *sans une seule erreur* ! Et cet élève si mal noté n'en corrige pas moins ses professeurs lorsqu'ils se trompent en citant des poètes anglais – ce qui n'est évidemment pas mentionné dans ses bulletins de notes... En fait, la prodigieuse mémoire de Winston Spencer-Churchill n'en finira jamais d'effarer ses contemporains.

Un autre talent s'est révélé progressivement, et presque par accident : pendant ses trois premiers trimestres à Harrow, Winston stagne dans la plus basse classe, avec les élèves les plus obtus ; mais il faut bien les occuper pendant que les éléments plus brillants approfondissent leur culture gréco-latine, et le collège en a chargé un professeur d'anglais, M. Somervell : « Il avait pour tâche, se souviendra Winston Churchill, d'enseigner aux élèves les plus stupides la matière la plus déconsidérée : comment écrire l'anglais, tout simplement. Il savait s'y prendre ; il l'enseignait comme personne ne l'a jamais enseignée. [...] C'est ainsi que j'assimilai la structure fondamentale de la phrase anglaise, qui est une noble chose[23]. » Elle se révélera d'emblée fort utile : Winston a vite compris que les suppliques qu'il adresse à ses parents pour obtenir de l'argent sont plus efficaces lorsqu'elles sont rédigées en bon anglais. Dès lors, on peut y lire des phrases du genre : « L'Échiquier ne dédaignerait point quelques subsides », ou encore : « Tout bien considéré, une subvention ne serait nullement déplacée[24]. » Il y a d'ailleurs bien d'autres usages de la langue anglaise ; ainsi, Winston a passé un accord de coopération avec un élève de terminale, latiniste distingué qui peine sur ses dissertations anglaises : il lui dictera ses dissertations, l'autre lui traduira ses phrases latines... Enfin, Winston fera ses premières armes de journaliste en adressant quelques lettres au *Harrovian*, le journal du collège, sous les pseudonymes de « *Junius Junior* » ou « *De Profundis*[25] ». Le style en est classique, le ton polémique, l'humour caustique – exactement comme les interventions de Randolph Churchill à la Chambre des communes, et ce n'est pas un hasard. Naturellement, Winston envoie fièrement les lettres à son père dès qu'elles sont publiées, et lord Randolph daigne parfois les lire...

En fait, deux choses surtout ne cesseront jamais de fasciner Winston Churchill, et elles sont plutôt méprisées à Harrow. La première, c'est la politique ; de tout temps, elle a occupé dans la famille une place démesurée. Dès la plus tendre enfance de Winston, au château de Blenheim, elle était le principal sujet de conversation à la table du vieux duc de Marlborough, son grand-père[26]. Du reste, l'identification à la politique familiale et au parti conservateur est telle qu'il pourra écrire dans ses *Mémoires* : « En

1880, [il n'a pas encore 6 ans] nous fûmes tous chassés du pouvoir par M. Gladstone[27]. »

Le petit Winston s'enthousiasme pour Disraeli, déteste cordialement Gladstone, et dès l'âge de 10 ans, lit avidement dans les journaux toutes les péripéties des joutes politiques. Bien entendu, il suit de très près l'ascension de son père, remplit des albums entiers d'articles et de caricatures le concernant, et ses lettres à sa mère se terminent bien souvent par des phrases telles que : « J'espère que les conservateurs l'emporteront. Qu'en pensez-vous ? » ou encore : « Je suis très heureux que papa ait été élu à Paddington à une si forte majorité. » Sachant que son père ne vit guère que pour la politique, le garçonnet de 11 ans lui écrit : « J'espère que votre discours de Bradford aura autant de succès que celui de Dartford[28]. » Les discours de son père, il les connaît tous par cœur – toujours cette mémoire phénoménale, soutenue ici par une passion véritable ; on se souvient aussi de ses campagnes enthousiastes en faveur de la « Ligue de la primevère » avant les élections de 1886. Lorsqu'il rentre de Harrow pour les vacances, Winston rencontre souvent les amis politiques de son père, comme John Gort ou sir Henry Drummond Wolff, et les écoute avec fascination parler des dernières joutes parlementaires. En outre, Edward Marjoribanks, le beau-frère de son père, n'est autre que le « Chief Whip », le chef de file de la fraction parlementaire libérale au Parlement, et il lui explique la politique vue de l'autre bord. Enfin, bien sûr, il y a les amants de sa mère, qui lui feront connaître de près certains des grands événements de l'époque : grâce au prince de Galles, il est aux premières loges sur le yacht royal lors du jubilé de la reine Victoria en 1887 ; quatre ans plus tard, le comte Kinski, qui est le préféré de sa mère, l'emmène au Crystal Palace pour assister à la visite du kaiser Guillaume II. L'année suivante, il pourra rencontrer à la table paternelle quelques-uns des plus grands acteurs de la vie parlementaire et ministérielle : Balfour, Chamberlain, lord Rosebery, Herbert Asquith et John Morley ; il ira assister aux grands débats de la Chambre des communes, pour entendre son père, bien sûr, mais aussi Austen Chamberlain et même son vieil ennemi Gladstone, « grand aigle blanc à la fois féroce et magnifique », qu'il se surprend à admirer. Il aura d'ailleurs d'autres surprises, comme celle d'entendre un député libéral échanger avec son père des propos extrêmement violents, et se présenter quelques minutes plus tard au jeune Winston en lui demandant très aimablement ce qu'il a pensé des débats ! On le voit, Winston Churchill a déjà, avant même sa majorité, une expérience très concrète de la vie politique anglaise ; il a surtout une ambition secrète : celle d'entrer à son tour au Parlement pour combattre aux côtés de son père, comme le font déjà Austen Chamberlain et Herbert Gladstone ; alors, enfin, Randolph Churchill pourra faire confiance à son fils, le traiter en associé, en allié et peut-être un jour en complice… « Il me semblait, écrira Winston, détenir la clé de tout, ou presque tout, ce qui valait la peine d'être vécu[29]. »

En avril 1891, Randolph est parti pour un long périple en Afrique du Sud ; il compte s'y refaire une santé, mais aussi chasser et investir dans les mines. En outre, le *Daily Graphic* lui a offert une forte somme pour qu'il fasse un récit détaillé de ses impressions de voyage, qui seront publiées en plusieurs épisodes dans la gazette. Mais dès son retour à Londres en janvier 1892, il plonge à nouveau dans la mêlée politique, sous le regard admiratif de son fils : « On pensait qu'il regagnerait rapidement, au Parlement et au sein de son parti, l'ascendant compromis par sa démission six ans plus tôt. Personne n'entretenait cet espoir plus ardemment que moi-même[30]. »

Mais notre écolier a une autre passion, qui est plus ancienne encore que celle de la politique : la passion des armes. Un de ses plus anciens souvenirs d'enfance y est directement attaché, et il remonte à 1878 ; c'était en Irlande, lors de l'inauguration de la statue de lord Gough par son grand-père, le vice-roi : « Je me souviens […] d'une grande foule noire, de cavaliers en uniforme écarlate, de cordes qui écartaient une toile brune luisante, et du vieux duc, mon redoutable grand-père, s'adressant à la foule d'une voix forte. Je me souviens même d'une de ses phrases : "Et d'une volée foudroyante, il fracassa les rangs ennemis." Je comprenais fort bien qu'il parlait de guerre et de combats, et qu'une "volée", c'était ce que les soldats aux manteaux noirs tiraient si souvent avec fracas à Phoenix Park, où on m'amenait faire ma promenade matinale. Tel est, je crois, mon premier souvenir cohérent[31]. »

Remarquablement cohérent même, si l'on songe que Winston avait 4 ans à l'époque… Mais sans doute aura-t-on déjà compris que ce n'est pas là un enfant ordinaire. Il n'est guère plus vieux lorsqu'il entend parler des dangereux fenians, des campagnes de Cromwell en Irlande, et bien sûr des exploits de son illustre ancêtre John Churchill, premier duc de Marlborough. De retour d'Irlande, il va commencer à se passionner pour la guerre menée à l'époque contre les Zoulous, en regardant les illustrations dans les gazettes. « Les Zoulous tuaient beaucoup de nos soldats, mais beaucoup moins que nos soldats ne tuaient de Zoulous, à en juger par les images[32]. » Certes... Il lui faudra attendre deux années encore pour lire les textes, et comprendre que les choses sont un peu plus complexes que cela. Il suit dès lors avec passion tous les récits sur la mort du prince impérial* et la fin tragique de Gordon à Khartoum, mais aussi sur la guerre civile américaine et la guerre franco-allemande de 1870, qui sont alors le dernier cri en matière de conflits d'envergure...

Bien entendu, Winston joue à la guerre avec son frère et ses cousins – comme tous les petits garçons. Mais celui-là prend le jeu très au sérieux, il en est toujours le meneur, et il a construit à Bamstead, la propriété de ses parents, une forteresse en planches avec des douves et un pont-levis. Au centre, une puissante catapulte, qui envoie fort loin... des pommes vertes ; faute de Zoulous, on bombarde les vaches qui s'aventurent dans la ligne de tir. Naturellement, Winston se passionne pour les défilés militaires et les visites de musées historiques, de forteresses ou d'unités navales ; ses lettres sont émaillées de croquis de canons, d'uniformes, de navires et de champs de bataille. Mais il ne faut pas oublier l'essentiel : depuis l'âge de 5 ans, il a accumulé dans sa nursery une impressionnante collection de soldats de plomb, dont il est particulièrement fier : « J'ai fini par en avoir près de 1 500, tous à la même échelle, tous britanniques, et constituant une division d'infanterie, avec une brigade de cavalerie[33]. » Sans compter les pièces d'artillerie, qui tirent des petits pois et des cailloux sur l'armée ennemie, commandée par son jeune frère Jack. « C'était un spectacle des plus impressionnants, se souviendra sa cousine Clare Frewen, et mené avec un sérieux qui allait bien au-delà du simple jeu d'enfants[34]. »

C'est exact ; Winston Churchill écrira lui-même : « Ces soldats de plomb ont infléchi le cours de mon existence. » C'est qu'un beau

---

* Attaché à l'état-major de l'armée britannique au Zoulouland, le fils de Napoléon III fut tué à Ouloundi en 1879.

jour, son père, dont nous connaissons l'extraordinaire prestige aux yeux de l'enfant, a accepté de venir passer les troupes en revue – un événement d'une importance tout à fait exceptionnelle : « Toutes les troupes étaient disposées en formation d'attaque. Avec un œil expert et un sourire fascinant, mon père a passé vingt minutes à étudier la scène, qui était réellement imposante. Après quoi il m'a demandé si j'aimerais entrer dans l'armée. Je pensais que ce serait fantastique de commander une armée, alors j'ai dit oui tout de suite, et j'ai été immédiatement pris au mot. Pendant des années, j'ai pensé que mon père, fort de son expérience et de son intuition, avait discerné en moi les qualités d'un génie militaire. Mais on m'a dit par la suite qu'il en avait seulement conclu que je n'étais pas assez intelligent pour devenir avocat[35]. »

Petites causes, grands effets… Mais dès lors, Winston Churchill a une ambition clairement définie, et toutes ses activités vont s'y trouver subordonnées. Après sa première année d'études à Harrow, il entre dans une classe spéciale du collège qui prépare aux examens militaires. Cela se fait en plus des études normales, auxquelles Winston continue de porter un intérêt très limité ; comme le notera l'un de ses maîtres : « Il ne travaillait que lorsqu'il le décidait, et dans les matières qui lui plaisaient[36]. » Mais justement, la « *military class* », elle, le séduit d'emblée : on y accorde une certaine importance à l'histoire et à la dissertation anglaise, deux de ses matières de prédilection. En outre, Winston est membre du « *rifle club* », qui organise des séances de tir et des manœuvres, au cours desquelles les élèves peuvent exercer leurs talents en matière de tactique militaire. « Lors d'une journée de grandes manœuvres, se souviendra l'un de ses professeurs, il vint me demander s'il pouvait être mon aide de camp ; sa vivacité et son ardeur dans l'action étaient surprenantes[37]. » Par ailleurs, si le football l'ennuie toujours et le vélo ne lui réussit pas (il le vendra d'ailleurs pour acheter un bouledogue), certains autres sports appréciés dans l'armée l'attirent de plus en plus : l'équitation, bien sûr, mais aussi la boxe, la natation et l'escrime. À tel point que ce garçon de taille modeste (1,66 mètre), plutôt malingre et souvent malade, remporte à l'été de 1889 le championnat de natation par équipes. Plus extraordinaire encore, il gagnera à l'âge de 17 ans les championnats d'escrime intercollèges, en battant tous ses adversaires – dont la plupart sont beaucoup plus grands et plus expérimentés que lui. Ses parents ne se déplacent même pas pour la remise de la coupe : lady Randolph est à Monte-Carlo, lord Randolph est aux courses... Leur fils ne s'en formalise presque plus.

Winston est jugé trop faible en mathématiques pour espérer entrer à Woolwich, l'académie réservée aux futurs officiers de l'artillerie et du génie. Ses maîtres lui recommandent donc de préparer l'entrée à Sandhurst, qui forme les lieutenants d'infanterie et de cavalerie ; pour cela, il lui faut affronter l'examen préliminaire, puis l'examen d'entrée proprement dit. Au bout d'un an, en juin 1890, Winston est autorisé à présenter l'épreuve préliminaire, et, à la stupéfaction générale, il réussit d'emblée, là où beaucoup de ses condisciples, nettement plus âgés que lui, ont piteusement échoué. Il est vrai qu'il a eu beaucoup de chance : le latin n'était pas obligatoire cette année-là, la dissertation portait sur la guerre de Sécession – une de ses spécialités – et la carte qu'on lui demandait de dessiner, celle de Nouvelle-Zélande, était justement celle qu'il avait apprise au hasard la veille...

Reste évidemment à réussir l'examen principal, et là, les choses se compliquent singulièrement ; en plus du français et de la chimie, il y a trois matières obligatoires : anglais, mathématiques et latin. Pour la première fois de sa vie, Winston va travailler régulièrement et avec application ; un des meilleurs professeurs de mathématiques du collège, M. Mayo, se dévoue même pour lui donner des cours particuliers. Ce sera insuffisant : à l'été de 1892, l'étudiant de dix-sept ans échoue à sa première tentative. Il se présente à nouveau quatre mois plus tard... et échoue encore. Son père, qui le considère toujours comme un benêt, ne s'en déclare pas étonné, mais il a la surprise d'être contredit par le principal du collège, le révérend Welldon. Ce digne homme a fini par comprendre que les bulletins de notes du jeune Winston ne donnaient qu'une idée très imparfaite de sa valeur réelle ; il a également observé les changements intervenus dans sa conduite et son assiduité. C'est pourquoi il écrit à lord Randolph que la troisième fois devrait normalement être la bonne, mais lui recommande de confier son fils au meilleur des « préparateurs » professionnels, le capitaine Walter H. James. Randolph Churchill accepte après quelque hésitation (la préparation est évidemment très coûteuse), et Winston quitte Harrow pour se confier aux bons soins de cette « boîte à bachot » réputée. « C'était, écrira-t-il, un système d'élevage intensif en batterie [...] et l'on disait qu'à partir de là, personne ne pouvait manquer de passer dans l'armée, à moins d'être un imbécile congénital[38]. »

... Ou bien d'être mort ; car c'est bien là le sort auquel échappera d'extrême justesse Winston Churchill, avant même d'avoir pu bénéficier des services réputés du capitaine James. Dans la propriété de la belle-sœur de Randolph, près de Bournemouth, Winston, qui vient d'avoir 18 ans, joue aux gendarmes et aux voleurs avec son frère et un cousin. Après avoir semé l'un et l'autre, il se retrouve au milieu d'un pont surplombant un profond ravin, pour s'apercevoir bientôt que ses poursuivants l'attendent aux deux extrémités du pont. Afin d'éviter la capture, il enjambe le parapet et s'élance en direction de la cime d'un sapin, espérant se laisser glisser jusqu'au sol le long du tronc. Erreur de calcul : il fait une chute de neuf mètres et reste sur le terrain, inanimé. Après trois jours de coma, on pourra diagnostiquer, entre autres dommages, une grave lésion du rein. Mais chez les Churchill, on ne plaisante pas avec la maladie : ses parents accourent, amenant avec eux le bon docteur Roose et un chirurgien réputé. Winston s'en tirera avec deux mois d'immobilisation ; c'est autant de perdu pour la préparation du capitaine James, d'autant qu'à peine convalescent, Churchill s'intéresse surtout à la tentative de rentrée politique qu'effectue son père, et va écouter tous ses discours à la Chambre. L'infortuné capitaine James, qui en a pourtant vu d'autres, est au désespoir et bien près d'abandonner la partie. Il a tort ; à son troisième essai, en juin 1893, Winston Spencer-Churchill est reçu à Sandhurst – un peu de travail, beaucoup de chance et quelques talents exceptionnels...

En fait, il s'en faudra de peu que Winston n'entre jamais à Sandhurst – ni ailleurs, du reste. Car cet été-là, il passe ses vacances en Suisse. Lors d'une promenade en canot sur le lac Léman, lui et un camarade décident de se baigner, pour s'apercevoir bientôt que le vent a emporté leur canot hors d'atteinte, et qu'ils sont bien trop loin du rivage pour rentrer par leurs propres moyens. « Ce jour-là, se souviendra Winston Churchill, je vis la mort d'aussi près que je crois l'avoir jamais vue[39]. » Rien n'est moins sûr ; il la verra de plus près encore... Mais pour l'heure, ses talents de nageur, déjà très remarqués à Harrow, lui permettent de rejoindre la barque *in extremis* et de récupérer son camarade.

Peu avant cette aventure, il avait reçu des lettres de félicitations de toute la famille pour son admission à Sandhurst ; seuls ses parents s'étaient abstenus. Mais la lettre qu'il a finalement reçue de son père est particulièrement blessante ; indigné de constater que ses notes au concours ne permettent à Winston que d'entrer dans la cavalerie au lieu de l'infanterie, Randolph lui écrit : « En accomplissant le prodigieux exploit d'entrer dans la cavalerie, tu m'as imposé une dépense supplémentaire de quelque 200 £ par an. [...] Si tu ne peux t'empêcher de mener l'existence oisive, vaine et inutile qui a été la tienne pendant ta scolarité et au cours des derniers mois, tu deviendras un simple rebut de la société, l'un de ces innombrables ratés qui sortent des *public schools*, et tu t'avachiras dans une existence minable, malheureuse et futile[40]. »

Une projection, peut-être ? Il est vrai que ce portrait ressemble beaucoup à celui de lord Randolph dans sa jeunesse, et plus encore à ce qu'il craint de devenir dans un proche avenir. Et puis, il y a ailleurs dans sa correspondance d'étranges incohérences, qui laissent penser que la maladie dont il souffre depuis dix ans déjà menace désormais sérieusement ses facultés mentales. Winston en est-il conscient ? Certainement pas ; il lui répond : « Je suis absolument désolé de vous avoir mécontenté. Je m'efforcerai de vous faire changer d'opinion à mon égard, par mon travail et ma conduite à Sandhurst[41]. »

CHAPITRE III

L'ADIEU AUX LARMES

C'est avec un enthousiasme certain que Winston Spencer-Churchill entre au *Royal Military College* de Sandhurst le 1ᵉʳ septembre 1893 *. L'enthousiasme n'est pas partagé par ses premiers instructeurs, qui constatent avec stupéfaction qu'il cherche à discuter leurs ordres ; l'exercice n'est pas son fort, la ponctualité non plus, et les longues marches avec de lourds sacs à dos ne sont pas faites pour les petits gabarits. Le cadet Churchill est donc affecté d'emblée au « peloton des empotés ».

Il n'y restera pas longtemps, car l'enseignement de Sandhurst éveille rapidement son intérêt : plus de mathématiques, de grec, de latin ni de français ; il y a cinq disciplines fondamentales : tactique, fortifications, topographie, droit et administration militaires. Tout cela le passionne ; la théorie lui rappelle ses lectures de Harrow, et sa prodigieuse mémoire lui permet de tout retenir avec un minimum d'efforts ; la pratique lui apparaît comme une continuation de ses jeux guerriers d'adolescent : creuser des tranchées, construire des redoutes, confectionner des mines ou des chevaux de frise, couper les voies ferrées, construire des ponts ou les faire sauter, tracer des cartes de la région, lancer des reconnaissances le long des routes, tout l'enchante. On fait aussi beaucoup de tir au pistolet, au fusil et au canon, de l'escrime et surtout de l'équitation – la passion de sa vie. Il va apprendre à chevaucher sans selle, sans étriers ni rênes, à monter et descendre d'un cheval au trot, à sauter des obstacles impressionnants. Au bout de quelques semaines seulement,

---

* Voir carte, p. 30.

Winston est considéré comme l'un des meilleurs cavaliers de Sandhurst, et il va encore progresser.

Pourtant, comme à Harrow, le jeune Winston Churchill a simultanément bien d'autres occupations : il lit toutes les gazettes, suit les moindres péripéties de la vie parlementaire, parie gros aux courses de chevaux, écrit constamment à ses parents pour tenter de les intéresser à son cas, visite assidûment les music-halls, fait son premier discours public (pour défendre la prostitution, au nom des libertés fondamentales !), fréquente beaucoup les réceptions mondaines et se trouve perpétuellement à court d'argent. Comme à Harrow également, il a d'innombrables problèmes de santé : d'horribles rages de dents qui le tiennent éveillé la nuit, des bronchites sans fin – probablement aggravées par un tabagisme excessif –, des maux de tête insoutenables, des douleurs de dos consécutives à ses nombreuses chutes de cheval, d'énormes ampoules qui l'empêchent souvent de monter, une hernie tracassière, et des problèmes de foie attribués à la mauvaise nourriture de Sandhurst – mais certainement dus à des libations immodérées.

Il faut savoir tout cela pour apprécier les résultats qu'obtient au premier examen de décembre 1893 le cadet Winston Churchill : il est dans les tout premiers, avec 230 points sur 300 en administration militaire, 276 en droit militaire, 278 en tactique. Même sa conduite est décrite comme « bonne », avec toutefois cette remarque : « Manque de ponctualité. » Il en manquera toute sa vie...

Pour Winston Churchill, habitué de longue date au rôle de cancre, ces résultats sont extrêmement encourageants. D'ailleurs, si spartiates que soient les conditions de vie à Sandhurst – quatorze heures de travail par jour, un confort rudimentaire, pas d'eau chaude et une nourriture exécrable, même pour l'Angleterre –, ce fils de lord s'en accommode fort bien, apprécie la discipline militaire et se fait de nombreux amis. « Une expérience rude mais heureuse », résumera-t-il plus tard, non sans exprimer un grand regret : si passionnant que soit l'enseignement de Sandhurst, la stratégie ne figure pas au programme : « Pendant les heures de cours, il ne nous était pas permis de laisser errer nos esprits au-delà du champ de vision d'un officier subalterne. Mais j'étais parfois invité à dîner au collège de l'état-major, qui était à moins de deux kilomètres, et où étaient formés les officiers les plus brillants de l'armée, qui se destinaient au haut commandement. Là, il était question de divisions, de corps d'armée et même d'armées entières [1]. »

Winston Churchill regrettera toute sa vie de n'avoir pas été considéré comme suffisamment intelligent pour étudier la stratégie. Du reste, bien des officiers d'état-major de Sa Majesté le déploreront également pendant deux guerres mondiales, chaque fois que Churchill abordera avec un enthousiasme brouillon les questions de haute stratégie. Mais pour l'heure, l'intéressé a d'autres priorités ; c'est que, dès son premier trimestre à Sandhurst, il a été invité à venir dîner au mess du 4e régiment de hussards de la Reine, commandé par le colonel John Brabazon, vétéran très décoré de la campagne d'Afghanistan et vieil ami de Randolph Churchill. Le prestige du colonel, l'intérêt flatteur qu'il porte au jeune cadet, l'excellente tenue des hussards, la splendeur de leurs uniformes, l'attrait de la cavalerie, la qualité du dîner (et du porto), tout cela a fait une forte impression sur le jeune Winston, qui se décide dès le début de 1894 : en sortant de Sandhurst, il deviendra officier du 4e hussards, avec l'aide du colonel Brabazon en personne. Hélas ! Randolph, on s'en souvient, tient essentiellement à ce que son fils devienne officier d'infanterie, et il a déjà intrigué ferme auprès du duc de Cambridge pour que Winston soit admis dans son régiment, le 60e fusiliers. « Je sais bien, écrit lord Randolph, que Brabazon est l'un des meilleurs soldats de l'armée, mais il n'avait pas à aller tourner la tête de ce garçon pour le décider à entrer au 4e hussards [2]. » Winston est un fils obéissant, et les choses en resteront là – pour le moment.

« Devenu cadet, se souviendra notre héros, j'acquis aux yeux de mon père un prestige nouveau [3]. » C'est apparemment exact : lord Randolph, pourtant dans une situation financière difficile, a donné l'ordre à son libraire de fournir à Winston tous les livres dont il aura besoin ; il a également financé des cours d'équitation supplémentaires à Camberley, dont son fils tirera le plus grand profit ; il a accepté sans trop rechigner de payer ses innombrables dettes ; il a même daigné lui écrire pour lui donner quelques conseils… paternels : « Ne fume pas trop, ne bois pas trop et couche-toi le plus tôt possible. » Enfin et surtout, il invite désormais Winston à l'accompagner en week-end de temps à autre, chez ses collègues du parti conservateur ou ses compagnons des champs de courses

– à qui il présente son fils par ces mots : « Il n'est pas grand-chose encore, mais c'est un brave gars[4]. »

La formulation laisse rêveur. En vérité, lord Randolph manque rarement une occasion de rabaisser son fils, comme en témoignent les lettres très dures qu'il lui écrit à l'époque : « Comme tu es stupide de ne pas t'en tenir à "mon cher père", et d'en revenir à "mon cher papa". C'est une imbécillité. » Ou encore : « Ce que tu écris [...] est stupide. [...] Je te renverrai ta lettre pour que tu puisses de temps à autre revoir ton style pédant d'écolier attardé[5]. » Il est vrai que Randolph avait également écrit peu de temps auparavant à sa mère, la vieille duchesse de Marlborough : « Je vous l'ai souvent dit, [...] [Winston] ne peut guère prétendre posséder d'intelligence, de connaissances, ou une quelconque aptitude à fournir un travail régulier[6]. » On comprend mieux dès lors ce triste constat de son fils : « Si d'aventure je commençais à laisser entendre le moins du monde qu'une camaraderie pourrait s'instaurer entre nous, il s'en montrait immédiatement offensé. Et lorsqu'un jour, je lui proposai d'aider son secrétaire particulier à rédiger certaines de ses lettres, il me lança un regard qui me pétrifia[7]. » C'est difficile à comprendre, mais Randolph Churchill persiste à considérer que son fils est un crétin ; seulement, l'uniforme de sortie d'un cadet de Sandhurst fait beaucoup d'effet dans les salons, et comme lui-même en fait de moins en moins, il pense trouver là un renfort appréciable...

C'est hélas bien insuffisant ; l'année précédente encore, beaucoup d'observateurs étaient convaincus que lord Randolph réussirait sa rentrée politique, et ils avaient de bonnes raisons pour cela : depuis son retour d'Afrique du Sud, l'ancien leader du « quatrième parti » et chantre de la *tory democracy* semblait avoir retrouvé toute sa verve et sa redoutable éloquence pour fustiger le projet de *Home Rule* des libéraux. Au printemps de 1894, la victoire est même en vue : le vieux Gladstone, vaincu par le rejet de son plan d'autonomie irlandaise à la Chambre des lords, remet sa démission à la reine. Le nouveau Premier ministre est désormais lord Rosebery, libéral opposé au *Home Rule* et l'un des plus fidèles amis de Randolph. Mais pour ce dernier, il est trop tard ; depuis plusieurs mois déjà, ses adversaires comme ses alliés politiques ont dû se rendre à l'évidence : lord Randolph Churchill n'est plus que l'ombre de lui-même ; ses discours aux Communes sont de moins en moins intelligibles, il perd le fil de ses idées, est saisi de spasmes, d'hallucinations et d'accès de démence. Peu de gens en connaissent la véritable raison – et son fils moins que tout autre –, mais personne n'a pu manquer d'en observer les effets : « Il n'y eut pas de rideau, pas de retraite », notera tristement lord Rosebery. « Il est mort imperceptiblement, en public[8]. »

C'est précisément pourquoi sa mère et son épouse estiment qu'il est urgent de l'éloigner de l'arène politique, où il se consume en pure perte et fait si piètre figure. Ses médecins, à commencer par le toujours dévoué docteur Roose, ont recommandé un an de repos, et Jennie décide d'accompagner son époux dans une longue croisière autour du monde ; un médecin, le docteur Keith, se joindra à eux pour parer à toute éventualité. C'est ainsi que le 27 juin 1894, le trio se met en route ; le nouveau Premier ministre lord Rosebery a tenu à les accompagner à la gare, ainsi bien sûr que Jack et Winston qui, ne soupçonnant toujours pas la gravité du mal qui ronge leur père, sont consternés par son air hagard.

Le voyage, qui emmènera le couple aux États-Unis, au Japon, à Hong Kong, à Singapour, en Birmanie et en Inde, ne sera qu'un très long cauchemar, tant l'état de lord Randolph se dégrade rapidement ; tour à tour agressif, prostré et délirant, il a manifestement perdu l'esprit. À la fin du mois de novembre, le docteur Keith parvient à convaincre Jennie de mettre fin à l'épreuve, en prenant d'urgence le chemin du retour. Entre-temps, Winston, qui vient de sortir de Sandhurst avec les honneurs (20e sur une promotion de 130), s'est rendu chez le docteur Roose, qui lui a révélé une partie de la vérité sur l'état de santé de son père. « Je n'imaginais pas, écrira-t-il à sa mère, que papa puisse être malade à ce point[9]. » Mais lorsque ses parents rentrent à Londres la veille de Noël, Winston en sait davantage : le docteur Roose lui a avoué que son père était condamné. Lord Randolph survivra encore un mois, dans un état de stupeur entrecoupé de quelques accès de lucidité, avant de s'éteindre paisiblement au matin du 24 janvier 1895.

Le décès de son père laisse Winston désemparé. « Ainsi se dissipaient tous mes rêves d'entretenir avec lui des relations de camaraderie, d'entrer au Parlement à ses côtés et d'y soutenir son action. Il ne me restait guère qu'à poursuivre sa tâche et à défendre sa mémoire[10]. » C'est exactement ce qu'il fera, en écrivant une longue apologie de lord Randolph, en imitant son style et ses démarches, en endossant les choix politiques et les ambitions de l'homme qu'il admire plus que tout autre. Il serait difficile de dire mieux que William Manchester : « On vit rarement homme investir en un fils aussi peu d'affection, et en recueillir pareils dividendes de loyauté posthume[11]. » Pourtant, tout laisse des traces, et la piété filiale de Winston recouvre des sentiments plus complexes, qu'il exprimera assez clairement dans ses confidences à Frank Harris : « Il ne m'écoutait jamais [...]. Aucune camaraderie n'était possible avec lui, malgré tous mes efforts. Il était d'un tel égocentrisme que personne d'autre n'existait pour lui. » Harris lui ayant demandé s'il aimait son père, Winston répondit : « Comment l'aurais-je pu ? Il me traitait comme un idiot ; il aboyait dès que je lui posais une question. Je dois tout à ma mère, rien à mon père[12]. »

Mais en plus de ses dettes, Randolph laisse à ses fils un héritage inquiétant : les véritables causes de sa mort restent ignorées de la plupart, et notamment de ses fils. Or, Winston n'a pas manqué d'observer que les Churchill mouraient jeunes : trois des frères de Randolph sont décédés en bas âge ; le quatrième, George, marquis de Blandford, est mort à 48 ans ; et voici que Randolph lui-même disparaît à 46 ans. Existerait-il une tare héréditaire ? Le petit frère John, dit « Jack », a bien failli mourir en couches, et Winston lui-même est d'une santé plutôt fragile. Il en déduit que sa vie sera courte, et qu'il a peu de temps pour laisser sa marque. Lorsque plus tard, ses nombreux détracteurs verront en lui un « jeune homme pressé », ils seront bien loin d'en soupçonner les raisons...

« Pour l'essentiel, j'étais désormais le maître de ma destinée », constate Winston avec une tristesse mêlée de fierté. Sa première décision d'adulte indépendant sera donc d'abandonner l'engagement contracté par son père auprès du duc de Cambridge, commandant le 60e fusiliers. Il est vrai que Randolph avait écrit cinq mois plus tôt à son fils qu'il devait renoncer à toute idée d'entrer dans la cavalerie, mais il avait ajouté : « *en tout cas de mon vivant* » – une figure de style prémonitoire. Durant ses derniers jours de vie, lors d'un moment de lucidité, il lui avait tout de même soufflé : « As-tu déjà tes chevaux ? », ce qui semblait indiquer qu'il s'était incliné... ou bien que tout cela lui était désormais indifférent. Mais Winston peut désormais compter sur l'aide de sa mère : « Elle devint bientôt une ardente alliée. [...] Nous collaborions sur un pied d'égalité, plutôt comme frère et sœur que comme mère et fils[13]. » Sans doute en effet l'instinct fraternel de Jennie était-il plus développé que son instinct maternel ! Pour le 60ᵉ fusiliers, en tout cas, une simple lettre suffira : le duc de Cambridge s'incline galamment devant la belle lady Randolph, et son fils est bientôt libre de tout engagement. Au début de février 1895, Winston Churchill, qui vient d'être nommé sous-lieutenant, rejoint donc le 4ᵉ hussards à Aldershot.

Ce ne sera pas une sinécure : le jeune officier passe chaque jour quatre heures en selle – et parfois huit ; le soir, il a de telles courbatures qu'il ne peut plus marcher ; en outre, il a maintenant la charge d'une escouade de 30 hommes, avec autant de chevaux, et il participe à des parades interminables, sans compter les exercices quotidiens de tir à la carabine, le polo et les steeple-chases. Il y a tout de même quelques compensations : un domestique, par exemple, qui lui amène le petit déjeuner au lit ; deux bains chauds par jour ; d'interminables banquets au mess, où tous les convives sont conservateurs comme lui, la chère est excellente et la boisson abondante – même si le colonel Brabazon a l'habitude de demander à son intendant chez quel pharmacien il achète le champagne. Du reste, le colonel s'est pris d'une très grande sympathie pour le fils de son vieil ami Randolph : ils partagent la même table au mess, et se retrouvent souvent dans les grandes réceptions en fin de semaine...

La vie d'officier de cavalerie semble donc convenir fort bien à Winston Churchill ; mais il s'aperçoit rapidement qu'il a d'autres ambitions. D'une part, la solde d'un sous-lieutenant – 120 £ par an – est bien misérable pour ce descendant des Marlborough, chez qui la prodigalité est une vertu ancestrale. D'autre part, il considère que la vie militaire, si exaltante soit-elle, ne lui laisse guère le temps de lire et de s'instruire, le mettant ainsi « dans un état de stagnation mentale ». Enfin, on se souvient de ses propos d'adolescent, lorsque son père lui avait demandé s'il voulait entrer dans l'armée : « Je pensais que ce serait fantastique de *commander une armée*, alors j'ai dit oui tout de suite. » Or, le sous-lieutenant Churchill commence à mesurer le temps qu'il faudrait à un officier subalterne de Sa Majesté pour parvenir à la tête d'une armée... et nous savons qu'il considère désormais que le temps lui est chichement compté. « Plus je connais la vie militaire, écrit-il à sa mère, plus elle me plaît – mais plus je suis convaincu que mon métier n'est pas là[14]. » C'est que Winston Churchill, digne fils de son père, reste habité par la passion de la politique...

À l'été de 1895, le gouvernement libéral de lord Rosebery est mis en minorité, et les élections qui suivent voient le retour au pouvoir des conservateurs. Personne n'en est plus satisfait que Winston, et lors de la grande réception donnée à Devonshire House en l'honneur des membres du nouveau gouvernement, il était impossible de ne pas inviter le fils de lord Randolph, qui connaît d'ailleurs la plupart des ministres présents. Il s'entretient longuement avec eux, admire leurs uniformes et envie leurs prérogatives : un ministre ou un secrétaire d'État peut agir, ordonner, exercer une influence directe sur le cours des événements, promouvoir les intérêts du royaume dans l'Europe et le vaste monde. Que vaut comparée à cela l'action d'un officier de hussards subalterne ? Il est vrai que le chemin du pouvoir passe par la Chambre des communes, et que l'on ne peut prétendre à un siège de député sans posséder une certaine fortune ; c'est justement le cas du cousin « Sunny », 9e duc de Marlborough*, dont Winston suit avec envie et admiration les premiers discours à la Chambre. « Un beau jeu que celui de la politique, écrit-il à sa mère le 16 août 1895, et cela vaut bien la peine d'attendre d'avoir en mains de solides atouts avant de sauter le pas[15]. » En attendant ces atouts, il faut faire contre mauvaise fortune bon cœur ; d'ailleurs, le métier des armes ne manque pas d'attraits pour un jeune homme féru de campagnes et d'aventures – d'autant que le 4e hussards doit partir pour les Indes l'année suivante. Là-bas, il pourra sans doute s'illustrer, et qui sait si la gloire militaire ne lui ouvrira pas les portes du Parlement, ou même du gouvernement ? Toute sa vie, Winston Churchill a pris ses désirs pour des réalités... Il s'est rarement trompé.

Pour ce jeune homme de 20 ans, 1895 sera décidément une année de deuil. Après le décès de son père et celui de sa grand-mère maternelle Clara Jerome, c'est la fidèle Woom qui tombe gravement malade. N'ayant plus d'emploi, elle s'était retirée chez sa sœur à Islington, où Winston – juste retour des choses – lui faisait parvenir quelques subsides. Apprenant sa maladie, il se précipite à son chevet et fait venir d'urgence un médecin, mais il est déjà trop tard ; elle meurt d'une péritonite le lendemain. Winston, qui va organiser

---

* Le fils de lord Blandford, frère de Randolph.

ses funérailles, est manifestement très abattu ; pour lui et son frère Jack, Mrs Everest avait été une seconde mère – et sans doute même la première.

À la fin de l'été, les hommes du 4e hussards bénéficient de deux mois et demi de congé. Tout jeune officier qui se respecte est censé les passer à chasser le renard ; mais Winston, qui est désargenté, ne peut se le permettre. D'ailleurs, il a d'autres projets : dans son régiment, aucun officier subalterne n'a jamais vu le feu ; c'est que quarante ans se sont écoulés depuis la guerre de Crimée, et dix ans depuis les escarmouches en Égypte et en Afghanistan. On imagine dès lors le prestige dont peuvent jouir les vétérans de ces campagnes auprès des hommes de troupe comme des femmes du monde ; et Winston, qui pense à la guerre et rêve de gloire depuis quinze années au moins, brûle de connaître au plus tôt le baptême du feu. N'est-ce pas après tout la base même du métier ? « À mes yeux de jeune homme, écrira-t-il, ce devait être une expérience exaltante et fantastique que d'entendre les balles siffler dans toutes les directions, et de jouer à cache-cache d'un instant à l'autre avec la mort et les blessures. De plus, puisque j'avais assumé des obligations professionnelles dans le domaine militaire, je ressentais le besoin d'une répétition privée [...] afin de m'assurer que l'épreuve correspondait vraiment à mon tempérament[16]. »

Malheureusement, cette fin de siècle est d'une tranquillité déprimante ; dans tout l'Empire de la grande reine Victoria, pas le plus petit conflit où l'on puisse paraître à son avantage... Mais par bonheur, il reste les guerres étrangères, et il y en a justement une en cours dans la colonie espagnole de Cuba ; l'illustre maréchal Martinez Campos vient d'y être envoyé à la tête de 7 000 hommes pour mater les rebelles, qui mènent depuis des années une sanglante guérilla contre l'occupant espagnol. Pour Churchill, l'occasion est trop belle : pendant que ses collègues officiers perdront leur temps à courser de vulgaires canidés, lui, le descendant du grand duc de Marlborough, ira acquérir sur le champ de bataille une expérience réelle du métier des armes.

Winston prépare sa campagne avec un soin exemplaire. Il a déjà persuadé l'un de ses compagnons, le sous-lieutenant Reginald Barnes, de l'accompagner dans son périple ; convaincre sa mère de payer le voyage pour Cuba n'a été que légèrement plus difficile. Encore faut-il décider les Espagnols à les laisser entrer, et les autorités britanniques à les laisser partir... C'est à ce stade que les relations paternelles vont se révéler précieuses, car l'ambassadeur de Grande-Bretagne à Madrid n'est autre que sir Henry Drummond Wolff, membre distingué du « quatrième parti » et vieil ami de lord Randolph ; au fils de son défunt ami, sir Henry n'a évidemment rien à refuser, et il entretient sans retard le ministre espagnol des Affaires étrangères du projet de Winston. Magie des relations au sommet : le duc de Tétouan s'engage sur-le-champ à obtenir une lettre de recommandation du ministre de la Guerre, et à en écrire une lui-même à l'intention du maréchal Martinez Campos, qui est un ami personnel. Ainsi introduits, les deux compagnons d'aventure sont assurés de recevoir le meilleur accueil, d'autant que les autorités espagnoles sont enchantées que des militaires britanniques – dont un descendant de l'illustre Marlborough – s'intéressent à leurs opérations. Peut-être cela pourrait-il déboucher sur une alliance diplomatique, voire militaire, avec Londres ?

C'est précisément pour cette raison que les supérieurs des deux sous-lieutenants se montrent beaucoup moins enthousiastes ; le colonel Brabazon leur conseille de s'adresser au commandant en chef, lord Wolseley, qui les accueille avec un embarras certain : si l'expédition des deux jeunes officiers devait être présentée par la presse comme une mission officielle, il y aurait un beau scandale au Parlement ; d'un autre côté, refuser de laisser partir le fils de lord Randolph serait inconvenant, et susciter le déplaisir de lady Randolph indigne d'un gentleman... Lord Wolseley finit donc par accepter, et il envoie les deux sous-lieutenants s'entretenir avec le général Chapman, chef des services de renseignements. Celui-ci leur fournit des cartes du pays et les charge de recueillir sur place certaines informations à caractère militaire ; c'est que, devant la rareté des conflits, tous les détails que l'on peut collecter sur le fonctionnement des armes en situation de guerre sont infiniment précieux.

Marchant toujours sur les traces de son père, Winston se rend au *Daily Graphic*, la gazette qui avait publié quatre ans plus tôt les lettres envoyées d'Afrique du Sud par lord Randolph. C'est un contrat analogue que Winston passe avec les éditeurs du journal : il sera payé cinq guinées pour chaque lettre envoyée du « front » cubain. Jusque-là, il n'avait écrit que des articles d'écolier pour le journal de Harrow ou celui de Sandhurst, et quelques lettres polémiques au courrier des lecteurs du *Times* ; cette fois, pour quelques semaines au moins, il sera journaliste à part entière et pourra ainsi financer son séjour.

C'est finalement le 2 novembre que les deux compères se mettent en route pour New York, à bord du paquebot *Lucania*. Il avait été prévu de passer un jour et demi seulement aux États-Unis, pour se diriger immédiatement vers Cuba, mais Jennie a autant de relations dans le Nouveau Monde que dans l'Ancien, et elle a donné à son fils une bonne adresse à New York : celle de Bourke Cockran, avocat distingué, membre démocrate du Congrès... et amant de lady Randolph. L'excellent homme se révélera un hôte incomparable, les présentera à la bonne société new-yorkaise, leur fera visiter tout ce qui les intéresse – depuis un croiseur cuirassé jusqu'à l'académie de West Point – et les deux officiers s'attarderont huit jours sans avoir vu le temps passer. Arrivés finalement à La Havane le 20 novembre, ils y trouvent un confort plus rudimentaire, mais des hôtes tout aussi prévenants : les lettres d'introduction venues de Madrid ont fait beaucoup d'effet, et les deux visiteurs anglais sont immédiatement convoyés à Santa Clara, au quartier général du maréchal Martinez Campos.

C'est avec plaisir que le maréchal accède à leur requête : s'ils désirent assister aux opérations, ils pourront rejoindre la colonne d'infanterie du général Suarez Valdez, partie le matin même pour Sancti Spiritus, à quelque 60 kilomètres plus au sud. Il leur suffira pour cela de prendre le train à destination de Cienfuegos, sur la côte sud, puis le bateau pour Tuna, et le train encore vers le nord : un périple de trois jours et de 250 kilomètres, qui leur permettra d'attendre sur place l'arrivée de la colonne mobile, prévue pour le soir du quatrième jour. Tout se passe comme prévu, et au jour dit, le général Suarez Valdez, entrant à Sancti Spiritus à la tête de quatre bataillons, reçoit dignement les lieutenants Barnes et Churchill, dans la présence desquels il discerne – tout comme ses supérieurs – un signe tangible du soutien moral accordé par la Grande-Bretagne à l'entreprise espagnole de pacification de l'île. Naturellement, le général ne voit que des avantages à ce que les deux officiers se joignent à la colonne mobile, qui partira dès le lendemain vers le nord-est, en direction du village fortifié d'Arroyo Blanco.

Les dix jours qui suivent se passeront en marches, contremarches, embuscades et escarmouches au milieu de la jungle humide et hostile de la province de Sancti Spiritus. Une vie difficile, fertile en aventures et en dangers, dont le lieutenant Churchill se déclarera enchanté. Son désir de se trouver sous le feu sera largement exaucé ; des balles passeront même à quelques millimètres de sa tête. Étonné et ravi de sortir chaque fois indemne de situations impossibles, Winston attribuera son salut au fait que les rebelles tirent mal et décampent vite ; les soldats espagnols, eux, lui paraissent très professionnels, avec un courage et une endurance dignes d'éloges. Quant à leurs officiers, ils restent impassibles au milieu du feu ennemi, dédaignant souverainement de se mettre à couvert ; Winston, pour ne pas déchoir, s'estime obligé d'en faire autant... Tous ces dangers partagés ont naturellement créé une certaine fraternité d'armes entre les officiers britanniques et leurs hôtes ; entre deux accrochages, durant les longues marches et les interminables bivouacs, ils conversent dans un français improvisé, échangeant leurs vues sur l'armement, la tactique et la politique. Winston en rapportera des renseignements précieux et un goût marqué pour les cigares, la sieste et le *roncottele* – cocktail au rhum. Le général Valdez, lui, fera conférer à ses deux visiteurs l'ordre de la *Cruz Roja* ; une mesure diplomatique, certes, mais aussi un hommage rendu à leur indéniable bravoure.

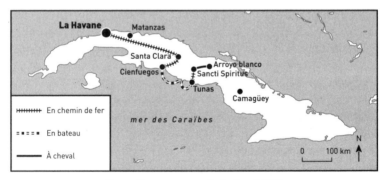

Premières armes à Cuba, 1895

Mais le sous-lieutenant Churchill, on s'en souvient, s'est également rendu à Cuba en tant que correspondant de presse, et à ce titre, il se trouve manifestement dans une situation délicate : qu'il prenne parti pour les rebelles dans ses dépêches, et il mécontentera ses hôtes, tout en se montrant ingrat ; qu'il se déclare en faveur des Espagnols, et il embarrassera le gouvernement britannique, tout en suscitant l'indignation des lecteurs américains et britanniques, qui sont dans l'ensemble favorables à la rébellion. Face à ce dilemme, Churchill va faire preuve à la fois de réalisme, d'objectivité, de sens politique, et même d'un instinct stratégique qui ne peut manquer de surprendre chez un officier de cet âge. Que lit-on en effet dans ses cinq « lettres du front », que le *Daily Graphic* publiera en décembre et janvier sous le titre : « L'insurrection à Cuba[17] » ? Si les Espagnols sont passés maîtres dans l'art de dissimuler la vérité, les rebelles cubains ne sont pas moins doués pour inventer des mensonges ; les insurgés ont certes le soutien de la population, connaissent bien le terrain, sont fort mobiles et admirablement informés des mouvements de l'ennemi, mais ce sont aussi des combattants indisciplinés, vantards, pusillanimes et mauvais tireurs, qui ne pourront jamais prendre une ville de quelque importance. Les soldats espagnols, eux, sont courageux, disciplinés et endurants ; leurs officiers sont d'une compétence et d'une bravoure admirables, mais l'administration espagnole de l'île est extraordinairement corrompue à tous les niveaux, et les expéditions menées dans la jungle sont inefficaces contre un ennemi qui sait parfaitement utiliser le terrain, se soustraire à ses poursuivants et frapper à l'improviste. Dans ces conditions, la guerre risque de s'éterniser et d'épuiser les maigres ressources de l'Espagne. Faut-il pour autant souhaiter la victoire des rebelles cubains ? Certes non : doués pour détruire mais incapables d'administrer, ils se battraient rapidement entre eux et ruineraient le pays. Pour finir, Churchill suggère une solution de compromis aux contours assez flous, mais qui ressemble beaucoup à un plan d'autonomie limitée. Tout cela est écrit d'une plume alerte, avec beaucoup d'humour, une maturité certaine et quelques visions fulgurantes de l'avenir ; ce sous-lieutenant de vingt et un ans a saisi d'emblée ce que Français, Anglais et Américains mettront encore un siècle à comprendre : une guerre de guérilla menée outre-mer par des combattants résolus est pratiquement impossible à vaincre par des moyens militaires, fussent-ils ceux d'une grande puissance...

De retour en Angleterre à la fin du mois de décembre, Churchill s'aperçoit que ses articles ont été bien accueillis, même si les journalistes britanniques saluent avec une aigreur certaine ce nouveau confrère, qui semble manier le sabre et la plume avec un égal bonheur. « Passer ses vacances à participer aux batailles des autres, grogne ainsi le *Newcastle Leader* du 7 décembre 1895, est une conduite plutôt insolite, même pour un Churchill[18]. » Mais l'intéressé n'en a cure ; il a rejoint son régiment, qui se prépare à partir pour l'Inde à l'automne de 1896, et retrouve rapidement ses occupations favorites : le polo, les courses de chevaux, la politique et les réceptions mondaines. Chez lord Rothschild, chez sa tante la duchesse Lily*, dans les salons d'une riche Américaine, Mrs Adair, ou dans ceux de lady Randolph, il côtoie et cultive les principales figures du gouvernement, de la finance et de l'armée : lord Wolseley, sir Francis Jeune, Joseph Chamberlain, Asquith, Balfour, lord James, le duc de Devonshire, lord Lansdowne, le colonel Brabazon, lord Beresford, le général sir Bindon Blood, sans oublier le prince de Galles lui-même.

Plus tard, ces hauts personnages se montreront tout disposés à lui rendre service, en souvenir de son père... ou en hommage à sa mère. Mais pour l'heure, ils ne peuvent guère l'aider dans son entreprise ; car le sous-lieutenant Churchill, ayant commencé à mesurer les graves inconvénients d'être exilé neuf ans aux Indes, loin de la politique anglaise et de tout conflit armé, s'est mis en tête de quitter son régiment pour rejoindre un théâtre d'hostilités où il pourrait s'illustrer : la Crète, l'Afrique du Sud, le Soudan, peu lui importe. Il a naturellement fait appel à sa mère, qui a mis à contribution son vaste réseau de relations – en vain cette fois. Le 4 août 1896, un mois seulement avant le départ du 4ᵉ hussards pour Bombay, Winston lui écrit cette lettre qui dévoile toutes ses ambitions : « Quelques mois en Afrique du Sud pourraient me valoir la médaille d'Afrique du Sud, et selon toute vraisemblance, l'étoile de la compagnie. De là, j'irais au triple galop en Égypte, d'où je reviendrais en un ou deux ans avec deux décorations supplémentaires – pour échanger mon sabre contre un portefeuille. » Un portefeuille, déjà ? Winston, encore distrait et toujours pressé, en oublie même l'étape parlementaire ! Mais il poursuit : « Je ne puis croire qu'avec tous les amis influents dont vous disposez, et tous ceux qui

---

* Seconde épouse de lord Blandford, remariée en troisièmes noces à lord William Beresford.

seraient prêts à faire quelque chose pour moi en souvenir de mon père, la chose me soit impossible[19]. » Elle l'est pourtant : personne ne veut de Winston Churchill en Afrique du Sud ou en Égypte, et tous les hauts personnages auxquels s'adresse lady Randolph estiment plus raisonnable que le jeune sous-lieutenant fasse preuve de discipline en suivant son régiment. *Alea jacta est* : le 11 septembre, Winston Churchill embarque sur le paquebot *Britannia* à destination des Indes...

CHAPITRE IV

LE CASQUE ET LA PLUME

Lorsqu'il prend pied sur le sol indien au début d'octobre 1896, le sous-lieutenant Winston Churchill se considère toujours comme exilé, et ses premières impressions s'en ressentent. Il est vrai que lorsque son embarcation a abordé le quai de Bombay, Winston, toujours pressé, s'est saisi d'un anneau de fer scellé dans la roche, au moment même où le creux de la vague faisait redescendre le canot ; la brusque torsion lui a démis l'épaule droite, une lésion tenace qui le gênera toute sa vie ; et puis, l'ambiance bigarrée et poussiéreuse de Bombay, la chaleur torride de l'Inde du Sud, la paix désespérante qui règne sur l'ensemble du sous-continent, rien ne semble trouver grâce aux yeux de ce jeune officier impatient.

Pourtant, lorsque le 4e hussards parviendra deux jours plus tard à son cantonnement de Bangalore*, il aura quelques heureuses surprises ; situé à mille mètres d'altitude, l'endroit ressemble davantage à une station climatique qu'à une ville de garnison, avec végétation luxuriante, nuits fraîches et majestueux bungalows à colonnades pour les officiers de Sa Majesté... Il partagera d'ailleurs le plus luxueux d'entre eux avec ses deux meilleurs camarades, Reginald Barnes et Hugo Baring. Difficile aussi de se plaindre du service : moyennant une somme dérisoire, il aura à sa disposition un boy, un maître d'hôtel, un gardien, un balayeur, trois porteurs, deux jardiniers, quatre blanchisseurs et six palefreniers ! Son travail d'officier s'annonce également passionnant : il est responsable de la tenue et de la bonne conduite en manœuvres

* Voir carte, p. 64.

de 35 hommes ; la tactique, le tir, l'entretien des chevaux sont toujours pour lui un véritable plaisir, et les journées du sous-lieutenant Churchill ne sont pas vraiment exténuantes : parade matinale à 6 heures, puis une heure trente en selle pour les manœuvres ou l'exercice, ensuite bain, petit déjeuner, une heure aux étables, et quartier libre jusqu'à 16 heures 30 ! Tout ce temps de loisir, Winston le passera à lire, à collectionner les papillons et à cultiver les roses…

À 16 heures 30 vient l'heure du polo ; car Churchill découvre avec ravissement que c'est là le plus sérieux passe-temps des officiers de la garnison. Or, depuis son passage à Sandhurst et à Aldershot, il a pour ce sport des dispositions certaines. Un mois seulement après l'arrivée du 4e hussards à Bangalore, son équipe va participer au tournoi de Hyderabad contre le 19e hussards et les régiments indigènes. À la surprise générale, l'équipe du 4e hussards remporte la coupe contre les champions en titre ; et le sous-lieutenant Churchill, avec le bras droit attaché au corps pour empêcher son épaule de se démettre, a joué dans cette victoire un rôle décisif – ce qui lui vaudra dans son régiment une considération certaine. De plus, c'est à l'occasion de ce tournoi que le jeune Winston est présenté à Miss Pamela Plowden, qui lui inspirera d'emblée des sentiments aussi ardents que platoniques.

Une résidence de choix, de bons camarades, du sport, des loisirs, des chevaux, des papillons, une jeune fille et des roses… Que demande le peuple ? Et pourtant, Winston n'est pas satisfait ; cette existence, gémit-il, est stupide, terne et inintéressante : pas de politique, pas de guerres, pas de personnes influentes à rencontrer, bref, un véritable purgatoire ! Comme toujours, les récriminations de Winston sont très exagérées : le jour même de son arrivée en Inde, il a été invité à dîner par le baron Sandhurst, gouverneur de Bombay* ; au cours des mois qui suivent, il sera également reçu par le secrétaire aux Affaires intérieures du gouvernement indien, le général commandant en chef de la région militaire de l'Inde septentrionale, le *Chief Justice* du Bengale et quelques autres notabilités ; c'est déjà très remarquable pour un sous-lieutenant. Mais bien sûr, ce jeune homme pressé considère qu'il ne fait rien en

---

* Un parent par alliance ; son épouse, lady Sandhurst, était la fille du quatrième comte Spencer.

Inde qui puisse réellement promouvoir sa carrière ; il continue donc à intriguer ferme – et toujours sans succès – pour se faire envoyer sur un théâtre d'opérations, et doit pour finir se résigner à mener une vie de garnison « purement végétative », tout en admettant à contrecœur qu'il y a des végétaux plus mal lotis.

Mais l'inaction est pour Churchill un mot étranger ; ce repos forcé durant les après-midi brûlants de Bangalore, il va le mettre à profit pour réaliser un projet ébauché à Londres l'année précédente : celui de s'instruire. Par amour de la culture ? Pas exactement. Lord Randolph, au vu des résultats scolaires de son fils, le traitait toujours d'ignare, et Winston en était profondément meurtri ; à présent, il va s'efforcer de rattraper le temps perdu avec une énergie déconcertante : en sept mois, il lira les huit volumes de l'*Histoire de la décadence et de la chute de l'Empire romain* de Gibbon (quelqu'un lui ayant dit que son père en avait vanté les mérites), puis les quatre volumes des *Essais* de Macaulay, les huit volumes de l'*Histoire d'Angleterre* du même auteur, la *République* de Platon, *Recherches sur la nature et les causes de la richesse des nations* d'Adam Smith, l'*Essai sur le principe de population* de Malthus, *Les Deux Problèmes fondamentaux de l'éthique* de Schopenhauer, *De l'origine des espèces par voie de sélection naturelle* de Darwin, et… trente volumes de l'*Annual Register,* la chronique annuelle de la vie politique et parlementaire britannique. S'il est vrai que cet assortiment est assez hétéroclite – d'autant que notre autodidacte pressé lit trois ou quatre volumes en même temps « pour éviter l'ennui » –, il n'est pas question d'une lecture superficielle : les livres sont soigneusement annotés, et Churchill pourra encore en réciter des pages entières un demi-siècle plus tard ! Et toutes ces lectures pour se montrer digne de l'estime posthume de son père ? Évidemment non ; les livres n'ont pas été choisis au hasard : histoire, politique, économie, évolution constitutionnelle, registres du Parlement… De toute évidence, Churchill fourbit là les armes qui lui permettront un jour d'entrer dans l'arène politique britannique et d'y faire bonne figure ; ayant fréquenté à Londres des ministres, des secrétaires d'État, des députés et des lords, il a pu mesurer la valeur d'un minimum d'instruction économique, politique, historique et même philosophique. Une culture littéraire est nettement moins utile ; c'est sans doute pourquoi, en sept mois, Winston ne lira pas un seul roman…

C'est à cette époque que le capitaine d'artillerie Francis Bingham, aide de camp du commandant en chef à Madras, rencontre au retour de la chasse un jeune officier de cavalerie; alors qu'ils chevauchent côte à côte, celui-ci lui confie qu'il n'a pas l'intention de rester indéfiniment dans l'armée, mais qu'il veut entrer au Parlement, et qu'un jour... il sera Premier ministre. Le capitaine Bingham n'a pas retenu le nom de son interlocuteur, mais a remarqué qu'il fumait un cigare[1]. Qu'un homme puisse avoir une telle confiance en lui-même et en son destin, alors qu'il a été ignoré et rabroué par son père durant toute sa jeunesse, voilà qui semble bien démontrer que la psychologie n'est pas une science exacte.

Au printemps de 1897, les officiers du 4e hussards se voient offrir quatre mois de « permission accumulée » en Angleterre. Beaucoup refusent, car ils viennent à peine de s'installer. Mais Churchill, lui, accepte avec allégresse, et il part le 8 mai à bord du *Ganges* pour « profiter des gaietés de la saison londonienne ». De fait, il arrive à temps pour assister au grand bal costumé de Devonshire House; mais ce jeune sous-lieutenant qui déteste danser a d'autres projets – toujours les mêmes : se rendre sur un théâtre de guerre comme officier et correspondant de presse, ou bien entrer au Parlement. Pour le premier, il dispose du vaste réseau de relations de sa mère; pour le second, il peut compter sur l'aide d'un lointain cousin, Fitz Roy Stewart, secrétaire du bureau central du parti conservateur. Hélas ! Ses espoirs de campagne militaire sont anéantis par la fin du conflit gréco-turc en Crète, et ses projets de campagne politique s'effondrent lorsque son cousin Stewart lui explique qu'il n'y a aucun siège vacant, et lui confirme qu'être député nécessite une certaine fortune personnelle...

Il y a tout de même une consolation : Winston pourra s'adresser aux membres de la « Ligue de la primevère » de Bath, réunis en congrès le 26 juillet. Le fils de Randolph Churchill pouvait s'attendre à un accueil favorable dans un tel milieu, mais personne – pas même lui – ne prévoyait que sa première intervention politique serait une telle réussite. Il est vrai que son discours, soigneusement préparé et mémorisé, est un chef-d'œuvre d'éloquence; ce vibrant appel au ralliement autour des valeurs conservatrices et de la mission civilisatrice de l'Empire est exprimé en phrases ciselées et cadencées, avec allitérations, métaphores filées et rythmes triples ; Macaulay et Gibbon percent presque sous chaque phrase, mais les diatribes sarcastiques contre les libéraux sont la marque de Randolph, tandis que l'humour bonhomme comme les envolées patriotiques sont du plus pur Winston. Au total, une prestation assez stupéfiante, qui enthousiasme les militants et laisse pantois les journalistes...

Mais notre orateur n'aura guère le temps de savourer son triomphe, car dès le lendemain éclate une nouvelle sensationnelle : sur la frontière nord-ouest de l'Inde, dans la « zone tampon », les Pathans viennent de se soulever contre l'occupant britannique. Simultanément, on apprend que Londres va envoyer sur place un corps expéditionnaire de trois brigades, commandé par le général sir Bindon Blood. Or, ce même général, grand ami de son père (et admirateur de sa mère) lui a promis un an plus tôt, lors d'une réception mondaine, qu'il ferait appel à ses services s'il repartait en campagne. Quarante-huit heures plus tard, ayant télégraphié au général pour lui rappeler sa promesse, Winston embarque pour les Indes ; dans sa précipitation, il oubliera une caisse de livres, son chien et ses maillets de polo ! Ce n'est qu'une fois arrivé à Bombay qu'il reçoit la réponse : il n'y a pas de poste vacant, écrit sir Bindon Blood, mais si Winston vient comme correspondant de presse, il sera enrôlé sur place dès qu'un poste se libérera – en clair, dès qu'un officier sera tué, ce qui est à la guerre une éventualité impossible à exclure.

Ce message va déclencher une frénésie d'activité : Winston se précipite à Bangalore – deux jours de voyage vers le sud – pour arracher à ses supérieurs une permission d'un mois ; il télégraphie à sa mère de lui décrocher un contrat avec un journal britannique, se fait à tout hasard engager comme correspondant du journal indien *Daily Pioneer* et, au soir du 28 août, il se rue à la gare pour entamer un voyage de 3 245 kilomètres en direction de la frontière du nord-ouest* ; il a emmené avec lui son poney, afin de pouvoir poursuivre sa route au cas où le train serait bloqué. Durant ce périple de cinq jours, il écrira à sa mère : « Tout bien considéré, je pense que le fait d'avoir servi dans l'armée britannique pendant ma jeunesse me donnera plus de poids politiquement [...] et améliorera peut-être mes chances de devenir populaire dans le pays. [...] En outre, étant intrépide de tempérament, je me divertirai moins en dépit qu'à

---

* Voir carte, p. 64.

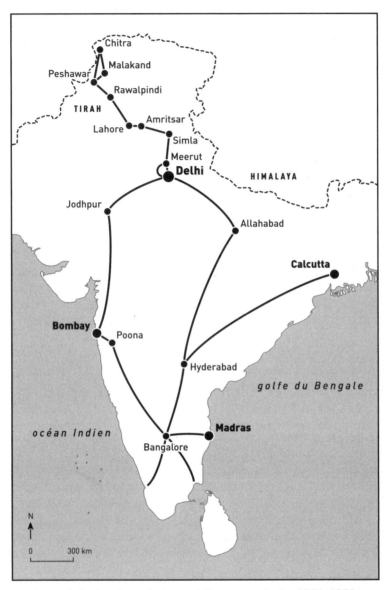

Les pérégrinations du jeune Winston en Inde, 1896-1899

cause des risques que je courrai[2]. » Tout l'homme est révélé dans ces quelques lignes…

Au matin du sixième jour, le sous-lieutenant Churchill parvient au QG du corps expéditionnaire, sur le col de Malakand. Le général Bindon Blood a déjà repoussé les attaques des Pathans contre Malakand et dégagé le fort de Chakdara, et ses lanciers ont pourchassé les rebelles jusqu'aux confins de la vallée du Swat. Mais après cette défense victorieuse, la tradition impériale exige une pacification – c'est-à-dire des opérations punitives contre les tribus ayant participé au soulèvement. Le général Blood vient ainsi de soumettre les Bunerwals à l'est, et il se dirige à présent vers Nawagai à l'ouest, pays des tribus Mamund. Ces dernières ayant eu le mauvais goût d'agresser sa 2ᵉ brigade, le général Blood a ordonné au commandant de cette brigade, le général Jeffreys, d'entrer dans la vallée de Mamund et d'y détruire les villages, les récoltes et les réservoirs d'eau ; au correspondant de presse Churchill, il accorde la faveur exceptionnelle d'accompagner l'expédition. Sans se faire prier davantage, Winston se joint à un détachement de lanciers du Bengale qui va renforcer la brigade de Jeffreys.

Au matin du 16 septembre, les 1 300 hommes de la 2ᵉ brigade pénètrent donc dans la vallée de Mamund et se déploient en éventail. Jeffreys, qui ne semble pas avoir entendu parler de la mésaventure survenue au général Custer à Little Big Horn vingt ans plus tôt, a dangereusement dispersé ses troupes face à un ennemi très supérieur en nombre. C'est ainsi que Churchill, avec quatre officiers et deux compagnies de sikhs, se trouve assailli sur une hauteur par quelque 300 guerriers Mamund armés jusqu'aux dents ; au cours de la difficile retraite qui s'ensuit, il y a de nombreux morts et blessés, un officier anglais tombé aux mains de l'ennemi est démembré et dépecé, mais Churchill, toujours à l'arrière-garde, couvrant l'évacuation, aidant au transport des blessés, tirant avec acharnement sur ses poursuivants, exposé pendant treize heures à un feu nourri et prenant rarement la peine de se mettre à couvert, sortira de l'aventure sain et sauf. Tout cela produit une forte impression sur ses camarades de combat et lui vaut une citation du général Jeffreys, signalant « le courage et la détermination du lieutenant W. L. S. Churchill, 4ᵉ hussards, correspondant du journal *Pioneer* auprès du corps expéditionnaire, qui s'est rendu utile à un moment critique ».

C'est presque une litote ; mais notre homme trouvera encore plusieurs occasions de se rendre utile, le 18 septembre à Domodoloh, le 23 à Zagra, et surtout le 30 à Agrah. Chaque fois, il part le matin avec les éclaireurs, rentre le soir avec l'arrière-garde et, au cours des plus durs accrochages, on le voit chevaucher entièrement à découvert sur la ligne de feu. Tout cela ne manque pas d'impressionner les officiers et d'encourager les hommes de troupe ; il est vrai que c'est là l'effet recherché : de toute évidence, Churchill, qui attend toujours sa médaille, a voulu rééditer l'exploit du général Suarez Valdez à Cuba. Cela exige certes un grand mépris du danger, mais Churchill ne le méprise pas : il *aime* le danger... et même si les Mamund tirent infiniment mieux que les insurgés cubains, il sortira indemne des plus violents combats.

Le général Blood aurait voulu faire de Winston son officier d'ordonnance, mais le QG de l'armée anglo-indienne à Simla exige qu'il soit renvoyé à Bangalore. Blood invoquera les nécessités du service pour obtenir un sursis : après les sanglants combats d'Agrah le 30 septembre, il n'a plus un seul officier à affecter au 31e régiment d'infanterie du Panjab. Nécessité fait loi, et le sous-lieutenant Churchill reçoit son premier commandement sous le feu ; il n'est pas officier d'infanterie, ne parle pas un mot de panjabi, grelotte de fièvre pendant plusieurs jours, et pourtant, le général Blood signale que ce diable d'homme « fait le travail de deux sous-lieutenants ». Il s'attend même à ce que Churchill reçoive la *Victoria Cross* ou le *Distinguished Service Order*...

C'est évidemment le plus cher désir de notre héros, mais il n'obtiendra rien du tout – sinon son rappel ; le haut-commandement à Simla a fait diligence et envoyé sans délai un officier pour le remplacer. Pourquoi les hautes autorités militaires s'ingénient-elles à contrecarrer les projets d'un simple sous-lieutenant ? C'est que celui-ci, on s'en souvient, est aussi un correspondant de presse ; pour le *Daily Pioneer*, mais aussi, grâce aux démarches de sa mère, pour le *Daily Telegraph*. Or, ses premières dépêches ont été publiées au début d'octobre, et il est clair qu'elles ont déplu en haut lieu ; car Winston, comme d'habitude, a le regard perçant, le jugement prompt et la dent dure : depuis les travers de l'administration jusqu'à l'insuffisance des rations, il relève bien des choses que l'on préférerait passer sous silence. Il est vrai qu'à son grand dépit, les articles ont été publiés anonymement, sous la mention : « D'un jeune officier », mais il était d'autant plus facile à identifier que les mêmes articles paraissaient en Inde dans le *Daily Pioneer* sous sa signature. Or, qu'un général à la retraite critique la politique du gouvernement indien ou la stratégie du quartier général, passe encore ; mais qu'un sous-lieutenant de vingt-trois ans se permette d'en faire autant – et non sans talent –, voilà qui dépasse les bornes. À la mi-octobre, la mort dans l'âme, Winston Churchill doit donc reprendre le chemin de Bangalore.

Ce n'est pas vraiment l'enfer – surtout comparé à ce qu'il vient de traverser. Churchill retrouve en effet son luxueux bungalow, ses camarades admiratifs (n'est-il pas maintenant un vétéran ?), ses chevaux, ses roses, ses papillons, Miss Pamela Plowden, son équipe de polo, bref, tout ce qui fait le charme de l'existence... pour tout autre que Winston Spencer-Churchill ; car le bouillant sous-lieutenant n'aspire qu'à une chose : retourner sans délai sur le théâtre des hostilités. Dans le secteur de Malakand, la paix a été rétablie, mais un soulèvement vient d'éclater dans le Tirah, au sud-ouest de Peshawar. Cette fois, ce sont les redoutables tribus Afridi qui ont pris les armes contre la Couronne, et il a été décidé d'envoyer contre elles deux divisions, commandées par le général sir William Lockhart.

Aussitôt, Winston commence à intriguer pour faire partie de l'expédition ; une fois de plus, sa mère est mise à contribution, et elle ne ménage pas sa peine : lettres, entrevues, réceptions... Le ministre de la Guerre, le secrétaire d'État aux Colonies, le maréchal lord Roberts, Son Altesse Royale, personne n'est oublié ; mais ce sera en vain. Churchill ne s'avoue pas vaincu : à Noël, il dispose d'un congé de dix jours. Il faut trois jours et demi pour aller à Calcutta, autant pour en revenir ; il lui reste donc soixante heures pour persuader le gouvernement du vice-roi et le commandant en chef. Notre intrépide sous-lieutenant n'hésite pas et saute dans le train. À Calcutta, il sera fort bien reçu par le vice-roi, lord Elgin, par le commandant en chef, sir George White, et par les officiers de son état-major ; pour ce qui est de sa requête... elle est catégoriquement rejetée.

Retour donc à Bangalore, où Winston suivra avec dépit et envie les sanglantes opérations du Tirah. Il a pourtant une autre occupation : ayant appris que ses articles du *Daily Telegraph* avaient connu un certain succès, il a décidé d'écrire l'histoire de l'expédition de Malakand. Plus question d'un simple reportage ; il correspond désormais avec tous les officiers ayant participé à la campagne pour recueillir leur témoignage, consulte une documentation considérable et entreprend d'écrire dans son bungalow pendant les longues heures de la sieste. Même le polo en souffrira quelque peu ; car Winston a appris qu'un autre homme rédigeait l'histoire de l'expédition de Malakand : c'est lord Fincastle, l'aide de camp du général Blood. En principe, il n'y a guère de place pour deux livres sur cette campagne somme toute mineure, mais Winston décide de forcer la cadence et de faire publier le sien en premier. Pour se faire de la publicité en Angleterre ? Sans doute, mais surtout parce que, comme d'habitude, il est sans le sou et couvert de dettes. « Ces sales affaires d'argent, écrit-il à sa mère, sont la malédiction de ma vie. Nous finirons par être complètement ruinés[3]. » De fait, lady Randolph, qui est encore plus dépensière que son fils, vient en outre d'être victime d'un escroc. Dès lors, pourquoi Winston n'entreprendrait-il pas de vivre de sa plume ? Il estime qu'un livre comme *The Malakand field force* peut lui rapporter au moins 300 £ – soit environ 12 000 £ d'aujourd'hui…

Après cinq semaines de travail intense durant les torrides après-midi de Bangalore, la tâche est achevée. En phrases rythmées, longuement polies et repolies, qui doivent autant à Burke et Disraeli qu'à Gibbon et Macaulay (les dernières lectures de Winston lui ont manifestement été profitables), l'ouvrage évoque à chaque page la grandeur, mais aussi la futilité, de la tâche dévolue aux soldats de Sa Majesté sur la frontière du nord-ouest[4]. Le manuscrit terminé, Winston l'envoie à sa mère, en la chargeant de trouver un éditeur ; Lady Randolph s'adresse à un agent littéraire, qui trouve l'éditeur en une semaine : ce sera Longmans.

Naturellement, l'acharnement littéraire ne saurait exclure totalement le polo ; à la fin de février 1898, Churchill et son équipe se rendent à Meerut pour le grand tournoi interrégiments. Mais cette fois, Churchill n'est pas vraiment absorbé par le polo ; il a noté que Meerut se trouvait à 2 240 kilomètres au nord de Bangalore, c'est-à-dire à 960 kilomètres seulement de Peshawar, base avancée de l'expédition du Tirah. De plus, il vient de recevoir une lettre du général Ian Hamilton, un ami qu'il a connu en mai 1897 à bord du *Ganges* (Winston maîtrise d'instinct l'art de se faire des amis utiles et étonnamment dévoués). Hamilton, qui commande à présent la 3e brigade du corps expéditionnaire du Tirah, lui décrit les récents combats et lui donne quelques conseils pour se faire admettre sur le théâtre des opérations. Churchill, parvenu si près du but, ne peut résister ; au lieu de rentrer à Bangalore avec son équipe, il prend le train pour Peshawar et se présente au QG du commandant en chef, le général sir William Lockhart. Grâce à ses talents de persuasion et à l'aide du capitaine Haldane, bras droit du général, il est nommé sur-le-champ officier d'ordonnance surnuméraire du commandant en chef... À Calcutta comme à Bangalore, on ne peut que s'incliner.

Churchill est maintenant à son affaire : ses relations avec tous les officiers de l'état-major sont excellentes, et il sera aux toutes premières loges lorsque se déclenchera la grande offensive de printemps au Tirah. Enfin, l'action, la gloire, les médailles et tous les bénéfices qui en découlent vont pouvoir s'ouvrir devant lui. Hélas ! Les féroces guerriers du Tirah finissent par se lasser, des négociations s'engagent avec les officiers politiques britanniques, et voilà tous les espoirs de gloire du sous-lieutenant Churchill envolés. L'écrivain Churchill n'est pas plus heureux : à la fin du mois de mars, il reçoit une copie des épreuves définitives de son livre *The Malakand field force*. Voulant à tout prix qu'il sorte avant celui de son rival, Winston avait chargé son oncle Moreton Frewen de les corriger. Or, le brave oncle a laissé passer quelque deux cents fautes d'impression et coquilles diverses, il a fait d'innombrables corrections intempestives qui cassent le rythme et dénaturent le texte, et la ponctuation est un véritable cauchemar. Il est bien trop tard pour y remédier, le livre étant déjà sorti à Londres. Bref, c'est un désastre ; décidément, la gloire littéraire n'arrivera pas avant la gloire militaire...

Quiconque penserait que notre jeune officier est découragé pour autant ne connaîtrait pas Winston Spencer-Churchill ; sans cesse à l'affût d'un nouveau théâtre d'opérations où l'on se battait pour de bon, il a déjà jeté son dévolu sur le Soudan, où le général Herbert Kitchener progresse lentement vers Khartoum, la capitale des derviches, avec une armée anglo-égyptienne de 20 000 hommes. Et comme la vie est un éternel recommencement, Winston repart à l'assaut avec ses armes habituelles : la tactique, la fougue, l'entregent, la ténacité... et les relations de sa mère. D'ailleurs, son éphémère participation à la campagne du Tirah lui vaut trois mois de permission, qu'il compte bien mettre à profit pour forcer le destin ; le 18 juin 1898, il quitte Bombay pour l'Angleterre.

Arrivé à Londres le 2 juillet, Winston va faire donner toutes ses troupes ; sa mère, qui connaît personnellement lord Kitchener, lui a écrit une lettre des plus convaincantes, et va maintenant inviter à dîner tous les grands personnages de la politique et de l'armée, afin de les enrôler dans le camp de Winston ; une de ses amies, lady Jeune, femme d'un juge très en vue, a un admirateur qui n'est autre que sir Evelyn Wood, le chef de l'état-major général ; celui-ci promet de faire tout son possible, et adresse lui-même une lettre à Kitchener ; la tante Léonie est également sommée par Winston de mettre au service de la cause « tous les généraux apprivoisés qu'elle connaît » – ce qui laisse supposer qu'elle en a apprivoisé quelques-uns ; le brave colonel Brabazon est également prié d'intervenir, ce qu'il fait bien volontiers, de même que le général Bindon Blood ; enfin, bien sûr, lady Randolph s'est assuré le concours de Son Altesse Royale, qui a accepté que l'on télégraphie à Kitchener : « Personnalité souhaite que vous preniez Churchill[5]. »

Soumis à un tel bombardement, lord Kitchener peut difficilement camper sur ses positions… C'est pourtant exactement ce qu'il va faire ; car le Sirdar*, ayant lu le livre de Churchill sur la campagne de Malakand, a trouvé très choquant qu'un sous-lieutenant de 23 ans se permette de juger ses supérieurs – et toute la politique impériale du gouvernement de Sa Majesté par la même occasion. Que ce blanc-bec à la plume agile arrive sur le Nil, et il ne manquera pas de récidiver, ce qu'il importe d'éviter à tout prix ; à ses illustres correspondants, Kitchener répond donc poliment mais fermement qu'il n'y a pas de place dans son armée pour Winston Churchill. Plus tard, peut-être…

Mis en échec sur le front des armées, l'aspirant politicien reprend aussitôt du service et prononce son second discours public à Bradford, devant les membres de la Ligue de la prime-vère. Il y recueille le même succès qu'à Bath l'année précédente, si l'on en juge par la lettre qu'il écrira à sa mère : « Personnellement, j'ai été très satisfait de la soirée. L'ardeur de l'auditoire m'a aiguillonné, et bien que je ne me sois pas éloigné d'un *iota* du texte que j'avais préparé, j'ai manifestement réussi à les enthou-

---

* Titre officiel du commandant en chef de l'armée d'Égypte.

siasmer et à les amuser. [...] J'en conclus qu'avec de la pratique, je pourrai gagner un grand ascendant à la tribune. Mon défaut de prononciation n'est pas un obstacle*, ma voix est puissante et, ce qui est essentiel, mes idées et mes façons de penser ont l'heur de plaire aux hommes[6]. »

Mais pour ce qui est de l'Égypte, la cause paraît entendue... Elle ne l'est pas ; car le livre de Winston, en dépit de ses imperfections, a connu en Angleterre un certain succès. La presse s'en est fait l'écho, et toute l'élite politique du pays, depuis les députés et les ministres jusqu'au prince de Galles, a voulu prendre connaissance des écrits du fils de lord Randolph. Comme on pouvait s'y attendre, ils ont été impressionnés ; et le 12 juillet, un illustre lecteur prie M. Winston Churchill de venir le voir : ce n'est autre que lord Salisbury, chef du parti conservateur, Premier ministre et ministre des Affaires étrangères, qui a eu avec Randolph les relations difficiles que l'on sait. Au cours de leur entretien au *Foreign Office,* Salisbury fait l'éloge du livre, qu'il trouve admirablement écrit et qui lui a beaucoup appris. Puis, après avoir évoqué la mémoire de lord Randolph, le vieil homme d'État prie Winston de faire appel à lui si jamais il devait avoir besoin de quelque chose.

Une formule de politesse, certes, mais que Winston va prendre au pied de la lettre ; six jours plus tard, il écrit à Salisbury pour lui demander d'intervenir personnellement en sa faveur auprès de Kitchener. Le vieux lord s'exécute, mais les résultats sont décevants : le Sirdar refuse toujours de baisser pavillon. Est-ce la fin de l'histoire ? Nullement. Le chef d'état-major sir Evelyn Wood, apprenant par lady Jeune que le Premier ministre est intervenu en faveur de Churchill sans obtenir de résultats, trouve que Kitchener en prend décidément trop à son aise, et décide de réaffirmer les prérogatives du *War Office.* Au Caire, le 21 juillet, un jeune officier du 21e lanciers, le lieutenant Chapman, meurt à l'improviste ; le *War Office*, informé, fait alors savoir au Caire que son remplaçant va se mettre en route... et le lendemain, Winston est avisé qu'il vient d'être nommé lieutenant surnuméraire au 21e lanciers pour la

---

* En dépit d'énormes efforts accomplis pendant sa jeunesse, Churchill ne peut prononcer correctement la lettre « s ». Par la suite, il fera de ce défaut de prononciation une marque de reconnaissance et s'en accommodera parfaitement – ses auditeurs aussi, du reste.

campagne du Soudan. Il doit se présenter au plus tôt à la caserne d'Abassiyeh, au Caire. Échec et mat !

La générosité ayant ses limites, le *War Office* a précisé au lieutenant Churchill qu'il voyagerait à ses frais, et que l'armée déclinerait toute responsabilité financière au cas où il serait tué ou blessé. Mais Churchill n'en a cure ; la veille de son départ, il a signé un accord avec le *Morning Post* : on lui versera 10 £ par dépêche envoyée du Soudan. Plus tard, bien sûr, il compte en faire un nouveau livre – s'il est encore de ce monde... Dès le lendemain, le lieutenant Churchill est en route pour Marseille et Le Caire ; dans sa précipitation, il a oublié ses livres, ses papiers et même son revolver. On ne se refait pas.

Le 2 août, Winston arrive au Caire, alors que le 21ᵉ lanciers est déjà sur le départ. Dès le lendemain, son escadron part en train pour Assiout, puis ce sera la descente du Nil en bateau à aubes vers Assouan, une chevauchée autour de la cataracte de Philae, quatre jours de navigation pour atteindre Wady Halfa, et enfin 640 kilomètres de train à travers le désert pour rejoindre les cantonnements d'Atbara*. En tout, quinze jours de voyage, 2 240 kilomètres de parcours, un périple presque idyllique... Mais le lieutenant Churchill est inquiet. À l'idée d'avoir à livrer bataille ? Absolument pas : c'est son plus cher désir ; l'affrontement qui s'annonce devant Khartoum sera un événement historique, il en rêvait depuis des mois, des années même, et pour l'heure, son unique ambition est d'y jouer un rôle – le plus héroïque possible, naturellement ; à cet effet, il va même jusqu'à intriguer pour se faire affecter à la cavalerie égyptienne du colonel Broadwood, car « tout en étant plus dangereuse, c'est une bien meilleure affaire du point de vue des chances de s'illustrer[7] ». Pour recevoir des décorations ? Certainement : Winston a toujours cette conviction naïve qu'il importe d'être décoré pour entrer en politique ; il a écrit à Peshawar pour qu'on lui envoie d'urgence le ruban de la campagne du nord-ouest, et demandé au *War Office* une permission spéciale pour porter sa médaille espagnole[8]. Mais pour l'heure, c'est la perspective de l'action qui l'occupe tout entier ; car indéniablement, notre lieutenant est fasciné par le danger. Randolph aimait tous les jeux de hasard ; son fils lui ressemble, mais un seul

---

* Voir carte, p. 73.

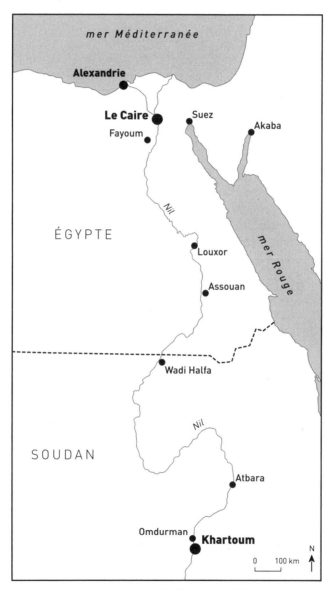

La campagne du Soudan, 1898

jeu l'intéresse réellement : celui de la guerre, avec la gloire ou la mort pour unique enjeu. Il a parfaitement pris en compte la possibilité d'une issue fatale… Mais pour ce joueur invétéré, une telle éventualité ne fait qu'ajouter du piment à l'aventure. En fait, si Winston est inquiet à ce moment, c'est parce qu'il redoute que son régiment de Bangalore le fasse rappeler, ou que lord Kitchener, averti de sa présence, lui ordonne de rentrer en Angleterre.

Mais il ne se passera rien de tel, et le 1er septembre, l'escadron du lieutenant Churchill, chevauchant en éclaireur devant l'infanterie, arrive en vue d'Omdurman, la ville sacrée du Mahdi. Les derviches du calife Abdullah sont là, qui s'avancent vers le corps expéditionnaire, et le colonel Martin, commandant le 21e lanciers, ordonne à Winston d'aller rendre compte sur-le-champ à lord Kitchener. Le jeune lieutenant part donc faire son rapport au Sirdar, qui chevauche en tête de l'infanterie près des berges du Nil ; les derviches, rapporte Churchill, avancent à marches forcées, et ils seront au contact dans une heure – une heure et demie tout au plus. Si Kitchener reconnaît Winston Churchill à ce moment, il n'en laisse rien paraître ; il est vrai qu'il a d'autres préoccupations…

Les derviches n'attaqueront pas ce jour-là ; mais dès le lendemain 2 septembre à l'aube, ils se remettent en mouvement. Depuis une éminence très exposée au feu de l'adversaire, le lieutenant Churchill, envoyé en reconnaissance avec une poignée d'hommes, peut voir et signaler à l'arrière le déploiement de l'armée ennemie : quelque 60 000 hommes répartis en quatre grandes masses, toutes bannières déployées, qui déferlent en direction des 25 000 soldats du corps expéditionnaire anglo-égyptien, retranchés en arc de cercle devant les berges du Nil. Très inférieures en nombre, les troupes du Sirdar possèdent toutefois une écrasante supériorité en armement : des fusils plus modernes, et surtout l'appui de 7 batteries de canons et de 8 canonnières croisant sur le Nil – en tout quelque 70 bouches à feu. Fasciné, le lieutenant et correspondant de presse Winston Churchill contemple le grandiose spectacle du choc frontal de deux civilisations, sans se soucier des balles qui sifflent à ses oreilles. Pourtant, les meilleures choses ont une fin, et la position finit par devenir intenable ; Churchill et ses hommes rejoignent donc au galop les positions anglaises, juste au moment où elles vont être assaillies par les troupes du calife. Mais celles-ci sont taillées en pièces par l'artillerie avant même d'avoir atteint les avant-postes du corps expéditionnaire ; 7 000 derviches resteront sur le terrain.

Cette première attaque enrayée, Kitchener ordonne une contre-offensive en direction d'Omdurman, pour couper les derviches de leurs bases. C'est le 21e lanciers qui est chargé d'ouvrir la route ; tout le régiment, avec ses 4 escadrons articulés en 16 pelotons, quitte donc les retranchements au trot pour amorcer un vaste mouvement tournant en direction du sud-ouest, derrière les lignes ennemies. C'est alors qu'il avance à vive allure dans la vaste plaine de sable que le régiment est pris sous le feu de quelque 150 derviches embusqués sur son flanc gauche. Dès lors, le colonel fait sonner le clairon, pour ce qui est sans doute la dernière grande charge de cavalerie de l'histoire : 310 lanciers galopent sous une grêle de balles vers 150 tireurs, pour découvrir trop tard que derrière ceux-ci, embusqués dans le lit d'un cours d'eau asséché, 3 000 derviches armés de lances les attendent de pied ferme...

Le choc sera bref et effroyablement meurtrier : en deux minutes, 75 lanciers tués ou blessés, 120 chevaux abattus – un quart des effectifs hors de combat... Comme toujours en de telles occasions, la vie et la mort sont suspendues au fil du hasard ; et comme toujours dans le cas de Winston Churchill, ce hasard semble se départir singulièrement de son impartialité. D'une part, Winston aurait dû se trouver à la tête du 4e peloton sur l'aile droite du régiment ; mais du fait de son arrivée tardive au Caire, c'est au sous-lieutenant Robert Grenfell qu'a été confié ce peloton ; lors du choc, il va entrer en collision avec la masse des guerriers derviches, et sera taillé en pièces. Le lieutenant Churchill, lui, chargeant à la tête de l'avant-dernier peloton sur la droite, rencontre une défense nettement plus clairsemée, et qui reflue en désordre sous l'impact de l'assaut. D'autre part, la malchance elle-même sert étrangement Winston : dans le 21e lanciers, les hommes chargent à la lance, et les officiers sabre au clair ; or, le lieutenant Churchill, du fait de son bras droit déboîté à Bombay, ne peut manier correctement une telle arme. Au cours de la charge, il va donc rengainer son sabre et sortir un pistolet automatique Mauser à dix coups – celui-là même qu'il vient d'acheter pour remplacer le revolver oublié à Londres. Armé d'un sabre, au milieu d'une foule de derviches rompus au maniement des armes blanches, il aurait été rapidement accroché et submergé sous le nombre. Mais ici, pas de corps à corps : les quatre derviches qui s'avancent tour à tour vers lui sont proprement abattus avant même de l'avoir rejoint ; dès lors, les autres préfèrent l'éviter... Enfin, comme à Cuba et dans la vallée du Mamund, il y a l'inexplicable : au moment de l'impact initial, Winston est passé entre deux tireurs derviches ; tous deux ont fait feu sur lui, et tous deux l'ont manqué ; le lancier qui galopait derrière lui a été tué sur le coup. Plus tard, alors qu'il tentait de s'extraire de la mêlée, il a été mis en joue par trois autres guerriers – qui l'ont tous manqué... À ce moment, chose très rare, le lieutenant Churchill a eu peur ; mais chez ce diable d'homme, la fureur de vaincre semble anesthésier presque aussitôt la peur, comme chez d'autres l'émotion efface la douleur.

Lorsqu'il rallie le gros du régiment derrière la scène du carnage, c'est pour constater que tous les rescapés et leurs chevaux portent les marques sanglantes du combat. Mais Winston et son cheval n'ont pas même une égratignure ! Devant une chance aussi insolente, le destin semble faire appel : un derviche qui est parvenu à se glisser entre les chevaux se précipite vers le lieutenant Churchill en levant sa lance. Appel rejeté... d'extrême justesse : à moins d'un mètre, notre héros fait feu et l'abat ; c'était sa dernière cartouche.

Finalement, c'est en tournant les positions ennemies et en prenant l'oued en enfilade sous le feu de leurs carabines que les rescapés de la charge mettront en fuite leurs adversaires. Il n'est encore que neuf heures du matin, et tout le régiment s'attend à recevoir l'ordre de se porter en avant pour charger à nouveau. Cet ordre ne viendra jamais ; plus au nord, 50 000 derviches ont attaqué en masse les cinq brigades de Kitchener qui avançaient à découvert dans la plaine ; ils sont parvenus cette fois à portée de fusil, mais ont été aussitôt décimés par la riposte des fantassins et écrasés par les salves de l'artillerie. Laissant plus de 15 000 morts et blessés sur le terrain, ils prennent finalement la fuite vers le désert, ouvrant ainsi à Kitchener la route d'Omdurman – et de Khartoum. Voilà donc Gordon vengé et le Soudan solidement aux mains de l'Angleterre.

Absorbé par ses tâches militaires, Winston n'avait envoyé que quelques lettres au *Daily Mirror.* Mais la victoire va lui permettre de reprendre la plume ; après tout, il a été un témoin privilégié du début des combats, il a pris part à la mêlée, parcouru longuement le champ de bataille couvert de 11 000 morts et 16 000 blessés, et vécu l'entrée triomphale dans Omdurman. Pour qui sait manier la plume aussi adroitement que le mauser, il y a là matière à quelques articles à sensation – d'autant que Winston a pu assister à de nombreux actes de cruauté gratuite de la part des troupes du Sirdar, et il décrira avec une indignation mal réprimée le sort réservé aux blessés derviches, le bombardement du mausolée du Mahdi, la profanation de sa sépulture et la mutilation de sa dépouille*. Tout cela fait une bien mauvaise publicité à lord Kitchener qui, ayant reçu des rappels à l'ordre du Caire comme de Londres, va naturellement concevoir une haine féroce pour cet écrivaillon qui se permet de lui donner des leçons de morale. Impossible de le mettre aux arrêts : le fils de lord Randolph, avec ses relations au gouvernement, au Parlement et jusqu'au Palais, n'est déjà pas n'importe qui... Lorsqu'en outre, il a la presse derrière lui et vient de se distinguer sur le champ de bataille, il devient parfaitement intouchable. On peut à la rigueur concevoir une discrète vengeance : le lieutenant Churchill reçoit l'ordre de ramener au Caire, par la voie la plus longue, un troupeau de chameaux malades. Winston part sans rechigner : il n'est pas pressé, et il a encore des dépêches à écrire et des événements à digérer. Cette campagne a été pour lui un éblouissement ; mais il y a perdu bien des amis très chers, comme Robert Grenfell et Hubert Howard. Par moments, c'est assez pour vous dégoûter de la guerre... Par moments seulement.

Rentré à Londres, Winston va faire un rapide bilan de sa situation : la vie militaire lui a procuré bien des moments exaltants, mais pas de décorations, et si peu d'argent qu'il a dû s'endetter pour conserver un train de vie acceptable. Par contre, ses écrits viennent de lui rapporter cinq fois plus que trois années de solde ! À présent, ses dépêches du Soudan font grand bruit et lui valent une certaine notoriété. En outre, le journal indien *Daily Pioneer* lui propose à présent 3 £ (120 £ d'aujourd'hui) pour écrire une dépêche hebdomadaire de Londres ; c'est presque autant que ce que lui verse l'armée de Sa Majesté ! Et Churchill veut encore écrire l'histoire de la campagne du Soudan. Pourquoi ne pourrait-il vivre de sa plume ? D'ailleurs, tout bien réfléchi, les articles et les livres ne seraient-ils pas un meilleur passeport que les médailles pour entrer dans la vie politique ? Décidément, mieux vaut abandonner la

---

* Kitchener conservera le crâne du Mahdi pour s'en faire un encrier.

carrière militaire. Sur-le-champ ? Pas question : dans moins de quatre mois se tiendra à Meerut le grand tournoi de polo interrégiments de l'Inde, et le polo est une affaire sérieuse : au début de décembre 1898, Winston embarque donc sur l'*Osiris*, et il rejoint son régiment à Bangalore juste avant Noël.

Bien des militaires feront observer qu'en vingt-sept mois, le 4e hussards n'a pas souvent bénéficié des services du lieutenant Churchill, qui était le plus souvent en permission ou en campagne avec d'autres unités. C'est un fait ; mais la paix la plus complète règne sur l'Inde du Sud, le nom de Churchill, même après deux siècles, continue d'exercer une fascination certaine sur les officiers de Sa Majesté, et l'aide de camp du colonel du 4e hussards n'est autre que le lieutenant Barnes, l'inséparable compagnon de Winston depuis l'expédition de Cuba. Enfin, depuis le caporal jusqu'au général, tous les officiers de l'armée des Indes ont la religion du polo, et Winston est la vedette de l'équipe du régiment...

Il ne la décevra pas ; à la fin de février 1899, en dépit de l'infirmité de son bras droit – encore aggravée par une chute dans un escalier de pierre –, Winston réussira à marquer trois buts pour son camp, lui assurant ainsi une victoire inespérée contre la redoutable équipe du 4e dragons. Pour les civils indiens comme pour les militaires britanniques, se distinguer dans la guerre du nord-ouest était déjà honorable ; en écrire un récit remarqué méritait des louanges ; charger à la tête du 21e lanciers à Omdurman constituait un beau geste ; mais faire gagner à l'équipe du 4e hussards le tournoi interrégiments de polo, voilà un exploit sans égal. Notre lieutenant, hôte successivement du général Bindon Blood, du régent de Jodhpur et du nouveau vice-roi des Indes lord Curzon, puis fêté dignement par ses camarades de régiment, quittera l'Inde en héros ; quelques jours plus tôt, il avait envoyé au ministère de la Guerre sa lettre de démission.

Pour ce jeune homme de 24 ans, nouvellement rendu à la vie civile, la carrière d'écrivain à temps plein commence sans délai. Dans le bateau qui le ramène en Europe, il rédige plusieurs chapitres de son livre sur la campagne du Soudan. Il fera d'ailleurs une escale de quinze jours en Égypte pour réunir des documents, et surtout pour recueillir les souvenirs des témoins et acteurs de cette campagne, comme des événements qui l'ont précédée. L'un des plus haut placés et des mieux informés est sans conteste lord Cromer, le consul général de Sa Majesté au Caire, qui poussera l'obligeance jusqu'à corriger les premiers chapitres du livre...

À son retour en Grande-Bretagne, Winston s'aperçoit que le bruit fait autour de ses articles sur le Soudan a attiré l'attention des hiérarques du parti conservateur. Après le décès d'un député de la circonscription d'Oldham, dans le Lancashire*, on lui propose de se présenter à l'élection partielle destinée à le remplacer. Ce ne sera pas une promenade de santé : dans ce pays minier, où la vie est difficile et le chômage endémique, le parti libéral risque de recueillir les fruits du mécontentement. Mais Churchill ne recule pas : l'entrée au Parlement n'est-elle pas l'ambition de sa vie ? Son premier discours politique n'a-t-il pas été très favorablement reçu ? Il se lance tête baissée dans la bataille électorale, et le 7 juillet 1899, il est largement battu par le candidat libéral. Ainsi, l'heure du politicien n'a pas encore sonné ; l'écrivain, lui, se remet à l'œuvre : *The River War* doit en effet paraître à la mi-octobre. Mais à cette date, de graves événements seront venus solliciter le journaliste... et aussi le militaire qui, chez Winston Churchill, ne dort jamais que d'un œil.

En Afrique du Sud, depuis plusieurs mois, les relations se sont progressivement détériorées entre les Britanniques des colonies du Cap et du Natal et les autorités de Pretoria, capitale de la république boer du Transvaal. Se sentant menacée par le soutien de Londres aux *Uitlanders*, immigrants britanniques installés au Transvaal et dans l'État libre d'Orange, Pretoria a envoyé à Londres le 8 octobre un ultimatum exigeant le retrait des forces britanniques de l'ensemble de la zone frontière avec le Transvaal, et l'arrêt de l'envoi de renforts militaires au Cap. Dès lors, la guerre devient inévitable ; elle éclatera trois jours plus tard. Ce n'est d'ailleurs un secret pour personne que les deux parties s'y préparaient depuis longtemps, à tel point que dès le 18 septembre, le *Daily Mail* avait proposé à Winston Churchill de partir pour le Cap comme correspondant de guerre. Notre héros, fidèle en affaires comme en amitié, préfère proposer ses services au *Morning Post* – moyennant une rémunération très convenable, naturellement : tous frais payés, 1 000 £ pour les quatre premiers mois (40 000 £ d'aujourd'hui !), et 200 £ pour chaque mois supplémentaire... C'est un salaire exorbitant, mais les

* Voir carte, p. 30.

dépêches soudanaises de Winston ont permis au journal d'augmenter considérablement son tirage, et la direction du *Morning Post* accepte sans discuter. Le 14 octobre, alors que les Boers viennent de passer à l'offensive au Cap comme au Natal, le journaliste Churchill embarque pour l'Afrique du Sud avec son valet de chambre Thomas Walden, ses jumelles, son mauser, une selle neuve, trente-deux bouteilles de vin d'Ay sec 1877, dix-huit de saint-émilion, dix de vieux scotch, douze de cordial au citron vert, six de porto blanc, six de vermouth français et six de très vieille eau-de-vie 1886... Parmi ses compagnons de voyage à bord du *Dunottar Castle*, il y a de nombreux journalistes, mais aussi le nouveau commandant en chef sir Redvers Buller et son état-major, qui se montrent très confiants dans l'issue des hostilités – trop confiants sans doute.

Arrivés au Cap le 31 octobre, ils vont devoir déchanter : les deux principales places fortes britanniques sur la frontière du Transvaal et de l'État libre d'Orange, Mafeking et Kimberley, sont encerclées par les Boers. Au Natal, les troupes de Sa Majesté ont également subi de sérieux revers, et leur commandant, le général Symonds, vient d'être tué ; son successeur, le général sir George White (l'ancien commandant en chef de l'armée des Indes, que Churchill a de bonnes raisons de connaître), a décidé de replier ses troupes sur la place forte de Ladysmith, elle-même menacée d'encerclement. Sur ce, Churchill et deux autres correspondants décident de se rendre à Ladysmith pendant que la route est encore ouverte. À Durban, Winston retrouve de nombreux amis, notamment Reginald Barnes, qui a été sérieusement blessé à Elandslaagte, au nord-est de Ladysmith ; il apprend aussi qu'un autre de ses amis, le général Ian Hamilton, est parvenu à rallier Ladysmith. Raison de plus pour s'y rendre sans délai ; avec ses compagnons, Winston prend donc le train qui remonte vers le nord. Mais celui-ci s'arrête à Estcourt, une bourgade tenue par quelques milliers d'hommes des *Dublin Fusiliers* et du *Durban Light Infantry* ; plus au nord, le long de la voie qui mène à Ladysmith, les Boers sont maîtres du terrain*...

Bloqués à Estcourt pendant une semaine, Churchill et ses confrères du *Times* et du *Manchester Guardian* s'informent à toutes les sources, interrogeant les habitants comme les soldats sur les

---

* Voir carte, p. 82.

combats qui se sont déroulés dans la région. L'ample provision de stimulants emportée par Winston permet naturellement de délier bien des langues – à commencer par la sienne ; c'est ainsi qu'il confie au correspondant du *Manchester Guardian*, J.-B. Atkins : « Le pire de tout, c'est que mes perspectives de vie ne sont pas bonnes. Mon père est mort trop jeune. Il faut que j'accomplisse tout ce que je peux avant l'âge de quarante ans[9]. » Au fils du chef de gare chez qui il s'est installé, notre héros déclare également : « Souvenez-vous de ce que je vais vous dire : avant d'en avoir fini, je serai Premier ministre d'Angleterre[10]. » Et puis un jour, au détour d'une rue, Winston rencontre le capitaine Haldane, ancien bras droit de sir William Lockhart lors de l'expédition du Tirah. Décidément, tous les officiers de l'armée des Indes se sont donné rendez-vous au Natal ! Mais pour le correspondant de presse Churchill, ces retrouvailles seront une aubaine – au moins en apparence. Le 14 novembre, Haldane lui confie en effet qu'il a reçu pour mission de conduire le lendemain à l'aube une reconnaissance vers le nord, en direction de Colenso, avec deux compagnies d'infanterie à bord d'un train blindé. Winston aimerait-il se joindre à l'expédition ? Le journaliste consciencieux, qui est aussi un ancien lieutenant avide de gloire et fasciné par le danger, accepte avec empressement.

Le lendemain à 5 heures du matin, le train blindé quitte Estcourt pour Chieveley, qu'il atteint deux heures plus tard. C'est sur le chemin du retour que le convoi est pris sous le feu d'artillerie des Boers, et heurte à pleine vitesse une pierre placée sur la voie. Après le choc initial, les occupants de l'avant-dernier wagon se relèvent sans trop de dommages et semblent hésiter sur la conduite à suivre. Le jeune correspondant de presse civil Churchill, immédiatement galvanisé par le danger, propose à Haldane de se porter vers l'avant pour inspecter les dégâts et tâcher d'y remédier, tandis que le capitaine et ses hommes le couvriront de leur feu. Haldane accepte et Churchill sort, longe la voie ferrée entre les détonations, et parvient jusqu'à la tête du convoi. Les deux premiers wagons sont couchés sur le flanc, le deuxième reposant en partie sur la voie ; le troisième a partiellement déraillé ; quant au conducteur de la locomotive, blessé à la tête et en proie à la panique, il est allé se réfugier sous un des wagons retournés.

C'est dans cette situation à peu près désespérée que Winston est repris par son étonnante fureur de vaincre : il ramène le conducteur

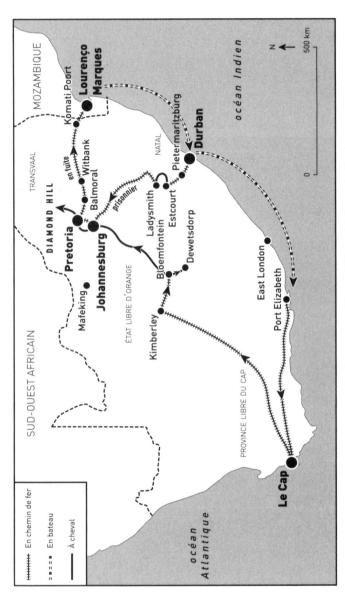

Campagne du lieutenant Churchill en Afrique du Sud

commotionné et paniqué à la locomotive ; ensuite, il mobilise les soldats les moins effrayés pour pousser les wagons qui bloquent la voie, puis, devant l'absence de résultats, il fait reculer la locomotive et l'utilise comme bélier pour dégager le chemin. Enfin, devant l'impossibilité de raccrocher les wagons de queue, il va faire hisser vingt et un blessés sur le tender et la locomotive, et donner au conducteur l'ordre de départ. Mais le plus extraordinaire, c'est que pendant tout le temps que durent ces opérations, Churchill est resté à découvert sous un feu d'infanterie et d'artillerie particulièrement intense ; la locomotive sur laquelle il s'affairait a reçu au moins cinquante impacts d'obus ; autour de lui, la plupart des hommes ont été touchés, certains plusieurs fois. À Cuba, les insurgés tiraient trop haut ; en Inde, les fusils des Mamund étaient peu précis ; à Omdurman, les derviches étaient peut-être trop choqués par la charge des lanciers pour viser juste... Mais ici, au Natal, les Boers sont des tireurs d'élite parfaitement armés, ils ont tout leur temps, ils sont à couvert, à proximité immédiate du train et appuyés par trois pièces d'artillerie et un canon mitrailleur ; pendant *soixante-dix minutes*, ils prendront pour cible principale la locomotive et le jeune homme roux qui donne des ordres et se démène, entièrement à découvert... Lorsque pour finir, la locomotive et son tender, couverts de blessés, parviennent à leur échapper, ce jeune homme-là n'a toujours pas une estafilade ! Des années plus tard, les combattants des deux bords, évoquant cet épisode, en resteront stupéfaits.

Winston Churchill, qui cherchait la gloire, est parvenu à ses fins. Il ne lui reste plus qu'à attendre l'arrivée à Estcourt pour que son geste héroïque lui vaille la reconnaissance de tous et de flatteuses décorations. Mais il ne fera rien de tel ; une fois la locomotive hors de portée de l'ennemi, il en descend et rebrousse chemin le long du ballast, « pour retrouver le capitaine Haldane, dira-t-il, et le ramener avec ses fusiliers [11] ». Cette fois, bien sûr, il a trop présumé de ses forces – d'autant qu'il a oublié son mauser sur la locomotive... Il est capturé par les Boers avant même d'avoir pu rejoindre les wagons de queue, tout comme les hommes du capitaine restés dans ces wagons. Voilà donc notre héros aux mains de l'ennemi ; après avoir été interrogé par un officier boer du nom de Jan Christiaan Smuts, il est expédié vers Pretoria avec ses compagnons.

Ce sera un prisonnier difficile ; résolument hostile à la discipline et ne supportant pas l'inaction, il commence par protester contre son emprisonnement, en faisant état de sa qualité de journaliste. Mais il porte une moitié d'uniforme, tous les journaux du Natal ont vanté ses exploits lors de l'épisode du train blindé et, comme le dira un officier boer : « Ce n'est pas tous les jours qu'on capture un fils de lord[12] ! » Ce qui n'empêchera pas le fils en question d'écrire aux autorités du Transvaal pour exiger sa libération, ainsi qu'à sa mère et au prince de Galles pour qu'ils intercèdent en sa faveur. Tout cela reste vain, et Winston ronge son frein à l'« école modèle d'État » de Pretoria. Comme ses camarades officiers, il est fort bien traité, peut correspondre librement, et même devenir membre de la bibliothèque municipale... Mais l'inaction lui pèse singulièrement, d'autant que de rudes combats se poursuivent devant Ladysmith, auxquels il brûle d'assister – et surtout de participer. Enfin il y a, encore et toujours, cette obsession de l'échéance fatale imposée par l'hérédité : le 30 novembre, il écrit à Bourke Cochran : « J'ai aujourd'hui 25 ans. Il est effrayant de penser au peu de temps qui me reste[13]. »

Pour ce jeune homme pressé, il ne reste plus qu'une solution : l'évasion. Le capitaine Haldane et un sergent-major nommé Brockie en discutaient depuis trois semaines, et Churchill, ayant maintenant perdu tout espoir d'être libéré, décide de se joindre à eux. Ne doutant de rien comme d'habitude, il leur propose un plan visant à... prendre le contrôle de Pretoria par un audacieux coup de main[14] ! Si persuasif que soit notre homme, ses compagnons préfèrent s'en tenir à un plan plus modeste ; même ainsi, l'entreprise est osée, car la prison est étroitement surveillée, entourée de hauts murs et de grilles, et brillamment éclairée la nuit. Après une longue période d'observation, c'est au soir du 12 décembre qu'est faite la tentative. À la suite de plusieurs essais infructueux, seul Winston parvient à franchir le mur, et retombe dans un jardin de l'autre côté. Ayant attiré l'attention d'un garde, ses deux compagnons doivent renoncer ; après plus d'une heure d'attente caché derrière un buisson, Winston décide alors de tenter seul l'aventure. Ses chances sont à peu près nulles : il n'a ni boussole ni carte, ne parle pas un mot d'afrikaans, et 480 kilomètres séparent Pretoria des frontières du Mozambique portugais... Avec pour tout bagage 75 £, quatre tablettes de chocolat, quelques biscuits et le sentiment de n'avoir rien à perdre, ce joueur invétéré sort du jardin sans chercher à se cacher, passe devant les sentinelles postées à l'extérieur, et disparaît dans Pretoria.

Se dirigeant toujours vers le soleil levant, empruntant un train de marchandises, cheminant à travers le veld, Winston va parcourir quelque 120 kilomètres avant de parvenir, à 1 h 30 au matin du 14 décembre, à la bourgade de Balmoral – quelques maisons groupées autour d'un puits de mine. Épuisé par trente heures d'errance, il prend le risque de frapper à la porte de la première maison, et la chance veut que ce soit celle de John Howard, le directeur anglais des houillères du Transvaal. À partir de là, les perspectives de succès du fugitif s'améliorent notablement ; Howard est en effet assisté d'un secrétaire, d'un mécanicien et de deux mineurs – tous britanniques. Le mécanicien, M. Dewsnap, est même originaire d'Oldham, dans le Lancashire, où l'on a de bonnes raisons de connaître Winston Churchill. « Ils voteront tous pour vous la prochaine fois », lui souffle-t-il avant de le faire descendre dans la mine, où il restera caché pendant que les Boers, qui ont mis sa tête à prix, le cherchent en vain dans tout le Transvaal...

C'est finalement le 19 décembre que le fugitif est dissimulé dans une cargaison de laine à destination du Mozambique, avec la complicité de l'expéditeur du chargement, un autre Anglais nommé Charles Burnham. Celui-ci décide au dernier moment de se joindre au convoi et, grâce à quelques bouteilles de whisky et de nombreux pots-de-vin généreusement distribués entre Witbank et Komati Poort, il fera en sorte que les wagons parviennent à destination avec un minimum de délais et de formalités. C'est ainsi que le 21 décembre 1899 vers 16 heures, un jeune homme couvert de fibres de laine et de poussière de charbon émerge d'un wagon de marchandises en gare de Lourenço Marques, d'où il se rend au consulat britannique, toujours escorté par l'indispensable M. Burnham. Quelques heures plus tard, des télégrammes partent vers les quatre coins du monde : Winston Churchill a réussi son évasion. Avant la fin du jour, dûment lavé et restauré, il embarque sur le vapeur *Induna* à destination de Durban.

Même Winston Churchill ne s'attendait pas à la réception que lui réserve Durban dans l'après-midi du 23 décembre : guirlandes, drapeaux, fanfares et une foule considérable, avec le maire, le général et l'amiral en tête. Winston est porté en triomphe jusqu'à la mairie, où on le persuade – sans trop de difficultés – de faire un discours. « Je fus reçu, se souviendra-t-il, comme si j'avais remporté une grande victoire[15]. » De fait, il en faut bien une, car, entre le 10 et le 15 décembre, le général Gatacre à Stormberg, lord Methuen à Magersfontein et le général Bullers à Colenso viennent de subir d'écrasantes défaites. Avec l'épopée du train blindé et le récit de son évasion rocambolesque, Winston Churchill, descendant du grand Marlborough, vient à point nommé pour remonter le moral des civils et redorer le blason des militaires...

Un peu étonné d'avoir acquis si brusquement la célébrité qu'il recherchait depuis si longtemps, Churchill réagit d'abord en journaliste, et envoie une série de dépêches au *Morning Post*. Par leur style, leur largeur de vues, leur objectivité et leur impertinence, elles sont en tout point dignes de celles envoyées d'Inde et du Soudan : « Il est déraisonnable de ne pas reconnaître que nous combattons un terrible et redoutable adversaire. [...] Chaque Boer [...] vaut de trois à cinq soldats réguliers. [...] Le seul moyen de traiter le problème est de faire venir comme fusiliers des hommes qui leur soient comparables en caractère et en intelligence, ou, à défaut, d'envoyer d'énormes masses de troupes. [...] C'est une politique périlleuse que d'amener des renforts au compte-gouttes et d'éparpiller des armées. » Il faudrait, recommande notre stratège, des régiments de chevau-légers et au moins 250 000 hommes, car en définitive, « il s'avère toujours bien moins coûteux d'en envoyer plus que nécessaire[16] ». Cette dernière recommandation témoigne d'une très grande perspicacité : au cours du siècle qui va suivre, on perdra bien des guerres faute de l'avoir observée. Mais pour l'heure, ces conseils prodigués par un ex-lieutenant de 25 ans aux plus hauts responsables civils et militaires provoquent quelques apoplexies dans les états-majors comme à la Chambre des communes... D'autant qu'ils sont publiés moins d'un mois après la sortie de son livre *The River War*, qui éreintait déjà sérieusement les autorités militaires. On pourra donc lire dans le *Morning Leader* : « Nous n'avons pas encore reçu confirmation d'un communiqué selon lequel lord Lansdowne [ministre de la Guerre] a nommé M. Winston Churchill commandant des troupes d'Afrique du Sud, avec le général sir Redvers Buller comme chef d'état-major[17]. »

À vrai dire, les résultats n'auraient sûrement pas été plus mauvais ; car l'infortuné général, échaudé par sa défaite du 15 décembre, s'est déclaré incapable de libérer Ladysmith, et Londres, tout en lui

laissant son commandement au Natal et en lui envoyant des renforts, l'a remplacé comme commandant en chef. C'est donc un
général vaincu et passablement déprimé qui accueille à Estcourt le
héros du jour, à la veille de Noël 1899 ; après les félicitations qui
s'imposent, Buller demande à Churchill s'il peut faire quelque
chose pour lui, et il a la surprise de s'entendre répondre : « Oui, me
permettre de m'engager dans un des corps de combattants en cours
de formation. »

C'est évidemment stupéfiant ; Winston, qui pourrait être accueilli
en triomphe à Londres et entamer sur sa lancée une belle carrière
politique, préfère rester au Natal pour se battre ? Eh bien oui : chez
ce joueur congénital, il y a l'ambition de la victoire et la haine de la
défaite. Son équipe – l'équipe de Sa Majesté – est en train de perdre,
et il ne peut l'admettre ; l'Angleterre *doit* gagner, et le correspondant de presse Winston Churchill assister à la victoire – non, contribuer à la victoire. Et puis, il y a autre chose : Winston *aime* la
guerre… Il n'a jamais cessé de l'aimer. Si le métier des armes avait
été plus rémunérateur, il ne l'aurait probablement pas quitté ; mais
puisqu'à présent, le *Morning Post* subvient à ses besoins matériels, il
aimerait s'offrir la satisfaction de guerroyer à nouveau.

Buller se trouve devant un cruel dilemme : depuis la campagne
du Soudan, le *War Office* a décrété qu'un militaire ne pourrait plus
désormais être correspondant de presse – et *vice versa*. Cette
mesure résultait de l'indignation provoquée dans les sphères diri-
geantes par les dépêches d'un certain lieutenant Churchill… Et
voici que ce même Churchill veut être la première exception à une
règle édictée principalement pour le faire taire ? C'est évidemment
très irrégulier, mais au point où il en est, le vaincu de Colenso n'a
plus grand-chose à perdre ; du reste, il a déjà suffisamment d'ennuis
avec les Boers et le *War Office* pour ne pas se mettre également à
dos les journalistes… C'est dit : Churchill pourra s'engager comme
lieutenant dans le *South African Light Horse* du colonel Byng.

Voici donc notre héros devenu militaire à mi-temps*, avec le
splendide uniforme des chevau-légers d'Afrique du Sud – une
unité de 700 cavaliers, tous volontaires, recrutés parmi les
Uitlanders et les colons du Natal. Il ne manque rien à son contentement ; le colonel Byng, qui sait à qui il a affaire, l'a nommé aide

---

* Et sans solde !

de camp, avec liberté totale d'aller où bon lui semble lorsqu'il n'est pas en service ; entre deux escarmouches, il enverra donc un flot de dépêches au *Morning Post,* avec des informations de toute première main. La vie en plein air l'enchante, les accrochages aussi, on vit entièrement dans le présent et il se passe toujours quelque chose... Winston est également très satisfait de la combativité du peloton qu'il commande, il a d'excellentes relations avec les autres officiers subalternes, dont la plupart sont d'anciens camarades de Sandhurst, des Indes ou du Soudan, et puis, ajoutera-t-il avec fierté : « Je connaissais tous les généraux et autres grosses légumes, j'avais accès à tout le monde, et j'étais bien reçu partout[18]. »

Certes, mais dans l'armée anglaise comme dans toutes les autres, un lieutenant ne saurait influencer la stratégie du général ; et celui-ci, sir Redvers Buller, continue à faire preuve d'une consternante incompétence : entre le 24 et le 26 janvier 1900, l'offensive qu'il lance à l'ouest de Ladysmith se solde par un sanglant échec sur la colline de Spion Kop, où les Britanniques compteront 1 800 morts et blessés – des pertes effroyables pour l'époque ; l'offensive suivante, menée plus à l'est vers Doorn Kloof, ne sera pas plus réussie, et coûtera encore 500 hommes. Chaque fois, une attaque frontale contre des positions solidement défendues est suivie d'un affreux carnage et d'une humiliante retraite, face à un ennemi très mobile et qui sait admirablement utiliser le terrain. Au début de février, après un mois d'offensives désastreuses, les troupes de Buller sont revenues à Chieveley, leur point de départ, tandis que l'on s'attend d'un jour à l'autre à voir capituler la garnison de Ladysmith. À tout cela, Winston, qui est toujours en première ligne avec la cavalerie, ne peut faire que des allusions discrètes dans ses dépêches au *Morning Post* – censure oblige... Et puis, il s'agit de rester *persona grata* à l'état-major.

Le mois de février verra un renouvellement des offensives insensées contre les positions les mieux défendues de l'ennemi à Inniskilling, au sud-ouest de Pieters, où l'on perdra 2 colonels, 3 majors, 20 autres officiers et 600 hommes – plus de la moitié des effectifs ! Mais même le plus mauvais stratège ne peut échouer indéfiniment, surtout lorsqu'il reçoit des renforts en permanence... C'est aussi ce que pensent les Boers, qui jugeront plus sage de s'éclipser lorsque leurs positions seront débordées à partir des hauteurs de Monte Cristo et de Bartons Hill, au sud-est de Pieters.

C'est ainsi que le 28 février, les deux premiers escadrons du *South African Light Horse* atteignent les faubourgs de Ladysmith, sous les vivats d'une garnison décimée par la faim et la maladie. Parmi les premiers libérateurs, il y a bien sûr le lieutenant Churchill ; avec le commandant de la place, sir George White, et son vieil ami le général Hamilton, il participera ce soir-là au banquet de la victoire. Que de chemin parcouru depuis la réception de Calcutta deux ans plus tôt !

Winston va-t-il maintenant parader dans le Natal libéré, en exploitant ses faits d'armes et de plume pour se faire acclamer à Londres et entrer au Parlement ? Pas du tout ! La zone des combats s'est maintenant déplacée vers l'État libre d'Orange, où le nouveau commandant en chef, le maréchal lord Roberts, vient de libérer Kimberley et occupe à présent Bloemfontein ; de là, il ne manquera pas de lancer l'attaque décisive vers le nord. Or, Winston ne peut supporter d'être tenu à l'écart d'un combat – et moins encore d'un combat décisif. Son colonel n'ayant décidément rien à lui refuser, il pourra partir le temps qu'il voudra… tout en restant lieutenant au *South African Light Horse*. En un tournemain, Winston a fait son paquetage, pris le train pour Durban, embarqué sur un vapeur pour Port Elizabeth, et emprunté un autre train pour le Cap* ; ses observations et ses interviews en chemin serviront à éclairer les lecteurs du *Morning Post*, qui attendent désormais ses dépêches avec impatience.

Les deux mois qui suivent seront véritablement stupéfiants. Lord Roberts, manifestement influencé par son chef d'état-major Kitchener, ne veut pas de Churchill ? Qu'à cela ne tienne : Roberts a dans son entourage les généraux Hamilton et Nicholson, deux vétérans de la campagne des Indes – et grands amis de Winston ; ils font donc le siège du commandant en chef, qui finit par céder. Tout est calme à Bloemfontein, mais on se bat plus au sud, à Devetsdorp ? Churchill y accourt dès la mi-avril, d'autant plus volontiers que le commandant de la brigade engagée sur ce théâtre n'est autre que le colonel Brabazon, l'ancien chef du 4e hussards… Après quelques rudes combats, les Boers sont-ils contraints de se retirer ? Winston part au triple galop rejoindre la division de cavalerie du général French, qui vient de lancer une offensive vers le nord. French

* Voir carte, p. 82.

déteste Churchill ? Peu importe : son aide de camp n'est autre que Jack Milbanke, le meilleur – et le seul – ami de Winston à Harrow… Au début de mai, lord Roberts lance enfin sa grande offensive en direction de Johannesburg et Pretoria ; et l'on voudrait écarter le lieutenant et correspondant de presse Churchill de la bataille finale ? Allons donc ! Son vieil acolyte le général Hamilton commande sur ce théâtre une force de 16 000 hommes, dont 4 000 cavaliers, auxquels Winston se joint sans retard. Il accompagnera les patrouilles de reconnaissance, galopera sans cesse entre les balles et les obus, et sera parfaitement heureux : « Avec toute l'inconscience de la jeunesse, je recherchais chaque miette d'aventure, chaque expérience, et tout ce qui pouvait faire un bon article [19]. »

Il est vrai qu'au cours de cette campagne, il ne manque vraiment rien au lieutenant Churchill : ni les remontants (un chariot attelé rempli de bouteilles le suit partout), ni la chasse à courre (au Cap, il a traqué le chacal avec une meute, en compagnie du haut-commissaire lord Milner…), ni même la famille : le petit frère Jack a voulu venir, et Winston lui a obtenu sans délai un engagement comme lieutenant dans le *South African Light Horse* ; sa mère, elle, est arrivée au Cap à bord d'un navire hôpital, le *Maine*, dont elle a financé l'affrètement par souscription publique ; enfin, son cousin « Sunny », le duc de Marlborough, servait à l'état-major de lord Roberts, jusqu'au jour où les journaux radicaux de Londres ont révélé que le maréchal avait trois ducs dans son entourage*. Pour désarmer les critiques, lord Roberts a décidé de se passer du duc de Marlborough. Très dépité, Sunny s'est donc adressé au cousin Winston… qui lui a immédiatement obtenu une affectation à l'état-major de son ami le général Hamilton. Dès lors, les deux cousins pourront chevaucher ensemble jusqu'à Pretoria !

Pourtant, qu'on ne s'y trompe pas : sous des apparences fraîches et joyeuses, cette campagne reste extraordinairement meurtrière ; Winston y perdra de nombreux amis, comme le lieutenant Brazier Creagh, le capitaine William Edwardes, le lieutenant Albert Savory (de l'équipe de polo de Bangalore) et le correspondant du *Daily Mail*, G. W. Steevens. Winston lui-même se trouve constamment dans les endroits les plus exposés ; c'est ainsi que Jack Churchill sera blessé dès le premier engagement en compagnie de son frère… Bien

---

* Norfolk, Westminster et Marlborough.

des témoins se souviendront avec effarement avoir vu le lieutenant Winston Churchill gravir à deux reprises la colline de Spion Kop, balayée par les shrapnels et jonchée de cadavres ; après la traversée de la Tugela, sur le chemin de Ladysmith, un obus explose au milieu de son groupe, blessant tout le monde – sauf lui. Le 25 février, il écrit à son amie Pamela Plowden : « J'ai échappé d'extrême justesse à la mort il y a deux heures. [...] Bien qu'étant au milieu de l'explosion, j'ai été préservé par la providence divine. Je me demande si nous nous en tirerons, et si je vivrai assez longtemps pour voir la fin de l'aventure[20]. » À un correspondant américain qui lui conseille de s'exposer moins lors des combats, il répond le 22 mars : « Comme je suis un officier des chevaux-légers d'Afrique du Sud, il n'est pas question que je me mette hors de danger durant cette campagne. Mais je ne pense pas que les Boers s'emploient particulièrement à essayer de me tuer. Dans le cas contraire, je ne puis les féliciter pour leur adresse, car ils ont eu d'innombrables occasions de le faire, et jusqu'à présent, grâce à Dieu, ils les ont toutes manquées[21]. »

Ils continueront à les manquer : à Devetsdorp, le 20 avril, Churchill est pris sous le feu d'une douzaine de Boers et échappe de justesse à la capture ; le 2 juin, un jeune homme roux, dont le signalement a été diffusé six mois plus tôt dans tout le Transvaal, pénètre en civil, armé seulement d'une bicyclette, dans Johannesburg occupé par les Boers, pour porter un message du général Hamilton au maréchal Roberts, qui campe dans les faubourgs... Quatre jours plus tard, ce même homme entre en éclaireur dans Pretoria avec son cousin Sunny, chevauche droit vers son ancien camp de prisonniers, négocie la reddition des cinquante-deux gardiens, et libère sans coup férir tous les prisonniers britanniques ! Le 11 juin, notre fougueux lieutenant gravit seul la colline de Diamond Hill sous la mitraille des Boers, pour indiquer à la cavalerie le chemin du sommet ; à la stupéfaction du général Hamilton et de tout son état-major, il redescendra sans une écorchure une fois la position prise... « Je crois, dira modestement notre héros après une longue série de rendez-vous manqués avec la mort, que Dieu m'a réservé pour de plus grandes choses. » C'est là une belle expression de confiance dans l'Éternel – surtout venant d'un homme qui n'est pas croyant...

Le Transvaal conquis, les Boers sont encore loin d'avoir capitulé. Mais les grandes opérations de guerre ont pris fin, et

Winston considère sa mission comme terminée. Dans ses dernières dépêches au *Morning Post* – dont il fera bientôt deux ouvrages, il a lancé de nombreux appels à la générosité envers les Boers, pour qui il a conçu une grande admiration ; comme au Soudan après la bataille d'Omdurman, il considère que la magnanimité envers les vaincus est à la fois un devoir moral et un bon investissement pour l'avenir : *Debellare superbos, sed parcere subjectis**. Mais en Grande-Bretagne, où les latinistes sont minoritaires, la guerre a attisé les passions, et le message de Winston Churchill est assez mal reçu – ce qui ne l'empêchera pas de le répéter sur tous les tons durant les mois et les années qui vont suivre.

Le 4 juillet 1900, ayant pris congé du *South African Light Horse*, le journaliste Winston Churchill rentre en Angleterre à bord du *Dunottar Castle*, le navire qui l'avait amené en Afrique du Sud huit mois plus tôt. Depuis lors, ses exploits comme ses écrits l'ont rendu célèbre, et le parti conservateur s'empresse d'exploiter cette popularité : en prévision des prochaines élections générales, *onze* circonscriptions différentes lui demandent d'être leur candidat ! Mais Churchill, qui a la mémoire longue et de la suite dans les idées, décide de se représenter à Oldham, où il a été battu un an plus tôt. Désir de revanche chez ce joueur qui déteste perdre ? Ou bien se souvient-il des paroles du mécanicien Dewsnap devant la mine de Balmoral : « Ils voteront tous pour vous la prochaine fois » ?

En fait, ils ne voteront pas tous pour Winston Churchill ; mais il y deux sièges à pourvoir, et le 21 septembre 1900, deux cents électeurs libéraux inscrivent le héros du jour en deuxième position sur leur bulletin de vote. Ce sera suffisant pour lui permettre de remporter le second siège. Devant une volonté farouche et un courage démesuré, le destin s'est incliné et le rêve est entré dans la vie.

---

* « Soumettre les orgueilleux, mais épargner les vaincus ».

CHAPITRE V

GENTLEMAN FUNAMBULE

Être député à 26 ans, c'est tout de même une belle réussite...
Mais dans la Grande-Bretagne de 1900, la fonction parlementaire
n'est toujours pas rémunérée, et personne ne peut l'exercer sans
avoir par ailleurs un métier lucratif ou bénéficier d'une rente
confortable. Or, Winston a quitté le métier des armes, et il n'en
connaît qu'un autre : celui d'écrivain. Cinq de ses livres sont déjà
parus : *The Malakand Field Force* ; *The River War* ; *London to
Ladysmith* et *Ian Hamilton's March*, deux récits de la campagne
d'Afrique du Sud ; et enfin *Savrola*, un roman de cape et d'épée
plutôt naïf, mais admirablement écrit... L'auteur ayant assuré sa
propre promotion pendant quatre ans sur cinq champs de bataille
et dans des centaines de journaux, tous ces livres se sont fort bien
vendus ; en outre, le *Morning Post* lui a payé 2 500 £* pour dix
mois de travail comme correspondant en Afrique du Sud ; enfin,
le cousin Sunny a promis au nouveau député une aide de 100 £
par an. De belles sommes, certes, mais bien insuffisantes pour
Winston Churchill, dont le train de vie est tout sauf modeste.
    C'est son agent littéraire qui trouvera la solution à ce problème
d'intendance : une tournée de conférences à travers le Royaume-
Uni, les États-Unis et le Canada... Après tout, notre homme a
manifestement un talent d'orateur, et le sujet est tout trouvé : la
guerre des Boers, dont il peut parler avec autorité. Ce ne sera pas
de tout repos : après dix mois de combats en Afrique du Sud et
cinq semaines d'une campagne électorale harassante à Oldham,

* Environ 400 000 £ d'aujourd'hui.

voici Winston engagé dans une tournée de quatre mois des deux côtés de l'Atlantique. Il parlera tous les soirs, six jours sur sept, aux auditoires les plus variés. Au Royaume-Uni, c'est un franc succès ; au Canada, un triomphe ; aux États-Unis, où la question ne passionne pas les foules, l'accueil est plus mitigé. Mais à l'évidence, l'entreprise sera fort rentable : quelques jours avant de prêter serment à la Chambre des communes le 14 février 1901, notre jeune député a pu remettre à sir Ernest Cassel, brillant financier et grand ami de son père, la somme de 10 000 £, qui sera judicieusement investie. Il y a là de quoi voir venir : dans l'Angleterre de l'époque, ce montant représente plus de douze années d'honoraires d'un jeune homme exerçant une profession libérale…

Les premières semaines d'activité du député Winston Churchill laisseront plus d'un observateur pantois : en quinze jours, il assiste à huit dîners, dirige une enquête au Trésor, reçoit des journalistes, s'entretient avec le Premier ministre et se rend à Manchester pour soutenir la campagne d'un candidat conservateur. Mais c'est la préparation de ses discours qui l'absorbe le plus ; comme son père, il les apprend par cœur, prévoyant les moindres enchaînements, les pauses, les mimiques et même les interruptions ; comme son père aussi, il est affecté d'un zézaiement marqué, qu'il s'entraîne chaque jour à corriger ; comme son père enfin, il n'a pas l'intention de mâcher ses mots : « Je passe sur tout le labeur que m'avait coûté la préparation du discours, et sur tous mes efforts pour dissimuler ce travail de préparation. Il me fallait essayer de prévoir la situation et d'avoir en réserve un certain nombre de variantes pour faire face à toute éventualité. J'arrivai donc avec un carquois rempli de flèches de tailles et de modèles variés, dont j'espérais que certaines au moins atteindraient leur cible[1]. »

L'ouverture de la nouvelle session du Parlement le 14 février avait été un événement : la reine Victoria étant décédée trois semaines plus tôt, le nouveau souverain Édouard VII s'était adressé solennellement aux lords et aux députés, en présence de l'ensemble des membres du gouvernement et de l'opposition, des plus hauts dignitaires de la société britannique, du corps diplomatique et de toutes ses maîtresses réunies. Deux semaines plus tard, pour son premier discours à la Chambre, Winston pouvait difficilement s'attendre à une telle affluence, même si le *Morning Post* fera état d'« un auditoire donné à très peu de nouveaux députés[2] ». C'est un fait : il y a là tous les ténors de la majorité conservatrice, comme Arthur Balfour et Joseph Chamberlain, et aussi ceux de l'opposition, comme Herbert Asquith, sir William Harcourt, sir Henry Campbell-Bannerman, ainsi qu'un député radical gallois qui jouit déjà d'une certaine notoriété : David Lloyd George. Il est vrai qu'il y a ce jour-là un important débat sur l'Afrique du Sud, mais beaucoup d'honorables membres – et leurs familles – sont surtout venus assister à la prestation du « fils de Randolph » ; ils ne seront pas déçus.

Devant prendre la parole immédiatement après Lloyd George, qui a violemment attaqué la stratégie de répression de lord Kitchener en Afrique du Sud, Churchill se trouve, pour sa première intervention parlementaire, dans une position des plus délicates : comme député conservateur, il doit soutenir le gouvernement contre ses détracteurs ; comme idéaliste, témoin, combattant et amateur quelque peu éclairé en matière de stratégie, il ne peut être insensible aux arguments de l'opposition ; enfin, comme fils de lord Randolph, il est physiologiquement incapable de taire ses convictions…

Face à ce dilemme, Winston choisit de se présenter en arbitre plutôt qu'en partisan, et sa prestation laissera l'auditoire ébahi : l'opposition blâme la politique du gouvernement en Afrique du Sud… Prétend-elle soutenir les Boers ? Elle n'en a pas les moyens ! Les nationalistes irlandais s'élèvent-ils eux aussi contre la façon dont on mène la guerre ? C'est qu'ils ont oublié que des régiments irlandais se battent vaillamment en Afrique du Sud ! Ne savent-ils donc pas que le gouvernement de Sa Majesté ne pourra régler le problème irlandais qu'une fois délivré du boulet de la guerre des Boers ? La politique du gouvernement est-elle donc la bonne ? Eh bien non : d'une part, il faudrait envoyer davantage de troupes ; d'autre part, la guerre féroce menée par Kitchener contre les civils boers a certes des précédents, mais est-elle vraiment opportune ? Une politique de réconciliation serait à la fois plus humaine, moins coûteuse et bien plus rentable pour l'avenir. Les Boers ont-ils raison pour autant ? Pas davantage : ils ont tort de s'opposer à l'Empire britannique… Mais ce sont de vaillants combattants, persuadés de défendre leurs terres et leur mode de vie. La phrase : « Si j'étais un Boer, j'espère bien que je me trouverais sur le champ de bataille » provoque quelques tressaillements sur les bancs de la majorité. En tout cas, poursuit notre jeune député, il faut offrir aux Boers toutes les conditions d'une reddition honorable[3]. Et Winston terminera ce discours d'une demi-heure en rendant hommage à son père, auquel plus d'un député devait penser à ce moment... Soixante-quatre ans plus tôt, Benjamin Disraeli avait commencé sa carrière parlementaire par un discours raté ; à présent, la presse, la majorité et même l'opposition s'accordent pour dire que le jeune Winston Churchill inaugure la sienne par un discours réussi.

« Il est si difficile, écrivait lord Curzon, de trouver un moyen terme entre l'indépendance et la loyauté. » On ne saurait mieux dire en l'occurrence : au cours des trente-neuf mois qui vont suivre, Churchill, bon gré mal gré, va exécuter un étonnant numéro de funambule pour concilier ses obligations et ses convictions. Dès la mi-mars 1901, le nouveau député se fait remarquer par une défense magistrale de la politique du gouvernement dans l'affaire Colville : le général Colville avait été nommé commandant en chef à Gibraltar, mais une enquête l'ayant rendu responsable de graves erreurs tactiques lors des combats en Afrique du Sud l'année précédente, le *War Office* venait de le démettre de ses fonctions. À l'opposition, qui s'élève contre cette mesure « aussi tardive qu'injustifiée » et réclame à présent la constitution d'une commission d'enquête parlementaire, Winston Churchill, fort de son expérience sur le terrain, présente deux arguments de poids : d'une part, il y a effectivement une déplorable tendance de la hiérarchie militaire à couvrir les erreurs de ses officiers au moment où ils les commettent, ce qui explique que les incapables ne puissent être découverts que longtemps après les faits ; d'autre part, il appartient au seul ministère de la Guerre de sélectionner, promouvoir ou congédier les officiers, et une immixtion parlementaire dans ses prérogatives serait aussi néfaste pour la discipline militaire que pour le Parlement lui-même. La démonstration fait mouche, la motion de l'opposition est repoussée à une confortable majorité, et Winston sera chaudement félicité par ses collègues.

Ils ne vont pas tarder à déchanter ; c'est que notre jeune député exprime bientôt sur la plupart des questions brûlantes du moment des opinions très personnelles, qui ignorent superbement la discipline de parti : la guerre en Afrique du Sud, déclare-t-il, est menée avec un manque certain de moyens et d'imagination, doublé d'un excès de cruauté envers les civils et les prisonniers – exactement l'inverse de ce qui serait requis pour mettre un terme définitif au conflit ! Il y a plus embarrassant encore : en mai 1901, Churchill s'élève avec vigueur et éloquence contre le projet d'augmentation de 15 % des crédits de l'armée de terre, défendu par le ministre de la Guerre William Brodrick. Rappelant que son propre père avait sacrifié une carrière ministérielle prometteuse à seule fin d'obtenir une réduction du budget militaire, le digne fils de lord Randolph proteste contre « la rage militariste dont nous sommes affligés », et se déclare en faveur de « la paix, des économies et de la réduction des armements[4] ». Les députés de l'opposition libérale sont ravis, et les membres du gouvernement consternés – d'autant que plusieurs jeunes députés conservateurs se sont rangés derrière Churchill à cette occasion : Ian Malcolm, lord Percy, Arthur Stanley, et même lord Hugh Cecil, le propre fils du Premier ministre Salisbury… Tous ces jeunes gens bien nés et provocateurs vont d'ailleurs former un petit cercle fort actif surnommé « les *hooligans* ». Pour finir, le gouvernement se résignera à abandonner le coûteux projet Brodrick, concédant ainsi aux jeunes trublions de sa majorité parlementaire une victoire des plus flatteuses.

Avant la fin de l'année, une autre initiative churchillienne va effarer les membres du gouvernement de Sa Majesté. Ayant lu le livre de Seebohm Rowntree : *A Study of Town Life*, qui décrit la misère du petit peuple dans la ville d'York, le descendant des Marlborough a eu la révélation d'un monde qui lui était inconnu, et s'est empressé de clamer son indignation à la Chambre. Au président de l'association conservatrice des Midlands, il a même écrit le 23 décembre : « Pour ma part, je ne vois guère de gloire dans un empire maître des mers, mais incapable de vider ses égouts[5]. » C'est fort bien dit, mais ce n'est pas exactement ce que les honorables députés conservateurs veulent entendre : le fils de lord Randolph dériverait-il vers le socialisme ? En tout cas, il s'entretient bien trop souvent avec les ténors du parti libéral : Rosebery, Morley, Grey, Asquith… N'ira-t-il pas jusqu'à voter avec l'opposition dans l'affaire Cartwright* et dans

---

* Cartwright, journaliste du *South African News*, s'était vu refuser l'entrée en Grande-Bretagne, au motif qu'il « risquait d'y faire de la propagande antibritannique ». Churchill avait attaqué le *War Office* à cette occasion, en demandant : « Où la dissémination de propagande antibritannique pourrait-elle faire moins de mal qu'en Grande-Bretagne elle-même ? »

tous les débats concernant la politique sud-africaine, jusqu'à ce qu'enfin la paix soit signée avec les Boers en mai 1902 ? En fait, Churchill ira plus loin encore ; mais c'est Joseph Chamberlain qui va lui en offrir l'occasion.

Après mûre réflexion, le ministre des Colonies était parvenu à la conclusion que l'économie britannique, affaiblie depuis trois décennies par la concurrence étrangère, ne pourrait retrouver la prospérité qu'au prix d'une mesure radicale : l'abandon du libre-échange. Le 15 mai 1903, dans un discours prononcé à Birmingham, il s'en ouvre aux militants *tories* : en taxant lourdement les importations étrangères et en accordant des tarifs préférentiels aux produits venant de l'Empire, on resserrera les liens entre la métropole et les territoires d'outre-mer, tout en protégeant l'agriculture et l'industrie britanniques. Cette « préférence impériale » protectionniste est adoptée avec enthousiasme par les journaux et les comités électoraux conservateurs ; mais elle rencontre aussi quelques opposants résolus – au premier rang desquels on trouve Winston Churchill. Ayant étudié de près la question et consulté quelques experts – dont l'ancien chancelier de l'Échiquier Michael Hicks-Beach et les hauts fonctionnaires du Trésor Francis Mowatt et Edward Hamilton –, Churchill va lancer une vaste campagne contre la préférence impériale. Elle aurait selon lui le quadruple inconvénient de diviser le parti, de renchérir considérablement les produits alimentaires aux dépens des plus pauvres, d'isoler l'Angleterre du reste du monde, et de conduire à une guerre économique – voire à une guerre tout court...

Le premier inconvénient se manifeste d'emblée ; dès le 13 juillet 1903, Winston prend l'initiative de créer la *Free Food League*, qui réunit soixante députés conservateurs. Le groupement rival de Chamberlain, baptisé *Tariff Reform League**, n'en comptera que trente ; mais Chamberlain a beaucoup plus d'influence auprès des militants de base, des comités électoraux du parti et du gouvernement, dont le chef est à présent Arthur James Balfour. Celui-ci, qui a remplacé dix mois plus tôt son oncle Salisbury, évite soigneusement de prendre parti publiquement entre le libre-échange et le protectionnisme. Churchill est stupéfait et indigné qu'un homme

---

* Respectivement: « Ligue pour la liberté de l'alimentation » et « Ligue pour la réforme du tarif douanier ».

d'État puisse refuser de s'engager sur une question aussi essentielle pour l'avenir du pays, et il ne manque pas de le faire savoir ; à ses diatribes parlementaires contre le projet de Chamberlain, il va donc ajouter des attaques de plus en plus violentes contre le Premier ministre et son gouvernement.

Il est vrai qu'à tous égards, l'ombre de lord Randolph continu de peser sur le comportement de son fils. Winston, qui occupe aux Communes le banc de son père lorsqu'il était dans la majorité, a également adopté ses tics, ses inflexions, ses postures et même ses habitudes vestimentaires ; ses inimitiés aussi, puisque ses principales cibles, Brodrick et Chamberlain, étaient déjà les adversaires de son père ; la plupart de ses proches amis, Michael Hicks-Beach, John Gorst, Ernest Cassel, Francis Mowatt et lord Rosebery étaient aussi les amis de son père. Et ce petit cercle de « *hooligans* » qu'il a constitué au sein du Parlement, n'est-ce pas une imitation servile du « quatrième parti » ? Ce combat pour la réduction du budget militaire, n'est-ce pas celui que menait Randolph au moment de sa démission ? Ce grand « parti national » dont il rêve, n'est-ce pas l'expression pure et simple de la *tory democracy* à laquelle aspirait son père ? Dans le petit appartement de Winston à Mount Street, les murs sont couverts de photos de lord Randolph, dont il a entrepris deux ans plus tôt d'écrire la biographie. Il est sans doute superflu d'ajouter que ses attaques contre Chamberlain ou Balfour sont conçues dans le plus pur style paternel, à la fois sarcastique et sans nuances : « C'est une absurdité économique de prétendre que le protectionnisme conduit à un grand développement des richesses. [...] Quant à prétendre qu'il conduit à une distribution plus équitable de ces richesses, c'est un fieffé mensonge[6]. »

Les mêmes causes produisant les mêmes effets, Winston va se trouver de plus en plus isolé au Parlement, et même désavoué par le comité électoral de sa circonscription d'Oldham. Il est vrai que Balfour ne suscite guère l'enthousiasme – pour asseoir son autorité, il s'est débarrassé à la fois des libre-échangistes et des protectionnistes de son gouvernement* ! –, mais par réflexe de solidarité, les ministres comme la majorité des députés et des militants conservateurs font bloc autour de lui. Les libre-échangistes les plus convaincus du parti *tory* restent fidèles à Churchill, mais tous les autres

* Y compris Joseph Chamberlain, dont il a accepté la démission.

l'évitent. Le 29 mars 1904, aux Communes, le conflit éclate au grand jour : alors que Winston se lève pour parler, Arthur Balfour quitte la salle, bientôt suivi des membres du gouvernement et de la plupart des députés conservateurs. Il est clair que Churchill ne s'attendait pas à un désaveu aussi cinglant de la part de son propre parti, et il en sera profondément affecté ; trois semaines plus tard, c'est le drame : au milieu d'un discours, soigneusement appris par cœur comme d'habitude, il a brusquement un trou de mémoire ; cela ne lui était jamais arrivé auparavant, et il reste interdit, cherche machinalement dans ses poches des notes qu'il n'a pas, bredouille quelques mots, puis se rassied, la tête entre les mains. Autour de lui, c'est la consternation ; beaucoup de députés ont encore en mémoire les scènes pénibles qui ont accompagné, dans cette même enceinte, à ce même banc, la déchéance de lord Randolph dix ans plus tôt. Le lendemain, on peut lire en première page du *Daily Mail* : « M. Churchill s'effondre. Scène tragique à la Chambre des communes[7]. »

Pourtant, si l'histoire bégaye, elle ne se répète pas ; notre jeune député est certes surmené, et sans doute fragilisé par les tensions permanentes de la lutte qu'il mène depuis trois ans au sein de son propre parti, mais ses craintes sont sans fondement : il jouit d'une robuste santé, et trois jours plus tard, on le retrouve à son poste pour mener l'offensive – armé dorénavant d'abondantes notes, qu'il ne regardera pratiquement jamais… Le 16 mai, il est même dans une forme éblouissante pour prédire la chute du gouvernement conservateur : « En tête de son acte d'accusation figure une gestion financière extravagante, qui sera également inscrite en tête de sa pierre tombale. » La guerre des Boers a été « un immense désastre public », et le « nouvel impérialisme » de Chamberlain n'est qu'une vaste fumisterie politique : « Cet impérialisme bâtard, ressassé par l'appareil du parti, et qui a été bien commode pour porter au pouvoir un certain groupe de messieurs[8]. »

Tout comme son père, Winston est impulsif, excessif et cyclothymique ; mais s'il a manifestement hérité de Randolph la propension à se faire des ennemis, il a un talent plus grand encore pour se faire des amis. Devenus rares au parti conservateur, ils sont en revanche légion dans l'opposition : ses dénonciations de l'impérialisme, du protectionnisme et des budgets militaires excessifs séduisent les libéraux, ses diatribes contre la guerre des Boers ravissent les nationalistes irlandais, ses attaques contre la politique sociale du gouvernement enchantent les radicaux et les libéraux ouvriers... Voilà bien des mois déjà que les discours de Winston, méprisés par le gouvernement et conspués par la majorité des députés conservateurs, sont applaudis à tout rompre sur les bancs de l'opposition. Auprès des principales personnalités du parti libéral comme Rosebery, Asquith, Morley, Grey, Lloyd George, Herbert Gladstone et son oncle lord Tweedsmouth, Winston a rencontré bien plus de compréhension qu'au sein de son propre parti ; voyant s'éloigner la perspective d'un parti *tory* libre-échangiste, il leur a même proposé une sorte de pacte électoral, permettant aux quelques conservateurs libre-échangistes de se présenter dans certaines circonscriptions avec le soutien des libéraux. De concertation électorale en collusion parlementaire, les points de vue se sont tellement rapprochés que Winston en est venu à se considérer comme plus libéral que conservateur. Il n'est pas le seul ; le 11 novembre 1903, lors d'un de ses discours à Birmingham, quelqu'un dans l'assistance s'est exclamé : « Cet homme-là n'est pas plus conservateur que moi[9] ! » C'est sans doute pourquoi, en prévision des prochaines élections générales, on va lui proposer successivement d'être le candidat libéral à Birmingham, à Sunderland, ou encore à Manchester, où il pourrait se présenter sous l'étiquette de « libre-échangiste », avec le soutien libéral...

Pour Winston, qui est manifestement assis entre deux chaises, ce sont là des propositions bien tentantes. N'ayant jamais su faire semblant, il trouve indécent de continuer à siéger comme député d'un parti dont il combat les idées et dénonce les dirigeants. Ne vaudrait-il pas mieux se joindre ouvertement à ceux qui partagent ses convictions ? À deux décennies d'intervalle, voici donc réapparaître le dilemme auquel fut confronté son père... Pour lord Randolph, on le sait, l'obstacle du *Home Rule* s'était révélé infranchissable ; son fils, plus souple, se décidera finalement à sauter le pas, en se déclarant partisan d'un « *Home Rule* administratif », accordant aux Irlandais une autonomie limitée. Pour cet homme si respectueux de l'héritage paternel, c'est, à 29 ans, le début d'une émancipation spirituelle. Le 18 avril 1904, il franchit une nouvelle étape en acceptant de se présenter à Manchester sous l'étiquette libre-échangiste, avec le soutien des libéraux, lors des prochaines élections générales ; aux Communes, il votera encore plusieurs fois avec l'opposition. Tout cela pouvait difficilement améliorer ses relations avec les conservateurs, et l'on entendra plusieurs fois murmurer le mot de « traître ». *Alea jacta est ;* le 31 mai, Winston Churchill fait à la Chambre une entrée remarquée : traversant l'allée qui le sépare des bancs de l'opposition, il va s'asseoir parmi les libéraux, à côté de Lloyd George. Politiquement, le fils de lord Randolph vient d'achever son émancipation ; enfin, presque : le siège qu'il a choisi est celui qu'occupait son père vingt ans plus tôt, lorsqu'il était dans l'opposition...

Certains changent de principes pour l'amour de leur parti ; Winston, lui, a changé de parti pour l'amour de ses principes. Il est désormais en pays ami au milieu de la faction libérale, dont il admire les dirigeants, et mieux encore... dont les dirigeants l'admirent ! Comble de félicité, il va pouvoir attaquer sans la moindre retenue les ténors de son ancien parti, et il se met à l'œuvre sans tarder : « L'une des qualités attrayantes de M. Balfour est la part de féminité qui se dégage de sa personne. C'est sans doute ce qui le pousse à se raccrocher au pouvoir le plus longtemps possible[10]. » « Pour rester au pouvoir encore quelques semaines ou quelques mois, il n'y a pas un principe que ce gouvernement ne soit prêt à abandonner, pas un ami ou un collègue qu'il ne soit disposé à trahir, et pas de limites à la quantité de saleté et de boue qu'il n'accepte d'avaler[11]. » Le vieux « Joe » Chamberlain reste naturellement une cible privilégiée ; quant au Premier ministre, clame notre nouveau membre de l'opposition, il a « bafoué les traditions parlementaires et déshonoré le service de la Couronne[12] ».

Ce sont des boulets de bien gros calibre que Winston tire là sur ses anciens collègues ; sa famille, ses amis, ses nouveaux alliés politiques et même le roi lui demandent bientôt de modérer ses propos. Les conservateurs essaient bien de rendre coup pour coup, mais ils souffrent de trois handicaps majeurs : d'une part, le gouvernement de M. Balfour est très divisé, et son chef ne se maintient au pouvoir qu'en évitant de prendre la moindre initiative économique ou politique de quelque importance ; la préférence impériale, le budget militaire, la loi sur les étrangers sont tour à tour férocement attaqués par l'opposition et très mollement défendus par la majorité. D'autre part, le genre d'éloquence grandiose et sarcastique que cultive l'honorable député d'Oldham est très difficile à contrer ; un seul député conservateur, le jeune avocat F. E. Smith, pourra contre-attaquer efficacement, avec une voix de basse profonde, un admirable sens de la repartie et une éloquence bien plus naturelle que celle de Winston. Dès son premier discours, il fait mouche en ridiculisant le transfuge. Mais les *tories* n'en tireront aucun avantage, car Churchill a tellement admiré cette prestation qu'il fera de F. E. Smith son meilleur ami ! Enfin, il faut bien le reconnaître, les vieux chefs conservateurs restent des gentlemen, ils connaissent le trublion depuis son enfance et ne peuvent s'empêcher de l'admirer. C'est ainsi que Winston apprend une chose singulière : lors d'un week-end réunissant des dignitaires conservateurs et leurs épouses, on s'apprêtait à déchirer à belles dents le député renégat, lorsque Balfour s'est mis à louer ses qualités, en lui prédisant une remarquable carrière... Du coup, plus personne n'a osé l'attaquer ! Plus étonnant encore : Churchill, qui écrit la biographie de son père, a contacté tous ceux qui auraient pu conserver des souvenirs ou des documents à son sujet. Avec un aplomb qui laisse pantois, il s'adresse même à sa principale tête de Turc au Parlement, le vieil impérialiste et protectionniste Joseph Chamberlain. Et celui-ci répond... par une invitation à dîner et à passer la nuit sous son toit ! Ce sera un repas mémorable et fort bien arrosé ; « Joe » évoquera de vieux souvenirs, fournira tous les documents en sa possession, et dira en passant à Winston qu'il a fort bien fait de rester fidèle à ses idées en rejoignant le camp libéral. Enfin, lorsque Churchill tombe malade, le ministre de la Défense Arnold Foster – dont le plan de réforme militaire vient d'être impitoyablement dénoncé par ce même Churchill – lui écrit du *War Office* : « Soignez-vous bien. Vous savez que je ne suis pas d'accord avec vos conceptions politiques, mais je crois que vous êtes le seul homme de votre faction parlementaire qui comprenne les problèmes de l'armée. C'est pourquoi, d'un point de vue purement égoïste, je souhaite votre rétablissement. Puis-je ajouter que je le souhaite aussi d'un point de vue purement personnel[13] ? » Contre des adversaires politiques de ce genre, la férocité doit nécessairement s'émousser...

Il est vrai que Winston prend très au sérieux son rôle de député d'opposition. Il ne cesse d'examiner des rapports, d'interroger des fonctionnaires, de rédiger des motions et des amendements ; ayant accepté de se présenter à Manchester aux prochaines élections, il s'y rend fréquemment pour faire des discours, à l'occasion de meetings libre-échangistes qui réunissent des foules impressionnantes.

Ses harangues contre le gouvernement conservateur sont souvent interrompues par des *tories* qui lui reprochent sa défection, ou par les suffragettes de Mrs Pankhurst qui l'accusent d'être indifférent à la cause des femmes. Mais avec cet étonnant mélange de franchise, d'humour et de conviction qui le caractérise, Winston parvient généralement à désarmer les contradicteurs les plus acharnés. À ce stade, d'ailleurs, le jeune député parle beaucoup moins qu'il n'écrit : lorsqu'il prend le train ou passe le week-end chez des amis, il emporte des malles entières de documents ; ce sont les éléments de sa biographie de lord Randolph, sur laquelle il travaille avec acharnement.

Lors des réceptions auxquelles il consent à assister, notre homme reste le plus souvent absorbé dans ses pensées, sans prêter attention à ses voisins… ou à ses voisines. Avec les jeunes femmes, il reste d'une timidité maladive : ni Harrow, ni Sandhurst, ni ses champs de bataille exotiques, ni la Chambre des communes ne l'ont préparé à affronter le beau sexe, et les exploits amoureux de sa mère ont probablement brouillé ses repères. Miss Pamela Plowden, excédée par ses références à Platon, a fini par se marier* ; suivant les conseils de sa mère, il a ensuite courtisé l'actrice américaine Ethel Barrymore, puis la riche héritière Muriel Wilson ; mais les résultats ont été à la mesure de son enthousiasme. En 1904, lors d'un bal à Salisbury Hall, sa mère lui présente une charmante débutante, Clementine Hozier, petite-fille de la comtesse d'Airlie**. Winston se contente de la fixer, sans dire un seul mot… Deux ans plus tard, la jeune Violet Asquith se trouve assise à côté de lui lors d'un dîner mondain – une expérience qu'elle décrira en ces termes : « Durant un long moment, il resta absorbé dans ses pensées. Puis, il parut soudain s'apercevoir de mon existence. Il tourna vers moi un regard sombre et me demanda mon âge. Je répondis que j'avais dix-neuf ans. "Et moi, dit-il d'un ton presque désespéré, j'en ai déjà trente-deux". Il ajouta ensuite, comme pour se rassurer : "Je suis tout de même plus jeune que tous les autres gens qui comptent." Puis, avec violence : "Maudit soit le temps impitoyable ! Maudite soit notre nature mortelle ! Comme il

---

* Elle restera toutefois son amie pour la vie, et lui rendra ce très bel hommage : « Quand on rencontre Winston pour la première fois, on voit d'emblée tous ses défauts – et on passe le reste de son existence à admirer ses qualités… »
** Et nièce de lady Jeune, devenue lady St Helier.

est cruellement court, ce temps de vie qui nous est accordé, si l'on songe à tout ce que nous avons à faire !" Suit un torrent d'éloquence, qui se termine par cette modeste constatation : "Nous sommes tous des vers ; mais je crois que moi, je suis un ver luisant * [14] !" »

Il va bientôt pouvoir briller, car le 4 décembre 1905, Balfour, découragé par les conflits internes qui paralysent son gouvernement, décide de démissionner. Dès lors, dans l'attente des élections générales, le roi charge le chef de l'opposition, Henry Campbell-Bannerman, de former un nouveau gouvernement. Sir Henry, ayant nommé Grey au *Foreign Office*, Asquith à l'Échiquier, Lloyd George au Commerce et Haldane au ministère de la Guerre, propose à l'illustre transfuge le poste de secrétaire au Trésor. C'est une place de choix, dont le titulaire devient rapidement membre du Cabinet : un vulgaire ambitieux aurait accepté d'emblée... Mais Winston répond qu'il préférerait être vice-ministre des Colonies. « Eh bien ! s'exclame le Premier ministre stupéfait, vous êtes bien le premier à me réclamer un poste plus modeste que celui que je propose [15] ! » Certes, mais Winston a ses raisons, où se mêlent comme toujours le sentiment et le calcul : d'une part, la fonction de vice-ministre des Colonies était exercée dans l'administration sortante par son cousin « Sunny » Marlborough, et Winston a au plus haut point le sens de la famille. D'autre part, le ministre des Colonies sera lord Elgin, l'ancien vice-roi des Indes – celui-là même qui avait reçu fort civilement le sous-lieutenant Churchill à Calcutta, un certain jour de décembre 1897. Or Elgin, siégeant à la Chambre des lords, n'aura pas accès aux Communes, et c'est donc Winston qui serait chargé d'y défendre la politique coloniale du gouvernement – une mission qui lui convient à merveille. Et puis, comme le lord réside en Écosse, il ne s'occupera de son ministère que de loin, ce qui convient mieux encore à un jeune homme qui aime qu'on lui laisse la bride sur le cou...

Voici donc notre héros, dans sa trente-deuxième année, qui entre pour la première fois au gouvernement. À Paris, au même moment, un collégien nommé Charles de Gaulle s'est mis à travailler sérieusement, avec l'ambition d'entrer un jour à Saint-Cyr. À Linz, un écolier maigrichon appelé Adolf Hitler rêve d'aller à Vienne,

---

* La jeune Violet restera également à jamais une amie et une admiratrice. Elle mènera d'ailleurs un lobbying intensif en faveur de Winston auprès de son père, Herbert Asquith, lorsque ce dernier deviendra Premier ministre.

la Mecque de la musique, de l'art et de l'architecture ; à New York, un étudiant en droit, Franklin Delano Roosevelt, parcourt distraitement les amphithéâtres de l'université de Columbia ; il s'intéresse assez peu au droit, pas du tout à la politique, et énormément à sa cousine Eleanor, qu'il vient d'ailleurs d'épouser. À Tammerfors, en Finlande, un ancien séminariste géorgien de 26 ans, devenu journaliste, agitateur professionnel et repris de justice, assiste discrètement à la conférence nationale du parti bolchevique ; il s'est appelé tour à tour Sosso, Koba, David, Nijeradzé et Ivanovitch, mais son vrai nom est Iossif Vissarionovitch Djougachvili – en attendant d'être Joseph Staline…

« La politique, avait confié Winston à un journaliste, est presque aussi exaltante que la guerre[16]. » Au début de janvier 1906, le voici donc en campagne ; c'est que la Chambre vient d'être dissoute, et le nouveau vice-ministre se lance avec entrain dans la mêlée électorale, sous les couleurs libérales et libre-échangistes. Il faut reconnaître qu'il se présente dans une circonscription taillée à sa mesure : Manchester, la ville de Cobden, n'est-elle pas depuis soixante ans la citadelle du libre-échange ? Ici, même les hommes d'affaires conservateurs sont libre-échangistes, et ils soutiennent Churchill contre le candidat protectionniste de leur propre parti ! Les ouvriers, eux, n'ont pu manquer d'être sensibles à ses appels répétés en faveur d'une politique sociale plus généreuse. La communauté juive elle-même est tout acquise à celui qui pourfendait un an plus tôt les iniquités de l'*Alien's Bill.* D'ailleurs, notre homme est maintenant célèbre, on vient de très loin pour l'entendre, et l'on répète à l'envi ses sarcasmes comme ses bons mots ; et puis Jennie, une vieille habituée des campagnes électorales restée très jeune de corps, est venue soutenir son fils, et elle n'a pas ménagé sa peine. Enfin, heureuse coïncidence, la biographie de lord Randolph est sortie au tout début de janvier, juste à temps pour faire parler de son auteur – d'autant que tous les critiques s'accordent pour dire que c'est un ouvrage remarquable. Et parfaitement objectif ? Il ne faut tout de même pas trop en demander*…

---

* Un livre étonnant : admirablement écrit et richement documenté, il explique fort bien la politique de lord Randolph, mais les ressorts de son action et la complexité de son caractère demeurent mystérieux pour le biographe comme pour le lecteur.

Le 13 janvier au soir, les résultats du vote sont sans appel : pour la circonscription de Manchester nord-ouest, Churchill obtient 5 639 voix, soit 1 241 de plus que son concurrent conservateur. Pour l'ensemble de Manchester, les conservateurs, qui occupaient huit sièges sur neuf, n'en ont désormais plus un seul. Balfour lui-même a été battu ! Le triomphe s'étend au niveau national : 377 sièges pour les libéraux, 83 pour les nationalistes irlandais, 53 pour les ulstériens. Les conservateurs, qui occupaient 400 sièges, n'en ont plus que 157. Le règne des *tories* est bien terminé, celui des libéraux commence ; et Winston Churchill, en changeant d'allégeance dix-huit mois plus tôt, a manifestement fait un excellent investissement politique ! Comme son père, il a toujours joué gros ; mais il a de meilleures cartes, une plus grande souplesse tactique, et une chance parfaitement anormale...

La voie étant libre, Winston va pouvoir se consacrer à son ministère ; en fait, il n'avait pas cessé de le faire depuis sa nomination, et l'ampleur de son activité ne peut manquer d'étonner – surtout si l'on songe qu'il n'a pas la moindre expérience administrative. Dès les premières semaines, il a déjà rassemblé une documentation considérable, consulté des dizaines d'experts, rédigé quatre mémorandums et répondu à des centaines de questions au Parlement. Le premier problème qui se pose à son ministère est celui du Transvaal et de l'État d'Orange qui, depuis les accords de paix de Vereeniging trois ans plus tôt, étaient administrés comme des colonies de la Couronne. Les conservateurs avaient bien envisagé de leur conférer une autonomie limitée, mais le projet était resté en suspens. Dès son entrée en fonctions, Winston, qui considère tout ce qui concerne les Boers comme une affaire personnelle, envoie au Cabinet, sous le couvert de lord Elgin, deux aide-mémoire très denses, aux conclusions catégoriques : c'est une autonomie interne complète qu'il faut accorder aux deux colonies, et le plus tôt sera le mieux. Le Cabinet se laisse persuader, et le vice-ministre des Colonies va jouer un rôle très actif dans la rédaction des Constitutions qui seront octroyées par Londres ; il interviendra également avec la dernière énergie pour les faire adopter au Parlement, et avec des trésors de diplomatie pour obtenir l'assentiment du roi... Aucun doute : les Boers ne pouvaient avoir à Londres de meilleur avocat que leur ancien adversaire !

Durant ses vacances, Churchill passe rapidement à Trouville pour disputer quelques matches de polo, puis à Deauville pour jouer au casino, après quoi il se rend en Silésie, où il assiste aux grandes manœuvres de l'armée allemande, à l'invitation du Kaiser en personne. Voilà qui fera encore l'objet de quelques rapports à l'intention du ministère de la Guerre ; cela peut surprendre de la part d'un vice-ministre des Colonies, mais celui-là n'est pas un vice-ministre ordinaire... Dès son retour, il commence à organiser la conférence coloniale qui se tiendra à Londres en avril 1907. C'est une tâche délicate : le gouvernement précédent avait prévu d'en faire un grand forum pour lancer la préférence impériale, et la plupart des Premiers ministres invités, notamment ceux du Canada, d'Australie et de Nouvelle-Zélande, y sont toujours favorables. Il s'agit donc de les recevoir royalement, de les persuader de contribuer à l'effort de défense navale et... de leur faire oublier la préférence impériale. Churchill y réussira fort bien et aura de fructueux entretiens avec le général Botha, nouveau Premier ministre du Transvaal ; celui-ci commandait en novembre 1899 le détachement boer qui avait capturé un jeune correspondant de presse devant les restes d'un train blindé. Winston nouera également à cette occasion des liens d'amitié solides et durables avec un jeune ministre du nom de Jan Christiaan Smuts – celui-là même qui l'avait interrogé juste après sa capture !

Décidément, Winston est à son affaire au ministère des Colonies ; il s'occupe d'une bonne soixantaine de pays, lit tous les rapports, y ajoute des commentaires volumineux et rédige des mémorandums interminables. Qu'il s'agisse de l'aide aux tribus zouloues du Natal, de la réduction des droits de naturalisation, de l'assistance financière aux Chypriotes ou de l'arrestation du chef des Tswana du Bechuanaland, il a tendance à transformer les questions les plus insignifiantes en affaires d'État. « Churchill, écrira Ronald Hyam avec retenue, exagérait l'importance de tout ce qu'il touchait[17]. » Lord Elgin s'en formalise parfois, mais comme celui qu'il nomme « cette créature étrange et impulsive » abat un travail considérable au ministère comme au Parlement, il n'intervient que rarement pour freiner ses ardeurs. Un jour, pourtant, Churchill lui envoie un très long mémorandum qui se termine par ces mots : « C'est là mon point de vue. » Lord Elgin le lui renvoie avec cette simple mention : « Mais pas le mien[18]. » Au Parlement, de même, le style épique de Churchill, qui impressionne tant dans les grandes occasions, tombe singulièrement à plat lorsqu'il s'agit d'affaires banales ou de mesquines querelles partisanes… Et pourtant, comme l'écrira Lloyd George : « Les applaudissements de la Chambre lui sont aussi nécessaires que l'air qu'il respire. Il a tout d'un acteur. Il aime les feux de la rampe et les acclamations du parterre[19]. »

Un peu effarés par cette frénésie d'activité, plusieurs ministres finissent par convaincre notre bourreau de travail qu'il a amplement mérité de longues vacances. En septembre 1907, il quitte donc l'Angleterre pour un long périple à travers l'Europe et l'Afrique. En France, il assiste à des manœuvres – décidément indispensables à des vacances réussies –, puis il fait une randonnée automobile en Italie et en Moravie avec son cousin Sunny et son nouvel ami F. E. Smith. Au début d'octobre, il se rend à Vienne, puis à Syracuse et enfin à Malte, où l'attendent son secrétaire Eddie Marsh, son domestique George Scrivings et le colonel Gordon Wilson, époux de sa tante Sarah. À Malte, Winston visite tout, depuis les défenses côtières jusqu'aux écoles en passant par la prison, et il consigne immédiatement ses observations dans un volumineux rapport. Le croiseur *Venus*, mis à leur disposition par l'Amirauté, les transporte ensuite à Chypre, d'où part un nouveau rapport – par télégramme – sur les améliorations qu'il conviendrait d'apporter à l'administration de l'île. Le croiseur appareille pour Port-Saïd, traverse le canal de Suez et la mer Rouge, fait escale à Aden, puis à Berbera, au Somaliland, car notre vice-ministre veut savoir pourquoi le gouvernement de Sa Majesté dépense dans ce protectorat 76 000 £ avec si peu de bénéfices. Winston est fort satisfait du confort de la croisière ; son secrétaire Eddie Marsh l'est beaucoup moins : sous une chaleur écrasante, il travaille quatorze heures par jour à six gros rapports – qui provoqueront un effarement certain au ministère des Colonies, où l'on croyait Winston en vacances…

À la fin d'octobre, nos quatre voyageurs sont arrivés au Kenya. Comme partout, ils sont royalement reçus par le gouverneur, après quoi ils vont partir pour un safari en train ; le procédé est simple : confortablement assis sur une petite plate-forme devant la locomotive, ils tirent à vue sur tout gibier qui se présente. Le côté sportif de la chose n'apparaîtrait plus guère de nos jours, mais tout cela se passait en 1907, bien avant l'écologie et le WWF… Et Winston ne fait rien d'autre ? Bien sûr que si : il écrit des dépêches ; c'est que le *Strand Magazine* lui a offert 750 £ pour relater ses impressions de voyage. Et il n'écrit que cela ? Bien sûr que non : entre le Kenya et le Soudan, il va dicter de nouveaux mémorandums, dans lesquels s'entassent pêle-mêle observations, critiques, louanges, projets et propositions de toutes sortes. C'est ainsi que le secrétaire au Trésor recevra les plans d'une voie de chemin de fer destinée à unir le lac Victoria et le lac Albert (avec estimation détaillée des coûts) ; pour le ministère des Colonies, il y aura entre autres un projet de barrage hydroélectrique près des sources du Nil, au niveau des chutes de Ripon* ; pour le ministère du Commerce, un plan de réforme sociale intéressant l'ensemble du Royaume-Uni, avec assurance chômage, salaire minimum et pensions de retraite, le tout inspiré du système allemand ; quant au ministère de la Guerre, il a naturellement reçu un long mémorandum sur les manœuvres françaises et les enseignements à en tirer.

Tout cela est dicté à vive allure au malheureux M. Marsh, alors que les voyageurs traversent le lac Victoria ou remontent le Nil dans de confortables bateaux à vapeur. Et comme toujours, le danger rôde autour de Churchill : en Ouganda, ils traversent une région où la maladie du sommeil vient de faire 200 000 morts. Lorsqu'ils parviennent à Khartoum le 23 décembre, le valet Scrivings doit être hospitalisé ; il mourra le lendemain de diarrhées cholériques. Pour son maître, ce décès est doublement tragique : il s'était beaucoup attaché à Scrivings, qui avait été le valet de son père. Et puis, il y a autre chose : de toute sa vie, Winston n'a jamais pu se passer d'un domestique...

Le 17 janvier 1908, notre jeune vice-ministre est de retour à Londres, et dès le lendemain, lors d'un banquet donné par le Club libéral national, il peut déclarer : « Je reviens sur la ligne de feu en aussi bonne santé que possible, et disposé à combattre d'aussi près que possible[20]. » Certains combats paraissent pourtant désespérés : lors d'un dîner chez son ancienne bienfaitrice lady Jeune deux mois plus tard, Winston rencontre à nouveau la gracieuse Clementine Hozier. Cette fois, il lui parle (de lui-même uniquement), et promet de lui envoyer un exemplaire de sa biographie de lord Randolph... Mais comme il s'empresse d'oublier, l'impression produite sur la belle ne sera guère plus favorable que la première fois !

---

* Il sera effectivement construit quarante-six ans plus tard, et inauguré par la reine Élisabeth.

Cette distraction est due comme toujours à un excès de concentration. Car Winston est rentré à Londres avec un nouveau cheval de bataille : c'est le plan de réformes sociales, qu'il a soigneusement préparé durant ses « vacances ». Charles Masterman, un réformateur qui le rencontre à cette époque, note dans son journal que Churchill « est obsédé par les pauvres, dont il vient de découvrir l'existence. Il se croit appelé par la Providence à faire quelque chose pour eux. "Pourquoi ai-je toujours échappé de justesse à la mort, a-t-il demandé, sinon pour faire quelque chose de ce genre[21] ?" » C'est une bonne question : Winston est certes à la recherche de la gloire, pour laisser une marque sur son époque, comme les héros de sa jeunesse ; et aussi pour réaliser sa grande ambition : devenir Premier ministre, parce que son père n'avait pu l'être... et sans trop attendre, car treize ans seulement le séparent de l'échéance qu'il croit fatale. Mais ce n'est pas tout : notre jeune homme pressé ne se sent vraiment lui-même que lorsqu'il défend une juste cause, sur le champ de bataille ou sur les bancs du Parlement. Or, les larges poches d'abjecte pauvreté qui subsistent dans l'opulente Angleterre sont apparues à ce cœur généreux comme une monstrueuse anomalie, à laquelle il faut impérativement remédier. Et comme ce grand sentimental est aussi un politicien dans l'âme, il envisage également d'utiliser ce noble projet pour mettre les conservateurs en difficulté aux prochaines élections – et couper l'herbe sous le pied des travaillistes !

On nous objectera que notre vice-ministre des Colonies, qui n'est même pas membre du Cabinet, se mêle là de ce qui ne le regarde pas ; mais il faudra s'y habituer : toute sa vie, Winston va se mêler de ce qui ne le regarde pas... Pourtant, Masterman se trompe lorsqu'il pense que Churchill « vient de découvrir » les pauvres. En fait, il les a découverts six ans plus tôt, à la lecture du livre de Rowntree sur la ville d'York ; il les a même rencontrés sur le terrain au début de 1906, lorsqu'il faisait campagne à Manchester. Et le fils de lord Randolph, qui ne quitte le Parlement et les clubs londoniens que pour séjourner au palais de Blenheim, est ainsi fait qu'il apprécie nettement moins son confort en prenant conscience du dénuement qui l'entoure. Depuis son entrée au parti libéral, il est en outre tombé sous l'influence du député radical Lloyd George ; cet avocat gallois d'origine très modeste s'est engagé à fond dans la lutte contre une misère qu'il connaît bien, et qu'il est tout disposé à faire découvrir à son nouveau collègue et ami. Enfin, au début de février 1908, Winston, toujours avide de documentation et d'idées nouvelles lorsqu'une question retient son attention, a demandé à rencontrer la redoutable Beatrice Webb. Cette militante du socialisme réformiste, qui est une des têtes pensantes de la *Fabian Society,* s'était déjà entretenue avec lui quatre ans plus tôt, et l'avait trouvé « complètement ignorant des questions sociales[22] ». Mais cette fois, elle a un interlocuteur attentif : « Il a été des plus obséquieux – et s'est empressé de m'assurer qu'il était disposé à absorber tous les plans que nous pourrions lui donner[23]. »

On ne saurait mieux dire : à l'issue de l'entretien avec Beatrice Webb et son protégé William Beveridge, Churchill fait une synthèse de leurs propositions, des idées de Lloyd George et de ses observations en Allemagne, et présente le tout dans un article intitulé : « Un domaine inexploré en politique. » Ce grand modeste considère naturellement que le domaine est inexploré, puisque lui-même ne l'avait jamais exploré... Mais si les idées exprimées ne sont pas nouvelles, elles sont exposées là avec un indéniable talent : il ne saurait y avoir de véritable liberté politique sans un minimum d'aisance économique et sociale ; et c'est à l'État qu'il revient d'aider l'individu, par la formation professionnelle, par la prise en charge de certains secteurs de l'économie comme les chemins de fer, les canaux et les forêts, par la régulation de l'emploi, et enfin par la fixation de « normes minimum d'existence et de travail[24] ».

« On ne sait jamais, dira son ami F. E. Smith, quelle version personnelle Winston vous restituera *a posteriori* de l'idée que vous avez eue[25]. » Mais en l'occurrence, cette version arrive à point nommé ; c'est qu'à la fin du mois de mars, le vieux Premier ministre Campbell-Bannerman, malade, donne sa démission, et le roi charge le chancelier de l'Échiquier, Herbert Asquith, de former le nouveau gouvernement. Or, la situation économique s'est nettement détériorée depuis 1907, et le chômage a presque doublé en un an ; avec la baisse des salaires et l'augmentation des prix de détail, la misère a nettement progressé, et les autorités se doivent de réagir. Asquith, influencé par Lloyd George, veut donc lancer un programme hardi de réformes sociales, et les propos de Churchill lui semblent aller dans le bon sens – d'autant que ses initiatives montrent à l'évidence qu'il possède toute l'énergie nécessaire pour traduire ses idées en actes. Le 9 avril 1908, Churchill se voit donc offrir un poste de choix : celui de ministre du Commerce, dont la compétence s'étendra au travail et à la législation sociale. À 33 ans, il devient donc ministre à part entière ; mieux encore, il fait son entrée au Cabinet, qui est l'instance de décision suprême du gouvernement.

À l'époque, l'usage veut qu'un député qui entre au Cabinet se représente devant ses électeurs. Revoici donc notre ministre candidat à Manchester nord-ouest, dans des conditions bien plus difficiles qu'en 1906 : la situation économique s'est dégradée et le gouvernement en est rendu responsable ; le protectionnisme n'est plus considéré comme une menace ; et puis, les conservateurs présentent Churchill comme un renégat ayant bradé l'Empire et viré au socialisme, qui s'apprêterait en outre à attaquer l'école libre... C'est évidemment beaucoup, et le 23 avril, le député sortant est battu de justesse. Les conservateurs triomphent : « À quoi peut bien servir un W. C. sans siège ? » demandent-ils sans excès de finesse. Mais un parti bien organisé sait corriger les aléas de la démocratie : à Dundee, en Écosse, il y a justement un siège vacant, qui est traditionnellement acquis au parti libéral ; devant ces nouveaux électeurs majoritairement ouvriers, la rhétorique radicale de Churchill fait merveille : la Chambre des lords conservatrice, déclare-t-il, « est pleine de vieux pairs branlants, de grands financiers malins, d'habiles tireurs de ficelles, de gros brasseurs au nez fleuri ». Et comme il y a aussi un candidat travailliste, il ajoute : « Le socialisme veut abattre les riches, tandis que le libéralisme veut élever les pauvres ; le socialisme veut tuer l'entreprise, tandis que le libéralisme veut la libérer des entraves du privilège et de la protection[26]. » Un discours qui fait mouche : le 9 mai, Winston est élu avec 3 000 voix de majorité.

Remarquable gouvernement que celui de Herbert Asquith, avec Grey aux Affaires étrangères, Lloyd George aux Finances, Haldane à la Guerre, McKenna à la Marine, Churchill au Commerce, Birrell à l'Irlande et Burns à l'Administration régionale. « Un orchestre de premiers violons, qui jouaient parfois sur des tons différents », écrira Violet Asquith[27]. Mais deux ministres au moins accorderont leurs instruments, à tel point qu'on les nommera « les divins jumeaux de la réforme sociale » : Lloyd George et Churchill. Depuis leurs ministères respectifs, ils vont en effet orchestrer en deux ans un véritable bouleversement de la législation du travail : journée de huit heures dans les mines ; fin du *sweating system* – l'exploitation de la main-d'œuvre ouvrière inorganisée ; passage du *Trade Boards Act,* qui institue un salaire minimum ; création des Bourses du travail ; préparation de lois sur l'assurance maladie, l'assurance chômage et les retraites... « Un exemple frappant, conclura William Beveridge, du degré d'influence que peut exercer la personnalité d'un ministre sur l'évolution de la législation sociale au cours de quelques mois décisifs[28]. »

Toutes ces avancées, Churchill sera chargé de les justifier au Parlement comme dans le pays, ce qu'il fera avec toute l'emphase requise : « À quoi bon vivre, sinon pour lutter en faveur de nobles causes, et faire émerger de toute cette confusion un monde meilleur, au bénéfice de ceux qui y vivront lorsque nous l'aurons quitté ? » Ou encore : « Partout où le réformateur porte son regard, il se trouve en présence d'une masse de souffrances qui auraient pu être largement prévenues et même guéries. En Grande-Bretagne, les gens fortunés sont plus heureux que toute autre classe dans toute l'histoire du monde ; mais je suis persuadé que les millions de délaissés sont également les plus misérables de toute l'histoire du monde. Tandis que notre avant-garde jouit des plus grands plaisirs jamais offerts, notre arrière-garde doit affronter des conditions plus cruelles que dans les mondes barbares[29]. » C'est également au ministre du Commerce qu'il revient d'arbitrer les conflits du travail, ce que Churchill fera avec un succès certain, notamment dans les chantiers navals et l'industrie du coton. Mais cet esprit inventif ira plus loin encore, en proposant à ses collègues la création de cours permanentes d'arbitrage, comprenant deux délégués des travailleurs, deux représentants des employeurs, et un président nommé par le ministère du Commerce. L'idée paraît si bonne qu'elle est appliquée dès 1909 – et donne d'excellents résultats.

Avec tout cela, Churchill trouve encore le moyen de se mêler des affaires de ses collègues ! C'est ainsi qu'il suggère au premier lord de l'Amirauté d'avancer les programmes de construction dans les chantiers navals, afin d'éviter aux ouvriers de la Tyne et de la Clyde une longue période de chômage pendant l'hiver ; sa proposition est adoptée sans délai. Mais l'activité de notre ministre est loin de se limiter à cela. C'est qu'à l'été de 1908, l'Amirauté, inquiète du réarmement naval allemand, a demandé la construction immédiate de six cuirassés « *Dreadnought* ». Or, au sein du gouvernement, le chancelier de l'Échiquier Lloyd George a estimé que quatre suffiraient ; il s'agit bien sûr de faire des économies, afin de financer le programme de réformes sociales, et Churchill va appuyer Lloyd George de toute son éloquence : « Il me paraît tout à fait critiquable, déclare-t-il ainsi à une assemblée de mineurs gallois le 14 août, que certains répandent dans ce pays l'idée qu'une guerre entre la Grande-Bretagne et l'Allemagne est inévitable. C'est absurde.» En fait, ajoute-t-il, les deux pays n'ont pas le moindre motif de conflit, « même si l'on peut entendre quelques grognements et propos hargneux dans les journaux ou les clubs londoniens[30]». Pour finir, l'évolution du programme de réarmement naval allemand décidera le gouvernement à trancher en faveur de l'Amirauté, et l'on va construire 8 *dreadnoughts* au lieu de 6 ! Dans cette affaire, Churchill finira même par se déclarer satisfait d'avoir été battu... Mais il faudra pour cela l'avènement d'une guerre mondiale.

Pour l'heure, ce ministre du Commerce peu ordinaire assiste de nouveau aux manœuvres de l'armée allemande, et estime naturellement de son devoir d'établir un rapport détaillé de ses observations à l'intention du *War Office*. Il est vrai que notre ministre du Commerce a tenu à entrer au Comité de défense impérial, dont il deviendra l'un des membres les plus assidus ; il est également major dans le régiment territorial des *Queen's Own Oxfordshire Hussars*, et participe à toutes ses manœuvres, qui s'effectuent dans le parc du château de Blenheim. Enfin, ce très mauvais conspirateur n'en est pas moins fasciné par les affaires secrètes, et il va appuyer de toutes ses forces le projet de création du *Secret Service Bureau*, avec ses sections de contre-espionnage (MI5) et de renseignement étranger (MI6).

Au milieu de cette frénésie d'activité, Winston a même trouvé le temps de se marier : à la suite d'une nouvelle rencontre et d'une ébauche de correspondance, Clementine Hozier a fini par se montrer sensible au charme de ce galant peu ordinaire, qui lui écrit le 8 août 1908 : « Je suis d'un naturel très autosuffisant et très peu communicatif[31]. » Comment résister à de tels arguments ? Une réception à Blenheim, les conseils de Jennie et l'intervention opportune du cousin Sunny pour réparer les maladresses du prétendant permettront enfin à Winston de faire sa demande... La belle ayant accepté, notre jeune homme toujours pressé fixe la date du mariage au 12 septembre – moins de trois semaines après l'annonce officielle. Peut-être a-t-il peur qu'elle se ravise.*? Clementine sera effectivement tentée de le faire, mais elle n'osera pas, et la cérémonie va se dérouler comme prévu, à l'église St Margaret de Londres. Il y aura tout de même quelques surprises : dans la sacristie, après la cérémonie, Winston se met à parler politique avec Lloyd George, en oubliant complètement qu'il est censé sortir avec la mariée ! À Blenheim, première étape du voyage de noces, l'heureux époux révise le manuscrit de son livre sur l'Afrique ; au deuxième arrêt, sur le lac Majeur, il s'absorbe dans des rapports sur les négociations salariales en cours dans l'industrie cotonnière du Lancashire ; à Venise, dernière étape du voyage, il s'occupe du plan de modification des échéances de production dans les chantiers navals, dont il a décidé de faire bénéficier l'Amirauté. Le couple fera bien quelques promenades en gondole, mais dans l'ensemble, Clementine ne sera pas fâchée de rentrer à Londres. Il n'est peut-être pas superflu d'ajouter que ce sera un mariage heureux…

Dès son retour, Winston va se retrouver au cœur de la mêlée. Le gouvernement ayant accepté de financer à la fois le programme de réformes et les constructions navales supplémentaires, il s'agit de trouver les ressources nécessaires ; telle est l'origine du « budget du peuple », dont Lloyd George et Churchill sont les principaux artisans. C'est pour l'époque une véritable révolution : augmentation de l'impôt sur le revenu, création d'un impôt supplémentaire sur les gros revenus, évaluation des grands domaines en vue de leur imposition, taxation des plus-values, augmentation des droits de succession, relèvement des taxes sur le tabac, l'alcool et les débits de boisson, introduction d'une taxe sur l'essence, allocations familiales pour les ménages les plus défavorisés… Présenté aux Communes en avril 1909, ce projet sera pendant sept mois au centre d'une furieuse controverse. La Chambre basse, de majorité libérale, l'adopte finalement à la mi-octobre ; mais la majorité conservatrice de la Chambre des lords annonce d'emblée qu'elle opposera son veto, ce qu'elle fait le 30 novembre en votant majoritairement contre le budget – une action sans précédent depuis 250 ans. Pour

---

* En ce cas, il a raison : Clementine a déjà rompu ses fiançailles par deux fois dans le passé.

sortir de cette impasse, Asquith décide de dissoudre la Chambre, provoquant ainsi de nouvelles élections.

Devenu président de la « Ligue pour le budget », Churchill est naturellement à l'avant-garde du combat, en compagnie de Lloyd George. Dans d'innombrables discours au Parlement comme dans l'ensemble du pays, il défend énergiquement le projet et attaque violemment la Chambre des lords, cette « fière faction conservatrice » qui « se croit seule capable de servir la Couronne », et dont les membres, « considérant le gouvernement comme leur fief et l'autorité politique comme un simple accessoire de leur fortune et de leurs titres », ne votent que pour défendre « les intérêts de leur parti, les intérêts de leur classe et leurs intérêts personnels ». Tout ce qu'ils peuvent faire, « s'ils perdent la tête », c'est « placer une pierre sur la voie et faire dérailler le train de l'État[32] ». Tout cela ne peut qu'attiser la haine des conservateurs à l'égard de cet éloquent pourfendeur de l'aristocratie, qui est tout de même fils de lord et petit-fils de duc... Mais les observateurs les plus perspicaces savent que Churchill prend toujours ses fonctions très à cœur et reste éternellement l'esclave de ses paroles – ainsi que l'observera très finement Charles Masterman : « Presque à chaque fois, une idée lui pénètre l'esprit, parcourt les circonvolutions de son cerveau et grossit comme une boule de neige. Puis, après des tourbillons d'éloquence, il se persuade qu'elle est bonne, et dénonce toute personne qui la critique. C'est au sens grec un rhéteur, l'esclave des mots dans lesquels son esprit a enfermé les idées. Il met ses idées en rhétorique comme les musiciens mettent les leurs en musique. Et il peut se convaincre pratiquement de toute vérité une fois qu'elle a entamé une course folle à travers l'engrenage de sa phraséologie[33]. » On verra que sous des formes très diverses, les collègues, amis et ennemis de Churchill brosseront pendant un demi-siècle un tableau pratiquement identique...

Les libéraux perdent 125 sièges aux élections générales de janvier 1910, mais ils conservent une majorité suffisante pour former, avec l'appui de leurs alliés travaillistes et irlandais, un nouveau gouvernement qui reprendra la lutte contre l'obstruction de la Chambre des lords. Churchill, lui, a été aisément réélu à Dundee, et sa contribution très remarquée à la campagne libérale dans tout le pays lui vaut les remerciements d'Asquith, qui risquera même une prédiction à cette occasion : « Vos discours resteront dans l'histoire[34].» Mieux encore, il offre au nouveau Démosthène un poste clé dans le gouvernement en formation : celui de ministre de l'Intérieur.

C'est là une belle promotion, et pour la première fois, Winston va toucher un véritable salaire de ministre*. Ce n'est que justice, car ses nouvelles responsabilités ne sont pas minces : le *Home Secretary* est en effet responsable du maintien de l'ordre, de l'administration des prisons et maisons de redressement, de l'organisation des cours de justice, de l'introduction de projets de loi en matière de justice criminelle, de la supervision du corps des pompiers, de la réglementation de l'emploi des enfants, du contrôle des immigrés, de la naturalisation des étrangers, de la sécurité dans les mines, de la sauvegarde des stocks d'explosifs, du contrôle des débits de boisson et des jeux de hasard, de la supervision des enterrements et crémations… sans compter qu'il lui revient d'exercer le droit de grâce**, et que le Premier ministre l'a chargé de rédiger chaque soir un compte rendu détaillé des débats parlementaires à l'intention de Sa Majesté !

Winston inaugurera ses fonctions par une tournée des prisons ; abordant l'univers carcéral avec un regard neuf, un solide bon sens et le souvenir de sa propre détention à Pretoria dix ans plus tôt, il saisit d'emblée les points faibles de l'institution : un tiers des prisonniers est détenu pour ivresse et une moitié pour défaut de paiement de leurs dettes. En remplaçant l'incarcération des ivrognes par des amendes et en accordant aux débiteurs des délais de paiement, il fera passer en deux ans le nombre de détenus de 184 000 à 32 500 ! Ceux qui restent bénéficieront de conditions plus humaines : suppression du fouet, des brimades et autres mesures vexatoires, mise en place d'un réseau de bibliothèques, extension aux suffragettes du statut de prisonnières politiques. «Une fois par semaine, et parfois davantage, se souvient sir Edward Troup, le secrétaire permanent du *Home Office*, M. Churchill arrivait au bureau avec quelque projet aussi audacieux qu'irréalisable. Mais après une demi-heure de discussion, nous avions élaboré quelque chose qui restait audacieux, tout en n'étant plus irréalisable[35].»

---

* 5 000 £. Assez curieusement, le ministre du Commerce, lui, ne touchait à l'époque que la moitié du salaire des autres ministres.
** Il en usera 21 fois sur 43.

En passant du ministère du Commerce à celui de l'Intérieur, Winston a troqué le rôle de médiateur contre celui de responsable du maintien de l'ordre, au moment même où des grèves très dures éclatent dans les ports, les mines et les chemins de fer du pays. En novembre 1910, lors d'une émeute de mineurs des houillères dans la petite ville galloise de Tonypandy, le chef de la police locale, débordé, fait appel à la troupe. Churchill, prévenu, préfère envoyer en avant-garde trois cents policiers londoniens et tenir les troupes en réserve. L'ordre sera finalement rétabli sans effusion de sang, et le général Macready, commandant les troupes envoyées dans le secteur, reconnaîtra dans ses *Mémoires* que « c'est seulement grâce à la prévoyance dont a fait preuve M. Churchill en envoyant une puissante force de la police municipale [...] que l'on a pu éviter de faire couler le sang[36] ». Mais la politique a ses exigences, et les conservateurs accuseront Churchill de laxisme dans cette affaire, tandis que les travaillistes en feront « le boucher de Tonypandy ». L'histoire, avec son miroir déformant, perpétuera ce surnom parfaitement immérité.

Pourtant, l'épisode le plus célèbre du passage de Churchill à l'Intérieur restera probablement celui du siège de Sidney Street. Au matin du 3 janvier 1911, notre ministre apprend, littéralement au saut du bain, que des anarchistes lettons appartenant à la bande de « Pierrot le Peintre » ont été cernés dans une maison de Sidney Street à Whitechapel, après avoir tué trois policiers. On lui demande l'autorisation de faire intervenir la troupe, afin de prêter main forte aux policiers chargés de les déloger. Churchill accepte, se rend immédiatement sur les lieux et se mêle naturellement des opérations ; il recommande d'abord de mener l'assaut avec des hommes abrités derrière une grande plaque de métal, mais il faut y renoncer lorsque la maison prend feu. Les pompiers veulent alors éteindre l'incendie, mais Churchill s'interpose : « Il m'a semblé préférable de laisser brûler la maison, expliquera-t-il, plutôt que de sacrifier de bonnes vies britanniques pour sauver ces féroces canailles[37]. » De fait, l'incendie fera son office et force restera à la loi. Mais il y a un photographe sur place, et les clichés de Churchill en haut-de-forme et manteau à col d'astrakan s'avançant dans la ligne de feu vont faire rapidement le tour de l'Angleterre. Ses adversaires en profiteront pour le présenter comme un aventurier, un poseur et un touche-à-tout ; aux Communes, Balfour s'en donnera à cœur joie : « Je comprends bien la présence du photographe, mais que faisait là le ministre de l'Intérieur ? » L'intéressé pouvait difficilement s'expliquer, mais connaissant désormais notre homme, nous répondrons à sa place : Winston Churchill est irrésistiblement attiré par les événements exceptionnels, par l'action… et par le danger.

À l'été de 1911, il sera servi. « Jamais de mémoire de contemporain, écrit J. A. Spender, un gouvernement n'avait dû faire face à tant de graves dangers que celui d'Asquith à cette époque[38]. » C'est exact, et Winston sera chaque fois au centre du tourbillon. Cet été torride verra d'abord le dramatique dénouement de l'affrontement entre le gouvernement libéral et la Chambre des lords au sujet du « budget du peuple ». La mort d'Édouard VII en mai 1910 avait été suivie d'une tentative de conciliation, et celle-ci n'ayant pas abouti, il y a eu de nouvelles élections générales, qui ont confirmé les résultats des premières, sans pourtant amener la Chambre des lords à s'incliner. Mais après de longues hésitations, le nouveau roi George V accède aux désirs de son Premier ministre, en menaçant les lords de créer « une fournée de pairs » qui renverserait la majorité en leur sein. Le 10 août, la Chambre haute s'incline à une courte majorité, reconnaissant ainsi la suprématie des Communes en matière budgétaire, et perdant du même coup l'essentiel de ses pouvoirs. Durant ces deux années de lutte sans merci, Churchill, en dépit de ses innombrables occupations, a assisté à tous les débats à la Chambre, présidé la « Ligue pour le budget », rédigé maintes motions et prononcé d'innombrables discours ; à plusieurs reprises, il est même intervenu à la Chambre en lieu et place d'un Premier ministre empêché par une extinction de voix – ou par un excès d'alcool. Au parti radical, et même dans l'opposition conservatrice, on se rend à l'évidence : cette victoire d'Asquith et de Lloyd George, c'est aussi celle de Winston Churchill.

Il n'aura même pas le temps de s'en réjouir, car l'agitation ouvrière qui couvait depuis deux mois vient de déboucher sur une vague de grèves et d'émeutes touchant simultanément les docks, les houillères et les chemins de fer. Des négociations sont engagées, mais dans les villes, l'alimentation commence à manquer, tandis qu'à Liverpool, les ouvriers ont attaqué la police. Churchill, considérant que les grévistes sont sous-payés et pratiquement acculés à la famine, fait preuve d'une grande modération et mise sur l'intervention des commissions d'arbitrage. Mais les émeutes se multiplient, les déprédations s'accumulent, et les forces de l'ordre sont bientôt débordées ; en outre, la situation internationale inspire des inquiétudes, et le roi lui-même s'impatiente. La tâche du ministre de l'Intérieur étant d'assurer l'approvisionnement, la sécurité et la libre circulation des trains, il finit par ordonner l'intervention de la troupe pour prêter main-forte à la police. Le 19 août, à Llanelli, au sud du pays de Galles, des émeutiers prennent un train d'assaut, le pillent et malmènent son conducteur. Les soldats qui s'interposent sont pris à partie et finissent par tirer ; il y aura quatre morts. Mais ailleurs, l'intervention des militaires décourage les émeutiers les plus violents et facilite la mission de conciliation de Lloyd George, qui parviendra le jour même à trouver un compromis pour mettre fin au conflit. C'est Clement Attlee qui racontera la suite : « Asquith se tenait au milieu de quelques ministres en se félicitant d'avoir mis fin à la grève, lorsque tout d'un coup, il s'est rembruni et a dit : "Il faut que quelqu'un annonce à Winston que c'est terminé". Il n'y avait pas de volontaires. "Il faut que tu y ailles, a-t-il dit à Lloyd George. Après tout, c'est *ton* ami." Lloyd George, s'exécutant sans enthousiasme, s'est dirigé vers le ministère de l'Intérieur. Il y a trouvé Winston dans son bureau, à quatre pattes devant des cartes à grande échelle de toutes les gares et dépôts ferroviaires, occupé à déplacer et à mettre en position des petits cubes de bois représentant les troupes. "C'est terminé, Winston", lui a dit Loyd George. "*Bloody hell !*" a juré Churchill – ou quelque chose d'approchant –, puis il s'est levé et a envoyé d'un coup de pied la carte et les troupes à l'autre extrémité de la pièce. Il s'était tellement enthousiasmé pour sa tâche qu'il voulait la poursuivre et l'achever. Mais cela n'avait rien à voir avec une quelconque animosité à l'égard des grévistes[39]. »

Rien à voir, en effet, car son réflexe suivant sera comme toujours de tendre la main à l'adversaire vaincu. Mais dans cette affaire, Churchill s'est attiré la haine de la plupart des travaillistes, la sympathie de beaucoup de conservateurs et la reconnaissance de tous ses collègues du gouvernement. Il recevra également ce télégramme du roi George V : « Suis convaincu que les promptes mesures prises par vous ont évité des pertes humaines dans plusieurs régions du pays[40]. »

Deux mois de grèves et d'émeutes, le point culminant d'une crise constitutionnelle, des discours, des articles et des mémorandums sans nombre, un rapport quotidien au roi sur les débats au Parlement, en plus bien sûr de tous les devoirs de sa charge ministérielle qui, nous le savons, ne sont pas minces… On pourrait penser que tout cela est plus que suffisant pour occuper Winston cet été-là, surtout depuis la naissance de son fils (naturellement baptisé Randolph) deux mois plus tôt ; mais ce serait une erreur : il y a aussi le projet de *Home Rule* irlandais, que le gouvernement va réintroduire au Parlement et que Churchill doit défendre à nouveau, aux Communes comme dans le pays. Du reste, tout cela n'est encore rien, car autre chose le préoccupe bien davantage ; et ce diable d'homme parvient encore à y consacrer tout ce qui lui reste de temps et d'énergie – sans que l'on comprenne très bien comment il peut lui en rester !

Le 1er juillet 1911, l'empereur Guillaume II a envoyé une canonnière dans le port marocain d'Agadir ; mais en voulant faire pression sur la France, il vient d'alerter toutes les chancelleries d'Europe. À Londres, cette initiative est perçue d'emblée comme une menace contre la paix, qui va effacer d'un trait la principale division au sein du gouvernement : les radicaux, traditionnellement hostiles aux engagements diplomatiques, coloniaux et militaires, vont faire une volte-face abrupte ; le chancelier de l'Échiquier Lloyd George est de ceux-là : le 21 juillet, il déclare publiquement que la Grande-Bretagne n'achètera jamais la paix au prix de l'humiliation. Quatre jours plus tard, par une communication diplomatique très sèche, Berlin fait connaître à Londres son déplaisir. Churchill, qui avait rencontré le Kaiser au cours des manœuvres de 1906 et de 1909, s'était persuadé que l'Allemagne ne menaçait pas la paix, et avait même entrepris d'en convaincre les autres ; le 17 juillet 1909, il déclarait ainsi au club libéral écossais d'Édimbourg : « Il n'y a pas vraiment de conflits d'intérêts entre la Grande-Bretagne et l'Allemagne. […] Ces deux pays n'ont absolument pas de raisons de se battre, ils n'ont absolument nulle part où se battre et, à mon avis, on s'apercevra d'ici quelques années, si les gens gardent la tête froide, que les bonnes relations qui existent aujourd'hui entre la Grande-Bretagne et l'Allemagne n'auront fait que croître et embellir[41]. » Malheureusement, le Kaiser, lui, n'a pas gardé la tête froide et, pour le ministre de l'Intérieur Churchill, Agadir est une révélation : l'Allemagne, qui s'est dotée d'une puissante armée et a considérablement renforcé sa marine, ne cherche-t-elle pas un prétexte pour

faire la guerre à la France et au reste de l'Europe ? La réaction de
Berlin au discours de Lloyd George semble lui apporter la réponse.
« C'est donc avec quelque soupçon, écrira-t-il, que je commençai
dès lors à lire la correspondance diplomatique[42]. »

Il ne se limitera pas à cela ; car notre héros est ainsi fait qu'une
fois mis en présence du danger, il est à peu près impossible à arrêter.
Dès le 25 juillet, il écrit au ministre des Affaires étrangères sir
Edward Grey pour lui suggérer un rapprochement avec l'Espagne,
qui garantirait également la sécurité de la France. Deux jours plus
tard, apprenant par hasard que la police est responsable de la garde
de deux arsenaux contenant les réserves d'explosifs de la marine, il
persuade le ministre de la Guerre d'envoyer deux compagnies de
soldats pour en renforcer la sécurité ; il s'enquiert des points vulnérables au sabotage dans tout le pays, s'inquiète des possibilités
d'espionnage et donne l'autorisation d'intercepter la correspondance de toute personne soupçonnée d'être un agent allemand.
Mais le ministre de l'Intérieur de Sa Majesté ne s'arrête pas là, et il
commence à étudier l'ensemble de la situation militaire en Europe ;
fidèle à ses habitudes, il réunit une imposante documentation et
s'entretient avec de nombreux experts, qu'il soumet à un feu roulant de questions. Le ministre de la Guerre lord Haldane ayant
donné l'ordre de fournir à son remuant collègue tous les renseignements qu'il demande, Churchill mettra particulièrement à contribution le général Henry Wilson, chef des opérations au *War Office*, et
le chef d'état-major sir William Nicholson, qui est d'ailleurs une
vieille connaissance : ils ont servi ensemble à l'état-major du général
Lockhart quatorze ans plus tôt, lors de l'expédition du Tirah, et se
sont retrouvés à Bloemfontein durant la guerre des Boers…

Armé de cette documentation, Winston va rédiger le 13 août (au
beau milieu des émeutes et de la grève des cheminots !) un de ces
mémorandums dont il a le secret. Destiné au Comité de défense
impérial, cet étonnant document part de l'hypothèse – nullement
invraisemblable dès cette époque – de l'attaque par l'Allemagne et
l'Autriche d'une alliance formée par la France, la Grande-Bretagne
et la Russie ; il considère que les opérations décisives prendront la
forme d'une offensive allemande dans le nord de la France, et se
prononce dans cette éventualité en faveur de l'envoi sur place de
quatre à six divisions britanniques, susceptibles d'exercer un effet
psychologique et stratégique majeur sur le cours de la bataille ; il

prédit enfin qu'au vingtième jour de l'offensive, les armées françaises auront été contraintes d'évacuer la ligne de la Meuse et de faire retraite vers Paris. Mais il considère également que vers le quarantième jour, les lignes de communication allemandes étant étirées à l'extrême et l'armée russe intervenant à l'est, une contre-offensive française serait possible avec de bonnes chances de succès[43].

Pour qui songe au déroulement des combats en France trois ans plus tard, il y a là une acuité dans l'anticipation qui laisse sans voix. Naturellement, cette étude est basée sur les renseignements fournis par le *War Office* et l'état-major ; mais aucun des officiers supérieurs prudents et compassés de l'armée britannique ne se serait risqué à faire des prédictions de ce genre. Seul un ancien lieutenant aventureux, romancier à ses heures, doué d'une vaste capacité de synthèse, d'une vision à long terme en matière stratégique et d'une absence complète d'inhibition, aurait osé s'avancer à ce point... Pour l'heure, en tout cas, le Premier ministre Asquith décrira le mémorandum de Winston comme « un tour de force », en ajoutant toutefois : « J'aimerais qu'il soit aussi concis dans ses discours que dans ses écrits[44]. »

C'est beaucoup demander ; mais après la réunion du Comité de défense impérial du 23 août – qui s'est achevée sur un désaccord complet entre le *War Office* et l'Amirauté au sujet de la stratégie à suivre en cas de guerre* –, notre ministre de l'Intérieur va reprendre la plume. Le 30 août, il écrit au ministre des Affaires étrangères pour lui suggérer, en cas d'échec des négociations franco-allemandes sur le Maroc, la conclusion d'une triple alliance avec la France et la Russie, qui garantirait l'indépendance de la Belgique ; au début de septembre, il propose au Premier ministre une concentration de la flotte en mer du Nord – ce qui est en principe du ressort de l'Amirauté ; le 13 septembre, il suggère certaines mesures d'approvisionnement en cas de guerre, qui sont manifestement de la compétence du ministre du Commerce ; ce même jour, il écrit au Premier ministre pour lui demander si l'Amirauté prend la situation au sérieux : il vient de constater que tout le

---

* Le *War Office* voulait envoyer les divisions britanniques en France dès le début d'un conflit, tandis que l'Amirauté voulait les garder en réserve pour les débarquer sur les arrières de l'ennemi.

monde est parti en vacances... à l'exception du premier lord naval, qui doit partir le lendemain[45] !

On imagine sans peine la réaction des destinataires en recevant ce déluge de conseils et d'injonctions. « Je ne pouvais penser à rien d'autre qu'au péril de la guerre », expliquera Winston. « Je faisais au fur et à mesure le travail qui m'incombait, mais un seul centre d'intérêt s'imposait d'autorité à mon esprit[46]. » Il faut comprendre par là que devant le danger qui s'annonce, Churchill prend tellement au sérieux son rôle de membre du Cabinet et du Comité de défense impérial qu'il se mêle résolument des affaires de tous ses collègues ! Le seul à ne pas s'en formaliser est le Premier ministre lui-même ; si Winston est effectivement un singulier touche-à-tout qui peut être bien lassant par moments, il a aussi des capacités de raisonnement, de travail et d'action dont son gouvernement ne pourrait se passer à l'approche du péril. Du reste, Lloyd George le lui a confirmé : le premier lord McKenna semble bien indolent, et l'Amirauté doit être entièrement réorganisée pour pouvoir coopérer harmonieusement avec le *War Office* en cas de guerre. D'un autre côté, Winston est manifestement à l'étroit dans ses fonctions de ministre de l'Intérieur... Le 1er octobre 1911, Asquith se décide : il offre à Winston Churchill le poste de premier lord de l'Amirauté.

Pour Churchill, c'est à la fois un soulagement et une consécration. On se souvient qu'il avait été attiré dans sa jeunesse par la carrière militaire, pensant qu'elle lui permettrait de commander une armée ; mais s'étant aperçu qu'il faudrait obéir bien trop longtemps avant de pouvoir commander, peu à l'aise dans des rôles aussi subalternes que mal rétribués, il avait démissionné, sans jamais cesser d'être fasciné par les armes, la tactique et la haute stratégie. Onze ans plus tard, voici qu'on lui offre la chance de sa vie : il ne commandera pas seulement une armée, mais l'ensemble des unités navales de Sa Majesté ! En d'autres termes, il tiendra dans ses mains la sécurité des îles Britanniques et de l'Empire, au moment même où les périls montent en Europe. Pour cet homme fasciné par les situations extraordinaires, et qui a le sentiment de n'exister que pour y jouer un rôle décisif, voilà bien une fonction sur mesure ; d'ailleurs, son prédécesseur excédé aurait pu faire valoir qu'il l'exerçait déjà depuis trois mois – en même temps que beaucoup d'autres. Étant maintenant responsable d'un ministère essentiel, où il pourra donner toute la mesure de ses talents, peut-être sera-t-il moins tenté de s'occuper des affaires de ses collègues ? Ce serait évidemment très mal connaître Winston Spencer-Churchill...

De son temps passé à la tête de l'Amirauté, Churchill écrira : « Ce furent les quatre années les plus mémorables de ma vie[47]. » Ces propos datent certes de 1923, et Winston connaîtra des années plus mémorables encore ; mais le zèle et l'enthousiasme qu'il apporte à l'exercice de ses fonctions vont introduire une tout autre ambiance dans la marine britannique : désormais, des officiers de marine seront de service à l'Amirauté de jour comme de nuit, en semaine, les dimanches et les jours fériés, afin que l'alerte puisse être donnée à tout moment ; l'un des lords navals devra également s'y trouver en permanence, afin de prendre sans délai toutes les mesures nécessaires. Le premier lord Churchill, lui, va travailler quinze heures par jour, et s'attend naturellement à ce que ses collaborateurs en fassent autant. Il est vrai que la tâche est écrasante : préparer la *Royal Navy* à une attaque de l'Allemagne, comme si elle devait se produire d'un jour à l'autre ; moderniser la flotte et la porter au maximum de sa puissance ; créer un état-major naval de guerre ; collaborer étroitement avec le *War Office* pour préparer un éventuel transport de l'armée britannique en France ; et bien sûr défendre au Parlement les très fortes augmentations budgétaires rendues nécessaires par toutes ces mesures...

Au début, Churchill cherche surtout à s'informer : « Je m'efforçais en permanence de vérifier et de corriger les opinions que j'avais amenées avec moi à l'Amirauté, en les confrontant aux informations d'experts qui étaient maintenant à ma disposition dans tous les domaines[48]. » Selon son habitude, il interroge inlassablement tous ceux dont l'expérience peut être mise à contribution, à commencer par lord Fisher, ancien premier lord naval et père de la marine britannique moderne – qui lui doit entre autres le cuirassé *Dreadnought*, le canon de 13,5 pouces, et même le sousmarin. C'est à Biarritz, en 1907, que Churchill a rencontré ce singulier personnage, qui lui a fait pendant quinze jours un véritable cours sur la marine, ses armements, ses réformes, ses stratégies et ses officiers. Churchill, alors ministre des Colonies, l'a écouté avec fascination et n'a rien oublié depuis ; dès son arrivée à l'Amirauté, il renoue donc ses relations avec l'illustre marin qui a pris sa retraite au bord du lac Léman, et l'invite à revenir à Londres. Le vieux loup de mer, enchanté que l'on se souvienne encore de lui, répond à l'appel sans délai. « Je trouvai en Fisher, écrira Churchill, un véritable volcan de science et d'inspiration. Dès qu'il apprit l'essentiel de mon dessein, il entra dans une violente éruption. [...] Une fois lancé, il était à peu près intarissable. Je le pressais de questions, et il débordait d'idées[49]. » Ce personnage haut en couleur s'étant fait d'innombrables ennemis dans l'exercice de ses fonctions, Churchill doit à regret renoncer à le réinstaller au poste de premier lord naval ; mais de cet homme difficile, au caractère impossible et au génie bouillonnant, il va faire un conseiller écouté.

Pour mettre en œuvre sa politique, Winston doit d'abord faire place nette dans les hautes sphères de l'Amirauté : sir Arthur Wilson, premier lord naval, est irréductiblement opposé à la création d'un état-major naval de guerre, ainsi qu'au projet d'envoyer un corps expéditionnaire en France au début d'un conflit ; sur les conseils de lord Fisher, il sera donc remplacé par sir Francis Bridgeman, avec comme deuxième lord naval le prince Louis de Battenberg. Le secrétaire naval du premier lord de l'Amirauté sera désormais l'amiral Beatty, une vieille connaissance du temps de la campagne du Soudan. Enfin, tout en maintenant à son poste l'amiral Callaghan, commandant en chef de la *Home Fleet*, Churchill nomme commandant en second sir John Jellicoe. Des choix judicieux dans l'ensemble : ces noms vont bientôt devenir célèbres...

Avec le ministre de la Guerre, la collaboration commence d'emblée. « Winston et Lloyd ont dîné avec moi la nuit dernière, écrit lord Haldane à sa mère, et nous avons eu une discussion fort utile. [...] Il est étrange de penser qu'il y a trois ans, j'ai dû me battre avec ces deux-là pour chaque sou de mes réformes militaires. Winston est plein d'enthousiasme pour l'Amirauté, et tient autant que moi à l'état-major [naval] de guerre. C'est un plaisir de travailler avec lui[50]. » Beaucoup n'en diront pas autant, car le nouveau ministre de la Marine laisse peu de répit à ses collaborateurs. Non content de travailler à l'Amirauté de l'aube jusqu'à minuit, il passe les week-ends et les jours fériés à visiter les unités navales, les ports, les arsenaux, les chantiers navals et les défenses côtières ; le yacht de l'Amirauté, l'*Enchantress*, est devenu le bureau flottant du premier lord. « Son travail était sa vie, écrira Violet Asquith, l'inaction ou la détente auraient été pour lui une punition[51]. » Des amiraux jusqu'aux soutiers, en passant par les intendants et les artilleurs, personne n'est à l'abri d'une visite surprise de Churchill, qui soumet tout le monde à un feu roulant de questions et attend des réponses très précises. « J'en vins à connaître l'aspect, l'emplacement, et les imbrications de toutes choses, si bien que je finis par pouvoir mettre immédiatement la main sur tout ce qu'il me fallait, et que je n'ignorais plus rien de notre situation navale[52]. » A-t-il maîtrisé au même point la *stratégie* navale ? Rien n'est moins sûr, mais cela n'apparaîtra que bien plus tard...

Une fois cuirassé d'informations pertinentes, Churchill entreprend de transformer radicalement la marine de guerre avant octobre 1914 ; c'est que lord Fisher, ce visionnaire génial et agité, a prédit pour cette date « la bataille d'Armageddon » ! Les réformes toucheront donc tous les secteurs de la *Royal Navy* : la solde et les conditions de vie des marins sont améliorées ; on revoit la formation, la discipline et le système de promotion du personnel, pour obtenir une plus grande efficacité ; des séances de *kriegspiel** sont instituées, afin de renforcer la préparation des officiers ; l'état-major naval de guerre est constitué, et Churchill veille à ce qu'il coopère étroitement avec celui du *War Office* – notamment pour l'établissement d'un plan détaillé de transport du corps expéditionnaire en France ; la grande flotte n'ayant pas de mouillage protégé en temps de guerre, Churchill choisit de faire aménager à cet effet la base écossaise de Scapa Flow, dans les Orcades, d'où elle pourra contrôler toute sortie de la flotte allemande ; concernant la construction des nouveaux cuirassés *Super Dreadnought*, il va prendre une décision téméraire : celle de les équiper de canons de 15 pouces, avant même que ceux-ci aient été construits ou essayés. Certains experts y voient une folie ; d'autres, comme lord Fisher, en sont farouchement partisans... Churchill, comme d'habitude, décide de jouer le tout pour le tout, et comme toujours, la chance le suit : les canons de 15 pouces se révéleront parfaitement fiables, et donneront aux nouvelles unités une puissance de feu très supérieure à celle des navires allemands. Autre pari risqué : sur le conseil de lord Fisher, il décide de remplacer le charbon par du mazout comme combustible dans les navires de guerre, afin d'augmenter leur vitesse et leur autonomie. La conversion est coûteuse, et il faut pouvoir

---

* Simulations de situations de guerre. Beaucoup sont d'ailleurs rédigées par Winston Churchill lui-même.

s'assurer de réserves suffisantes en cas de guerre ; qu'à cela ne tienne : le premier lord de l'Amirauté décidera son gouvernement à acquérir une participation majoritaire dans l'*Anglo Persian Oil Company* – un investissement qui s'avérera en outre extrêmement rentable...

Depuis 1909, par ailleurs, Churchill s'intéresse de très près à l'aviation dont, à la différence de ses collègues, il a saisi d'emblée les applications militaires ; dès son arrivée à l'Amirauté, il entreprend donc d'y installer un département de l'Air, qui aboutira en 1912 à la création de l'aéronavale. Pour faire bonne mesure, il apprend même à piloter, ce qui réservera bien des frayeurs à sa famille comme à ses instructeurs – d'autant que les avions de l'époque sont des plus primitifs. Mais comme d'habitude, notre homme a une chance insolente : un hydravion dans lequel il vole tombe en panne au-dessus de la mer du Nord, mais réussit à se poser sur l'eau, et est remorqué jusqu'au port – où le premier lord en emprunte aussitôt un autre. Peu après, lors d'un voyage d'inspection, son hydravion s'écrase, tuant tous les passagers ; Churchill, rappelé d'urgence une demi-heure plus tôt, venait d'en descendre pour regagner Londres en remorqueur... Comme toujours, cet as de la survie est aussi un visionnaire ; dînant un soir en compagnie de plusieurs de ses instructeurs, il leur annonce comme une évidence que lors des conflits à venir, les avions seront armés. Les convives en restent stupéfaits : personne jusque-là n'avait envisagé d'utiliser des avions pour autre chose que la reconnaissance. Mais la plupart des instructeurs présents ce soir-là ne verront jamais cette prophétie s'accomplir, car l'espérance de vie dans l'aviation de l'époque est des plus limitées, et la chance de Churchill très peu répandue.

Cette gigantesque expansion aérienne et navale coûte naturellement très cher, et le Parlement renâcle. Mais notre ministre de la Marine est à la fois aux chaudières et sur le pont : chaque année, il va expliquer patiemment aux députés la nécessité de crédits sans cesse en augmentation : en juillet 1912, il demande des ressources supplémentaires pour renforcer la flotte de Méditerranée ; en octobre, nouvelle demande de rallonge budgétaire pour la construction de croiseurs et de cuirassés ; en décembre 1913, il présente pour l'année suivante un projet de budget naval qui s'élève à plus de 50 millions de livres, ce que Lloyd George lui-même juge excessif. Mais Churchill est un avocat de talent, et il sait expliquer les choses les plus complexes en termes propres à frapper l'imagination : « Si vous voulez vous représenter correctement une bataille entre grands cuirassés modernes, il ne faut pas voir cela comme deux hommes en armure qui se battent avec de lourdes épées. Cela ressemble plutôt à un combat entre deux coquilles d'œuf qui se frapperaient avec des marteaux. D'où l'importance de frapper le premier, de frapper le plus fort, et de continuer à frapper[53]. » Avec des arguments aussi percutants, auxquels s'ajoute le soutien du Premier ministre, des conservateurs et même du roi, Churchill finit par l'emporter : en mars 1914, les députés voteront le budget naval le plus considérable de toute l'histoire britannique...

Pourtant, il serait erroné de considérer Churchill comme belliciste. Il aime certes la tactique, la stratégie, le danger et la gloire... Mais la guerre elle-même n'est douce qu'à ceux qui ne la connaissent pas ; et Churchill, lui, l'a vue de trop près pendant quatre campagnes pour en souhaiter une autre : il estime donc qu'il faut éviter tout conflit, mais pas au prix du déshonneur ou de la capitulation. Or, en s'armant le plus possible, on se rend moins vulnérable, et on a une chance de dissuader l'agresseur : *Si vis pacem, para bellum**. C'est exactement ce que pense Churchill (qui grognera plus d'une fois que les Romains lui ont volé ses meilleures formules...). Dans un discours prononcé en avril 1912, il a donc proposé pour l'année suivante des « vacances navales », une sorte de trêve durant laquelle la Grande-Bretagne et l'Allemagne s'abstiendraient de mettre en chantier de nouveaux navires. Par l'intermédiaire de son ami Ernest Cassel et d'Albert Ballin, directeur de la Hamburg-American Steamship Line, il fera d'ailleurs parvenir au Kaiser plusieurs messages conciliants allant dans le même sens, avec l'accord du Cabinet britannique. Celui du 14 avril 1912 est éloquent à cet égard : « Plus nous admirons le travail que constitue la création rapide d'une force navale allemande, plus se renforcent et s'approfondissent les sentiments d'inquiétude qu'il suscite. Mais on peut accomplir beaucoup de choses à force de patience et de sérénité ; et au fil des années, bien des dangers et des difficultés semblent se régler pacifiquement[54]. » Mais si Guillaume II semble éprouver une certaine sympathie pour ce jeune Winston, dont il a jadis connu les parents – et qui lui a envoyé six ans plus tôt sa

* « Si tu veux la paix, prépare la guerre. »

biographie de lord Randolph –, il n'en nourrit pas moins des ambitions qui ne laissent aucune place au sentiment. Toutes ces démarches resteront donc vaines, ce qui ne pourra qu'encourager Churchill dans sa colossale entreprise de réarmement naval.

Infaillible, notre héros ? Certes non : son impatience, ses excès de zèle et son tempérament quelque peu dictatorial lui font commettre de nombreuses erreurs, dont certaines ne seront pas sans conséquences ; c'est ainsi qu'ayant obtenu la démission du premier lord naval sir Arthur Wilson, Churchill s'aperçoit bientôt qu'il ne s'entend pas avec son successeur, sir Francis Bridgeman, qu'il a pourtant fait nommer lui-même. Sir Francis est donc invité lui aussi à démissionner, « pour raisons de santé », ce qu'il fera de très mauvaise grâce, et l'affaire causera bien des remous dans la marine comme au Parlement. La même inspiration poussera d'ailleurs Churchill à écarter dès le début des hostilités sir John Callaghan du poste de commandant en chef de la flotte, pour le remplacer par l'amiral Jellicoe – tout cela se faisant avec un minimum d'égards et de diplomatie. Plus grave encore, le différend avec la Turquie, à la veille même de la guerre : le gouvernement turc avait commandé deux cuirassés aux chantiers navals britanniques, et devait en prendre livraison à la fin de juillet 1914. Mais à ce stade, la situation en Europe est telle que le premier lord de l'Amirauté va de son propre chef réquisitionner les deux navires. L'indignation suscitée en Turquie par cette mesure arbitraire, dont Churchill ne prendra même pas la peine de s'expliquer auprès des autorités turques, n'est certainement pas sans rapport avec l'accord secret que ces dernières signeront deux jours plus tard avec l'Allemagne… C'est ainsi qu'un État neutre va se transformer en puissance hostile, avec des conséquences bien funestes pour la Grande-Bretagne en général, et pour Winston Churchill en particulier.

Comme plusieurs autres ministres, le chancelier de l'Échiquier Lloyd George se plaint du fait que depuis son entrée à l'Amirauté, Winston s'est détourné des programmes de réforme sociale pour « s'absorber de plus en plus dans ses chaudières », et « déclamer à longueur de séance au sujet de ses satanés bateaux[55] ». De fait, lorsque Churchill poursuit une idée, elle éclipse toutes les autres, et lorsqu'il occupe une nouvelle fonction, elle l'absorbe au point de lui faire oublier toutes ses fonctions précédentes – surtout lorsqu'il s'agit de la survie du pays, et que l'on peut jouer dans la pièce un rôle historique en déversant des torrents d'éloquence... Le Premier ministre Asquith, qui l'observe avec indulgence et admiration, écrit à son amie Venetia Stanley le 9 janvier 1914 : « J'ai beaucoup regretté qu'il n'y ait pas eu de sténographe à proximité, car certains de ses propos improvisés étaient vraiment sans prix. [...] Il a déclaré qu'une carrière politique ne représentait rien pour lui comparée à la gloire militaire. C'est une merveilleuse créature, avec la curieuse simplicité d'un écolier [...] et quelque chose qui ressemble à cette description du génie : "des éclairs qui viennent zébrer le cerveau[56]". »

Il y a pourtant une question à laquelle ce ministre de la Marine si dynamique et si occupé acceptera de consacrer une bonne partie de son temps et de son inépuisable énergie : celle de l'Irlande. Le soutien des députés irlandais lors de la lutte contre la Chambre des lords, ainsi que leur poids dans la coalition gouvernementale depuis les élections de 1910, rendaient inévitable une nouvelle présentation au Parlement du projet de *Home Rule*. Là où Gladstone a échoué, Asquith se fait fort de réussir ; il est vrai que cette fois, la Chambre des lords a perdu le pouvoir de l'en empêcher. Mais les conservateurs n'y ont nullement renoncé, et ils sont aiguillonnés par les unionistes protestants de l'Ulster, dirigés par sir Edward Carson. Celui-ci a levé une petite armée de 80 000 volontaires, fermement décidés à s'opposer au *Home Rule* par la force des armes. Churchill, on s'en souvient, s'est affranchi des positions de son père sur l'Irlande – c'était le prix à payer pour son passage dans le camp libéral. Mais le temps et l'expérience n'ont fait que durcir ses positions à cet égard : pourquoi, après tout, refuserait-on aux Irlandais le droit de s'occuper de leurs affaires intérieures ? Les peuples sont ainsi faits qu'ils préfèrent être mal administrés par les leurs que bien administrés par des étrangers... Dès lors, Churchill sera toujours en première ligne pour défendre ce *Home Rule* dont, avec une bonne dose de courage et d'inconscience, il ira même expliquer les mérites à Belfast !

Pendant trente mois encore, le débat fait rage, avec de part et d'autre des discours enflammés, des tentatives d'intimidation et des menaces de recours à la force. Le projet de loi introduisant le *Home Rule*, voté deux fois à la Chambre, sera rejeté deux fois par les lords. Au même moment, la révolte gronde parmi les unionistes qui, ayant des alliés haut placés dans l'armée, font planer le spectre d'une guerre civile. Au début de mars 1914, le Cabinet reçoit même des rapports selon lesquels des volontaires protestants s'apprêteraient à occuper les casernes et les postes de police en Ulster ; ils ont d'ailleurs reçu des armes d'Allemagne, sans que l'armée britannique soit en mesure de les en empêcher. Pour Churchill, déjà obsédé par le danger allemand, la mesure est comble : le 19 mars, sans en référer au Cabinet, il envoie une escadre de huit navires dans les eaux irlandaises. Le Premier ministre donnera un contre-ordre trois jours plus tard, mais cette démonstration de force a déjà quelque peu calmé les esprits ; connaissant Churchill et ses exploits passés – réels ou imaginaires – à Sidney Street et Tonypandy, personne n'imagine qu'il reculerait devant la perspective de passer à l'action…

Mais Winston, fidèle à sa nature, ne peut brandir le sabre sans tendre aussitôt un rameau d'olivier ; c'est ainsi que le 28 avril 1914, au cours d'un discours très ferme promettant une répression exemplaire en cas de rébellion contre les autorités légales, il indique soudain la voie de la conciliation : les adversaires les plus fanatiques du *Home Rule*, au Parlement comme en Ulster, ne pourraient-ils mettre leurs armes au vestiaire le temps de rechercher un compromis ? Si certains comtés de l'Ulster refusent si catégoriquement l'autonomie irlandaise, pourquoi n'en seraient-ils pas exemptés ? Il suffirait pour cela que les unionistes déposent un amendement à la Chambre. Cette proposition sera apparemment mal reçue par ses adversaires, mais elle n'en provoquera pas moins un sérieux débat dans les rangs unionistes, ainsi que de discrètes négociations en coulisse entre les partis. Alors que le projet de *Home Rule* est présenté pour la troisième fois aux Communes le 26 mai, les tractations se poursuivent sur le texte d'un amendement qui en exempterait certains comtés d'Ulster. Mais le problème est de savoir lesquels : après deux mois et demi de palabres, nationalistes et unionistes parviennent à se mettre d'accord – excepté sur deux comtés, Fermanagh et Tyrone, où catholiques et protestants sont presque également représentés. Personne ne voulant céder, les pourparlers débouchent sur une impasse, que même l'intervention du roi à la mi-juillet ne parviendra pas à débloquer.

Lors d'un conseil de Cabinet dans l'après-midi du 24 juillet, on prend acte de l'échec des négociations, on réexamine la question sous tous ses aspects sans avancer d'un pas, puis, au moment où la séance touche à sa fin, sir Edward Grey lit un document qui vient de lui parvenir du *Foreign Office* : c'est le texte d'une note envoyée par l'Autriche à la Serbie, un mois après l'assassinat de l'archiduc François-Ferdinand à Sarajevo. Churchill, encore sous l'impression des interminables délibérations sur l'Irlande, ne saisit pas d'emblée le sens des phrases, qui ne s'impose que progressivement à son esprit : « Cette note était manifestement un ultimatum, comme on n'en avait jamais rédigé à notre époque. [...] Il semblait absolument impossible qu'un État puisse l'accepter, ou qu'une soumission, si abjecte soit-elle, puisse satisfaire l'agresseur. Les comtés de Fermanagh et Tyrone s'estompèrent dans les brumes et les bourrasques de l'Irlande, tandis qu'une étrange lueur [...] apparaissait et s'étendait sur la carte de l'Europe[57]. »

Le lendemain, les nouvelles semblent rassurantes : la Serbie s'incline, acceptant pratiquement l'ensemble du *diktat* autrichien. Mais le 26 juillet, on apprend que l'Autriche a rejeté la réponse serbe. Pour Churchill, c'est un signal décisif ; soucieux d'économies, il avait décidé de remplacer les traditionnelles manœuvres navales par une mobilisation de la flotte à Portland, sur la Manche ; l'exercice s'était achevé le 18 juillet par une grande revue des unités de guerre, en présence du roi. À présent, le premier lord de l'Amirauté, ayant consulté sir Edward Grey, décide d'envoyer un message propre à tempérer les ardeurs guerrières en Europe centrale : il fait suspendre la démobilisation des 1re et 2e flottes à Portland et dans les ports voisins. Dans cette affaire, le ministre des Affaires étrangères poursuit un double but : empêcher la guerre, et rester solidaire avec la France en cas de déclenchement d'un conflit. Pour l'aider dans sa première tâche, Churchill va, selon son habitude, multiplier les mesures de dissuasion ; le 28 juillet, l'Autriche ayant déclaré la guerre à la Serbie, il décide, sans en référer au Cabinet, de faire passer la 1re flotte de Portland à Scapa Flow, son port de guerre. L'indiscipline ayant ses limites, il s'en ouvre malgré tout au Premier ministre Asquith, qui réagit comme à son habitude : « Il fixa sur moi un regard dur et poussa une sorte de grognement. Cela me suffit[58]. » Dès la nuit suivante, en effet, la flotte appareille et franchit le pas de Calais, tous feux éteints ; le 30 juillet, elle est à Scapa Flow, contrôlant la mer du Nord et prête à toute éventualité.

Mais en Europe centrale, les événements se précipitent : le 31 juillet, l'Autriche et la Russie décrètent la mobilisation générale ;

Berlin adresse un ultimatum au gouvernement russe, le sommant de rapporter dans les vingt-quatre heures son ordre de mobilisation. Ce jour-là, Grey télégraphie à Paris et à Berlin pour obtenir l'assurance que les deux parties respecteront la neutralité de la Belgique. La France s'y engage ; l'Allemagne ne répond pas. Pour Churchill, c'est pratiquement une déclaration d'intention ; dès le lendemain, il demande au Cabinet de décréter la mobilisation immédiate de la flotte. La séance dure près de trois heures, et comme l'écrira Asquith à son amie Venetia : « Il n'est pas exagé de dire que Churchill en a monopolisé au moins la moitié[59]. » Mais beaucoup de ministres sont « neutralistes » : lord Morley, John Burns, sir John Simon et même Lloyd George estiment que la Grande-Bretagne ne doit à aucun prix s'impliquer dans les affaires du continent, que ce soit pour aider la Russie, la France ou même la Belgique. Les « interventionnistes » comme sir Edward Grey, lord Haldane, lord Crewe et bien sûr Churchill lui-même estiment au contraire que l'intérêt comme l'honneur obligent Londres à soutenir la France et la Belgique. Ils ont l'approbation discrète du Premier ministre, mais restent très minoritaires : la mobilisation de la flotte est refusée, car elle risquerait d'être « considérée comme incendiaire »

Ce même soir, pourtant, alors que Winston joue aux cartes avec des amis à l'Amirauté, un messager lui apporte une note du *Foreign Office* ; elle tient en huit mots : « L'Allemagne a déclaré la guerre à la Russie. » Churchill traverse alors le *Horse Guards Parade* pour se rendre au 10, Downing Street, où il annonce au Premier ministre qu'il va donner l'ordre de mobilisation générale des forces navales – exactement ce que le Cabinet a décidé de ne pas faire… Le premier lord ajoute qu'il en prendra personnellement la responsabilité devant le Cabinet le lendemain. Cette fois encore, Asquith donne un consentement tacite : « Le Premier ministre, écrira Churchill, se sentant lié par la décision du Cabinet, ne dit pas un mot, mais son regard montrait clairement qu'il était consentant. […] Je rentrai à l'Amirauté et donnai sur-le-champ l'ordre de mobilisation[60]. »

Le lendemain, dimanche 2 août, le Cabinet va ratifier à contre-cœur cet ordre parfaitement contraire à sa décision de la veille. Grey avait également informé la nuit précédente les ambassadeurs de France et d'Allemagne que l'Angleterre ne permettrait pas à la flotte allemande de pénétrer dans la Manche ou la mer du Nord pour attaquer la France ; cette décision aussi, les ministres vont devoir l'approuver. Toutefois, ils s'opposent à toute autre initiative, et deux d'entre eux, Morley et Burns, donnent même leur démission ; avant l'ajournement de la réunion, Asquith déclare que l'on est au bord de la crise de gouvernement, ce qui est indéniable. Churchill, pour qui l'intérêt national dépasse de loin la loyauté due à un parti, demande à son ami F. E. Smith de sonder les dirigeants conservateurs : seraient-ils disposés à entrer dans un gouvernement de coalition ? Chez les *tories*, cette démarche, émanant d'un homme dont la défection est encore dans toutes les mémoires, est accueillie avec la plus grande méfiance, et Bonar Law fait remarquer, non sans justesse, qu'une proposition de ce genre devrait venir du Premier ministre…

Mais les événements se précipitent : ce soir-là, on reçoit la nouvelle de l'ultimatum allemand à la Belgique. À la réunion du Cabinet le lendemain 3 août, deux nouveaux ministres démissionnent*, mais au cours des délibérations, on apprend que la Belgique a rejeté l'ultimatum allemand, et que le roi des Belges a demandé une intervention britannique. Bien que l'atmosphère s'en trouve considérablement modifiée, les ministres ne s'accordent que sur une mobilisation immédiate de l'armée de terre – déjà ordonnée la veille par le Premier ministre, sur proposition de lord Haldane. Churchill, lui, s'emploie pendant toute la séance à convaincre Lloyd George de rejoindre le camp des « interventionnistes », et lui fait parvenir discrètement plusieurs petites notes à cet effet. L'après-midi, alors que les troupes allemandes viennent de franchir la frontière belge, sir Edward Grey expose à la Chambre des communes la situation diplomatique et militaire, et rappelle les obligations juridiques de l'Angleterre vis-à-vis de la Belgique, ainsi que ses obligations morales à l'égard de la France. L'acclamation qui salue son discours indique clairement qu'il a le soutien de l'écrasante majorité des députés ; et Churchill se souviendra : « Ni lui, ni moi ne pouvions rester longtemps à la Chambre. Une fois sorti, je lui demandai : "Et maintenant, que va-t-il se passer ?" "Maintenant, répondit-il, nous allons leur envoyer un ultimatum exigeant l'arrêt de l'invasion de la Belgique dans les vingt-quatre heures[61]. »

Ce sera chose faite dès le lendemain matin 4 août. L'ultimatum est rédigé par Grey et Asquith, et envoyé sans autre forme de procès ; il donne à l'Allemagne jusqu'à minuit ce même jour pour res-

---

* Sir John Simon et lord Beauchamp.

pecter la neutralité de la Belgique. La veille au soir, Churchill avait envoyé un message à Asquith et à Grey, afin de leur demander l'autorisation de mettre en œuvre le plan anglo-français pour défendre la Manche ; et le message se terminait par cette phrase, qui est du plus pur Churchill : « À moins que vous ne me le défendiez expressément, je prendrai toutes dispositions en ce sens[62]. »

Dans l'après-midi du lendemain, alors que l'on attend l'expiration de l'ultimatum à l'Allemagne, le premier lord demande également à Asquith et à Grey de l'autoriser à donner l'ordre aux navires britanniques d'ouvrir le feu sur le croiseur de bataille allemand *Goeben*, qui a été repéré au large de l'Afrique du Nord. « Winston, écrira Asquith à son amie Venetia Stanley, a mis toutes ses peintures de guerre, et brûle de livrer un combat naval pour couler le *Goeben*[63]. » De fait, il exposera ses raisons avec passion devant le Cabinet, mais les ministres seront formels : aucune action de guerre avant l'expiration de l'ultimatum.

Alors que s'écoulent les dernières heures avant l'échéance, on peut se poser la question : Winston Churchill aborde-t-il vraiment d'un cœur joyeux le conflit qui s'annonce ? Beaucoup de ses collègues l'ont constaté et s'en sont indignés, mais ils n'ont vu qu'une partie de la réalité. En fait, l'échec des tentatives de conciliation a été pour lui un déchirement ; le 29 juillet, il s'était associé à Grey pour recommander au Cabinet de proposer une conférence des grandes puissances, qui permettrait de donner une dernière chance à la paix. La démarche a bien été entreprise, mais le Kaiser n'a pas donné suite. Le lendemain, lorsque l'armateur allemand Albert Ballin est venu prendre congé de Churchill, celui-ci « l'a imploré, presque les larmes aux yeux, de ne pas faire la guerre[64] ». Deux jours plus tôt, il écrivait à son épouse : « Je ferai tout mon possible pour la paix, et rien ne pourrait m'inciter à frapper à tort. » Il est vrai qu'il avait ajouté : « Les préparatifs [de guerre] exercent sur moi une odieuse fascination[65]. »

Tout l'homme est là : une fois admis le caractère inévitable du conflit, Churchill est prêt à se lancer dans la mêlée, avec toutes les ressources de son intuition, de sa créativité et de sa prodigieuse énergie. Et puis, nous le savons déjà : la guerre, ce désastre grandiose et terrifiant, n'a jamais cessé de le fasciner ; cette fois, il peut l'aborder dans une position de responsabilité, à la tête d'une marine de guerre qu'il a minutieusement préparée à sa tâche. Enfin, bien sûr, Winston Churchill est ainsi fait que l'attente et la passivité face au danger lui sont insupportables ; l'action est une libération, et l'entrée en lice, comme champion de la patrie et du roi, un rêve qui remonte à sa plus tendre enfance. « Winston Churchill, écrira avec perspicacité sir Maurice Hankey, était par nature différent de tous ses collègues. […] Si la guerre était inéluctable, lui, au moins, pouvait y trouver du plaisir[66]. »

Vingt-trois heures sonnent à l'horloge de Big Ben – minuit, heure continentale. Aucune communication n'ayant été reçue de Berlin, un télégramme de l'Amirauté est adressé à tous les navires et à toutes les bases navales des îles Britanniques et de l'Empire : « Déclencher hostilités contre l'Allemagne. » Quittant l'Amirauté, le premier lord se rend au 10, Downing Street, où sont réunis le Premier ministre Asquith et tous ses collègues ; l'ambiance est lugubre. Du haut de l'escalier, Margot Asquith, qui venait de rendre visite à son époux, voit entrer Winston Churchill, « le visage réjoui, se dirigeant à grands pas vers la porte à deux battants de la salle du conseil[67] ». C'est bien le même homme que voit Lloyd George l'instant d'après : « Winston est entré en trombe, rayonnant, […] et nous a annoncé dans un flot de paroles qu'il allait envoyer des télégrammes en Méditerranée, en mer du Nord, et Dieu sait où encore. C'était à l'évidence un homme pleinement heureux[68]. »

CHAPITRE VI

L'IMAGINATION SANS POUVOIR

C'est un gouvernement britannique bien peu belliqueux qui entre à reculons dans la grande tourmente de la guerre ; il y entre même sans avoir de ministre de la Guerre ! Le Premier ministre Asquith assume temporairement cette fonction, et l'on pourrait difficilement trouver moins belliqueux que Herbert Asquith. C'est sans doute pourquoi, dès le 5 août, il va faire appel à lord Kitchener, le héros de Khartoum, pour occuper ce ministère clé ; l'homme est extrêmement populaire dans le pays, et il va ajouter à ce gouvernement de civils une parure militaire fort appréciable. Ayant certes un sang-froid à toute épreuve et une admirable prestance sur le champ de bataille, le glorieux maréchal ne sait en revanche ni déléguer, ni communiquer, ni collaborer, et il a probablement atteint en tant que ministre son plus haut niveau d'incompétence. Pourra-t-il s'entendre avec cet autre ministre prestigieux, ni tout à fait civil ni tout à fait militaire, qu'est le premier lord de l'Amirauté ? Leurs relations passées, au Soudan comme en Afrique du Sud, ne permettent pas d'être optimiste à cet égard... Mais Churchill n'a jamais été rancunier, et Kitchener, militaire isolé parmi les politiques, est bien trop prudent pour s'attirer d'emblée les foudres d'un ministre de la Marine ; d'autant que le succès de ses entreprises – et la survie de l'Angleterre – dépendent manifestement de leur bonne entente.

C'est sans doute avec un certain effarement que lord Kitchener considère les méthodes de travail de son collègue de l'Amirauté. C'est que Winston Churchill est maintenant à l'ouvrage de 8 heures à 2 heures du matin, avec une heure de sieste dans l'après-midi (un souvenir de Cuba). Naturellement, ses aides de camp, assistants et secrétaires sont censés l'imiter – sieste en moins –, ce qui a pour effet de les user prématurément. Le matin, Churchill dicte un flot de lettres et de mémorandums depuis son lit ou sa baignoire, en fumant un gros cigare Corona (encore un souvenir de Cuba) et en buvant sans cesse du *whisky and soda* – une habitude contractée en Inde. Mais à l'évidence, la quantité de travail abattue est largement proportionnelle aux litres d'alcool ingurgités : en trois jours, les 40 kilomètres de la Manche entre Douvres et Calais ont été protégés par des champs de mines de toute incursion navale allemande ; en moins de deux semaines, 120 000 hommes du corps expédition-naire britannique commandé par le maréchal French font la traver-sée sans la moindre perte ; dès le 12 août, les ports allemands de la mer du Nord sont soumis à un blocus étroit ; au même moment, des unités navales britanniques patrouillent toute l'étendue de mer entre l'Écosse et la Norvège, tandis qu'aux quatre coins du globe, des escadres de croiseurs poursuivent les navires allemands, avec une instruction impérative de l'Amirauté : couler à vue tous ceux qui refusent de se rendre ; simultanément, toutes les colonies alle-mandes d'Afrique et d'Asie sont assiégées ou occupées ; c'est égale-ment à la *Royal Navy* qu'il incombe de convoyer vers la métropole les corps d'armée canadiens, australiens et néo-zélandais, ainsi que cinq divisions indiennes, en déjouant toutes les tentatives alle-mandes pour les intercepter… Enfin, Winston, toujours fasciné par le secret et l'espionnage, a fait installer dans la « *Room 40* » de l'Amirauté un service d'interception et de décodage des signaux de la marine impériale allemande, qui va se révéler redoutablement efficace.

Sur une énorme carte installée dans son bureau et constamment mise à jour, le premier lord de l'Amirauté suit heure par heure le déroulement de tous les mouvements navals ; mais il est très loin de s'en satisfaire, et son esprit résolument offensif lui fait concevoir d'emblée des projets d'envergure : une occupation de l'île hollan-daise d'Ameland, que l'on utiliserait comme base navale et aérienne pour une offensive contre l'Allemagne ; un blocus des Dardanelles, afin d'intercepter les navires allemands réfugiés dans les eaux terri-toriales turques ; un plan visant à forcer les détroits danois avec l'aide de 250 000 soldats grecs, « pour convoyer des troupes russes vers la côte allemande près de Berlin, et provoquer un coup de théâtre[1] ». Les amiraux comme les ministres feront certes remarquer à Churchill que tout cela reviendrait à s'attirer d'emblée l'hostilité de trois pays neutres, mais dans son enthousiasme guerrier, le bouillant premier lord ne s'arrête pas à de tels détails : contrairement à son illustre ancêtre Marlborough, Winston Churchill est un stratège impatient...

Il y aurait dans cette frénésie d'activité de quoi occuper amplement plusieurs hommes ordinaires ; Churchill, lui, ne saurait s'en contenter. Une fois encore, sa fureur de vaincre au milieu de la bataille est telle qu'il lui faut s'occuper de tout – y compris bien sûr de ce qui ne le regarde pas : c'est ainsi que l'Amirauté va entreprendre la construction d'obusiers mobiles de 15 pouces, sous la supervision constante de son premier lord ; celui-ci fera également recruter des milliers de volontaires pour créer une *Royal Naval Division*, capable de participer aux opérations terrestres ; et le corps aérien dont il a doté la marine deux ans plus tôt, il va l'engager sans retard pour défendre les côtes et chasser les sous-marins en mer du Nord.

Il est vrai que de telles ingérences, si mal accueillies par ses collègues en temps de paix, sont au contraire fort appréciées à l'heure du plus grand péril ; Kitchener lui-même demande ainsi à Churchill de prendre la responsabilité de la défense aérienne de l'ensemble du Royaume-Uni, ce que le premier lord accepte naturellement avec enthousiasme. Pour lui, il ne peut évidemment s'agir que d'une défense avancée ; il envoie donc immédiatement à Dunkerque trois escadrilles du *Royal Naval Air Service.* Elles sont certes chargées d'intercepter tout avion ou zeppelin allemand qui menacerait les côtes anglaises ; mais la meilleure défense étant toujours l'attaque, elles ont également pour mission d'aller bombarder les hangars de zeppelins de Cologne, Düsseldorf et Friedrichshafen... Et puis, comme la base aérienne de Dunkerque doit être protégée des raids de uhlans qui patrouillent déjà dans le secteur, Churchill fait acheter par l'aéronavale toutes les Rolls-Royce disponibles dans le royaume, qui seront blindées sommairement, transformées en automitrailleuses et immédiatement expédiées à Dunkerque. Elles y feront un excellent travail, jusqu'au jour où les Allemands s'aviseront de couper les routes par des tranchées pour leur interdire toute progression. Cette parade va immédiatement remettre en mouvement l'imagination fertile du premier lord, qui demande aux services de l'Amirauté de concevoir sans délai un véhicule blindé capable de franchir des tranchées. C'est une des impulsions initiales qui aboutiront six mois plus tard à la mise au point d'un « *landship* » (vaisseau de terre) promis à un brillant avenir sous le nom de « tank* ». Parallèlement, le premier lord a commandé vingt sous-marins à la société américaine Bethlehem Steel. Les États-Unis sont neutres ? Aucune importance : on expédiera discrètement les embarcations en pièces détachées au Canada, où elles seront assemblées avant de traverser l'Atlantique...

Indéniablement, les premières semaines de la guerre sont désastreuses pour les troupes franco-britanniques. Tandis qu'à l'est, les Français s'épuisent dans une vaine et coûteuse offensive en Lorraine, puis dans les Ardennes, un million d'Allemands déferle vers l'ouest dans un vaste mouvement de faux ; l'une après l'autre, les forteresses belges de Liège, Namur et Mons tombent entre leurs mains ; les troupes françaises, belges et britanniques envoyées en toute hâte pour tenir le front de l'Aisne et de l'Escaut sont débordées dès la fin du mois d'août. Pour les Britanniques comme pour leurs alliés, la campagne d'août 1914 semble se limiter à une longue retraite, et les articles des journaux londoniens sont lugubres : le *Times* parle d'une progression ennemie « puissante, implacable, incessante », qu'il est « aussi impossible d'arrêter que d'arrêter les vagues de la mer », tandis que l'armée britannique se trouve réduite à « des fragments délabrés de nombreux régiments[2] ».

Il n'en faut pas davantage pour susciter une réaction énergique du premier lord ; sachant qu'une armée ne peut vaincre si l'arrière faiblit, le journaliste Churchill, quelque peu encouragé par le Premier ministre, reprend immédiatement du service et rédige anonymement un communiqué plus approprié aux circonstances : « Il est certain que nos hommes ont pris l'ascendant sur les Allemands, et [...] qu'à égalité d'effectifs, les résultats ne feraient aucun doute[3]. » Ses collègues du gouvernement ayant également besoin d'une bonne dose d'encouragements, il fait circuler son mémorandum de 1911, qui prédisait un essoufflement de l'armée allemande au bout de quarante jours. Avec la victoire remportée sur la Marne le trente-

---

* Leur nom de camouflage était au début : « *Water carriers for Russia* » (conteneurs d'eau pour la Russie), mais lorsqu'on s'est avisé que l'abréviation donnerait inévitablement « W.C. », on a préféré les rebaptiser « tanks » (réservoirs).

huitième jour, ce mémorandum fera effectivement très forte impression. Comme les Français ont également besoin de soutien moral, Churchill est prié par ses collègues de se rendre à Dunkerque, où il portera la bonne parole dans un français exécrable – avec d'excellents résultats. Ses fréquentes tournées d'inspection dans les ports français et belges auront d'ailleurs toujours pour effet de galvaniser les soldats… et leurs officiers.

C'est évidemment insuffisant. À mesure que la pression allemande s'accentue à l'ouest de l'Escaut, Kitchener reçoit des appels désespérés pour couvrir les ports belges de la Manche, et comme il n'a plus de troupes disponibles, il fait appel à l'Amirauté. Churchill envoie sur-le-champ une brigade de *Royal Marines,* qui s'établit à Ostende et sillonne ostensiblement les alentours, afin de donner aux Allemands l'impression qu'ils sont menacés sur leurs arrières. Les Français ayant également demandé à Kitchener de protéger le port de Dunkerque, le maréchal fait une fois encore appel à Churchill ; celui-ci va envoyer une autre brigade de *Royal Marines*, ainsi que le régiment de réserve des *Oxfordshire Hussars* (dont son cousin Sunny est colonel en chef), le tout accompagné d'une quarantaine d'autobus londoniens réquisitionnés, qu'on promènera dans tout le pas de Calais pour persuader les Allemands de l'arrivée en force d'une nouvelle armée britannique. Les critiques conservateurs du premier lord, perpétuellement à l'affût, baptiseront cette opération « *Churchill's Circus* », mais cette feinte stratégique ne sera pas sans valeur.

Pourtant, ce ne sont là que des solutions de fortune, et en Belgique, le sort des armes tourne manifestement à l'avantage des troupes du Kaiser. Après la prise d'Ypres, les Allemands menacent désormais la place forte d'Anvers. C'est là que se sont réfugiés le roi Albert Ier et son gouvernement, défendus par cinq divisions de l'armée belge. Mais depuis le 28 septembre, l'artillerie lourde allemande bombarde les défenses du port, et le 2 octobre, on apprend à Londres qu'en dépit de la promesse française d'envoyer des renforts, les autorités belges ont décidé d'évacuer la ville pour se replier sur Ostende. Or, si Anvers tombe, tous les ports de la Manche deviendront vulnérables, le flanc gauche du dispositif franco-britannique sera menacé, et l'on pourra même s'attendre à un débarquement allemand en Grande-Bretagne. Grey et Kitchener, réunis au *Foreign Office* en l'absence du Premier ministre, estiment qu'il faut persuader les autorités belges de surseoir à l'évacuation. Qui en serait capable ? On consulte Churchill, qui se porte volontaire et part... le soir même. Pour Kitchener et Grey, c'est un soulagement ; pour Churchill, c'est une consécration : déjà investi de hautes responsabilités, il va se lancer au plus fort de la bataille, et peut-être exercer personnellement une influence décisive sur le cours des événements. Voilà encore un rêve d'enfance qui devient réalité !

Le lendemain matin, Asquith, de retour à Londres, est mis devant le fait accompli, mais ses lettres montrent bien qu'il a couvert l'entreprise. Cet après-midi-là, à Anvers, le Premier ministre Broqueville et le roi Albert, soumis à une harangue magistrale dans un français fantaisiste, acceptent de différer l'évacuation de la ville. Il est vrai que Churchill n'est pas venu les mains vides ; il a promis pour le lendemain même l'arrivée de la brigade de *Royal Marines* basée à Dunkerque, ainsi que le soutien de ses deux nouvelles *Naval Brigades*, qui sont toujours à l'entraînement ; les Belges recevront également des rations de secours, et suffisamment de munitions pour tenir les forts d'Anvers. Mais le premier lord ne se contente pas de promettre : il va immédiatement payer de sa personne. Inspectant les retranchements d'Anvers en compagnie d'officiers britanniques et belges, il se montre peu satisfait du dispositif de défense. « Il avançait ses idées avec force, racontera le matelot qui lui servait de chauffeur, en brandissant sa canne et en frappant le sol avec. Arrivant sur une ligne de tranchées, il trouva qu'elle était très faiblement tenue, et demanda où étaient "ces foutus hommes". Il ne s'apaisa évidemment pas quand on lui répondit que c'était tout ce dont on pouvait disposer à cet endroit[4]. » Revenant de son inspection, il télégraphie à Kitchener que les défenseurs belges, pour la plupart inexpérimentés, sont en outre « fatigués et découragés[5] ».

À l'évidence, aucun de ces adjectifs ne saurait s'appliquer à Winston Churchill... Comme si la chose allait de soi, il a pris en main personnellement la défense d'Anvers, fait mettre en place les *Royal Marines*, repositionner les soldats belges, disposer les canons et consolider les ouvrages ; il a également télégraphié à Londres pour commander des ballons de barrage, des obus brisants, des filins d'acier, des téléphones de campagne et des mitrailleuses Maxim. Le 5 octobre au matin, tout à sa rage de vaincre, il envoie même au Premier ministre un télégramme, dans lequel il se déclare prêt à démissionner de l'Amirauté et à « prendre le commandement des forces de relève et de défense affectées à Anvers », pourvu qu'on lui confère « le rang et l'autorité militaires nécessaires et les pleins pouvoirs de commandement d'une unité détachée en campagne[6] ».

Cette propension à abandonner brusquement la direction de l'ensemble pour s'impliquer personnellement dans le détail montre clairement l'un des points faibles de Winston Churchill en tant que stratège. De fait, Asquith rapportera que cette proposition, lue en Conseil des ministres, « fut accueillie par un éclat de rire homérique[7] ». Tout cela paraît évidemment un peu trop rocambolesque aux ministres de Sa Majesté qui, contrairement à Churchill, ont depuis longtemps mis au rebut les romans d'aventures de leur enfance. Curieusement, le seul ministre qui ne partage pas l'hilarité générale est celui de la Guerre ; le maréchal Kitchener, dont la sympathie pour l'ancien lieutenant de hussards Winston Churchill a toujours été des plus limitées, estime pourtant que son idée est sensée, et se déclare disposé à le nommer général de division ! Seul militaire parmi tous ces ministres civils, il est pleinement conscient de l'importance stratégique vitale d'une résistance prolongée à Anvers ; il a également compris que Churchill est un propagandiste et un organisateur de génie, dont la présence sur le terrain constitue un atout maître. Mais le reste du gouvernement ne voit pas les choses sous cet angle : tout le monde serait plus rassuré en sachant Churchill à Londres, à commencer par le Premier ministre, qui s'occupe tant bien que mal des affaires de l'Amirauté en son absence[8]… C'est pourquoi le premier lord est informé cet après-midi-là que « l'on ne peut se passer de ses services » à Londres, et que le commandement à Anvers est confié au général Rawlinson, qui viendra de Dunkerque avec sa division.

Mais le général Rawlinson est bloqué en chemin, sa division n'a même pas encore débarqué, et Churchill fait savoir qu'il entend conserver la direction des affaires à Anvers jusqu'à ce qu'il soit relevé par une personne compétente. Il est vrai qu'au même moment, les Allemands ont lancé contre la ville une offensive brusquée, qui est repoussée avec peine par les *Royal Marines* et les troupes belges. Le premier lord est naturellement sur la ligne de front ; c'est ainsi que le correspondant du *Giornale d'Italia*, Gino Calza Bedolo, qui visite ce soir-là une position défensive près de Lierre, au sud-est d'Anvers, aperçoit un singulier personnage au milieu d'un groupe d'officiers : « C'était un homme encore jeune, racontera-t-il, drapé dans une cape et coiffé d'une casquette de yachtsman. Il fumait un gros cigare et observait le déroulement de la bataille sous une pluie de shrapnels qui était, je dois le dire, effrayante. [...] Il était souriant et paraissait parfaitement satisfait[9]. » C'est évidemment un sourire de façade, car la situation est très grave : les tirs d'artillerie allemands se font de plus en plus meurtriers, les troupes belges sont épuisées, et les seules réserves disponibles sont les 6 000 « bleus » des deux brigades navales qui viennent de débarquer. Ne voulant pas les exposer indûment, Churchill leur a assigné des positions défensives en profondeur, entre le front et la ville. Pendant ce temps, au Conseil des ministres belges, la magie du discours churchillien continue d'opérer : on vient de décider de se battre jusqu'au bout, quoi qu'il advienne...

Ce n'est que le 6 octobre, vers 17 heures, que le général Rawlinson parvient à gagner Anvers. Hélas ! Il est seul, sa division étant encore en cours de débarquement à Ostende. Pour les autorités belges, qui s'attendaient à un renfort immédiat, la mesure est comble : leurs troupes sont démoralisées, les obusiers lourds allemands atteignent désormais le centre de la ville, les Français n'ont pas envoyé les renforts promis, et les 8 000 soldats britanniques sont manifestement hors d'état de barrer la route à l'ennemi. Dans ces conditions, le Conseil des ministres et le roi décident l'évacuation d'Anvers. D'un point de vue stratégique, il n'y avait guère d'autre solution, et Churchill doit s'incliner ; les Britanniques couvriront la retraite, en tenant la ville aussi longtemps que possible. Ce soir-là, après avoir rendu une dernière visite à « ses » trois brigades, le premier lord embarque pour Douvres, laissant le commandement au général Rawlinson, une vieille connaissance : il était à l'état-major de Kitchener à Omdurman.

De retour à Londres au matin du 7 octobre, Churchill apprend simultanément que Rawlinson a évacué son QG sur Bruges, que les brigades navales sont désormais engagées en première ligne... et qu'il vient d'avoir une deuxième fille, Sarah. Le lendemain, au Conseil des ministres, tous ses collègues l'accueillent en héros ; Asquith le trouve en pleine forme et enchanté par son aventure. Mais pendant ce temps, Anvers est écrasé sous les obus, les brigades navales commencent à évacuer leurs tranchées, et au matin du 10 octobre, les Belges se rendent, tandis que les Britanniques qui ont échappé à la capture s'enfuient vers le sud en longeant la côte. « Ce pauvre Winston est très abattu, note le Premier ministre ce jour-là, car il a l'impression que sa mission n'a servi à rien [10]. »

C'est inexact : en retenant les Allemands sept jours à Anvers, les Belges, galvanisés par Churchill, ont permis à leurs alliés de se regrouper plus au sud et de consolider leurs défenses depuis Calais jusqu'à Nieuport. Grâce à cela, le nord-ouest de la France, et même le sud-ouest de la Belgique, échapperont au Kaiser jusqu'à la fin de la guerre, et bien des choses s'en trouveront changées. Mais la presse conservatrice britannique ne l'entend pas de cette oreille ; disposant d'un minimum absolu de renseignements stratégiques et toujours animée d'une haine féroce à l'égard du renégat Churchill, elle n'a pas de mots assez durs pour condamner ses « excursions privées » à Dunkerque et Anvers. Le *Morning Post* parle ainsi de la « bévue coûteuse » d'Anvers, « dont M. Churchill porte la responsabilité » ; quant au *Daily Mail,* il dénonce un « exemple flagrant d'inorganisation qui a coûté des vies précieuses [11] ». Tout cela est très éloigné de la vérité : les « excursions » du premier lord ont toujours été entreprises avec l'assentiment du gouvernement, et souvent *à la demande* de ce gouvernement ; rendre Churchill responsable de la chute d'Anvers, c'est faire preuve d'une mauvaise foi confondante ; quant aux « vies précieuses » qu'a coûtées l'opération, il y en a eu exactement 57 du côté britannique*, ce qui est évidemment insignifiant comparé aux 60 000 tués sur le front principal plus au sud – pour ne rien dire des 200 000 morts dans les rangs français... Du reste, alors que les deux armées ennemies s'enterrent depuis les côtes de la mer du Nord jusqu'à la frontière suisse, la boucherie ne fait que commencer.

Mais rien de tout cela ne peut être révélé à l'opinion publique, et beaucoup de ministres prennent discrètement leurs distances vis-à-vis du héros de la veille : la victoire a de nombreux parents, mais la défaite est orpheline. D'ailleurs, la *Royal Navy* n'a-t-elle pas subi depuis deux mois quelques cuisants revers ? Trois croiseurs coulés au large des côtes hollandaises, un autre détruit dans le Loch Ewe, deux *dreadnoughts* envoyés par le fond près de Scapa

---

* Auxquelles il faut tout de même ajouter quelque 2 400 hommes faits prisonniers par les Allemands ou internés aux Pays-Bas.

Flow ; il y a eu ensuite les bombardements par la flotte allemande de Hartlepool, Whitby et Scarborough sur la côte est de l'Angleterre. Devant la montée des attaques personnelles dont il fait l'objet, Churchill songe à démissionner de l'Amirauté, estimant sa position affaiblie. D'ailleurs, il a d'autres ambitions, ainsi qu'il le confie à la mi-octobre au Premier ministre, qui note dans son journal : « Winston demande à être relevé de ses fonctions actuelles – le plus tôt sera le mieux –, afin de se voir confier un commandement militaire. Je lui ai répondu qu'on ne pouvait le remplacer à l'Amirauté, mais il s'est esclaffé et a dit que la partie navale de la guerre était pratiquement une affaire réglée, puisque notre supériorité ne ferait que croître mois après mois. L'eau lui vient à la bouche lorsqu'il voit les nouvelles armées formées par Kitchener. Ces "scintillants commandements" seront-ils confiés à "d'incapables planqués, formés aux tactiques obsolètes d'il y a vingt-cinq ans", à "des médiocrités ayant mené une vie protégée en macérant dans la routine militaire", etc. Pendant environ un quart d'heure, il a déversé une cataracte ininterrompue de suppliques et d'invectives, et j'ai beaucoup regretté qu'il n'y ait pas de sténographe à proximité, car certaines de ses tirades improvisées étaient absolument uniques. Pourtant, il ne plaisantait pas, et il a ajouté qu'une carrière politique lui importait peu au regard de la gloire militaire[12]. »

Pourtant, rien de tout cela ne l'empêche d'exercer avec le plus grand zèle ses fonctions du moment – ainsi que celles des autres : dès le 8 octobre, il lance l'aéronavale contre un nœud ferroviaire à Cologne et un hangar de zeppelin à Düsseldorf. Une semaine plus tard, à la demande des Français, il fait procéder à un bombardement naval de grande envergure contre les troupes du Kaiser qui progressent le long des côtes de la mer du Nord, tout en engageant ses fusiliers marins pour consolider les positions défensives au sud d'Ostende. Tout cela contribuera dans une large mesure à endiguer l'offensive allemande dans le sud-ouest de la Belgique. Comme le dira son ami F. E. Smith : « Un seul ministère ne lui suffisait pas ; en fait, une guerre lui suffisait à peine[13]. » Pourtant, Churchill est resté un officier de cavalerie, et ses préjugés ne sont pas sans influence sur la stratégie navale britannique : chaud partisan de l'offensive sur mer, il considère l'escorte de convois comme la marque d'une conception navale défensive et pusillanime, qu'il délaisse au profit de l'action des «groupes de chasse» chargés de traquer les *raiders* et les sous-marins allemands sur toutes les mers du globe[14]. Ce sera une erreur extrêmement coûteuse pour la marine marchande alliée.

Pour l'heure, en tout cas, la presse britannique dénonce en termes de plus en plus violents l'incurie du gouvernement et la faiblesse de sa stratégie. Asquith, vieux renard de la politique, sait bien qu'il faut jeter quelqu'un en pâture à l'opinion publique; mais il est impossible de se passer de Churchill au plus fort de la guerre. Reste donc le prince Louis de Battenberg, premier lord naval, que ses origines allemandes désignent d'avance à la vindicte populaire... Pourtant, en dépit d'un accent guttural très marqué, le prince Louis, membre de la famille royale, est un authentique patriote maintes fois décoré, et la *Royal Navy* est la passion de sa vie. Mais la raison d'État, ou plutôt la prudence politique, exige son départ, et le prince s'incline : le 28 octobre, il donne sa démission.

La position de Churchill dans cette affaire est ambiguë. D'une part, il s'indigne de la chasse aux sorcières menée contre son premier lord naval, dont la loyauté et le dévouement sont au-dessus de tout soupçon; d'autre part, il n'a pu s'empêcher de noter chez le prince Louis l'absence de cet esprit résolument offensif qu'il attendait de lui, et les attaques dont il fait l'objet risquent de renforcer encore cette prudence dans l'action. Dès lors, son départ devient souhaitable, et il est clair que le premier lord de l'Amirauté l'a quelque peu encouragé... Sur le choix d'un successeur, Churchill n'hésite pas une seconde : ce sera l'amiral Fisher ou personne ! Il est vrai que le vieux loup de mer a maintenant 74 ans, qu'il est notoirement fantasque, susceptible, vaniteux et irascible, qu'il reste extrêmement impopulaire dans la marine, et que le roi George V lui-même, qui le trouve trop vieux et trop imprévisible, a fait savoir qu'il verrait sa nomination d'un assez mauvais œil. Mais Churchill est décidé à passer outre : lord Fisher a été depuis le début des hostilités son éminence grise; chaque jour, et souvent plusieurs fois par jour, il l'a bombardé de mémorandums aussi fougueux que touffus sur tous les sujets imaginables, et il lui a maintes fois rendu visite à l'Amirauté. «L'ayant observé de près, afin de juger de sa forme physique et de sa vivacité d'esprit, écrira Churchill, j'eus l'impression de contempler un formidable moteur de puissance mentale et physique qui vrombissait dans cette vieille charpente[15].»

C'est dit : lord Fisher sera premier lord naval, pour le meilleur et pour le pire.

Au début, ce sera le meilleur, même si Fisher se sent d'emblée submergé par l'énergie pétulante de son jeune supérieur, et se formalise quelque peu de son habitude d'envoyer personnellement des instructions détaillées aux commandants de flottes et aux capitaines de navires. Mais l'estime que se portent les deux hommes va masquer pour un temps leurs incompatibilités ; en outre, le vieil amiral est aussi populaire dans le pays que Kitchener lui-même, et il le deviendra encore davantage lorsqu'au début de décembre, une escadre de la *Royal Navy*, envoyée dans l'hémisphère Sud pour venger le désastre de Coronel *, enverra par le fond tous les navires de l'amiral von Spee près des îles Falkland. Enfin, le premier lord de l'Amirauté et son premier lord naval, qui ne supportent pas l'inaction, s'entendent à merveille pour concevoir des projets d'offensives ; Churchill, lui, en a déjà proposé un bon nombre depuis le mois d'août : en Hollande, dans la Baltique, dans la baie d'Heligoland, contre la côte prussienne, sur l'Elbe ou le Danube, dans l'Adriatique, contre les Dardanelles, etc. Son plan d'attaque de l'île hollandaise d'Ameland sera dénoncé par ses propres conseillers de l'Amirauté comme « une futilité stratégique et tactique », mais Churchill reportera aussitôt son attention sur l'île voisine de Borkum, puis sur l'île danoise de Sylt, dont l'occupation permettrait de bloquer la flotte allemande dans ses ports. Tout à son enthousiasme, il échafaude des plans aussi séduisants en théorie qu'irréalisables en pratique – exactement comme son projet de prise de pouvoir à Pretoria quinze ans plus tôt ! On ne se refait pas... « Churchill, se souviendra l'amiral Oliver, passait souvent me voir avant d'aller se coucher, afin de m'expliquer comment il s'y prendrait pour capturer Borkum ou Sylt. Si je ne l'interrompais pas, ou si je ne posais pas de questions, il était capable de capturer Borkum en vingt minutes[16]. » C'est un fait ; et à partir de là, il lui fallait moins de temps encore pour envahir le Schleswig-Holstein, bloquer le canal de Kiel, entraîner le

* Le 1er novembre 1914, lors de la bataille de Coronel, au large des côtes chiliennes, la flotte britannique de l'amiral Cradock est sévèrement étrillée par l'escadre allemande de l'amiral von Spee. La *Royal Navy* y perdra deux croiseurs et 1 500 hommes.

Danemark dans la guerre, et faire débarquer des troupes russes à 150 kilomètres de Berlin !

« Ce qui manquait à l'un, l'autre ne l'avait pas » ; sans doute pour n'être pas en reste, l'amiral Fisher présente quelques jours seulement après sa nomination un « projet baltique » consistant à attaquer la côte allemande à partir de bases scandinaves, au moyen de péniches de débarquement spécialement conçues à cet effet, les « *monitors* ». Selon les propres mots du premier lord naval : « Une armada sans précédent de 612 vaisseaux, conçue pour accomplir une mission décisive, sur un théâtre d'opérations décisif pour l'issue de la guerre[17]. » Les projets de Fisher sont aussi peu réalistes que ceux de Churchill : nulle part, en effet, le vieil amiral ne précise comment on prendra le contrôle de la Baltique avant d'effectuer le débarquement ; pas davantage comment on s'assurera le concours de pays scandinaves résolument neutres, comment on bloquera la flotte allemande dans ses ports pour l'empêcher de s'opposer au débarquement, et surtout comment on écartera la menace des mines, des torpilles et des sous-marins. Churchill, que de tels détails ne sauraient dissuader, se déclare enchanté, et les péniches de débarquement seront effectivement construites. Pourtant, elles ne verront jamais les eaux froides de la Baltique ; car entre-temps, l'attention du premier lord de l'Amirauté a été attirée par un théâtre d'opérations apparemment plus prometteur : celui des Dardanelles.

En septembre comme en novembre, Churchill avait recommandé une opération visant à occuper la presqu'île de Gallipoli, afin de permettre l'entrée de la flotte britannique en mer de Marmara. Mais au début de septembre, la Turquie n'était pas encore belligérante, et à la fin de novembre, Kitchener affirmait catégoriquement qu'il n'y avait pas de troupes disponibles pour une telle entreprise. Churchill avait donc renoncé au projet, pour revenir à son plan favori d'attaque de l'Allemagne par Borkum. Mais le 2 janvier 1915, l'ambassadeur de Grande-Bretagne à Saint-Pétersbourg rapporte au *Foreign Office* que l'armée russe, attaquée par les Turcs au Caucase, demande une intervention britannique pour soulager son front méridional. Faute de ce renfort, elle devrait dégarnir son front principal en Pologne et en Prusse orientale, permettant ainsi aux Allemands de libérer des effectifs pour leur offensive en France. Lord Grey transmet cette demande à

Kitchener qui, une fois encore, s'adresse à Churchill : ne serait-il pas possible d'entreprendre une action navale aux Dardanelles, afin d'empêcher les Turcs d'envoyer des renforts au Caucase ? D'autant qu'avec la fermeture des Détroits, il y a 350 000 tonnes de blé russe bloquées en mer Noire, dont la France et l'Angleterre ont le plus grand besoin...

Comme la plupart des responsables de l'Amirauté, Churchill doute qu'une attaque navale seule permette de forcer les Détroits, et se prononce en faveur une opération combinée. L'amiral Fisher, qui n'est jamais avare de plans, en produit un nouveau dès le lendemain 3 janvier ; en conjonction avec une attaque navale, 75 000 soldats débarqueraient dans la baie de Besika, tandis que les Grecs prendraient Gallipoli. C'est à l'évidence une pure fiction : on ne peut pas compter sur les Grecs, et le *War Office* reste sur ses positions : il n'y a pas de troupes disponibles. Mais pour Churchill, toute offensive périphérique paraît préférable à la perspective de « mâcher du barbelé dans les Flandres ». Il fait donc télégraphier à l'amiral Carden, dont l'escadre assure le blocus des Dardanelles, pour s'enquérir des chances de succès d'une opération purement navale avec des unités vétustes, inutilisables pour les opérations en mer du Nord. Après quoi il revient à son plan d'offensive contre Borkum, dont il souhaite le déclenchement en mars ou en avril...

Lors du Conseil de guerre du 4 janvier, on envisage bien d'autres plans d'opérations, car tous les membres du Conseil se sont brusquement découvert des vocations de stratèges : Lloyd George veut un débarquement à Salonique pour établir une jonction avec l'armée serbe, F. E. Smith soumet un plan de débarquement à Smyrne, Kitchener, qui reparle de Gallipoli, voudrait surtout occuper Alexandrette, sir Edward Grey propose une opération dans l'Adriatique, tandis que sir Maurice Hankey, soutenu par l'amiral Fisher, veut prendre Constantinople avec l'aide des Grecs et des Bulgares, pour amorcer ensuite un vaste mouvement tournant à travers les Balkans ; enfin, le maréchal French a fait savoir qu'il souhaiterait une attaque contre le port belge de Zeebrugge, occupé par les Allemands...

Mais dès le lendemain, coup de théâtre : Churchill lit à ses collègues la réponse de l'amiral Carden, qui estime possible de forcer les Détroits par une opération uniquement navale, impliquant « un grand nombre de navires ». Cette nouvelle provoque une certaine surprise à l'Amirauté, où Carden ne passe pas pour un homme particulièrement audacieux. L'amiral Oliver, chef d'état-major, les 2ᵉ et 3ᵉ lords de la mer et l'amiral sir Percy Scott, expert en artillerie navale, expriment malgré tout leurs doutes, mais en définitive, c'est l'amiral Fisher, premier lord naval, qui a la responsabilité d'organiser la planification détaillée, et quelles que soient les variations de ses états d'âme*, c'est exactement ce qu'il va faire. Churchill, lui, s'enthousiasme désormais pour l'opération, dont il magnifie les avantages et minimise les difficultés : après tout, ses plans d'attaque de Borkum et Sylt rencontrant une ferme opposition à l'Amirauté comme au gouvernement, il ne reste plus que l'opération des Dardanelles pour sortir enfin de l'inaction…

Dix jours plus tard, au Conseil de guerre du 13 janvier, Churchill expose devant une carte le plan établi par l'Amirauté : « Une fois les forts réduits, les champs de mines pourront être dragués et la flotte poursuivra son chemin vers Constantinople, où elle détruira le *Goeben*[18]. » Selon le secrétaire du Conseil de guerre, sir Maurice Hankey : « Churchill a exposé ses plans lucidement, mais calmement et sans optimisme exagéré[19]. » Asquith, lui, croit détecter un enthousiasme plus marqué, mais quoi qu'il en soit, Lloyd George déclare que « le plan lui plaît », Kitchener est enchanté, Grey enthousiaste, Hankey dithyrambique, Asquith est comme toujours de l'avis général, et même Fisher se laisse convaincre. En fait, Churchill reste d'avis que « nous ne devons agir au sud que si nous ne pouvons rien faire au nord » – c'est-à-dire à Borkum ou en Baltique –, mais cette conviction se perd quelque peu dans la confusion générale, car en vérité, aucun des ministres présents n'a renoncé à son plan favori ; on décide donc de mettre également à l'étude des opérations à Salonique, aux Pays-Bas, en Roumanie, dans l'Adriatique et sur le Danube ! Mais en ce qui concerne Gallipoli, la décision prise ce jour-là semble irrévocable : il y aura dès février 1915 une expédition navale destinée à « bombarder et prendre la péninsule de Gallipoli », avec pour objectif ultime « la prise de Constantinople[20] ». Quant à savoir comment on prendra Constantinople avec quelques cuirassés, et en quoi cela amènera la

---

* Fisher prétendra par la suite avoir été sceptique dès le départ, mais avoir eu la main forcée par Churchill, devant qui il s'était toujours trouvé « à court d'arguments ». Ses doutes et ses revirements nous deviendront bientôt familiers.

défaite de l'Allemagne... personne ne semble avoir posé la question !

Les choses sérieuses vont donc commencer : on équipe des navires pour affronter les mines, et une base aérienne est aménagée sur l'île grecque de Tenedos. Parallèlement, Churchill a persuadé Asquith de renoncer au projet d'opérations dans l'Adriatique si cher à sir Edward Grey, ce qui simplifie d'autant les préparatifs. Mais à mesure que l'échéance approche, l'amiral Fisher commence à reculer ; craignant une attaque contre Scapa Flow, il ne veut plus engager « sa » flotte, et demande qu'elle soit remplacée par des navires français ; il veut 200 000 hommes pour une attaque terrestre de la presqu'île ; il se plaint de Churchill aux ministres et aux amiraux ; enfin, le 25 janvier, il menace de démissionner. À contrecœur, Churchill commence à admettre que le roi avait raison : Fisher est devenu sénile.

Tout cela promet de rudes tangages lors de la session du Conseil de guerre du 28 janvier. Ce jour-là, en effet, l'amiral Fisher annonce une nouvelle fois son intention de démissionner si le plan est mis en œuvre comme prévu. Il se heurte pourtant à une solide opposition : Kitchener estime que l'entreprise est d'une importance vitale, Balfour déclare qu'« il serait difficile d'imaginer une opération plus utile », Grey lui fait écho, et Asquith est pour une fois catégorique : « Le plan Dardanelles doit être exécuté. » Churchill se prononce lui aussi en faveur de l'opération, même sans l'appui de troupes terrestres ; c'est sans doute l'influence des rapports résolument optimistes de l'amiral Carden. Et puis, une opération purement navale vaut mieux que pas d'opération du tout ; c'est que le Conseil de guerre a successivement abandonné les plans d'offensives dans les Balkans, à Borkum, à Alexandrette, et même à Zeebrugge. Que les Dardanelles disparaissent aussi, et il ne restera plus que l'absurde boucherie des tranchées, où la Grande-Bretagne est en train de perdre la fleur de sa jeunesse. Winston, pour qui l'inertie reste la pire des politiques, veut de *l'action* à tout prix, et il va mobiliser pour l'obtenir des torrents d'éloquence à toute heure du jour et de la nuit. De guerre lasse, l'amiral Fisher lui-même finit par rendre les armes ; il se rallie au plan d'attaque navale des Dardanelles, et remet une nouvelle fois sa démission dans sa poche...

Le dernier mot est-il dit ? Nullement. Lorsqu'une guerre est menée par un comité, les brusques revirements sont inévitables. Et voici que le Conseil de l'Amirauté fait savoir que l'opération navale ne peut être menée sans un appui terrestre, destiné à conquérir la presqu'île de Gallipoli ! Les amiraux gagnent à leur cause sir Maurice Hankey et le Premier ministre Asquith lui-même ; Churchill, qui est prêt à toutes les concessions pourvu que l'on passe à l'action, se laisse également convaincre. D'ailleurs, il y a maintenant une division disponible, la 29ᵉ, qui devait débarquer à Salonique pour aider la Serbie ; or, ce plan-là a dû être abandonné lui aussi, devant l'opposition du roi Constantin de Grèce. Dès lors, Kitchener consent à affecter la 29ᵉ division aux opérations de Gallipoli.

Le Conseil de guerre du 16 février entérine avec satisfaction cette nouvelle concordance de vues : la 29ᵉ division s'ajoutera donc à 30 000 soldats australiens et néo-zélandais, constituant ainsi un total de près de 50 000 hommes « disponibles en cas de nécessité pour soutenir l'attaque navale des Dardanelles[21] ». Kitchener a déclaré à Churchill : « Si vous arrivez à forcer le passage, je m'engage à trouver les troupes nécessaires[22]. » Cet engagement durera exactement… trois jours. Au Conseil de guerre du 19 février, Kitchener fait savoir qu'en raison des revers russes en Prusse orientale, une nouvelle offensive allemande en France est à redouter, et que la 29ᵉ division doit donc y être envoyée pour parer à toute éventualité. Est-ce un prétexte ? La véritable raison est-elle à rechercher dans un différend plutôt mesquin qui vient de l'opposer au premier lord de l'Amirauté* ? Est-ce l'influence de l'état-major de l'armée qui, confondant théâtre principal et théâtre décisif, veut conserver tous les effectifs pour des opérations sur le front occidental ? Toujours est-il que Kitchener va maintenant camper sur ses positions : l'opération des Dardanelles, soutient-il, pourra fort bien être exécutée sans intervention des troupes terrestres, car les Turcs retranchés sur la presqu'île de Gallipoli ne manqueront pas de prendre la fuite une fois leurs forts détruits par les canons de la flotte…

Lors des séances du Conseil de guerre des 24 et 26 février, Churchill, Lloyd George, Hankey et Asquith tenteront en vain

---

* Sans en informer Kitchener, Churchill avait offert à sir John French l'une de « ses » brigades navales, ainsi que deux escadrons de voitures blindées. Kitchener, par ailleurs en très mauvais termes avec French, s'en était immédiatement offusqué.

de le faire fléchir. Puis, comme toujours lorsque la guerre est menée par un conclave de civils, certains changent d'avis : Balfour et Grey se rangent aux côtés de Kitchener, et Asquith change de camp à son tour, assurant du même coup la défaite de Churchill. Le premier lord, assez dépité par cette nouvelle volte-face, en est réduit à déclarer qu'il décline toute responsabilité au cas où un désastre se produirait en Turquie du fait de l'insuffisance de troupes. Mais considérant que tout cela ne doit pas entraîner une nouvelle paralysie de l'offensive, il télégraphie aussitôt à l'amiral Carden que l'opération purement navale reste impérative, et pour tenter d'atténuer quelque peu les conséquences du revirement qui vient de se produire, il décide d'envoyer à Gallipoli les 9 000 hommes de sa division navale. En stratège impulsif, il distingue mal le souhaitable du possible, s'implique trop dans le détail des opérations et tend à sous-estimer les contingences matérielles d'une entreprise improvisée, menée avec des militaires réticents sur un théâtre d'opérations peu familier. Et puis, l'officier de cavalerie perce toujours sous le chef de la marine : à la différence de ses amiraux, pour qui les navires sont faits pour affronter les escadres ennemies en haute mer, Churchill les voit surtout comme des plates-formes d'artillerie flottantes, pouvant réduire des forts, forcer des détroits et prendre des îles d'assaut* ! C'est là un préjugé tenace, qui refera surface en maintes occasions un quart de siècle plus tard...

Pour l'heure, Kitchener juge tout pessimisme injustifié ; après tout, douze croiseurs français et britanniques ont procédé à un premier bombardement des forts avancés de Gallipoli le 19 février, avec des résultats assez concluants : les réserves de munitions de deux forts ont explosé, détruisant entièrement les ouvrages ; six jours plus tard, des détachements de *Royal Marines* ont même débarqué devant un autre fort et fait sauter quarante canons. Kitchener juge que ces premiers coups de semonce ont découragé les Turcs. Churchill, lui, craint qu'ils ne les incitent plutôt à renforcer leurs positions ; le 3 mars, du reste, il déclare au Conseil de guerre que « la stratégie correcte consisterait plutôt en une offensive dans le nord, par la Hollande et la Baltique », tandis que les opérations d'Orient « devraient seulement être considérées comme une

---

* Voire des villes : Constantinople, en l'occurrence...

diversion[23] ». On voit décidément qu'à la différence de ses collègues, le premier lord de l'Amirauté a de la suite dans les idées...

Il faut bien reconnaître que la liste de ses autres activités au même moment a de quoi effrayer un mortel ordinaire : il s'occupe personnellement de l'organisation d'un bombardement aérien sur les hangars de Cuxhaven, négocie secrètement à Paris pour le compte du gouvernement l'entrée en guerre de l'Italie, empiète à maintes reprises sur le domaine de sir Edward Grey*, et suit de très près les développements de son plan de prédilection : la mise au point du tank par l'Amirauté. Le *War Office*, lui, s'est désintéressé rapidement du projet**, que les nombreux critiques du premier lord ont baptisé « *Winston's folly* ». Il est vrai que depuis cinq mois, trois types d'engins différents ont été étudiés et se sont révélés inefficaces ; mais il en faut davantage pour décourager Churchill : le 20 février 1915, bien qu'étant malade, il préside dans sa chambre à coucher une nouvelle conférence sur le sujet, au cours de laquelle est décidée la création d'un *Landships Committee*, composé de techniciens navals, d'officiers des escadrons d'automitrailleuses, et de tous les ingénieurs militaires disponibles. Ces hommes ont carte blanche, pourvu que leurs travaux aboutissent dans les plus brefs délais. De fait, au bout d'un mois, ils proposeront à Churchill de construire 18 prototypes, dont 6 à roues et 12 chenillés, et le premier lord, ayant demandé une estimation des coûts et des délais de construction, leur accordera sur l'heure 70 000 £ pour les premiers frais, sans en référer à quiconque – pas même au Trésor ! Malheur aux inconscients qui s'aviseraient de faire obstacle à ce projet, comme à quelques autres...

À Gallipoli, le 20 février, tous les forts extérieurs ont été détruits, et l'amiral Carden est confiant dans sa capacité de forcer les Détroits dès la première tentative. Mais le temps est mauvais, les Turcs ont sur les deux rives des Dardanelles des obusiers mobiles qui sont bien difficiles à repérer, et les équipages des navires démineurs, composés de pêcheurs anglais réquisitionnés, refusent de travailler sous le feu[24]. Malgré cela, Churchill encourage Carden à lancer ses

---

* Notamment en se mêlant des relations avec la Grèce, le Chili, le Brésil et les États-Unis...

** Dans le cadre de l'armée de terre, le colonel Swinton avait poursuivi des travaux comparables, avant de recevoir du *War Office* l'ordre de les abandonner.

escadres dès la première occasion favorable. C'est alors qu'intervient ce qu'il faut bien appeler un élément de comédie : le 10 mars, lord Kitchener accepte d'envoyer la 29e division à Gallipoli ! Ce nouveau revirement est accueilli avec soulagement au Conseil de guerre, et pourtant, il aura des conséquences funestes ; car lorsque deux jours plus tard, le général Hamilton, nommé commandant en chef des forces terrestres à Gallipoli, part pour le théâtre des opérations, il est porteur d'instructions parfaitement contradictoires : le premier lord Churchill, son vieil ami de la campagne des Indes et d'Afrique du Sud, lui demande d'occuper la presqu'île par un coup de main éclair avec les troupes disponibles, c'est-à-dire les 30 000 Australiens et Néo-Zélandais et les 9 000 hommes de la division navale. Mais le ministre de la Guerre Kitchener, qui est son supérieur direct, lui ordonne de n'agir qu'avec lenteur et circonspection, sous le couvert de l'artillerie de marine, et surtout d'attendre l'arrivée de la 29e division pour passer à l'offensive. Or, celle-ci ne sera à pied d'œuvre que dans… trois ou quatre semaines ! Pour tous ceux à l'Amirauté qui souhaitaient une opération terrestre en conjonction avec l'attaque navale, c'est un coup mortel ; car pour diverses raisons, dont la menace des sous-marins, l'opération navale contre les Détroits doit s'effectuer sans délai. L'amiral Carden, qui en a été avisé, décide donc de passer à l'action dès le 18 mars : il s'agit de forcer les Détroits et de passer en mer de Marmara. Après cela, la route de Constantinople sera ouverte.

Brillant stratège en théorie, l'amiral Carden est sans doute trop émotif pour s'acquitter du genre de mission que lui a confiée l'Amirauté, et il est manifestement terrorisé par le premier lord ; deux jours seulement avant le jour J, victime d'un épuisement nerveux, il doit être remplacé par son second, l'amiral John De Robeck. De Londres, Churchill télégraphie au nouveau commandant qu'il a toute latitude pour proposer les changements de plans qu'il estime nécessaires, ou même pour reporter la date de l'offensive ; mais De Robeck répond qu'il s'en tient au plan établi et à la date prévue. Le 18 mars, une imposante armada de 6 cuirassés et 4 *dreadnoughts* britanniques, accompagnés de 4 cuirassés français et suivis de 6 cuirassés de réserve, pénètre donc dans les Détroits et bombarde les forts intermédiaires, qui sont rapidement réduits au silence*. Mais au moment

* Voir carte, p. 159.

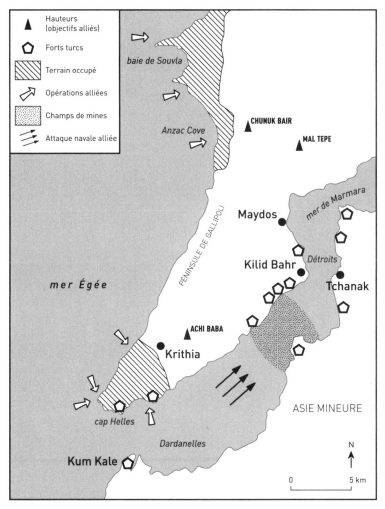

Légende:

- ▲ Hauteurs (objectifs alliés)
- ⬠ Forts turcs
- ▨ Terrain occupé
- ⇨ Opérations alliées
- ⣿ Champs de mines
- ⇶ Attaque navale alliée

baie de Souvla

▲ CHUNUK BAIR

Anzac Cove

▲ MAL TEPE

mer de Marmara

Maydos ●

PÉNINSULE DE GALLIPOLI

Kilid Bahr

Détroits

● Tchanak

mer Égée

▲ ACHI BABA

● Krithia

ASIE MINEURE

cap Helles

Dardanelles

N

Kum Kale

0   5 km

L'opération des Dardanelles, 1915

où les cuirassés de tête, ayant épuisé leurs munitions, font demi-tour pour laisser le passage au reste de la flottille qui doit forcer les Détroits, le sort s'acharne sur les assaillants : le cuirassé français *Bouvet,* qui vient de virer de bord, heurte une mine dérivante et coule en quelques minutes, entraînant avec lui 639 hommes d'équipage ; dans la demi-heure qui suit, trois cuirassés britanniques sautent également sur des mines, causant 50 morts en tout. L'effet psychologique est considérable ; bien que les pertes soient encore modérées et que les batteries turques à terre restent silencieuses, l'amiral De Robeck ordonne d'interrompre l'assaut naval.

Il ne sera jamais repris, en dépit des objurgations de Churchill et de l'envoi de nouveaux cuirassés en renfort. C'est que le temps se gâte, les mines dérivantes restent menaçantes, les obusiers mobiles turcs n'ont pas été détruits, et l'amiral De Robeck, qui craint de perdre de nouveaux navires, refuse catégoriquement de renouveler l'assaut avant le déclenchement des opérations sur terre. À Londres, le 23 mars, on assiste à de nouveaux retournements : l'amiral Fisher et deux autres lords navals soutiennent De Robeck, et le Premier ministre Asquith, vacillant comme à l'ordinaire, finit par leur emboîter le pas. Ainsi, Churchill est désavoué, et tout va maintenant dépendre de l'offensive terrestre, prévue pour la mi-avril ; la conduite des opérations depuis Londres passe donc entre les mains de Kitchener, tandis que sur place, l'amiral De Robeck accepte de se subordonner au général Hamilton. Quant à Churchill, il sera entièrement tenu à l'écart des préparatifs du débarquement durant les semaines qui vont suivre ; pis encore : ses ennemis, au parti conservateur comme au Parlement, vont entreprendre de lui faire porter la responsabilité de l'échec du 18 mars.

C'est finalement le 25 avril, après l'arrivée de la 29e division, qu'aura lieu l'assaut des troupes terrestres contre Gallipoli : 30 000 hommes débarquent dès le premier jour au cap Helles, à la pointe de la péninsule, et plus au nord à Gaba Tepe, sur la côte de la mer Égée ; il s'agit de gagner au plus vite la ligne de crête dominant les forts qui commandent les Détroits et la mer de Marmara. Mais les Turcs ont eu deux longs mois pour amener des renforts et se retrancher ; il y a maintenant 60 000 défenseurs, équipés de mitrailleuses, de mortiers et d'artillerie lourde fournis par les Allemands, et à partir des deux points de débarquement, les assaillants n'atteindront jamais les éminences qui constituaient leur objectif au tout premier jour de l'assaut. Après cinq jours de combat, les hommes sont épuisés et se retranchent tant bien que mal autour des plages, tandis que les Turcs contre-attaquent. Le 6 mai, Hamilton fera reprendre l'offensive, sans plus de résultats[25].

L'amiral De Robeck se contente d'attendre un succès de plus en plus problématique de l'opération terrestre pour lancer ses navires. Churchill l'exhorte certes à « livrer bataille et en supporter les conséquences », à faire au moins dégager les champs de mines et à bombarder les forts devant le goulet de Tchanak, mais même cela semble trop hardi à De Robeck... À l'amiral Fisher aussi, du reste ! Le premier lord naval, dont le comportement semble de plus en plus aberrant, jette l'anathème sur tous ceux qui sont à l'origine de l'opération, il exige le rappel du cuirassé *Queen Elizabeth*, qu'il avait pourtant fait envoyer lui-même ; enfin, il annonce à qui veut l'entendre qu'il démissionnera si une quelconque opération navale est menée dans les Détroits avant que toute la péninsule de Gallipoli ne soit aux mains des troupes terrestres...

Sur le front de France, le conflit s'enlise, les pertes britanniques sont catastrophiques, et l'opposition attaque férocement la politique de guerre du cabinet Asquith. Dans ces conditions, le Premier ministre considère que son gouvernement ne survivrait pas à la démission du premier lord naval, et il fait savoir à Churchill qu'« aucune action navale indépendante ne doit être entreprise sans l'accord de Fisher ». Bien qu'étant simultanément engagé dans de délicates négociations diplomatiques (qui aboutiront le 24 mai à l'entrée en guerre de l'Italie) et dans la poursuite de quelques plans personnels (consistant notamment à armer les hydravions de torpilles, à équiper d'appareils photographiques les avions de reconnaissance, à faire installer la TSF dans les sous-marins, et surtout à perfectionner au plus haut point le système d'interception et de décodage des messages radio de la marine allemande), Churchill fait l'impossible pour apaiser Fisher : la marine ne mènera aucune action offensive dans les Détroits et se contentera de protéger les plages ; en outre, on rappellera le *Queen Elizabeth*.

Tout cela est en vain ; le 15 mai, sous un prétexte apparemment anodin*, Fisher donne sa démission. C'est la huitième annonce de

---

* Churchill avait préparé un ordre écrit prévoyant l'envoi de deux sous-marins supplémentaires, neuf monitors et un cinquième obusier sur le théâtre ce genre en deux mois, mais cette fois, le premier lord naval quitte effectivement son poste. Pour Asquith, c'est une catastrophe ; il le somme, « au nom du roi », de retourner à l'Amirauté. Peine perdue : le lendemain, Fisher envoie sa démission définitive et en informe le chef de l'opposition conservatrice, Bonar Law. Cette fois, la chute du gouvernement paraît inévitable.

Ce jour-là, Churchill a proposé à Asquith de démissionner si cela devait l'aider à surmonter la crise, mais le Premier ministre a refusé. Dès le lendemain, pourtant, Asquith change d'avis ; voulant éviter des questions embarrassantes au Parlement sur la conduite de la guerre en France* et les lamentables échecs de Gallipoli, il décide, sur les conseils de Lloyd George, de proposer aux conservateurs un gouvernement de coalition. C'est après tout ce que Churchill demandait depuis le début de la guerre… Hélas ! La chose se fera maintenant à ses dépens, car les *tories* mettent à leur participation une condition formelle : Churchill, chargé de tous les péchés par l'opposition conservatrice depuis des semaines, doit absolument quitter l'Amirauté.

Lorsque le 17 mai, après un entretien avec Asquith, Winston comprend enfin qu'il sera la victime expiatoire du nouveau gouvernement de coalition, il commence par se révolter : partir de l'Amirauté, n'est-ce pas admettre que ses détracteurs avaient raison ? Or, leurs arguments sont d'une rare ineptie, et il suffirait de produire quelques documents de l'Amirauté pour le prouver. D'ailleurs, Churchill prépare activement une défense de sa politique navale, depuis l'été de 1914 jusqu'à l'affaire des Dardanelles ; il peut établir, pièces en main, que toutes les mesures qu'il a ordonnées avaient l'entière approbation de lord Fisher, de l'amiral Carden et de l'ensemble de ses collègues du Conseil de guerre. Mais ces derniers, déjà pressentis pour faire partie du nouveau gouvernement, s'empressent de le lâcher ; Lloyd George et Grey le dissuadent même de présenter sa défense au Parlement et dans la presse, prétextant que cela pourrait aider l'ennemi. Dans sa naï-

---

des Dardanelles. Fisher considérait que ce genre d'ordre lui incombait en tant que premier lord naval, ce qui n'était pas inexact.

* Une nouvelle offensive en Flandre vient d'échouer, et une campagne de presse en impute la responsabilité à une pénurie d'obus, dont le gouvernement est rendu responsable.

veté, Churchill essaie même de justifier sa politique auprès de Bonar Law, sans comprendre que le chef conservateur sait pertinemment que les accusations portées contre lui sont purement fantaisistes. Mais on ne trouve plus guère de gentlemen à la tête du parti *tory* : il s'agit de faire payer à Churchill sa désertion de 1904, ses attaques passées contre les protectionnistes, les unionistes et la Chambre des lords, ainsi naturellement que tous ses crimes imaginaires, depuis Tonypandy jusqu'à Anvers, en passant par Sidney Street et Belfast... Pour cela, tous les moyens sont bons.

Qu'ils puissent procéder à des règlements de comptes aussi mesquins au milieu de la grande tourmente d'une guerre mondiale donne certes une idée de la mentalité des dirigeants conservateurs. Mais il faut avouer que leurs homologues libéraux ne sont guère plus brillants ; ainsi, lorsque Herbert Asquith sacrifie Churchill, éloignant ainsi en pleine guerre le seul véritable guerrier de son Cabinet, il n'est plus tout à fait lui-même : le 17 mai, il a appris que sa maîtresse Venetia Stanley allait se marier, et son jugement s'en est trouvé considérablement altéré ! Il se consolera naturellement en prenant une autre maîtresse, mais conservera la déplorable habitude de lui écrire des lettres pendant les réunions du Conseil de guerre...

Churchill se rend finalement à l'évidence : son départ de l'Amirauté est une affaire réglée, et tout ce qu'il pourrait faire ou dire n'y changerait absolument rien. Alors, il s'effondre d'un coup ; Violet Asquith, qui le rencontre dans un couloir de la Chambre des communes, en reste bouleversée : « Il m'emmena dans son bureau et s'assit, silencieux, désespéré, comme je ne l'avais jamais vu. Il semblait avoir dépassé le stade de la révolte, et même de la colère. Il ne s'en prit même pas à Fisher, mais dit simplement : "Je suis un homme fini" Je protestai [...] mais il balaya mes arguments : "Non, je suis fini. Ce que je veux par-dessus tout, c'est prendre une part active à la défaite de l'Allemagne, mais je ne peux pas : on m'en a retiré la possibilité. J'irais bien au front, mais nos soldats sont si bornés qu'ils ne supporteraient pas qu'on me donne un commandement de quelque importance. Non, je suis fini[26] !" »

Le 23 mai, Churchill, en pleine dépression, remet l'Amirauté entre les mains de son successeur Arthur Balfour*. Ce même jour,

---

* Bien des choses curieuses vont se produire à cette occasion : ainsi, le seul ministre venu rendre à Churchill une visite de condoléances n'est autre que...

Asquith s'est tout de même décidé à lui offrir un poste dans le nouveau gouvernement : celui, purement honorifique, de chancelier du duché de Lancastre. Bien d'autres s'en seraient contentés : on touche une paye de ministre, il n'y a rien d'autre à faire que nommer des magistrats locaux, et le risque de se trouver dans une situation exposée en temps de guerre est absolument nul – en un mot, la sinécure idéale... Churchill, lui, y voit l'humiliation suprême, qui le prive de tout moyen d'action ; comme jadis en Inde ou en Afrique du Sud, il n'a cessé d'agir à l'Amirauté comme si l'issue de la guerre dépendait de lui ; à présent, il doit assister en spectateur à un combat très mal engagé, et cela lui est insupportable : « À ce poste, je savais tout et je ne pouvais rien. [...] Comme chez un monstre marin remonté des profondeurs ou un plongeur trop brusquement ramené à la surface, mes veines menaçaient d'éclater sous l'effet de la chute de pression. [...] Au moment où chaque fibre de mon être brûlait du feu de l'action, il me fallait rester spectateur de la tragédie[27]. » S'il a accepté néanmoins le duché de Lancastre, c'est qu'Asquith lui a promis qu'il garderait son siège au Conseil de guerre. Peut-être pourra-t-il ainsi conserver quelque influence sur le cours des événements ?

Vain espoir : l'ancien premier lord de l'Amirauté doit assister impuissant à la multiplication d'offensives mal coordonnées et très mollement dirigées contre la péninsule de Gallipoli ; à la mi-juin, sa chère division navale est lancée à son tour vers les hauteurs du cap Helles ; elle laissera 600 morts sur le terrain, sans progresser davantage que la 29e division deux mois plus tôt. Au Conseil de guerre, rebaptisé « Comité des Dardanelles », Churchill propose en vain de nouvelles stratégies, telles que le bombardement des usines de munitions turques à Constantinople ; il s'enquiert de l'approvisionnement du corps expéditionnaire allié et des objectifs de la prochaine offensive, sans obtenir de réponse ; il demande à Asquith au début de juillet la permission de l'accompagner à la conférence stratégique interalliée qui doit se tenir à Calais, et essuie un refus ; Kitchener, avec l'assentiment d'Asquith, lui propose malgré tout de se rendre à Gallipoli en visite d'inspection, pour donner son avis sur

lord Kitchener ! Par ailleurs, l'amiral Wilson, dont Churchill avait forcé la démission en 1911, est pressenti pour succéder à Fisher en tant que premier lord naval, mais il refuse de servir « sous tout autre que Churchill » !

les perspectives de succès de l'offensive à venir. Churchill accepte avec enthousiasme et se prépare à partir*, mais les conservateurs du gouvernement mettent leur veto, et Asquith s'incline une fois de plus. Le premier lord déchu se prononce en faveur de la création d'un ministère de l'Air dont il prendrait la tête, et qui pourrait jouer un rôle capital dans les grandes opérations à venir : proposition rejetée. À l'Amirauté, en dépit des suppliques de Churchill, l'une des premières décisions de son successeur Balfour sera d'abandonner la fabrication des tanks ; mais les crédits ayant déjà été affectés, on en construira tout de même un prototype...

Cet été-là, au beau milieu de la dépression et de l'oisiveté, Churchill découvre une nouvelle occupation : la peinture. Aidé par un couple de peintres célèbres, John et Hazel Lavery, il manifeste pour la peinture de paysages des dispositions certaines, qui finiront par se muer en une véritable passion**. Mais naturellement, rien ne peut faire oublier la guerre au nouvel artiste, qui confie à son secrétaire Masterton-Smith : « Je m'inquiète pour les Dardanelles, parce que ces trois semaines qu'il a fallu au nouveau Cabinet pour se décider ont permis aux Turcs d'amener de puissants renforts. L'histoire nous rendra strictement comptables de chaque jour d'indécision [28]. » Le 6 août, à Gallipoli, la grande offensive contre les hauteurs de Chunuk Bair échoue piteusement ; elle doit reprendre le 21 août, mais Churchill demande qu'elle soit menée avec des troupes fraîches venues d'Égypte, ce qui ferait toute la différence. Il n'est pas écouté, on lance à l'assaut les régiments décimés deux semaines plus tôt, et l'échec est plus sanglant encore. Churchill demande que l'on se décide enfin à relancer l'attaque navale pour forcer les Détroits, mais Balfour refuse. Notre ministre en disgrâce rédige ensuite une note sur l'approvisionnement des troupes en prévision de l'hiver, mais elle n'est même pas examinée. Le mois suivant, sir John French lui propose de prendre le commandement d'une brigade en France ; l'offre est acceptée sur-le-champ, mais Kitchener s'y oppose. Churchill fait de nouvelles propositions sur la conduite de la guerre : suspendre les offensives meurtrières sur le

---

* En prévision de son départ pour une mission qui n'est pas sans danger, Winston laisse à son épouse un message incluant cette phrase : « La mort n'est qu'un incident, et pas le plus important de ce qui nous arrive dans ce monde. »
** À tel point que sa mère pourra parler de drogue...

front français, où les Allemands sont maintenant parfaitement retranchés ; instaurer un service militaire obligatoire ; lancer une offensive surprise contre Tchanak en passant par la rive orientale des Détroits, sous le couvert de fumigènes et de gaz moutarde. Rien de tout cela n'est pris au sérieux et le massacre se poursuit sur le front occidental, tandis qu'une escadre entière est immobilisée aux Dardanelles, et que 120 000 hommes marquent le pas sur les trois têtes de pont de Gallipoli. À Londres, on commence à parler d'évacuation... Et pendant tout ce temps, la presse conservatrice continue d'attaquer férocement Winston Churchill – qui ne peut même pas se défendre publiquement.

À la fin d'octobre, Asquith annonce qu'il va remplacer le Comité des Dardanelles par un «Cabinet de guerre». C'est chose faite le 11 novembre : ce nouveau conclave comprendra cinq membres seulement – et Churchill en est naturellement exclu. Il démissionne immédiatement, refusant de demeurer «dans une oisiveté bien rétribuée*». Quatre jours plus tard, redevenu simple député, il exprime à la Chambre le souhait que tous les documents concernant son action à l'Amirauté soient publiés, ce qui ferait immédiatement justice des principales accusations portées contre lui, notamment celle d'avoir «imposé le projet des Dardanelles à des officiers et à des experts réticents». Au sujet de lord Fisher, il se borne à déclarer que, durant ses fonctions à l'Amirauté, le premier lord naval ne lui a pas apporté ce qu'il était en droit d'attendre, à savoir «des conseils clairs avant, et un ferme soutien après l'événement» – ce qui s'appelle un euphémisme... La suite des propos de l'orateur au sujet de l'évolution du conflit traduit une incontestable hauteur de vues : «Il n'y a aucune raison d'être découragé par le tour que prend la guerre. Nous traversons actuellement une mauvaise passe, et il est probable que les choses vont empirer avant de s'améliorer. Mais je ne doute pas un instant qu'elles s'amélioreront, pour peu que nous résistions et que nous persévérions[29]. » Enfin, il

---

* Il demande à Asquith de le nommer gouverneur général et commandant en chef en Afrique de l'Est, d'où il pourrait «attaquer les Allemands avec des automitrailleuses». La proposition n'est pas retenue, mais assez curieusement, elle a reçu le soutien de deux ennemis intimes de Churchill : Bonar Law et Carson ! C'est peut-être qu'ils ont reconnu les vertus martiales de Churchill – ou bien qu'ils ont voulu l'éloigner le plus possible de Londres...

annonce qu'il va partir pour le front de France ; n'est-il pas commandant dans le régiment de réserve des hussards de l'Oxford-shire, qui s'y trouve stationné ? Les parlementaires comme les journalistes croient à une opération publicitaire. Ils ont tort ; Churchill aime la guerre, il est fasciné par le danger et ne vit que pour la victoire. S'il craint une chose, c'est l'inaction, avec le cortège de dépressions qu'elle ne manque jamais de lui apporter ; d'autant que l'ombre sinistre de l'échec des Dardanelles ne cesse de le hanter. Le ministre de l'Armement Lloyd George, qui l'a abandonné comme tous les autres, se laissera pourtant aller à avouer l'exacte vérité : « L'échec des Dardanelles était moins dû à la précipitation de M. Churchill qu'aux atermoiements de lord Kitchener et de M. Asquith[30]. »

Depuis le début de la guerre – et même longtemps avant –, Churchill n'avait jamais caché sa préférence pour un commandement au front ; on se souvient de ses propos d'octobre 1914 : « Une carrière politique m'importe peu au regard de la gloire militaire*. » Mais notre héros, persuadé d'avoir hérité le génie stratégique de son ancêtre Marlborough, se voyait alors pour le moins commandant de division ; la gloire, après tout, ne saurait s'intéresser à un officier subalterne, et comment changer le cours de l'histoire à la tête d'un bataillon ? Pourtant, tout théâtre de guerre exerce sur Churchill un irrésistible attrait, et puis, ses amis sont en France, dans ce fameux régiment de réserve dont il ne manquait jamais les manœuvres annuelles au château de Blenheim… C'est ainsi que le 18 novembre 1915, le commandant de réserve Churchill monte discrètement à bord d'un navire civil et débarque à Boulogne.

---

* Dès le 27 octobre 1914, il avait également confié au roi George V qu'il « voulait être soldat et aller au combat », mais Asquith avait fait savoir à Sa Majesté que Churchill était indispensable à l'Amirauté.

CHAPITRE VII

L'HOMME-ORCHESTRE

La disgrâce a tout de même des limites ; à Boulogne, le modeste officier de réserve Churchill a la surprise d'être accueilli par l'ordonnance de sir John French, qui le conduit au QG du commandant en chef – un château dans les environs de Saint-Omer, où il reçoit un accueil des plus chaleureux. C'est que sir John se souvient que le premier lord de l'Amirauté a été pour lui un précieux allié lorsque ses relations avec Kitchener étaient au plus bas ; elles ne se sont d'ailleurs pas améliorées depuis, et le maréchal French, sentant venir sa disgrâce prochaine, ne peut que sympathiser avec le ministre déchu. D'autant que, comme bien des militaires et la plupart des politiciens, French ne voit pas en Churchill un homme fini ; c'est qu'il n'en a ni l'aspect, ni le discours... Quoi qu'il en soit, la première nuit de notre commandant en campagne n'est pas inconfortable : bain chaud, champagne glacé, dîner fin, lit douillet, et surtout une excellente nouvelle : le maréchal lui propose d'être son aide de camp, ou de prendre le commandement d'une brigade. Churchill choisit naturellement la brigade, et il est convenu qu'avant de prendre ses fonctions, il suivra une période de formation à la guerre des tranchées dans un bataillon des *Grenadier Guards*.

Le 20 novembre, le commandant Churchill apprend qu'il est affecté comme officier surnuméraire au 2e bataillon de grenadiers, stationné près de Merville, au sud-ouest d'Armentières*. Il est accueilli ce soir-là au QG du bataillon par le lieutenant-colonel

* Voir carte, p. 175.

George «*Ma*» Jeffreys, qui n'aime visiblement pas les politiciens parachutés : «Je crois devoir vous dire, sir, que nous n'avons pas été consultés au sujet de votre affectation», lâche-t-il sans aménité. L'adjudant de la compagnie, pour n'être pas en reste, lui précise que son abondant bagage doit être laissé à l'arrière, car «les hommes n'ont guère plus que ce qu'ils portent sur le dos[1]». Churchill se retrouve donc dans un milieu résolument hostile, qui devient même parfaitement invivable lorsque le bataillon monte au front sous un fort bombardement, pour s'installer dans des tranchées inondées, devant une ferme pulvérisée…

Mais le fils de lord Randolph, malgré ses quarante et un ans, son embonpoint et ses habitudes de luxe, est ainsi fait qu'il s'accommode aussi bien d'un trou à rats que d'un palais dans l'Oxfordshire ; il déclare d'emblée qu'il se trouve «parfaitement à l'aise», et se porte même volontaire pour accompagner Jeffreys dans ses tournées d'inspection quotidiennes de la ligne de front – un exercice aussi pénible que dangereux, effectué de jour comme de nuit, et qui crée forcément des liens entre ceux qui le pratiquent. Jeffreys lui a proposé de s'établir au QG du bataillon, moins vulnérable aux tirs ennemis, mais à sa grande stupéfaction, Churchill a sollicité la faveur d'emménager dans une tranchée de première ligne : «Je dois reconnaître, avouera-t-il, que mes motivations […] avaient de quoi surprendre. C'est que toute consommation d'alcool était interdite au QG du bataillon ; on ne pouvait y boire que du thé fort avec du lait condensé – une boisson particulièrement répugnante. Dans les tranchées, par contre, on était nettement plus souple[2]. »

Voilà comment on fait les héros… De tels principes ne pouvaient qu'assurer la popularité de Churchill parmi les officiers et les hommes de troupe, qui avaient une tout autre conception du politicien. Il est vrai que celui-ci est arrivé avec d'innombrables bouteilles de whisky, de porto, de cognac et de sherry ; il reçoit sans cesse des colis de victuailles dont il n'est pas avare, et a même déniché on ne sait où une baignoire et une chaudière, qu'il accepte volontiers de prêter les rares fois où il ne s'en sert pas. Mais il y a autre chose : la bonne humeur, l'endurance et le sang-froid du nouveau venu laissent pantois ses camarades officiers – d'autant que ce n'est pas de l'affectation ; Churchill, qui a le don de transformer presque instantanément ses désirs en réalités, s'émerveille réellement de cette «vie plaisante avec d'agréables personnes», qui lui offre le privilège unique de contempler en face «les yeux étincelants du danger[3]». Dans ses lettres à Clementine, il décrit ainsi son nouvel environnement : «De la crasse et des détritus partout, des tombes largement éparpillées au milieu du périmètre défensif, avec des pieds et des lambeaux de vêtements qui émergent du sol, de l'eau et de la gadoue de tous côtés, […] sous le fracas incessant des fusils et des mitrailleuses et le sifflement venimeux des balles qui passent au-dessus de nos têtes. Au milieu de ce décor, aidé par l'humidité, le froid et toutes sortes d'inconforts mineurs, j'ai trouvé un bonheur et un contentement que je n'avais pas connus depuis des mois. […] Sais-tu que je me sens rajeunir ? Nous avons été bombardés ce matin […]. Cela ne m'a pas causé la moindre inquiétude, l'approche des obus n'a aucune incidence sur ma tension ou sur mes nerfs, et je n'ai pas tendance à m'agiter comme le font beaucoup d'autres[4].» De fait, tout comme à Malakand, Omdurman, Ladysmith et Anvers, son indifférence souveraine face au feu ennemi a quelque chose d'effarant ; il néglige bien souvent de se mettre à couvert, les éclats d'obus pleuvent autour de lui, les balles l'encadrent, certains projectiles vont se ficher dans son quart ou sa lampe de poche, beaucoup de ses camarades sont tués ou blessés à ses côtés, mais ce diable d'homme reste indemne. Un jour, une salve d'obus touche de plein fouet son minuscule abri, décapitant l'officier qui s'y trouve ; Winston, lui, en était sorti quelques instants plus tôt, convoqué par un général désœuvré qui désirait bavarder…

Pour rendre visite à ce ministre déchu, bien des personnalités en vue, comme lord Curzon ou F. E. Smith[*], accepteront de ramper dans la boue des Flandres – imitées en cela par quelques gradés, dont certains n'avaient jamais vu les tranchées d'aussi près… Grâce à eux, et à la volumineuse correspondance qu'il reçoit quotidiennement de Londres par les courriers de l'Amirauté, il apprend les difficultés du gouvernement Asquith et sa décision d'évacuer définitivement les Dardanelles. Il peut également constater que la rancune des conservateurs continue à le poursuivre jusque dans les tranchées de première ligne : le maréchal French lui avait promis une brigade, mais au moment d'être remplacé, il devra revenir sur sa promesse ; au Cabinet comme au Parlement, les conservateurs ont fait connaître leur

---

[*] Devenu ministre de la Justice dans le nouveau gouvernement de coalition.

opposition, et Asquith va naturellement céder. Churchill, écrit-il à French, pourra tout au plus se voir confier le commandement d'un bataillon, avec le grade de lieutenant-colonel*.

Le 18 décembre 1915, sir John French, au moment de quitter son poste de commandant en chef, recommande instamment Churchill à son successeur, le général Douglas Haig. Ce dernier répond qu'il ne voit que des avantages à ce que Churchill prenne la tête d'un bataillon, car « il a fait du bon travail dans les tranchées », et l'on manque justement de commandants de bataillon. En attendant de recevoir une affectation, Churchill part faire une tournée de l'ensemble de la ligne de front : toujours l'attrait du danger, bien sûr, mais surtout la volonté de se faire une idée générale des conditions de la guerre et des possibilités d'offensive. En fait, Winston continue de se comporter exactement comme si l'issue de la guerre dépendait de ses initiatives et de ses stratagèmes ; c'est pourquoi, depuis son arrivée en Flandres, entre deux patrouilles, au milieu des explosions de grenades et d'obus, dans des boyaux inondés ou des fermes dévastées, à la lumière d'une bougie ou d'une lampe à pétrole, il ne cesse d'écrire pour exposer ses conceptions sur la façon de rompre la mortelle stagnation qui enveloppe le front, depuis la mer du Nord jusqu'à la frontière suisse. On trouve ainsi des propositions détaillées de réseaux de tunnels offensifs, de lance-flammes, de fumigènes, de chalumeaux à gaz pour couper les barbelés, de boucliers d'infanterie portables ou montés sur roues, d'hydravions lance-torpilles, et surtout le plan qui lui tient le plus à cœur, celui des « véhicules à chenilles », dans lesquels il persiste à voir le seul moyen de crever par surprise le front ennemi, moyennant des pertes insignifiantes. C'est que les membres de l'ancien *Landships Committee* de l'Amirauté, multipliant des dizaines de fois le prototype unique autorisé par Balfour, sont parvenus à d'intéressants résultats, dont ils ont tenu à informer leur ancien chef. Celui-ci, dans un mémorandum littéralement rédigé sous le feu et intitulé « Variantes de l'offensive », écrit ainsi au sujet du tank : « Des engins de ce type sont à même de sectionner les barbelés de l'ennemi et de dominer sa ligne de feu. 70 environ sont sur le point d'être achevés

---

* C'est certes offensant, mais d'un point de vue strictement militaire, ce n'est pas déraisonnable : comment confier une brigade à un homme qui n'a jamais commandé un bataillon et qui n'est sur le front que depuis un mois ?

en Angleterre, et il faudrait les inspecter. Aucun d'entre eux ne devrait être utilisé avant que tous puissent entrer en action ensemble*. [...] Ils emportent deux ou trois [mitrailleuses] Maxim chacun, et peuvent être équipés de lance-flammes. [...] En atteignant les barbelés ennemis, ils tournent à droite ou à gauche et suivent une ligne parallèle à la tranchée ennemie, en balayant ses parapets de leur feu et en écrasant les barbelés pour y ouvrir des passages, [...] à travers lesquels l'infanterie pourra avancer derrière des boucliers[5]. »

Tout cela est assez visionnaire pour l'époque, et échappe dans une large mesure aux généraux compassés du corps expéditionnaire britannique – à commencer par leur nouveau commandant en chef, le général Haig, qui compte sur une guerre d'usure et sur des charges massives de cavalerie pour venir à bout des Allemands ! Quant au ministre de la Guerre, lord Kitchener, il semble avoir perdu depuis l'évacuation de Gallipoli le peu d'esprit d'initiative qui lui restait. Le poids de l'effort de guerre est donc retombé par défaut sur le chef de l'état-major impérial, sir William Robertson, qui est un fervent adepte de la guerre d'usure. Mais Churchill, s'il n'est plus correspondant de presse, a maintenant d'autres moyens de se faire entendre des autorités : son mémorandum sur les « variantes de l'offensive », remis au commandant en chef, est également expédié à Londres, où il sera imprimé par le Comité de défense impérial, pour présentation aux ministres et aux chefs d'état-major – qui ne le liront pas davantage que le commandant en chef...

Churchill, qui a déjà rencontré la plupart des officiers présents sur le front, que ce soit en Inde, au Soudan, en Afrique du Sud ou lors des réceptions données par sa mère, ses tantes ou ses cousines, se fait comme toujours des amis fort utiles, qui lui resteront dévoués pour la vie. On trouve parmi eux Archibald Sinclair, commandant en second du bataillon des *Grenadier Guards*, que Churchill réussira à faire transférer dans son propre bataillon ; Max Aitken, observateur canadien sur le front ; Desmond Morton, l'aide de camp du général Haig, et surtout Edward Spears, l'officier de liaison entre le QG et l'état-major du général Joffre, qui l'emmène en visite dans les lignes françaises – à commencer par les avant-postes de la 10e armée

---

* Vingt ans avant Charles de Gaulle...

du général Fayolle devant Arras, où il est traité avec plus d'égards encore que lorsqu'il était premier lord* ; on lui offre même un casque de poilu, que Churchill portera pendant tout le reste de son séjour en France – ce qui lui donnera une bien curieuse allure pour un officier anglais…

Qu'importe l'uniforme ! Le 1er janvier 1916, cet officier fort peu conventionnel est nommé lieutenant-colonel et affecté au 6e *Royal Scots Fusiliers*, un bataillon d'Écossais durement étrillé lors de la boucherie de Loos trois mois plus tôt. Ces hommes, qui croyaient avoir tout vu, seront pourtant témoins d'une scène inoubliable : dans leur cantonnement de fortune, au milieu du misérable hameau de Moolenacker, apparaît un beau matin un lieutenant-colonel à cheval, ceint d'un uniforme pour le moins disparate et suivi d'un important détachement transportant ses bagages, sa baignoire, sa chaudière, et ce qui ressemble beaucoup à des caisses de remontants… L'accueil est aussi frais qu'au *Grenadier Guards* ; c'est que le commandant précédent était très populaire dans le bataillon, les politiciens ne le sont pas du tout, et celui-ci, qui donne des ordres incompréhensibles pour des fantassins, est manifestement un officier de cavalerie.

Mais comme au *Grenadier Guards*, les préjugés s'envoleront très vite : c'est que le nouveau commandant est profondément humain, aussi avare de sanctions que prodigue d'encouragements, très soucieux du moral de ses soldats, aussi prompt à apprendre qu'à enseigner, et toujours prêt à mettre la main à la pâte : pendant que le bataillon est au repos, on le voit manier la truelle comme le sac de sable, il suit l'instruction des officiers sur le maniement des mitrailleuses et les techniques de bombardement, s'intéresse aux plus petits détails de l'entraînement de ses hommes, établit lui-même des plans d'abris, d'escarpes, contrescarpes et tranchées en demi-lune, participe personnellement au renforcement des parapets, part tous les soirs pour une reconnaissance de l'ensemble du secteur de son bataillon. Il organise des conférences, des jeux, des concerts, fait chanter pendant les marches et conçoit un ambitieux plan de campagne contre les poux du bataillon, qui seront exter-

---

* Sans être toujours pris au sérieux par les officiers supérieurs français ; à Vimy, l'un d'entre eux, auquel il expose son projet de tank, lui répond : « Est-ce qu'il ne serait pas plus simple d'inonder l'Artois et d'y faire venir votre flotte ? »

minés jusqu'au dernier – à la grande stupéfaction d'un officier de liaison français nommé Émile Herzog (plus connu par la suite sous le nom d'André Maurois). Certaines des instructions dispensées par le lieutenant-colonel Churchill à ses officiers resteront gravées dans les mémoires, notamment celle-ci, qui en dit long sur son auteur : « Riez un peu, et apprenez à rire à vos hommes – la guerre est un jeu qu'il faut jouer avec le sourire. Si vous êtes incapables de sourire, grimacez ; si vous êtes incapables de grimacer, tenez-vous à l'écart jusqu'à ce que vous en soyez capables[6]. »

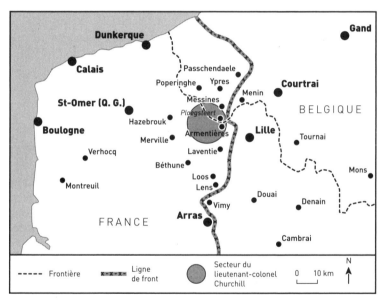

Le front de France, hiver 1915-1916

C'est pourtant à partir du 24 janvier, lorsque le bataillon monte en ligne près du petit village belge de Ploegsteert*, qu'officiers et soldats pourront prendre la mesure de ce phénomène qu'est Winston Churchill. Ayant établi son QG à « *Laurence Farm* », une vieille ferme à huit cents mètres de la ligne de front, il supervise

* Le village a été immédiatement rebaptisé par les soldats « *Plugstreet* » (rue du bouchon de vidange).

personnellement l'installation de ses hommes dans leur réseau de tranchées – un labyrinthe de boue s'étendant sur plus d'un kilomètre, qui se traverse en deux heures... dans le meilleur des cas. « En moyenne, se souviendra le capitaine Andrew Gibb*, il s'y rendait trois fois par jour, ce qui n'était pas rien, car il avait bien d'autres occupations. L'une de ces visites au moins se faisait à la nuit tombée, généralement vers 1 heure du matin. Par temps de pluie, il endossait une tenue entièrement imperméable, pantalon et vareuse compris, et avec son casque français bleu pâle, il offrait un spectacle aussi insolite qu'inoubliable. [...] Aucun commandant ne témoignait plus d'attention à ses blessés. D'un côté, les horreurs de la guerre le laissaient de marbre ; d'un autre côté, il était toujours le premier arrivé sur les lieux lorsque la tragédie frappait, et faisait tout son possible pour aider et réconforter. » Le capitaine notera également cet épisode caractéristique : « Au moment où les pièces de campagne allemandes ouvraient le feu, le [lieutenant-] colonel arriva dans notre tranchée, et proposa de jeter un coup d'œil par-dessus le parapet. Alors que nous nous tenions sur la plate-forme, nous perçûmes le souffle et le sifflement de plusieurs obus passant juste au-dessus de nos têtes, ce qui avait toujours pour effet de m'horrifier. C'est alors que j'entendis Winston demander d'une voix rêveuse et lointaine : "Aimez-vous la guerre ?" Je ne pus que faire semblant de n'avoir rien entendu. À cet instant-là, je haïssais profondément la guerre ; mais je crois qu'à cet instant même, comme à tous les autres, Winston Churchill, lui, s'en délectait[7]. »

C'est sans doute exact : voilà trente-cinq ans au moins que la guerre fascine ce quadragénaire, et avec l'âge, l'attrait des combats ne s'est nullement estompé : il prépare des raids nocturnes avec autant de soin que s'il allait livrer une nouvelle bataille de Malplaquet, il organise des reconnaissances pour évaluer les points faibles des lignes allemandes, et fait donner l'artillerie pour provoquer des réactions chez l'ennemi... Bien entendu, il n'est pas question d'envoyer les hommes seuls au feu ; le sous-lieutenant Edmund Hakewill Smith s'en souviendra avec des frissons retrospectifs : « Il se rendait fréquemment dans le *no man's land*, et

---

* Avocat dans le civil, il deviendra professeur de droit à Édimbourg après la guerre, et écrira en 1924 un petit livre de souvenirs : *With Winston Churchill at the Front.*

l'accompagner était une aventure horripilante. De sa grosse voix sonore – beaucoup trop sonore, nous semblait-il – il nous criait : "Allez par ici, je vais par là… Venez, j'ai trouvé un trou dans les barbelés allemands. Venez ici immédiatement !" On aurait dit un éléphanteau en excursion de nuit dans le *no man's land*. Il ne se plaquait jamais au sol quand un obus éclatait ; il ne se baissait jamais lorsqu'une balle passait avec fracas. Il disait souvent, après m'avoir regardé me jeter à plat ventre : "C'est foutrement inutile. Il y a longtemps que la balle t'a dépassé[8] !"." » Le lieutenant des *Royal Engineers* Francis Napier-Clevering, responsable du renforcement des tranchées, a connu une épreuve similaire : Churchill lui ayant demandé : « Combien faut-il de terre devant les tranchées pour arrêter une balle ? » Napier-Clevering lui répond : « Au moins 90 centimètres. » « Bien, dit Churchill, nous irons jeter un coup d'œil cette nuit. Tu amèneras un bâton de 90 centimètres. » Cette nuit-là, les deux hommes franchissent donc le parapet et marchent sur près d'un kilomètre le long des tranchées du bataillon, entièrement à découvert. Les choses finissent naturellement par se gâter, et Napier-Clevering racontera la suite : « Une fusée éclairante s'est élevée au moment où Churchill était à genoux, en train de jauger la profondeur de terre avec son bâton. Les mitrailleuses des Boches ont ouvert le feu à hauteur de nos ventres. Je n'arrive toujours pas à comprendre comment diable nous en avons réchappé. Je ne voulais pas mourir avant d'avoir au moins tué quelques Boches. Je lui ai soufflé : "Pour l'amour de Dieu, sir, ne bougez pas !" Mais il n'y a pas prêté la moindre attention. Cet homme-là n'avait aucune peur physique de la mort[9]. »

C'est un fait ; au milieu de cette tourmente infernale, la vie se joue chaque jour sur un coup de dés, une salve tirée trop haut ou trop bas peut effacer en un instant tous les soucis petits ou grands, et Churchill, au lieu d'être au sommet un ministre impuissant et perpétuellement désavoué, est sur le terrain un chef respecté, dont les décisions peuvent changer, sinon le cours de la guerre, du moins le destin de 800 hommes. Ici, dans le confort très relatif des tranchées inondées et des fermes dévastées, il tient en respect pour quelques heures par jour ses deux plus redoutables ennemis : l'inaction et l'impuissance. Ainsi peuvent s'expliquer la joie insolite, l'enthousiasme contagieux et le souverain mépris du danger qui semblent animer le lieutenant-colonel Churchill au milieu des pires cataclysmes...

On hésite à le dire, mais enfin c'est un fait : notre militaire excentrique a emporté en première ligne son chevalet et ses boîtes de peinture ! Lors des accalmies – et parfois *entre* les accalmies –, il peint tranquillement le paysage, à commencer par les ruines de Ploegsteert et les environs dévastés de *Laurence Farm**. Le sous-lieutenant Hakewill Smith le décrira à l'œuvre : « Winston s'est mis à peindre la deuxième ou la troisième fois qu'il est venu à la ferme. Chaque fois que nous montions en ligne, il s'absorbait quelque temps dans sa peinture. Petit à petit, la cour de la ferme a été entièrement ponctuée de cratères d'obus. À mesure qu'il approchait de l'achèvement de son tableau, Winston devenait morose, colérique et de plus en plus intraitable. Après cinq ou six jours de mauvaise humeur, nous l'avons soudain trouvé enjoué et ravi, exactement comme un petit écolier. Je lui en ai demandé la raison, et il m'a dit : "J'étais préoccupé parce que je n'arrivais pas à représenter correctement le trou d'obus sur ma toile. Quoi que je fasse, il ressemblait toujours à une montagne. Mais hier, j'ai découvert que si j'y mettais un peu de blanc, il se mettait enfin à ressembler à un trou[10]." »

Pourtant, quelles que soient les apparences, Churchill se préoccupe toujours de la situation stratégique d'ensemble ; connaissant assez exactement l'étendue de ses compétences – et de l'incompétence des autorités –, il peste sans cesse contre la façon dont on gaspille les ressources de son esprit d'organisation et de son inventivité. Chaque jour, sur le front comme à l'arrière, il est témoin de faiblesses auxquelles il aurait pu remédier, de désastres qu'il aurait pu prévenir, d'occasions perdues qu'il aurait su exploiter, pour peu que l'on ait consenti à l'écouter et à lui laisser une parcelle de pouvoir : les chemins de fer qui acheminent les vivres et les munitions vers le front sont en nombre dérisoire, le système téléphonique est primitif, les avions allemands sont maîtres du ciel – chose impensable du temps où le premier lord Churchill était en charge de l'aviation britannique –, les officiers supérieurs ignorent à peu près tout des conditions qui règnent dans les tranchées, et même en dehors des

---

* L'une de ces toiles, « *Plugstreet under shell fire, early 1916* », peut encore être admirée à Chartwell. Celles de *Laurence Farm* ont été données à son petit-fils et à son ami Archibald Sinclair.

grandes offensives, on perd chaque jour des centaines d'hommes, parce que leur protection est inadéquate et la stratégie de leurs chefs tour à tour téméraire et pusillanime. « La guerre, écrit-il à son épouse, c'est de l'action, de l'énergie et du risque. Tous ces moutons veulent se contenter de brouter parmi les pâquerettes[11]. »

C'est évidemment Asquith que Churchill rend directement responsable de tout ce gâchis ; la façon dont il a obligé le maréchal French à démissionner, l'amateurisme et l'irrésolution qui caractérisent sa politique de guerre, ses valses-hésitations au sujet de la conscription, ses interminables intrigues politiques pour se maintenir au pouvoir, tout cela révolte notre lieutenant-colonel, qui a également quelques raisons personnelles d'en vouloir à celui qui l'a honteusement abandonné lors de l'affaire des Dardanelles, et a poussé la lâcheté jusqu'à lui faire refuser le commandement d'une brigade, de peur de déplaire aux conservateurs. « L'un dans l'autre, écrit-il à Clementine, je suis enclin à penser que sa conduite atteint les limites de la mesquinerie et de la petitesse*[12]. » Il n'est pas le seul ; à Londres, le vent a tourné, le gouvernement titube de crise en crise, et bien des personnalités en vue, chez les libéraux comme chez les conservateurs, estiment le temps venu de se débarrasser d'Asquith. Trois des principaux « comploteurs » viendront même rendre visite à Churchill près de Saint-Omer : son jeune ami F. E. Smith, son ancien complice Lloyd George, et même son vieil ennemi Bonar Law ! Ils se déclareront tous d'accord sur la formation d'un gouvernement de rechange, incluant naturellement leurs personnes, et Churchill sortira très encouragé de ces entretiens. Bien entendu, tout cela n'aboutira à rien ; mais entre deux patrouilles et trois bombardements, Churchill finit décidément par se convaincre que c'est à Londres qu'il faut se trouver pour espérer influencer la politique de guerre du gouvernement...

Le *War Office* avait déjà donné à l'officier et député Winston Churchill une permission pour assister à des séances secrètes de la

---

* Comme toujours, Churchill est peu sensible aux nuances... Après tout, Asquith lui a procuré une sinécure après son départ de l'Amirauté, et Clementine est fréquemment invitée par la famille Asquith durant l'absence du député-guerrier. En fait, Asquith conserve pour Churchill une sympathie paternaliste et une grande admiration, naturellement teintées d'une bonne dose d'exaspération. Sa fille Violet, elle, reste une « Winstonienne » inconditionnelle...

Chambre. Au début du mois de mars, il lui en accorde une autre, que notre homme va mettre à profit pour hisser les couleurs ; le 7 mars, il prononce aux Communes, après la présentation du budget de la Marine par Balfour, un discours qui fera sensation, car il met durement en cause l'immobilisme de l'Amirauté depuis l'arrivée de son successeur : les zeppelins comme les sous-marins ennemis n'ont pas été contrés, il y a eu d'injustifiables retards dans la construction navale, l'esprit d'offensive semble avoir disparu sur mer comme dans les airs, et les Allemands ne manqueront pas de prendre l'ascendant si une telle passivité se prolonge. La plus grande partie de l'auditoire est manifestement conquise... Hélas ! Tout comme le supplice du pal, ce discours commence bien, mais finit mal ; car Churchill, pour remédier aux faiblesses de la politique navale, a une proposition à faire, qui va consterner ses amis, réjouir ses adversaires et stupéfier l'ensemble de l'assistance : « J'exhorte le premier lord de l'Amirauté à se reprendre sans tarder, et à redonner force et vitalité au Conseil de l'Amirauté en rappelant lord Fisher au poste de premier lord naval [13]. »

On a bien entendu : Churchill recommande le retour de ce même Fisher dont les foucades, les aberrations, les excès de langage et l'abandon de poste ont provoqué son propre départ de l'Amirauté dix mois plus tôt ! A-t-il voulu montrer à quel point il était magnanime ? A-t-il été influencé par ses partisans J. L. Garvin et C. P. Scott, respectivement rédacteurs en chef de l'*Observer* et du *Manchester Guardian*, et tous deux grands amis de Fisher ? N'a-t-il rien trouvé de mieux pour donner un souffle nouveau à l'effort de guerre qu'un retraité irascible, vindicatif, mégalomane et manifestement gâteux ? Voilà qui semble indiquer en tout cas que les faiblesses de Winston Churchill sont à la mesure de ses vastes talents. Il n'aura pas besoin d'attendre la cinglante repartie de Balfour le lendemain pour comprendre son échec : le désarroi de ses amis, le triomphe de ses ennemis, les sarcasmes de la presse, tout lui montre à quel point il s'est fourvoyé. Mais l'homme est pugnace, et il annonce à qui veut l'entendre qu'il va désormais rester à Londres pour mener le combat parlementaire aux côtés de ses amis politiques ; il écrit même à Kitchener pour lui notifier sa démission de l'armée...

Pourtant, des voix s'élèvent pour le dissuader d'abattre ses cartes avec si peu d'atouts : son épouse Clementine, sa confidente Violet

Asquith (devenue Mrs Bonham Carter) et son ami F. E. Smith lui conseillent de rentrer en France, au moins le temps que l'effet de son discours s'estompe dans les mémoires. Assez curieusement, celui qui parviendra finalement à lui faire entendre raison n'est autre que le Premier ministre Herbert Asquith... On se souvient qu'il était descendu très bas dans l'estime de Winston, mais celui-ci n'a jamais été rancunier, et il ne résiste pas à quelques conseils paternels – qu'Asquith sait d'ailleurs admirablement prodiguer. Il lui rappelle que lord Randolph s'est suicidé politiquement « par une seule action impulsive », et il ajoute : « Si je le puis, je voudrais vous préserver d'une initiative semblable. Croyez que rien d'autre que l'affection ne m'y pousse. » À un moment de l'entretien, Churchill fait état de ses « nombreux partisans, dont il doit prendre la tête », mais Asquith, bien plus réaliste, lui répond : « Pour l'heure, vous n'en avez pas un seul qui compte ! » Et il ajoute : « C'est parce que vous m'êtes cher que je veux vous sauver[14]. » Churchill repartira les larmes aux yeux, et il changera plusieurs fois d'avis sur la conduite à suivre. Max Aitken, C. P. Scott, J. L. Garvin et naturellement lord Fisher le pressent de rester pour mener le combat au Parlement dès la semaine suivante, mais leur influence ne peut compenser celle de Clementine, F. E. Smith et Herbert Asquith, pour une fois réunis. Le 13 mars, Churchill, ayant retiré sa démission, repart pour le front.

Il n'y restera pas longtemps ; quelle que soit sa satisfaction de se trouver à nouveau face au danger avec ses hommes, loin des intrigues et des chausse-trapes de Londres, notre lieutenant-colonel ne parvient plus à oublier la politique. Il est vrai qu'à cette époque, la haute stratégie et la basse politique sont intimement liées ; et puis, à quoi bon livrer bataille, si les conditions du combat semblent garantir d'avance l'échec de toute opération offensive ? En dehors des artilleurs, personne ne peut rien entreprendre contre les Allemands ; le bataillon n'est là que pour recevoir des pluies d'obus, sans autre perspective d'action qu'une ruée insensée vers les barbelés et les mitrailleuses ennemies*. Churchill doit se

---

* Toutefois, Churchill a comme toujours une chance insolente : pendant ses six mois de service en France, il n'y a aucune véritable offensive britannique ou allemande dans son secteur. Il est vrai qu'à cette époque, l'attention des stratèges se concentre plus à l'est : du côté de Verdun.

rendre à l'évidence : dans ce genre de guerre, il n'est pas plus utile qu'un quelconque sujet de Sa Majesté, tandis qu'au Parlement ou au gouvernement, son éloquence, ses capacités d'organisation et – son manque de modestie l'oblige à le reconnaître – ses instincts stratégiques hérités de l'illustre Marlborough pourraient exercer une influence décisive sur l'issue de la guerre. D'ailleurs, il faut bien avouer que sur le théâtre des opérations, ce point de vue est assez largement partagé, tant par les hommes et les sous-officiers que par les gradés, qui l'encouragent fortement à rentrer à Londres pour parler en leur nom et exprimer leur mécontentement. C'est ainsi que le général W. T. Furse, commandant la division dont dépend son bataillon, lui écrit sans détour : « Il me semble que vous êtes particulièrement qualifiés, Lloyd George et vous, pour entreprendre de provoquer sans retard la chute d'un gouvernement incapable[15]. » Même le nouveau commandant en chef Douglas Haig, qui pourtant ne l'aime guère, lui a déclaré qu'il était tout disposé à lui confier une brigade, mais qu'« il se rendrait plus utile en rentrant à Londres et en faisant adopter aux Communes une loi sur la conscription obligatoire[16] ».

Difficile de résister à de tels arguments, surtout lorsqu'on est déjà aux trois quarts convaincu ; d'ailleurs, même Clementine, qui l'avait persuadé de quitter l'Angleterre de peur que le ridicule ne le tue politiquement, craint maintenant chaque jour qu'un obus ne le tue pour de bon – de sorte qu'elle ne sait plus très bien quel conseil lui donner. Pour finir, ce sont les hasards de la guerre qui se chargeront de résoudre le dilemme du lieutenant-colonel Churchill : son bataillon ayant, comme beaucoup d'autres, subi de lourdes pertes, il va être amalgamé au 7ᵉ *Royal Scots Fusiliers*, et donc recevoir un nouveau commandant. Comme le dira très justement Winston : « Ce n'est pas moi qui quitte mon bataillon ; c'est mon bataillon qui me quitte[17]. » Le 6 mai, en tout cas, après avoir envoyé sa démission à Kitchener*, il offre à ses officiers un déjeuner d'adieu dans un restaurant d'Armentières, et le capitaine Gibb semble bien exprimer l'avis général lorsqu'il écrit : « Je crois que tous les hommes présents dans la salle considéraient le départ de Winston Churchill comme une véritable perte personnelle[18]. » De

---

* Qui l'accepte, à condition que Churchill s'engage à ne plus reprendre de service actif pendant toute la durée de la guerre.

Bangalore à Pretoria, bien des officiers avaient déjà eu le même sentiment en voyant partir Winston Spencer-Churchill ; c'est un fait : l'homme est attachant, et il est aussi doué pour se battre que pour se faire des amis...

Mais, à Londres, au début de mai 1916, bien des politiciens se passeraient aisément de sa présence, et d'autant plus volontiers qu'ils sont plus proches du pouvoir... C'est que notre député vétéran reste un redoutable empêcheur de tourner en rond, et la Chambre des communes va bientôt résonner de ses anathèmes comme de ses exhortations : il faut rapatrier les ouvriers des usines d'armement, des mines et des chantiers navals qui s'étaient portés volontaires pour partir au front ; en Angleterre, ils sont indispensables à l'effort de guerre, tandis qu'en France, ils ne sont qu'une simple chair à canon. Il propose également de revenir aux offensives sur les arrières de l'ennemi, dans les Balkans, au Moyen-Orient, et bien sûr... dans la Baltique. Sur les fronts de France et de Belgique, il y aurait également bien des modifications urgentes à apporter : amélioration substantielle de l'éclairage des tranchées, construction d'un réseau ferroviaire léger pour approvisionner rapidement les premières lignes, distribution en urgence de casques d'acier à tous les soldats, réforme profonde du scandaleux système selon lequel certaines troupes sont toujours au front, tandis que d'autres n'en approchent jamais – à commencer par tous ces officiers supérieurs qui vivent dans des châteaux, où ils passent leur temps à s'épingler mutuellement des médailles : « Les honneurs, lance Churchill, devraient aller là où se trouvent la mort et le danger[19]. » Quant à la suprématie aérienne dont jouissait l'Angleterre au début du conflit, elle a certes été perdue par négligence, mais « rien ne vous empêche de la recouvrer. Rien ne fait obstacle à ce que nous retrouvions notre supériorité dans les airs, sinon vous-mêmes. » Son éloquence atteint des sommets lorsqu'il supplie les membres du gouvernement de s'affranchir de l'influence des experts militaires, en renonçant aux attaques suicidaires sur le front occidental – d'autant qu'il sait parfaitement que Haig s'apprête à en déclencher une autre sur la Somme... Des offensives sur terre, déclare-t-il sans relâche, ne devraient plus être entreprises avant que l'on ne dispose de la supériorité matérielle, de la prépondérance numérique et de certaines armes nouvelles.

L'honorable et vaillant* député de Dundee est généralement écouté en silence, parfois conspué par ses adversaires, et souvent raillé par des ministres qui se défendent pied à pied. Pratiquement toutes ses propositions sur la conduite de la guerre restent lettre morte, depuis le renforcement de l'aviation jusqu'à la rotation des contingents ; quant à ses mises en garde contre les offensives prématurées, elles sont si complètement négligées que le 1er juillet 1916, au tout premier jour de la grande offensive sur la Somme, les fantassins britanniques auront 20 000 tués et 60 000 blessés... Contemplant tout cela et condamné à l'impuissance, Churchill ressent une douleur presque physique. « Il était au supplice, écrira son ami Max Aitken, lorsqu'il avait l'impression que des hommes de moindre envergure géraient mal les affaires[20]. » Le 15 juillet, il écrit à son frère Jack : « Bien que ma vie soit pleine de confort et de prospérité**, chaque heure qui passe me trouve convulsé de douleur à l'idée de ne pouvoir rien faire d'efficace contre le Boche. » Dix jours plus tôt, dans une lettre à Archibald Sinclair, il avouait avec tristesse et sans excès de modestie : « Je ne veux pas de ministère, mais seulement la direction de la guerre... Je me sens profondément perturbé, car je ne peux faire usage de mes talents ; quant à la réalité de ces derniers, je n'ai pas le moindre doute[21]. »

D'autres en ont pour lui : parmi les conservateurs, Bonar Law, Balfour, lord Derby et lord Curzon l'attaquent sans merci, et les chefs libéraux comme Asquith et Lloyd George s'abstiennent soigneusement de le soutenir. Fréquemment interrompu lors de ses interventions au Parlement et dans le pays par des cris de « Et les Dardanelles ? », Churchill a fini par comprendre qu'il ne pourrait véritablement se faire entendre que si tous les dessous de cette affaire étaient rendus publics. Le 1er juin, à la demande de plusieurs députés, Asquith accepte de publier les documents concernant cette malheureuse expédition ; en refusant, il aurait donné

---

* « *The Honourable and Gallant* » : « *Gallant* » (vaillant) ne peut être utilisé que pour des deputes ayant servi leur pays à la guerre.
** La prospérité en question peut s'expliquer par le fait qu'il s'est mis à écrire des articles pour le *Sunday Pictorial*, qui lui rapportent 1 000 £ (environ 40 000 £ d'aujourd'hui) pour le seul mois de juillet... C'est aussi un excellent moyen de faire connaître ses vues dans le pays, à un moment où il est si peu écouté au Parlement.

l'impression qu'il avait quelque chose à cacher – ce qui est bien évidemment le cas : l'échec des Dardanelles n'est-il pas attribuable pour une bonne part à sa totale incompétence militaire et à sa façon de présider le gouvernement comme un club de discussion philosophique ? C'est sans doute pourquoi, moins d'un mois plus tard, Asquith se ravise et fait annoncer aux députés que les documents ne pourront être rendus publics, car ce serait « contraire à l'intérêt national ». Après tout, son gouvernement vient de survivre à trois crises majeures : celle de l'Irlande*, celle de la conscription (finalement adoptée deux mois plus tôt) et celle, plus récente encore, de la bataille navale du Jutland, qui a été un revers tactique, une victoire stratégique... et un désastre politique, en raison de l'incompétence du premier lord Balfour**. Asquith estime à juste titre que son gouvernement ne survivrait pas à la quatrième crise politique, qui déclencherait inévitablement des révélations sur l'incompétence des dirigeants lors de l'affaire des Dardanelles. Mais au Parlement, l'effet produit est désastreux ; sir Edward Carson dénonce violemment cette volte-face, et il est largement suivi. Pour finir, c'est Lloyd George qui trouve un compromis : on nommera une commission d'enquête parlementaire.

Churchill aurait certes préféré que tous les documents soient rendus publics, mais la commission d'enquête, composée de huit personnalités éminentes et présidée par lord Cromer, lui semble être un substitut acceptable : on peut compter sur son impartialité, et Winston sera lui-même invité à déposer. Mais entre-temps, un coup de théâtre s'est produit : alors qu'il se rendait en Russie, lord Kitchener a péri en mer, son navire ayant heurté une mine et sombré corps et biens. Ainsi disparaît l'un des principaux responsables de la défaite de Gallipoli... Pour l'heure, c'est Lloyd George qui lui succède au *War Office*, ce qui est plutôt une bonne nouvelle pour les armes britanniques – même si le nouveau ministre de la Guerre va laisser la bride sur le cou aux stratèges de la guerre d'usure. Pour Churchill, il y a tout de même une lueur d'espoir : peut-être va-t-on lui confier le ministère de l'Armement, que Lloyd George vient de

---

* Avec l'insurrection de Pâques des nationalistes, le 23 avril 1916.
** Balfour avait publié sans commentaire le chiffre des pertes comparées des navires britanniques et allemands – ce qui donnait l'impression d'une cuisante défaite pour la *Royal Navy*.

quitter ? Encore une déception : le portefeuille est confié à Edwin
Montagu et Winston est renvoyé à sa solitude, dont il se console en
peignant des paysages, en préparant ses dépositions devant la
commission d'enquête, et en prononçant quelques discours qui ne
sont guère entendus.

Pourtant, la solitude de Churchill sera toujours très relative ;
il compte dans tous les partis, même chez les conservateurs, un
petit nombre d'amis fidèles et énergiques, comme Max Aitken,
F. E. Smith et même sir Edward Carson – toutes affaires irlandaises
oubliées. Mais il y a autre chose : Churchill s'étant forgé au front
comme au Parlement une solide réputation d'homme de guerre, de
plus en plus d'officiers, de soldats, de marins, de fonctionnaires,
d'ingénieurs et de techniciens des usines d'armement lui exposent
confidentiellement les faiblesses, les insuffisances et les scandales de
l'effort de guerre britannique ; plus extraordinaire encore : certains
ministres en font autant ! C'est ainsi qu'il apprend au début de
septembre que Haig, cherchant désespérément un moyen de
reprendre l'initiative au milieu du carnage de la Somme, s'apprête à
engager contre l'ennemi les quelques tanks disponibles *. Pour
Churchill, ce serait une catastrophe : depuis près d'un an, il ne cesse
de dire et d'écrire que les tanks – « ses » tanks – ne doivent être
utilisés qu'en masses compactes, afin de profiter au maximum de
l'effet de surprise et de réaliser une percée qui soit exploitable par
l'infanterie. Les engager en petit nombre serait inefficace, et ne
ferait qu'alerter l'ennemi aux potentialités de ce nouvel engin – dans
lequel Churchill persiste à voir l'arme de la victoire. Il se précipite
donc chez Asquith, lui explique toute l'affaire et l'implore d'intervenir. Le Premier ministre l'écoute attentivement… et ne comprend
rien ; comme toujours, ces questions militaires le dépassent, et il a
bien d'autres préoccupations. À la mi-septembre, quinze tanks
interviendront donc en ordre dispersé dans la bataille de la Somme,
avec des résultats si maigres que les Allemands n'y prêteront même
pas attention.

Mais les jours du gouvernement Asquith sont comptés. Ayant
survécu aux crises politiques comme aux défaites militaires, ce gou-

* Au printemps de 1916, le *War Office* a fini par s'intéresser à nouveau aux
projets de tanks du colonel Swinton, ce qui a donné une nouvelle impulsion à la
production des premiers modèles de l'armée.

vernement reste vulnérable à une implosion, et c'est ce qui se produit au début de décembre 1916. Lassés de l'incapacité d'Asquith à diriger efficacement les séances du Cabinet de guerre, Lloyd George et Bonar Law demandent la création d'un nouvel organisme de direction de la guerre, qui siégerait en permanence, prendrait réellement des décisions, et ne serait plus présidé par Asquith. Ce dernier, très jaloux de ses prérogatives, ayant refusé, Lloyd George, Bonar Law et lord Curzon démissionnent le 5 décembre, entraînant la chute du gouvernement. Le roi demande à Bonar Law de former un nouveau Cabinet, mais le chef des conservateurs décline cet honneur, qui revient donc à Lloyd George.

Churchill est maintenant persuadé que Lloyd George va lui offrir un ministère ; il pense même qu'on lui donnera le choix entre plusieurs postes, et tout bien réfléchi, il compte retourner à l'Amirauté. Mais une fois de plus, notre héros pèche par excès d'optimisme. C'est qu'en renversant Asquith, Lloyd George s'est privé du soutien de ses partisans, créant ainsi une scission de fait dans le parti libéral ; la faction qui le soutient en est affaiblie d'autant, et le nouveau gouvernement de coalition dépend essentiellement pour sa survie du bon vouloir des conservateurs, qui y occupent les postes clés : Bonar Law à l'Échiquier, Balfour aux Affaires étrangères, Robert Cecil au Blocus, Austen Chamberlain aux Indes, lord Derby à la Guerre et sir Edward Carson à l'Amirauté. Or, implicitement ou explicitement, tous ces hommes ont fait savoir au Premier ministre qu'ils n'admettraient pas le retour de Churchill au gouvernement[22]. *Volens nolens*, Lloyd George doit donc faire savoir à Churchill qu'il n'y a pas de place pour lui dans son Cabinet.

Churchill en est naturellement outré ; mais Lloyd George lui rend malgré tout un fier service, en décidant de faire publier le rapport de la commission des Dardanelles dès son achèvement, en février 1917. Asquith s'y était opposé avec véhémence, et au vu du rapport, on comprend bien pourquoi : les membres de la commission, pourtant choisis par Asquith lui-même, condamnent avec la dernière sévérité sa politique durant toute la période examinée, notant par exemple qu'entre le 10 mars et le 14 mai 1915, période cruciale pour l'opération terrestre à Gallipoli, il n'y a pas eu *une seule* réunion du Conseil de guerre. L'autre grand accusé, comme on pouvait s'y attendre, n'est autre que lord Kitchener, dont l'attitude dilatoire et les revirements ubuesques avant et pendant les opérations sont impitoyablement mis en relief... Quant à Churchill, qui était loin de bénéficier au départ d'un préjugé favorable parmi les membres de la commission, il est en grande partie exonéré : le rapport reconnaît que son plan d'attaque navale bénéficiait du soutien de tous ses collègues et que, contrairement aux accusations largement diffusées depuis, il n'avait forcé la main de personne pour le faire adopter et le mettre en œuvre. Tout au plus lui est-il vaguement reproché au paragraphe 92 d'avoir incité lord Fisher à « donner à l'entreprise [des Dardanelles] un consentement tacite mais manifestement réticent* ». Le Conseil de guerre, lui, est reconnu fautif de n'avoir pas pressé Kitchener de fournir les troupes nécessaires dans des délais raisonnables. Tout cela provoque la plus grande stupéfaction dans l'opinion et une certaine confusion dans la presse conservatrice : voici que vingt et un mois d'attaques au vitriol contre Churchill dans l'affaire des Dardanelles apparaissent comme autant de calomnies dépourvues de fondement ! Pour lord Northcliffe comme pour les autres magnats de la presse conservatrice, il va s'agir de modérer les attaques contre l'ancien premier lord, au moins jusqu'à ce que le rapport de la commission des Dardanelles soit tombé dans l'oubli...

Mais décidément, le temps, les aléas de la politique et le cours de la guerre travaillent désormais pour Churchill. C'est que Lloyd George, qui conduit à présent un Cabinet de guerre efficace, a par contre bien du mal à diriger un gouvernement de coalition si complètement dominé par les conservateurs de Bonar Law ; comme eux, il doit s'en remettre aveuglément aux militaires de l'état-major, qui continuent d'imposer leur stratégie de guerre d'usure, ponctuée de carnages périodiques habilement dissimulés sous le nom d'offensives. Mais l'échec de ces initiatives et le mécontentement qu'elles suscitent s'inscrivent inexorablement au passif de son gouvernement, et il suffirait d'une coalition déterminée des libéraux d'Asquith, des travaillistes et des nationalistes irlandais pour mettre son gouvernement en péril à la Chambre des communes.

---

* Voilà qui ne signifie pas grand-chose, sinon que la commission essaie en tâtonnant de mettre le doigt sur une réalité incontestable : sans forcer la main de quiconque, Churchill est capable de submerger ses interlocuteurs sous les arguments jusqu'à des heures indues, de sorte qu'ils finissent par donner leur consentement par pur épuisement. On verra ce processus se renouveler d'innombrables fois pendant les quarante années qui suivent...

C'est justement aux Communes qu'officie à présent Winston Churchill, franc-tireur armé seulement de son éloquence – et d'une quantité d'informations que le gouvernement préférerait de beaucoup cacher à l'opinion. La révolution de février 1917 à Petrograd a enrayé la fragile mécanique du « rouleau compresseur russe » ; sur mer, la guerre sous-marine à outrance menée par les Allemands risque d'étrangler les îles Britanniques ; dans les Balkans, la Roumanie s'est effondrée, et le roi de Grèce intrigue avec l'Allemagne ; les Turcs ont pris l'avantage en Mésopotamie et menacent à présent le canal de Suez ; les Américains sont certes entrés dans la guerre en avril, mais il faudra au moins un an avant que leurs troupes ne puissent apporter une contribution significative aux opérations contre l'Allemagne ; et dans l'intervalle, l'état-major et le général Haig, fortement encouragés par le nouveau commandant en chef français Nivelle, s'apprêtent à lancer de nouvelles offensives désespérées pour remporter la guerre par leurs propres moyens. Or, cette fois encore, Churchill les adjure d'y renoncer, et le député de Dundee, libéré du boulet des Dardanelles, rendu de jour en jour plus crédible par l'allongement démesuré de la liste des pertes sur le front occidental, est désormais écouté au Parlement avec une attention croissante. Le 10 mai, son discours à la Chambre réunie en session secrète produira un effet considérable ; ayant invité le gouvernement à concentrer tout son effort sur la guerre contre les sous-marins, tant pour sauvegarder l'approvisionnement de l'Angleterre que pour permettre le renfort des Américains, il en vient à la guerre sur terre : « N'est-il pas évident […] que nous devrions éviter de dilapider ce qui reste des armées de France et de Grande-Bretagne dans des offensives précipitées, avant que la puissance américaine ne commence à peser sur les champs de bataille ? Nous n'avons pas la supériorité numérique nécessaire pour réussir de telles offensives ; notre artillerie n'a aucune prépondérance notable sur celle de l'ennemi ; nous n'avons pas la quantité de tanks qui nous est nécessaire ; nous n'avons pas conquis la supériorité aérienne ; nous n'avons découvert ni les méthodes mécaniques, ni les méthodes tactiques qui permettent de percer une succession infinie de lignes fortifiées défendues par les troupes allemandes. Allons-nous, dans de telles conditions, lancer ce qui reste de nos effectifs dans des entreprises désespérées sur le front occidental, avant que d'importantes forces américaines ne soient rassemblées en France ? Que la Chambre supplie le Premier ministre d'user de l'autorité qu'il détient, et de toute son influence personnelle, pour empêcher les hauts commandements français et britannique de s'entraîner mutuellement dans de nouvelles aventures aussi sanglantes que désastreuses. Triomphez des attaques sous-marines ; faites venir les Américains par millions et, dans l'intervalle, maintenez une défense active sur le front occidental, afin d'épargner des vies françaises et britanniques, et d'entraîner, d'accroître et de perfectionner nos armées et nos méthodes, en vue de lancer une autre année l'effort décisif[23]. »

Cette intervention semble bien avoir décidé Lloyd George ; ayant donné le feu vert aux militaires pour une nouvelle grande offensive en France, il ne peut manquer de prévoir l'effet de discours aussi éloquents en cas d'échec – malheureusement prévisible – des nouvelles attaques sur le front occidental. Dans de pareilles circonstances, il serait manifestement très malsain politiquement de compter un homme de cette trempe parmi ses adversaires. Déjà en avril, pour acheter son silence sans trop s'engager, Lloyd George avait fait dire à Churchill qu'il « essaierait de lui faire ravoir son poste de chancelier du duché de Lancaster », mais Churchill avait ri au nez de l'émissaire ; il ne demandait pas de sinécure grassement payée : un strapontin lui suffirait, pourvu que ce soit pour faire la guerre. Lloyd George sera beaucoup plus inspiré en prenant l'habitude de consulter discrètement son ancien acolyte sur toutes les questions militaires ; c'est que Churchill est beaucoup plus facile à manier lorsqu'il a le sentiment d'être écouté en haut lieu. Autre initiative heureuse : on l'enverra en mission d'inspection outre-Manche à la fin du mois de mai, avec une lettre d'introduction de Lloyd George pour le ministre français de la Guerre. Winston sera fort bien accueilli, visitera l'ensemble du front, et en profitera pour chapitrer les responsables français et les officiers du corps expéditionnaire britannique sur la nécessité absolue de renoncer à toute offensive d'envergure en 1917. Il rentrera à Londres très encouragé au début de juin, sans se douter que Français et Britanniques se sont déjà mis d'accord pour lancer leur grande offensive deux mois plus tard…

Pour Lloyd George, qui redoute autant les tempêtes parlementaires que les désastres stratégiques, il n'est plus possible de laisser Churchill évoluer en électron libre à la Chambre et dans le pays. S'il

faut pour le neutraliser lui donner un portefeuille, eh bien soit !
D'ailleurs, les idées qu'il avançait huit mois plus tôt sur les tanks,
l'approvisionnement des troupes et le développement de l'aviation
paraissent avec le recul du temps de moins en moins incongrues, et
la présence dans le Cabinet de guerre britannique du Sud-Africain
Jan Smuts, grand vainqueur des Allemands en Afrique australe,
démontre *a posteriori* la sagesse de la politique de réconciliation
prônée par Churchill après la guerre des Boers... Lloyd George s'est
surpris plus d'une fois depuis décembre 1916 à souhaiter que des
hommes possédant l'énergie et l'inspiration d'un Churchill participent à l'effort de guerre ; c'est qu'au niveau de la stratégie comme à
celui de la production d'armement, l'imagination et le dynamisme
restent cruellement déficitaires dans les ministères de Sa Majesté. Un
signe ne trompe pas : en avril, Churchill a rencontré Christopher
Addison, le nouveau ministre de l'Armement ; aussitôt après cette
entrevue, Addison a proposé à Lloyd George que Churchill soit
nommé président d'un comité ministériel qui superviserait le développement du tank et autres armes secrètes. La proposition n'ayant
pas été retenue, Addison fait savoir à Lloyd George qu'il serait prêt à
abandonner son propre ministère en faveur de Churchill ! Un
ministre disposé à céder sa place est tout de même chose peu cou-
rante, et Lloyd George ne laissera pas passer l'occasion : le 16 juillet,
il propose à Churchill d'entrer au gouvernement. Ministre de
l'Armement, il ne pourra certes pas siéger au Cabinet de guerre, et
notre homme disait encore quelques mois plus tôt qu'il refuserait
toute fonction qui ne lui permettrait pas d'influencer la politique de
guerre du pays ; mais il faut bien s'abaisser pour conquérir, et tout ce
qui permet de sortir de l'inaction pour se rapprocher du champ de
bataille est bon à prendre : Churchill accepte l'Armement.

Pour Lloyd George, le plus dur reste à faire ; huit mois plus tôt,
la plupart des ministres conservateurs n'avaient accepté de participer à son gouvernement que si Churchill en était exclu. L'annonce
de son retour aux affaires amène donc une avalanche de protestations indignées de la part de lord Curzon, lord Derby, Robert Cecil,
Austen Chamberlain et une quarantaine de députés ; on parle de
démissions massives, de crise de gouvernement, de vote de censure.
Mais Lloyd George est un fin renard : cette tempête qu'il prévoyait
depuis longtemps, il a pris ses dispositions pour la prévenir, en
faisant savoir qu'il démissionnerait lui-même si on lui refusait le

droit de nommer toutes personnalités dont la collaboration lui paraissait indispensable... Le contre-feu fait mouche, car une démission de Lloyd George conférerait à Bonar Law des responsabilités qu'il ne se sent absolument pas de taille à assumer en temps de guerre ; il calme donc ses troupes, la grave crise politique qui menaçait se dégonfle d'un seul coup, et il n'en restera que quelques éditoriaux vengeurs dans le *Times* et le *Morning Post.* Le 18 juillet 1917, la nouvelle est officielle : après vingt mois de traversée du désert, Winston Churchill réintègre le gouvernement et devient ministre de l'Armement. Sa tante Cornelia, sœur de Randolph, lui écrit dans une lettre de félicitations : « Je te conseille de t'en tenir à l'Armement, et de ne pas essayer de diriger le gouvernement[24]. » Connaissant bien son remuant neveu, elle pouvait difficilement s'attendre à ce que ce conseil fût suivi...

Le ministère de l'Armement, créé deux ans plus tôt à l'initiative de Lloyd George, était devenu à peu près impossible à gérer : 12 000 fonctionnaires, 50 départements mal coordonnés et jaloux de leur autonomie, mais s'adressant tous directement au ministre pour en obtenir des décisions, grandes ou petites. Moins d'un mois après son entrée en fonctions, Churchill a déjà tout réorganisé : il n'y aura plus que 10 grands départements (Finances, Explosifs, Projectiles, Canons, Moteurs, Acier et fer, Main-d'œuvre, etc.) ; à la tête de chacun, un administrateur directement responsable devant le ministre pour les affaires de son département, mais qui sera également membre d'un conseil de gestion du ministère, manifestement calqué sur le Conseil des ministres. Pour assurer l'encadrement, il y aura des hommes d'affaires réputés, mais aussi des fonctionnaires efficaces, comme Masterton-Smith ou Graham Greene, car Churchill, ayant pu apprécier leurs services à l'Amirauté deux ans plus tôt et préférant travailler avec des gens qu'il connaît, les a fait immédiatement affecter à son ministère. Pour les mêmes raisons, il a naturellement récupéré son secrétaire Eddie Marsh et fait nommer au conseil de gestion le général Furse, qui commandait l'année précédente la 9e division, dont dépendait son bataillon en Flandres ! La décentralisation éclair du ministère porte rapidement ses fruits ; les décisions sont désormais prises en amont et les dossiers cessent de s'accumuler sur le bureau du ministre, qui peut dès lors se consacrer à sa véritable tâche : donner les grandes orientations, superviser, inspirer, aiguillonner, planifier, évaluer, analyser, arbitrer, et bien sûr s'occuper des affaires des généraux, des amiraux et des autres ministres – sans oublier naturellement celles du premier d'entre eux...

Il y a déjà beaucoup à faire au ministère de l'Armement, même après sa réorganisation. C'est qu'à l'été de 1917, l'approvisionnement en armes et munitions des forces britanniques est des plus précaires : on manque de capacité de transport, d'acier, de main-d'œuvre qualifiée et de dollars ; le *War Office*, l'Amirauté et le tout nouveau ministère de l'Air sont en compétition permanente pour se voir allouer la plus grande part possible des armes et des matériels, et l'Amirauté, ayant priorité à cet égard, en abuse au détriment des autres ministères ; les ouvriers des usines d'armement, très jaloux de leurs prérogatives et solidement encadrés par les syndicats, ont une déplorable tendance à se mettre en grève au moment précis où leur production est le plus nécessaire ; les membres du Cabinet de guerre ont promis aux alliés français et italiens d'énormes livraisons de vivres, d'armes et de munitions, engageant ainsi le ministère de l'Armement, qui n'a même pas été consulté... Enfin et surtout, il y a l'allié américain, dont les 48 divisions devront être équipées et armées dès leur arrivée en Europe, et c'est encore au ministère de l'Armement britannique de trouver les ressources nécessaires.

S'étant vu reconnaître à nouveau un rôle officiel pour participer à la défaite de l'ennemi, Winston Churchill entend le jouer à fond – et personne ne l'a jamais accusé de manquer d'énergie ou d'imagination ; depuis son confortable ministère installé dans l'hôtel Metropole, à quelques minutes de l'Amirauté, fusent donc quinze heures par jour instructions, propositions, mémorandums et directives : en raison des privations et de la hausse des prix, le mécontentement et l'agitation se sont propagés dans les usines d'armement ? Faire droit à toutes les revendications légitimes des ouvriers, notamment en augmentant les salaires de 12,5 %, et en faisant réembaucher les meneurs licenciés – à condition qu'ils s'engagent à faire augmenter la production. L'Amirauté revendique les plaques de blindage réservées aux tanks ? Accumuler sur ses chantiers des montagnes de plaques d'acier, jusqu'à ce qu'elle demande grâce. Les généraux ne croient pas à l'utilité des tanks ? Peu importe : il faut en construire des milliers et les envoyer sur les théâtres des opérations ; même les officiers les plus bornés finiront par comprendre que c'est l'arme de la victoire... Les promesses imprudentes du Cabinet de guerre de livrer aux Français et aux Italiens d'énormes suppléments de produits alimentaires ont pour résultat de réduire de deux millions de tonnes la capacité de fret disponible pour le transport de fer, de charbon et d'acier ? Faire savoir aux ministères de l'Armement français et italien que leurs livraisons d'acier et de munitions seront réduites d'autant, pour les inciter à faire pression sur leurs gouvernements respectifs en vue de restreindre la demande de produits alimentaires superflus. Une pénurie de fer et d'acier menace ? Pourquoi ne pas utiliser les clôtures des parcs ? Rien qu'autour de Hyde Park, il y a quelque 20 000 tonnes de fer ! Et puis, a-t-on pensé à récolter tout l'acier qui traîne sur les champs de bataille ? Sur ceux de la Somme, il y en a déjà au moins 700 000 tonnes ! Faire mettre au point sur-le-champ les machines nécessaires à cette collecte, et prévoir la construction de fonderies près de la ligne de front... Le *War Office* objecte que les tanks pourraient être aisément arrêtés par des mines ? Étudier immédiatement la question, en tenant compte des contre-mesures imaginées par Churchill lui-même : des marteaux ou des rouleaux placés devant les tanks pour faire exploser les mines, des tanks très lourds résistant aux détonations à placer en tête de colonnes, des blindages spéciaux, etc.

Ceux qui tardent à mettre en œuvre les inspirations du nouveau ministre voient rapidement la foudre s'abattre sur eux ; quant à ceux qui soulèvent des objections, ils ont le plus grand intérêt à les justifier rationnellement devant un inquisiteur sans merci, qui finit toujours par trouver des contre-arguments. Ce volcan d'idées peut entrer en éruption de jour comme de nuit ; d'ailleurs, il s'est fait installer un lit dans son bureau, afin de pouvoir travailler tôt et tard. Pendant ses très rares heures de loisirs à Londres, il conçoit des prototypes d'armes de guerre ! En fait, il n'avait jamais cessé de le faire : dix jours avant son entrée au gouvernement, il envoyait déjà au Premier ministre un très long mémorandum, incluant les plans de « chalands avec proue rabattable, pour le transport et le débarquement des chars », et de « jetées flottantes constituées de caissons en béton[25] » – deux inventions promises à un brillant avenir... un quart de siècle plus tard !

Il va sans dire que les directives, les inventions et les propositions du nouveau ministre de l'Armement sont loin de s'arrêter à son propre ministère ; le corps expéditionnaire britannique en France manque-t-il de canons à longue portée ? L'ancien premier lord de l'Amirauté, qui a toujours une mémoire d'éléphant, se souvient qu'il y en a d'excellents sur un certain nombre d'unités vétustes de la *Royal Navy* : pourquoi, écrit-il au Premier ministre, ne pas les prélever et les utiliser en France, montés sur roues, chenilles ou trucks de chemin de fer ? Voilà de quoi donner une crise d'apoplexie au nouveau premier lord, sir Eric Geddes, qui est extrêmement jaloux de ses prérogatives – même lorsqu'il ne les exerce pas –, et déteste se faire dépouiller de ses matériels – même lorsqu'il n'en a pas l'usage... On risque de manquer d'effectifs pour les troupes en France ? Il suffit, annonce Churchill dans un mémorandum au Cabinet de guerre, d'en prélever sur les réserves très excessives maintenues en Grande-Bretagne pour faire face à une hypothétique menace d'invasion. Il n'y a que 18 000 soldats pour servir dans les chars, et il en faudrait le double ? Nouveau mémorandum : pourquoi ne pas y affecter des unités entières de cavalerie, qui sont manifestement inutiles pour la guerre des tranchées ? Comme d'habitude, ces propositions sont puissamment argumentées, avec une maîtrise des chiffres et des faits qui laisse pantois. Le ministre de la Guerre, lui, s'étrangle de rage devant cette immixtion flagrante dans son domaine – une rage d'autant plus violente qu'elle doit rester discrète : on pouvait attaquer sans retenue l'officier Churchill, et même le député Churchill... Mais le ministre de l'Armement Churchill est un personnage dont le bon vouloir est à cultiver, si l'on veut être correctement ravitaillé en munitions et autres équipements indispensables !

L'activité de notre ministre ne se borne évidemment pas à cela ; si l'année précédente, le lieutenant-colonel Churchill envoyait au Cabinet de guerre, depuis la boue des tranchées, des aide-mémoire et des recommandations sur la façon de mener la guerre, comment imaginer que le ministre Churchill puisse maintenant s'en abstenir ? Ce serait à l'évidence une impossibilité quasiment physiologique ! Winston n'est certes pas un stratège professionnel, mais c'est un amateur inspiré qui déborde d'idées, alors que les membres du Cabinet de guerre, politiciens de temps de paix, en manquent cruellement. Il est donc inévitable que s'instaure un phénomène de vases communicants – même si beaucoup de ministres et d'officiers d'état-major s'en indignent bruyamment. C'est ainsi que dès le 22 juillet 1917, le secrétaire du Cabinet de guerre Maurice Hankey note dans son journal, après avoir pris le thé avec le tout nouveau ministre de l'Armement : « Lloyd George lui a donné mon rapport sur la politique de guerre ; il était déjà bien au courant de l'ensemble de la situation, et connaissait par le menu tous nos plans militaires, ce qui m'a semblé parfaitement incorrect[26]. » Il est tout à fait typique de la mentalité des dirigeants de l'époque que l'on puisse juger « parfaitement incorrect » le fait qu'un ministre de l'Armement soit au courant des plans militaires de son gouvernement ! D'autant qu'en l'occurrence, les plans en question sont désespérément vagues et timorés – à l'exception d'un seul d'entre eux, qui est extrêmement précis, follement téméraire et potentiellement catastrophique : c'est le plan de la nouvelle offensive en Flandres.

Le soir du 22 juillet, Churchill écrivait à Lloyd George pour le mettre en garde une fois encore contre toute reprise de l'offensive en France, et le supplier de limiter la durée de toute opération qui aurait déjà été approuvée ; mieux vaudrait, comme Lloyd George y pensait lui-même, envoyer des renforts aux Italiens. Son propre plan consisterait à utiliser les six divisions du général Sarrail, immobilisées à Salonique depuis près de deux ans, pour ouvrir un nouveau front dans les Balkans, ou mettre hors de combat toutes les troupes turques à l'ouest du Bosphore, déclenchant ainsi une réaction en chaîne dans tout le Moyen-Orient[27]. Peine perdue : Lloyd George suit l'avis de son Cabinet de guerre, qui reste fermement sous l'influence du chef d'état-major Robertson et du commandant en chef Haig ; or, tous deux, hypnotisés par le mirage de la guerre d'usure, n'ayant rien appris du sanglant échec de l'offensive Nivelle au Chemin des Dames deux mois plus tôt, demeurent persuadés qu'une nouvelle attaque massive de l'infanterie et de la cavalerie sur Ypres et Passchendaele leur permettra de reprendre sans coup férir les ports belges de la Manche : Ostende, Zeebrugge et Anvers. Coûteux mirage ; l'attaque, lancée le 31 juillet, échouera comme toutes les précédentes : les Allemands, parfaitement retranchés et dûment alertés par une longue préparation d'artillerie, feront payer très cher chaque mètre d'un terrain inondé et sans valeur stratégique. Comme d'habitude, les généraux britanniques vont s'obstiner dans l'erreur, l'offensive se poursuivra pendant trois mois et demi, et l'on gagnera 85 km^2 au prix de 480 000 hommes, dont plus de 150 000 morts... Churchill, qui a fait l'impossible pour ravitailler en armes et en munitions une offensive qu'il condamnait formellement, va prononcer devant ses collègues un réquisitoire irréfutable contre la guerre d'usure : « Si, en attaquant, nous perdons trois ou quatre fois plus d'officiers et près de deux fois plus d'hommes de troupe que l'ennemi en se défendant, comment l'userons-nous[28] ? »

Une très bonne question ! Mais pour l'heure, c'est la patience de Lloyd George qui commence à s'user. En octobre, alors que l'offensive des Flandres s'enlise dans la boue, les rapports des services de renseignements lui révèlent déjà toute l'ampleur du désastre ; et le 25 octobre lui parvient la nouvelle de la défaite de Caporetto : en trois jours d'offensive austro-allemande, un million d'Italiens mis en déroute, 200 000 prisonniers, 1 800 canons perdus à l'ennemi... Le général Haig avait pourtant affirmé au Premier ministre quelques jours plus tôt que l'Italie « pourrait tenir sans aide ». Lorsqu'on lui demande à présent s'il peut envoyer deux divisions en Italie, le commandant en chef répond avec la même assurance que le mieux qu'on puisse faire pour aider les Italiens est de « continuer à occuper Ludendorff » en Flandres[29]. Mais désormais, Lloyd George n'a plus confiance en Haig ; avant même de réunir le Cabinet de guerre, il demande conseil à Churchill et au général Henry Wilson, et leurs vues sont identiques : il faut d'urgence expédier des renforts aux Italiens. Deux semaines plus tard, il y aura donc cinq divisions britanniques et cinq divisions françaises sur le front italien. Quant à Churchill, il est envoyé à Paris le 18 novembre pour négocier avec ses homologues italien et français* le réarmement des troupes italiennes en fusils, mitrailleuses et canons de campagne. Entre-temps, une autre nouvelle désastreuse est parvenue à Londres et à Paris : les bolcheviks ont pris le pouvoir à Petrograd et ont annoncé leur intention de faire la paix avec l'Allemagne ; la Russie, qui immobilisait à l'est un million de soldats allemands et 3 000 canons, va déserter la cause alliée, permettant ainsi aux Allemands de reporter tout leur effort sur le front occidental... À Paris, certains ministres l'ont reconnu devant Churchill : cette disparition du « rouleau compresseur russe », c'est peut-être le signal de la défaite.

Depuis quatre mois qu'il est en fonctions, notre ministre de l'Armement s'est déjà rendu cinq fois en France. Pour se concerter avec son homologue français ? Pour évaluer les besoins et juger sur le terrain de l'efficacité des armes et des munitions ? Pour sonder

---

* Louis Loucheur et le général Dallolio.

les officiers et les influencer au besoin ? Pour voir comment ont évolué les techniques défensives depuis son propre séjour au front ? Pour recueillir des renseignements de première main sur le dispositif et les intentions ennemis ? Ou tout simplement parce qu'il n'a jamais pu résister à l'attrait d'un champ de bataille ? En fait, il y a tout cela à la fois ; le lieutenant-colonel Churchill, politicien en disgrâce, revient maintenant comme ministre dans les tranchées des Flandres, mais c'est bien le même homme : il veut tout voir, tout comprendre, tout mesurer, tout vérifier, il aime toujours autant le danger, et il continue à se comporter comme si l'issue de la guerre dépendait de lui... Seulement, à présent, c'est le cas dans une large mesure ; ce qu'il observe sur le terrain trouvera sa place dans les rapports et les mémorandums dont il bombarde ses collègues du gouvernement ; en rédigeant ces documents étonnants, il cherche sans cesse les conditions optimales pour parvenir à la victoire, et les meilleurs arguments pour persuader les militaires rigides comme les politiciens frileux*...

C'est ainsi qu'au début de novembre, le général Haig, à bout de ressources après l'échec de son offensive sur Passchendaele et n'ayant plus rien à perdre, avait autorisé une attaque de tanks dans le secteur de Cambrai : puisqu'ils étaient là, autant qu'ils fassent quelque chose ! Le 20 novembre, 400 tanks, lancés sans préparation d'artillerie, percent donc les lignes allemandes au sud de Cambrai, sur un front de dix kilomètres. La surprise est totale, tant chez les Allemands qui perdront 15 000 hommes et 200 canons, que chez les Britanniques qui, n'ayant pas prévu l'accompagnement d'infanterie nécessaire, seront incapables d'exploiter la percée. Mais sur le terrain conquis, on verra presque aussitôt la silhouette familière de Winston Churchill, venu se rendre compte par lui-même des conditions du succès de « ses » chars. Il prend note de tout : les traces de chenilles, les limites de pénétration, les accidents de terrain, l'état des barbelés et des tranchées de l'ennemi, l'emplacement des cadavres sur la ligne de feu, et il en envoie un rapport détaillé à

---

* Pourtant, c'est en allant à l'encontre de sa stratégie navale de 1914 que l'on parvient à sauver la Grande-Bretagne de l'asphyxie ; en effet, le secrétaire du Cabinet de guerre et du Comité de Défense impérial Maurice Hankey a fini par obtenir que soit généralisé le système des convois, qui permettra d'écarter la menace sous-marine.

Lloyd George. Dès son retour à Londres, il expose au Cabinet de guerre en termes comptables la leçon stratégique de ce demi-succès : à Cambrai, on a gagné en quarante-huit heures 67 km², au prix de moins de 10 000 tués ou blessés et de 6,6 millions de livres de munitions ; en Flandres, à l'issue de quatre mois d'offensive, on a gagné 86 km², au prix de 300 000 tués ou blessés, et de 84 millions de livres de munitions... Quelle est l'opération la plus rentable ? Son ministère a reçu de longue date des instructions en vue d'une grande offensive de *trente semaines* au printemps de 1918 ! Le Cabinet de guerre ne devrait-il pas interdire une telle folie, avant d'être en mesure de généraliser des attaques du type de celle de Cambrai, avec une écrasante supériorité en aviation, tanks, gaz, artillerie lourde, mortiers de tranchées, et bien sûr l'appui massif des Américains ?

Cette fois, au grand soulagement de Churchill, le message est reçu. C'est que l'état-major lui-même a été effaré par l'interminable désastre de Passchendaele, et l'ardeur offensive s'est nettement estompée. Hélas ! Le Premier ministre, lui, est allé encore plus loin : ayant perdu toute confiance dans son commandant en chef comme dans son chef d'état-major, il a décidé de changer radicalement de politique ; craignant de ne pouvoir résister aux pressions de Haig, relayées par la presse, en faveur d'une nouvelle offensive au printemps, il a tout simplement décidé d'accumuler en Grande-Bretagne toutes les réserves d'effectifs, et de mesurer chichement les renforts au commandant en chef.

La manœuvre est politiquement habile, mais stratégiquement catastrophique. Churchill, lui, voit immédiatement le danger : affaibli par les récentes saignées, privé de renforts, le général Haig serait hors d'état de résister longtemps à une offensive générale des troupes du Kaiser ; dans un long mémorandum du 8 décembre sur les effectifs des forces armées, Churchill demande à la fois le renforcement immédiat du corps expéditionnaire et son maintien en réserve pour des actions futures. Il juge le danger si grand que trois jours plus tard, dans un discours à Bedford, il en appelle même à l'opinion publique : « Nous devons faire en sorte que dans les mois à venir, une grande partie de notre armée soit au repos et à l'entraînement *derrière la ligne de front*, prête à bondir comme un léopard sur les hordes allemandes. Des masses de canons, des montagnes d'obus, des nuées d'avions – tout doit être prêt, *et tout doit être sur place*[30].» Jouant sur tous les registres, il envoie le 19 janvier 1918 une note personnelle à Lloyd George pour protester contre la priorité au recrutement dont continue à bénéficier la marine, et il ajoute : « Pour moi, cela est incompréhensible. C'est sur le front occidental que le péril est imminent, et la crise éclatera avant le mois de juin. Une défaite sur ce théâtre serait fatale. De grâce, ne permettez pas que votre ressentiment contre les bévues commises dans le passé par les militaires (que je partage entièrement) vous amène à sous-estimer la gravité de la campagne qui se prépare, ou à priver l'armée de ce qui lui est nécessaire. [...] Il faut un bon plan de contre-attaque, entièrement préparé à l'avance, pour soulager la pression sur les objectifs attaqués. [...] Les Allemands sont des ennemis redoutables, et leurs généraux sont meilleurs que les nôtres. Réfléchissez-y, et agissez[31].»

Peine perdue ; Lloyd George et le Cabinet de guerre ne prennent pas la menace au sérieux : en attaquant, disent-ils, les Allemands subiraient le même sort que les Britanniques à Ypres ou à Passchendaele. Rien ne pourra persuader du contraire ces nouveaux adversaires de l'offensive, car personne n'est plus fanatique qu'un converti de fraîche date. Mais à la mi-février, à la suite de manœuvres compliquées, Lloyd George parvient à faire démissionner sir William Robertson, et c'est sir Henry Wilson qui est nommé chef d'état-major à sa place. Ce dernier, ulstérien et unioniste convaincu, n'a guère plus de sympathie pour Churchill que son prédécesseur, mais il est nettement moins borné, et l'une de ses premières initiatives sera de faire porter les effectifs du corps des tanks de 18 000 à 46 000 hommes...

Churchill, qui dévore quotidiennement les rapports des services de renseignements sur le déplacement des effectifs ennemis libérés par l'effondrement de la Russie, avait prévu une grande offensive allemande à l'ouest pour la troisième semaine de février. Il n'était pas loin du compte : le 21 mars, sur un large front s'étendant d'Arras jusqu'à l'Aisne, 37 divisions allemandes, soutenues par 6 000 canons, s'élancent vers les positions britanniques, défendues seulement par 17 divisions et 2 500 canons. L'un des principaux objectifs de Ludendorff est Amiens : il s'agit de couper le corps expéditionnaire britannique des armées françaises retranchées plus au sud, avant de le détruire méthodiquement ; partout, les Britanniques reculent. Churchill, entre deux réunions d'états-majors sur les livraisons de tanks et la guerre des gaz, avait décidé de prendre quarante-huit heures de « vacances » pour visiter la partie du front tenue par la 9ᵉ division, commandée à présent par le général Tudor – encore une vieille connaissance du temps de la campagne des Indes. C'est au QG du général, près de Péronne, que l'attaque les surprend, introduite par un bombardement cataclysmique. Notre ministre, après avoir admiré le spectacle, regagne Saint-Omer à regret *.

Rentré à Londres dans l'après-midi du 24 mars, Churchill va directement au *War Office* pour s'informer de la progression de la bataille ; après quoi il se rend au 10, Downing Street, en compagnie du nouveau chef d'état-major sir Henry Wilson. Lloyd George, visiblement affolé par l'ampleur de l'attaque et mortifié d'avoir une fois encore choisi la plus mauvaise option stratégique, prend Churchill à part et l'interroge : « Si nous avons été incapables de tenir la ligne que nous avions si soigneusement fortifiée, comment serions-nous en mesure de tenir des positions plus reculées, avec des troupes déjà vaincues ? » La question en dit long sur le moral du Premier ministre ; mais Churchill, qui en a vu d'autres, répond posément : « Toute offensive perd de sa force au fur et à mesure de sa progression. C'est comme lorsqu'on répand un seau d'eau sur le sol : l'eau commence par se précipiter en avant, puis elle progresse en imbibant le sol, et elle finit par s'arrêter complètement jusqu'à ce qu'on apporte un autre seau d'eau. Après cinquante ou soixante kilomètres, il y aura certainement un répit considérable, que l'on pourra mettre à profit pour reconstituer un front, pourvu qu'on y mette tous ses efforts[32]. » Tout cela paraît bien optimiste, mais Lloyd George a cessé de se défier du jugement de son ministre de l'Armement ; celui-ci n'avait-il pas condamné formellement les grandes offensives de Haig, autorisées par Lloyd George, qui ont fatalement affaibli le corps expéditionnaire ? N'avait-il pas dénoncé ensuite l'excès inverse de Lloyd George, consistant à priver Haig des moyens d'une nouvelle offensive, en lui retirant les moyens d'assurer sa défense ? Pour le Premier ministre, c'est embarrassant à admettre, mais en matière de stratégie, Churchill a plus souvent raison que tort ; dans le cas de Lloyd George, c'est manifestement l'inverse…

---

* Lors d'une autre visite du front près du saillant d'Ypres le mois précédent, il avait écrit à son épouse : « Sur le chemin du retour, nous sommes passés près de l'asile d'aliénés, réduit en poussière par les gens normaux du dehors ! »

L'heure est grave et n'est plus au formalisme : cet après-midi-là, Churchill est invité à la réunion du Cabinet de guerre. Les jours suivants, la situation en France s'aggrave, et de très lourdes pertes en hommes, en armes et en matériel sont annoncées ; Churchill est soudain devenu l'homme indispensable... « Est-il possible, lui demande-t-on, de remplacer les quelque 1 000 canons perdus, les montagnes de munitions et les tonnes de matériel abandonnées ? » Churchill s'y engage formellement, et pour tenir sa promesse, il va entièrement mobiliser le ministère de l'Armement, avec son Conseil de gestion, ses dix départements, ses quatre-vingts comités et ses deux millions et demi de travailleurs. On accélérera les cadences, on puisera dans les réserves, les ouvriers, dûment chapitrés, refuseront de partir en congé pour Pâques, et l'inspirateur de tout cela renoncera même à son sommeil plusieurs nuits de suite pour coordonner les programmes de production, accélérer les transports, haranguer le personnel et supprimer les goulots d'étranglement. Trois jours plus tard, notre bourreau de travail pourra annoncer au Cabinet de guerre que dès le 6 avril, il y aura 2 000 canons disponibles pour remplacer les 1 000 canons perdus ! Toutes les pertes en tanks et en avions seront également compensées à cette date...

On va lui demander davantage ; le 28 mars, Lloyd George, craignant une déroute britannique et une percée allemande, demande à Churchill de retourner en France pour y rencontrer Foch, qui vient d'être nommé généralissime des troupes alliées. Il devra user de son influence pour obtenir que les Français lancent une contre-attaque sur le flanc sud de l'offensive allemande, afin de soulager la pression sur les armées britanniques sévèrement éprouvées. Churchill se met en route dès le matin du 28 mars, en compagnie du duc de Westminster* ; mais même aux heures les plus tragiques, la politique ne perd pas ses droits : Bonar Law et Henry Wilson se sont rendus entre-temps chez le Premier ministre pour protester contre le fait que Churchill soit chargé d'une telle mission, qui devrait revenir au ministre de la Guerre. Lloyd George, feignant de se ranger à leur avis, télégraphie à Churchill de ne pas se rendre chez le généralissime à Beauvais, mais directement à Paris pour s'entretenir avec Clemenceau ! Ce serait plutôt la tâche

---

* Le beau-frère du second mari de sa mère, qui a combattu en même temps que Winston en Afrique du Sud.

d'un Premier ministre, mais décidément, Lloyd George semble avoir davantage confiance dans les capacités de persuasion de Churchill que dans les siennes propres…

Il n'a sans doute pas tort ; informé de la mission de Churchill au matin du 29 mars, le Tigre se déclare prêt à le « conduire personnellement à la bataille » dès le lendemain, et à lui faire rencontrer tous les commandants d'armées et de corps d'armée en contact avec l'ennemi. C'est ainsi que Churchill, accompagné de l'illustre président du Conseil, se rend chez Foch à Beauvais, puis rencontre le général Pétain dans son train personnel, ainsi que le général Rawlinson dans son QG de Drury, au sud d'Amiens ; ce dernier indique à ses hôtes que les troupes qu'il commande, reculant sans cesse depuis dix jours, sont à la limite de l'épuisement, et qu'il ignore combien de temps elles pourront encore contenir l'ennemi. Alors, Clemenceau s'incline : il n'ordonnera pas de contre-offensive sur le flanc allemand, mais fera monter les poilus en ligne aux endroits où les Britanniques sont le plus faibles – une décision que Churchill transmet immédiatement par téléphone à Lloyd George. Ensuite, Clemenceau insiste pour aller « voir la bataille » dans le secteur britannique, et le cortège de personnalités, guidé par Churchill, s'avance au plus près de la ligne de front, au nord-ouest de Montdidier. Churchill est enchanté de trouver en Clemenceau un homme aussi fasciné que lui-même par le danger et le fracas du combat ; leur entourage, rentrant instinctivement la tête sous une pluie d'obus, l'est évidemment beaucoup moins… De retour à Paris vers 1 heure du matin, après seize heures de conférences, de périple automobile et d'inspection du front, le ministre de l'Armement britannique doit encore rédiger un rapport détaillé à l'intention du Cabinet de guerre ! Au moment où il va trouver un repos amplement mérité – après au moins sept nuits passées à travailler au ministère –, on lui apporte en urgence un long télégramme de Lloyd George, l'informant qu'il vient d'expédier au président Wilson un appel pressant pour l'envoi de troupes américaines sur une grande échelle, et lui demandant de revoir Clemenceau au plus vite, afin d'obtenir qu'il rédige un télégramme dans le même sens…

Ce sera chose faite dès le lendemain matin, et en réponse à cet appel, le président Wilson va autoriser l'envoi immédiat en Europe d'un demi-million d'hommes, beaucoup sans entraînement et la plupart sans armement. Churchill, de retour à Londres, aura désormais pour priorité de pourvoir à leur équipement – une entreprise colossale, qui ménagera encore bien des nuits d'insomnie aux membres du Conseil de l'armement de l'hôtel Metropole ; elle va surtout amener notre ministre des Armements à lier des relations très étroites avec le représentant du ministère américain de la Guerre, Stettinius, avec le président du Conseil des industries de guerre, Bernard Baruch, ainsi qu'avec le général Bliss, chef d'état-major du général Pershing, commandant les forces américaines en France. « Dès l'abord, se souviendra Churchill, nous avons collaboré sans le moindre désaccord ou malentendu. Nous avons mené la guerre en commun, à tous les sens du mot. Nous avons transféré des montagnes de toutes sortes de matériels, à tous les stades de production, d'un registre à un autre, conformément à nos différents besoins, aussi aisément que deux amis se seraient partagés un panier-repas. Aucun formalisme dans tout cela : nous dévalisions nos placards pour apporter tout ce dont les troupes américaines en France pouvaient avoir besoin, et les Américains […] retiraient de leurs moindres programmes d'armement tout ce qui pouvait satisfaire nos besoins les plus urgents. »

Les résultats de cette collaboration auront de quoi surprendre : l'armement par l'Angleterre de 48 divisions américaines ; la fabrication pour ces divisions, en France, en Grande-Bretagne et au Canada, de 12 000 pièces d'artillerie dans des usines anglaises, françaises, anglo-américaines ou franco-anglo-américaines ; le transfert à l'Angleterre de l'ensemble de la production américaine de gaz moutarde ; l'achat au Chili de nitrate servant aux explosifs, pour lequel les Américains s'en remettent entièrement à Churchill* ; l'exportation massive vers l'Angleterre de matières premières américaines ; la promesse d'Henry Ford de construire pour les armées alliées 10 000 tanks du dernier modèle, qui seront assemblés en France dans des usines anglo-américaines ; le programme de Churchill pour la construction de 24 000 avions en 1918… et presque le double l'année suivante !

Le général Pershing ne voulait pas engager les troupes américaines avant qu'elles ne soient formées en divisions entières sur le

* Qui profitera de l'influence accompagnant cet énorme pouvoir d'achat pour obtenir des Chiliens qu'ils lui livrent 18 navires allemands immobilisés à Valparaiso…

sol français. Mais Churchill estime le processus trop long, et demande instamment que les bataillons américains soient intégrés au plus tôt dans des divisions britanniques – ce dont il attend davantage qu'un bénéfice immédiat, ainsi qu'il l'expliquera dans un mémorandum secret au Cabinet de guerre le 14 mars 1918 : « Outre les impérieuses nécessités militaires, le fait d'entremêler sur les champs de bataille des unités britanniques et américaines, qui éprouveront des pertes et des souffrances communes, est à même d'exercer une influence incommensurable sur les futures destinées des peuples de langue anglaise[33]. » C'est très bien vu dans l'ensemble : la camaraderie d'armes au cours de la Première Guerre mondiale ne sera pas sans influence sur les mécanismes de coopération anglo-américaine au cours de la Seconde. Mais pour l'heure, au Cabinet de guerre, au *War Office*, à l'Amirauté, au QG du corps expéditionnaire britannique en France, à l'état-major du général Pershing, dans les chancelleries de Paris, Londres et Washington, plus personne ne l'ignore : le Carnot de la Grande Guerre, le chef d'orchestre de cette gigantesque entreprise qui donnera en surabondance aux forces alliées les armes de la victoire, c'est à l'évidence Winston Spencer-Churchill.

Ces armes seront bien nécessaires, car en France, les troupes britanniques et françaises continuent à subir tout le poids des offensives allemandes ; à peine celle du 21 mars sur Amiens a-t-elle été contenue qu'une deuxième est déclenchée le 7 avril sur un front de 50 kilomètres entre Passchendaele et Loos, en direction d'Ypres et Hazebrouck. Une fois encore, les Britanniques ploient sous le choc, mais ne cèdent pas ; à l'évidence, Haig est un meilleur général dans la défensive que dans l'offensive. Encore contré, Ludendorff frappe le 25 avril au sud de l'Aisne, par le Chemin des Dames, et ses troupes déferlent vers la Marne, occupant au début de juin Soissons et Château-Thierry – à 70 kilomètres de Paris...

On pourrait penser que le ministre de l'Armement, absorbé par sa tâche colossale, ne quitte plus désormais son bureau de l'hôtel Metropole. Ce serait une erreur : Winston a le don d'ubiquité, il a fait construire en France d'innombrables usines, le banc d'essai de ses armes est sur les champs de bataille, et il ne manquerait pour rien au monde le spectacle des combats. Haig, qui sait à présent ce que ses armées doivent à ce bourreau de travail, lui a fait aménager une confortable résidence près de son propre QG, dans le château de Verchocq, entre Montreuil et Saint-Omer* ; dès lors, Churchill peut s'occuper des affaires de son ministère à Londres le matin, prendre l'avion à Hendon à midi, assister deux heures plus tard à une conférence à l'état-major de Haig à Saint-Omer ou dans un ministère à Paris, et se rendre sur le front en fin d'après-midi... « Je m'arrangeai, écrira-t-il fièrement, pour assister à toutes les batailles importantes jusqu'à la fin de la guerre[34]. » C'est exact ; il sera même témoin de l'une d'elles depuis un avion de chasse volant au-dessus du *no man's land.* Cette fois encore, ses fréquents déplacements en avion ne seront pas sans risques, d'autant qu'il s'installe souvent aux commandes. Un jour, son avion s'écrase au décollage ; une autre fois, il prend feu au-dessus de la Manche ; la troisième, le 12 juin, il tombe en panne au large des côtes, et atteindra la plage de justesse en vol plané...

C'est déjà beaucoup pour un seul homme, mais ce n'est pas encore tout : qu'il soit à Paris ou à Londres, au front ou dans sa résidence de campagne, en train ou en avion, cet invraisemblable homme-orchestre continue à rédiger des lettres, des notes et des mémorandums pour éclairer, guider, conseiller ou exhorter le Premier ministre et le Cabinet de guerre ; ce peut être une note de deux lignes à Lloyd George pour l'adjurer de ne pas renoncer à bombarder l'Allemagne le jour de la Fête-Dieu, ou un aide-mémoire de vingt pages pour démontrer au Cabinet de guerre qu'on ne peut gagner la guerre en s'occupant uniquement des urgences de l'heure : il faut dès à présent planifier soigneusement la production et la stratégie pour 1919. Comme toujours, ces documents regorgent de statistiques, d'analyses, de prédictions, et même d'informations fraîchement recueillies dans les états-majors ou sur les champs de bataille ; et bien entendu, ils ne traitent pas uniquement de stratégie et d'armement : il y est également question d'approvisionnement en vivres, de politique étrangère, du budget, de l'emploi des femmes, du futur règlement de paix, de la démobilisation après la victoire, ainsi que du bon usage de la propagande...

De fait, c'est également par la propagande que cet étonnant touche-à-tout entend aiguillonner l'effort de guerre de ses compatriotes. Au Parlement, ses harangues magistrales ne laissent pas

---

* Voir carte, p. 175.

d'impressionner, et le Premier ministre lui confie de plus en plus le soin d'expliquer au pays la politique de guerre du gouvernement, ses succès et surtout ses échecs. Il s'agit de soutenir le moral, d'entraîner les idéalistes, d'isoler les pacifistes, et Churchill sait d'instinct trouver les mots qui frappent : les ouvriers qui travaillent dans les usines d'armement sont « l'armée industrielle », dont le rôle est aussi glorieux que celui de « l'armée combattante » ; le peuple anglais peut tout supporter : « Aucun effort n'est trop prolongé pour la patience de notre peuple. Aucune souffrance, aucun péril n'effarouche son âme » ; quant aux défaitistes : « Jamais, au cours de cette guerre, il n'y a eu moins d'excuses pour que des patriotes se laissent entraîner par des sophismes et de dangereux conseils[35]. »

Si l'on songe que ce tourbillon humain trouve encore le temps d'aller rejoindre sa famille et de jouer avec ses trois enfants en fin de semaine dans leur nouvelle maison de campagne de Lullenden, on finit par se demander si l'on a vraiment affaire à un mortel ordinaire...

À la mi-juillet 1918, alors qu'en France les grandes offensives allemandes s'essoufflent, et que les premières contre-attaques s'organisent sur la Marne comme sur la Somme avec l'appui des Américains, Churchill doit faire face à une terrible menace : les ouvriers des usines d'armement, pourtant grassement payés, commencent à se mettre en grève... Au ministère, on entreprend de négocier, mais l'agitation se poursuit et la grève s'étend. Alors, Churchill, fort de son expérience des affaires sociales, décide de prendre personnellement les choses en main ; s'étant assuré le concours du Premier ministre et celui de la presse, il annonce que tous les ouvriers qui ne retourneront pas au travail dans les plus brefs délais auront le privilège de servir la patrie sur le front de France, moyennant une solde modique. La grève s'effondre, et les armes comme les munitions sortent à nouveau des usines.

Elles arriveront à point nommé, car les grandes contre-offensives sont en cours. Pour Ludendorff, celle du 8 août 1918 à l'est d'Amiens sera le commencement de la fin ; près de 600 tanks nouvellement débarqués doivent y participer, et Churchill est naturellement présent pour assister à un engagement dont il rêvait depuis trois ans déjà. Il ne sera pas déçu : alors que dix divisions britanniques, canadiennes et australiennes passent à l'attaque, soutenues au sud par huit divisions françaises, « ses » tanks vont crever le front et avancer de 400 kilomètres derrière les lignes ennemies ! Comme d'habitude, la percée ne sera pas exploitée, l'infanterie et les chevaux n'ayant pu suivre la progression, mais on capture 22 000 hommes et 400 canons en un seul jour, et l'effet psychologique est immense. Pour Ludendorff, c'est la « journée noire de l'armée allemande » ; pour Churchill, c'est un triomphe personnel... Il y aura encore bien des combats, mais le dispositif allemand commence à se disloquer ; de Belfort jusqu'à Dunkerque, Français, Britanniques, Belges, Canadiens, Australiens, Sud-Africains, soutenus à présent par 1 200 000 Américains, avancent inexorablement, repoussant les forces allemandes au-delà de Lille, Douai, Cambrai et Saint-Quentin. Les plus optimistes voient la guerre se terminer pour Noël ; Churchill, qui pour une fois n'en fait pas partie, travaille sans discontinuer pour préparer l'offensive finale du printemps 1919...

Pour tous, l'effondrement allemand viendra plus tôt que prévu ; c'est qu'à Salonique, le successeur du général Sarrail, Franchet d'Esperey*, mettant fin à trois années d'immobilisme, a lancé ses six divisions contre la Bulgarie, qui capitule sans combat le 28 septembre. Ce n'est que le début d'une réaction en chaîne : le 21 octobre, on assiste à l'effondrement de la Turquie, consécutif aux éclatantes victoires des troupes britanniques du général Allenby et de la légion arabe du colonel Lawrence en Palestine et en Syrie ; une semaine plus tard, c'est l'éclatement de l'Autriche-Hongrie ; enfin, les troubles révolutionnaires qui paralysent l'Allemagne sonnent le glas des ambitions du Kaiser, qui part se réfugier en Hollande. À Londres, à onze heures du onzième jour du onzième mois de 1918, l'horloge de Big Ben sonne pour annoncer l'armistice. Dans son bureau de l'hôtel Metropole, le ministre de l'Armement, préparant les campagnes futures, comprend que le cauchemar qui s'achève rend sur l'heure tout son travail superflu ; en un instant, son ministère se vide, et jusqu'à Trafalgar Square, toutes les rues alentour s'emplissent d'une foule en liesse. Avec son épouse qui vient d'arriver, Churchill décide d'aller à Downing Street pour féliciter le Premier ministre ; ils y parviennent avec difficulté, tant les rues sont encombrées, et ce soir-là, Lloyd

---

* Surnommé par les Anglais « *Desperate Frankie* ».

George et Churchill, qui dînent en petit comité*, boivent à la victoire tant espérée.

Cette guerre, les deux acolytes l'avaient commencée ensemble, et c'est ensemble qu'ils la terminent. Dans l'intervalle, pourtant, leurs chemins ont bien divergé : Lloyd George a fait un impeccable parcours de politicien, qui l'a mené au sommet du pouvoir. Churchill, depuis les hauteurs de l'Amirauté jusqu'aux abîmes des tranchées, n'a jamais cessé de faire la guerre, de côtoyer la mort et de vivre pour la victoire ; et cet homme que le général Bindon Blood décrivait vingt ans plus tôt comme « faisant le travail de deux sous-lieutenants » a exercé durant les seize derniers mois de la Grande Guerre les fonctions d'au moins trois ministres – des ministres particulièrement énergiques, assez peu appréciés de leurs collègues, et qui auraient également pris en charge à l'occasion les affaires de leur Premier ministre…

* Sont également présents F.E. Smith et le chef d'état-major sir Henry Wilson.

CHAPITRE VIII

GARDIEN DE L'EMPIRE

L'heure du triomphe et du soulagement est aussi celle du chagrin et de l'amertume ; 900 000 morts, 2 millions de blessés : pour la Grande-Bretagne et l'Empire, c'est une effroyable saignée... Winston a perdu dans cette guerre insensée plusieurs parents, dont son cousin Norman Leslie et son oncle Gordon Wilson, ainsi que de nombreux amis tels qu'Arthur « Oc » Asquith, le poète Rupert Brooke, son camarade de Harrow Jack Milbanke et des dizaines d'autres. Même pour un Churchill, il y a de quoi être dégoûté du métier des armes : « La guerre, qui était cruelle et magnifique, est devenue cruelle et sordide. » Seule la naissance de son quatrième enfant, Marigold, le 15 novembre 1918, fera apparaître un rayon de soleil fugace sur ce vaste champ de désolation.

Mais la politique reprend très vite ses droits ; trois jours seulement après l'armistice, le gouvernement annonce que des élections générales se tiendront dès le mois suivant. Les bonnes raisons ne manquent pas : il faut au gouvernement un nouveau mandat pour affronter les problèmes complexes de l'après-guerre ; les dernières élections se sont tenues en 1910, et avec l'extension du droit de vote, il y a maintenant 20 millions de nouveaux électeurs, dont 8 millions de femmes. Mais Lloyd George, en vieux professionnel de la politique, a deux autres motivations, moins avouables mais plus impératives encore : en appelant les citoyens aux urnes dès le lendemain de la victoire, on est à peu près assuré d'un triomphe électoral comparable à celui des « élections kaki » lors de la guerre des Boers ; et puis, dans la coalition de guerre dominée par les conservateurs, le parti de Lloyd George, déserté par les libéraux d'Asquith, faisait figure de parent pauvre. N'est-ce pas l'occasion rêvée de rétablir l'équilibre, en misant sur la popularité personnelle de Lloyd George, « l'Homme qui a gagné la guerre » ?

Le premier calcul s'avère parfaitement justifié : au début de janvier 1919, la coalition des conservateurs et des libéraux de Lloyd George recueille 468 sièges sur 707[1]. Mais le second pari fait long feu : sur les 468 sièges obtenus par la coalition, 335 reviennent à des conservateurs. Décidément, la marge de manœuvre politique de Lloyd George sera aussi étriquée dans la paix que dans la guerre...

Le malheur des uns fait le bonheur des autres ; car une fois la guerre passée, Winston Churchill perdait beaucoup de son utilité, et Lloyd George n'aurait eu aucun scrupule à exclure du gouvernement ce personnage aussi remuant qu'encombrant. Mais après les élections, le parti du Premier ministre, resté très minoritaire dans la coalition et de surcroît en butte aux attaques des 59 députés travaillistes, des 39 libéraux d'Asquith et des 73 élus du Sinn Fein.*, ne peut en aucun cas se permettre de voir passer à l'ennemi un redoutable tribun comme Winston Churchill ; d'ailleurs, les libéraux fidèles à Lloyd George et capables d'occuper des postes de ministre ne sont pas si nombreux, et même les pires ennemis de Churchill doivent convenir qu'il s'est plus qu'honorablement acquitté de ses fonctions de ministre de l'Armement. Or, lord Milner va quitter le *War Office*, et il faut pour le remplacer quelqu'un d'énergique, comprenant bien les problèmes de l'armée, capable d'assurer une démobilisation en douceur et disposé à faire des coupes claires dans le budget, sans pour autant démanteler entièrement l'appareil militaire. C'est dit : Churchill se voit offrir le poste de ministre de la Guerre dans le nouveau gouvernement de coalition ; craignant que la fonction lui paraisse beaucoup moins attrayante en temps de paix et connaissant la passion de Winston pour l'aviation, Lloyd George y adjoint le poste de ministre de l'Air.

L'intéressé vient d'être réélu triomphalement dans sa circonscription de Dundee, comme candidat de la coalition ; il a pourtant évité soigneusement toute démagogie, refusant de reprendre à son compte les slogans les plus populaires du moment : « L'Allemagne paiera ! » et « Pendons le Kaiser ! » Au contraire, il s'est prononcé

* Qui refusent de siéger à Londres et s'installent à Dublin, pour y former le *Dail*.

comme à son habitude pour la plus grande générosité envers les vaincus ; cette fois encore, ce n'est pas uniquement une question de sentiment : l'ennemi d'hier peut devenir le meilleur allié de demain... Notre député fraîchement réélu aurait certes préféré retourner à l'Amirauté, d'autant que le ministre de la Guerre ne sera même pas membre du Cabinet restreint. Mais Winston a l'esprit d'équipe, il ne supporte pas d'être écarté du pouvoir, et un bon acteur ne refuse ni les seconds rôles ni les scénarios difficiles. D'ailleurs, il n'a guère le choix : les conservateurs le haïssent, il déteste les travaillistes, et les libéraux d'Asquith viennent de sombrer dans l'insignifiance politique. Hors du gouvernement de coalition, point de salut : ce sera donc le *War Office*.

Avant même son entrée en fonctions officielle le 9 janvier 1919, notre nouveau ministre de la Guerre et de l'Air comprend que Lloyd George ne lui a pas fait une faveur. C'est qu'il y a trois millions et demi de soldats à démobiliser, et lord Milner, avant son départ du *War Office*, avait traité la question avec une certaine désinvolture ; en acceptant que les hommes utiles à l'industrie soient démobilisés les premiers, il avait même ouvert une redoutable boîte de Pandore ; car les ouvriers immédiatement libérables sont aussi ceux qui ont été mobilisés en dernier, généralement au printemps de 1918, tandis que les hommes qui devront encore attendre pour être rendus à la vie civile sont pour la plupart sous l'uniforme depuis 1916, ou même depuis 1914... Dès le 3 janvier, à Folkestone, Douvres, Calais et Rosyth, ces vétérans endurcis, s'estimant lésés, quittent leurs camps pour aller manifester ; à Luton, ils mettent le feu à l'hôtel de ville ; à Grove Park, ils forment même des « conseils de soldats » sur le modèle bolchevik ; à Londres, ils vont manifester en masse sous les fenêtres du *War Office*.

Churchill va réagir de façon caractéristique ; la fermeté d'abord : le 8 janvier, avant même d'avoir été officiellement nommé, il donne l'ordre d'arrêter les mutins. Puis vient le rameau d'olivier : le 12 janvier, les nouvelles règles de démobilisation sont annoncées : les hommes qui ont passé le plus de temps sous les drapeaux seront libérés les premiers ; ceux qui se sont engagés avant 1916 seront immédiatement rendus à la vie civile, de même que tous les hommes de plus de 40 ans ; parmi les combattants engagés après 1916, ceux qui ont été blessés seront démobilisés en premier. L'effet est spectaculaire : les manifestations et les mutineries cessent immédiatement, les conseils de soldats disparaissent, et en moins d'un mois, 950 000 officiers et soldats sont démobilisés dans le calme. De toute évidence, le nouveau ministre de la Guerre et de l'Air a inauguré ses fonctions par un coup de maître ; dans les meetings travaillistes comme dans les clubs conservateurs, au *Daily Mail* comme au *Times*, la stupéfaction est telle qu'on en oublie pour un temps d'insulter l'ennemi de classe et renégat Winston Churchill...

Mais on se souvient que le ministre de la Guerre a surtout été nommé pour amputer le budget militaire. Toujours enclin à commettre des excès de zèle dans les fonctions qu'il occupe – et bien souvent au détriment de ses engagements précédents* –,Churchill va manier la hache avec énergie, et l'aviation sera la première à en pâtir : l'état-major de l'Air avait conçu un plan minimal pour la RAF d'après-guerre, prévoyant une force de 154 escadrilles, dont 40 pour la défense des îles Britanniques ; en moins de deux ans, il verra ses effectifs réduits à 24 escadrilles, dont *deux* pour la défense de la métropole... La marine et l'armée ne seront guère mieux loties, et les militaires verront avec consternation le parrain du tank perdre tout intérêt pour son développement ultérieur[2].

Il est vrai que pour l'heure, l'intéressé a bien d'autres préoccupations, et l'une d'elles consiste justement à empêcher une démobilisation complète. C'est qu'il faut un million d'hommes pour maintenir l'ordre en Allemagne et dans les territoires occupés d'Afrique et du Moyen-Orient, et pour cela, il faut bien maintenir la conscription. Lloyd George, qui est à Paris pour les premières séances de la conférence de la paix, ne veut entendre parler ni de conscription ni du maintien d'un million d'hommes sous les drapeaux. Churchill traverse la Manche, et lors d'un déjeuner avec le Premier ministre, il expose l'absolue nécessité de l'une comme de l'autre : il s'agit de préserver les fruits de la victoire et d'éviter toute renaissance de l'expansionnisme allemand. Aucun doute : l'homme est aussi diplo-

---

* Cet admirable commentaire de Clement Attlee vaudra pour l'ensemble de la carrière passée et future de Churchill : « L'énergie avec laquelle Winston se lançait dans toute cause qu'il soutenait à un moment donné était véritablement unique. Bien entendu, elle faisait la plus forte impression sur la faction qu'il venait d'abandonner. » (C. Attlee *in* P. Stansky, Edit., *Churchill, a profile*, Hill & Wang, New York, 1973, p. 197.)

mate que convaincant. Bien avant les liqueurs, le « Sorcier gallois » est tombé sous le charme ; on gardera la conscription, avec une armée d'un million d'hommes. Churchill, lui, veillera personnellement à ce qu'ils aient une solde attrayante.

À vrai dire, l'entreprenant ministre de la Guerre avait une autre raison de demander le maintien de tels effectifs en temps de paix, ainsi que le stationnement d'une importante garnison d'occupation en Allemagne ; c'est qu'il fait partie de ce petit nombre d'hommes en Grande-Bretagne qui considère que la guerre n'est pas terminée – et qu'elle ne le sera jamais réellement, tant que subsistera le danger bolchevique... Jusqu'au printemps de 1918, il pensait que les nouveaux maîtres de la Russie seraient contraints de faire cause commune avec les pays de l'Entente contre les agresseurs allemands, et qu'il faudrait alors leur tendre la main. Mais plusieurs incidents survenus à l'été de 1918 sont venus lui ouvrir les yeux sur la nature réelle du régime bolchevique : l'assassinat du Tsar et de sa famille à Iekaterinbourg dans la nuit du 17 juillet, puis le meurtre de l'attaché naval Francis Cromie par des gardes rouges ayant pénétré dans l'ambassade de Grande-Bretagne* ; enfin, Churchill a reçu d'innombrables documents attestant des exécutions massives, des tortures et des mutilations systématiquement perpétrées par les troupes de Lénine et de Trotski, et il en a conçu pour l'ensemble de leur système un profond dégoût. Plus encore, cet homme aux intuitions fulgurantes a saisi d'emblée ce que la plupart de ses contemporains mettront plus d'un demi-siècle à comprendre : sous ses divers avatars, le système communiste, fondé sur le crime, la subversion et le mensonge, ayant en outre pour vocation de s'étendre au monde entier, constitue pour toute l'humanité un danger mortel ; dans le *Weekly Dispatch*, il écrit au sujet de Lénine, de Trotski et des autres chefs bolcheviques : « Ils ont déclaré une guerre sans fin à la société civilisée. Pour continuer d'exister, ils cherchent avant tout à renverser et détruire toutes les institutions existantes, ainsi que tous les États et gouvernements du monde. Ils essaient eux aussi de mettre sur pied une organisation mondiale et internationale, mais une organisation composée des ratés, des criminels, des inadaptés, des mutins, des pervers, des détraqués et des aliénés de tous les pays ; et entre eux et le type de civilisation que nous avons

---

* Churchill avait personnellement connu le capitaine Cromie avant la guerre.

pu bâtir depuis l'aube de l'histoire, il ne peut y avoir, comme le proclame Lénine, ni trêve ni pacte[3]. »

Cette menace si clairement perçue, Churchill va entreprendre de l'étouffer dans l'œuf. Après tout, le pouvoir bolchevique est encore bien faible au début de 1919 ; depuis le sud, l'est et le nord-ouest, trois armées blanches commandées par Denikine, Koltchak et Youdenitch vont converger sur Moscou et Petrograd ; en outre, il y a en Russie depuis l'année précédente quelque 200 000 soldats français, britanniques, italiens, grecs, américains, tchèques, serbes et japonais. Tous ces hommes étaient venus prêter main forte à la Russie contre les Allemands, mais la paix de Brest-Litovsk, puis l'armistice du 11 novembre 1918 les ont libérés de cette tâche, et depuis lors, ils coopèrent plus ou moins activement avec les armées blanches contre le pouvoir bolchevique ; c'est également le cas des quelques bataillons britanniques envoyés au début de 1918 à Mourmansk, Arkhangelsk et Vladivostok, pour empêcher que les trois tonnes d'armes et de munitions destinées aux armées du Tsar ne tombent entre les mains des Allemands.

Pour Churchill, qui ne manque pas d'optimisme, il y a largement en Russie de quoi renverser le pouvoir bolchevique, pourvu que l'on accepte de donner un petit coup de pouce au destin. Mettant au service de la cause toutes les ressources de sa vaste éloquence et de son invraisemblable énergie, il entreprend donc d'en persuader ses collègues du gouvernement ; l'Angleterre, leur dit-il, peut soit « laisser les Russes s'entretuer en toute liberté », soit intervenir « avec des forces importantes, abondamment pourvues d'engins mécaniques[4] ». Et de citer le chiffre de 30 divisions… Devant l'effarement de ses interlocuteurs, il opère une retraite tactique, en parlant seulement de « renforts substantiels », puis de « soutien aux armées russes[5] ». Dans ses nombreuses lettres à Lloyd George, qu'il sait moins enthousiaste encore, il mentionne seulement « l'envoi de volontaires », ainsi que « l'effet moral » que produirait une déclaration de guerre ; mais il lui demande surtout de prendre enfin des décisions rapides et énergiques : c'est que depuis six mois, il y a quelque 30 000 Britanniques en Russie, et il s'agit maintenant de les renforcer ou de les évacuer. Naturellement, Winston ne cache pas sa préférence pour la première solution. La croisade du ministre de la Guerre se poursuit à Paris : au Conseil suprême interallié, il propose un plan de coordination de l'aide aux armées blanches, et met en garde ses interlocuteurs contre les conséquences mondiales d'un abandon de la Russie; au Parlement comme dans la presse, il s'efforce d'expliquer en termes imagés ce qu'est le bolchevisme : « Ce n'est pas une politique, c'est une maladie. Ce n'est pas une foi, c'est une épidémie[6]. »

Malheureusement, rien n'a changé depuis les Dardanelles : faire adopter et exécuter une opération militaire majeure par un Cabinet et un Premier ministre réticents, alors qu'on est soi-même dans une position subordonnée, voilà qui relève toujours de la gageure. Au gouvernement, bien des conservateurs comme Curzon, Balfour, ou même Bonar Law souhaitent également la disparition du régime bolchevique, mais ils refusent de s'engager personnellement pour l'obtenir; Lloyd George, lui, est toujours aussi mal à l'aise dans les questions militaires, et la conférence de la paix qui se tient à Paris l'absorbe entièrement : on y parle de réparations, d'occupations, de minorités, de Société des Nations, de mandats et de paix universelle... Au milieu de tout cela, les exhortations de Churchill lui semblent tout à fait déplacées; du reste, il considère qu'un engagement massif en Russie serait militairement dangereux, financièrement ruineux et politiquement désastreux. Moins inspiré mais plus réaliste que son bouillant ministre de la Guerre, il estime que le peuple anglais, déjà très éprouvé par quatre années de tueries et de privations, ne supporterait pas un nouveau conflit; il sait aussi que le parti travailliste, désormais le principal foyer d'opposition au Parlement, est extrêmement vulnérable à la propagande bolchevique; en outre, ayant jaugé ses interlocuteurs du Conseil suprême interallié, il a pu constater qu'aucun d'entre eux n'était disposé à s'engager pleinement dans une croisade en Russie : le président Wilson ne pense qu'à retirer ses troupes de Sibérie, Orlando ne veut pas entendre parler d'intervention, et Clemenceau lui-même envisage d'abandonner la partie; il est vrai que les marins français, travaillés par la propagande bolchevique, viennent de se mutiner en mer Noire... Enfin, Lloyd George, moins optimiste que Churchill, n'a pu s'empêcher de noter que la plus grande désunion règne entre les forces antibolcheviques, rendant ainsi leur succès de plus en plus improbable.

C'est pour toutes ces raisons que le Premier ministre s'élève avec vigueur au Cabinet de guerre contre tout nouvel engagement britannique en Russie, et il a naturellement le dernier mot. Cette fois encore, Churchill se retrouve isolé et mis en minorité – ce qui ne fait que décupler sa combativité ! À force de harangues, de mémorandums et de démarches personnelles, il obtient même quelques résultats : le gouvernement renonce à négocier avec les bolcheviks ; on fera parvenir un nouveau chargement d'armes à Koltchak et à Denikine ; enfin, « pour permettre l'évacuation des soldats britanniques », on autorise le ministre de la Guerre à envoyer des volontaires à Mourmansk et à Arkhangelsk. Churchill, qui a déjà expédié de sa propre initiative à l'amiral Koltchak des batteries d'obusiers lourds, fait donc recruter sur-le-champ une force de 8 000 volontaires, qui ira prêter main forte aux maigres bataillons du général Ironside autour d'Arkhangelsk.

Ce sera trés insuffisant, car en définitive, la victoire en Russie ne dépend que des Russes, et après quelques avancées aussi fulgurantes que mal coordonnées, les armées blanches doivent battre en retraite ; des mutineries éclatent fréquemment dans leurs rangs, et les mutins, ayant exécuté leurs officiers, livrent leurs positions aux bolcheviks ; enfin, les anarchistes, les Ukrainiens, les Estoniens et même les Tchèques mènent des opérations de harcèlement sur les arrières des forces antibolcheviques, déjà sévèrement malmenées par une Armée rouge en pleine expansion. Dès l'automne de 1919, la partie semble perdue, et il faut se résoudre à évacuer l'ensemble des contingents britanniques encore en Russie. En Grande-Bretagne, Churchill, qui a pris la tête de la croisade antibolchevique, sera désigné par la presse comme le grand perdant, et par les travaillistes comme l'ennemi juré du prolétariat mondial ; quant à Lloyd George, tout à ses préoccupations budgétaires à court terme, il écrit le 22 septembre à son ministre de la Guerre : « Je vous demande une fois encore de laisser tomber la Russie, au moins pour quelques jours, et de vous concentrer sur les dépenses tout à fait injustifiables du *War Office* et du ministère de l'Air en France, en métropole et en Orient. Il y a certaines de ces dépenses que vous n'auriez jamais tolérées si vous aviez consacré à ces affaires un cinquième du temps que vous avez réservé à la Russie[7]. »

Ce reproche n'est que très partiellement fondé : Churchill a également passé énormément de temps à organiser la démobilisation des forces britanniques en France, en Grande-Bretagne, en Afrique et au Moyen-Orient ; à trancher dans le budget de l'armée et de l'aviation ; à inspecter les troupes d'occupation en Allemagne ; à élaborer des plans de ravitaillement de la population allemande ; à négocier avec les Français toutes sortes de projets de reconversion industrielle ; à défendre la politique du gouvernement aux Communes – avec un talent si stupéfiant qu'il a même été reconnu par ses vieux ennemis du *Times** ! ; à faire réprimer un soulèvement antibritannique en Irak ; à engager le gouvernement à soutenir les Polonais, qui veulent reprendre le flambeau de la lutte antibolchevique ; et surtout à organiser la lutte contre le terrorisme en Irlande, à l'aide des 43 000 soldats qui y sont stationnés et d'une unité de volontaires constituée à son initiative, les « *Black and Tans* », qui ont pour mission de « terroriser les terroristes ». On notera qu'il reste encore à ce phénomène le temps de se mêler des affaires de l'*India Office*, de l'Amirauté, du *Foreign Office* et du ministère des Colonies, d'écrire d'innombrables articles, de commencer à dicter ses Mémoires de guerre et de reprendre des leçons de pilotage ! En France, à la fin de juin 1919, son avion se retourne sur l'aérodrome de Buc ; le 18 juillet, au décollage du champ d'aviation de Croydon, les commandes de son appareil ne répondent plus, et il s'écrase au sol. L'instructeur est sérieusement blessé, mais son élève n'a qu'une estafilade au front et quelques bleus aux jambes... Même lorsque les circonstances s'y prêtent le mieux, la mort ne veut décidément pas de Winston Churchill.

Pourtant, notre ministre de la Guerre est bien mal à l'aise dans ses fonctions. On n'ose dire qu'il s'ennuie, mais il est manifestement à contre-emploi ; ayant voulu fournir une aide massive à la Russie démocratique, participer à la conférence de la paix pour redessiner la carte de l'Europe, organiser le relèvement de l'Allemagne pour en faire un rempart contre le bolchevisme et constituer des forces armées dignes du rôle impérial de l'Angleterre, il a dû assister presque passivement à la déconfiture des armées blanches en Russie, n'a pas même occupé un strapontin à la conférence de Paris, s'est borné à fournir des troupes pour des opérations répressives depuis l'Irak jusqu'à l'Irlande, a dû présider au démantèlement de l'appareil militaire pour se conformer au plan d'économies du

---

* En particulier à l'occasion du débat sur l'affaire du général Dyer, qui avait ordonné d'ouvrir le feu sur des civils indiens. Le *Times* du 9 juillet 1920 fait état d'un « discours étonnamment habile », qui a « complètement retourné la Chambre ».

gouvernement*, et a cautionné au nom de la solidarité gouvernementale la politique excessivement progrecque de Lloyd George,
qui menace d'entraîner la Grande-Bretagne dans un conflit avec les
nationalistes turcs de Mustafa Kemal. Dans ses lettres au Premier
ministre à la fin de l'année, il ne cache pas son insatisfaction, et
laisse entendre qu'il pourrait démissionner. Pour Lloyd George, ce
serait la fin de bien des tracas, mais il ne peut s'offrir ce luxe :
Churchill continue d'abattre le travail de plusieurs ministres, et il
serait politiquement suicidaire de laisser un orateur de cette envergure rejoindre les bancs de l'opposition ; mieux vaut canaliser
l'énergie de ce maelström vers des domaines plus constructifs. Justement, lord Milner va abandonner le ministère des Colonies, où il y
a fort à faire. Au début de 1921, Churchill se voit donc proposer de
reprendre les fonctions qu'il exerçait quinze ans auparavant, sous la
direction de lord Elgin ; cette fois, cependant, il sera seul maître à
bord après Dieu…

Ayant procédé à un soigneux inventaire, Churchill accepte, en
posant toutefois une condition : qu'il soit créé au sein de son
ministère un «département du Moyen-Orient», responsable de
l'ensemble des régions comprises entre l'Inde et l'Égypte. Il est
vrai que c'est là le talon d'Achille de l'Empire : en Égypte, les
populations s'agitent ; en Iran, sous protection anglaise, les bolcheviks multiplient les incursions ; en Irak et en Palestine, anciennes
possessions ottomanes que la SDN a transférées aux Britanniques
comme «territoires sous mandat», on se heurte directement aux
aspirations arabes. C'est qu'en 1915, pour obtenir l'alliance des
Arabes contre l'Empire ottoman, les Britanniques avaient signé
avec le chérif de La Mecque, Hussein ibn'Ali, les «Protocoles de
Damas», garantissant pour l'après-guerre la reconnaissance de
l'indépendance arabe, depuis le nord de la Syrie jusqu'au sud de la
péninsule Arabique, et depuis les rivages de la Méditerranée jusqu'au golfe Persique. Hélas ! les représentants de Sa Majesté
avaient également conclu l'année suivante avec la France les
accords Sykes-Picot, prévoyant le partage de ces mêmes régions

---

* Churchill est un des promoteurs de la très officieuse « *Ten Year Rule* », qui
oriente à partir de 1919 les dépenses militaires en fonction du postulat qu'aucune
guerre majeure n'éclatera dans les dix ans à venir – un principe qui s'avérera
particulièrement funeste pour la *Royal Navy*.

entre la Grande-Bretagne et la France – qui se verra attribuer par la SDN un mandat sur la Syrie et le Liban. « Les Britanniques, écrira avec bonheur M. L. Dockrill, avaient vendu deux fois le même cheval, [...] aux Arabes et aux Français[8]. » En fait, ce cheval avait même été vendu une troisième fois lors de la déclaration Balfour de 1917, qui acceptait le principe de la création d'un État juif en Palestine ! C'est donc à Winston Churchill qu'il appartient désormais de démêler cet écheveau passablement embrouillé, et de proposer pour l'ensemble des régions sous mandat un système politique qui maintiendrait la réalité du pouvoir britannique, tout en réduisant substantiellement les dépenses encourues – les impératifs d'économies restant naturellement prioritaires.

Fidèle à ses méthodes, le nouveau ministre des Colonies rassemble une documentation considérable et entreprend de réunir les meilleurs arabisants dans son « département du Moyen-Orient ». Parmi eux, il y a le célèbre colonel T. E. Lawrence, artisan de la révolte arabe contre les Turcs, qui avait pris Damas en septembre 1918 aux côtés de l'émir Fayçal, fils du chérif Hussein. Mais depuis lors, les Français s'étaient installés à Damas, expulsant Fayçal de Syrie, et Lawrence n'avait cessé de protester contre la trahison de Paris comme de Londres, tenant tête à Clemenceau lui-même et allant jusqu'à refuser d'être décoré par le roi George V. Churchill, sur qui ce genre de héros romantique exerce une irrésistible fascination, le prend aussitôt pour conseiller. Heureuse inspiration, car Lawrence, érudit, idéaliste et farouche combattant, est aussi un politique avisé ; il propose à Churchill d'installer Fayçal sur le trône d'Irak et de faire couronner son frère Abdallah roi de Transjordanie, tous deux régnant naturellement sous l'œil vigilant de hauts-commissaires britanniques. Ainsi, la Grande-Bretagne se concilierait les Arabes, réparerait une injustice, et pourrait se désengager très largement du Moyen-Orient – tout en y conservant une influence prépondérante...

La solution paraît séduisante, et Churchill décide de la mettre à l'épreuve. Avec toute son équipe, comprenant entre autres Hubert Young, Archibald Sinclair (son ancien commandant en second dans les tranchées de Ploegsteert), Gertrude Bell et le général d'aviation sir Hugh Trenchard, il se rend au Caire le 2 mars pour une « conférence d'experts » qui durera un mois. À l'issue de celle-ci, on propose au Cabinet un plan en plusieurs points : installation des deux fils d'Hussein sur les trônes d'Irak et de Transjordanie ; retrait de l'essentiel des troupes britanniques d'Irak, dont la protection serait confiée à la *Royal Air Force* ; négociation avec le gouvernement du Caire de la fin du protectorat anglais sur l'Égypte, moyennant le maintien d'une présence militaire et d'une influence politique ; « ajustement » des conflits entre Juifs et Arabes en Palestine, où on laisserait se poursuivre l'immigration juive, tout en « préservant les droits des populations non juives » ; enfin, Londres verserait à Abdallah de Transjordanie suffisamment de subsides pour qu'il calme les ardeurs antisionistes de ses sujets... Pendant que Churchill et sa suite vont faire du tourisme en Égypte et en Palestine, les membres du Cabinet examinent le plan, et l'adoptent sans enthousiasme excessif : le *Foreign Office* redoute la réaction des Français *, et le *War Office* prédit une catastrophe après le retrait des troupes d'Irak. En fait, il ne se produira rien de tel : les nouveaux royaumes indépendants seront administrés au mieux des intérêts britanniques, et lorsque les dépenses annuelles du gouvernement de Sa Majesté pour l'Irak passeront de 40 à 5 millions de livres, le plan du ministre des Colonies sera même considéré comme un succès majeur. Seules les dispositions concernant la coexistence entre Juifs et Arabes en Palestine vont se révéler illusoires ; il est vrai qu'au cours des quatre-vingts années qui suivront, personne ne fera beaucoup mieux à cet égard...

De retour à Londres, Churchill est frappé par deux deuils cruels : en juin, sa mère Jennie, âgée de 67 ans, meurt pratiquement dans l'exercice de ses fonctions : les chaussures italiennes neuves qu'elle avait mises pour une réception mondaine l'ayant fait trébucher dans l'escalier, elle se casse la cheville ; accident banal, mais la gangrène s'y met bientôt, et il faut amputer la jambe au-dessus du genou ; l'opération réussit, mais une hémorragie l'emporte trois jours plus tard. Plus tragique encore sera la disparition de Marigold, la fille cadette de Winston et de Clementine, frappée d'une méningite à l'âge de 2 ans et demi. Ses parents ne s'en remettront jamais complètement.

Mais la vie reprend ses droits ; Churchill s'absorbe à nouveau dans son travail – et dans celui des autres. Loin de s'en formaliser, Lloyd George manque rarement de faire appel à lui dès que se pose

* Notamment du fait de l'installation en Irak de leur ennemi Fayçal.

un problème délicat ; c'est ainsi que lorsqu'éclate une controverse parlementaire sur les réductions de budget dans les forces armées, le Premier ministre le nomme sur-le-champ président d'un « comité du Cabinet sur les crédits de défense », chargé de déterminer jusqu'à quel point il est possible de faire des coupes dans les budgets militaires, sans mettre en péril la sécurité nationale. À ceux qui s'étonnent qu'un ministre des Colonies se voie confier une telle tâche, on répond simplement que celui-là n'est pas un ministre ordinaire... Mais Churchill va également se retrouver en première ligne dans une affaire qu'il a déjà eu à traiter en tant que ministre de la Guerre, ainsi que comme premier lord de l'Amirauté huit ans plus tôt : c'est bien sûr le drame irlandais.

Après les élections de décembre 1918, les députés irlandais du Sinn Fein, refusant de siéger à Londres, s'étaient rassemblés à Dublin pour convoquer une assemblée constituante, le *Dail Eireann*. Celle-ci, réunie le 21 janvier 1919, avait proclamé l'indépendance de l'Eire (Irlande du Sud), voté à l'unanimité une Constitution provisoire, et élu pour président Eamon De Valera, alors détenu dans une prison anglaise *. Elle avait ensuite entrepris de mettre sur pied un gouvernement parallèle, doublant en toute illégalité celui de la Couronne, avec un bras armé, l'IRA. Cette organisation secrète, dirigée par le jeune et intrépide Michael Collins, s'était mise en devoir de semer la terreur parmi les membres de l'administration, de la police et de l'armée britanniques en Irlande. On se souvient que le ministre de la Guerre Winston Churchill s'y était attaqué d'emblée, allant jusqu'à créer une « force de contre-terrorisme », les *Black and Tans*, pour en venir à bout ; mais tout cela n'a fait que multiplier les crimes et les exactions, sans ramener la paix dans l'île. À partir du printemps de 1921, Lloyd George, encouragé par le roi, a donc fait quelques approches discrètes auprès des chefs de la rébellion, en leur proposant notamment d'accorder à l'Eire un statut de dominion avec autonomie interne – les relations extérieures restant gérées par Londres, qui conserverait également des bases dans certains ports du pays ; naturellement, l'Ulster, lui, garderait son statut d'union avec la Grande-Bretagne. À quoi le « président » De Valera a répondu que la république d'Irlande ne pouvait être que souveraine

---

* D'où il s'échappera dix jours plus tard.

et indépendante, et que l'Irlande était indivisible – laissant entendre que les six comtés d'Ulster devaient tôt ou tard passer sous l'autorité des vingt-six comtés de l'Eire... En dépit de cette réponse peu encourageante, le Premier ministre britannique a accepté une trêve, et, le 14 juillet 1921, une délégation du Sinn Fein, conduite par De Valera, est reçue à Downing Street. Leurs positions étant à la fois nettement tranchées et parfaitement incompatibles, les interlocuteurs se sépareront une semaine plus tard, sans être parvenus au moindre accord.

Après un interminable échange de correspondance et divers ultimatums, De Valera accepte de renouer les pourparlers, en envoyant à Londres le 8 octobre une délégation de cinq membres. Elle est conduite par Arthur Griffith, le fondateur du Sinn Fein, et par Michael Collins, vétéran du « soulèvement de Pâques », chef des services de renseignements de l'IRA et ministre des Finances du gouvernement parallèle de la république d'Irlande. Pour les accueillir au 10, Downing Street le 11 octobre, il y a le Premier ministre Lloyd George, le chancelier de l'Échiquier Austen Chamberlain, le ministre de la Justice F. E. Smith, devenu lord Birkenhead, et le ministre des Colonies Winston Churchill*. Comme toujours, ce dernier n'était pas partisan des concessions aux adversaires – la magnanimité ne pouvant se concevoir qu'une fois l'ennemi vaincu ; mais la guerre de l'ombre qui est menée en Irlande depuis si longtemps lui paraît désormais impossible à gagner, et son ami F. E. Smith et lui-même ont été dûment chapitrés par Lloyd George : il faut aboutir à tout prix.

Les négociations vont durer près de deux mois et seront extrêmement difficiles : les délégués irlandais ont pour instructions de camper fermement sur leurs positions face aux oppresseurs, et les ministres britanniques se voient constamment rappeler à l'ordre par les conservateurs unionistes, maîtres de la coalition gouvernementale et catégoriquement opposés à toute concession aux terroristes. Mais Lloyd George est habile et il a trois atouts majeurs : De Valera n'est pas là, Arthur Griffith se montre plutôt raisonnable dans les entretiens en tête-à-tête, quant à Michael Collins... il a été confié aux bons soins de Winston Churchill et de son ami

* Les autres négociateurs étant sir Hamar Greenwood, sir L. Worthington-Evans et sir Gordon Hewart.

F. E. Smith ! Or, Winston s'est senti rapidement attiré par la personnalité de Collins ; c'est que les deux hommes ont bien des traits communs : charisme, courage, patriotisme, pugnacité, sens de l'humour et... goût immodéré de la boisson. Il est vrai que dans ce dernier domaine, Collins surclasse nettement son interlocuteur, mais lorsque les libations se prolongent jusqu'aux petites heures, on peut toujours compter sur l'inégalable F. E. Smith – lord Birkenhead –, auprès duquel Winston fait pratiquement figure d'abstinent. Churchill évoquera lui-même l'une de ces dures nuits de conciliabules dans sa demeure de Sussex Square : « C'était à un moment de crise, et les négociations ne semblaient tenir qu'à un fil. Griffith était monté pour s'entretenir seul à seul avec Lloyd George, tandis que lord Birkenhead et moi-même étions restés en compagnie de Michael Collins. Il était de fort méchante humeur, enchaînant les reproches et les provocations, et tout le monde avait le plus grand mal à garder son calme. "Vous m'avez pourchassé jour et nuit !" s'exclama-t-il ; "Vous avez mis ma tête à prix !" "Un instant, lui dis-je, vous n'êtes pas le seul..." Et je décrochai du mur la copie encadrée de l'avis de récompense émis par les Boers pour ma capture. "Pour votre tête, au moins, on avait mis un bon prix : 5 000 £. Et moi, regardez combien je valais : 25 £ seulement, mort ou vif !" [...] Il lut l'affiche et s'esclaffa. Toute son irritation avait disparu[9]. » Lors d'une autre nuit de confrontation, Churchill cite des extraits d'un rapport secret tombé aux mains des Anglais, dans lequel Collins décrivait en termes peu flatteurs le ministre de la Guerre Winston Churchill : « Est prêt à tout sacrifier pour un avantage politique... Tendance à la grandiloquence. Manifeste un chauvinisme d'officier à la retraite [...]. On ne peut jamais lui faire vraiment confiance. » Sur quoi les deux adversaires échangent des regards féroces... et éclatent de rire ! Le puissant chef du comité électoral conservateur du Lancashire, sir Archibald Salvidge, qui a été mis dans le secret des négociations, note avec stupéfaction que « Winston et Michael Collins semblent se fasciner mutuellement[10] ». C'est parfaitement exact.

Mais si la confiance s'est instaurée, il faut bien davantage pour aboutir, car les obstacles sont innombrables : la création d'une marine irlandaise, le statut de l'Ulster, la délimitation territoriale entre celui-ci et le nouvel « État libre d'Irlande », la place de ce dernier dans l'Empire, la représentation de la Couronne à Dublin, le serment d'allégeance que les députés irlandais devraient prêter au roi, le contrôle par la Grande-Bretagne de bases navales dans le sud de l'Irlande, la protection des zones de pêche, l'entrée de l'Irlande à la SDN... C'est un véritable champ de mines, et chaque explosion menace jusqu'au dernier moment de compromettre les pourparlers. Lloyd George, Churchill, F. E. Smith et Austen Chamberlain sont constamment à la recherche de nouveaux compromis, et les Irlandais retournent plusieurs fois à Dublin pour consultations. Le 6 décembre 1921, enfin, après de violentes querelles entre les représentants irlandais eux-mêmes, les deux délégations signent le traité, qui donne naissance à l'État libre d'Irlande, dominion à part entière au sein du Commonwealth. En reposant sa plume, Birkenhead, pensant à la réaction de ses amis conservateurs, soupire : « Je viens peut-être de signer mon arrêt de mort politique... » À quoi Collins répond : « Je viens peut-être de signer mon arrêt de mort tout court[11] ! » Ils ont tous deux raison...

C'est loin d'être la fin de l'implication de Churchill dans les affaires irlandaises. À la demande de Lloyd George, il prend la parole au Parlement pour défendre l'accord qui vient d'être conclu, et il le fait avec un tel talent que le traité est ratifié par les deux Chambres à une écrasante majorité* ; à Dublin, il est également accepté par le *Dail* à une faible majorité au début de janvier 1922, mais De Valera démissionne en le dénonçant formellement, et Griffith lui succède, devenant président du nouvel État libre d'Irlande, avec Collins pour Premier ministre. À Londres, Churchill tentera l'impossible pour les aider, en faisant adopter d'urgence aux Communes les textes de lois transférant tous les pouvoirs exécutifs aux nouvelles autorités de Dublin, en persuadant le Cabinet de gracier les membres du Sinn Fein condamnés à mort pour terrorisme, en faisant débuter immédiatement et le plus ostensiblement possible l'évacuation des troupes britanniques d'Eire, en participant, avec Griffith et Collins, à la rédaction de la Constitution du nouvel État libre, et en organisant une réconciliation entre Belfast et Dublin, qui aboutira même à l'instauration du libre-échange entre les deux frères ennemis... Lorsque De Valera, rentré dans la clandestinité, lance l'IRA contre les nouvelles autorités de l'Eire et orga-

---

* 401 voix pour, 58 voix contre.

nise des campagnes de terrorisme et d'assassinats contre ses anciens alliés*, Churchill – lui-même menacé par les assassins de l'IRA – vole au secours de Griffith et de Collins, en leur envoyant des fusils, en faisant réprimer les exactions des extrémistes de l'Ulster, en menaçant de faire envahir l'Irlande dans l'éventualité d'une victoire de l'IRA, et même en dépêchant à Dublin de l'artillerie et des obus à forte charge explosive, afin de permettre aux autorités de reprendre le Palais de justice occupé par les terroristes. Toutes ces initiatives, assez remarquables de la part d'un ministre des Colonies, contribueront indéniablement à faire pencher la balance en faveur des autorités légales ; celles-ci vont lentement prendre l'ascendant sur l'IRA, faire voter par le *Dail* en octobre 1922 la Constitution rédigée par Griffith, Collins et Churchill, et obtenir l'admission de l'État libre d'Irlande à la SDN. Griffith ne verra pas ces jours bénis : il meurt le 12 août, terrassé par une crise cardiaque. Collins ne les verra pas non plus : il est abattu à l'aube du 22 août par les terroristes de l'IRA ; quelques heures plus tôt, il avait déclaré à des amis : « Dites à Winston que n'aurions jamais pu réussir sans lui[12]. »

Cet automne-là, les plus optimistes pensent avoir assisté à la fin de la tragédie irlandaise. Mais Churchill n'est pas de ceux-là ; quatre décennies d'intérêt passionné pour les affaires de l'« Île des Saints » l'ont amené à cette sombre conclusion : « Tout le monde en Irlande semble déraisonnable[13] » – ce que la suite des événements confirmera amplement. Mais pour l'heure, notre ministre est emporté par le tourbillon de la politique britannique : au Parlement, les Ulstériens s'agitent, les conservateurs songent à quitter le gouvernement, il faut défendre aux Communes le projet de création d'un foyer national juif en Palestine, Lloyd George tente un rapprochement avec les nouveaux maîtres de la Russie, et sa turcophobie menace d'entraîner le gouvernement de Sa Majesté dans de périlleuses aventures extérieures…

Pour Churchill personnellement, l'automne de 1922 est pourtant une période des plus fastes : ses interventions parlementaires en faveur de l'État libre d'Irlande et de la politique britannique en

---

* Et contre des personnalités britanniques : le maréchal sir Henry Wilson, ancien chef d'état-major et ulstérien convaincu, est assassiné à Londres par l'IRA le 22 juin 1922. Après cela, Churchill se verra attribuer un garde du corps, le détective W.H. Thompson.

Palestine lui ont valu une très large considération, l'héritage d'un cousin décédé accidentellement lui a permis d'acheter pour 5 000 £ la propriété de Chartwell, dans le Kent – un manoir plutôt décrépit mais entouré d'un parc splendide –, et comble de félicité, Clementine donne naissance le 15 septembre à une fille, Mary, qui mettra un peu de baume sur l'affreuse blessure laissée par le décès de Marigold l'année précédente. Mais à cette date, l'heureux père est à nouveau sur le pont au milieu d'une violente bourrasque, et cette fois encore, elle souffle des rivages de la mer Égée...

En 1920, le traité de Sèvres avait imposé à la Turquie vaincue la cession aux Grecs de la Thrace, de la province de Smyrne et des îles côtières de la mer Égée ; il avait également délimité sur les deux rivages de la mer de Marmara une « zone neutre » – allant des Dardanelles à la ville d'Ismid, en passant par Constantinople –, dont tous les points stratégiques seraient occupés par des troupes françaises, britanniques et italiennes. Peu après, les Grecs, forts du soutien moral de Lloyd George, avaient envahi l'Anatolie. Mais à partir du printemps de 1920, le général Mustafa Kemal, ayant formé à Ankara un gouvernement parallèle à celui du sultan, entreprenait de reconquérir le terrain perdu ; entre août 1921 et septembre 1922, il est parvenu à arrêter les Grecs, et finalement à les chasser d'Anatolie. Au début de septembre 1922, l'armée grecque a dû évacuer Smyrne et les Turcs ont pénétré dans la « zone neutre », menaçant les troupes alliées stationnées dans la péninsule de Gallipoli et le port de Tchanak, qui contrôle l'accès aux Dardanelles.

Tchanak, les Dardanelles, Gallipoli : tout cela donne une désagréable impression de déjà-vu... Churchill, lui, demandait depuis plus d'un an déjà à Lloyd George de s'entendre avec Mustafa Kemal ; la politique résolument progrecque du Premier ministre lui paraissait très excessive, il sympathisait avec le nationalisme de Kemal, et surtout, il comptait sur la Turquie pour former un rempart contre le communisme. Et pourtant, sans même prendre le temps de s'exclamer « Je l'avais bien dit ! », Winston rejoint ses collègues pour affronter la crise – par solidarité ministérielle, bien sûr, mais aussi parce que les troupes de Sa Majesté ne peuvent être humiliées une seconde fois à Gallipoli. Une fois lancé, notre héros est toujours difficile à arrêter ; profitant de ses dispositions belliqueuses, Lloyd George le charge de rédiger un communiqué de presse faisant état de la nécessité de défendre les Dardanelles contre

« une agression violente et hostile de la part de la Turquie », et d'envoyer un télégramme aux gouvernements des dominions pour leur demander leur soutien et l'envoi de renforts militaires ; le 22 septembre, il nomme même Churchill président d'un comité du Cabinet chargé de superviser le mouvement de troupes, d'avions et de navires vers les Dardanelles – un rôle que l'ancien premier lord de l'Amirauté va assumer avec l'enthousiasme que l'on imagine...

À la fin de septembre, la situation est extrêmement délicate et l'histoire risque bien de se répéter, dans des conditions qui ne seront guère plus favorables aux armes de Sa Majesté : il n'y a que 3 500 hommes pour défendre Tchanak, contre une avant-garde de 23 000 Turcs ; les Italiens comme les Français ont promptement retiré leurs troupes de la zone neutre, et les dominions, à l'exception de la Nouvelle-Zélande et de Terre-Neuve, ont refusé leur concours. Mais tout cela ne fait que renforcer la détermination de Churchill, qui est toujours au mieux de sa forme lorsqu'il a le dos au mur ; le 29 septembre, les autorités militaires britanniques à Constantinople reçoivent l'ordre de présenter aux Turcs un ultimatum : s'ils ne se retirent pas des abords de Tchanak, les défenseurs britanniques ouvriront le feu...

Mais le général Harrington, commandant en chef à Constantinople, est un diplomate ; il retarde la remise de l'ultimatum et le 30 septembre, les Turcs donnent des signes d'apaisement : leurs troupes cessent d'avancer, ils envoient deux jours plus tard un émissaire pour négocier avec Harrington*, et acceptent en définitive de respecter la zone neutre. C'est que Mustafa Kemal a jugé inutile d'engager une épreuve de force avec un gouvernement britannique manifestement résolu à en découdre ; général intrépide mais politicien avisé, il pense obtenir davantage à la table des négociations que sur un champ de bataille, et l'avenir lui donnera raison**. Pour l'heure, en tout cas, la tension retombe, et le 6 octobre, il apparaît que la crise du Tchanak est terminée. En Grande-Bretagne, tout le monde pousse un soupir de soulagement ; mais Churchill, tout à son ardeur guerrière, se montre plutôt déçu...

---

* Il s'agit du général Ismet Inönü, qui deviendra par la suite ministre des Affaires étrangères, Premier ministre et président de la République.

** L'année suivante, par le traité de Lausanne, la Turquie récupérera toute la zone des Détroits, la Thrace orientale et Constantinople.

En fait, le véritable danger vient d'ailleurs. L'ancien chef du parti conservateur Bonar Law, retiré de la politique depuis un an et demi, va profiter des derniers événements pour revenir sur le devant de la scène ; le 7 octobre, dans un article publié par le *Times*, il attaque violemment le gouvernement, qu'il accuse de provocation envers la Turquie. Cette diatribe, qui arrive à contretemps, n'est manifestement qu'un prétexte pour mettre fin à la coalition ; de fait, 273 députés conservateurs se réunissent au Carlton Club douze jours plus tard et, sous l'influence de Bonar Law et du ministre du Commerce Stanley Baldwin, une majorité d'entre eux vote le retrait du soutien conservateur au gouvernement. Pour Lloyd George, c'est le coup de grâce : il démissionne le jour même.

Dès le 23 octobre, Bonar Law, réélu chef du parti conservateur, devient Premier ministre et dissout le Parlement. Au cours des élections générales qui s'ensuivent, Churchill doit affronter de nouvelles élections dans son fief de Dundee ; il représente un parti miné par la corruption et éclaboussé par le scandale des décorations* ; il a contre lui les libéraux d'Asquith, les travaillistes, les unionistes, les communistes et les prohibitionnistes... C'est déjà beaucoup ; mais surtout, il est alité depuis le 18 octobre à la suite d'une difficile opération de l'appendice, et il ne pourra faire campagne à Dundee que quatre jours avant l'élection, avec une plaie mal refermée de 18 centimètres à l'abdomen. Le 15 novembre, les résultats du vote sont proclamés, et Churchill est largement battu. « En un clin d'œil, écrira-t-il, je me retrouvai sans ministère, sans siège, sans parti et sans appendice[14]. »

C'est un choc très rude, et qui le plonge dans un abîme de dépression. Son épouse n'a aucun mal à le convaincre de prendre du champ – et surtout du repos ; deux semaines plus tard, il part pour le midi de la France, laissant derrière lui un parti libéral en ruines, un gouvernement conservateur renforcé avec 354 sièges aux Communes, et un parti travailliste qui est désormais, avec 142 sièges, la deuxième force politique du royaume. Pour notre ex-ministre et ancien député qui vient d'avoir 48 ans, on pourrait difficilement imaginer un plus sombre tableau.

Mais Winston Churchill a toujours su rebondir, et il a des capacités de récupération surprenantes. Il est vrai que son nouveau cadre

---

* Depuis la fin de la guerre, des titres et des décorations étaient conférés massivement, en échange de contributions aux caisses du parti libéral.

s'y prête à merveille : près de Cannes, à la villa « Rêve d'Or », la vie paraît déjà plus attrayante… Notre estivant malgré lui y passera six mois des plus agréables, d'autant qu'il compte sur la Côte d'Azur de fidèles amis qui y possèdent des propriétés confortables : l'homme d'affaires et politicien canadien Max Aitken, devenu en 1917 lord Beaverbrook ; Consuelo Vanderbilt, première épouse de son cousin « Sunny » Marlborough, qui s'est remariée en 1921 avec l'officier français Jacques Balsan ; l'Américaine Adèle Grant, devenue comtesse d'Essex ; sir John Lavery et son épouse Hazel, tous deux peintres de grand talent. C'est ainsi qu'au cours des premiers mois de 1923, les Cannois et les Niçois pourront apercevoir de temps à autre un petit homme replet, légèrement voûté, à la calvitie avancée, qui s'adonne à la natation et fait des promenades en mer sur le yacht de lord Beaverbrook ; les après-midi de beau temps, le même homme, surmonté d'un invraisemblable couvre-chef et prolongé d'un cigare, plante son chevalet sur la croisette ou dans la nature, et peint jusqu'au soir ; après le dîner, on peut rencontrer au casino un joueur invétéré qui lui ressemble comme un frère… Mais il faut se garder de confondre convalescence et oisiveté : rentré à la villa, notre homme travaille jusqu'à l'aube sur ses Mémoires de guerre, assisté de deux sténographes et de quelques verres de *whisky and soda* ; replonger dans les souvenirs de gloire, justifier son action passée à l'aide de documents irréfutables, n'est-ce pas la meilleure thérapie contre un *« black dog »* toujours menaçant ? Certes, mais il faut également savoir que l'opération est extrêmement rentable : pour les deux premiers volumes de Mémoires, intitulés *The World Crisis*, il a reçu de son éditeur britannique une avance de 9 000 £* – à quoi il faut ajouter une deuxième avance de 5 000 £ pour les droits américains, et encore autant pour les droits de reproduction en feuilleton dans le *Times*… Pour un homme qui n'a plus ni salaire ministériel ni indemnité parlementaire, mais reste incapable de se priver du superflu, c'est loin d'être négligeable ; d'ailleurs, il rédige également à cette époque de longs articles, fort bien rémunérés eux aussi, pour le *Daily Chronicle*, le *Times* et l'*Empire Review*[15]. Au milieu de ces « vacances », il retourne deux fois à Londres, où il descend invariablement au Ritz, et séjourne dans le Kent pour superviser les travaux de reconstruction du

---

* Soit environ 180 000 £ d'aujourd'hui.

manoir de Chartwell – dont le coût finira par s'élever à 20 000 £, soit quatre fois le prix d'achat ! Au milieu de tout cela, il trouvera même du temps à consacrer à ses enfants, Diana, Randolph, Sarah et Mary, s'efforçant de compenser ses longues absences par un surcroît d'attention et d'affection – les deux choses que son père lui avait toujours refusées.

Et pendant tout ce temps, il ne s'occuperait pas de politique ? Allons donc ! Elle lui est aussi indispensable que l'air qu'il respire... D'autant qu'il se passe à Londres des choses bien intéressantes : une fois réglés les problèmes liés à la guerre, à la démobilisation, aux traités de paix, au Moyen-Orient et à l'Irlande, Bonar Law avait pensé pouvoir s'installer dans le rôle confortable de Premier ministre d'un royaume sans histoires. Mais au bout de quelques mois, cet ancien négociant en plaques d'acier voit ses craintes confirmées : même par temps calme, il est incapable d'exercer le pouvoir ; comme en outre sa santé s'est beaucoup dégradée, il démissionne dès le mois de mai 1923. Son successeur, Stanley Baldwin, se trouvant confronté à une situation économique difficile, ne voit comme remède que la vieille recette protectionniste de Joe Chamberlain : instituer des tarifs douaniers élevés. Mais son prédécesseur s'étant fait élire sur un programme libre-échangiste, il faut, pour opérer une telle volte-face, obtenir un nouveau mandat du peuple : le Parlement est donc dissous et de nouvelles élections vont se tenir en novembre. Pour Churchill, c'est une aubaine : voici que resurgissent les vieilles controverses de 1906, qui avaient assuré jadis le triomphe du parti libéral ! Quelle meilleure occasion de réunir enfin les libéraux, si divisés depuis sept ans, que la menace du protectionnisme ?

Le 19 novembre 1923, Churchill accepte de se présenter avec l'étiquette libérale dans la circonscription de West Leicester, à l'est de Birmingham. Clementine a tenté de l'en dissuader, avec des arguments fort sensés : on lui a proposé d'autres sièges beaucoup plus sûrs, son principal adversaire à West Leicester sera travailliste plutôt que conservateur, et l'étiquette de libre-échangiste ne pourra l'aider, les travaillistes étant également opposés aux tarifs douaniers. Mais son époux ne l'écoute pas : le clairon du libéralisme réunifié a sonné, l'adversaire brandit l'étendard rouge du *Labour Party*, il s'agit donc de charger droit devant. Hélas ! Les travaillistes du West Leicester vont se révéler plus coriaces que les derviches du calife : solidement retranchés dans une circonscription ouvrière, fortifiés par la vague de chômage qui touche la région, cuirassés de principes généreux et de courroux prolétaire, ils ouvrent un feu dévastateur ; et notre ancien lieutenant de hussards, traité tour à tour de suppôt du capitalisme réactionnaire, de boucher de Tonypandy, d'aventurier d'Anvers, de fossoyeur de Gallipoli et de bourreau de la Russie bolchevique, va se trouver rapidement désarçonné. C'est que les foules oublient rapidement les hauts faits d'armes, mais jamais les erreurs et les crimes – surtout lorsqu'ils sont imaginaires : au cours de ses meetings électoraux, Churchill est donc sans cesse interrompu, conspué, menacé et parfois agressé. Au soir du 6 décembre, le verdict des urnes est sans appel : F. W. Pethick-Lawrence, le candidat travailliste, devance son adversaire libéral de plus de 4 000 voix...

À cette humiliation va rapidement s'en ajouter une seconde : c'est qu'au niveau national, les conservateurs ont perdu près de 90 sièges, et s'ils restent le premier parti au Parlement, ils peuvent y perdre la majorité en cas d'alliance des travaillistes et des libéraux. Le 18 janvier 1924, dans une lettre au *Times,* Churchill lance donc un appel pressant aux libéraux pour qu'ils soutiennent les conservateurs, afin de barrer la route à un gouvernement travailliste dont l'avènement représenterait une catastrophe pour le pays[16]. Peine perdue : trois jours plus tard, lors du vote d'une motion de confiance, les libéraux s'allient aux travaillistes, et Baldwin doit remettre sa démission. C'est donc le travailliste Ramsay MacDonald qui va former le nouveau gouvernement, avec le soutien des libéraux. Pour Churchill, c'est une véritable trahison, qui va l'éloigner définitivement du parti libéral – et le rapprocher du parti conservateur ! Précisément, Stanley Baldwin, qui est maintenant dans l'opposition mais n'a nullement l'intention d'y rester, cherche à rallier les libéraux hostiles à l'alliance « *liberal-labour* », et Churchill constituerait une recrue de choix... Il faut battre le fer tant qu'il est chaud : fort de la neutralité bienveillante de Baldwin et du soutien d'une vingtaine de notables conservateurs, dont Arthur Balfour, Austen Chamberlain et lord Londonderry, il se présente dès le 4 mars à une élection partielle dans la circonscription de l'abbaye de Westminster. C'est une place forte du parti *tory*, et Churchill compte l'emporter sous l'étiquette d'« antisocialiste indépendant », pour peu que les libéraux le soutiennent et que les conservateurs acceptent de ne pas présenter de candidat contre lui. Malheureusement, cette seconde condition ne

sera pas réunie : c'est le capitaine Otho Nicholson qui reçoit l'inves-
titure de l'union électorale conservatrice, et le candidat travailliste
concentre ses attaques sur Churchill qui, pris entre deux feux, est
une nouvelle fois battu – de justesse, certes, mais cela n'en fait pas
moins trois défaites électorales en moins de seize mois ! De toute
évidence, une retraite tactique s'impose…

Mais les succès de l'auteur viennent compenser les déboires de
l'homme politique. Il est vrai qu'à cette époque, l'écrivain Churchill
est bien plus populaire dans le pays que le politicien ; les deux premiers volumes de son livre *The World Crisis*, parus au printemps et
à l'automne de 1923, ont connu un gros succès, ce qui se conçoit
aisément : la Grande Guerre n'est achevée que depuis cinq ans, et
elle reste présente dans toutes les mémoires ; or, ces deux premiers
volumes traitent de la période 1911-1915, alors que Churchill était
ministre, et ils donnent au lecteur un aperçu sans précédent des
coulisses du conflit comme du processus de prise de décision au
sommet de l'État. Il y a là une documentation considérable, des
jugements bien tranchés sur les politiciens et les militaires de
l'époque, une ampleur de vues stupéfiante, un ton épique, un style
admirable et un humour omniprésent. Il est vrai qu'au fil du récit,
les épisodes de la guerre ne semblent avoir d'importance que dans la
mesure à Churchill s'y est trouvé impliqué, les autres étant bien plus
superficiellement traités* ; on admettra également que ses descrip-
tions de la guerre sur mer et de la campagne des Dardanelles
prennent trop souvent l'aspect de plaidoyers *pro domo*… Mais
après tout, il est notoirement difficile d'écrire l'histoire lorsqu'on a
la prétention de l'avoir faite ; et puis enfin, a-t-on déjà vu de
mémoire d'Anglais un homme doté d'un si beau style relater de si
grands événements après avoir occupé de si hautes fonctions ? Bien
sûr, sa ponctuation ne s'est guère améliorée depuis les premiers
écrits de Bangalore, mais le fidèle Eddie Marsh veille au grain, et les
résultats sont irréprochables. L'accueil fait à ces deux premiers
volumes ne peut qu'encourager Churchill à poursuivre son œuvre…

Entre deux campagnes électorales malheureuses – et même pendant celles-ci –, notre politicien-écrivain ne se contente pas de

---

* Ce que Balfour s'empressera de résumer par ce commentaire perfide : « Je
suis en train de lire la brillante autobiographie de Winston déguisée en histoire de
l'univers. »

travailler à ses Mémoires ; il rédige de nouveaux articles sur les sujets les plus variés : « La bataille de Sidney Street » ; « Les dangers qui menacent l'Europe » ; « Un différend avec Kitchener » ; « L'avenir de M. Lloyd George » ; « Un combat au corps à corps avec les fanatiques du désert » ; « Le libéralisme » ; « Mémoires de la Chambre des communes » ; « Comment j'ai échappé aux Boers » ; « Mes journées épiques avec le Kaiser » ; « Ramsay MacDonald, l'homme et le politicien » ; « Le complot rouge – et après » ; « Les stratèges devraient-ils opposer leur veto au tunnel sous la Manche ? » ; « Lorsque j'étais jeune » ; « Pourquoi j'ai renoncé à voler » ; « Qui dirige le pays ? » ; « Socialisme et poudre aux yeux », etc. De très nombreux journaux et magazines bénéficient de sa prose : le *Sunday Chronicle*, le *Weekly Despatch*, *Pall Mail*, le *Daily Chronicle*, *Cosmopolitan*, *English Life*, *Strand*, le *Times et John Bull.* Du reste, l'exercice est fort bien rémunéré : jusqu'à 500 £ par article, soit quelque 10 000 £ d'aujourd'hui... Pour un politicien au chômage avec une femme et quatre enfants, c'est une ressource qui n'est pas négligeable.

Il va sans dire que tout cela ne suffirait pas à occuper les journées d'un homme tel que Winston Churchill. Au printemps de 1924, alors que les travaux se terminent dans son manoir de Chartwell, il entreprend de s'occuper personnellement du parc ; on le verra bientôt défricher, scier des arbres, aménager des pelouses, planter un verger, construire un barrage, assécher une mare, en creuser une deuxième, puis une troisième... Bien entendu, tout le monde doit mettre la main à l'ouvrage : les enfants, les domestiques, les assistants de recherches, les visiteurs, et même le détective ! Les secrétaires seules sont exemptées ; elles doivent se réserver pour les longues soirées de dictées, qui s'achèvent bien souvent vers 4 heures du matin. Quelle que soit l'heure, c'est une rude épreuve : le grand homme dicte à toute vitesse, à mi-voix, sans articuler, en faisant les cent pas et en mâchonnant un cigare éteint. Lorsqu'il n'est pas compris, ou n'obtient pas sur-le-champ ce qu'il désire, il s'empourpre, vocifère et tape du pied – exactement ce qu'il faisait dans sa nursery de Phoenix Park un demi-siècle plus tôt... Seul le cigare apporte au tableau une petite touche de nouveauté.

Naturellement, le jardinage, les séances de dictée et l'inévitable chevalet ne l'empêchent pas de scruter intensément le paysage politique, et comme il l'espérait, celui-ci se dégrade à vue d'œil ; pour donner des gages à la base de son parti, MacDonald a reconnu l'Union soviétique, et lui a même accordé un prêt substantiel ; il est allé encore plus loin en laissant l'*Attorney General* abandonner toutes poursuites contre l'agitateur communiste Campbell, qui avait été arrêté pour subversion au sein de l'armée. Pour les libéraux d'Asquith, qui supportaient déjà très mal le virage à gauche du gouvernement, la mesure est comble : ils retirent leur soutien aux travaillistes, qui sont mis en minorité à l'occasion d'une question de confiance. MacDonald démissionne donc, et de nouvelles élections générales sont fixées au mois d'octobre. Churchill, prompt à saisir l'aubaine, a passé l'automne à organiser un front antisocialiste unissant les conservateurs et les libéraux de Lloyd George, et Baldwin lui a promis de mettre à sa disposition un siège dans une circonscription solidement acquise aux conservateurs ; ce sera celle d'Epping, au nord-est de Londres, où Churchill accepte de se présenter le 11 septembre comme candidat « constitutionnaliste et antisocialiste », appuyé par les conservateurs. Même son ancien ennemi lord Carson, l'Ulstérien extrémiste, vient faire campagne pour lui, en compagnie d'Arthur Balfour, un ennemi plus vieux encore ! Le 29 octobre, au milieu du raz-de-marée conservateur consécutif à l'« incident Zinoviev* », Churchill est triomphalement élu à Epping, avec 9 000 voix d'avance sur son plus proche adversaire. Lorsqu'il effectue sa rentrée aux Communes après deux années d'absence, le paysage parlementaire a beaucoup changé : les conservateurs occupent désormais 419 sièges, les travaillistes 151, et les libéraux 40 seulement. Une fois encore, par un invraisemblable concours de circonstances, Churchill, ex-conservateur passé aux libéraux par amour du libre-échange et ex-libéral discrètement revenu dans les rangs conservateurs par haine du socialisme, se retrouve du côté des vainqueurs...

« Tout le monde peut retourner sa veste, avait écrit notre héros à un ami, mais il faut une certaine adresse pour la remettre à l'endroit[17] ! » De fait, un retour au bercail trop ostensible de

---

* Quelques jours avant les élections, le *Foreign Office* avait publié une lettre du chef du Komintern, Zinoviev, au parti communiste anglais, qui se voyait ordonner de mener une propagande subversive au sein de l'armée britannique. L'authenticité de cette lettre a été contestée, les services secrets britanniques ne pouvant révéler qu'ils avaient décrypté le chiffre du Komintern.

l'enfant prodigue risquerait de provoquer des apoplexies parmi les dinosaures du parti d'Arthur Balfour et de Joe Chamberlain. C'est sans doute en vertu de ces considérations que le nouveau député « constitutionnaliste » d'une circonscription majoritairement conservatrice n'a pas encore rejoint formellement les rangs du parti *tory*. Il ne s'attend donc pas à être rappelé au gouvernement : avec une majorité aussi écrasante aux Communes, Baldwin peut parfaitement se permettre de former un gouvernement de conservateurs inconditionnels. Mais pour une fois, Winston est trop pessimiste ; au matin du 5 novembre, le nouveau Premier ministre l'invite à Downing Street et lui propose le poste de chancelier.

– « Du duché de Lancastre ? » demande Churchill.

– « Non, répond Baldwin, de l'Échiquier ! »

Pour le nouveau député d'Epping, la surprise est immense ; mais le sentiment comme l'ambition, qui restent les deux principaux moteurs de l'action churchillienne, lui interdisent formellement de refuser : ministre des Finances, c'est la fonction qu'occupait Randolph Churchill avant sa démission fatidique de 1886... C'est aussi, traditionnellement, la voie royale qui mène au poste de Premier ministre !

Pourquoi diable Stanley Baldwin a-t-il jeté son dévolu sur l'ancien renégat Churchill, au risque de faire grincer tant de dentiers dans les clubs conservateurs de Londres ? C'est que le demi-frère d'Austen Chamberlain, Neville, candidat naturel à ce poste*, a préféré le ministère de la Santé ; en outre, les problèmes économiques auxquels le gouvernement va se trouver confronté rendent impérative la présence au ministère des Finances d'un homme aussi énergique qu'intrépide, et Baldwin a dû se rendre à l'évidence : les caciques du parti conservateur sont pour la plupart trop vieux, trop timorés, trop incapables ou trop inexpérimentés pour occuper une telle fonction. Du reste, Baldwin, en vieux routier de la politique, sait parfaitement que certains hommes sont moins dangereux dedans que dehors : en recrutant Churchill, on lui retire la tentation de former un parti du centre, qui attirerait inévitablement Lloyd George et F. E. Smith – exposant ainsi le nouveau gouvernement au feu roulant des trois plus redoutables orateurs du moment. Et puis, en confiant à Winston le ministère des Finances, qui est loin

---

* Il l'occupait déjà en 1923, dans le premier gouvernement Baldwin.

d'être une sinécure, on peut espérer qu'il n'aura pas le temps de se mêler des affaires de ses collègues ! Enfin, la dernière raison est sans doute la plus étrange, mais non la moins importante : Stanley Baldwin, comme beaucoup d'ennemis de Churchill, est également un de ses admirateurs...

Le 30 novembre 1924, alors qu'il fête son cinquantième anniversaire, Winston Churchill a toutes les raisons d'être heureux : après tant d'épreuves et de dangers, tant de gloires éphémères et de chutes vertigineuses, le voici à nouveau solidement installé dans son rôle de député et de ministre. Et puis, l'âge fatidique est dépassé depuis quelques années déjà, il est en excellente santé, c'est un mari et un père de famille comblé, ainsi qu'un auteur à succès confortablement établi dans un manoir entièrement refait à sa convenance. Le peintre amateur Churchill lui-même a quelques raisons d'être fier : ses tableaux de Cannes, de Cap-d'Ail, de Monaco et de l'arrière-pays niçois, exposés dans une galerie parisienne sous la signature de « Charles Morin », ont connu un certain succès – et six d'entre eux ont même été vendus un fort bon prix !

Notre nouveau chancelier arrive à l'Échiquier bien décidé à maîtriser tous les arcanes de l'économie et de la finance ; il compte également laisser pour la postérité la marque d'un ministre réformateur ayant largement contribué à la prospérité du royaume, ainsi qu'à une plus juste répartition des richesses, sans laquelle il ne saurait y avoir de véritable grandeur. Toutes ces intentions sont clairement exprimées lors de la présentation aux Communes de son premier budget le 28 avril 1925 : il prévoit une réduction de 10 % de l'impôt sur le revenu pour les producteurs de richesses comme pour les contribuables les plus défavorisés ; un abaissement de l'âge de la retraite à 65 ans ; le versement de pensions aux veuves à compter du décès de leur conjoint ; l'extension au plus grand nombre des bénéfices de la sécurité sociale et la construction de logements sociaux sur une grande échelle. Tout cela est présenté dans un discours fleuve de deux heures et quarante minutes, dont les envolées lyriques, les traits d'humour et les métaphores martiales tiennent en éveil les députés les plus somnolents : « Ce n'est pas aux vigoureux fantassins qu'il convient d'attribuer des faveurs et des récompenses supplémentaires. C'est vers les traînards, les affaiblis, les blessés, les vétérans, les veuves et les orphelins que doivent être dirigées les ambulances de l'aide nationale[18]. » L'instant d'après, il déclare sans changer de ton : « J'ai pour mission de fortifier le Trésor public et, avec la permission de l'assemblée, c'est ce que je me propose de faire sans tarder » – sur quoi il se verse un grand verre de whisky, et le vide d'un trait…

Ces flots d'éloquence et de fortifiants ne peuvent évidemment dissimuler les aspects les moins engageants du budget ; c'est qu'il faut bien financer les avancées sociales, et les dispositifs prévus à cet effet effaceront bien des sourires : augmentation des droits de succession, taxes sur les automobiles, les montres, les films, les pneumatiques et les instruments de musique ; droits de douane sur le houblon, la soie et la rayonne, ce qui ne peut manquer d'étonner chez ce libre-échangiste convaincu… Mais ce qui va faire sensation dans les milieux financiers et sera le plus lourd de conséquences, c'est sans conteste l'annonce du retour à l'étalon-or.

Le rétablissement de la convertibilité du sterling à son niveau d'avant-guerre était en fait l'objectif de tous les gouvernements britanniques depuis 1920, qui l'avaient soigneusement préparé par une sévère politique de déflation. Cette mesure, jugée indispensable au prestige de la Grande-Bretagne comme à la prospérité de ses institutions financières*, implique surtout une hausse de 10 % du cours de la livre, renchérissant d'autant le prix des exportations britanniques – qui deviennent donc beaucoup moins compétitives sur les marchés étrangers. Le seul remède est alors de diminuer les coûts de production, ce qui implique inévitablement des réductions de salaires, une augmentation des licenciements et une baisse générale du niveau de vie. C'est ce qu'expose immédiatement un économiste de Cambridge, le professeur John Meynard Keynes, auteur cinq ans plus tôt des *Conséquences économiques de la Paix*, et qui publie à présent un pamphlet intitulé *Les Conséquences économiques de M. Churchill*[19]. Sa démonstration est convaincante, mais le principal intéressé n'en tient pas compte, et le 15 mai 1925, les députés voteront à une écrasante majorité le *Gold Standard Act*, qui semble marquer le retour de la Grande-Bretagne à sa prospérité d'avant-guerre.

Hélas ! La suprématie économique de l'Empire britannique a été engloutie dans le tourbillon de la Grande Guerre, et rien ne pourra la ressusciter ; prétendre y parvenir grâce au rattachement à l'or,

---

* Une livre sterling réévaluée rend la place financière de Londres plus attrayante pour les capitaux étrangers.

c'est entretenir une coûteuse illusion. Pourquoi dès lors Churchill a-t-il pris une telle décision, passant outre aux avertissements d'un économiste qu'il admire et de quelques proches dont il respecte le jugement, comme son ami Max Aitken, devenu le magnat de la presse lord Beaverbrook ? Sans doute faut-il attribuer ce faux pas au manque d'assurance d'un ministre en poste depuis quelques mois seulement, et qui entend les experts, les politiciens, les banquiers, le gouverneur de la Banque d'Angleterre, le Premier ministre, les fonctionnaires de son propre ministère et tous ses prédécesseurs à la Chancellerie recommander un retour à l'étalon-or dans les meilleurs délais ; en outre, bien des hommes influents lui ont présenté cette mesure comme le meilleur moyen pour l'Angleterre de retrouver sa grandeur impériale et de resserrer les liens avec les États-Unis – deux arguments auxquels Churchill est extrêmement sensible ; enfin, il faut bien l'avouer, l'homme des hauts faits d'armes et des grandes envolées lyriques se sent bien mal à l'aise face à la mesquine comptabilité des derniers publics, aux incompatibilités d'intérêts des partenaires économiques et aux tours de bonneteau des marchés financiers. S'il a fait bien plus d'efforts que son père pour en percer les secrets, il n'est pas certain qu'il y soit mieux parvenu, car, pour tout dire, ces interminables alignements de chiffres ne l'inspirent pas plus que les versions latines de son enfance. « Je découvris bientôt, racontera Robert Boothby, devenu en 1926 son directeur de cabinet, que le Trésor ne lui plaisait guère, et qu'au fond, les problèmes de la haute finance ne l'intéressaient pas. » Et Churchill de lui confier, à l'issue d'une réunion avec des fonctionnaires du Trésor, des banquiers et des économistes : « Si seulement c'étaient des amiraux ou des généraux... Je parle leur langue, et je peux les battre. Mais ces types-là, au bout d'un moment, ils se mettent à parler chinois, et alors là, je n'y comprends plus rien[20] ! » On conçoit dès lors qu'un tel homme soit bien davantage à son affaire dans les dramatiques événements qui vont suivre – et qui ne sont rien d'autre qu'une conséquence directe de sa malheureuse initiative économique...

Avec le coton, le charbon est la principale industrie exportatrice du royaume. Ayant déjà des difficultés à se maintenir sur le marché mondial, elle se trouve frappée de plein fouet par l'augmentation des prix consécutive au retour à l'étalon-or, et les patrons des houillères se voient contraints de comprimer leurs coûts ou de perdre l'essentiel de leurs marchés ; les salaires représentant quelque 80 % de ces coûts, ils annoncent leur intention de revenir sur les accords salariaux existants, en réduisant les rémunérations et en allongeant la journée de travail. Cela provoque une levée de boucliers chez les mineurs, qui menacent de se mettre en grève, soutenus par le TUC (*Trade Unions Congress,* Fédération des syndicats) et par le parti travailliste. En août 1925, le Premier ministre Baldwin, après avoir tenté une médiation, va calmer le jeu en acceptant de subventionner les houillères pendant neuf mois, et en nommant dans l'intervalle une commission royale chargée de rechercher un compromis. Mais en avril 1926, lorsque les subventions sont interrompues et que les mineurs rejettent les baisses de salaires proposées par la commission, il apparaît clairement que rien n'a été réglé. Au matin du 1er mai, la grève débute donc dans les mines ; dès le lendemain, le TUC, par la voix du secrétaire général du Syndicat des transporteurs Ernest Bevin, annonce une grève générale de solidarité, qui débute effectivement le 3 mai à minuit, après l'échec des négociations avec le gouvernement.

Ce sera une grève très dure ; tous les transports sont paralysés, de même que la production de gaz et d'électricité, l'industrie métallurgique et chimique, le bâtiment, les docks et la presse. Le gouvernement va faire appel à des volontaires pour conduire les trains et les bus, distribuer les vivres et le combustible, et assurer les services essentiels ; la police et l'armée sont mobilisées pour assurer leur protection. Mais pour les autorités, l'essentiel reste à faire : en dépit de la paralysie de tous les moyens d'impression, il faut rester en contact avec l'opinion publique, dont le soutien est essentiel pour sortir vainqueur de l'épreuve*. C'est à ce stade que Stanley Baldwin, suivant l'avis d'un de ses proches conseillers, se tourne vers son chancelier de l'Échiquier et lui propose d'assumer les fonctions de rédacteur en chef d'un journal « officiel ». Il peut certes paraître étrange de s'adresser au ministre des Finances pour rétablir la communication avec le peuple, mais si personne au Cabinet n'élève d'objections, c'est que ce ministre-là se nomme Winston Churchill... Il est certes poseur, bavard, impulsif, suprêmement égocentrique, fréquemment insupportable et perpétuellement à la

---

* La radio est encore peu répandue dans les foyers britanniques à cette époque, et elle est difficilement audible.

recherche de la gloire ; mais dans les situations d'urgence, il est aussi parfaitement irremplaçable !

En fait, Churchill jugeait les griefs des mineurs justifiés, et il s'était déclaré à plusieurs reprises partisan de concessions en leur faveur, au nom de la justice comme de l'harmonie sociale. Mais il considère la grève générale menée par le TUC comme une attaque directe contre le gouvernement et les institutions, sans doute inspirée par les communistes* ; il va donc déterrer une nouvelle fois la hache de guerre et rejoindre les « durs » du gouvernement, comme son ami Birkenhead et le ministre de l'Intérieur Joynson-Hicks, pour vaincre l'adversaire par tous les moyens possibles. C'est dans cet état d'esprit – très proche, il faut bien l'avouer, de celui de 1914 – qu'il aborde sa nouvelle mission : créer de toutes pièces un journal qui soit le porte-parole du gouvernement, puis le faire imprimer et diffuser, en dépit d'un arrêt de travail complet des imprimeurs comme des distributeurs ! Le ministre de l'Air, sir Samuel Hoare, a déjà trouvé le nom du journal : *British Gazette* ; le *Morning Post*, déserté par ses ouvriers, a mis ses locaux à la disposition du gouvernement ; il reste à trouver les typographes, les rédacteurs, les distributeurs, les articles, et bien sûr les lecteurs…

Le chancelier de l'Échiquier s'en chargera personnellement. Grâce à lord Beaverbrook, dont le *Daily Express* est également paralysé, il obtient le concours d'un linotypiste chevronné et de quelques employés connaissant les rotatives ; de nombreux étudiants se portent volontaires pour distribuer le journal, sous la protection de la police ; quant aux articles, ils sont personnellement choisis par le rédacteur en chef Churchill – lorsqu'il ne les écrit pas lui-même. C'est ainsi que dans le premier numéro, qui est tiré dès le 5 mai à 230 000 exemplaires, on peut lire ce passage non signé, mais rédigé dans un style caractéristique : « Cette grande nation [...] est actuellement réduite au niveau des indigènes d'Afrique, qui dépendent des seules rumeurs colportées d'un endroit à l'autre. En quelques jours, si nous laissions cette situation se prolonger, les rumeurs empoisonneraient l'atmosphère, provoqueraient des paniques et des désordres, enflammeraient tout à la fois les craintes

---

* La révélation selon laquelle les « travailleurs soviétiques » avaient envoyé des fonds pour soutenir leurs « camarades britanniques » ne pouvait que l'ancrer dans cette conviction.

et les passions, et nous entraîneraient tous vers des abîmes que n'accepterait d'envisager aucun homme sain d'esprit, quel que soit son parti ou sa classe. » Plus loin, on peut lire ceci : « La grève générale est un moyen de faire subir à quarante-deux millions de citoyens britanniques la volonté de quatre millions d'autres[21]. » Le numéro du lendemain 6 mai, tiré déjà à 507 000 exemplaires, affirme péremptoirement : « La grève générale est un défi au Parlement ; c'est la voie de l'anarchie et de la ruine[22]. » Pour Churchill, que Beaverbrook décrira comme étant possédé par « le vieil esprit de Gallipoli » et par « l'un de ses accès de gloriole et d'excitation excessive[23] », c'est de la propagande de guerre dans le plus pur style de 1917-1918, avec les syndicats dans le rôle des Allemands – ou des bolcheviks ! Toutes les armes sont donc permises : accusations sans preuves, rumeurs incendiaires, nouvelles censurées, hymnes patriotiques, communiqués de victoire, ultimatums belliqueux et mauvaise foi tonitruante…

Les ministres, qui pensaient que le journal se bornerait à relayer quelques informations officielles éthérées, n'en croient pas leurs yeux ; le Premier ministre non plus, qui avait accepté de confier cette tâche à Churchill en disant : « Eh bien, ça l'occupera, et ça l'empêchera de faire pire ! » Lourde erreur : le chancelier de l'Échiquier n'en trouve pas moins le temps de demander au Conseil des ministres la mobilisation des troupes territoriales pour aider la police, le gel des fonds syndicaux et l'arrestation des fauteurs de grève ; il s'est également érigé en porte-parole du gouvernement, et ses propos sont nettement plus enflammés que ceux de la majorité de ses collègues : « Nous sommes en guerre, déclare-t-il au secrétaire adjoint du gouvernement épouvanté, et nous devons aller jusqu'au bout ; il vous faut du sang-froid[24]. »

Stanley Baldwin, qui pousse le sang-froid jusqu'à l'indolence, préfère éviter les mesures extrêmes et laisse pourrir la grève ; il est vrai qu'avec l'afflux des volontaires pour remplacer les grévistes et l'extraordinaire succès de la *British Gazette* – dont le huitième numéro a un tirage de 2,2 millions d'exemplaires ! –, son gouvernement est manifestement en position de force. Le 12 mai, la grève générale s'achève, et les chefs du TUC se rendent à Downing Street pour déposer les armes. À leur stupéfaction, Churchill, présenté en permanence comme un extrémiste fermement décidé à humilier les travailleurs, se contente de déclarer : « Dieu merci, c'est terminé ! »

C'était pourtant prévisible, et la suite l'est tout autant : notre chancelier, pour qui la magnanimité dans la victoire demeure un principe intangible, entend désormais se faire l'avocat des mineurs restés seuls à lutter pour leur survie, tout comme il défendait jadis les Boers ou les Allemands humiliés par la défaite. Baldwin, qui sait qu'une fois les armes remisées au vestiaire, ce farouche lutteur peut se muer en conciliateur de talent, le nomme à la tête d'une commission gouvernementale chargée de trouver un compromis équitable entre les syndicats des mineurs et les patrons des houillères. Il tentera de faire adopter le principe d'un salaire minimum dans les mines et de négocier avec les patrons une baisse de leurs profits, en échange d'une réduction des salaires de leurs employés. S'il finit par échouer en dépit de cinq mois d'efforts, c'est à la fois en raison de l'obstination des mineurs, de l'arrogance de leurs patrons, et de l'esprit revanchard de la plupart des barons conservateurs, bien décidés à faire payer aux mineurs le prix de la défaite ; quant au Premier ministre, il a préféré ne pas s'engager : pour se reposer de ses émotions, il est allé passer des vacances prolongées dans le sud de la France...

Churchill, lui, n'y songe même pas ; toujours en quête d'un équilibre budgétaire perpétuellement compromis par les troubles sociaux et les errements financiers, il n'a cessé de réduire les budgets militaires, à commencer par celui de la marine* – ce dont les croiseurs, les sous-marins et les défenses terrestres de la base de Singapour ont particulièrement souffert[25]. Il a négocié avec quelque succès un plan de paiement des dettes de guerre, tant avec les débiteurs européens de l'Angleterre qu'avec ses créanciers américains. Mais tout cela ne l'empêche pas, encore et toujours, de se mêler des affaires de ses collègues : le premier lord de l'Amirauté William Bridgeman le voit avec horreur intervenir pour retarder les échéances de construction des croiseurs, le ministre de la Santé Neville Chamberlain assiste avec dépit à ses incursions intempestives dans le domaine de l'assurance chômage et des prestations maladie, et seul le flegme légendaire du ministre des Affaires étrangères Austen Chamberlain l'empêche de trépigner de rage en

---

* La « *Ten Year Rule* », conçue en 1919 comme une directive officieuse, sera finalement votée en bonne et due forme au début de 1928, sur proposition de Churchill lui-même.

constatant que Winston exige – et obtient – la rupture des relations diplomatiques avec l'URSS*, assure en Conseil des ministres qu'il n'y aura pas de guerre avec le Japon dans un avenir prévisible, intervient pour que l'Angleterre occupe une position d'arbitre entre l'Allemagne et la France, et encourage le haut-commissaire britannique en Égypte, lord Lloyd, à empêcher l'accession au pouvoir de Zaghloul Pacha**...

Le journaliste A.G. Gardiner, qui semble avoir examiné Churchill avec le soin maniaque d'un entomologiste éprouvé, en brosse cette année-là un portrait étonnamment ressemblant : « Ses échecs passés sont monumentaux, mais l'énergie de son esprit et l'impulsion de sa personnalité rendent de tels échecs plus brillants que les succès du commun des mortels. [...] Il n'obéit à personne, ne craint personne, ne respecte personne. Il est si absorbé dans ses pensées et ses vastes desseins qu'il ne fait pas aux autres l'honneur de s'apercevoir de leur présence. [...] C'est lord Oxford, je crois, qui a dit de lui : "Il a du génie sans jugement." Il ne voit qu'un aspect de la situation à la fois, et l'ardeur de sa vision exerce sur son prochain une fascination irrationnelle et périlleuse. [...] À moins que M. Churchill ne soit réduit au silence, il l'emporte toujours en livrant une "guerre d'usure" dialectique ; il lasse ses adversaires par ses incessantes offensives verbales, par l'intensité de ses convictions, par la versatilité de ses arguments. C'est qu'il connaît ses dossiers comme il connaît ses discours – par cœur et à la lettre ; il ne laisse rien au hasard, il travaille sur ses documents avec l'ardeur d'un terrassier, il apporte à ses péroraisons un labeur incessant, il s'entraîne sur tout le monde. Sa vie n'est qu'un long discours ; il ne parle pas, il déclame. [...] Il ne veut pas connaître votre point de vue, qui risquerait de déranger la magnifique limpidité de sa pensée par quelque rappel fastidieux d'une objection incommode. Que lui importent les vues des autres, puisque lui seul est dans le vrai[26] ? »

Tout cela sera rapporté en termes très voisins par d'innombrables témoins au cours des quatre décennies à venir... Mais pour l'heure,

---

* La découverte de preuves de l'espionnage soviétique dans les locaux de la société commerciale Arcos a été un élément déterminant dans cette rupture.

** Le chef du parti nationaliste Wafd, Saad Zaghloul, avait été impliqué deux ans plus tôt dans le meurtre du commandant britannique de l'armée d'Égypte, sir Lee Stack.

il n'y a rien à faire : dès la fin de 1926, la position de Churchill est inattaquable ; c'est qu'il est perçu dans l'opinion publique comme le principal artisan de la défaite des grévistes – même s'il n'en a été que le plus bruyant –, et personne, en dehors de Keynes (et de lui-même), ne met sérieusement en doute ses compétences en tant que ministre des Finances ; chaque année jusqu'en 1929, sa présentation du budget au Parlement est donc attendue comme un événement majeur, qui attire une foule de connaisseurs et ravit l'ensemble des députés. Il est vrai que ses dons d'orateur se sont encore déve-loppés : il parle avec beaucoup plus d'aisance et délaisse fréquem-ment ses notes pour suivre l'inspiration du moment – ou du moins, il en donne l'impression... Avec une plus grande décontraction vient tout naturellement l'usage plus fréquent de l'humour, une arme dont il deviendra bientôt aux Communes le maître incontesté ; ainsi, le 7 juillet 1926, il déclare sur un ton belliqueux aux députés travaillistes de la Chambre : « Qu'il soit bien entendu que si jamais vous lancez contre nous une nouvelle grève générale, nous lancerons contre vous... » – courte pause, pendant laquelle les députés de l'opposition, attendant une menace d'utiliser l'armée, s'apprêtent à conspuer l'orateur – « ... une nouvelle *British Gazette*[27] ! » La stu-péfaction et le soulagement des députés se confondent en un inter-minable éclat de rire.

Il est vrai que l'homme a encore bien des ennemis ; les travaillistes continuent à le dénoncer comme l'ennemi juré de la classe ouvrière, les libéraux ne lui pardonnent pas son retour dans le camp conser-vateur, et les vieux conservateurs voient toujours en lui le renégat de 1904. Mais derrière les apparences, il y a cette fois encore de curieuses réalités : celle du chef travailliste Ramsay MacDonald, qui écrit à Churchill : « J'ai toujours eu personnellement la plus grande estime pour vous[28] » ; celle du leader libéral Asquith, dont les rela-tions avec Churchill sont plus que distantes depuis dix ans, mais qui n'en voit pas moins dans le bouillant chancelier de l'Échiquier « un Everest parmi les dunes de sable du cabinet Baldwin[29] ». Quant au ministre de la Santé conservateur Neville Chamberlain, peu suspect de sympathie pour son collègue des Finances, il doit bien admettre à l'été de 1926 : « Churchill a nettement amélioré sa position, et il est très populaire [...] dans notre parti, comme il l'est au sein de la Chambre tout entière[30]. » De là à voir en lui le prochain chef de gouvernement, il n'y a qu'un pas ! Ceux qui s'attachent aux symboles notent ainsi que la résidence du chancelier de l'Échiquier, au 11, Downing Street, n'est séparée de celle du Premier ministre que par un petit jardin ; mais ceux qui observent de plus près ces symboles feront remarquer que Churchill y réside le moins souvent possible… C'est que le manoir de Chartwell continue d'exercer sur lui un attrait irrésistible.

C'est en effet dans le rôle du gentilhomme campagnard que notre député et chancelier de l'Échiquier semble trouver son plein épanouissement. Il est installé à Chartwell depuis deux ans avec son épouse* et ses quatre enfants, Diana, 17 ans ; Randolph, 15 ans ; Sarah, 12 ans ; et Mary, 4 ans. Comme la résidence, le parc a été entièrement refait selon les spécifications du maître de maison, qui a continué à mettre la main à l'ouvrage, en ajoutant à ses aménagements antérieurs un jardin aquatique avec rocailles et cascades, une bambouseraie et une grande piscine circulaire chauffée par deux chaudières particulièrement voraces. Ayant ensuite édifié un petit mur, il s'est découvert une passion pour la maçonnerie, et depuis lors, il n'a cessé de construire : une maison de jeux pour les enfants, un atelier, un pavillon pour le valet… Resté un grand ami des animaux, il a immédiatement entrepris d'en remplir son parc : poissons rouges, canards, cygnes, oies, poneys, chèvres, agneaux, renard, blaireau, bélier, sans compter les innombrables chats et chiens qui circulent dans la maison. Un véritable *gentleman-farmer* devant avoir un domaine productif, il s'essaie même à l'élevage des moutons, des cochons et de la volaille, mais les résultats de ses efforts sont à la mesure de son amateurisme. Pourtant, une certaine rentabilité ne serait pas superflue, car Churchill, n'ayant jamais su se priver, se contente toujours de ce qu'il y a de mieux : vêtements sur mesure, sous-vêtements en soie**, mets recherchés, cigares de La Havane, premiers crus français, champagne en quantités respectables***, whisky, cognac, porto et sherry comptent toujours parmi les premières nécessités. En outre, les frais d'entretien de son domaine sont considérables, avec un personnel comprenant trois femmes de chambre, un homme à tout faire, une cuisinière, deux

---

* Que l'endroit n'enchante guère.

** Ayant une peau très délicate, il n'a jamais pu supporter le contact des vêtements rugueux.

*** Invariablement du Pol Roger.

serveuses, un maître d'hôtel, un valet, un palefrenier, deux bonnes d'enfants et trois jardiniers – sans compter les deux secrétaires et les trois assistants de recherches. C'est ainsi que l'on peut être ministre, député et couvert de dettes ; chez les Spencer-Churchill, c'est même, nous le savons, une tradition familiale ! Mais à la différence de ses ancêtres, Winston a un excellent moyen d'apaiser ses créanciers : c'est de rédiger des livres et des articles...

De fait, quelles que soient par ailleurs ses obligations de député, de ministre des Finances, de rédacteur en chef militant, de médiateur, de touche-à-tout du Conseil des ministres, de père de famille, de peintre paysagiste, d'agriculteur, d'éleveur et de maçon, il n'en continue pas moins d'enchaîner les écrits avec une étonnante virtuosité. Le troisième volume de ses Mémoires de guerre a été publié en 1927, et jusqu'à l'été de 1928, il est absorbé par la rédaction des deux derniers tomes – qui couvrent également la période d'après-guerre ; mais il écrit simultanément de longs articles pour *Pall Mail*, le *Sunday Times*, le *Daily Mail*, *John Bull* et le *Cosmopolitan* ; les sujets sont toujours aussi variés, même s'il y a naturellement beaucoup de réminiscences de son passé aventureux : « Comment je me suis évadé » ; « Dans une vallée indienne » ; « Un train blindé pris au piège » ; « Au Cap avec Buller » ; « Comment je me suis concilié lord Roberts » ; mais aussi : « Douglas Haig » ; « George Curzon » ; « Herbert Asquith » ; « La crise de Palestine » ; « Trotski, l'ogre de l'Europe » ; « Le charlatanisme socialiste », et même, venant d'un expert en la matière : « De la constance en politique ». Son temps étant décidément extensible, il a également entrepris d'écrire *My Early Life*, un petit livre simple et émouvant, dans lequel il raconte ses expériences de jeunesse. Tout cela est comme d'habitude dicté au pas de charge et fort bien rémunéré ; au début de septembre 1928, notre heureux auteur campagnard écrit à Stanley Baldwin : « J'ai passé un mois délicieux à bâtir un cottage et à dicter un livre : 200 briques et 2 000 mots par jour[31]. »

Enfin, Churchill prend un plaisir évident à montrer son domaine aux amis. C'est ainsi que l'on verra se succéder à Chartwell l'inévitable F. E. Smith, le fidèle Eddie Marsh, le jeune chef de cabinet Robert Boothby, la confidente Violet Asquith, et naturellement tous les acolytes des temps de guerre et d'après-guerre : Archibald Sinclair, Desmond Morton, Edward Spears, lord Beaverbrook,

Lloyd George, Bernard Baruch, T. E. Lawrence (redevenu simple caporal dans la RAF), l'admirateur et « bras droit » Brendan Bracken et le professeur Lindemann, dit « *The Prof* », un excentrique végétarien et abstinent qui fascine Churchill par son génie des chiffres, des graphiques et de la vulgarisation scientifique. Parmi les visiteurs réguliers, il y a également quelques jeunes députés conservateurs tels que Duff Cooper, Harold MacMillan et Victor Cazalet, qui considèrent Churchill comme leur mentor en politique ; il est vrai que ce dernier, de son propre aveu, « n'aime pas voir de nouvelles têtes[32] », mais ces jeunes-là se sont distingués pendant la Grande Guerre, et c'est la meilleure des cartes de visite pour entrer dans les faveurs du seigneur de Chartwell...

En politique, pourtant, rien n'est jamais acquis, et Churchill le sait mieux que tout autre. Il s'est certes attaché à être un chancelier de l'Échiquier orthodoxe, il a présenté chaque année des budgets en équilibre, accordé des dégrèvements fiscaux pour dynamiser l'industrie et l'agriculture, taxé l'essence, le vin, le tabac, la bière et les alcools forts, réévalué les impôts fonciers, accepté quelques entorses au libre-échange pour augmenter les recettes, fait voter des déductions d'impôts pour les familles nombreuses (« un nouvel exemple, a-t-il déclaré aux députés, de notre politique générale d'aide aux producteurs[33] ») et, dans l'ensemble, il a mieux géré les finances de l'État que les siennes propres. Mais les effets de ses erreurs initiales ne s'effacent pas de sitôt : la réévaluation de la livre sterling et les grèves de 1926 ont porté un coup sévère à l'économie, et il y a au début de 1929 plus d'un million de chômeurs ; le 29 mai suivant, les élections générales donnent pour la première fois une majorité au parti travailliste. Les conservateurs auraient pu se maintenir au pouvoir en s'alliant aux libéraux de Lloyd George, mais Baldwin s'y refuse*, et c'est le chef travailliste Ramsay MacDonald qui forme le nouveau gouvernement.

Voici donc Churchill de nouveau dans l'opposition ; réélu dans sa circonscription d'Epping, il est désormais membre du « *shadow cabinet*** » conservateur. Mais il n'y est pas à l'aise : c'est que bien

* Les deux hommes ne se parlent plus depuis que Baldwin a provoqué la chute du cabinet Lloyd George en 1922.
** « Cabinet fantôme », qui suit les affaires du gouvernement au pouvoir et prépare la relève.

des dirigeants conservateurs le rendent responsable de la défaite électorale, comme s'il avait assumé à lui seul toute la politique du gouvernement ; et puis, Stanley Baldwin a décidé de soutenir les projets travaillistes consistant à évacuer militairement l'Égypte et à accorder l'autonomie interne à l'Inde. Pour Churchill, gardien de l'Empire et fervent partisan du *Raj* de sa jeunesse*, c'est évidemment inacceptable : formé dans la tradition victorienne, il voit toujours l'Inde comme l'un des joyaux de l'Empire, qui participe à sa grandeur et à son rayonnement ; sous l'influence de son ami F. E. Smith, ministre de l'Inde, il considère en outre que les 350 millions d'Indiens ne sont absolument pas prêts à assumer les responsabilités de leur propre gouvernement. De nos jours, cela paraîtrait parfaitement réactionnaire et politiquement incorrect, mais il faut se souvenir qu'avec 23 langues, 847 dialectes, 320 religions, 5 600 castes, 303 029 divinités, 85 % d'analphabétisme, 60 millions d'intouchables, et une haine féroce entre hindous et musulmans qui n'attend que le départ des Anglais pour dégénérer en massacres, l'Inde de cette époque n'est pas exactement un modèle de société évoluée. Du reste, ni Baldwin ni MacDonald ne sont des apôtres éclairés de la décolonisation et d'un tiers-mondisme avant l'heure ; ils voient tout simplement dans l'Inde et le reste de l'Empire un boulet fort coûteux, dont il importe de se débarrasser au plus tôt ; quant au sort ultérieur des colonies, ils s'en désintéressent complètement et n'en font pas mystère. À vrai dire, bien d'autres conservateurs sont tout aussi opposés que Churchill à cette politique assez cynique**, mais fort peu risqueraient de se couper du parti pour suivre leurs convictions. Churchill, on le sait, n'a jamais reculé devant une telle éventualité, et il va multiplier les articles et les déclarations publiques pour condamner cette politique d'abandon ;

---

* Il est vrai que Churchill ne comprend que très vaguement les problèmes de l'Inde des années vingt. Ses aperçus du pays sont restés ceux d'un officier subalterne ayant passé deux ans à y guerroyer et à s'initier à l'histoire parlementaire britannique à la fin du 19ᵉ siècle. À lord Halifax, qui lui proposera de s'entretenir avec une délégation indienne « afin de réviser ses vues sur l'Inde », Churchill répondra : « Je suis très satisfait de mes vues sur l'Inde, et je ne veux pas les voir troublées par quelques foutus Indiens ! » On ne peut évidemment s'empêcher de repenser au portrait brossé plus haut par le journaliste A.G. Gardiner…

** D'autant que la plupart d'entre eux ont effectué dans les colonies des placements substantiels…

ainsi, le 26 janvier 1931, il déclare à la Chambre : « Je soutiens que la façon dont les affaires indiennes ont été gérées au cours des dix-huit derniers mois a été des plus malheureuses, et a déjà abouti à des résultats qui seront longtemps déplorés. [...] Qu'en pensera le peuple britannique ? On me dit qu'il s'en moque. [...] On me dit qu'il se préoccupe du chômage et des impôts, ou qu'il ne s'intéresse qu'aux nouvelles du sport et des faits divers. Le grand paquebot est en train de sombrer par mer calme ; les cloisons étanches cèdent les unes après les autres ; l'eau envahit un compartiment après l'autre ; la gîte augmente ; il coule, mais le capitaine, les officiers et l'équipage sont tous dans le grand salon, en train de danser au rythme de l'orchestre de jazz. Mais attendez que les passagers se rendent compte de la situation[34]. » Ses relations avec Baldwin, déjà tendues depuis la défaite électorale, vont donc se dégrader brutalement, jusqu'à ce que sa position au sein du *shadow cabinet* conservateur devienne parfaitement intenable, et qu'il soit invité à le quitter – ce qu'il fera sans la moindre hésitation.

Depuis que Churchill n'est plus ministre, ses difficultés financières se sont nettement aggravées. Il est vrai que notre auteur à succès a reçu une confortable avance pour *My Early Life,* qu'il a également entrepris, sur les conseils de T. E. Lawrence, d'écrire une biographie de son illustre ancêtre le duc de Marlborough (moyennant une autre avance substantielle), et qu'il s'est remis à écrire des articles tout aussi rentables sur ses préoccupations du moment : « L'Empire britannique va-t-il durer ? » ; « Le péril en Inde » ; « Des vérités premières sur l'Inde » ; « La crise palestinienne » ; « Les États-Unis d'Europe » ; « Pourquoi faut-il plus d'impôts ? » ; et même : « Pourquoi nous avons perdu les élections » – c'est ce qui s'appelle faire flèche de tout bois... Mais une bonne partie de ces appréciables revenus a été placée à la Bourse de Wall Street, et le krach d'octobre 1929 les réduira pratiquement à néant.

C'est évidemment consternant, mais Churchill n'a jamais accordé à l'argent une importance démesurée. Bien plus cruelle sera pour lui la perte en octobre 1930 de F. E. Smith, son vieux complice flamboyant et spirituel, qui meurt consumé par la fumée et les spiritueux. Pendant un quart de siècle, ils avaient vécu et agi de concert ; ensemble, ils avaient même fondé un club, « *The Other Club* », auquel Churchill restera attaché sa vie durant. Désormais sans ministère, sans fortune, sans influence sur son parti et sans son meilleur ami, le député d'Epping s'absorbe dans sa biographie du grand Marlborough. Pour les délassements, il y encore le midi de la France, où l'on peut planter son chevalet et hanter les casinos ; il y a aussi le Nouveau Monde, où il est toujours bien accueilli : après un séjour aux États-Unis et au Canada avec son fils à l'automne de 1929, il y retourne à la fin de 1931 pour une série de quarante conférences (très rentables, naturellement : 10 000 £, soit deux fois le salaire annuel d'un Premier ministre...). Mais ce séjour-là sera fort agité ; au soir du 13 décembre, notre conférencier, qui est à New York, veut rendre visite à son vieil ami Bernard Baruch. Toujours distrait, il a oublié l'adresse à son hôtel ; toujours aventureux, il se fait malgré tout déposer au début de la 5e Avenue, pensant retrouver la maison de mémoire ; mais encore distrait, il oublie que les Américains roulent à droite... En s'engageant sur la chaussée, il est renversé par une voiture roulant à très vive allure. Le choc est effroyable – comparable, calculera le professeur Lindemann, à celui provoqué par une chute d'une hauteur de dix mètres sur la chaussée[35] –, et les effets sont prévisibles : « J'ai certainement souffert de toutes les douleurs, mentales et physiques, que l'on peut ressentir après un accident ou, je suppose, après avoir reçu un éclat d'obus. Aucune souffrance n'est insupportable. On n'a ni le temps ni la force de s'apitoyer sur son sort. Si, à un quelconque moment dans cette longue serie de sensations, un voile gris tirant progressivement sur le noir était venu recouvrir le sanctuaire, je n'aurais rien craint ni ressenti de plus[36]. »

En fait, Churchill s'en tirera avec une commotion cérébrale, une plaie profonde au cuir chevelu et quelques contusions ; mais cette fois, il lui faudra près de deux mois pour se remettre de l'épreuve. Il est vrai qu'avec l'âge, les accidents mortels deviennent beaucoup plus fatigants...

CHAPITRE IX

AVIS DE TEMPÊTE

Au début de 1932, le maître de Chartwell, qui vient d'avoir 57 ans et vit retiré sur ses terres, n'est pas exactement un solitaire ; il a une épouse, quatre enfants, de nombreux assistants et domestiques, des dizaines d'amis qui habitent la région et viennent fréquemment le voir, une centaine d'animaux qui s'ébattent dans son manoir, et naturellement des millions de lecteurs, qui attendent désormais avec impatience les écrits de l'auteur célèbre qu'est devenu Winston Spencer-Churchill.

Bien sûr, tout cela n'est pas aussi idyllique qu'il y paraît : Clementine Churchill ne se plaît guère à Chartwell, elle goûte assez peu la compagnie de certains visiteurs*, est sujette à de longs accès de dépression et s'absente souvent pour séjourner dans les villes d'art du continent. Les enfants, trop gâtés et insuffisamment encadrés, commencent à donner quelques soucis : Diana va se marier sur un coup de tête, et son union sera un échec ; Sarah voudrait être actrice, mais son talent n'est pas à la mesure de son esprit fantasque ; Randolph, qui est bel homme et s'exprime avec aisance, va abandonner ses études à Oxford pour se lancer dans la politique et le journalisme. Hélas ! Privé des étonnantes aptitudes de son père, il a hérité en revanche de la nonchalance, du mauvais caractère et de l'impulsivité brouillonne de son grand-père Randolph ; et puis, la malédiction des Spencer-Churchill ne l'a pas davantage épargné que ses deux sœurs : il boit énormément, mais

* Les plus mal vus étant certainement F.E. Smith et Brendan Bracken.

sa capacité d'absorption étant très inférieure à celle de son père, il se prépare des lendemains désastreux*.

Si le climat familial n'est pas sans nuages, l'entourage animal ne réserve pas moins de tracas : les chiens s'attaquent aux tapis, le bélier aux domestiques, les chats aux poissons rouges, le renard aux oies, les chèvres au cerisier, et la vermine aux poulets... Churchill s'en préoccupe à l'occasion, mais ses interventions épisodiques ne sont guère plus efficaces que ses tentatives de médiation dans les affaires familiales – ce qui ne l'empêche pas de présenter à ses hôtes tous les habitants de son petit domaine avec la fierté émue du patriarche comblé... À vrai dire, les visiteurs sont bien plus impressionnés par la conversation du maître de maison, qui prend le plus souvent la forme d'un monologue lyrique d'après repas sur tous les sujets imaginables. « Ses pièces montées, écrira lady Longford, étaient si brillantes que peu d'auditeurs s'avisaient de l'interrompre. Ils devinaient que son égocentrisme était l'expression d'une vision intérieure qui devait s'extérioriser, et ils considéraient comme un privilège de pouvoir l'y aider[1]. » En fait, Winston teste le plus souvent sur ses invités des phrases qu'il prononcera dans une semaine – ou dans un an – à la Chambre des communes ou lors d'un rassemblement électoral. Mais ses prestations, entrecoupées de réminiscences de jeunesse, de déclamations de poésies ou de phrases lues dans *Punch* quarante ans plus tôt, ne manquent jamais de captiver les invités, comme elles fascineront ensuite les députés et les électeurs.

Pour l'heure, il est vrai, l'effet au Parlement est des plus limités ; c'est qu'au début des années trente, Churchill reste politiquement très isolé. Si son passage au ministère des Finances a fait quelque peu évoluer ses positions en matière de libre-échange, son opposition catégorique aux projets d'autonomie indienne l'a entièrement coupé de la direction du parti conservateur. Ayant quitté le *shadow cabinet* en janvier 1931, il se trouve tout naturellement exclu du gouvernement d'union nationale constitué après la chute des travaillistes huit mois plus tard, et sa position aux Communes est désormais aussi singulière qu'inconfortable : adversaire du gouvernement de coalition, il est également hostile à l'opposition travailliste, et ceux qui le soutiennent inconditionnellement dans ce

---

* Seule la petite Mary, 14 ans, se montre beaucoup plus raisonnable.

rôle d'opposant universel se comptent sur les doigts d'une seule main ; tous les autres ont tendance à l'éviter comme un pestiféré. Le revoici donc, *mutatis mutandis*, dans la situation de 1904 – ou dans celle de 1916. Décidément, la vie est un éternel recommencement pour ce franc-tireur renfrogné qui siège au premier banc derrière le gouvernement, juste au-dessous de l'allée centrale – la place qu'occupait jadis son père, lorsqu'il était lui-même rebelle et isolé. « Winston était bien placé pour tirer sur les deux camps, notera le leader travailliste Clement Attlee ; je me souviens de l'avoir décrit comme un blindé puissamment armé sillonnant le *no man's land*[2]. »

Cet étrange député conservateur passé au parti libéral, qui a rompu avec les libéraux pour redevenir conservateur et se trouve à présent en rupture presque totale avec l'appareil de son parti, bénéficie-t-il au moins d'un soutien populaire au niveau national ? Rien n'est moins sûr, car il est entièrement à contre-courant de l'opinion publique : en dehors de l'aristocratie et de quelques colonels à la retraite, personne en Grande-Bretagne ne s'intéresse vraiment à l'avenir de l'Inde, et la grande majorité du peuple verrait sans alarme ce joyau de la Couronne accéder à l'autonomie, ou même à l'indépendance. Churchill, qui ne s'intéresse à l'opinion des autres que lorsqu'elle coïncide avec la sienne, n'en est absolument pas conscient. Ce qui intéresse réellement ses compatriotes à cette époque, ce sont les conséquences de la crise économique, avec la chute brutale des exportations, l'accumulation des faillites d'entreprises et la situation catastrophique de l'emploi : trois millions de chômeurs à la fin de 1931. Sur toutes ces questions, Churchill n'a pratiquement rien à dire et aucune solution concrète à proposer. Le peuple est naturellement partisan d'une augmentation substantielle des indemnités de chômage*, mais Churchill, qui sait que le gouvernement n'en a pas les moyens, s'y est publiquement opposé – une attitude courageuse, mais qui n'a certainement pas amélioré son image dans les milieux ouvriers…

---

* Le gouvernement MacDonald avait decidé de les augmenter, mais la mesure étant antiéconomique, il a fini par demander au Parlement une reduction de 10 % des indemnités, ce qui a entraîné sa chute à l'été de 1931. Le nouveau gouvernement de coalition reste dirigé par MacDonald, mais il est entièrement contrôlé par les conservateurs.

En politique étrangère, il y a au sein de l'opinion publique deux positions très marquées et en partie contradictoires : c'est d'une part le désir de paix et la confiance quasi absolue dans les vertus et l'efficacité de la Société des Nations, d'autre part le refus obstiné de tout engagement contraignant à l'étranger. À cela s'ajoute la conviction – surtout depuis la publication du livre de Keynes sur les conséquences économiques de la paix – que le traité de Versailles a établi en Europe une situation injuste, d'où découlent deux sentiments diffus mais largement répandus : une assez grande sympathie pour l'Allemagne et une hostilité certaine à l'égard de la France, particulièrement depuis l'occupation de la Ruhr en 1923. Comment un public animé de telles certitudes pourrait-il comprendre les discours de Churchill, qui défend énergiquement les traités de paix, demande que l'Allemagne s'acquitte de ses obligations en matière de désarmement, et considère l'armée française comme le seul rempart d'une paix durable en Europe ? Comment un pays où la mode du communisme commence à s'installer, dans les universités comme dans les milieux ouvriers, pourrait-il comprendre ce conservateur d'un autre âge, qui a poussé l'anticommunisme jusqu'à tenir des propos favorables à Mussolini lors de son séjour à Rome en 1927 * ? Et par-dessus tout, comment suivre ce vieux militariste, alors que tout le monde dans le pays est devenu aussi profondément pacifiste ?

Il est vrai que, en Grande-Bretagne comme en France, les ravages de la Grande Guerre ont profondément marqué les esprits et suscité une immense vague d'antimilitarisme. Depuis le milieu des années vingt, l'idée selon laquelle la guerre n'a été que la conséquence d'une accumulation considérable d'armements en Europe n'a cessé de gagner du terrain ; et durant cette période, les impératifs économiques et sociaux, le rôle pacificateur de la SDN, l'entrée de l'Allemagne dans cette organisation, la concertation permanente qui s'est instaurée entre Briand, Stresemann et Austen Chamberlain depuis Locarno, l'optimisme et l'idéalisme officiels qui culmineront en 1928 avec la conclusion du pacte Briand-Kellog, la publicité faite

---

* Lors d'une conférence de presse reproduite par le *Times* du 21 janvier 1927, il déclarait ainsi que Mussolini avait « trouvé l'antidote nécessaire au poison russe », et qu'en politique extérieure, son mouvement avait « rendu service au monde entier ».

autour des interminables conférences de Genève sur le désarmement, enfin et surtout l'absence de menaces contre la paix en Europe au cours de ces années vingt, tout cela a persuadé les citoyens britanniques de la possibilité, et même de la nécessité, d'un renoncement aux armes de guerre...

Churchill seul semble assuré du contraire ; depuis 1929, il lance des mises en garde qui vont résolument à contre-courant des idées reçues : dans d'innombrables discours, il tente de faire ressortir l'incompatibilité absolue qui subsiste entre l'efficacité de la SDN et le désarmement de ses deux plus fermes soutiens que sont la Grande-Bretagne et la France. C'est une contradiction qui n'a évidemment pas échappé aux autres politiciens, mais les dirigeants du parti travailliste ne renonceraient pour rien au monde au désarmement, qui constitue l'un des plus beaux fleurons de leur programme politique depuis la guerre ; quant aux chefs libéraux et conservateurs, ils préfèrent se laisser porter par l'opinion publique plutôt que de la diriger, et gardent l'œil perpétuellement rivé sur les échéances électorales, tout en se répandant en platitudes solennelles sur les vertus de la SDN comme du désarmement généralisé. Et lorsque la conférence de Genève reprend au début de 1932, pour déboucher sur une impasse totale après cinq mois d'âpres négociations, ce sont les Britanniques, avec MacDonald, Baldwin et Simon en tête, qui se montreront les plus résolus à renouer le dialogue, quitte à accepter le réarmement de l'Allemagne – et à réclamer le désarmement de la France ! Quant à réduire les défenses de la Grande-Bretagne, il faut bien reconnaître que l'essentiel a déjà été fait...

En moins de dix ans, l'état des forces armées britanniques s'est effectivement dégradé de façon spectaculaire : le budget de l'armée de terre, qui se montait à 45 millions de livres en 1923, est tombé à 40 millions en 1930 et à 36 millions en 1932 ; ses effectifs sont très réduits depuis l'abandon de la conscription, les canons dont elle dispose au début des années trente étaient déjà démodés en 1914, et la plupart des usines de munitions ont dû interrompre leur production faute de commandes ; quant aux tanks, orgueil de l'armée britannique en 1918, ils ont été victimes des compressions budgétaires tout autant que de la malveillance des officiers de cavalerie, et leur production en série a été interrompue dès 1925. L'aviation n'est guère mieux lotie : en 1923, il avait été prévu d'affecter un minimum de 52 escadrilles à la défense des îles Britanniques ; dix ans plus tard, il n'y en a encore que 42 – et elles sont composées de 17 types d'avions différents, datant presque tous de 1914-1918 ! C'est ainsi que l'aviation britannique, l'une des deux meilleures du monde à l'issue de la Grande Guerre, est reléguée à la cinquième place dès 1931[3] ; quant aux usines de construction aéronautique, elles ont dû fermer leurs portes ou se reconvertir – comme la compagnie Westland Aircraft, qui a survécu en fabriquant des fûts de bière[4]. Enfin, la marine, traditionnellement l'arme la plus favori-sée, a beaucoup pâti des effets du traité de Washington* et de la « règle des dix ans » ; en 1929, on estimait ses besoins à un mini-mum de 70 croiseurs ; quatre ans plus tard, il n'y en a plus que 56 en service – dont 34 sont à la limite de l'obsolescence[5]. Et pourtant, l'activité dans les chantiers navals reste des plus réduites…

Bien entendu, les chefs d'état-major des trois armes protestent vigoureusement contre cet état de fait ; au Parlement, ils bénéfi-cient de l'appui éloquent de Churchill et d'une poignée de dépu-tés, pour qui les problèmes de défense gardent une signification concrète. Pourtant, les résultats se font attendre et les chefs d'état-major, passant par-dessus la tête des ministres responsables, décident de s'adresser directement au Premier ministre, afin de lui demander de remédier aux insuffisances les plus graves. La suite du processus est éloquemment décrite par l'historien britannique A. J. P. Taylor : « Le Premier ministre parcourait rapidement les recommandations des chefs d'état-major et les édulcorait dès la première lecture, après quoi il les édulcorait à nouveau avant de les soumettre au Cabinet, qui les édulcorait encore une fois en prévi-sion des difficultés qu'il rencontrerait pour les faire adopter au Parlement et dans le pays[6]. » Pourtant, au milieu de mars 1932, MacDonald reçoit des chefs d'état-major un rapport encore plus catégorique qu'à l'ordinaire ; il fait état à nouveau de l'imprépara-tion et du sous-équipement des forces armées britanniques, mais ajoute cette fois qu'elles « seront hors d'état de s'acquitter des tâches militaires susceptibles de leur être confiées ». Le rapport demande donc instamment l'annulation de la règle des dix ans, et préconise un renforcement immédiat des trois armes, sans attendre

* Le traité de Washington de 1922 établissait l'égalité entre flottes américaine et britannique, tout en limitant les constructions futures.

la conclusion des travaux de la conférence de désarmement[7]. La première réponse qui leur parviendra sera celle du ministre des Finances, Neville Chamberlain : « À l'heure actuelle, les risques économiques et financiers sont de loin les plus graves et les plus urgents auxquels le pays ait à faire face[8]. »

Pourtant, les chefs d'état-major auront finalement gain de cause, puisque le 23 mars 1932, le gouvernement accepte d'annuler la règle des dix ans. Seulement, la situation financière est très mauvaise et le gouvernement vient de s'engager à rééquilibrer le budget ; c'est pourquoi il déclare aussitôt que l'abolition de la règle des dix ans « ne justifie pas une augmentation des dépenses militaires dans l'immédiat[9] ». En dépit des apparences, rien n'a donc changé, et moins d'un an plus tard, le premier lord de l'Amirauté, pressé par son état-major, demandera aux membres du Cabinet de lui donner l'assurance « qu'ils se rendent bien compte de l'état d'impréparation dans lequel se trouve la marine, et qu'ils en assument la responsabilité ». Avec une étonnante nonchalance, le Premier ministre MacDonald donnera sans délai l'assurance demandée[10].

Lorsque Churchill s'en indigne publiquement, ses détracteurs ont beau jeu de lui rappeler qu'il a lui-même contribué dans une large mesure à l'affaiblissement des défenses du pays. En tant que ministre de la Guerre et de l'Air, n'a-t-il pas été l'artisan de la démobilisation en 1919 ? N'a-t-il pas taillé radicalement dans les crédits de l'armée et de l'aviation au début des années vingt ? Comme chancelier de l'Échiquier, n'a-t-il pas amputé largement le budget de l'Amirauté ? N'est-il pas après tout l'un des pères de la tristement célèbre « règle des dix ans » ? Certes, mais cela néglige deux éléments essentiels : Churchill ne faisait qu'exécuter les décisions du gouvernement*, et tout cela se passait durant une décennie qui ne connaissait pas la moindre menace contre la paix. En 1932, par contre, les Japonais viennent de conquérir la Mandchourie, tandis que la crise économique mondiale, avec ses conséquences politiques et sociales, a considérablement rapproché Hitler du pouvoir.

C'est là un personnage sur qui Churchill ne se fait guère d'illusions, car il a lu dès 1925 la première traduction anglaise de *Mein*

---

* Qu'il ait commis quelques excès de zèle en la matière est évidemment indéniable. Quel que soit son ministère, Churchill a *toujours* commis des excès de zèle...

Kampf ; la volonté d'effacer toute trace du « *diktat* » de Versailles, de réarmer l'Allemagne, de lui rattacher les autres territoires habités par des Allemands et d'entreprendre la conquête d'un *Lebensraum* à l'Est y est exposée sans détour, tout comme la haine mortelle du Führer à l'égard des Juifs et sa folle ambition de domination mondiale. Winston Churchill, à la différence de l'écrasante majorité de ses compatriotes, a choisi de prendre au mot l'auteur de ce livre touffu et menaçant ; du reste, une expérience personnelle est venue rapidement confirmer ses craintes.

On se souvient que le descendant du 1er duc de Marlborough a entrepris d'écrire une biographie de son illustre ancêtre ; c'est à la fois un projet fort rentable et un acte de réparation : Churchill estime que Macaulay, qu'il admire tant, n'en a pas moins diffamé honteusement le vainqueur de Blenheim, et il se fait fort de rétablir la vérité historique. Sans délaisser pour autant ses innombrables articles*, il se lance donc dans cette vaste entreprise avec sa fougue et sa minutie habituelles : cette fois, plusieurs assistants de recherches sont mobilisés à plein temps**, et il les charge d'examiner l'ensemble des archives du château de Blenheim, ainsi que des montagnes de documents préservés aux Pays-Bas depuis le XVIIIe siècle… Et pour se faire une idée plus juste des événements de l'époque, ce biographe consciencieux entreprend même une grande tournée des champs de bataille du duc de Marlborough ; c'est ce qui l'amène en Allemagne à l'été de 1932.

Le séjour sera instructif à bien des égards. Churchill et ses compagnons parcourent de long en large le vaste champ de bataille de Blenheim, mais ils ont également un aperçu des réalités allemandes contemporaines au moment précis où Hitler entame sa marche vers le pouvoir. À Munich, Winston manquera de peu une occasion de le rencontrer : « À l'hôtel Regina [de Munich], un homme se présenta à quelques-uns de mes compagnons. Il s'appelait Herr Hanfstaengl et parlait beaucoup du "Führer", dont il semblait être un intime. Ce garçon paraissant aussi enjoué que loquace, et parlant

---

* Dont « Joseph Chamberlain » ; « Lord Oxford tel que je l'ai connu » ; et « Mes aventures à New York » (*Daily Mail*, 1/12/32, 18/10/32 et 4/1/32).

** Dans un premier temps Maurice Ashley et William Deakin, jeunes diplômés d'Oxford, ainsi que le colonel Charles Holden, un vétéran de la Grande Guerre.

en outre excellemment l'anglais, je l'invitai à dîner. Il nous fit un tableau des plus intéressants de l'activité et des opinions d'Hitler. [...] Il me dit que je devrais le rencontrer, et que rien ne serait plus facile à organiser : Herr Hitler venait chaque jour à l'hôtel vers 17 heures, et serait très heureux de me voir. Je n'avais alors aucun préjugé d'ordre national contre Hitler. Je connaissais mal sa doctrine et sa carrière, et pas du tout son caractère. J'admire les hommes qui prennent la défense de leur pays dans la défaite, même si je suis de l'autre bord. [...] Pourtant, au cours de ma conversation avec Hanfstaengl, j'en vins à lui demander : "Pourquoi votre chef est-il si violent envers les Juifs ? Je conçois très bien que l'on soit monté contre les Juifs qui ont commis des méfaits ou se dressent contre le pays, et je comprends qu'on leur résiste s'ils essaient d'accaparer le pouvoir dans un quelconque domaine, mais à quoi bon combattre un homme du seul fait de sa naissance ? Comment peut-on être tenu pour responsable de sa naissance ?" Sans doute rapporta-t-il ces propos à Hitler, car le lendemain, vers midi, il vint me trouver avec un air plutôt grave, et me dit que le rendez-vous qu'il m'avait fixé avec Hitler ne pourrait avoir lieu, parce que le Führer ne viendrait pas à l'hôtel cet après-midi-là. [...] C'est ainsi que Hitler perdit son unique chance de me rencontrer[11]. »

En fait, Winston Churchill n'a saisi que les apparences de l'affaire ; c'est que sa rencontre avec Ernst « *Putzi* » Hanfstaengl ne devait absolument rien au hasard : le fils de Churchill, Randolph, jeune journaliste en quête d'un article sensationnel, avait pris contact de longue date avec Hanfstaengl, responsable des relations du parti national-socialiste avec la presse étrangère, pour qu'il organise une rencontre entre Hitler et Churchill. Hansfstaengl, qui espérait saisir cette occasion pour élargir quelque peu les vues étroites du Führer, avait donné rendez-vous aux voyageurs britanniques à l'hôtel où descendait habituellement Hitler (le Continental, et non le Regina), après quoi il s'était mis en devoir de persuader le Führer de rejoindre l'illustre visiteur à l'heure du dîner. Hitler, craignant de se retrouver en état d'infériorité lors d'un entretien qu'il ne pourrait contrôler, s'était montré des plus réticents, mais avait accepté du bout des lèvres de les rejoindre à l'heure du café. Ce soir-là, Hanfstaengl, par ailleurs virtuose du piano, s'est donc efforcé de distraire les hôtes britanniques en attendant l'apparition du Führer. Celui-ci ne se montrant toujours pas, Hanfstaengl est parti téléphoner, et a croisé dans le lobby de l'hôtel un Hitler en train de quitter subrepticement les lieux. Mortifié, Hanfstaengl a terminé la soirée avec Churchill, qui l'a effectivement interrogé sur les premiers débordements antisémites du Führer, et lui a également demandé : « Que pense votre chef d'une alliance entre votre pays, la France et l'Angleterre[12] ? » Il faut se souvenir que tout cela se passe en 1932...

Churchill n'en a pas moins perçu dans le pays « une atmosphère hitlérienne[13] », qui lui laisse une profonde impression et inspirera dès son retour à Londres chacun de ses discours publics : « Tous ces groupes de jeunes Allemands vigoureux qui parcourent les rues et les routes d'Allemagne, animés du désir de se sacrifier pour la mère patrie [...] veulent des armes, et lorsqu'ils auront ces armes, croyez-moi, ils exigeront qu'on leur restitue les territoires et les colonies qu'ils ont perdus, et cela ne manquera pas de faire trembler jusque dans leurs fondations – et même d'anéantir – tous les pays dont j'ai parlé... et même quelques autres pays dont je n'ai pas parlé[14]. »

Ses paroles ne rencontrant pas le moindre écho, Churchill se replie sur ses projets littéraires et repart pour la Côte d'Azur, qui continue d'exercer sur lui un attrait irrésistible. Au début de 1933, suivi de son valet, de ses secrétaires, de son chevalet, de ses pinceaux, de quarante valises et de six cartons à chapeaux, il descend donc à l'hôtel de Paris à Monte-Carlo ; en outre, les villas de proches amis, de parents éloignés ou de riches acolytes lui restent ouvertes en permanence, à commencer par le « Château de l'Horizon » de Maxine Elliott à Golfe-Juan, « Les Zoraïdes » de l'héritière Daisy Fellowes et « La Dragonnière » de lord Rothermere à Cap-Martin, « Lou Soueil » de Consuelo et Jacques Balsan au-dessus d'Èze, « Lou Mas » de la comtesse d'Essex à Saint-Jean-Cap-Ferrat, et bien sûr la somptueuse villa des Lavery à Cap-d'Ail, en face de Monaco...

C'est donc dans le plus grand confort et sans la moindre préoccupation matérielle que notre ex-ministre-député-biographe-peintre-journaliste-estivant et bon vivant peut se mettre au travail. Ses après-midi se passent principalement à rechercher des « *paintatious spots* » – un churchillisme fantaisiste qui pourrait se traduire par « endroits peinturables » –, et cet artiste enthousiaste jette le plus souvent son dévolu sur le port de Cannes, l'arrière-pays niçois et les environs de Monaco. Ainsi occupé, il n'effectue pas le moindre travail jusqu'à l'heure du dîner... Et après ? Pas davantage, car c'est l'heure de se rendre au casino de Cannes, ou à celui de Monte-Carlo. De fait, ce joueur malheureux n'en reste pas moins irrésistiblement attiré par le tapis vert, où il perd des sommes appréciables. Mais une fois de retour à la villa, les choses sérieuses peuvent commencer : ce prodigieux noctambule dicte à toute vitesse sa biographie du grand Marlborough, à mi-voix, sans articuler, en faisant les cent pas et en mâchonnant un gros cigare. La séance se termine rarement avant 3 heures du matin, et le grand homme, après quelques heures de sommeil, reste au lit jusqu'à midi, pour relire et corriger les textes de la nuit. Tout cela est peu orthodoxe mais fort efficace : lorsqu'il quitte la Côte d'Azur, son premier volume est déjà bien avancé*.

Pourtant, qu'on ne s'y trompe pas : ce quinquagénaire bedonnant, ce peintre inspiré, ce buveur d'élite, ce pilier de casinos, cet estivant entretenu, ce galérien de l'écriture est avant toute un redoutable animal politique. Éloigné du gouvernement, renié par son parti, ostracisé au Parlement, incompris de l'opinion publique, Churchill s'obstine, dans ses articles de journaux comme dans ses interventions aux Communes, à dénoncer les projets britanniques de désarmement unilatéral, à prôner une coopération renforcée avec la France, et à exiger que l'on apporte un ferme soutien à la Société des Nations. Après l'arrivée au pouvoir d'Hitler le 30 janvier 1933, Churchill comprend que ses pires craintes étaient justifiées ; les discours de paix sont désormais dérisoires et les plans de désarmement suicidaires. Mais l'opinion publique n'en est manifestement pas consciente, et les membres de l'union des étudiants d'Oxford voteront à une très large majorité une résolution affirmant leur volonté de « ne se battre en aucune circonstance pour le Roi et la Patrie ». Fort de cet aveu de faiblesse, leur gouvernement poursuit donc son chemin avec une assurance de somnambule : le « plan MacDonald », soumis à la conférence de Genève en février 1933 et destiné à « mettre Hitler en confiance », prévoit une réduction de l'armée française de 500 000 à 200 000 hommes, tandis que l'Allemagne pourrait doubler ses effectifs, afin d'être à égalité avec la

---

* Il est vrai qu'avec cette biographie, Churchill inaugure une nouvelle méthode de rédaction : au lieu de tout écrire lui-même comme auparavant, il fait rédiger par ses assistants l'essentiel des chapitres, qu'il entreprend ensuite de « churchilliser ».

France. L'Angleterre, l'Italie et la France – surtout la France – détruiraient également une partie de leur artillerie lourde, et réduiraient leur aviation à 500 appareils chacune… MacDonald, que les questions militaires ennuient au plus haut point, avouera d'ailleurs aux députés le mois suivant qu'ayant présenté ce document à Genève, il ne «pouvait pas prétendre en avoir personnellement examiné les chiffres».

C'est évidemment ajouter le dilettantisme à l'inconscience, mais cela ne l'empêchera pas d'être ovationné par les députés travaillistes, libéraux et conservateurs réunis! Churchill lui répondra le 23 mars : «Il ne me paraît guère avisé de faire pression sur la France pour qu'elle adopte ce plan à l'heure actuelle. Je doute que les Français acceptent. Ils doivent assister avec la plus grande inquiétude à ce qui se passe actuellement en Allemagne. […] Je dirais même que durant ce mois plein d'alarmes, il y a bien des gens qui se sont dit ce que je répète moi-même depuis plusieurs années : "Dieu merci, il y a l'armée française[15]!"» Le moins qu'on puisse dire est que Churchill ne sera pas compris : «Je me souviens tout particulièrement, écrira-t-il plus tard, de l'expression de souffrance et d'aversion qui apparut sur les visages des députés sur tous les bancs de la Chambre lorsque j'eus déclaré : "Dieu merci, il y a l'armée française[16]!"» C'est donc avec une approbation quasi unanime que MacDonald et Simon vont poursuivre les négociations à Genève, sur la base de leur audacieux projet de désarmement unilatéral. Mais chose remarquable, c'est Hitler lui-même qui les préservera des conséquences de leur propre inconscience; peut-être une telle stupidité lui a-t-elle paru suspecte? En tout cas, avant la fin de l'année 1933, le Führer a retiré l'Allemagne de la SDN et de la conférence du désarmement…

Ce coup de théâtre aurait dû ouvrir bien des yeux en Angleterre, d'autant qu'il sera bientôt suivi de plusieurs autres : la dissolution des partis politiques autres que le NSDAP, l'ouverture des premiers camps de concentration, la reconstitution d'une armée allemande de 300 000 hommes, le sanglant règlement de comptes de la «Nuit des longs couteaux», la tentative de putsch nazi à Vienne, et enfin l'établissement d'une dictature absolue en août 1934, après la mort du président Hindenburg. Mais il faut bien avouer qu'au cours de cette période, les sujets de Sa Majesté, absorbés par la crise économique et fascinés par le rêve pacifiste, se préoccupent fort peu de politique étrangère. Parmi ceux qꞌi consentent à s'y intéresser, certains pensent qu'Hitler ne fait que ꞌ éparer les injustices du traité de Versailles, d'autres prédisent qu'il nꞇ restera pas longtemps au pouvoir[17], d'autres encore sont convaincꞇ s que l'exercice de responsabilités étatiques atténuera les excès de s꞊ politique ; dans l'intervalle, naturellement, il ne faut rien faire qui pꞇ isse pousser le Führer à se montrer plus agressif... Telles sont en faiꞇ les origines de l'*Appeasement*, comme le conçoivent les Lothian, Simon, Londonderry, Astor, Neville Chamberlain, Thomas Joꞟes et autre Geoffrey Dawson*.

Tout cela n'aurait qu'une importance liꞟitée s'il y avait en Grande-Bretagne une main ferme et assurée à la barre de l'État. Mais MacDonald, malade et très affaibli politiqꞇement, n'est plus qu'un Premier ministre de façade, et le *Lord l'resident* Stanley Baldwin, personnage clé du gouvernement qui deviꞟndra lui-même Premier ministre en juin 1935, s'intéresse aussi peu ꞟue possible à la politique extérieure ; Duff Cooper, alors ministre ꞇe la Guerre, écrira ainsi que « les affaires étrangères lui déplaisaieꞟ t tant qu'il préférait faire comme si elles n'existaient pas[18]. » De faꞇt, lors des réunions du Cabinet, Baldwin fermait les yeux avec oꞇꞟentation dès qu'il était question de politique étrangère : « Quand ꞟous en aurez terminé avec ça, disait-il, vous me réveillerez[19] ! » Ꞇt lorsqu'au début de 1936, Anthony Eden deviendra ministrꞟ des Affaires étrangères, Stanley Baldwin lui dira tout simplemꞇꞟt : « J'espère au moins que vous n'allez pas m'ennuyer avec la pꞟlitique extérieure pendant les trois prochains mois[20] ! »

De telles dispositions ne pouvaient guère favoriser le genre dꞇ politique étrangère lucide et cohérente qu'aurait nécessité la progression inexorable des dictatures en Europe ; on verra donc se succéder des initiatives assez désordonnées, au gré des luttes d'influence entre les factions au *Foreign Office* qui veulent résister à Hitler et celles qui prétendent l'apaiser. L'illusion de la conférence du désarmement ayant volé en éclats à l'été de 1934, on tentera d'abord la démarche proposée par Anthony Eden** et le sous-secrétaire d'État Robert Vansittart : renforcer les liens avec la

---

* Rédacteur en chef du *Times* et l'une des principales voix de l'« *Appeasement* » dans les années trente.

** Eden était à l'époque ministre chargé de la SDN.

France et l'Italie, afin de tenir tête à Hitler. C'est ainsi que se constitue le « front » de Stresa, qui se heurte d'emblée à des difficultés considérables : l'Italie de Mussolini entend se lancer à la conquête de l'Éthiopie, et il est bien difficile pour la Grande-Bretagne de cautionner une telle violation du droit international ; quant à la France, paralysée par ses querelles politiques internes et le souvenir de la Grande Guerre, elle oscille constamment entre la fermeté et l'attentisme à l'égard de l'Allemagne, tout en recherchant à tâtons une entente avec l'Italie et une alliance avec l'URSS. Enfin, le *Foreign Office* doit tenir compte de sa position au sein de la Société des Nations, ainsi que des initiatives assez brouillonnes des divers ministres qui se succèdent à la tête des Affaires étrangères britanniques ; c'est ainsi que sir John Simon négociera, et son successeur sir Samuel Hoare signera en juin 1935, un accord naval avec l'Allemagne d'Hitler, permettant à cette dernière de construire une flotte de guerre égale au tiers de la marine britannique, et autant de sous-marins que la Grande-Bretagne. Cet accord, si manifestement contraire aux dispositions du traité de Versailles, et qui revient à laisser aux Allemands la maîtrise de la Baltique, a été conclu sans la moindre consultation avec la France ou l'Italie ! Que Stanley Baldwin et son Cabinet aient pu cautionner une telle aberration en dit long sur leur maîtrise de la politique étrangère...

Sir Samuel Hoare récidivera quelques mois plus tard avec le plan Laval-Hoare, plus proche cette fois des vues du *Foreign Office,* puisqu'il vise à reconstituer le front de Stresa, mais aussi peu conforme que possible aux intérêts de la Société des Nations, puisqu'il revient à dépouiller l'Éthiopie de l'essentiel de son territoire et à légitimer la politique de conquête mussolinienne. Or, l'opinion publique britannique est restée très attachée aux idéaux de la SDN, elle a été enthousiasmée par les discours énergiques de ses dirigeants au début du conflit, et lorsqu'à la fin de décembre 1935, les termes de l'accord sont rendus publics par une indiscrétion de la presse française, un formidable courant d'indignation balaie le plan Laval-Hoare – et sir Samuel Hoare par la même occasion.

Après cela, la Grande-Bretagne va devoir se résigner à appliquer les sanctions partielles décrétées par la SDN contre l'Italie, sans autre effet que de rompre définitivement le front de Stresa. Ayant longtemps compté sur l'Italie de Mussolini pour renforcer le front antihitlérien, Churchill est très dépité de voir le *Duce* se lancer dans l'aventure éthiopienne, qui ne peut que l'éloigner des démocraties et précipiter la catastrophe. C'est à cette époque que l'écrivain et auteur dramatique irlandais Vincent Sheean le rencontre à Cannes, chez Maxine Elliott : « Lorsque j'aperçus Churchill, racontera Sheean, il était vêtu d'un caleçon de bain et d'un peignoir de bain rouge ; il arborait un grand chapeau de paille avachi, des pantoufles et un sourire angélique. Les questions sur l'affaire éthiopienne le trouvèrent sur la défensive, mais jamais évasif. Lorsqu'une élégante Française fit remarquer que l'Empire britannique s'était édifié grâce à des petites guerres du genre de celle que l'Italie était en train de mener, Winston sourit avec bienveillance et répondit : "Ah ! Mais voyez-vous, tout cela appartient à un passé dissolu, tout cela est relégué dans les limbes des mauvais jours révolus. Le monde fait des progrès." D'où l'existence même de la Société des Nations. Winston déclara que le *Duce* se livrait à une attaque "extrêmement dangereuse et téméraire contre toute la structure établie". Les suites en étaient parfaitement incalculables. "Qui peut dire ce qui se passera dans un an, ou deux, ou trois ? Avec l'Allemagne qui réarme à une allure vertigineuse, l'Angleterre perdue dans ses rêves pacifistes, la France corrompue et déchirée par la dissension, l'Amérique lointaine et indifférente, Madame, chère Madame, ne tremblez-vous pas pour vos enfants[21] ?" »

Mais c'est en mars 1936, lorsque le Führer, ayant réintroduit la conscription, fait occuper la Rhénanie démilitarisée, que l'on verra l'ensemble des éléments précités se coaliser pour prévenir toute initiative britannique : la paralysie du gouvernement français, l'hostilité déclarée de l'Italie depuis l'affaire des sanctions, le désintérêt manifeste du Premier ministre Baldwin, l'ardent désir de paix de son opinion publique, et enfin l'indifférence complète des principaux responsables conservateurs, qui estiment qu'Hitler ne fait là que poursuivre sa lutte contre les dispositions « humiliantes » du traité de Versailles, et qu'on ne saurait en conscience l'empêcher de « rentrer chez lui[22] ». Mais il y a un autre élément qui a pesé très lourd dans l'abstention du gouvernement de Sa Majesté : c'est le sentiment d'une notable infériorité militaire par rapport à l'Allemagne. Ainsi, Baldwin confie au ministre des Affaires étrangères Flandin, venu à Londres le 12 mars pour demander l'appui britannique dans la crise rhénane, qu'il « ne connaît pas grand-chose aux affaires étrangères » (ce qui n'est un secret pour personne), mais aussi qu'il « n'a pas le droit d'engager l'Angleterre », car celle-ci « n'est pas en état d'entrer en guerre[23]. » C'est exact : du fait de l'amateurisme des gouvernements MacDonald et Baldwin en matière de défense – assez comparable, il faut l'avouer, à leur désintérêt pour la politique étrangère –, la Grande-Bretagne se trouve largement désarmée face à la menace totalitaire. À un journaliste qui lui demande : « Ne pensez-vous pas qu'il serait grand temps que le lion britannique montre les dents ? », Churchill répond : « Il faudrait d'abord qu'il aille chez le dentiste[24] ! »

En fait, la prise de pouvoir d'Hitler et le retrait de l'Allemagne des négociations sur le désarmement à la fin de 1933 avaient déjà poussé les militaires britanniques à se pencher longuement sur les implications stratégiques de cette nouvelle menace, qui venait s'ajouter à celle de l'expansionnisme japonais en Extrême-Orient*. C'est ainsi que le sous-comité des chefs d'état-major en était arrivé à la conclusion que l'armée britannique serait hors d'état de jouer un rôle quelconque dans une guerre sur le continent, et qu'il était impossible d'y remédier rapidement, la Grande-Bretagne manquant non seulement de soldats, mais aussi d'armes et de munitions pour équiper ces soldats, ainsi que d'usines pour produire ces armes et ces munitions[25]. Embarrassé par ces désagréables réalités et sommé de s'expliquer au Parlement, le gouvernement MacDonald avait décidé... de créer un comité, le *Defence Requirements Committee*, chargé de faire des recommandations au sujet d'un éventuel réarmement du pays**. Dès sa première réunion, ce comité propose un plan de cinq ans pour remédier aux lacunes les plus criantes de la défense britannique : il s'agit de permettre à l'armée de disposer d'au moins quatre divisions d'infanterie, d'une brigade de tanks et d'une division de cavalerie ; il faut également faire en sorte que l'aviation compte 52 escadrilles,

---

* À la fin de 1931, après l' « incident de Moukden », les troupes japonaises avaient envahi la Mandchourie, devenue l'année suivante un protectorat japonais sous le nom de Mandchoukouo.

** Ce comité comprenait, outre les représentants des trois armes, sir Maurice Hankey, secrétaire du Cabinet et du Comité de défense impérial, Warren Fisher, secrétaire permanent au Trésor et sir Robert Vansittart, sous-secrétaire permanent aux Affaires étrangères.

ce qui avait déjà été recommandé (et accepté) en 1923 ! Le coût total de ce plan « minimal » : 76 millions de livres.

Le 19 mars 1934, le Cabinet examine ce rapport et se demande sérieusement si l'Allemagne d'Hitler ne devrait pas être considérée désormais comme le principal ennemi potentiel. Sir Samuel Hoare, par exemple, ne le pense pas. En fin de compte, on met de côté le plan d'urgence du comité, qui paraît à la fois importun et trop coûteux[26], et on décide peu après... d'en confier l'examen à une autre instance ! Ce sera cette fois un comité ministériel, ce qui est encourageant, mais il est intitulé « Comité sur la conférence du désarmement », ce qui l'est beaucoup moins... Présidé par Ramsay MacDonald, il comprend Stanley Baldwin, Samuel Hoare, Neville Chamberlain et les représentants des trois armes. On évalue à nouveau le plan d'urgence du *Defence Requirements Committee*, mais du fait de la priorité donnée au redressement économique et financier – et de la personnalité des autres ministres présents –, c'est le chancelier de l'Échiquier Neville Chamberlain qui domine les débats, et il notera quelques jours après : « J'ai proposé d'entreprendre moi-même la révision [du plan] à la lumière de considérations politiques et financières [...] Je viens de terminer un mémorandum avec de nouvelles propositions, visant à abaisser les dépenses sur cinq ans de 76 à 50 millions[27]. »

La réduction est opérée aux dépens de l'armée de terre – une fois de plus « la cendrillon des forces armées » –, car Chamberlain est opposé à la constitution d'un corps expéditionnaire pouvant intervenir sur le continent[28] ; pour des raisons d'économies, la modernisation de la marine de guerre est également reportée ; l'aviation, elle, en ressort relativement favorisée, puisque le comité finit par recommander l'attribution de 20 millions de livres pour « remédier aux insuffisances éventuelles[29] ». On pourra ainsi créer 41 escadrilles nouvelles – ce qui est dérisoire comparé à ce qui se fait en Allemagne à la même époque, d'autant que les crédits seront attribués sur une période de *cinq ans*, qu'ils ne seront même pas débloqués en totalité, et que les sommes effectivement versées seront réparties avec parcimonie, sans même que les ministères intéressés prennent la peine d'en vérifier l'affectation ! Les militaires rédigent donc de nouveaux rapports pour signaler les lacunes alarmantes qui subsistent et s'aggravent au sein des trois armes, les diplomates rédigent des rapports plus nombreux encore pour exposer la progression foudroyante du réarmement allemand sur terre comme dans les airs, ainsi que l'effet désastreux des incohérences de la politique étrangère britannique – autant de documents que personne au gouvernement ne prendra la peine de lire ! Par contre, les envoyés dont les rapports déplaisent aux nazis sont immédiatement rappelés par le *Foreign Office* : ce sera le cas du vice-consul britannique à Hanovre, et surtout de l'ambassadeur à Berlin Horace Rumbold, puis de son successeur Eric Phipps. La plupart des militaires comme des diplomates finissent donc par renoncer à faire entendre raison à leurs supérieurs ; mais parmi ceux qui refusent de baisser les bras, certains vont se tourner vers Winston Churchill...

Pourquoi Churchill ? Principalement parce qu'il n'y a personne d'autre ! Les députés libéraux et travaillistes sont restés résolument pacifistes, et la simple mention de crédits d'armements suffit à leur donner des vapeurs ; les conservateurs, pourtant traditionnellement favorables à la défense, sont inféodés à Stanley Baldwin, qui suit servilement les humeurs antimilitaristes de l'opinion publique, et ne lit pas non plus les rapports sur la défense qui lui sont adressés. Churchill, lui, les étudie tous avec avidité, n'est soumis à aucun parti et n'hésite jamais à faire connaître ses vues au Parlement, même et surtout lorsqu'elles dérangent. Et puis, comme l'écrivait déjà le ministre de la Guerre Arnold Foster en 1904, il est « le seul homme de sa faction parlementaire qui comprenne les problèmes de l'armée » ; trente ans plus tard, il faut l'avouer, rien n'a vraiment changé à cet égard... Enfin, beaucoup se rappellent que vingt ans plus tôt, au beau milieu de la Grande Guerre, bien des officiers et des fonctionnaires étaient venus exposer au député, ancien ministre et vétéran des tranchées Winston Churchill les insuffisances et les aberrations de l'effort de guerre britannique.

Au *Foreign Office,* les premiers informateurs de Churchill sont le sous-secrétaire d'État permanent sir Robert Vansittart, le chef de la section d'Europe centrale, Ralph Wigram, ainsi que l'un de ses subordonnés immédiats, Michael Creswell ainsi que le chef de la section d'information, Reginald Leeper, et l'ancien adjoint de sir Horace Rumbold à Berlin, Duncan Sandys*. Dans l'aviation, il y aura le lieutenant-colonel Torr Anderson, chef d'un centre

---

* Qui finira par démissionner et entrer au Parlement, où il soutiendra l'action de Churchill.

d'entraînement de la RAF, le lieutenant-colonel Goddard, le commandant G. P. Myers, qui travaille pour la société General Aircraft, et bien sûr le colonel T.E. Lawrence, devenu simple caporal d'aviation sous le pseudonyme de Shaw ; à l'Amirauté, le capitaine Maitland Boucher, ancien chef de l'aéronavale, et le capitaine de frégate Louis Mountbatten, fils cadet du prince de Battenberg * ; dans l'armée, ce sera principalement le général de brigade Hobart, inspecteur général du *Royal Tank Corps*, et l'expert militaire Basil Liddell Hart. Ainsi, tous les rapports que les ministres refusent de voir ou font édulcorer avant de les transmettre au Premier ministre (qui ne les lit pas davantage que Baldwin), parviennent simultanément à Churchill par l'intermédiaire de ses secrétaires ou de son ami du temps de guerre Desmond Morton – qui est aussi son premier informateur : le ministre de la Guerre Churchill l'avait fait entrer dans les services de renseignements militaires en 1920, et neuf ans plus tard, Morton a été affecté à l'*Industrial Intelligence Center,* organisme ultrasecret qui réunit des renseignements sur les capacités des pays étrangers en matière d'armement. Bien entendu, il va faire bénéficier Churchill des indications ainsi recueillies. Le plus curieux est que, pris de scrupules, le major Morton en a demandé la permission au Premier ministre MacDonald ; celui-ci, avec son insouciance habituelle et son désintérêt complet pour les questions militaires, a répondu : « Dites-lui tout ce qu'il veut savoir – tenez-le au courant de tout », et à la demande de Morton, il a même consigné l'autorisation par écrit[30] ! Naturellement, cette permission aurait pu être révoquée à tout moment, mais MacDonald s'est empressé d'oublier l'affaire… Du reste, en tant qu'ancien ministre et *Privy Councillor,* Churchill a également accès à certains autres documents – beaucoup moins confidentiels il est vrai. Mais en outre, de nombreux réfugiés allemands, des chercheurs, des enseignants, des ingénieurs viennent lui apporter les derniers renseignements sur l'état d'avancement des préparatifs industriels et militaires allemands ; c'est également le cas d'Ian Colvin, le correspondant du *News Chronicle* à Berlin, qui entretient des contacts suivis avec certains officiers et civils antinazis occupant de hautes

---

* Le nom de Battenberg avait été anglicisé en Mountbatten durant la Grande Guerre, pour faire oublier ses ascendances germaniques.

fonctions au cœur du IIIe Reich ; Churchill échangera enfin des données précises sur la cadence du réarmement allemand avec plusieurs ministres français qu'il a connus pendant la Grande Guerre, ainsi qu'avec tous les présidents du Conseil, depuis Tardieu jusqu'à Reynaud, en passant par Blum et Daladier...

Grâce à ce service de renseignements personnel étonnamment performant, Churchill est informé tour à tour de la mainmise du parti nazi sur tous les rouages de l'État allemand, de l'embrigadement des jeunes dans la *Hitlerjugend*, de la férocité des persécutions contre les Juifs, de la réintroduction du duel dans les collèges, des exercices de défense passive imposés à la population, de l'activité des sections d'assaut hitlériennes, de l'ampleur des liquidations consécutives à la « Nuit des longs couteaux », du développement du parti nazi en Tchécoslovaquie et de l'accroissement des tensions en Autriche ; de même, il apprend successivement que des souscriptions publiques ont été ouvertes pour accélérer le développement de l'aviation, que les usines de munitions allemandes travaillent vingt-quatre heures sur vingt-quatre, que la population de Dessau, où sont situées les usines d'aviation *Junkers*, a vu sa population augmenter de 13 000 personnes en un an, que la Wehrmacht, forte de 300 000 soldats en 1933, en compte 550 000 au printemps de 1935 – avec une réserve mobilisable de trois millions d'hommes –, que quatre millions d'Allemands sont engagés dans des activités liées à la défense nationale, et que Berlin dépense désormais pour ses forces armées l'équivalent d'un milliard de livres par an. On l'informe par ailleurs qu'au milieu de 1934, l'aviation allemande représente environ les deux tiers de la RAF*, qu'à la fin de cette même année, elle se rapprochera de la parité, qu'elle sera pratiquement égale à l'aviation britannique dès la fin de 1935, supérieure de 50 % à la fin de 1936, et deux fois plus forte en 1937... En outre, les Allemands ont bien davantage de bombardiers, et leur aviation civile est trois ou quatre fois plus importante que celle de la Grande-Bretagne ; or, à la différence de cette dernière, elle peut être conver-

---

* Ces informations sont très alarmistes : pour l'année 1934, elles sont manifestement exagérées, et les prévisions pour les années suivantes ne sont fondées que sur des conjectures. Seuls les renseignements concernant le développement accéléré d'une aviation civile rapidement reconvertible, à partir du trimoteur Junkers 52, s'avéreront fiables à court terme.

tie presque instantanément en aviation de bombardement, par démontage des sièges et installation de râteliers à bombes – qui sont déjà stockés sur les aéroports civils...

Les informations qui parviennent simultanément à Chartwell sur l'état des défenses britanniques sont encore plus déprimantes : la RAF, l'une des deux meilleures aviations du monde à la fin de la Grande Guerre, n'est plus maintenant qu'au sixième rang ; l'entraînement de ses pilotes laisse beaucoup à désirer, presque toutes ses bombes proviennent des stocks de 1919, ses aérodromes sont extrêmement vulnérables, la plupart des usines travaillant pour la défense sont insuffisamment équipées, les commandes de l'État n'y jouissent d'aucune priorité, et les délais de construction des nouveaux avions ne sont pratiquement jamais respectés. Il y a moins de 100 canons de DCA pour la défense de Londres, et leurs servants ne sont pas entraînés ; sur les 375 tanks que compte l'armée, 300 sont officiellement considérés comme périmés ; 12 000 £ seulement sont affectées à l'achat des carburants, mais on a réservé 44 000 £ pour le fourrage des chevaux[31] ! Le comble est sans doute que le Cabinet britannique aurait décidé (en secret) d'autoriser la vente à l'Allemagne de 118 moteurs d'avions *Merlin* de Rolls-Royce – le dernier cri en la matière... Churchill refuse de le croire, jusqu'à ce que son informateur lui fasse parvenir les bordereaux d'expédition[32]. Pour le ministre des Finances de Sa Majesté, en effet, le commerce reste prioritaire ! Enfin, il s'avère qu'avec les 20 millions de livres supplémentaires dont le déblocage (sur cinq ans) avait été annoncé à grand renfort de trompettes au milieu de 1934, on ne pourra acquérir qu'une cinquantaine d'avions au cours des deux années à venir, soit la moitié de la production *mensuelle* de l'Allemagne nazie...

En s'appuyant sur cette masse d'informations, évaluées et mises en perspective par quelques experts comme Desmond Morton ou « le Prof » Lindemann, Churchill est en mesure de prendre rudement à partie le Premier ministre et les membres du gouvernement ; il va le faire devant ses électeurs d'Epping, dans les colonnes du *Strand*, du *Sunday Chronicle* et du *News of the World*, à la BBC, et bien sûr depuis son banc de « conservateur indépendant » aux Communes. Même pour les honorables députés qui sont habitués à sa redoutable éloquence, il y a des discours qui laissent sans voix... C'est que Winston, qui a maintenant plus de trois décennies d'expérience des joutes parlementaires, n'est jamais meilleur que lorsqu'il a une grande cause à servir ; et quelle plus noble cause pourrait-on défendre que celle de la survie de la Grande-Bretagne et de son Empire, mis en danger par la férocité des nouveaux barbares nazis et l'incurie des vieux dirigeants britanniques ? C'est ainsi que les voûtes de l'auguste Chambre vont résonner de harangues comme on n'en avait guère entendu depuis la mort du second Pitt cent trente ans plus tôt : « Et qu'avons-nous en fin de compte ? demande-t-il le 14 mars 1934. Nous n'avons pas le désarmement, et nous avons le réarmement de l'Allemagne. [...] Il y a peu de temps, j'ai entendu des ministres dire [...] que le réarmement était impensable. À présent, voici que nous espérons réglementer l'impensable. [...] Et très bientôt, il faudra nous résigner à accepter un impensable non réglementé[33]. » Et trois mois plus tard : « Il y a eu au cours de ces dernières années une détérioration constante des relations entre les différents pays et un accroissement rapide des armements, qui se sont poursuivis en dépit du flot incessant des belles paroles, des nobles sentiments, des banquets et des péroraisons[34]. » Toutes les ressources de l'art oratoire sont mobilisées au service de la cause : euphémismes, assonances, métaphores, antiphrases, allitérations : « Même pour ce renforcement ténu, tardif, timoré, tâtonnant de nos forces aériennes, auquel le gouvernement s'est enfin décidé à procéder, le voilà censuré par l'ensemble des forces unies des partis travailliste et libéral[35] » ; « J'ai cru comprendre que nous n'avons rien fait (en matière de défense aérienne du pays) par peur d'effrayer la population. [...] Eh bien ! Il vaut beaucoup mieux être effrayé maintenant que tué plus tard[36]. » Et toute la théorie de la dissuasion se trouve déjà résumée dans cette intervention du 28 novembre 1934 : « Je suis convaincu que si nous conservons à l'avenir une puissance aérienne suffisante pour nous permettre d'infliger à l'agresseur potentiel autant de dommages qu'il est en mesure de nous faire subir, nous pourrons protéger efficacement notre peuple. [...] Que sont 50 ou 100 millions de livres, s'ils doivent nous assurer une impunité comme celle-là ? Jamais une assurance si féconde et si bénie n'aura été disponible à si bon compte[37]. » Mais l'assurance paraît toujours chère avant l'accident, et le 2 mai 1935, l'implacable député d'Epping en est toujours à stigmatiser « les lamentables erreurs de calcul dont nous sommes à présent les dupes, et dont, si nous n'y prenons garde, nous risquons d'être un jour les victimes[38] ».

Toutes ces belles envolées représentent en fait un exercice des plus délicats ; car en citant des faits et des chiffres à l'appui de ses réquisitoires, Churchill, dont la discrétion n'a jamais été le point fort, doit prendre garde en permanence de ne pas trahir ses sources, et de ne donner aucun renseignement qui puisse être exploité par l'ennemi. Et puis, le rôle de simple critique ne lui a jamais convenu : il veut agir, participer, prendre des responsabilités, exercer une influence directe sur les événements dramatiques qui s'annoncent... En un mot, il souffre d'être éloigné du pouvoir et de n'avoir aucune emprise sur la politique de son pays. Ses discours sont donc avant tout des injonctions permanentes aux ministres d'adopter les mesures urgentes qu'il est empêché de prendre lui-même : accélérer le rythme du réarmement, en commençant par faire voter « des crédits pour doubler notre force aérienne », puis « des crédits plus importants encore pour la redoubler[39] » ; procéder sans retard aux achats de terrains pour les futurs aérodromes, développer les écoles de pilotage, réorganiser les usines civiles pour leur permettre de produire rapidement des équipements militaires ; créer un ministère de la Défense, qui assurerait les arbitrages, la coordination et l'harmonisation nécessaires entre l'Amirauté, le ministère de l'Air et celui de la Guerre. Il faut aussi constituer un ministère de l'Approvisionnement, tout à fait similaire dans sa conception au ministère de l'Armement dont Churchill avait la charge vingt ans plus tôt ; dissiper l'illusion pacifiste qui aveugle l'opinion publique, en expliquant clairement au pays l'absolue nécessité d'une défense efficace ; revoir les programmes de constructions navales, en se libérant des sujétions du traité de Londres qui limitent depuis 1930 le tonnage des destroyers, des croiseurs et des sous-marins ; coordonner étroitement la politique étrangère britannique avec celle de la France, de l'Italie (qu'il faut dissuader d'entreprendre la conquête de l'Éthiopie avant qu'il ne soit trop tard) et même de l'URSS – dont Churchill applaudit l'entrée à la SDN, le danger bolchevique lui paraissant pour l'heure nettement moins préoccupant que la menace hitlérienne ; renforcer le plus possible le rôle pacificateur de la SDN, en lui donnant les moyens d'agir et de faire respecter ses décisions ; pousser la recherche dans le domaine de la défense anti-aérienne, notamment en augmentant les crédits pour le développement du radar et de quelques projectiles expérimentaux. Il y a bien un comité qui s'en occupe, l'*Air Defence Research Committee*, mais il est sous l'autorité du ministère de l'Air, qui s'en soucie autant que le *War Office* se préoccupait des chars durant la Grande Guerre ; Churchill demande donc que soit créé un nouvel organisme, sous l'autorité directe du Comité de défense impérial. Il aura gain de cause en mars 1935, mais trois mois plus tard, il devra se rendre à l'évidence : ce « sous-comité Swinton » ne s'est réuni que *deux fois* en trois mois ; pour Churchill, c'est là du dilettantisme pur et simple, et l'on entendra de nouveau résonner aux Communes quelques diatribes vengeresses... Enfin, Churchill voudrait obtenir que les questions de défense soient discutées au Parlement en sessions secrètes, afin que tous les problèmes puissent être franchement débattus, sans que l'ennemi en tire bénéfice.

Pour les hommes au pouvoir, tout cela est bien embarrassant ; au regard des objectifs qu'ils se sont fixés – priorité à l'équilibre financier, à la politique de paix et aux échéances électorales –, les recommandations de Churchill sont parfaitement inacceptables. Mais comment faire taire ce trublion qui finira, si l'on n'y prend garde, par ameuter l'opinion ? Révoquer son droit, en tant que *Privy Councillor,* d'obtenir du gouvernement des informations confidentielles ? Cela ne servirait qu'à en faire un martyr, entraînerait les pires complications aux Communes et ne réglerait rien du tout : Churchill a de toute évidence des sources de renseignements d'un tout autre ordre, que ni Baldwin, ni MacDonald, ni leurs ministres n'ont pu identifier clairement. Naturellement, s'ils se mettaient à lire les rapports militaires et diplomatiques qui leur sont adressés, ils découvriraient d'emblée que leur principal détracteur reçoit les mêmes documents qu'eux, et bénéficie donc de la complicité d'hommes très bien placés au sein du *Foreign Office*, du *War Office*, de l'Amirauté et de l'état-major des forces aériennes ; seulement, nous savons déjà que les questions militaires et la politique étrangère les ennuient au plus haut point, et c'est cela en définitive qui protégera l'anonymat des informateurs du député d'Epping ! Du reste, ce n'est pas un député ordinaire : il porte un nom illustre, a été neuf fois ministre, il s'est incontestablement distingué durant la dernière guerre (et dans quelques autres auparavant), il est de loin le meilleur orateur du Parlement, il jouit de l'estime du roi George V, connaît personnellement depuis près de trois décennies les principaux responsables militaires, et va s'entretenir avec l'ambassadeur d'Italie ou celui d'URSS, pour adresser ensuite au *Foreign Office* de longs rapports sur ses conversations... Voilà à l'évidence un personnage intouchable, d'autant plus redoutable qu'il sait parfaitement manier l'humour et ignore superbement la rancune. À Stanley Baldwin, sa principale tête de Turc au Parlement (après MacDonald), il envoie un exemplaire aimablement dédicacé du premier volume de sa biographie de Marlborough ; il ira même lui rendre visite au milieu de sa cure de repos à Aix-les-Bains ! Que faire en vérité contre un tel phénomène ?

Mais MacDonald, Baldwin, Simon et Hoare, en politiciens rusés, savent bien que tout homme a son talon d'Achille ; celui de Churchill, c'est sa réputation de manque de mesure, d'impétuosité et d'exagération. Le 25 novembre 1934, Samuel Hoare propose donc au Cabinet que Baldwin accuse Churchill d'exagérer dans ses réquisitoires parlementaires[40]. Mieux encore, on présentera les membres du gouvernement de Sa Majesté comme des hommes sérieux et pondérés, soucieux avant tout de l'intérêt et de la sécurité du peuple, et qui traitent avec une condescendance ironique cet alarmiste exalté et parfaitement irresponsable qu'est Winston Churchill...

Qui mieux que Stanley Baldwin pourrait s'acquitter d'une telle tâche ? Avec sa pipe aux lèvres, son air bonhomme, ses propos lénifiants et son flegme à toute épreuve, le *Lord President* présente l'image même de la modération et du bon sens. N'a-t-il pas déclaré huit mois plus tôt : « Le gouvernement actuel veillera à ce que, du point de vue de la puissance aérienne, notre pays ne se trouve plus en position d'infériorité par rapport à tout pays situé à distance de frappe de nos côtes[41] ? » Le 28 novembre 1934, suivant à la lettre le scénario prévu en conseil de Cabinet trois jours plus tôt, Baldwin va passer à l'offensive aux Communes ; Churchill vient de s'appuyer sur les données chiffrées que nous connaissons déjà pour brosser un tableau très sombre de la situation, et conclure que « l'aviation allemande approche rapidement de la parité avec la nôtre. L'année prochaine à cette époque, toutes choses restant égales, elle sera aussi forte, et peut être même plus forte que la nôtre. » À quoi Baldwin répond sèchement que les chiffres cités sont « considérablement exagérés » et qu'« il n'est pas exact que les forces aériennes allemandes se rapprochent de la parité avec les nôtres ». Bien au contraire, ajoute-t-il, la RAF garde sur l'aviation allemande « une marge de supériorité de près de 50 %[42] ».

De fait, les informations de Churchill sur les chiffres de production des usines allemandes ne sont pas fiables*, mais celles sur les *intentions* de l'adversaire et les plans de développement de la Luftwaffe pour un avenir proche le sont bien davantage, et les services de renseignement britanniques en sont parfaitement conscients. Simplement, le *Lord President,* tout comme le Premier ministre et le ministre des Affaires étrangères, considère que toutes les vérités ne sont pas bonnes à dire – surtout dans un domaine aussi détestable et impopulaire que celui de la défense... « Dormez tranquilles, Bonnes Gens ! Nous survivrons, parce que nous restons les plus forts. Honte aux dangereux irresponsables qui oseraient suggérer le contraire ! » Cet excellent numéro d'illusionniste s'avère des plus populaires : Baldwin est presque unanimement acclamé à la Chambre, la presse attaque de plus belle l'« hystérie belliciste » de Churchill, aucun fonctionnaire, aucun ministre n'osera déclarer publiquement que l'on ment au peuple, et celui-ci, qui ne demandait qu'à être rassuré, retourne paisiblement à ses illusions pacifistes. Mais une fois encore, c'est Hitler qui va tout gâcher : le 25 mars 1935, Simon et Eden, en visite à Berlin, s'entendent dire par le Führer lui-même que le Reich « a atteint la parité avec la Grande-Bretagne du point de vue de la puissance aérienne** ». Impossible de dissimuler l'information : tous les journaux allemands la claironnent dès le lendemain...

À Londres, la nouvelle fait l'effet d'une bombe et crée même un début de panique au Cabinet. Le ministre de l'Air, lord Londonderry, qui demandait vainement des crédits depuis des

---

* En fait, les informateurs de Churchill sont influencés dans une certaine mesure par la propagande du ministre de l'Air et chef de la Luftwaffe Hermann Goering ; en outre, il y aura toujours une certaine confusion entre aviation totale et aviation de première ligne, de même qu'entre aviation militaire et aviation civile à usage militaire potentiel. Enfin, Churchill, aussi préoccupé par la faiblesse évidente de l'aviation britannique que par la force supposée de l'aviation allemande, se sent obligé de forcer le trait pour faire une plus grosse impression aux Communes...

** C'est à l'évidence un mensonge destiné à intimider les Britanniques : d'une part, Hitler ne peut connaître les effectifs réels des forces aériennes britanniques à cette époque ; d'autre part, sa Luftwaffe, qui vient à peine d'être reconstituée, ne compte en 1935 que 1 823 appareils, dont la moitié sont des avions d'entraînement et beaucoup sont des biplans déjà obsolètes.

années, sera remercié à la première occasion pour n'en avoir pas demandé assez ! Et après deux mois de réflexion, Baldwin, pris à contre-pied, décide de passer aux aveux ; le 22 mai, il déclare aux Communes : «Pour ce qui est des chiffres de la force aérienne allemande que j'ai indiqués en novembre, rien de ce qui est venu à ma connaissance depuis lors ne m'incite à penser qu'ils étaient faux. À l'époque, je les croyais justes. C'est dans mes prévisions que j'ai fait erreur. De ce point de vue, je me suis lourdement trompé. [...] Quelles qu'en puissent être les responsabilités – et nous sommes tout à fait disposés à accepter les critiques –, elles n'incombent pas à tel ou tel ministre, mais à l'ensemble du gouvernement : nous sommes tous responsables, et nous sommes tous à blâmer. » Churchill, cette fois, va pousser son avantage : « Nous savons tous fort bien que les ministres sont absolument incapables d'induire sciemment en erreur le Parlement ; ce serait un crime abominable. Mais de toute évidence, quelque part entre les services de renseignements et ceux qui sont à la tête des ministères, il y a eu quelque dilution ou minimisation des faits. Le Parlement devrait insister pour que toute la lumière soit faite sur cette question[43]. »

Naturellement, le Parlement ne fera rien de tel et, chose extraordinaire, Stanley Baldwin en sortira plus populaire que jamais. « On observa même, écrira Churchill écœuré, une étrange vague d'enthousiasme en faveur d'un ministre qui n'hésitait pas à reconnaître qu'il s'était trompé. [...] En fait, beaucoup de députés conservateurs semblaient m'en vouloir, parce que j'avais mis le chef en qui ils avaient confiance dans une situation difficile, dont il ne s'était tiré que grâce à son courage et à son honnêteté naturels[44]. » À vrai dire, le comportement des députés travaillistes et libéraux durant cette séance est tout aussi stupéfiant ; c'est ainsi que le dirigeant travailliste Clement Attlee a déclaré : « Notre but est la réduction des armements, suivie du désarmement complet. » Et Archibald Sinclair d'ajouter, au nom des libéraux : « Le gouvernement doit présenter des propositions claires et détaillées pour l'abolition des forces aériennes militaires, et amener l'Allemagne à coopérer activement avec nous[45]. »

Pour Churchill, qui pouvait légitimement compter sur un retournement de la Chambre et de l'opinion publique après des révélations de cette ampleur, tout cela paraît insensé ; mais décidément, rien ne peut entamer la popularité de Baldwin, qui va remplacer MacDonald au poste de Premier ministre le 7 juin 1935. Quatre mois plus tard, son parti triomphera aux élections générales en remportant 432 sièges, contre 154 aux travaillistes et 21 seulement aux libéraux. Une telle victoire n'est-elle pas la preuve que Baldwin, quelles que soient les aberrations de sa politique étrangère et de défense, est parfaitement en phase avec l'opinion publique britannique ?

On comprend dès lors aisément le découragement de Churchill en cette fin de 1935 : lui qui avait mis une sourdine depuis cinq mois à ses attaques contre le gouvernement, et avait même accepté de venir appuyer les candidats conservateurs avant l'élection, espérait bien être appelé au gouvernement ; il doit rapidement déchanter. Or, ses indemnités parlementaires de 300 £ et ses revenus littéraires ne lui permettent plus de faire face aux énormes frais de son domaine de Chartwell, alors qu'il lui est toujours aussi difficile de réduire son train de vie ; le 30 décembre 1935, il écrit ainsi à son épouse : « Lord Rothermere m'a proposé 2 000 £* si je renonçais à l'alcool pendant toute l'année 1936. J'ai refusé, car il me semble que dès lors, la vie ne vaudrait pas la peine d'être vécue[46]. » La biographie de Marlborough prend des proportions démesurées, à la consternation de son éditeur, qui n'avait pas prévu de la voir s'étaler sur quatre gros volumes... La famille lui donne également bien du tracas : Randolph se rend insupportable dans les clubs, les salons et les réunions politiques, contracte des dettes impressionnantes et se présente en candidat indépendant à l'élection partielle de Wavertree, assurant ainsi la victoire du candidat travailliste ; Diana divorce au bout d'un an seulement** ; Sarah, qui vient d'avoir 21 ans, s'est lancée dans le théâtre, mais il s'agit davantage de cabaret que de Shakespeare ; à la consternation de ses parents, elle s'est également entichée de l'Autrichien Vic Oliver, un acteur de music-hall deux fois divorcé, qu'elle finira par épouser en 1936. Churchill va même recevoir à cette occasion quelques lettres compatissantes de ses ennemis politiques – à commencer par Stanley Baldwin en personne[47] ! Clementine, épouse dévouée et fidèle conseillère, quitte Chartwell de plus en

---

* Soit environ 100 000 £ d'aujourd'hui.
** Elle se remariera peu après avec Duncan Sandys.

plus souvent pour faire du tourisme, visiter des musées, et même partir en croisière dans le Pacifique Sud (où elle aura une brève liaison avec un jeune et riche marchand d'art).

Il y a décidément des périodes où rien ne va... D'autant qu'en octobre 1935, le Parlement a fini par voter le *Government of India Bill*, qui donne au pays un statut théorique de domininion aussi insuffisant pour les Indiens qu'excessif pour Winston Churchill. Mais ce qui l'affectera sans doute le plus, ce sera la décision prise par Baldwin au printemps de 1936 ; celui-ci, cédant enfin aux pressions en faveur de la création d'un ministère de la Défense, va nommer un « ministre chargé de la Coordination de la Défense ». De l'avis de tous, Churchill est le seul homme politique qualifié pour exercer une telle fonction. N'a-t-il pas été successivement à la tête de l'Amirauté, du ministère de l'Armement, du *War Office* et du ministère de l'Air ? N'a-t-il pas à la fois l'expérience et la passion du métier des armes, face à des collègues qui n'ont ni l'une ni l'autre ? Neville Chamberlain lui-même écrit à son demi-frère Austen : « Bien sûr, si c'est une question d'efficacité militaire, Winston est sans aucun doute l'homme de la situation[48]. » Hélas ! Ce n'est absolument pas une question d'efficacité militaire, et le choix de Stanley Baldwin va se porter sur sir Thomas Inskip, qui est certes un juriste émérite et un spécialiste des questions religieuses, mais n'a pas la moindre connaissance des problèmes de défense. « La nomination la plus étrange depuis que le cheval de Caligula a été fait consul », commentera Churchill[49]. De toute façon, sir Thomas Inskip n'aura pas de pouvoirs – ni même de bureau – et il confiera plus tard au général sir John Kennedy qu'il avait mis six mois à comprendre en quoi consistaient ses fonctions[50]. Il mettra plus de temps encore à se faire une idée de l'état des forces armées britanniques ; mais lorsqu'il y parviendra, il sera profondément choqué...

Comment s'étonner dès lors que Winston Churchill soit si déprimé ? Ralph Wigram, le chef de la section d'Europe centrale au *Foreign Office* et l'un des principaux informateurs de Churchill, profondément affecté par le militarisme effréné qu'il a observé durant son séjour en Allemagne et le pacifisme écervelé qu'il a retrouvé dès son retour en Angleterre, préférera mettre fin à ses jours ; peu de temps auparavant, il avait confié à son épouse : « Tout mon travail de tant d'années a été vain. Je n'ai pas réussi à faire comprendre aux gens d'ici ce qui est en jeu. Je suppose que

je ne suis pas assez fort pour cela[51]. » Mais aux yeux de Churchill,
le suicide ne saurait être une solution : « Après tout, écrira-t-il,
rien n'empêche de continuer à faire ce que l'on estime être son
devoir, et de courir des risques de plus en plus grands, jusqu'à ce
qu'on soit mis hors de combat[52]. » « Comment ? Me rendre ? mais
je n'ai pas encore commencé à me battre ! » s'exclamait John Paul
Jones, le jeune héros de l'indépendance américaine… C'est à peu
près le même esprit qui anime Winston Churchill ; du reste, ce
sexagénaire blanchi sous le harnois a sans doute compris que la vie
– surtout la sienne – n'était qu'un perpétuel mouvement de balancier, et qu'ayant touché le fond, il n'allait pas tarder à être une
nouvelle fois propulsé vers les sommets.

Certains signes semblent en effet le laisser prévoir. D'une part,
Churchill, attaqué avec virulence aux Communes par les ministres
et les députés de la majorité, a été discrètement contacté à l'été de
1935 par Baldwin, qui lui a fait une proposition surprenante :
accepterait-il de faire partie du nouveau sous-comité de recherche
en matière de défense anti-aérienne* ? Naturellement, il gardera
toute liberté pour attaquer le gouvernement aux Communes… Ces
choses-là ne se voient qu'en Grande-Bretagne ! Après mûre
réflexion, Churchill accepte, et devient ainsi un membre fort assidu
de cet organisme, auquel il soumettra une quantité invraisemblable
de plans et de projets – certains remarquables, et beaucoup parfaitement irréalistes. Mais comme à son habitude, il servira d'aiguillon,
en imposant aux membres du comité un rythme de travail auquel ils
n'étaient absolument pas habitués. Le comité « concurrent », l'*Air
Defence Research Committe* du ministère de l'Air, compte parmi ses
membres l'éminent sir Robert Watson-Watt, qui commence à
mettre au point son « RDF » – une invention promise à un bel avenir
sous le nom de « radar ». Le « prof » Frederik Lindemann est aussi
hostile à Watson-Watt qu'à l'ensemble de ses recherches, mais
Churchill, qui a le plus grand respect pour son conseiller scientifique sans nécessairement partager ses inimitiés, n'est pas homme à
rejeter une invention sans raisons sérieuses ; il estime donc nécessaire de donner au projet de Watson-Watt une chance de démontrer son efficacité.

---

* Le « sous-comité Swinton » du Comité de défense impérial, créé en mars de
cette année-là (voir *supra*, p. 276).

Cet été-là, Churchill reçoit également de sir Thomas Inskip – qu'il accable régulièrement de sarcasmes au Parlement – une lettre dans laquelle l'infortuné ministre de la Coordination de la Défense, qui n'a toujours pas compris en quoi consistaient ses fonctions, sollicite des conseils sur la manière de les exercer ! Churchill, toujours aussi peu rancunier, s'empresse de le faire bénéficier de son expérience : « Votre tâche, comme la Gaule, semble divisée en trois parts : 1) Coordonner la stratégie et régler les différends entre les services. 2) S'assurer que les livraisons prévues au titre des divers programmes sont bien effectuées. 3) Créer la structure d'une industrie de guerre et procéder à son organisation. » Suivent des indications techniques sur la mise en place d'une industrie de guerre, et cette conclusion désabusée : « Personnellement, je ne puis que vous assurer de ma compassion. Je n'aurais jamais entrepris une telle tâche, sachant par expérience à quel point les prises de positions sur ces sujets deviennent féroces une fois que la nation est alarmée. C'est une chose terrible que d'endosser des masses de responsabilités aussi vaguement définies[53]. »

Au même moment, le journaliste Churchill n'est pas moins actif ; il écrit d'innombrables articles, dont un sur Adolf Hitler qui paraît remarquable à tous égards : « Adolf Hitler a été l'enfant de la rage et du chagrin d'un empire et d'un peuple puissants, qui ont subi à la guerre une défaite écrasante. C'est lui qui a exorcisé le désespoir de l'âme allemande, en lui substituant l'esprit non moins néfaste mais bien moins morbide de la revanche. [...] En quinze ans, ce caporal solitaire, un ancien peintre en bâtiment autrichien*, [...] est parvenu à refaire de l'Allemagne la première puissance en Europe, et même, dans une très grande mesure, à inverser les résultats de la Grande Guerre. [...] Ce n'est qu'en 1935 qu'Hitler a jeté le masque et bondi en avant, armé jusqu'aux dents, avec ses usines de munitions tournant jour et nuit, ses escadrilles se multipliant sans cesse, ses équipages de sous-marins s'entraînant dans la Baltique, et ses cohortes armées faisant sonner les pavés sous leurs bottes de haut en bas du vaste Reich allemand. Voilà où nous en sommes aujourd'hui, et cette prodigieuse réalisation [...] est inséparable des efforts et de l'énergie d'un homme solitaire. Jusqu'ici,

---

* Comme tous les Anglais de son époque, Churchill, apprenant qu'Hitler avait été peintre, pensait qu'il s'agissait d'un peintre en bâtiment.

la carrière triomphale d'Hitler a été portée par un amour passionné pour l'Allemagne, mais aussi par des courants de haine assez intenses pour flétrir l'âme de tous ceux qu'ils charrient. Quel est ce sombre personnage qui a accompli ces superbes tâches et déchainé ces épouvantables maléfices ? Nourrit-il toujours les passions qu'il a suscitées ? Dans la pleine lumière du triomphe, à la tête d'une grande nation qu'il a fait remonter de l'abîme, est-il toujours rongé par les haines et les antagonismes de sa lutte à outrance ? Ou bien va-t-il s'en dépouiller sous l'influence apaisante du succès[54] ? »

Au début de 1936, il vient de se créer un « Conseil mondial antinazi » comprenant des personnalités de tout bord, y compris des hommes en vue du parti travailliste comme Hugh Dalton, qui commencent à comprendre la folie de la ligne officielle de leur parti. Ce conseil est présidé par sir Walter Citrine, le puissant leader du TUC – et adversaire principal du ministre des Finances Churchill durant la grande grève de 1926 ! Les temps changent : à présent, c'est le président Citrine lui-même qui demande au député Churchill de venir s'adresser aux membres du Conseil – une invitation que Churchill accepte bien sûr avec empressement. Enfin, il faut reconnaître que les campagnes du député d'Epping en faveur du réarmement, ainsi que ses victoires à la Pyrrhus au Parlement, ont fini à la longue par réveiller les moins profondément assoupis : déjà en mai 1935, le *Daily Express* lui présentait publiquement des excuses pour avoir si longtemps négligé ses avertissements[55] ; en outre, quelques personnalités du parti conservateur, et non des moindres, se sont discrètement jointes à sa minuscule cohorte : Austen Chamberlain, Leo Amery, le comte Winterton, sir Edward Grigg, lord Lloyd, Harold MacMillan et lord Robert Cecil.

Les cinq premiers feront partie d'une délégation de dix-huit membres conservateurs des deux Chambres, conduite par sir Austen Chamberlain lui-même, qui va exposer le 28 juillet 1936 au Premier ministre les urgences de l'heure. Comme on pouvait s'y attendre, c'est Churchill qui parlera le plus longtemps : « Nous sommes en danger, déclare-t-il, comme nous ne l'avons jamais été auparavant – pas même au cours de l'offensive sous-marine de 1917. » Suivent quelques pressantes injonctions : il faut coopérer le plus étroitement possible avec la France ; inciter par tous les moyens la fleur de la jeunesse britannique à suivre des formations de pilotes d'avions ; accélérer et simplifier la construction aéronautique ; et surtout commander du matériel militaire et des équipements à l'étranger, particulièrement aux États-Unis. S'appuyant sur les renseignements confidentiels qui lui parviennent depuis quatre ans, ainsi que sur l'expérience du ministre de l'Armement qu'il a été vingt ans plus tôt, Churchill va même faire un stupéfiant exposé technique à ses interlocuteurs Baldwin, Halifax et Hankey*, qui n'en demandaient certainement pas autant : « Où en est-on à l'heure actuelle ? Le Parlement n'a reçu que quelques bribes d'informations qui, prises isolément, risquent seulement d'induire en erreur les ignorants. C'est ainsi que l'on nous a dit la semaine dernière que 52 entreprises avaient été inspectées, et s'étaient vu offrir des contrats pour fabriquer des munitions. [...] Mais il y a trois mois seulement que les premières commandes ont été passées, et en aucun cas on ne peut passer au stade des livraisons en masse avant au moins dix-huit mois, à compter de la date de commande. Si par munitions on entend projectiles (bombes et obus) et douilles contenant le propulseur, il faudra équiper toutes ces usines d'une certaine quantité de machines-outils spécialisées et modifier leurs installations. De plus, la production proprement dite nécessitera des gabarits d'usinage et des gabarits d'assemblage, qui devront dans la plupart des cas être fabriqués par des sociétés tout à fait différentes de celles auxquelles on aura confié la production des projectiles. Après la livraison des machines-outils spécialisées, il faudra prévoir un délai supplémentaire pour leur installation, ainsi que pour l'amorçage du processus de production. C'est seulement après tout cela que l'on peut s'attendre à recevoir les premières livraisons, un mince filet d'abord, puis un flot, et enfin un torrent. [...] Sur les 52 entreprises auxquelles on a offert des contrats, 14 seulement les avaient acceptés la semaine dernière. À l'heure actuelle, on peut estimer sans exagération que les Allemands ont entre 400 et 500 usines de munitions, qui tournent toutes à plein régime depuis près de deux ans... Parlons maintenant des canons : le processus de mise en service d'une usine de canons est nécessairement très long, les ateliers et machines-outils spéciaux sont plus

---

* Les deux derniers étant respectivement lord du Sceau privé et secrétaire du Comité de défense impérial. Neville Chamberlain, le ministre des Finances, était absent – ce qui en dit long...

nombreux, et l'aménagement plus complexe. [...] Il nous faudra donc attendre deux années pour recevoir des livraisons substantielles de pièces de campagne et de canons antiaériens. »

Churchill va passer en revue de la même façon les délais de fabrication, les insuffisances et les aberrations relevées dans la fabrication de tanks, automitrailleuses, fusils, mitraillettes, gaz, masques à gaz, projecteurs, fusées, mortiers, grenades, mines, charges de profondeur, avions de chasse et de bombardement. Et pourquoi n'a-t-on pas cherché à obtenir la coopération des syndicats ? Comment va-t-on former la main-d'œuvre spécialisée nécessaire à la production d'armement ? Pourquoi ne peut-on armer et équiper les troupes territoriales ? Pourquoi n'a-t-on pas encore créé de ministère de l'Approvisionnement ? Comment peut-on assurer que l'on aura dans dix-huit mois quelque 2 000 avions de chasse prêts à l'emploi, alors que la production de mitrailleuses pour les équiper n'en est qu'au stade de la planification, et qu'il faut jusqu'à huit mitrailleuses par avion ? Qu'a-t-on fait pour organiser la défense antiaérienne des grandes villes, des centres stratégiques et des aéroports ? A-t-on prévu des centres de commandement enterrés ? Un réseau de communication et d'approvisionnement énergétique de secours ? A-t-on pensé au ravitaillement de la population en temps de guerre ? Et aux services d'incendie ? Et au maintien de l'ordre public[56] ?

Il n'est pire sourd que celui qui ne veut entendre ; la délégation se voit promettre que toutes ces questions seront soigneusement examinées, mais quatre mois passent sans que le rythme du réarmement s'en trouve accéléré. C'est que le gouvernement refuse obstinément d'adopter les mesures d'urgence préconisées par la délégation, qui risqueraient de perturber le fonctionnement de l'industrie civile et pourraient même inquiéter l'opinion publique... Dans le même temps, Churchill reçoit un rapport du chef d'escadrille H. V. Rowley, qui vient de rentrer d'Allemagne : « Les Allemands sont maintenant plus forts dans les airs que l'Angleterre et la France réunies[57]. » Lorsque les membres de la délégation du 28 juillet en sont informés, ils décident de demander au Premier ministre un grand débat parlementaire sur la défense nationale. Churchill tout seul n'aurait jamais pu l'obtenir, mais Baldwin ne peut ignorer la requête de personnalités telles qu'Austen Chamberlain, Robert Horne, Leo Amery ou le marquis de Salisbury, qui sont des piliers du parti conservateur ; le débat est donc fixé aux 11 et 12 novembre 1936. Ce seront sans doute les deux plus mémorables séances parlementaires de l'entre-deux-guerres.

Dès le premier jour, Churchill et cinq autres députés ont déposé une motion – exactement la même que celle présentée deux ans plus tôt, en novembre 1934 : « Les défenses de la Grande-Bretagne, particulièrement en matière d'aviation, ne suffisent plus à sauvegarder la paix, la sécurité et la liberté du peuple britannique. » C'est sir Thomas Inskip qui parlera au nom du gouvernement ; manifestement embarrassé de se retrouver en première ligne sur un front aussi peu familier, avec un équipement aussi léger et des arrières si vulnérables, face à un adversaire à la fois aguerri et surarmé, le ministre de la Coordination de la Défense va s'efforcer de lancer quelques écrans de fumée : il est vrai que tout ne va pas aussi bien qu'on pourrait le souhaiter, que le réarmement ne peut se faire du jour au lendemain, et que chacun fait tout son possible, même s'il faut bien reconnaître que beaucoup de temps a été perdu dans le passé ; et ce brave homme, qui a toujours préféré la Bible au canon, d'ajouter pieusement : « Nul ne peut rattraper le temps qu'ont dévoré les locustes. »

Mais Churchill, dont la Bible n'a jamais été la lecture favorite, le ramène rapidement aux réalités d'ici-bas, en posant une question très concrète : Quand le gouvernement va-t-il prendre une décision au sujet de la création d'un ministère de l'Approvisionnement ? Inskip énumère les inconvénients d'un tel ministère : il ferait plus de mal que de bien, désorganiserait l'industrie, paralyserait les exportations, démoraliserait le monde financier et « transformerait le pays en un vaste dépôt de munitions » ; puis il hésite, s'embrouille dans ses notes, se contredit, bégaye, parle d'« examiner à nouveau l'affaire dans quelques semaines », et donne de tels signes de détresse que le premier lord de l'Amirauté sir Samuel Hoare se voit contraint de venir à sa rescousse : « Ce qu'a manifestement voulu dire mon très honorable ami, [...] c'est que nous réexaminons constamment la question.

M. *Churchill :* Vous n'arrivez pas à vous décider !

M. *Hoare :* Il est très facile de faire des remarques de ce genre. M. Churchill sait, comme tous les membres de cette Chambre, que la situation est fluide[58]. »

Churchill n'oubliera rien de ce qui s'est dit lors de cette première séance, et dès le lendemain, il va se servir de toutes les armes de l'adversaire pour bombarder ses positions : « Le ministre de la Coordination de la Défense s'est prononcé comme d'habitude contre la création d'un ministère de l'Approvisionnement. Il a invoqué des arguments de poids, [...] propres à emporter l'adhésion de tout homme qui les prendrait au sérieux. Mais voilà ensuite que mon très honorable ami poursuit en disant : "La décision n'est pas définitive ; la question sera réexaminée dans quelques semaines." Que saurez-vous dans quelques semaines que vous ne sachiez dès aujourd'hui, que vous n'auriez dû savoir il y a un an, que l'on ne vous ait répété sans cesse durant les six derniers mois ? Que va-t-il se passer dans les prochaines semaines pour invalider tous ces magnifiques arguments, [...] et justifier que l'on paralyse les exportations, détruise les finances et transforme le pays en un vaste dépôt de munitions ? Le premier lord de l'Amirauté est allé encore plus loin. [...] Il a dit : "Nous réexaminons constamment la question." Tout, nous a-t-il assuré, est entièrement fluide. Cela, j'en suis convaincu. Tout le monde voit bien ce qui se passe : le gouvernement n'arrive pas à se décider, ou alors il ne peut amener le Premier ministre à se décider. Le voilà donc qui poursuit sa démarche singulière, décidé seulement à être indécis, résolu à l'irrésolution, solidement partisan de la fluidité, puissamment ancré dans son impuissance. C'est ainsi que nous préparons de nouveaux mois, de nouvelles années – précieux, vitaux peut-être pour la grandeur du pays – que les locustes vont dévorer. Le gouvernement me dira : "Un ministère de l'Approvisionnement ne s'impose pas, car tout va bien." Je le conteste. "La situation est satisfaisante." C'est inexact. "Tout se déroule selon les prévisions." Nous savons ce que cela veut dire. »

Manifestement indigné du peu de résultats obtenu par la délégation du 28 juillet, Churchill fustige une fois encore le dénuement complet des troupes territoriales, puis il en vient à l'armée régulière : « L'armée manque de pratiquement toutes les armes nécessaires à la guerre moderne. Où sont les canons antitanks, les appareils de transmission sans fil, les pièces de DCA de campagne ? [...] Considérez le corps des blindés ; le tank a été une invention britannique. Ce concept, qui a introduit une révolution dans les conditions de la guerre moderne, était une idée britannique, imposée au *War Office* par des éléments extérieurs*. Laissez-moi vous dire qu'il serait tout aussi difficile de lui imposer une nouvelle idée aujourd'hui – et je parle en connaissance de cause. Durant la guerre, nous avions presque un monopole [...] en matière de blindés, et lors des quelques années qui ont suivi, nous sommes restés en tête. [...] Tout cela est maintenant du passé. Rien n'a été fait durant « les années qu'ont dévoré les locustes » pour doter le corps des blindés de nouveaux modèles. Le tank moyen dont il est équipé, et qui fut en son temps le meilleur du monde, est depuis longtemps obsolète. [...] Toutes les usines d'obus et de canons de l'armée de terre [...] en sont au stade préliminaire. Il faudra un très long délai avant que l'on puisse compter sur un flot de munitions, même pour les forces réduites dont nous disposons. Et malgré cela, on nous dit qu'il n'est pas nécessaire d'avoir un ministère de l'Approvisionnement, qu'aucune urgence ne doit nous amener à gêner le cours normal du commerce ! »

Passant enfin en revue l'état de l'aviation, Churchill annonce que l'Allemagne dispose désormais d'au moins 1 500 avions de première ligne**, et l'Angleterre des deux tiers de ce chiffre seulement, soit 960 avions, qui sont d'ailleurs loin d'être tous en état de combattre... Ayant à nouveau insisté sur la lourde responsabilité du gouvernement dans cette longue suite de négligences, il conclut en demandant que le Parlement nomme une commission d'enquête indépendante : « C'est, je crois, ce que ferait tout Parlement digne de ce nom dans en pareille circonstance. » Et résolu à se libérer de tout ce qu'il a sur le cœur, il conclut par ces mots d'une brutale franchise : « Je n'aurais jamais cru que nous pourrions nous enfoncer dans cette piteuse situation, mois après mois, année après année, sans que même les aveux d'erreur du gouvernement n'incitent les opinions et les forces parlementaires à s'unir pour imprimer à nos efforts le sentiment d'urgence requis par la situation. Et j'affirme

* Un rare accès de modestie l'empêche de mentionner que le principal « élément extérieur » se nommait Winston Churchill...

** Cette fois, il n'y a pas d'exagération - bien au contraire : les effectifs de la Luftwaffe pour l'année 1936 sont de 2 530 avions de première ligne, y compris les appareils de transport Ju 52. De plus, c'est l'année où les Allemands ont fait voler leurs nouveaux modèles de chasseurs Messerschmitt 109 et 110, ainsi que les bombardiers Dornier 17, Heinkel 111 et Junkers 87 Stuka.

qu'à moins que la Chambre ne se décide à tirer elle-même les choses au clair, elle aura commis un acte d'abdication sans précédent au cours de sa longue histoire[59]. »

Il a toujours été difficile de répliquer à un discours de Churchill aux Communes, mais cette fois, il s'est surpassé, et le réquisitoire est absolument sans appel. Baldwin va pourtant se lever pour lui répondre, et parler avec une franchise littéralement désarmante : « Mes divergences d'opinion avec M. Churchill remontent à 1933 et aux années qui suivent. [...] La conférence du désarmement se tenait alors à Genève, et il faut se souvenir qu'à cette époque, le pays était parcouru d'un sentiment pacifiste plus fort sans doute qu'à tout autre moment depuis la guerre. [...] Ma position en tant que chef d'un grand parti n'était pas des plus confortables. [...] Imaginons un instant que je me sois présenté devant les électeurs pour leur dire que l'Allemagne réarmait, et que nous devions réarmer à notre tour. Pensez-vous que notre démocratie pacifique aurait répondu à mon appel en un tel moment ? Je ne vois rien qui eût pu amener plus sûrement ma défaite aux élections[60]. »

L'auditoire reste interdit ; les partisans de Baldwin sont consternés. S'il est vrai que la plupart des politiciens font passer l'intérêt de leur parti avant celui de leur pays, combien d'entre eux poussent l'inconscience jusqu'à le reconnaître devant la Chambre ? Comme de nombreux journaux conservateurs qui poursuivaient Churchill de leur vindicte depuis des décennies, le *Times* du lendemain doit se rendre à l'évidence : Baldwin a perdu et son adversaire a gagné.

Pour Churchill, voici que se dessine enfin la récompense de tant d'efforts. À la veille de son soixante-deuxième anniversaire, il perçoit nettement un retournement de l'opinion, sinon encore dans la majorité du peuple, du moins dans la presse, les clubs, les syndicats et les partis* ; de nombreux leaders syndicaux, conservateurs de droite, partisans de la SDN, libéraux et travaillistes semblent à présent décidés à le rejoindre dans sa campagne en faveur d'un réarme-

* La parution en septembre de son ouvrage *Great Contemporaries*, avec des portraits colorés de 21 célèbres contemporains allant du Kaiser à Roosevelt, lui apporte un surplus de notoriété. Il en a même envoyé des copies dédicacées à ses principaux adversaires politiques, notamment Stanley Baldwin, Samuel Hoare et Neville Chamberlain – qui l'ont remercié chaleureusement !

ment accéléré, et le Conseil mondial antinazi l'invite à lancer un appel solennel au rassemblement lors d'une grande réunion à l'Albert Hall le 3 décembre. Son discours à cette occasion, basé sur le slogan « Des armes et le Pacte », et préconisant une union défensive de tous les pays d'Europe pour résister à l'agression nazie, sera longuement acclamé par une foule immense. De nouvelles réunions du mouvement sont prévues aux quatre coins du royaume pour les semaines qui suivent, et tout laisse prévoir un très vaste rassemblement autour de Churchill, qui obligera un Premier ministre passablement discrédité à démissionner, ou du moins à modifier enfin son attitude résolument dilatoire en matière de défense et de politique étrangère. « Nous avions le sentiment, écrira Churchill, que nos prises de position inspiraient le respect, et même qu'elles allaient s'imposer[61]. »

Hélas ! Alors que la victoire est à portée de main, voici que le balancier repart en sens inverse ; car c'est à ce moment précis qu'éclate une crise constitutionnelle qui va rapidement prendre une ampleur insoupçonnée. C'est qu'Édouard VIII, monté sur le trône huit mois plus tôt à la suite du décès de son père George V, s'est mis en tête d'épouser une Américaine, Mrs Wallis Simpson. Or, ni l'Église anglicane ni la très grande majorité de l'opinion publique ne sont disposées à accepter le mariage du roi avec une femme deux fois divorcée. Le Premier ministre Baldwin, doté en matière de stratégie politique d'un flair quasi infaillible, presse immédiatement le roi de choisir entre sa couronne et Mrs Simpson ; il devra renoncer à ce mariage ou abdiquer, et faire connaître sa décision dans les meilleurs délais.

C'est sur ces entrefaites que Churchill entre en scène ; royaliste inconditionnel, ami personnel d'Édouard VIII depuis sa plus tendre enfance et toujours en quête d'une noble cause à défendre, il estime que son devoir est de voler au secours du monarque. Mais lorsqu'il s'agit de juger d'intrigues sentimentales ou de combinaisons politiques, d'évaluer l'état de l'opinion ou les humeurs du Parlement, Churchill est aussi maladroit que Baldwin est habile. Les mises en garde de Clementine et de ses amis restent sans effet : moins d'un mois après son triomphe du 12 novembre, il revient à la Chambre, « plein d'émotion et de cognac[62] », et rejoint son siège au moment où Baldwin est en train de déclarer que quelques jours de délai ont été donnés au roi pour se décider. Churchill, qui n'a pas écouté, tient absolument à l'interrompre, pour lui poser une question à laquelle il a déjà répondu... Rappelé deux fois à l'ordre par le *speaker*, il demande néanmoins l'assurance qu'«aucune mesure irrévocable ne sera prise avant que la Chambre ait reçu une déclaration complète». La réaction des députés est foudroyante ; toutes tendances confondues, ils se dressent contre lui et l'empêchent de continuer, aux cris de « Taisez-vous ! » « Faux jeton ! » « À l'ordre[63] ! » Churchill ne peut plus se faire entendre, le *speaker* le réprimande une nouvelle fois, et il doit finalement se rasseoir, pâle et défait. « Winston, notera le député Harold Nicolson, s'est complètement effondré à la Chambre. [...] Il a détruit en cinq minutes le patient travail de reconstruction de deux années[64]. » Ce que confirmera un autre député présent, Robert Boothby : « En cinq minutes fatales, toute la campagne en faveur des Armes et du Pacte s'est trouvée anéantie. Après la séance, au fumoir, il a dit à Bracken et à moi-même que sa carrière politique était terminée. Nous lui avons répondu que c'était ridicule[65]. »

C'était loin d'être ridicule ; le *Times* du lendemain parlera du « désaveu le plus éclatant de l'histoire parlementaire moderne[66] », et en un tournemain, les attaques de la presse contre Churchill reprennent de plus belle, les députés de tous bords l'évitent dans les couloirs de la Chambre, ses fidèles se comptent à nouveau sur les doigts d'une seule main, le Conseil mondial antinazi sombre dans l'insignifiance et ses réunions ultérieures sont annulées. « Toutes les forces que j'avais rassemblées sous la bannière "Des armes et le Pacte", dont je me considérais comme la cheville ouvrière, s'écartèrent de moi ou se dispersèrent, et j'étais moi-même si terrassé aux yeux de l'opinion publique que, de l'avis général, ma carrière politique était enfin terminée[67]. »

Le malheur des uns fait le bonheur des autres ; la signature par Édouard VIII de son acte d'abdication le 11 décembre 1936 marque la fin de la crise constitutionnelle, et assure le triomphe de Stanley Baldwin à la Chambre comme dans le pays. Ce vieil homme, si méprisé après le débat du 12 novembre, est devenu l'objet d'un concert de louanges presque unanime : il a résolu la crise et empêché le maintien sur le trône d'un homme qui n'en était pas digne ; la défense négligée, les promesses non tenues, les aveux abjects, les incohérences de la politique étrangère, tout cela est oublié d'un seul coup, et Stanley Baldwin est au début de 1937 l'homme le plus populaire du royaume...

Après avoir soutenu Édouard VIII jusqu'au tout dernier moment*, Winston, vieux grognard impénitent, est retourné tristement à Chartwell, à ses difficultés familiales, à ses dettes, à sa peinture, au dernier volume de sa biographie du grand Marlborough, et à ses articles sur la menace nazie et l'impréparation britannique; la mort de sir Austen Chamberlain le 16 mars 1937 le prive de son allié le plus prestigieux au sein du parti conservateur; Édouard, devenu simple duc de Windsor, est parti pour le continent, a épousé sa dulcinée, et va défrayer la chronique par quelques initiatives regrettables**. Le 17 mai, lors du couronnement de son frère George VI à l'abbaye de Westminster, Churchill confiera à Clementine : « Tu avais raison. Je vois maintenant que l'autre n'aurait pas convenu[68]. » Mais le constat est bien tardif, et le mal est fait. Au lendemain du couronnement, Stanley Baldwin, anobli et décoré de l'ordre de la Jarretière, quitte le pouvoir dans un halo de gloire et de gratitude. Son successeur désigné sera naturellement Neville Chamberlain; à 68 ans, le second fils du « vieux Joe », excellent maire de Birmingham et ministre des Finances émérite, est jugé le plus à même de poursuivre la politique de Baldwin – pour autant qu'il en ait jamais eu une. Churchill, pour sa part, ne le pense pas : « Il n'existe aucun projet d'aucune sorte, dans quelque domaine que ce soit. [...] Ils avancent dans le brouillard. Tout est noir, très noir[69]. »

Mais pour le « solitaire de Chartwell », même dans le noir absolu, il y a toujours une petite lueur, et celle qui s'annonce à présent sera aussi inattendue que salvatrice. Comme tous les députés, il avait adressé des vœux respectueux au roi George à la veille de son couronnement. Or, dès le lendemain de la cérémonie, il reçoit cette réponse, écrite de la main même du monarque : « Je vous écris pour vous remercier de votre aimable lettre. Je sais à quel point vous avez été, et continuez d'être dévoué envers mon cher frère, et je suis touché au-delà de toute expression par la sympathie et la compréhension que vous avez manifestées durant les difficiles épreuves

---

* C'est même lui qui a rédigé le discours d'adieu radiodiffusé du roi.

** Notamment lorsqu'il se rendra en Allemagne en voyage de noces et s'affichera avec les dignitaires nazis.

que nous avons connues depuis qu'il nous a quittés en décembre. Je me rends pleinement compte des responsabilités que j'assume en tant que roi, et me sens très encouragé de recevoir les bons vœux d'un de nos grands hommes d'État, qui a si fidèlement servi son pays[70]. »

Pour Churchill, émotif, sentimental, vaniteux et cyclothymique, la missive royale est un don du ciel : « Ce geste magnanime, envers un homme dont l'influence à ce moment était réduite à néant, restera pour toujours un épisode béni de mon existence[71]. » Il est vrai que par quelques lignes judicieusement choisies, adressées au moment le plus opportun, ce nouveau roi hésitant et timoré s'est acquis à jamais le dévouement sans limites d'un prodigieux serviteur.

En se retirant de la vie publique, Stanley Baldwin a porté en matière de politique étrangère un jugement étonnamment perspicace, prouvant au moins qu'il a fini sur le tard par prendre la mesure de la situation européenne : « À l'heure actuelle, confie-t-il à Anthony Eden, il y a en Europe deux fous en liberté. Tout peut arriver[72]. » C'est même une situation bien plus complexe que trouve Neville Chamberlain lorsqu'il devient Premier ministre en ce mois de mai 1937 : Mussolini a achevé la conquête de l'Éthiopie, Hitler poursuit son réarmement à une cadence accélérée, et tous deux se sont suffisamment rapprochés pour proclamer l'« axe Rome-Berlin » et intervenir de concert en Espagne, où la dictature menace une fois encore de l'emporter sur la démocratie ; la France, paralysée par ses querelles politiques et ses conflits sociaux depuis la victoire du Front populaire, semble hors d'état de jouer un rôle stabilisateur en Europe ; l'URSS, qui intervient discrètement contre le fascisme en Espagne, suscite bien des inquiétudes, du fait des activités du Komintern et des procès de Moscou ; quant au Japon, qui a signé avec l'Allemagne un « pacte anti-Komintern » l'année précédente, il poursuit son entreprise de conquête en Chine, sans que l'Empire britannique soit en mesure de s'y opposer – d'autant que les États-Unis ont catégoriquement refusé les propositions de Londres concernant une intervention navale, ou même diplomatique, dans le conflit sino-japonais. Voici donc la Grande-Bretagne isolée et désarmée, dans un monde de plus en plus hostile ; et lors de la conférence impériale qui se tient à cette époque, Anthony Eden définit ainsi la politique de son gouvernement : « Maintenir nos positions politiques actuelles, en renforçant notre potentiel militaire à l'abri de celles-ci[73]. »

Est-ce réellement la voie qu'envisage de suivre le nouveau Premier ministre ? S'il a effectivement présidé au réarmement dès son arrivée au pouvoir, rien n'indique qu'il soit intervenu pour l'accélérer. Le capitaine Margesson, qui l'a bien connu à cette époque, écrira que « toutes les questions militaires et navales le rebutaient profondément[74] ». Du reste, nous savons que Neville Chamberlain, tout comme son prédécesseur, n'est pas disposé à prendre la seule initiative qui permettrait réellement de combler les retards accumulés par son pays : une reconversion partielle de l'industrie civile au bénéfice de la défense. C'est que Chamberlain, devenu Premier ministre, a gardé les préjugés et les préventions du chancelier de l'Échiquier qu'il a été pendant huit ans ; le passage suivant de son journal politique, écrit au début de 1938, en donne une illustration saisissante : « Notre propre programme d'armement a continué à s'accroître et à obérer nos engagements financiers d'une façon réellement alarmante. [...] Le coût annuel de l'entretien des matériels une fois le réarmement terminé risquait fort de dépasser les ressources disponibles, à moins d'augmenter considérablement les impôts pendant une période de temps indéterminée. C'est pourquoi j'ai entrepris très tôt de mentionner l'Allemagne en termes favorables lors de mes discours[75]. »

La dernière partie du propos est très claire : Neville Chamberlain, qui n'a guère confiance dans les vertus du réarmement et en refuse les coûts*, voudrait le rendre superflu par de nouvelles initiatives en politique extérieure. C'est pourquoi, dès son arrivée au pouvoir, il a déclaré au ministre des Affaires étrangères Anthony Eden : « Je suis sûr que vous ne verrez pas d'objections à ce que je m'intéresse davantage à la politique étrangère que Stanley Baldwin » ; et M. Eden notera à cette occasion : « Nous savions tous deux qu'il était impossible de s'y intéresser moins[76]. » Malheureusement,

---

* Les dépenses militaires sont passées de 129 millions de livres en 1935 à 137 millions en 1936, et les prévisions de dépenses pour 1937 sont de 176 millions, ce que Chamberlain estime excessif. En outre, le Trésor refuse de lancer un emprunt pour la défense, bien que Keynes ait déclaré en février 1937 que le pays pouvait parfaitement se permettre de lancer un emprunt de 400 millions de livres sur cinq ans.

l'intérêt ne suffit pas ; peu de temps avant sa mort, sir Austen Chamberlain, peut-être saisi par un pressentiment, avait mis en garde son demi-frère : « Neville, n'oubliez pas que vous ne connaissez rien aux Affaires étrangères[77]. » Ce fait indéniable a été exprimé sous diverses formes par de nombreux contemporains, depuis Lloyd George, qui le dépeindra comme « un bon lord-maire de Birmingham en année maigre », jusqu'à Churchill, qui affirmera que Neville « regardait les affaires du monde par le mauvais bout d'un collecteur municipal[78] ». Mais le jugement du nouveau premier lord de l'Amirauté Duff Cooper est sans doute le plus perspicace : « Chamberlain avait beaucoup de qualités, mais il n'avait pas l'expérience du monde, ni l'imagination nécessaire pour combler les lacunes de l'inexpérience. [...] L'Europe lui était tout à fait étrangère. Il avait bien réussi en tant que lord-maire de Birmingham, et pour lui, les dictateurs d'Allemagne et d'Italie étaient comme les lords-maires de Liverpool et de Manchester, qui appartenaient certes à d'autres partis politiques et avaient des intérêts différents, mais devaient vouloir le bien-être de l'humanité et être des gens sensés et convenables comme lui-même[79]. » À quoi il faut sans doute ajouter ce jugement de lord Strang, qui accompagnera Chamberlain à Munich : « En toute équité, on peut dire qu'il [...] avait dans son propre jugement et ses dons de persuasion une confiance naïve [...] et injustifiée[80]. » Le tableau sera pratiquement complet lorsqu'on aura précisé que l'homme est très orgueilleux, d'un entêtement peu commun, et tient absolument à entrer dans l'histoire comme un grand pacificateur...

C'est en vertu de tout cela que Neville Chamberlain va s'engager dans une diplomatie personnelle visant à gagner la confiance des dictateurs, en dissipant les quelques malentendus qui séparent encore tous les hommes de bonne volonté... Pour la mise en œuvre de cette nouvelle politique d'apaisement, le Premier ministre peut certes compter sur l'adhésion de la grande majorité de l'opinion publique et sur la docilité du parti conservateur, qui dispose toujours au Parlement d'une confortable majorité ; il bénéficie également de la collaboration de son « cercle restreint », composé d'hommes de confiance comme John Simon, Samuel Hoare, lord Halifax et Horace Wilson, ainsi que du soutien de quelques personnages influents comme Geoffrey Dawson et lord Astor. Malheureusement, tous ces hommes ont en commun avec le Premier ministre une ignorance confondante des réalités de la politique européenne, doublée d'une conscience très imparfaite de l'étendue de leur ignorance. « Il était tout à fait démodé, se souviendra Anthony Eden, d'avoir une quelconque expertise en matière de politique étrangère. Le devant de la scène était occupé par des amateurs sans complexes[81]. »

C'est sans doute cette absence de complexes qui explique que Chamberlain n'ait recherché aucun appui diplomatique avant de prendre contact avec les dictateurs : aucune concertation avec Paris, car Chamberlain ne fait pas confiance aux Français – à Léon Blum moins qu'à tout autre[82] –, et du reste, écrira-t-il au début de 1938, « la France est dans un terrible état de faiblesse[83] ». Il n'est pas question non plus de s'entendre avec les Soviétiques, dont Chamberlain, de son propre aveu, se « méfie profondément[84] ». Quant aux Américains, note-t-il, « on ne peut pas compter sur une aide quelconque de leur part en cas de difficulté[85] ». Et lorsque, contre toute attente, le président Roosevelt proposera d'intervenir pour faciliter les négociations entre puissances européennes au début de 1938, Chamberlain, en l'absence d'Eden, s'empressera de répondre qu'il envisage d'ouvrir lui-même des négociations avec l'Italie, et que l'intervention du Président risquerait de contrecarrer son entreprise[86]. Ce sera d'ailleurs l'une des raisons de la démission de M. Eden, la principale étant sans conteste la décision du Premier ministre de traiter avec l'ambassadeur d'Italie et de correspondre avec Mussolini, sans en informer le *Foreign Office*[87]. Car Neville Chamberlain, qui ne doute décidément de rien, se croit en mesure de négocier personnellement avec les dictateurs, non seulement sans l'appui d'autres puissances, mais encore à l'insu de son propre ministre des Affaires étrangères ! Eden sera remplacé par l'ancien vice-roi des Indes lord Halifax, un fervent catholique entièrement gagné à la cause de l'apaisement, qui a rencontré le Führer lors d'une « visite privée » à Berchtesgaden quatre mois plus tôt ; quant au sous-secrétaire d'État permanent aux Affaires étrangères sir Robert Vansittart, antinazi convaincu, il vient d'être relevé de ses fonctions et nommé « conseiller diplomatique », un poste purement honorifique qui lui enlève toutes responsabilités dans l'élaboration ou l'exécution de la politique étrangère britannique[88]. Il est remplacé par Alexander Cadogan, un autre partisan énergique de l'apaisement. Enfin, le successeur à Berlin de l'ambassadeur Eric

Phipps n'est autre que sir Neville Henderson, un grand admirateur des chefs nazis, prêt à toutes les concessions pour obtenir un accord anglo-allemand...

La voie est donc libre. On connaît les étapes successives de la diplomatie personnelle du Premier ministre ; ses contacts avec Mussolini par l'intermédiaire de sa belle-sœur à Rome, et de l'ambassadeur Grandi à Londres ; la signature de l'accord anglo-italien d'avril 1938, qui reconnaît le fait accompli de l'intervention italienne en Éthiopie et en Espagne ; la recherche assidue de contacts avec l'Allemagne, au cours de laquelle il multiplie les assurances que son gouvernement s'efforce ardemment de faire des concessions et de décourager les critiques de la presse et du Parlement britanniques à l'égard du régime nazi ; les tentatives d'« apaisement colonial », auxquelles on refuserait de croire si elles n'étaient attestées par les documents diplomatiques anglais eux-mêmes : pris d'une inspiration soudaine, Chamberlain s'était mis en tête, au début de 1938, d'offrir au Führer quelques colonies sous mandat britannique, en échange de concessions allemandes en matière de désarmement, voire d'une simple déclaration de bonne volonté ; craignant les réactions de l'opinion publique britannique – et celles de son propre ministre des Colonies –, il proposera ensuite de transférer à l'Allemagne des colonies belges, portugaises et françaises... sans la moindre concertation avec Bruxelles, Lisbonne ou Paris[89] ! Heureusement pour la Grande-Bretagne, Hitler, déconcerté une fois encore par tant d'ineptie, informe dès le 3 mars l'ambassadeur Henderson qu'il n'a que faire des colonies en question[90]. Mais les contacts personnels d'Hitler avec Halifax et Henderson, tout comme les entretiens de son ambassadeur Ribbentrop avec Chamberlain, Samuel Hoare ou Horace Wilson, semblent bien avoir convaincu le Führer que les hommes au pouvoir à Londres n'ont ni le courage, ni l'intelligence, ni la volonté nécessaires pour s'opposer à sa politique de conquête en Europe. Après tout, Stanley Baldwin avait accepté sans réagir toutes les initiatives allemandes, depuis le réarmement jusqu'à la remilitarisation de la Rhénanie, et son successeur ne paraît pas moins incompétent...

Au moment où son pays chemine paisiblement vers le désastre, Churchill enrage toujours d'être tenu à l'écart de tout poste de responsabilité, mais il n'en mène pas moins sa diplomatie personnelle. Au printemps de 1937, il est allé à Paris pour s'entretenir avec le président du Conseil Léon Blum, qui rapportera leur conversation en ces termes : « Il m'a dit : "Est-ce que vous êtes content de votre aviation ?" Je lui ai répondu : "Mais je crois que oui, cela ne va pas mal." Il m'a dit alors : "Ce n'est pas ce que je crois savoir. Je crois que vos appareils ne valent pas ceux que l'on est en train de construire en Allemagne ; vous devriez voir cela de près." » Le général Ironside, qui lui rend visite en décembre 1937, note dans son journal : « [Winston] a dit qu'il lui arrivait de ne pouvoir dormir la nuit, en pensant à tous les dangers qui nous menaçaient et à ce magnifique empire, édifié en tant de siècles, qui pourrait disparaître en une minute[91]. » Dans de tels cas, l'inaction est pour lui un supplice. Retour donc sur la Côte d'Azur en janvier 1938 ; entre deux tableaux, le quatrième volume de la biographie de Marlborough, trois tournées au casino de Monte-Carlo, un dîner avec le duc de Windsor et un autre avec Lloyd George, il rend visite à l'ancien président du Conseil et ministre des Affaires étrangères Flandin dans sa villa de Saint-Jean-Cap-Ferrat, car, comme il l'a écrit à Clementine : « Ces derniers temps [Flandin] s'est quelque peu écarté de la politique étrangère que je souhaite voir pratiquer, et j'espère le ramener au bercail[92]. »

Au milieu de la confusion et des tragédies de la situation européenne, notre député-écrivain-estivant-artiste-diplomate s'efforce de tracer au Parlement une ligne politique claire : dans la guerre d'Espagne, la non-intervention lui paraît encore la meilleure des politiques, dans la mesure où les deux factions en lutte lui paraissent également féroces et fanatiques : « Je refuse de m'engager d'un côté ou de l'autre. Il ne s'agit pas de s'opposer au nazisme ou au communisme, mais de combattre la tyrannie sous quelque forme qu'elle se présente[93]. » Le salut, ne cesse-t-il de répéter, réside non seulement dans le réarmement accéléré, mais aussi dans un ferme soutien à la Société des nations, afin qu'elle puisse devenir un rempart moral et matériel contre les dictateurs. Vouloir absolument négocier avec Mussolini après les tristes exploits de ses troupes en Éthiopie, en Libye et en Espagne, et surtout après la proclamation de l'axe Rome-Berlin, semble à Churchill tout à fait déraisonnable. C'est en vertu de telles considérations qu'il a soutenu aux Communes les initiatives du ministre des Affaires étrangères Eden, et prononcé en février 1938 un réquisitoire impitoyable contre la politique du

Premier ministre, qui vient de contraindre Eden à la démission :
« Le dictateur italien a triomphé dans sa vendetta contre M. Eden.
Que s'est-il passé depuis l'annonce de sa démission ? Partout dans
le monde, [...] où qu'ils soient, les amis de l'Angleterre sont
consternés et les ennemis de l'Angleterre exultent. [...] L'ancienne
politique consistait à édifier, au moyen de la SDN ou de pactes
régionaux dans le cadre de la SDN, des remparts propres à dissuader l'agresseur. La nouvelle politique consiste-t-elle à se concilier les
puissances totalitaires, dans l'espoir que de grands actes de soumission [...] permettront de préserver la paix ? Il se peut que les nouveaux responsables de notre politique extérieure, ayant bien étudié
le sinistre aspect de l'Europe et du monde actuels, [...] en
reviennent un jour à l'ancienne politique. Mais alors, il sera peut-
être trop tard[94]. »

Le mois suivant, à la suite de l'annexion de l'Autriche par le
Reich, Churchill prononce ce que beaucoup considéreront à
l'époque comme son meilleur discours – « le discours de sa vie »,
notera même le député Harold Nicolson[95] : « On ne peut exagérer
la gravité de l'événement du 11 mars. L'Europe se trouve confron-
tée à un programme d'agression bien calculé et bien réglé, qui se
déroule étape par étape, et un seul choix s'offre à nous et aux autres
pays concernés : se soumettre, comme l'Autriche, ou bien prendre
des mesures efficaces pendant qu'il est encore temps d'écarter le
danger, et, s'il ne peut être écarté, d'y faire face. » Ayant expliqué à
quel point l'annexion de l'Autriche affectait l'équilibre des forces
en Europe centrale, Churchill en vient à parler des pays de la
Petite-Entente, désormais menacés par l'Allemagne : la Roumanie,
la Yougoslavie et la Tchécoslovaquie : « Prises isolément, ce sont
des puissances de second ordre, mais unies, elles constituent une
grande puissance. » La Tchécoslovaquie retient particulièrement
son attention, et ce n'est pas un hasard ; deux mois plus tôt, un
agent de Vansittart en poste dans le bureau de Goering lui a communiqué la première mouture du « *Fall Grünn* », le plan nazi
d'invasion de la Tchécoslovaquie : « Pour des oreilles anglaises, le
nom de Tchécoslovaquie peut sembler barbare ; ce n'est certes
qu'un petit État démocratique ; il est vrai que son armée ne représente que le double ou le triple de la nôtre, que ses réserves de
munitions sont seulement trois fois plus importantes que celles de
l'Italie, mais c'est tout de même là un peuple viril, qui a des droits

reconnus par traité, une ligne de fortifications et une volonté fermement affirmée de vivre libre. Or, la Tchécoslovaquie est maintenant
isolée, économiquement et militairement.» Plus encore, l'Allemagne nazie est désormais «capable de dominer l'ensemble de
l'Europe du Sud-Est», peuplée de quelque 200 millions d'habitants. Que faire ? Le réarmement accéléré de la Grande-Bretagne
est bien sûr nécessaire, mais il ne peut plus suffire ; il faut proclamer
son adhésion «renouvelée, revivifiée, inébranlable» au pacte de la
SDN, afin de donner «une base morale au réarmement et à la
politique étrangère britanniques». Pressentant le rôle crucial des
idéaux dans une guerre des peuples, Churchill explique alors : «Il
nous faut une telle base pour unir et inspirer notre peuple, obtenir
son engagement sans réserves, et inciter à l'action les peuples de
langue anglaise à travers le monde.» À ce stade, le fils de Jennie
Jerome songe naturellement aux États-Unis, dont l'intervention en
Europe s'était révélée décisive vingt ans plus tôt. Mais pour l'heure,
comme «il n'y a plus de salut sans risques», il s'agit d'organiser
d'urgence la défense de l'Europe dans le cadre de la sécurité collective : «Si un certain nombre d'États se rassemblaient autour de la
Grande-Bretagne et de la France, dans un traité solennel de défense
mutuelle contre l'agression ; si leurs forces étaient réunies dans ce
qu'on pourrait appeler une Grande Alliance ; si leurs états-majors
se concertaient ; si tout cela reposait […] sur le pacte de la Société
des Nations, conformément à tous ses objectifs et à tous ses idéaux ;
si cette entreprise était soutenue, comme elle ne manquerait pas de
l'être, par le sens moral du monde, et si cela se faisait au cours de
l'année 1938 – et, croyez-moi, ce sera peut-être notre dernière
chance de le faire –, alors je dis que vous pourriez encore arrêter
cette guerre qui s'approche. Alors, peut-être la malédiction qui
plane sur l'Europe s'éloignerait-elle ; alors, peut-être les passions
féroces qui animent actuellement un grand peuple se tourneront-
elles vers l'intérieur plutôt que vers l'extérieur, […] et l'humanité se
verra épargner l'épreuve mortelle vers laquelle nous penchons et
glissons mois après mois. […] Avant de rejeter cet espoir, cette
cause et ce plan qui, je ne le cache nullement, comporte un élément
de risque, tous ceux qui souhaitent le repousser devraient méditer
bien sérieusement sur ce qui nous arrivera si, quand tout le reste
aura été jeté en pâture aux loups, nous restons seuls pour affronter
notre destin[96].»

Voilà un discours visionnaire, qui annonce à la fois juin 1940, décembre 1941... et même avril 1949* ! Sur le moment, il aura un retentissement certain dans toutes les capitales européennes, de Paris jusqu'à Moscou, mais il ne produira pas le moindre effet à Downing Street... Comme les précédents – et les suivants –, il sera tout simplement ignoré par des hommes qui ne peuvent le comprendre, tant leur politique d'apaisement est aux antipodes de tout ce que préconise Churchill. Mais pour Hitler, l'absence de toute réaction à l'Anschluss est la preuve manifeste de la faiblesse du pacifiste de Downing Street ; il prépare désormais son coup de force contre la Tchécoslovaquie, assuré qu'il n'y aura pas davantage de contre-mesures britanniques et que les Français ne tenteront rien sans le concours de Londres. Et le député d'Epping en est réduit à poursuivre ses harangues, écouté avec un mélange d'admiration, d'agacement et d'indifférence par des députés blasés et une opinion publique qui s'intéresse toujours aussi peu aux événements extérieurs. « Les avertissements de M. Churchill, notera plus tard Philip Guedala, étaient devenus quelque chose d'aussi familier que la voix du muezzin annonçant l'heure de la prière[97]. »

Mais les infidèles seraient bien surpris d'apprendre que cet homme qui prêche dans le désert poursuit sa diplomatie parallèle, et qu'il a des interlocuteurs de marque : l'ambassadeur d'Allemagne Ribbentrop, par exemple, qui l'a invité un soir de mai 1937, pour lui dire qu'Hitler était disposé à garantir l'intégrité de l'Empire britannique, pourvu qu'on lui laisse les mains libres en Europe de l'Est : Pologne, Ukraine, Biélorussie ; à quoi Churchill lui a répondu que la Grande-Bretagne, même si elle était en mauvais termes avec la Russie communiste, ne pourrait jamais consentir à une expansion allemande de cette nature. Voulant suppléer aux carences de la diplomatie d'apaisement, Churchill a ajouté qu'il « ne fallait pas sous-estimer l'Angleterre », ni « la juger d'après l'attitude du régime actuel[98] ». Parmi les interlocuteurs discrets de Churchill, il y a également sir Samuel Hoare en personne, l'un de ses plus féroces ennemis au Parlement, qui lui demande quelques conseils sur la stratégie navale à adopter en Méditerranée, et bien sûr Anthony Eden, à qui le maître de Chartwell ne ménage pas non plus ses conseils ; en février 1938, il lui a même suggéré les termes de son discours de

---

* Date de la signature du traité de l'Atlantique Nord.

démission ! Le 27 mars, Churchill est de retour à Paris pour s'entretenir avec Léon Blum et dissuader Flandin de faire tomber le second gouvernement de Front populaire ; ce séjour à Paris sera minutieusement décrit dans un rapport à Londres de l'ambassadeur de Grande-Bretagne Eric Phipps : « La visite de Winston Churchill a pris l'aspect d'un tourbillon. La plupart des aspects de la politique française lui ont été présentés durant les repas – et entre les repas. [...] Son français est des plus curieux, et parfois même carrément incompréhensible. Ainsi, l'autre nuit, voulant dire *"We must make good"*, il s'est écrié devant Blum et Boncour : *"Nous devons faire bonne !"* (pas même " bon "). Boncour en est resté ébahi, et il se peut même qu'il ait pris cela dans un sens inconvenant[99].» Il est exact que les longs séjours de Winston Churchill sur la Côte d'Azur n'ont guère amélioré son français, qui doit toujours beaucoup à l'initiative personnelle ; quelques semaines plus tôt, il avait déclaré à ses interlocuteurs français : « Nous sommes gens qui vous pouvez compter sur ! »

Et pourtant, il est bien difficile à cette époque de compter sur le gouvernement de Sa Majesté, ainsi que les Tchèques vont bientôt l'apprendre à leurs dépens. Churchill, lui, est toujours aussi isolé en Grande-Bretagne, et ses diatribes contre la politique d'apaisement l'ont même rendu extrêmement impopulaire. Nul n'est prophète en son pays ; mais lors de la visite à Paris du roi George VI et de la reine Elisabeth en juillet de cette année-là, Churchill sera dûment invité, et traité avec autant d'égards que s'il avait été ministre. Lors du grand déjeuner à Versailles le 21 juillet, son épouse aura comme voisin de gauche Gabriel Hanotaux, et comme voisin de droite... le maréchal Pétain. En marge de ces mondanités, Churchill continue d'échanger avec les généraux Georges et Gamelin des renseignements sur l'armement allemand, tout en leur prodiguant des conseils que ceux-ci écoutent poliment.

Parmi les visiteurs inattendus à Chartwell, il y aura Konrad Henlein, le chef des nazis allemands des Sudètes, que Churchill reçoit à la demande de Vansittart, au moment précis où Hitler a commencé sa campagne virulente en faveur de la minorité allemande de Tchécoslovaquie. Notre politicien-guerrier-conciliateur essaiera de désamorcer le conflit qui s'annonce en encourageant Henlein à négocier avec le gouvernement de Prague un statut d'autonomie interne qui ne menacerait pas l'indépendance de la

Tchécoslovaquie; il aurait même pu réussir, si Henlein avait été autre chose qu'un simple agent provocateur au service du Führer – exactement comme un autre invité de Churchill, le *Gauleiter* de Dantzig Albert Forster... Mais la visite de ce dernier présente un autre intérêt, si l'on en croit l'épouse du maréchal Goering : «Lors d'un long entretien qu'a eu Forster avec Winston Churchill, [...] l'homme d'État britannique a proposé que l'on envoie enfin Hermann Goering à Londres. C'était le seul homme en Allemagne qui intéressait l'Angleterre. Avec lui, il devait être possible d'aplanir de façon professionnelle les divergences les plus graves qui pouvaient se présenter[100].» Il n'y a là rien d'invraisemblable: à cette époque, Goering passe à Londres pour être le plus modéré des dirigeants nazis*, du fait de ses bonnes relations avec plusieurs personnalités politiques et militaires britanniques**, de ses contacts étroits avec la Suède, de ses récentes initiatives diplomatiques, de son humour bonasse, de sa fastueuse hospitalité et de son style de vie ostentatoire. La réaction très typique d'Hitler au rapport que lui fera Forster ajoute d'ailleurs beaucoup à la vraisemblance du récit d'Emmy Goering***...

À l'été de 1938, alors que la menace allemande contre la Tchécoslovaquie se fait plus précise, Churchill va également recevoir en grand secret à Chartwell le commandant Ewald von Kleist-Schmenzin, membre d'un cercle antinazi allemand, qui lui apprend que l'attaque contre la Tchécoslovaquie est imminente, et lui demande de rédiger un message qui permettrait de «consolider le sentiment général d'hostilité à la guerre en Allemagne». Après

---

* Une réputation qui perdurera jusqu'à la fin de 1939, lorsque le *Foreign Office* lui-même finira par se rendre compte de l'incapacité de Goering à jouer un rôle indépendant dans la politique extérieure allemande, du fait de sa complète servilité à l'égard d'Hitler.

** Notamment lord Londonderry, lord Halifax, le colonel Malcolm Christie, et bien sûr le duc de Windsor.

*** «Dès son retour d'Angleterre, Forster a rendu compte à Hitler et lui a rapporté les paroles de Churchill. Alors que Forster prenait congé, Hitler lui a fait comprendre qu'il ne devait rien dire de cela à Goering, car il s'en chargerait lui-même : "Cela lui fera sûrement plaisir, et c'est pourquoi je veux qu'il l'apprenne de ma bouche." En fait, nous n'avons appris tout cela que vers la fin de la guerre, lorsque Forster nous l'a révélé.» (E. Göring, *An der Seite meines Mannes*, Schütz Verlag, Göttingen, 1967, p. 176). Du reste, ce n'est pas la dernière fois que le très paranoïaque Führer empêchera son dauphin de se rendre à Londres...

avoir consulté le *Foreign Office*, Churchill lui remettra effectivement une note signée de sa main, précisant que toute violation de
la frontière tchèque entraînerait un conflit mondial, dans lequel
l'Angleterre et ses alliés s'engageraient à fond, « pour vaincre ou
mourir[101] ». Voilà qui est tout à fait conforme à la stratégie diplomatique poursuivie par Churchill depuis bien des mois : persuader
Hitler de la détermination de l'Angleterre et de ses alliés, pour le
dissuader de se lancer dans l'aventure d'une guerre aux résultats
imprévisibles. En réalité, si l'on se souvient de l'action de ce même
Churchill vingt-quatre ans plus tôt, durant les mois qui ont pré-
cédé la Grande Guerre, on s'aperçoit qu'elle n'a absolument pas
varié : il s'agit toujours de montrer sa force et sa résolution, afin de
n'avoir pas à s'en servir...

Ce qui n'a pas changé non plus, c'est sa sympathie pour les
opprimés et son horreur de l'arbitraire, ainsi que le reconnaîtra
volontiers l'un de ses adversaires politiques du moment, Clement
Attlee : « Sa plus grande vertu, la compassion, n'a jamais été pleinement appréciée. C'est cette compassion, jointe à son énergie, qui le
rendait si "dynamique". La cruauté et l'injustice le révoltaient. Sa
volonté de les combattre lui faisait prendre bien des initiatives qui
n'étaient sans doute pas toujours avisées et pas toujours à mon
goût. Mais je n'ai jamais sous-estimé ce vaste fonds d'humanité, de
bienveillance, d'amour – appelez cela comme vous voudrez –, qui
transparaissait dans son caractère. [...] Je me souviens des larmes
qui coulaient sur ses joues lorsqu'il me disait un jour d'avant-guerre
à la Chambre des communes comment on traitait les Juifs en Allemagne – non pas quelques Juifs de ses amis, mais les Juifs dans leur
ensemble. [...] Il était opportuniste, sans nul doute, mais il avait de
la compassion pour ses semblables[102]. »

Le 2 septembre 1938, alors que la crise tchécoslovaque approche
de son paroxysme, l'ambassadeur d'URSS Ivan Maiski lui-même se
rend discrètement à Chartwell. Il est vrai que Churchill est le premier antibolchevik du Royaume-Uni, mais Staline, qui est un pragmatique, ne s'arrête pas à de tels détails : les ennemis de nos
ennemis sont nos amis, et Churchill est depuis cinq ans le pire
ennemi d'Hitler. Pour l'heure, il s'agit de constituer un front uni
avec la France et la Grande-Bretagne, afin de résister à l'Allemagne
dans l'affaire tchécoslovaque ; mais le ministre soviétique des
Affaires étrangères Litvinov, craignant une rebuffade de la part des

chantres de l'apaisement à Downing Street comme au *Foreign Office*, préfère une approche indirecte, persuadé de trouver en Churchill son meilleur avocat... Il ne se trompe qu'en partie : Churchill s'efforcera effectivement de faire aboutir la proposition soviétique, en rédigeant un long mémorandum à l'attention du ministre des Affaires étrangères Halifax. Or, le noble lord, si engagé soit-il dans les efforts d'apaisement, est parfois saisi de doutes sur la sagesse de la politique poursuivie, et dans de tels moments, il est assez vulnérable aux vastes talents de persuasion du député d'Epping – qui a été son supérieur au ministère des Colonies trente ans plus tôt. Mais même lorsque Halifax transmet les rapports de Churchill à Downing Street avec un avis favorable, ils sont crayonnés rageusement par sir Horace Wilson, avant d'être mis en pièces par Neville Chamberlain en personne... Le mémorandum concernant la démarche soviétique ne fera pas exception à la règle ; c'est que le Premier ministre, loin de chercher à intimider Hitler par des menaces ou des alliances, espère toujours le séduire et le rassurer, au prix d'un maximum de concessions sans contreparties et d'un assentiment tacite à sa politique d'expansion – en espérant naturellement que celle-ci s'effectuera aux dépens de l'Est plutôt que des îles Britanniques...

Précisément, Chamberlain vient d'être saisi d'une inspiration qui lui paraît géniale et se révélera catastrophique : alors que se multiplient les émeutes fomentées par les nazis dans les Sudètes et que les menaces d'invasion allemande du territoire tchèque se précisent, il estime être seul capable de sauver la paix, par une intervention personnelle et directe auprès d'Hitler. Mais ce parfait honnête homme ne mesure pas à quel point il est vulnérable aux tactiques d'intimidation d'un Führer qui n'a que mépris pour sa politique de faiblesse et d'apaisement*. C'est ainsi qu'il se rendra à trois reprises en Allemagne, d'abord à Berchtesgaden le 15 septembre, puis à Godesberg le 22, et enfin à Munich le 29. De cette dernière conférence, à laquelle participeront également Daladier et Mussolini, Chamberlain va rapporter un accord quadripartite, une déclaration

---

* Dès le 12 septembre, pourtant, Churchill a rendu visite à Halifax et à Chamberlain, pour les conjurer d'avertir Hitler qu'une invasion de la Tchécoloslovaquie provoquerait immédiatement l'entrée en guerre de la Grande-Bretagne.

de bonnes intentions signée par Hitler, la promesse de « la paix pour notre époque », et l'impression que le Führer est « un homme sur qui l'on peut compter une fois qu'il a engagé sa parole ». Mais dans l'intervalle, il a abandonné les Tchèques à leur sort en s'associant, comme son homologue Daladier, au *diktat* que leur a imposé le Führer : les Sudètes devront être évacuées dans les dix jours, et les solides fortifications tchèques du quadrilatère de Bohême seront remises intactes aux troupes allemandes*. C'est ainsi que, sans qu'un coup de feu ait été tiré, la Tchécoslovaquie, privée de sa principale ligne de défense, se trouve à la merci d'une invasion allemande – dont aucune personne sensée ne doute qu'elle se produira dans un très proche avenir…

Chamberlain, lui, ne soupçonne rien, et l'opinion publique britannique non plus ; le retour à Londres de l'« Homme qui a sauvé la paix » est triomphal, la presse chante ses louanges et la Chambre va l'acclamer en héros, avant d'approuver massivement les accords de Munich. Il y aura pourtant quelques fausses notes, dont certaines résonneront avec une cruelle intensité. C'est ainsi que dès le 1er octobre, le premier lord de l'Amirauté Duff Cooper donne sa démission et s'en explique aux Communes deux jours plus tard, en dénonçant Munich comme une trahison pure et simple ; Eden, Attlee, Archibald Sinclair, Amery, MacMillan et Bracken s'élèvent également ce jour-là contre le lâche abandon de la Tchécoslovaquie, mais ils sont bien isolés au milieu des fervents admirateurs du héros de Munich ; ce sera également le cas de Churchill le

---

* En fait, Munich est un triomphe de la propagande de Goering, qui avait fait visiter ses usines, ses aérodromes et ses centres d'expérimentation à plusieurs personnalités britanniques et françaises – dont le général Vuillemin, qui avait été impressionné au point de dire à l'ambassadeur François-Poncet au mois d'août 1938 : « Si la guerre éclate à la fin de septembre, il n'y aura plus un avion français au bout de quinze jours. » Vuillemin le répétera un mois plus tard au président du Conseil Daladier, avec à Munich des conséquences catastrophiques. Bien entendu, l'hypothèse d'une infériorité de la RAF par rapport à la *Luftwaffe*, martelée sans relâche depuis plus de trois ans par les partisans du réarmement britannique, n'a pas été non plus sans influence sur Chamberlain lors de cette malheureuse conférence. En réalité, les forces aériennes allemandes et alliées étaient à peu près égales à la fin de 1938, une fois tous les éléments pris en considération : formation des pilotes, composition des escadrilles, aviation de réserve, pièces détachées, potentiel de production, qualité des appareils, armement, tactiques, etc.

5 octobre, ce qui ne l'empêchera pas de prononcer à cette occasion l'un de ses plus remarquables réquisitoires : « Nous avons subi une défaite totale et sans mélange. [...] Les conditions que le Premier ministre a ramenées auraient pu être obtenues [...] par les voies diplomatiques normales à n'importe quel moment de l'été. Et je dirais même que les Tchèques, laissés à eux-mêmes et informés du fait qu'ils ne pouvaient escompter aucune aide de la part des puissances occidentales, auraient été capables d'obtenir de meilleures conditions que celles-ci ; en tout cas, ils n'auraient guère pu en obtenir de pires. » Et Churchill de lancer un avertissement prophétique : « Vous verrez que dans quelque temps, un temps qui se mesurera peut-être en années, mais peut-être aussi en mois, la Tchécoslovaquie sera entièrement engloutie par le régime nazi. » À quoi il ajoute cette mise en garde solennelle : « Notre peuple [...] doit savoir que nous avons subi une défaite sans guerre, dont les conséquences nous accompagneront longtemps sur notre chemin. [...] Et ne croyez pas que c'est fini ; ce n'est que le début du règlement de comptes, la première gorgée, le premier avant-goût d'une coupe amère qui nous sera présentée, année après année, à moins que, dans un ultime sursaut de santé morale et de vigueur martiale, nous nous relevions pour défendre notre liberté, comme au temps jadis[103]. »

Tout cela est en vain. Nombreux sont à l'époque les commentateurs qui considèrent que l'opposition de Churchill aux accords de Munich a été un acte de suicide politique ; il est clair en tout cas qu'à la fin de 1938, elle l'a coupé de la très grande majorité de l'opinion, sans même lui valoir le soutien au Parlement des adversaires de la politique d'apaisement. C'est que les travaillistes et les libéraux se méfient toujours de lui, et même les quelques dissidents conservateurs du groupe d'Anthony Eden, comme Macmillan, Sidney Herbert, Edward Spears et Duff Cooper, préfèrent l'éviter – du moins en public ; il est jugé trop imprévisible, trop radical, trop belliqueux et trop engagé contre le gouvernement du moment. Le 17 novembre 1938, Chamberlain l'a même attaqué publiquement aux Communes, en lui reprochant « manquer de jugement[104] ». L'appareil du parti conservateur tentera à plusieurs reprises de dresser contre lui ses électeurs d'Epping, sans jamais y parvenir ; mais la grande majorité de la presse lui reste hostile, ses tournées de conférences dans le pays trouvent bien peu d'auditeurs, et le roi George VI lui-même accorde publiquement son soutien à Chamberlain. Devant tant d'incompréhension, la plupart des politiciens auraient depuis longtemps baissé les bras – ou changé de discours pour aller dans le sens du vent.

Mais Churchill, on le sait depuis longtemps, n'est pas un politicien ordinaire; il est même l'exact opposé d'un démagogue, et si l'opinion est contre lui, c'est manifestement l'opinion qui a tort ! Pourtant, quiconque essaierait de suivre cet éternel égotiste à la fin de 1938 serait rapidement gagné par l'épuisement; c'est que notre homme continue de rédiger des articles vengeurs contre le nazisme et la politique d'apaisement*; il organise des déjeuners à l'hôtel Savoy pour réunir les opposants de tous bords à la politique du gouvernement, qu'il tente d'unifier dans un groupe « *Focus* » dont il est le principal animateur; il reçoit en permanence à Chartwell des antinazis venus de toute l'Europe et entretient une correspondance suivie avec des ministres français, tchèques, polonais et roumains; il se rend même à Paris pour encourager les adversaires de la politique de faiblesse du ministre des Affaires étrangères Georges Bonnet, et dissuader Georges Mandel et Paul Reynaud de démissionner du gouvernement pour protester contre la capitulation de Munich; il ne cesse de téléphoner à Chamberlain et à Halifax pour s'informer et prodiguer des conseils; mais au même moment, il construit de ses mains un cottage dans son domaine de Chartwell, il peint, écrit de longues lettres à Clementine toujours en voyage, et surtout, il travaille avec acharnement pour repousser les redoutables échéances financières qui l'assaillent. Ruiné une nouvelle fois par la baisse de cours catastrophique de ses actions américaines, il avait dû mettre en vente le domaine de Chartwell ! Mais grâce à l'aide d'un important homme d'affaires, sir Henry Strakosh (qui est aussi l'un de ses principaux informateurs sur la situation en Allemagne), il a pu retirer sa maison de la vente et retrouver un semblant de solvabilité**. Pourtant, il ne pourra la conserver que moyennant un travail littéraire acharné; c'est ainsi

---

* En même temps que quelques offres de conciliation, comme dans l'*Evening Standard* du 17 septembre 1937, où il invitait Hitler à s'engager dans la voie de la paix et à renoncer aux persécutions contre les Juifs.

** Sir Henry Strakosh lui a racheté ses actions à leur cours initial de 18 000 £, et a entrepris de gérer ses intérêts financiers.

qu'à l'été de 1938, il met la dernière main à sa biographie de Marlborough, une superbe réponse aux malveillantes affirmations de Macaulay, dans laquelle les théâtres de guerre, les actions d'éclat et les manœuvres diplomatiques sont décrites avec un talent et une précision inimitables – même s'il reste vrai que les nuances des caractères et la complexité des personnages lui échappent dans ses écrits, comme elles lui échappent dans la vie*. Mais avant même d'avoir entièrement achevé le 4e volume, Churchill a entrepris d'écrire une *Histoire des peuples de langue anglaise,* vaste fresque historique qui va de la conquête romaine à la guerre des Boers** !

Bien entendu, il ne s'agit pas d'accomplir un tel travail au milieu des sombres frimas de l'Angleterre. Retour donc dès le 7 janvier 1939 à Golfe-Juan, chez Maxine Elliott ; il y a là de nombreux tableaux à peindre et une nouvelle œuvre à dicter entre 22 heures et 4 heures du matin, avec trois secrétaires, une demi-douzaine d'assistants, et bien des litres de whisky et de champagne... Voilà de nouvelles nuits blanches en perspective, mais le plaisir diurne n'est pas oublié pour autant : réception à Cap-Martin chez le duc et la duchesse de Windsor, expéditions au casino et interminables dîners en compagnie de lord Rothermere... Tout comme son homologue lord Beaverbrook, le vieux magnat de la presse Rothermere désapprouve autant les tournées de Winston au casino que ses appels à la résistance au nazisme ; mais il sait aussi qu'en cas d'échec de la politique d'apaisement, l'Angleterre courrait un danger mortel, et que dans ce cas, son vieil ami Winston serait le seul capable de la guider à travers le cataclysme d'une nouvelle guerre contre l'Allemagne. C'est pourquoi il lui offre à nouveau une somme respectable pour qu'il renonce à l'alcool, « afin d'être parfaitement en forme le jour venu ». Churchill refuse cette fois encore, mais moyennant 600 £, le suprême recours d'une Angleterre en péril accepte de ne plus boire de cognac pendant toute une année – c'est déjà un début ! Et puis, il reste le champagne, le whisky, le vin blanc, le

---

* Le célèbre duc, notoirement intrigant, arriviste et corrompu, est souvent représenté ici comme une sorte de héros winstonien, loyal, idéaliste, romantique et désintéressé...

** Pour laquelle il a reçu une nouvelle et très confortable avance de 16 000 £ (environ 512.000 £ d'aujourd'hui).

cointreau, le sherry, le porto et la bière, ce qui devrait tout de même lui permettre de survivre le temps nécessaire...

Récapitulons : il y a là du soleil, de somptueuses villas, des admiratrices attentives, d'agréables compagnons, de bonnes bouteilles, de gros cigares, des casinos où il s'est mis à gagner au lieu de perdre, et des chapitres entiers d'une histoire exaltante – et rentable – à dicter aux secrétaires jusqu'à l'aube. Que demande le peuple ? Et pourtant, Churchill paraît bien sombre... On ne peut dire qu'il s'ennuie, mais à l'évidence, le cœur n'y est pas, et ses lettres montrent clairement pourquoi : la situation internationale le préoccupe de plus en plus ; ses informateurs à Londres, Berlin et Prague lui ont discrètement fait savoir que l'armée allemande allait entrer incessamment dans ce qui reste de la Tchécoslovaquie, et que la Pologne se trouvera ensuite directement dans la ligne de mire. Et lui, Winston, toujours tenu à l'écart du pouvoir, ne peut qu'écrire des éditoriaux dans les journaux ou prononcer à la Chambre quelques discours vengeurs qui n'ont aucun écho ! Son ami le major Morton se souviendra qu'« il ressemblait tout à fait à un enfant dont le jouet est cassé [105] ».

Mais cet enfant-là est notoirement hyperactif, et de retour à Londres, il s'absorbe à nouveau dans les problèmes de défense, en recevant un nombre croissant d'officiers et de fonctionnaires venus l'informer des faiblesses et des retards de l'effort de réarmement britannique ; fort de ces renseignements, il envoie aux ministres (et au Premier ministre) d'innombrables rapports sur tous les aspects de l'organisation militaire : défense antiaérienne des villes, préparation de la marine, camouflage des aérodromes, constitution de réserves stratégiques, propagande, approvisionnement des civils en cas de guerre, etc. On atteint des sommets lorsque Churchill transmet aux ministres des documents secrets obtenus frauduleusement – souvent même dans leurs propres ministères –, en leur demandant de les considérer comme hautement confidentiels et de ne pas chercher à en établir la provenance ! Le ministre de la Coordination de la Défense, sir Thomas Inskip, lui répondra même en lui renvoyant un de ces documents : « Puisque vous désirez que je traite ce mémorandum comme ultrasecret, il n'est peut-être pas souhaitable que je le conserve parmi mes papiers. » On dépasse même les sommets lorsque ce même Inskip écrit (confidentiellement) au principal adversaire politique du gouvernement que les chiffres des forces aériennes dont il a lui-même fait état au Parlement (103 escadrilles) sont en fait trompeurs, beaucoup de ces escadrilles étant incomplètes ou constituées d'avions obsolètes... Il ajoute même : « Je crois pouvoir vous donner ces informations confidentielles, puisque vous avez déjà tellement de renseignements secrets sur ce sujet[106]. » On croit rêver...

Lorsque le gouvernement Chamberlain aura l'idée parfaitement saugrenue d'inviter des officiers allemands, avec à leur tête le général Milch lui-même*, à inspecter les derniers modèles d'avions de la RAF, Churchill, alerté par de hauts responsables de l'aviation, en appellera (en vain) au bon sens du secrétaire du Comité de défense impérial, lord Hankey. Des généraux et des amiraux feront visiter au député d'Epping les installations militaires les plus secrètes, *parfois* avec l'assentiment de leurs ministres, et Churchill s'empressera d'établir de nouveaux rapports sur les points faibles qu'il a pu relever à ces occasions ; et puis, encore et toujours, il conseille discrètement le ministre de la Guerre, le premier lord de l'Amirauté, le ministre de l'Air et le ministre de la Coordination de la Défense... C'est que le ministre de l'Air Kingsley Wood, ex-ministre de la Santé, et le nouveau premier lord de l'Amirauté lord Stanhope, qui distingue mal bâbord de tribord, ne se sentent guère plus à l'aise dans leurs fonctions que l'infortuné ministre de la Coordination de la Défense**. À tous, l'ancien premier lord de l'Amirauté, ministre de l'Armement, de la Guerre et de l'Air Winston Churchill tentera d'inculquer les rudiments d'une méthode appliquée un quart de siècle plus tôt, avec l'efficacité que l'on connaît ; la lettre suivante, adressée à sir Thomas Inskip, est un modèle du genre : « Pourquoi ne pas faire une liste de tout ce qui doit équiper une escadrille normale : pilotes, appareils, moteurs de rechange, pièces détachées, mitrailleuses, viseurs, etc., ainsi que les réserves de toutes sortes. [...] Puis, armé de cette liste, rendre visite à l'improviste, tout à fait par hasard, à l'une de ces escadrilles, accompagné de trois ou quatre personnes compétentes. Si, pendant toute une journée vos gens égrenaient la liste, pendant que vous interrogiez les officiers, vous

---

* Le secrétaire d'État Erhard Milch, premier collaborateur du maréchal Goering, est le principal organisateur de la Luftwaffe renaissante.
** Sir Thomas Inskip est remplacé à ce poste par lord Chatfield au début de 1939.

obtiendriez des informations fiables, sur lesquelles vous pourriez vous appuyer[107]. »

Tout cela est certes remarquable, mais ne doit pas donner l'impression que Churchill est infaillible en matière militaire ; comme vingt-cinq ans plus tôt, il est capable de commettre de lourdes erreurs d'appréciation, et certaines des idées qu'il avance sont manifestement dépassées, dangereuses ou inapplicables. C'est ainsi qu'il est persuadé que l'armée française reste la première du monde, que l'avion de bombardement ne peut s'imposer contre des navires de guerre, et que le sous-marin a été « pratiquement maîtrisé par des méthodes scientifiques » ; ce pionnier de la guerre des blindés en 1915 estime à présent que les chars sont devenus vulnérables aux mitrailleuses et aux canons antitanks, il doute de l'efficacité de l'aviation comme élément d'appui aux troupes terrestres, ne croit pas à la guerre de mouvement, et prédit qu'un affrontement futur en Europe prendra de nouveau l'aspect d'une guerre de position, avec tranchées, fortifications et front continu[108]. Basil Liddel Hart, qui intervient souvent en tant qu'expert militaire aux réunions du groupe « Focus », se souviendra ainsi que « lors des discussions qui suivaient les conférences, il apparaissait souvent, bien plus clairement que jadis, que Churchill n'arrivait pas à fixer un argument dans son esprit s'il était incompatible avec ses propres conceptions. De plus, une phrase bien tournée n'avait que trop tendance à détourner son attention du fil de la discussion, pendant tout le temps qu'il la retournait dans ses pensées. [...] Bien qu'il ait été prompt à prévoir le danger potentiel que représentait l'Allemagne d'Hitler et qu'il en ait averti ses compatriotes, il s'intéressait étrangement peu à la nouvelle technique militaire qui donnait à ce danger sa force de rupture[109]. » Tout cela est certes inquiétant ; mais parce qu'il a une compréhension intuitive de la démarche d'esprit des dictateurs, un idéal patriotique inébranlable, un certain flair en matière de politique étrangère et une passion presque innée pour le métier des armes, Winston Churchill, exactement comme un quart de siècle plus tôt, commet beaucoup moins d'erreurs d'appréciation que les hommes au pouvoir – qui restent des amateurs en politique étrangère et ont une sainte horreur des questions militaires...

C'est l'entrée des troupes allemandes dans Prague le 15 mars 1939 qui va finalement déchirer le voile épais des illusions officielles ; Chamberlain, sensible à l'indignation de l'opinion publique, du Parlement et des dominions, conscient peut-être d'avoir été abusé trop longtemps, va enfin se demander publiquement si la dernière agression d'Hitler ne constituerait pas « une étape dans une entreprise visant à dominer le monde par la force ». Quinze jours plus tard, il annonce que le gouvernement britannique a décidé d'accorder sa garantie à la Pologne. Cette fois, le Premier ministre n'a pas omis d'informer les autorités françaises au préalable ; mais il a oublié de consulter ses propres chefs d'état-major ! C'est évidemment regrettable, car ceux-ci, connaissant mieux la géographie, la stratégie et les capacités des forces armées de Sa Majesté, auraient pu lui faire remarquer qu'en cas de conflit, la Grande-Bretagne n'aurait aucun moyen concret d'honorer une telle garantie… Ses diplomates auraient même pu – pour peu qu'il les ai écoutés – ajouter que ce n'était pas forcément souhaitable : la Pologne avait signé un pacte de non-agression avec Hitler en 1934, et venait d'aider l'Allemagne à dépecer la Tchécoslovaquie ; son dirigeant, le colonel Beck, en visite à Londres au début d'avril 1939, déclare même à lord Halifax que la Pologne ne se sent nullement menacée par l'Allemagne et qu'il n'a pas la moindre intention de garantir les frontières roumaines contre une agression allemande, comme le lui demandent ses interlocuteurs britanniques. Et c'est pour protéger un tel « allié » que la Grande-Bretagne risque désormais d'être entraînée dans une guerre totale ? Allant plus loin encore dans l'absurdité, Chamberlain négligera les démarches du ministre soviétique des Affaires étrangères Litvinov, qui propose dès la mi-avril une triple alliance anglo-franco-soviétique, assortie d'une convention militaire, pour tenir tête à Hitler – sans doute la seule initiative qui aurait pu rendre crédible la garantie si imprudemment offerte à la Pologne…

Dans son discours du 3 avril à la Chambre, Churchill semble approuver cette garantie : « Je suis en complet accord avec le Premier ministre. J'espère ne pas lui faire de tort en disant cela. [*Rires.*] C'est la première fois que la Grande-Bretagne a pris l'initiative de résister à l'agression nazie. À Berlin, les chefs nazis savent depuis quinze jours que nous sommes en train de constituer un bloc défensif pour faire obstacle à une nouvelle agression. Pour la première fois, ils se voient confrontés à la possibilité d'une guerre sur deux fronts. Les hommes qui sont à la tête de l'Allemagne ne sont retenus par aucun scrupule. Ils se sont hissés au pouvoir par la violence, la cruauté et le meurtre. Herr Hitler se pique particulièrement de frapper comme la foudre. Il est extrêmement dangereux de se trouver sur le chemin de ces hommes-là, et pourtant c'est exactement ce que nous avons résolu de faire[110]. » Churchill a probablement été soulagé d'apprendre que le gouvernement britannique se décidait enfin à faire front, même s'il avait choisi le plus mauvais front, au plus mauvais moment…

Mais le géopoliticien passionné a saisi d'instinct ce qui a entièrement échappé à l'ancien maire de Birmingham : la garantie donnée à la Pologne est illusoire sans moyens militaires adéquats et sans l'alliance soviétique. C'est pourquoi, lors d'innombrables discours et d'articles plus nombreux encore, il ne cessera de demander l'accélération du réarmement, l'introduction de la conscription, la création d'un ministère de l'Approvisionnement, la formation d'un gouvernement d'union nationale et l'ouverture de négociations sérieuses avec Moscou. Parallèlement, un revirement semble s'être produit dans l'opinion et dans la presse, qui s'était déjà amorcé au début de 1939, mais va prendre une ampleur considérable après l'entrée des troupes allemandes à Prague : on commence à comprendre que la guerre est inévitable ; on se souvient brusquement que Churchill le répète sur tous les tons depuis six ans déjà… et surtout, on prend conscience du désastre que serait une guerre menée par des amateurs qui n'ont même pas su gagner la paix. À l'heure du plus grand péril, alors que l'on va sans doute devoir affronter une dictature surarmée, peut-on se passer d'un vieux guerrier comme Churchill ? Sir Maurice Hankey, secrétaire du Comité de défense impérial, écrit à un ami le 29 avril : « Churchill est manifestement sur une pente ascendante. Ses brillants discours ont captivé la Chambre. À chacune de ses apparitions publiques, il est frénétiquement acclamé[111]. »

La presse n'est pas en reste ; les uns après les autres, les grands journaux nationaux, ceux-là même qui avaient attaqué le plus férocement le député d'Epping, vont exiger son retour au gouvernement : en avril, ce seront tour à tour le *Daily Telegraph*, l'*Evening Advertiser*, le *Sunday Pictorial* et l'*Evening News* ; en mai, ils vont être rejoints par le *News Chronicle* et le *Time and Tide*, qui proclame sans détour le 6 mai : « Il nous faut Churchill ! » Au début de juillet, on verra également monter au créneau le *Yorkshire Post*, l'*Observer*, le *Sunday Graphic*, le *Daily Mail*, l'*Evening Standard* et même le

Manchester Guardian, qui exhorte le Premier ministre à « faire passer le patriotisme avant les griefs personnels » et à utiliser les talents de Churchill « dans n'importe quelle capacité[112] ». Lorsque même le *Daily Worker* communiste prend fait et cause pour le « boucher de Tonypandy » et le « monstre de Sidney Street », on comprend au gouvernement qu'une lame de fond est sur le point de déferler. À la même époque, du reste, le *Foreign Office* reçoit le compte rendu d'une conversation entre le général britannique Marshall-Cornwall et le comte Schwerin von Krosigk, ministre des Finances du Reich, qui a confié au général que le Führer « ne prend ni le Premier ministre ni Halifax au sérieux », mais que Chamberlain aurait intérêt à faire entrer Churchill au gouvernement, car c'est « le seul Anglais dont Hitler ait peur[113] ». Le comte aurait été fort surpris d'apprendre que, même arrivé au bord du gouffre, Chamberlain songe à tout autre chose qu'à faire peur au Führer...

Ce mouvement dans le pays en faveur de son retour aux affaires semble avoir pris Churchill par surprise. Convaincu – à juste titre – que Chamberlain ne pourrait qu'en prendre ombrage, il fera tout pour persuader les autorités qu'il n'en est pas l'inspirateur ; en dehors de ses articles dans le *Daily Telegraph*, le *News of the World* et le *Daily Mirror* pour exhorter le gouvernement à conclure d'urgence une solide alliance avec l'URSS et d'un discours au Carlton Club allant dans le même sens, il va renoncer à toute intervention publique à l'extérieur de la Chambre des communes. Il est vrai qu'à cette époque, le passé l'absorbe autant que le présent : c'est que les échéances financières sont aussi pressantes que les échéances politiques, et, pour tenir les créanciers en respect, il lui faut travailler avec acharnement à son *Histoire des peuples de langue anglaise* ; nuit après nuit, sur la base des esquisses rédigées par ses assistants, il dicte aux secrétaires de longues tirades sur la conquête normande, le roi Jean et Édouard le Confesseur, puis il fait un bond dans le temps pour traiter de la guerre de Sécession, retourne à George III, Nelson et Pitt, pour passer ensuite sans transition au XVIe siècle... Ces vertigineux zigzags chronologiques ne semblent nullement l'incommoder, et le trouvent toujours prêt à revenir au présent pour fustiger l'incurie du gouvernement devant les menaces de l'heure. À vrai dire, c'est une bien étrange ambiance qui règne dans le vieux manoir des Churchill cet été-là : avec des cartes de l'Europe sur toutes les tables, le téléphone qui sonne sans cesse, les allées et venues des secrétaires et des assistants, le cortège permanent des visiteurs et l'échange discret de documents confidentiels, Chartwell tient à la fois de la ruche, du ministère, de l'état-major et du repaire de conspirateurs…

À la mi-août 1939, notre infatigable député-écrivain-opposant-châtelain-comploteur-maçon-artiste-journaliste-stratège-conseiller-diplomate se rend à nouveau en France pour effectuer une visite minutieuse de la ligne Maginot, sous la conduite des généraux Gamelin et Georges. Son admiration persistante pour l'armée française ne l'empêche pas de noter que la célèbre ligne fortifiée s'interrompt devant les Ardennes, au niveau de Montmédy, et il fait part de ses inquiétudes au général Georges : « Il serait très peu avisé de penser que les Ardennes sont infranchissables par de puissantes unités, comme le soutenait en son temps le maréchal Pétain. Souvenez-vous que nous nous trouvons confrontés à une arme nouvelle, les blindés en grand nombre, sur lesquels les Allemands font sans doute porter leur effort, et que les forêts seront particulièrement tentantes pour de telles forces, puisqu'elles leur permettront de se dissimuler aux regards de l'aviation [114]. » Mais le général Georges lui donne des informations détaillées sur les effectifs et la qualité des divisions françaises, et Winston repart quelque peu rassuré, pour aller se reposer pendant cinq jours au château normand de son amie Consuelo Balsan, ancienne duchesse de Marlborough. L'artiste franco-britannique Paul Maze, qui tient compagnie à l'illustre visiteur, remarque qu'il peint avec application, mais qu'il trahit son inquiétude en murmurant : « C'est le dernier tableau que nous peindrons en temps de paix [115] ! »

Pendant ce temps, c'est une atmosphère nettement moins tendue qui règne au 10, Downing Street. Chamberlain et son cercle restreint veulent encore croire aux chances de la paix, et sont satisfaits d'avoir résisté victorieusement à toutes les pressions en faveur d'un retour de Churchill au gouvernement ; pourtant, même lord Camrose, propriétaire du *Daily Telegraph* et membre d'un groupe de conservateurs et de libéraux très proches du pouvoir, était allé plaider la cause du député d'Epping auprès de Chamberlain ; mais comme le notera un autre membre de ce groupe, le député Harold Nicolson : « Le problème est que le Premier ministre lui-même, ainsi que Hoare et Simon, sont terrifiés par Winston, et opposeront la plus ferme résistance [116]. » C'est un fait ; par contre, ils n'ont pu résister à ses appels répétés en faveur de la conscription, d'autant que le ministre de la Guerre Hoare-Belisha en était fermement partisan ; elle a donc été introduite à la fin d'avril, en dépit de l'opposition acharnée des travaillistes et des libéraux, mais sa portée est restée des plus limitées, les conscrits ne peuvant être ni armés ni entraînés... Toujours sous la pression du ministre de la Guerre (dûment chapitré par Winston Churchill), il a également fallu se résoudre à créer un ministère de l'Approvisionnement, mais Chamberlain l'a confié au ministre des Transports Leslie Burgin, dont l'incompétence en matière de production de guerre semble garantir la docilité. En politique extérieure, le gouvernement de Sa Majesté a assisté sans réaction à l'invasion de l'Albanie par l'Italie, à la conclusion du pacte d'Acier entre l'Allemagne et l'Italie, et aux premières menaces allemandes contre la Pologne, bientôt sommée de livrer Dantzig et le corridor – pour commencer. Londres a bien accordé de nouvelles garanties à la Roumanie, à la Grèce et à la Turquie, mais au vu de l'état des forces britanniques, tout le monde comprend en Europe que ce sont là des gesticulations sans la moindre portée concrète. Les négociations avec l'URSS, dans lesquelles Churchill voyait l'unique planche de salut, sont conduites avec une nonchalance étudiée : au lieu d'envoyer à Moscou un homme connu comme Anthony Eden, on dépêche en juin un personnage de second rang, lord Strang ; quant à la mission militaire franco-britannique, elle arrive en URSS au début d'août par le paquebot le plus lent, et ses membres n'ont même pas de mandat pour engager leurs pays respectifs...

En vérité, Chamberlain, tout comme Halifax, Simon, Cadogan, Wilson et Inskip, ne veut pas d'une alliance avec les Soviétiques, non seulement pour des raisons de principe, mais aussi... parce qu'une telle alliance risquerait d'effrayer Hitler ! Car aussi extraordinaire que cela puisse paraître, le Premier ministre n'a nullement renoncé à sa politique d'apaisement : aux Communes, il a déclaré le 10 juillet qu'un coup de force à Dantzig constituerait une menace contre l'indépendance de la Pologne « que nous nous sommes engagés à défendre », mais c'était pour ajouter aussitôt que « des négociations devraient être possibles une fois l'atmosphère apaisée[117] ». En suivant la même ligne politique, Halifax avait déclaré à la Chambre des lords que « le vrai danger [...] serait d'amener l'ensemble du peuple allemand à conclure que la Grande-Bretagne a abandonné tout désir de parvenir à un accord avec l'Allemagne[118] ». Apparemment, le noble lord ne voit aucun danger plus grave poindre à l'horizon… Au même moment, par des voies officieuses, son gouvernement est en train de proposer aux Allemands d'importants avantages économiques, en échange de la conclusion d'un pacte de non-agression anglo-allemand[119]. Et pendant tout l'été, par l'intermédiaire notamment de l'ambassadeur à Berlin Neville Henderson, Chamberlain et Halifax exercent une pression discrète mais ferme sur les Polonais pour qu'ils acceptent de négocier avec Hitler, c'est-à-dire de céder à toutes ses exigences ! Le consul général britannique à Dantzig s'oppose-t-il à cette politique ? Halifax le fait congédier[120]. De toute évidence, c'est le processus tchèque qui recommence : on veut forcer les Polonais à capituler, pour n'avoir pas à s'acquitter d'obligations que l'on ne se sent pas de taille à assumer – et parvenir enfin à un accord anglo-allemand, qui garantira définitivement la paix et fera de Neville Chamberlain le grand homme du XXe siècle…

Tous ces rêves se dissipent brusquement au matin du 24 août, lorsque Moscou annonce la conclusion du pacte Ribbentrop-Molotov, aboutissement éclair de négociations secrètes menées parallèlement aux pourparlers officiels avec la délégation franco-britannique. À Londres comme à Paris, on n'avait rien vu venir, et la surprise est complète. Même les plus obtus comprennent désormais que la guerre est inévitable ; d'autant qu'Hitler, désormais sûr de ses arrières, va lancer aux Polonais quatre jours plus tard un ultimatum en tous points comparable à celui présenté naguère aux Autrichiens et aux Tchèques : il réclame Dantzig, puis exige l'arrivée à Berlin d'un négociateur polonais « muni des pleins pouvoirs ». Personne ne peut se méprendre sur le sens d'une telle sommation ; mais même à cette heure fatidique, les paladins de l'apaisement vont poursuivre leur chemin sans états d'âme : par l'intermédiaire de l'homme d'affaires suédois Birger Dahlerus, Halifax fait savoir à Hitler que la diplomatie britannique est en mesure de faire pression sur les Polonais ; simultanément, il télégraphie à l'ambassadeur Kennard, à Varsovie, et lui donne pour instruction de communiquer au colonel Beck que le gouvernement britannique espère qu'il est disposé « à engager des pourparlers directs avec l'Allemagne[121]. » Il serait difficile de tomber plus bas : le *Foreign Office* en est réduit à transmettre aux Polonais le *diktat*

d'Hitler, et à lui recommander de l'accepter ! Mais même cette
dernière bassesse ne pourra sauver la paix : Hitler veut la guerre, et
il l'aura ; à 5 heures 30 du matin, le 1ᵉʳ septembre 1939, les troupes
allemandes entrent en Pologne.

À Londres, trois heures plus tard, ce n'est ni Halifax ni
Chamberlain que l'ambassadeur de Pologne Raczynski prévient en
premier de l'attaque allemande ; c'est Winston Churchill... Peut-
être a-t-il jugé que c'était le seul homme politique en Grande-
Bretagne dont on puisse attendre quelque secours ! Toujours est-il
que lorsque deux heures plus tard, Churchill téléphone au *War
Office* pour obtenir de nouveaux renseignements, personne n'y est
encore au courant de l'attaque allemande. Mais une fois le gouvernement informé, les décisions prises dans l'après-midi justifient
amplement les craintes de l'ambassadeur polonais : on décrète
certes la mobilisation générale et on communique à Berlin un message « énergique », avertissant qu'« à moins que le gouvernement
allemand ne soit prêt à retirer promptement ses forces du territoire
polonais », le gouvernement britannique « remplira sans hésitation
ses obligations à l'égard de la Pologne* ». Malheureusement, il n'y
a pas l'ombre d'une échéance, et l'ambassadeur Henderson est
même chargé de faire savoir aux autorités allemandes que cet avertissement « ne doit pas être considéré comme un ultimatum[122] ».
Quant à une déclaration de guerre, il n'en est même pas question !
Manifestement, Chamberlain n'a pas renoncé à louvoyer, et il
prend toutes dispositions pour que sa politique temporisatrice soit
acceptée sans difficultés au Parlement ; l'une de ces dispositions
consiste à faire savoir à Churchill qu'il considère la guerre comme
inévitable, et songe à constituer « un petit Cabinet de guerre formé
de ministres sans portefeuille », auquel Churchill sera invité à participer. Seul un amateur complet en matière de défense nationale
pouvait concevoir un Cabinet de guerre excluant les ministres de
la Guerre, de l'Air et de la Marine ; mais seul un politicien
accompli pouvait imaginer un moyen aussi efficace de museler le
principal détracteur du gouvernement, au moment même où il
risquait d'être le plus dangereux... Churchill, extrêmement vulnérable aux ruses politiques, accepte d'emblée, et considère dès lors

---

* L'ambassadeur de France Coulondre fera simultanément une communication identique au ministre des Affaires étrangères von Ribbentrop.

qu'il a une obligation de solidarité envers un gouvernement dont il est presque déjà membre.

Pour Chamberlain, la voie est donc libre ; ce soir-là, au Parlement, il se borne à annoncer que son gouvernement a adressé un avertissement à Berlin et va publier un Livre blanc, qui justifiera aux yeux de tous ses efforts diplomatiques en vue de régler le conflit germano-polonais... Pour ce qui est de remplir ses engagements et de venir en aide aux Polonais, soumis depuis quinze heures déjà à une attaque dévastatrice, il n'en dit pas un mot, et les députés ne soulèvent guère d'objections. Quant aux Français, ils paraissent encore plus décidés que lui à saisir la moindre chance de négociation susceptible de les soustraire au cataclysme qui s'est abattu sur les Polonais. Justement, Mussolini a lancé l'idée d'une conférence à quatre pour « réviser les clauses du traité de Versailles », préserver la paix et naturellement donner satisfaction à Hitler, tout en sauvegardant les apparences pour tout le monde[123] – un second Munich, en somme, qui ne déplairait pas à Chamberlain, auquel le premier avait si bien réussi... Voilà pourquoi la journée du 1er septembre, puis celle du lendemain, vont se passer sans que le gouvernement de Sa Majesté prenne de nouvelles initiatives. Entre-temps, Hitler a opposé une fin de non-recevoir à la note britannique, et il apparaît clairement que la résistance polonaise est en train de s'effondrer. Lors d'une réunion du Cabinet dans l'après-midi du 2 septembre, les ministres, sensibles à la révulsion de l'opinion publique, insistent tous pour que l'« avertissement » de la veille soit transformé en un ultimatum, qui expirera à minuit ; le Premier ministre s'incline et promet d'informer la Chambre de cette décision le soir même.

Il n'en fera rien : devant les parlementaires qui s'attendaient ce soir-là à l'annonce d'une déclaration de guerre, Chamberlain va se borner à évoquer l'attitude modérée du Quai d'Orsay, les propositions de conférence de M. Mussolini, et la possibilité de nouvelles négociations « si le gouvernement allemand acceptait de retirer ses forces de Pologne ». « Pendant que nous écoutions, notera le député Edouard Spears, notre étonnement se muait en stupéfaction, et notre stupéfaction en exaspération. » Churchill restera très en dessous de la vérité en écrivant que « les déclarations temporisatrices du Premier ministre furent mal reçues par la Chambre » ; en fait, lorsque Chamberlain termine son discours, l'hostilité de la Chambre est presque palpable : ceux qui ne vocifèrent pas sont

muets de rage, et Leopold Amery se souviendra que les députés
« en restèrent pantois. Voilà deux jours entiers que les infortunés
Polonais se faisaient bombarder, et le Premier ministre [...] cherchait encore un moyen d'inviter Hitler à nous dire s'il consentirait à
lâcher sa proie. » Et Amery de se demander, comme beaucoup
d'autres députés sans doute, si « les âneries de Chamberlain »
n'étaient pas « le prélude à un nouveau Munich[124] ». Au nom de
l'opposition, Arthur Greenwood va ensuite prononcer un discours
de protestation assez faible, mais qui sera salué par des salves
d'acclamations venant des bancs conservateurs ; de toute évidence,
le Premier ministre est en train de perdre le contrôle du Parlement,
et même de sa majorité.

Chamberlain sortira de cette séance très secoué, et avouera à
Halifax que son discours « s'est très mal passé ». Mais il n'a pas
encore tout vu : le même soir, les membres de son Cabinet, furieux
qu'il ait passé sous silence leur décision unanime concernant l'ultimatum à l'Allemagne, se sont réunis autour de sir John Simon et ont
décidé de sommer Chamberlain de présenter sans retard cet ultimatum à Berlin. Vers 21 heures ce soir-là, une mise en demeure très
explicite est donc adressée au 10, Downing Street, et Chamberlain
comprend que l'apaisement a définitivement vécu ; une heure plus
tard, il va se résigner à téléphoner au président du Conseil Daladier
pour lui annoncer son intention de lancer un ultimatum dès le lendemain matin 9 heures, avec échéance à 11 heures ; c'est qu'il y a eu, lui
dit-il, « une séance houleuse aux Communes », et que « ses collègues
du Cabinet sont également troublés ». Lorsque Daladier l'informe
que son gouvernement envisage un ultimatum avec une échéance de
quarante-huit heures, Chamberlain lui répond que lui-même ne
pourrait se le permettre, car « la situation ici deviendrait intenable[125] ». En quelques heures seulement, son amour de la conciliation et sa crainte de la confrontation ont été balayés par une peur
plus forte encore : celle d'être chassé du pouvoir par ses ministres et
sa majorité parlementaire ; l'ultimatum sera donc remis à Berlin le
3 septembre à 9 heures, et expirera à 11 heures. Dès lors, les événements suivent leur cours inexorable : à 11 heures 15 ce même jour,
Chamberlain annonce aux Communes que la Grande-Bretagne est
en guerre ; la France lui emboîte le pas six heures plus tard.

En août 1914, le Premier ministre Asquith était entré à reculons
dans la guerre ; en septembre 1939, son homologue Chamberlain

va faire de même, tout en détournant la tête et en se voilant la face. Comme en 1914 encore, il n'est pas question de se lancer dans cette aventure sans le concours de Winston Churchill : depuis deux mois au moins, il est devenu évident que l'opinion ne le supporterait pas ; à la fin du mois d'août, même le *Times* de Geoffrey Dawson a publié un appel de 375 universitaires demandant le retour de Churchill au gouvernement, et le centre de Londres s'est couvert d'affiches exigeant son rappel. Du reste, Chamberlain, parfaitement conscient de sa propre incompétence militaire comme de sa vulnérabilité politique, ne saurait affronter la grande tourmente qui se prépare sous le regard hostile d'un député à l'éloquence redoutée, aux avertissements prophétiques, à l'imagination débordante et aux connaissances militaires encyclopédiques. C'est ainsi que dans l'après-midi du 3 septembre, Churchill se voit offrir le poste ministériel qu'il désirait par-dessus tout : celui de premier lord de l'Amirauté ; et puis, Chamberlain a fini par entendre raison : comme ses collègues de la Guerre et de l'Air, le ministre de la Marine sera membre du Cabinet de guerre. Dans tout le pays, cette annonce provoque un soulagement immense – et bien compréhensible : lorsqu'on saute à pieds joints dans l'inconnu, mieux vaut le faire avec un homme qui connaît le maniement du parachute...

CHAPITRE X

RÉINCARNATION

L'histoire, dit-on, ne se répète jamais ; pour Winston Spencer-Churchill, pourtant, elle fera une exception... Étrange destin en vérité que celui d'un homme brisé qui avait quitté l'Amirauté la mort dans l'âme par une sombre journée de mai 1915, et revient s'y installer un quart de siècle plus tard, au même poste et dans des circonstances pratiquement identiques : cette fois encore, la patrie est menacée de destruction ; c'est à nouveau d'Allemagne que vient le péril ; et puis tout comme jadis, les chances de salut de la Grande-Bretagne reposent sur la *Royal Navy* et sur son premier lord Winston Churchill...

En un quart de siècle, pourtant, bien des choses ont changé dans le monde : la France, naguère si ardente au combat, a perdu toute sa fougue d'antan ; l'allié italien a quitté le camp des démocraties pour rejoindre l'Allemagne totalitaire ; le Japon a fait de même ; la sainte Russie a disparu, et son successeur soviétique pactise lui aussi avec le nouveau colosse germanique ; même les frères d'armes américains, dont l'intervention avait été décisive en 1918, se sont engagés cette fois à rester neutres. Ainsi, privée d'alliés sûrs, rendue plus vulnérable par les progrès de l'aviation et de l'arme sous-marine, considérablement affaiblie par deux décennies de négligences catastrophiques en matière de défense nationale, la Grande-Bretagne va devoir lutter le dos au mur.

C'est exactement le genre de situation qui décuple l'ardeur combative de Winston Churchill ; mais décidément, cette nouvelle chance que lui offre le destin a quelque chose d'irréel, dont il est le premier à s'étonner : « Une étrange expérience, comme celle de revenir à une incarnation précédente[1].» C'est un fait: à 65 ans, l'âge de la retraite, l'âge qu'il n'aurait jamais pensé atteindre, le voici réinvesti des responsabilités administratives, logistiques, stratégiques et politiques qu'il avait déjà assumées à 40 ans, dans les circonstances dramatiques que l'on connaît. Une réincarnation, en effet: tous ses proches collaborateurs de l'époque ont maintenant disparu: Fisher, Battenberg, Wilson, Jellicoe, Beatty et bien d'autres encore. Ce sont leurs lieutenants et leurs aides de camp d'alors qui sont maintenant aux postes de commandement, comme l'amiral sir Dudley Pound, premier lord naval; ce sont même parfois leurs enfants qui commandent à présent les destroyers de la flotte, comme ce jeune capitaine Mountbatten, fils du prince Louis de Battenberg... Dans tout cela, deux choses seulement n'ont pas changé: les navires, dont la plupart datent de 1911-1914*, et le premier lord de l'Amirauté, de quatre décennies plus ancien!

À ce survivant d'un autre âge, le destin a accordé non seulement une seconde chance, mais une faveur plus rare encore: il lui a laissé toutes ses facultés... Car Churchill, écarté depuis onze ans du gouvernement mais fort d'une expérience politique et militaire sans égale, n'a *absolument rien* oublié; il connaît toujours les modèles, les armements, les vitesses opérationnelles, les blindages et les effectifs de toutes les unités de la *Royal Navy*, avec l'emplacement de leurs ports d'attache et de leurs arsenaux; il est au fait de l'état exact des défenses antiaériennes du pays comme de l'avancement des recherches en matière de radar et de lutte anti-sous-marine; il n'ignore rien des caractéristiques précises de l'équipement en véhicules, artillerie, mitrailleuses et fusils des troupes terrestres, ni des cadences et des carences de l'industrie d'armement... On le voit, cette mémoire phénoménale héritée de lord Randolph n'a rien perdu de sa redoutable acuité, et la stupéfiante énergie de Leonard Jerome anime toujours au plus haut point son petit-fils devenu sexagénaire. L'imagination de Winston, elle, semble même s'être

---

* De fait, la *Royal Navy* de 1939 est nettement moins bien préparée à affronter une guerre mondiale que celle de 1914: ses navires sont trop anciens, elle manque de porte-avions et l'aviation embarquée a des performances très inférieures à celles des appareils ennemis. Par ailleurs, il y a trop peu de destroyers d'escorte, et ceux qui viennent d'être construits sont trop lents...

amplifiée avec l'âge, et il est toujours aussi disposé à en faire bénéficier les ministres du nouveau Cabinet de guerre, qu'il connaît d'ailleurs tous personnellement ; c'est que depuis le début du siècle, il a été leur supérieur, leur collègue, leur détracteur, leur tête de Turc, leur inquisiteur ou leur conseiller – et souvent même tout cela à la fois ! Bref, on chercherait longtemps, dans d'autres pays, à d'autres époques, quelque exemple d'un phénomène comparable : il n'y en a probablement pas...

« *Winston is back !* » : tel est le signal envoyé par l'Amirauté à tous les navires et à toutes les bases navales britanniques au soir du 3 septembre 1939. Seuls les officiers les plus novices peuvent ignorer le sens de ce message ; et même ceux-là ne mettront pas longtemps à le comprendre. Car avec l'arrivée du vieux bouledogue repeint en loup de mer, c'est un véritable maelström qui va s'abattre sur les forces navales de Sa Majesté. Quelques heures seulement après sa nomination officieuse – et deux jours entiers avant sa nomination officielle –, Winston a déjà repris possession de son bureau à *Admiralty House*, passé en revue les officiers, fait réaménager la salle des opérations et envoyé ses premiers ordres : l'intendance voudra bien faire transformer sur-le-champ la nursery et les greniers de l'Amirauté en appartements de fonction. La bibliothèque, vieille de deux siècles et située juste en dessous des greniers, sera rebaptisée « *Upper War Room* » et deviendra la salle des cartes (dans les vingt-quatre heures) ; sur d'immenses cartes encadrées seront représentés, au moyen de drapeaux, tous les navires de guerre alliés et allemands, ainsi que tous les convois, avec indication de leur vitesse et de leur chargement – l'ensemble devant être réactualisé toutes les heures. Des statistiques seront immédiatement produites concernant le nombre de sous-marins allemands opérationnels et en construction, les délais d'achèvement des cargos britanniques, les livraisons de matières premières stratégiques en provenance de l'Empire, la production de munitions et son utilisation, les équipements de l'aéronavale, les stocks de mines, etc. Tout cela devra être constamment remis à jour, et l'on créera à cet effet un « corps central de statistiques », dirigé par un expert : le professeur Lindemann lui-même ; car naturellement, Churchill, toujours aussi allergique aux « nouvelles figures », a débarqué à l'Amirauté avec tous ses collaborateurs, à commencer par le professeur Lindemann, Desmond Morton, Brendan Bracken et la secrétaire Kathleen Hill...

Les informations qui commencent à affluer vont servir... à en obtenir d'autres. Dès les premières semaines, le premier lord part visiter toutes les bases navales, interroge les officiers sur divers aspects des statistiques qu'il a reçues, et demande sans cesse de nouveaux renseignements sur l'état des défenses côtières, la vitesse de rotation des navires marchands dans les ports et la productivité des personnels affectés aux chantiers navals. Mais une fois les informations assimilées et les statistiques digérées, le volcan entre en éruption et de nouveaux ordres fusent dans toutes les directions : soumettre les côtes allemandes à un blocus hermétique ; mettre en place un système de convois pour l'ensemble de la flotte marchande britannique ; faire transporter d'emblée quatre divisions en France, comme en 1914 ; transformer des chalutiers en chasseurs de sous-marins, avec asdics* et charges de profondeur ; équiper mille navires marchands de canons et de DCA ; faire poser des filets et des obstacles sous-marins supplémentaires pour protéger la base navale de Scapa Flow ; arraisonner et saisir tous les navires marchands allemands rencontrés en haute mer ; faire surveiller la côte ouest de l'Irlande pour s'assurer que des sous-marins allemands n'y sont pas ravitaillés, et recruter des agents irlandais à cet effet ; remettre en service les vieux navires marchands, mais seulement après un carénage complet ; faire poser des filets de protection contre les torpilles autour de tous les vaisseaux, qu'ils soient de guerre ou de commerce ; mettre à l'étude immédiatement les plans d'un navire anti-sous-marin et antiaérien qui soit à la fois simple, bon marché, puisse être construit à cent exemplaires en moins d'un an, et réponde aux spécifications suivantes : 500 à 600 tonnes, 16-18 nœuds, deux canons, des charges de profondeur, pas de torpilles** ; faire disperser et camoufler les stations radars, les écoles de formation et les centres d'expérimentation de la marine ; prévoir la protection des îles de Sainte-Hélène et Ascension contre les raiders de surface allemands ; assouplir discrètement le système des convois, afin d'éviter tout ralentissement dans l'approvisionnement des îles Britanniques, et utiliser leurs destroyers d'escorte pour

---

* Système de détection sous-marine par ondes radio – le futur sonar.
** Ce sera la corvette *Flower class*.

constituer des « groupes de chasse » indépendants, destinés à traquer les sous-marins * ; assurer la protection du bâtiment de l'Amirauté et préparer son repli vers le nord en cas d'invasion ; prévoir une forte escorte de destroyers, équipés d'asdics, pour les navires qui vont transporter des troupes australiennes vers l'Europe (le nom des destroyers est même spécifié…) ; ne pas faire obstacle au recrutement de marins indiens pour la flotte (mais s'assurer qu'il n'y en a pas trop…) ; faire imprimer les livres de codes de la marine sur du papier inflammable, afin qu'ils puissent être aisément détruits en cas de capture imminente** ; insister énergiquement auprès des responsables des chantiers navals pour qu'ils respectent les échéances contractuelles ; prélever de fortes pénalités en cas de manquements, et signaler sans délai à l'Amirauté les éléments récalcitrants… Et de haut en bas de la fonction publique, Churchill exerce d'emblée une pression si féroce que l'indolence, jusque-là érigée en vertu cardinale, va passer sans délai au rang de péché mortel !

Quiconque s'imaginerait qu'une telle frénésie d'activité, jointe à un si grand souci du détail, empêcherait le Premier lord de s'occuper des affaires de ses collègues, n'aurait pas encore compris à quel personnage il a affaire… C'est que, comme le redoutait Chamberlain, notre inlassable touche-à-tout interprète naturellement son appartenance au Cabinet de guerre comme une permission implicite d'intervenir à tous les niveaux de la conduite de la guerre. Lord Hankey, qui a eu la surprise d'être nommé ministre sans Portefeuille avec un siège au Cabinet de guerre***, écrit à son épouse dès le 3 septembre : « Je crois comprendre que la tâche

* C'est, *mutatis mutandis*, une répétition de l'erreur commise au début de la Grande Guerre : les « groupes de chasse », composés de quatre destroyers et d'un porte-avions, ne trouvent que rarement les sous-marins ennemis, qui se concentrent justement sur la route des convois mal protégés. Par ailleurs, le porte-avions *Ark Royal* du premier groupe de chasse manque de peu d'être torpillé, tandis que le *Courageous*, porte-avions du second groupe, sera effectivement coulé par le sous-marin U-29 le 17 septembre 1939.
** Churchill se souvenait avoir vu ce type de papier au *Foreign Office*… trente ans plus tôt !
*** Le Cabinet de guerre de Chamberlain est composé de sir Kingsley Wood (Aviation), Churchill (Amirauté), Hore-Belisha (Guerre), lord Halifax (Affaires étrangères), lord Hankey (ministre sans portefeuille), sir John Simon (Finances), sir Samuel Hoare (lord du Sceau privé) et lord Chatfield (ministre de la Coordination de la Défense).

principale qui m'incombe est de garder un œil sur Winston. J'ai passé une heure et demie avec lui hier matin. Il déborde d'idées, dont certaines sont bonnes et d'autres moins, mais il est encourageant et il voit grand[2]. »

C'est presque une litote ; du reste, notre nouveau responsable de la marine n'est-il pas également membre du Comité des forces terrestres, présidé par sir Samuel Hoare ? À quoi pourraient bien servir de tels titres, sinon à prendre des initiatives rapides et décisives ? C'est donc sur son intervention personnelle que, dès le 3 septembre, son vieux complice le général Ironside est nommé chef de l'état-major général impérial ; au Cabinet de guerre comme au Comité des forces terrestres, le premier lord de l'Amirauté se prononce d'emblée en faveur de la création d'une armée de 55 divisions – un plan qui, sur la base de son expérience de la guerre précédente, lui paraît parfaitement compatible avec le projet de construire 2 000 avions par mois ; il demande aussi que soient constitués dans les plus brefs délais un ministère de la Navigation, et surtout un Comité de coordination militaire, au sein duquel les ministres des trois armes et le ministre de l'Approvisionnement pourront prendre des décisions en toute sérénité – c'est-à-dire sans l'interférence des autres ministres ! Informé par son service des statistiques de l'insuffisance d'artillerie et d'explosifs dans l'armée, il propose aussitôt à son collègue de la Guerre de lui fournir 50 tonnes de cordite par semaine, ainsi que des canons de marine de gros calibre ; aussitôt après, il somme le ministre de l'Approvisionnement de faire rechercher sur l'heure les 32 obusiers de 12 pouces, les 145 obusiers de 9 pouces, les 170 obusiers de 8 pouces et les 200 obusiers de 6 pouces que le ministre de la Guerre Winston Churchill avait fait soigneusement graisser, empaqueter et entreposer vingt ans plus tôt, en 1919... Le chancelier de l'Échiquier est prié de réfléchir à l'opportunité de lancer une campagne contre le gaspillage, comme cela s'était fait en 1918 ; le ministre de l'Air reçoit le conseil amical de prendre toutes mesures pour la protection antiaérienne des usines aéronautiques, et se voit demander avec insistance pourquoi le nombre des escadrilles de la RAF augmente si lentement, alors que 700 avions sortent chaque mois des ateliers ; d'après les statistiques du premier lord, en effet, la moitié de la production d'avions semble s'évaporer entre la sortie des usines et l'arrivée dans les aérodromes... Le ministre de l'Intérieur reçoit la suggestion pressante de créer une *Home Guard,* garde nationale d'un demi-million d'hommes âgés de plus de 40 ans, qui pourrait jouer un rôle important en cas d'invasion et contribuerait dans l'intervalle à entretenir l'esprit combatif de la population ; le ministre de l'Agriculture et des Pêcheries ne devrait-il pas lancer sans délai une campagne de « pêche à outrance » ? Le lord du Sceau privé est sommé d'expliquer pourquoi il a ordonné le rationnement de l'essence, alors que rien dans l'approvisionnement des îles Britanniques ne semblait justifier une telle mesure ; quant au ministre des Affaires étrangères, il reçoit des aide-mémoire détaillés l'invitant à faire tout son possible pour préserver la neutralité de l'Italie, inclure la Bulgarie dans un système de défense balkanique et s'assurer la collaboration de la Turquie. Enfin, l'infortuné ministre de la Navigation est réveillé à 2 heures du matin par un appel téléphonique de l'Amirauté : en regardant ses cartes, le premier lord s'est demandé si les délais de chargement des navires marchands britanniques dans le Rio de la Plata n'étaient pas excessifs !

Comme en 1918, tous ces ministres maudissent leur remuant collègue ; mais plus encore qu'en 1918, ils sont contraints de taire leur rancœur : Winston Churchill est devenu intouchable, et cette fois encore, il est le seul véritable guerrier du Cabinet de guerre... Bien entendu, le Premier ministre n'est pas épargné : Winston le bombarde de dizaines de mémorandums sur tous les sujets imaginables, depuis le couvre-feu et le rationnement alimentaire jusqu'à un plan de fortification de la zone frontalière franco-belge, avec casemates, artillerie et obstacles antichars. Quelques jours seulement après l'entrée de Churchill au gouvernement, Chamberlain s'en plaint déjà dans une lettre à sa sœur : « Les deux difficultés majeures avec lui, c'est d'abord qu'il ne cesse de pérorer aux séances du Cabinet et qu'en général, ses discours n'ont qu'un rapport lointain avec l'objet des débats – quand ils en ont un. C'est ensuite qu'il ne cesse de m'écrire des missives interminables ; étant donné que nous nous voyons chaque jour à la réunion du Cabinet de guerre, on pourrait estimer que ce n'est pas indispensable, mais bien entendu, je me rends compte que ces lettres sont destinées à être un jour citées dans le livre qu'il écrira après la guerre[3]... »

Pourtant, n'en déplaise à Chamberlain, tout cela n'est qu'un début ; car notre sexagénaire inspiré mûrit parallèlement de multiples projets d'offensives, allant des plus fantaisistes comme le plan

CATHERINE (une remise à jour à peine retouchée du vieux projet d'opération Baltique de l'amiral Fisher en 1915, lorsque la Russie était une alliée et l'aviation encore dans l'enfance !) jusqu'aux plus brillants, comme l'opération ROYAL MARINE – un plan d'interruption de la navigation fluviale allemande au moyen de mines dérivantes. En outre, il suit de près la recherche en matière d'armes nouvelles et assiste personnellement aux essais du système de DCA filoguidé « U.P. » (une invention assez farfelue du professeur Lindemann), ainsi qu'aux premières évolutions du « *White Rabbit n° 6* », un gigantesque engin à creuser des tranchées, afin de pénétrer par surprise dans les lignes allemandes (et qui ne surprendra jamais que les ferrailleurs). Parallèlement, cet invraisemblable homme-orchestre met tous ses talents épistolaires au service de la patrie ; c'est que le 11 septembre, le président Roosevelt, lui écrivant pour le féliciter de son retour à l'Amirauté, avait ajouté : « Je serais heureux qu'à tout moment, vous m'informiez personnellement de tout ce que vous souhaiteriez que je sache[4]. » De toute évidence, Roosevelt, même lié par la neutralité, veut s'intéresser de plus près aux affaires de l'Europe, et il voit en Churchill un bien meilleur interlocuteur que Chamberlain ; la suite des événements lui donnera amplement raison, et pour l'heure, le premier lord va entretenir, avec l'autorisation du Cabinet de guerre, une correspondance promise à un bel avenir. Il reste également en liaison directe avec les Français, notamment Blum, Mandel, Daladier, Reynaud et son vieil ami le général Georges. En même temps, notre ministre-député-guerrier-journaliste prépare les discours qu'il va prononcer à la BBC ou à la Chambre des communes, et – on hésite à le dire – il dicte les chapitres suivants de son *Histoire des peuples de langue anglaise* ! Cet automne-là le verra s'escrimer successivement avec Cromwell, le Canada et l'ère victorienne, sur la base des canevas préparés par ses assistants William Ashby, Allan Bullock et William Deakin ; en décembre 1939, il en sera à Waterloo et à Trafalgar... Après quoi ce diable d'homme trouve encore le temps de lire toute la presse et les comptes rendus des débats parlementaires, d'aller au théâtre avec son épouse, et d'assister au mariage de son fils Randolph avec la jeune Pamela Digby.

Comment faire entrer tout cela dans des journées de vingt-quatre heures ? En reprenant les vieilles habitudes de la Grande Guerre, bien sûr ! Réveil vers 6 heures, travail au lit, descente (en robe de chambre) dans la salle des cartes vers 7 heures, séjour prolongé dans la baignoire (d'où émergent d'innombrables instructions, notées à la volée par les secrétaires), travail jusqu'à 13 heures (avec une généreuse ration de remontants écossais), déjeuner prolongé, puis une heure de sieste au lit, nouveau bain, travail jusqu'au soir, dîner avec les invités du moment (généralement des amis, des collaborateurs ou des politiciens utiles), conférence d'état-major à 21 heures, puis dictée des discours parlementaires vers 23 heures dans son cabinet privé, suivie de l'*Histoire des peuples de langue anglaise.* « Il était très difficile de le persuader d'aller se coucher », notera le secrétaire parlementaire de l'Amirauté, sir Geoffroy Shakespeare[5]. C'est un fait : vers 2 heures du matin, il redescend dans la salle des opérations au sous-sol, interroge les officiers présents, remonte à la salle des cartes et s'y attarde longuement. « Lorsqu'il était à l'Amirauté, se souviendra sa secrétaire personnelle Kathleen Hill, l'endroit vibrait d'une atmosphère électrique[6]. » On la croit sans peine... Et tout l'état-major de la marine va devoir s'adapter à son rythme, sans avoir nécessairement les mêmes capacités physiques ; les jeunes officiers eux-mêmes s'essoufflent à suivre cet ardent sexagénaire, tandis que le premier lord naval sir Dudley Pound, soucieux d'éviter une usure prématurée, va tenter d'imiter – en l'adaptant – la technique de sieste cubaine de son inusable supérieur : « Il n'allait pas réellement se coucher, écrira Churchill, mais il sommeillait sur son fauteuil, et poussait même le procédé jusqu'à s'endormir pendant les réunions du Cabinet[7]. »

Pourtant, tout comme au début de la Grande Guerre, les premiers mois du nouveau conflit vont se révéler bien décevants pour les armes alliées. À Londres, on assiste impuissant à l'effondrement de la Pologne* ; le gouvernement a bien promis un appui aérien à la France dans l'éventualité d'opérations contre la ligne Siegfried, mais ses moyens sont limités à l'extrême, et d'ailleurs, les Français paraissent fermement décidés à ne rien faire. Sur mer, la situation n'est pas meilleure : chaque jour, trois, quatre ou cinq navires de commerce français ou britanniques sont coulés par des sous-

---

* Les offensives des divisions blindées allemandes, suivies par l'infanterie motorisée et soutenues par les Ju 87, les Me 109 et les He 111 de la Luftwaffe, ont raison de l'armée polonaise en moins de deux semaines. L'effet produit à Londres et à Paris par cette victoire éclair est considérable.

marins, des mines ou des raiders de surface ; à la mi-septembre, c'est le porte-avions *Courageous* qui est coulé avec 519 membres d'équipage ; un mois plus tard, ce sera le tour du cuirassé *Royal Oak*, torpillé par le sous-marin U-47 du capitaine Prien en pleine rade de Scapa Flow. Tout cela est désastreux pour le moral des Britanniques, et Berlin en profite pour proposer des négociations de paix, que l'Allemagne aborderait manifestement en position de force...

Voilà qui nécessite à l'évidence une réaction énergique ; Churchill fait accélérer la mise en place des équipements de lutte anti-sous-marine et met sur pied un comité spécial pour trouver une parade contre les mines magnétiques – avec une section spécialement chargée d'en récupérer des échantillons pour étude... Aux Français, il offre de faire équiper tous leurs navires du système de détection asdic ; enfin, le vieux tribun va monter résolument en ligne pour soutenir le moral de ses compatriotes, ce dont Chamberlain est manifestement incapable ; le 26 septembre, il parle après Chamberlain à la Chambre, et le député conservateur Henry Channon lui-même ne peut s'empêcher de noter la différence : « Le Premier ministre a prononcé comme d'habitude un discours tout empreint de dignité. Malheureusement, il a été suivi de Winston, qui a exécuté un véritable *tour de force**, un brillant numéro d'acteur et d'orateur, en décrivant par le menu le travail effectué à l'Amirauté. Il a amusé la Chambre, et je crains qu'il l'ait également impressionnée. Il a dû se donner beaucoup de mal pour préparer son discours, dont le contraste avec la déclaration terne du Premier ministre n'a pas manqué d'être remarqué[8]. » Thomas Jones, l'ancien secrétaire du Cabinet, note également que « le Premier ministre est constipé, terne ; il parle d'endurance et de victoire sur le ton même de la défaite. [...] Au gouvernement, Winston est le seul à pouvoir faire passer quelque chose, en exaltant les gens[9]. »

C'est un fait ; et n'en étant pas à son coup d'essai, il trouve d'emblée le ton juste, en exprimant sans détour la résolution qui l'anime : « Ces épreuves, déclare-t-il ainsi à la BBC au soir du 1er octobre, nous les avons déjà traversées jadis ; nous n'avons rien de plus à craindre cette nuit. » Aux Communes, on l'entend égale-

---

* En français dans le texte.

ment affirmer : « Il faut s'attendre à une longue série de pertes. [...] Nous souffrirons et continuerons à souffrir, mais nous finirons par les décourager[10]. » Le 12 novembre, il assure même au micro de la BBC que « le monde entier s'oppose à Hitler et à l'hitlérisme » – ce qui a dû paraître assez exagéré à Rome, Tokyo et Moscou... Quant aux offres de paix, grogne notre implacable lutteur, elles ne sauraient être prises au sérieux tant que la Pologne et la Tchécoslovaquie continueront de ployer sous le joug nazi. N'étant pas à une exagération près, il proclame dès le mois de décembre que la Royal Navy a déjà coulé 35 sous-marins allemands*...

Tout cela exerce sur le moral de la population – et sur celui du gouvernement – un effet hautement salutaire. D'autant que l'obstination finit par payer : on a récupéré intacte une mine magnétique larguée par avion à l'embouchure de la Tamise, et les premières expériences montrent qu'il est possible de neutraliser ce type d'engin en démagnétisant les coques des bateaux ; avant la fin de l'année 1939, la menace des mines magnétiques sera définitivement écartée. Et puis, le 15 décembre, la chance tourne et l'histoire se répète : à un quart de siècle d'intervalle, presque jour pour jour, les Britanniques vont connaître une nouvelle victoire des Falkland ! Cette fois, c'est plus au nord, devant le Río de la Plata, que le cuirassé de poche *Graf Spee*, cerné et très endommagé par une escadre de la *Royal Navy,* est contraint de se saborder en eau profonde. Voilà une victoire qui vient à point pour faire oublier bien des déboires, et Churchill, en maître de la propagande, va l'exploiter au maximum : il veillera à ce que les marins vainqueurs, leur capitaine en tête, reçoivent à leur retour un accueil triomphal ; et il n'oubliera pas d'établir un rapport détaillé sur la bataille à l'intention de ce passionné des affaires navales qu'est Franklin Roosevelt ; car contrairement à ses collègues du Cabinet de guerre, le premier lord de l'Amirauté attend beaucoup d'un dialogue suivi avec le président des États-Unis...

---

* Ce qui serait une belle réussite, si l'on considère que l'Allemagne n'a à cette époque que 56 sous-marins opérationnels... Malheureusement, d'après l'état-major naval britannique lui-même, le nombre de sous-marins allemands effectivement coulés est à diviser par quatre : 9 seulement au 31 décembre 1939. Dans l'intervalle, 79 navires marchands alliés auront été envoyés par le fond.

En Europe, pourtant, c'est l'Allemagne qui continue à avoir l'initiative, tandis que les alliés franco-britanniques en sont réduits à se demander où et quand l'ennemi portera le prochain coup. Et pour Winston Churchill, ancien officier de cavalerie, adversaire résolu de l'expectative, apôtre inlassable de l'action et de l'attaque surprise, une telle situation est parfaitement inacceptable. Du reste, nous le savons bien : chez cet activiste forcené, l'oisiveté – même très relative – a toujours engendré la dépression ; en temps de guerre, elle lui apparaît même comme une monstrueuse aberration. Dans ce conflit encore limité, la plupart de ses collègues du gouvernement se contenteraient volontiers de ne pas perdre ; mais Churchill, lui, n'existe que pour gagner... Ce qu'il lui faudrait, c'est un coup d'éclat, une action décisive pour prendre les Allemands par surprise et les décider à capituler avant que les hostilités ne se déclenchent pour de bon. L'opération devrait bien sûr être menée par la marine, parce que son chef est un descendant du grand Marlborough, et parce qu'il est le seul ministre à vouloir, à savoir et à aimer combattre. Mais que pourrait-on bien entreprendre ? L'opération ROYAL MARINE a peu de chances d'être décisive, et dépend de l'assentiment des Français ; le plan CATHERINE est aussi dangereux que chimérique, et les officiers de l'état-major naval l'ont laissé entendre à leur premier lord avec tout le tact nécessaire ; mais ils lui ont également rendu compte de certains débats qui se poursuivent depuis plusieurs semaines à l'Amirauté, et qui semblent ouvrir des perspectives beaucoup plus attrayantes...

En étudiant les approvisionnements de l'Allemagne en minerai de fer, les experts britanniques ont en effet constaté que sur les 22 millions de tonnes qu'elle recevait en 1938, 11 millions provenaient de sources qui lui sont désormais fermées. Sur les 11 millions de tonnes restantes, 9 millions au moins lui viennent toujours des mines suédoises de Gällivare ; cette source est donc vitale pour l'industrie allemande. Or, en examinant le chemin emprunté par les convois de minerai, les experts ont constaté qu'ils partent des ports suédois de Lulea et Oxelösund sur la Baltique, mais qu'en hiver, la Baltique étant gelée, le minerai doit être envoyé à Narvik par une voie ferrée, la « route du fer », d'où il parvient en Allemagne par mer, en empruntant le chenal qui borde la côte norvégienne jusqu'au Skagerrak[11]. « L'état-major de l'Amirauté, écrira Churchill, s'inquiétait de voir cet important avantage offert à l'Allemagne[12]. »

Le 18 septembre, en effet, l'amiral Drax, chef d'état-major adjoint, lui a exposé les effets déterminants qu'aurait une interruption de l'approvisionnement allemand en minerai de fer.

Persuadé d'avoir découvert le talon d'Achille du Führer, Churchill élabore sur-le-champ un plan d'opérations visant à « arrêter, au moyen d'une opération navale, les transports de minerai descendant de Narvik le long de la côte norvégienne ». Mais ce n'est pas si simple : d'une part, des négociations sont en cours pour l'affrètement d'une partie de la flotte de transport norvégienne, et une intervention dans leurs eaux territoriales pourrait bien inciter les Norvégiens à rompre ces pourparlers ; par ailleurs, le plan se heurte d'emblée à l'opposition du ministre des Affaires étrangères : fervent catholique et fonctionnaire scrupuleux, lord Halifax est farouchement hostile à toute violation de la neutralité norvégienne ; enfin, le ralentissement du trafic de minerai à destination de l'Allemagne durant le mois de septembre a privé Churchill d'un argument essentiel... Toutes ces incertitudes transparaissent dans l'argumentation du premier lord de l'Amirauté lorsqu'au début d'octobre, il soutient son plan devant le Cabinet de guerre. Ayant reconnu que « l'opération ne peut être exécutée immédiatement », il souhaite cependant que le Cabinet de guerre accepte de faire établir des plans détaillés, « en vue d'une prompte réalisation » ; mais l'opposition de lord Halifax reste l'élément décisif : « L'utilité du projet fut reconnue par tous, écrira Churchill, mais les arguments du *Foreign Office* sur la neutralité étaient sérieux ; je ne pus l'emporter[13]. »

Six semaines plus tard, pourtant, le ministère de la Guerre économique informe Churchill qu'« un arrêt complet des exportations de minerai de fer à l'heure actuelle permettrait [...] de mettre fin à la guerre en l'espace de quelques mois[14] ». Le 30 novembre, le premier lord, encouragé, propose donc à ses collègues une nouvelle version du plan : « Juste avant la fin de la dernière guerre, leur dit-il, nous avons été en mesure de priver l'Allemagne de ses importations de minerai de fer, en minant les eaux territoriales norvégiennes, forçant ainsi les bateaux de minerai à se dérouter vers la haute mer. Il est temps d'envisager la reprise de semblables mesures[15]. »

Volontairement ou non, Churchill s'est trompé : les Britanniques ont certes eu *l'intention* de miner les eaux territoriales norvégiennes au cours de la Grande Guerre, mais en fin de compte, ils n'en ont rien fait[16]. Du reste, peu importe, car au Cabinet de guerre, rien n'a vraiment changé : lord Halifax reste hostile au projet, il est soutenu par Chamberlain, et l'on se sépare sans avoir pris de décision – si ce n'est celle d'inviter les chefs d'état-major à faire un rapport – sur les aspects militaires de la question... Ce schéma des séances du Cabinet de guerre va rapidement nous devenir familier ; car derrière les arguments de respect du droit des neutres, de prudence stratégique et d'opportunité politique invoqués par Halifax, Chamberlain et la majorité de leurs collègues, se cache une consternante réalité : Neville Chamberlain est resté en temps de guerre un premier ministre de temps de paix, et sa seule véritable stratégie consiste à attendre passivement que l'ennemi, atteint dans son moral ou son économie par le blocus allié, se décide à déposer les armes. Dans ces conditions, il y a tout lieu de penser que les projets d'interruption du trafic de minerai seraient restés lettre morte si, sur ces entrefaites, n'était survenue la guerre russo-finlandaise.

L'attaque de la Finlande par l'Union soviétique le 30 novembre 1939 crée dans le monde une très grande émotion ; à la mi-décembre, le secrétaire général de la SDN demande à chacun des pays membres de fournir à la Finlande toute l'assistance matérielle et humanitaire possible. La France, encouragée par les premiers succès de l'armée finlandaise, va y répondre avec enthousiasme. C'est que le président du Conseil Daladier, violemment attaqué au Parlement et dans la presse pour l'inertie de sa politique de guerre, doit absolument prendre une initiative ; mais il ne s'agit pas d'attaquer directement l'Allemagne, car personne n'a oublié les hécatombes de la Grande Guerre. Restent donc les « théâtres d'opérations extérieurs ». C'est pourquoi Daladier va exercer une pression énergique sur les autorités de Londres, afin qu'elles acceptent d'« aider la Finlande ». Au cours des semaines qui suivent, il leur proposera tour à tour des actions navales contre Petsamo, Luleå, Narvik et Mourmansk ; autrement dit, en Finlande, en Suède, en Norvège et... en URSS !

À Londres, où personne ne tient à entrer en conflit ouvert avec l'Union soviétique, on accueille ces plans assez brouillons avec un scepticisme mêlé d'indulgence. Mais Winston Churchill, qui ne perd pas de vue un instant l'objectif unique du combat, mesure immédiatement l'intérêt de la guerre soviéto-finlandaise pour la reprise de son projet favori : « Si Narvik était appelé à devenir une sorte de base alliée destinée à approvisionner les Finlandais, écrit-il aussitôt, il serait certainement facile d'empêcher les navires allemands de charger le minerai dans le port, et de se diriger en toute sécurité vers l'Allemagne[17]. » Après tout, même lord Halifax vient de déclarer que « le peuple britannique a été profondément choqué » par l'attaque soviétique[18], plusieurs navires alliés ont été torpillés dans les eaux norvégiennes, et le service de renseignement naval rapporte qu'entre le 27 et le 30 novembre, il y a eu à Narvik trois arrivées et deux départs de bateaux allemands chargés de minerai. Dès lors, Churchill expose son nouveau plan au Cabinet de guerre dans un mémorandum du 16 décembre : « Le minerai de Narvik doit être arrêté par le mouillage successif d'une série de champs de mines dans les eaux territoriales norvégiennes en deux ou trois points convenablement choisis de la côte, ce qui obligera les bateaux transportant du minerai en Allemagne à quitter les eaux territoriales et à prendre la haute mer, où ils seront capturés s'ils sont allemands, et soumis au contrôle de contrebande s'ils sont neutres[19]. »

En habile tacticien, Churchill a donc modifié une nouvelle fois son plan pour qu'il soit acceptable au *Foreign Office* : les navires chargés de minerai de fer ne seront plus coulés, mais capturés. Pourtant, s'il veut faire aboutir son projet, le premier lord doit encore persuader le général Ironside, chef de l'état-major impérial ; ce vétéran de nombreuses campagnes lointaines est certes un vieil ami de Churchill, mais le plan de minage des eaux territoriales lui paraît trop limité : il veut une expédition terrestre en règle, permettant d'occuper les mines de fer suédoises[20]. Churchill, bon prince, déclare donc le 18 décembre au Cabinet de guerre : « Si des opérations terrestres devenaient nécessaires, il serait parfaitement possible de faire débarquer des troupes britanniques et françaises en Norvège[21]. » Enfin, il reçoit l'appui du gouvernement français, qui a demandé le 19 décembre que l'on rédige un communiqué commun assurant la Suède et la Norvège du soutien allié, afin qu'elles acceptent toutes mesures que l'on déciderait de prendre...

Lorsque le 22 décembre, le Cabinet de guerre se réunit à nouveau, Churchill semble donc avoir tous les atouts en main. Pourtant, il y a une faiblesse dans sa position : le général Ironside estime désormais que le plan de l'Amirauté compromettrait les chances de son projet terrestre[22]. Au Cabinet de guerre, ce clivage va apparaître au grand jour, largement exploité par Chamberlain, qui redoute le déclenchement d'une « véritable guerre » ; il fait donc observer qu'il y a maintenant deux projets distincts, l'un (« mineur ») visant à arrêter le trafic de Narvik par une action navale, et l'autre (« majeur ») destiné à s'assurer la possession des mines de fer par une expédition terrestre. Or, l'assentiment des Scandinaves est essentiel à la réussite du projet « majeur », mais l'opération « mineure » déplairait à la Norvège et embarrasserait la Suède. Il ne faut donc pas risquer de compromettre l'opération « majeure », en exécutant l'opération « mineure[23] » !

Ainsi, le bien serait l'ennemi du mieux, et pendant les trois prochains mois, ces deux projets vont continuer à s'opposer… C'est là un obstacle redoutable qui s'est dressé devant les plans de Churchill : ce plan « majeur » ou « élargi », si long à mettre au point, convient à merveille à de nombreux membres du Cabinet qui, comme l'écrit le sous-secrétaire d'État Cadogan, « ne veulent pas aller trop vite[24] ». C'est aussi, pour le Premier ministre, une réplique toute trouvée aux exhortations de son impétueux ministre de la Marine… Lors des réunions du Cabinet de guerre des 22 et 27 décembre, on se contente donc de demander aux états-majors des plans d'opérations en Scandinavie, ce qui n'engage à rien, et on élabore le mémorandum que les Français veulent envoyer aux Norvégiens et aux Suédois, ce qui n'engage pas davantage. On les informera « un peu plus tard », « en termes généraux », que l'on a l'intention d'envoyer des navires dans les eaux norvégiennes pour interrompre le trafic de minerai ; mais naturellement, on ne fera rien avant de connaître leurs réactions – dont Chamberlain se doute bien qu'elles seront négatives !

Telle est la situation au 28 décembre 1939. Mais Churchill n'est pas homme à renoncer aussi facilement ; dès le lendemain, il envoie directement au Premier ministre une note l'exhortant à remettre sans délai le mémorandum aux Suédois et aux Norvégiens, et à passer à l'action en Norvège cinq jours plus tard[25]. À la session du Cabinet de guerre du 2 janvier 1940, Chamberlain, impressionné, se déclare effectivement en faveur du « projet limité », mais ajoute aussitôt que « les réactions possibles de l'Allemagne en Norvège et en Suède […] l'inquiètent sérieusement ». Alors, avec une patience remarquable et malgré tout une pointe d'exaspération, Churchill réplique : « Nous avons tout préparé pour arrêter immédiatement le trafic passant par Narvik. [...] Il est impossible, dans une opération de guerre, de parer à toutes les objections qui peuvent être opposées à un plan d'action déterminé. [...] La guerre nous coûte 6 millions par jour, et il serait désastreux que cette proposition, qui semble offrir la meilleure chance de mettre fin au conflit, soit rejetée[26]. »

Après cela, on s'enlise dans d'interminables discussions, et le général Ironside notera à l'issue des débats : « Une longue journée. Huit heures et demie passées en conférences et réunions. On ne peut pas mener une guerre dans ces conditions[27]. » Churchill a pourtant obtenu un résultat : on fera sur-le-champ la communication aux gouvernements scandinaves ; bien entendu, on attendra leur réaction avant de prendre d'autres décisions. La note est finalement remise le 6 janvier aux ministres de Norvège et de Suède ; se référant aux torpillages de bateaux anglais et neutres dans les eaux norvégiennes, elle affirme que « par ces actions hostiles, les forces navales allemandes ont fait de ces eaux territoriales un théâtre de guerre [...]. De ce fait, il pourrait s'avérer nécessaire que des forces navales de Sa Majesté pénètrent et opèrent dans ces eaux[28]. »

La réponse norvégienne parviendra à Londres deux jours plus tard, sous la forme d'une lettre privée adressée par le roi de Norvège Haakon VII à son neveu George VI ; ce dernier est instamment prié d'intercéder auprès du gouvernement britannique pour qu'il reconsidère son projet[29]. Bien entendu, la décision n'appartient pas à George VI, mais l'intervention d'un personnage aussi éminent que le roi de Norvège suffit amplement à dissuader de toute initiative belliqueuse un Premier ministre qui n'en espérait pas autant ; du reste, la réaction suédoise a été tout aussi négative. Dès lors, Churchill a encore perdu ; mais c'est une défaite toute provisoire, car moins de cinq semaines plus tard éclate l'affaire de l'*Altmark*.

Navire auxiliaire du croiseur allemand *Graf Spee*, l'*Altmark* transportait 299 marins britanniques, appartenant aux équipages des navires coulés par le croiseur. Après la destruction du *Graf Spee*, l'*Altmark* va tenter de rejoindre l'Allemagne en longeant les côtes du Groenland, de l'Islande et de la Norvège ; il parvient effectivement à passer inaperçu, jusqu'à ce jour du 15 février 1940 où il est découvert par la RAF au sud de Bergen. Intercepté par une flottille de destroyers britanniques commandée par le capitaine Philip Vian, l'*Altmark* se réfugie dans un fjord étroit, le Jøssingfjord. Deux destroyers reçoivent l'ordre de l'y suivre et de le visiter ; mais des torpilleurs norvégiens s'interposent, et les navires anglais se retirent.

L'affaire aurait pu en rester là ; mais le premier lord de l'Amirauté, toujours aux aguets dans sa salle des cartes, ne peut s'empêcher d'intervenir ; le 16 février à 17 heures 25, il envoie au capitaine Vian l'instruction suivante : « À moins qu'un torpilleur ne se charge de le convoyer jusqu'à Bergen, [...] vous devez aborder l'*Altmark*, libérer les prisonniers et prendre possession du bateau[30]. » Le soir même, le destroyer Cossak pénètre dans le Jøssingfjord et aborde l'*Altmark* ; après un bref corps à corps, le navire est capturé. Les prisonniers anglais libérés montent à bord du *Cossak*, qui quitte le fjord quelques heures plus tard, laissant l'*Altmark* échoué sur un haut fond.

Selon Churchill, cette affaire a « rehaussé le prestige de l'Amirauté » ; elle a surtout renforcé considérablement sa popularité dans le pays. Mais elle a également ramené la Scandinavie au premier plan des débats stratégiques ; or, entre-temps, le « plan élargi » a pris une certaine ampleur : conçu au départ comme un débarquement à Narvik de deux divisions, qui se porteraient ensuite vers les mines de fer suédoises et *peut-être* vers la Finlande, le projet d'opération a été baptisé AVONMOUTH[31]. Pourtant, on s'est avisé que les Allemands pourraient répliquer en débarquant à Bergen, Trondheim et Stavanger. Pour les y devancer, les chefs d'état-major ont donc prévu un deuxième plan d'opération, « Stratford », et même un troisième, baptisé PLYMOUTH, avec deux divisions qui débarqueraient à Trondheim pour « coopérer à la défense de la Suède du Sud » ! Au début de janvier, on avait même rassemblé quelques unités en prévision de la mise en œuvre anticipée d'AVONMOUTH et de STRATFORD. Le 12 janvier, après le refus norvégien, ces forces ont été dissoutes, mais les plans sont restés en vigueur – même s'ils sont fort peu réalistes : c'est qu'on a envoyé dix divisions en France, et il ne reste même pas en Angleterre l'équivalent de deux divisions régulières. D'autre part, tous ces plans, une fois discutés par les chefs d'état-major, doivent ensuite être transmis au Comité de coordination militaire ; après quoi la discussion reprendra au Cabinet de guerre... qui devra encore tenir compte de l'avis des Français !

En France, justement, on continue à examiner des plans d'opérations contre l'URSS, à Petsamo, à Mourmansk, dans les Balkans et au Caucase ; seulement, aucun de ces ambitieux projets ne peut être mené à bien sans le concours de Londres, qui refuse toujours de les prendre au sérieux... C'est ce que M. Chamberlain exprimera avec toute la diplomatie requise lors du Conseil suprême franco-britannique du 5 février 1940, tout en faisant ressortir discrètement les mérites du fameux plan scandinave «élargi». Daladier, qui a absolument besoin d'une initiative militaire pour assurer la pérennité de son gouvernement, finit par se rendre à ses raisons ; on s'accorde donc pour constituer un corps expéditionnaire anglo-français destiné à «porter secours à la Finlande», et surtout à occuper les mines de fer. Bien sûr, les Norvégiens et les Suédois ne sont pas disposés à coopérer, mais on convient d'exercer sur eux «une vigoureuse pression morale» ; lorsque l'expédition sera prête, on demandera à la Finlande de faire officiellement appel aux troupes alliées, et les Scandinaves devront s'incliner[32]. Les plans français et britanniques vont donc connaître enfin un semblant de coordination, et l'expédition est prévue pour la troisième semaine de mars. Du côté britannique, les unités de STRATFORD et AVONMOUTH vont donc être reconstituées, et les préparatifs des corps expéditionnaires anglais et français se poursuivront à une cadence accélérée.

Mais dans l'intervalle, Churchill a ressorti son plan de minage des eaux norvégiennes ; il a maintenant le soutien du *Foreign Office*, qui préfère à tout prendre l'opération «mineure» à cette expédition terrestre dont l'ampleur commençait à l'effrayer ; il a même l'assentiment du général Ironside, auquel il a expliqué que le mouillage de mines provoquerait certainement une réaction allemande, justifiant à son tour l'action terrestre... Ce ne sera pas encore suffisant : à la réunion du Cabinet de guerre du 23 février, Neville Chamberlain annonce qu'il ne peut prendre «d'un cœur léger» la mesure qu'on lui propose ; on peut mettre le projet de côté, et le réexaminer le cas échéant[33]. Comme de juste, la grande majorité du Cabinet de guerre se rallie d'emblée à cette «décision», et Churchill a perdu une fois encore...

Mais décidément, ce curieux Cabinet de guerre ne peut jamais s'en tenir bien longtemps à une décision – pas même à celle de s'abstenir ! C'est que la situation en Finlande s'est considérablement dégradée ; l'armée soviétique, réorganisée après les désastres de décembre, est parvenue à prendre dès la mi-février plusieurs positions avancées de la ligne Mannerheim, et les Finlandais, sachant qu'ils ne pourront résister indéfiniment, ont établi des contacts indirects avec Moscou. Le 23 février, l'ambassadeur britannique présente à Helsinki le plan anglo-français du 5 février, et promet l'arrivée d'un corps expéditionnaire allié de quelque 20 000 hommes vers la mi-avril, pour peu que les Finlandais en fassent officiellement la demande[34]. Mais ceux-ci savent bien qu'Oslo et Stockholm refuseront le passage des troupes alliées, que Français et Britanniques veulent surtout occuper les mines de fer, et que l'aide à la Finlande passerait largement au second plan...

En fin de compte, le gouvernement finlandais décide d'engager des pourparlers avec l'URSS. Mais il va demander à Paris et à Londres de lui fournir immédiatement une grande quantité de troupes et de matériel ; si les Alliés acceptent, on peut encore espérer renverser la situation ; s'ils hésitent, les Soviétiques seront au moins informés du projet, et ils se montreront d'autant plus conciliants lors des pourparlers. Du reste, Chamberlain ne peut assister en spectateur à une défaite des Finlandais face aux Soviétiques, car cela représenterait pour la cause alliée un échec sévère, dont l'opposition ne manquerait pas de le rendre responsable... Lord Halifax est donc autorisé à promettre aux Finlandais un renfort de 12 000 hommes *avant la fin du mois* ; et le 11 mars, bien qu'il n'y ait eu ni acceptation de transit de la part des Scandinaves, ni appel à l'aide officiel des Finlandais, le Cabinet de guerre, en une volte-face saisissante, décide d'exécuter le plan de débarquement à Narvik : les troupes seront dirigées sans délai vers les ports... « La séance du Cabinet, note le général Ironside le lendemain, a été horripilante. Chacun avait une opinion différente sur le degré de force que nous aurions à employer à Narvik. Je n'ai jamais vu une prestation aussi peu militaire. [...] Le Cabinet donnait l'impression d'un troupeau de chèvres affolées[35]. »

Pourtant, les ordres d'opérations sont formels : il s'agit de s'établir à Narvik, de mettre la main au plus vite sur le chemin de fer conduisant en Suède, et de concentrer ensuite les troupes en Suède pour porter secours à la Finlande. Il n'est pas question de se battre contre les Suédois ou les Norvégiens, mais il ne faut pas non plus « se laisser dissuader d'agir s'ils résistent pour la forme ». On ne dit pas à quoi les officiers britanniques reconnaîtront que les indigènes résistent pour la forme... Du reste, au soir du 11 mars, des rumeurs en provenance d'Helsinki font état de la signature imminente d'un accord de paix.

Ces rumeurs sont parfaitement fondées : le 7 mars, des négociateurs finlandais ont été envoyés à Moscou, et tard dans la nuit du 12 mars, l'accord s'est fait ; au matin du lendemain, les délégations finlandaise et soviétique signent la paix. Réuni à 11 heures 30, le Cabinet britannique ne peut qu'en prendre acte ; Churchill, lui, veut poursuivre l'opération malgré tout*, et rappelle que « notre véritable objectif consiste à prendre possession des mines de fer de Gällivare ». Mais Chamberlain s'y oppose énergiquement, et John Simon, Olivier Stanley, Samuel Hoare et Kingsley Wood l'approuvent sans réserves. Le Cabinet conclut finalement qu'« il faut prendre des mesures pour disperser les unités préparées pour l'expédition Scandinave[36]. » Échec et mat ! Ce soir-là, Winston, découragé, écrit à lord Halifax : « Tout vient de s'écrouler [...] Maintenant, la glace va fondre, et les Allemands sont maîtres dans le Nord [...]. J'ignore s'ils ont conçu leur propre plan d'action, et si nous en verrons bientôt les effets. Mais le contraire m'étonnerait[37]. » Voilà qui ne manque pas d'intuition : en effet, les Allemands ont depuis peu leur propre plan d'action en Scandinavie, et il est d'une tout autre envergure.

Au début de la guerre, Hitler ne s'était pas particulièrement intéressé à la Norvège. Il avait certes fait établir pendant l'hiver une « Étude Nord », prévoyant l'invasion de ce pays en cas de besoin ; mais ce plan restait très secondaire par rapport au grand projet d'attaque à l'ouest. C'est le coup d'éclat de Churchill dans le Jøssingfjord le 16 février qui va entièrement bouleverser ses priorités ; le Führer est saisi d'un violent accès de rage, se soûle de paroles jusqu'à l'extase et, en un éclair, sa décision est prise : il faut envahir la Norvège. Le général von Falkenhorst, qui est chargé dès le 20 février de préparer l'opération (nom de code : WESERÜBUNG), racontera d'ailleurs plus tard : « Le Führer me dit que [...] l'abordage de l'*Altmark* avait levé toute ambiguïté au sujet des intentions britanniques. [...] Je sentais toute la nervosité occasionnée par

* Une semaine plus tôt, il a reçu une lettre de Cannes lui annonçant le décès de sa fidèle et généreuse admiratrice Maxine Elliott, dont les dernières paroles à son médecin ont été : « Winston sait prendre ses responsabilités ; rien ne peut l'effrayer. Il faudrait qu'il soit Premier ministre. »

l'affaire du Jøssingfjord[38].» Six semaines plus tard, alors que les préparatifs se poursuivent à une cadence accélérée, Hitler fixe la date du déclenchement de l'attaque : ce sera le 9 avril.

À Londres, depuis la mi-mars, l'attention des dirigeants s'est quelque peu détournée de la Scandinavie. Le bombardement de Scapa Flow par la Luftwaffe, la découverte des effrayantes lacunes de la défense antiaérienne du pays[39], certaines informations selon lesquelles l'Allemagne se préparerait à attaquer la Hollande, enfin la mission de paix du sous-secrétaire d'État américain Sumner Welles en Europe dominent les débats du Cabinet de guerre. Mais Churchill, inlassablement, propose le 19 mars un nouveau plan d'action ; il s'agit cette fois de couler les navires au mouillage dans le port minier de Luleå, afin de le bloquer. Et puis, bien sûr, il y a toujours le minage des eaux norvégiennes, baptisé WILFRED, ainsi que le fameux plan ROYAL MARINE. Si celui-ci n'est pas trop mal accueilli (ce sont les Français qui en auraient la responsabilité), il n'en est pas de même des plans d'opérations en Scandinavie : Chamberlain relève qu'« une prise de contrôle des eaux norvégiennes ne servirait à rien, puisque bientôt le minerai de fer pourra passer par le golfe de Botnie », oubliant ainsi que Churchill a proposé le blocus de Luleå. De toute façon, ajoute-t-il, « le corps expéditionnaire qui devait s'emparer des mines de fer vient d'être dispersé ». Mais il est impossible de ne rien faire, car les Français veulent une action à tout prix : Daladier, rendu responsable de l'échec finlandais, doit même démissionner dès le 21 mars.

Son successeur, Paul Reynaud, est un dirigeant de temps de paix, assez mal préparé à prendre des décisions stratégiques d'envergure ; mais pour éviter le sort de son prédécesseur, il doit montrer qu'il mène la guerre avec la dernière énergie. C'est pourquoi le plan d'action qu'il propose le 25 mars aux autorités britanniques constitue une synthèse des projets les plus chimériques conçus sous Daladier, depuis l'action de sous-marins en mer Noire jusqu'au bombardement de Bakou ! Lorsque s'ouvre à Londres la réunion du Conseil suprême du 28 mars, force est de constater que l'on en est au même point qu'en février... Chamberlain refuse à nouveau de se laisser entraîner dans une guerre contre l'URSS, et l'on finit, faute de mieux, par se mettre d'accord pour lancer WILFRED le 5 avril ; en contrepartie, les Français mineront les eaux du Rhin[40].

Ainsi, on s'apprête enfin à sortir de l'inaction ; en intervenant dès le 5 avril en Norvège, les Alliés vont même devancer Hitler ! Dès le 30 mars, la direction des opérations militaires estime nécessaire de reconstituer les forces STRATFORD et AVONMOUTH, et beaucoup, à commencer par Churchill, espèrent que la pose de mines amènera Hitler à réagir, donnant aux Britanniques la meilleure excuse possible pour débarquer en Norvège. Dès lors, la question d'une opposition norvégienne au débarquement allié ne se posera plus, ce qui apaisera même les scrupules du *Foreign Office*... Cinq jours pour remettre sur pied deux corps expéditionnaires dissous, c'est évidemment un délai très bref ; réutiliser tels quels des plans d'attaque contre les Soviétiques en Finlande, alors que l'on veut maintenant opérer en Norvège contre les Allemands, c'est assez hasardeux. Pourtant, le 5 avril, les troupes britanniques sont prêtes à être embarquées, les navires sont prêts à appareiller, à mouiller les mines, à faire débarquer les troupes et à prendre Hitler de vitesse. C'est tout de même une prouesse incontestable – et inutile ; car les mines ne seront pas mouillées le 5 avril...

Le Comité de guerre français s'est en effet déclaré opposé à l'opération ROYAL MARINE, parce qu'il redoute des représailles allemandes, et surtout parce que le ministre de la Guerre Daladier cherche à torpiller l'action de Paul Reynaud ! Mais ROYAL MARINE était la contrepartie de WILFRED, et le 1er avril, Chamberlain, indigné, déclare à l'ambassadeur de France : « Pas de mines, pas de Narvik ! » Churchill, catastrophé, se précipite à Paris pour tenter de faire revenir les Français sur leur refus, et de réconcilier Reynaud et Daladier. Après tout, il est persuasif et les deux hommes sont ses amis... Mais ce sera un échec complet ; alors, redoutant que l'on sombre à nouveau dans l'inaction totale, Churchill conjure ses collègues d'autoriser malgré tout l'opération WILFRED ; il a finalement gain de cause, et la date d'exécution est fixée au 8 avril.

À Londres comme à Paris, la décision provoque un certain soulagement : on va enfin passer à l'action. Même Chamberlain affiche un certain optimisme : « Hitler a manqué le coche », déclare-t-il imprudemment le 4 avril. Deux jours plus tard, les quatre destroyers qui vont poser les mines prennent la mer, précédés d'une forte escorte ; le lendemain, à Rosyth et dans la Clyde, les navires transportant les troupes de PLYMOUTH et d'AVONMOUTH sont prêts à lever l'ancre dès que l'Allemagne réagira, ou fera mine de réagir, à la pose des mines. «Tous nos plans, écrira l'historien britannique T. K. Derry, étaient basés sur le principe que nous aurions l'initiative[41].»

Aux toutes premières heures du 9 avril, les chefs d'état-major et les ministres de Sa Majesté sont réveillés en sursaut par une nouvelle ahurissante: les Allemands se sont emparés de Copenhague, d'Oslo et des principaux ports de la côte norvégienne; les petits champs de mines mouillés le 8 avril au sud de Narvik, comme les quelques unités navales qui les gardaient, n'ont rien pu empêcher. Lorsque le Cabinet de guerre se réunit à 8 heures 30, le général Ironside présente les conclusions des chefs d'état-major: il faut «exécuter le plan pour capturer Narvik», car «les Allemands ne l'occupent pas», et «dégager Bergen et Trondheim». Après cela, la cacophonie s'installe; Churchill demande que l'on envisage en priorité «la mise en œuvre des opérations contre Narvik»; lord Hankey se prononce en faveur d'une «action immédiate à Oslo»; sir Cyrill Newall, chef d'état-major des forces aériennes, pencherait plutôt pour une opération contre Stavanger. En fin de compte, le Cabinet de guerre décide que «les Norvégiens doivent être [...] informés du fait que leurs alliés se porteront à leur secours». D'autre part «les chefs d'état-major ont pour instructions de mettre sur pied une expédition militaire destinée à reprendre Trondheim et Bergen, et à occuper Narvik[42]».

Pourtant, lorsque le Cabinet de guerre se réunit de nouveau à midi, les ministres apprennent que Narvik est déjà occupé par «une petite force allemande»; ils recommandent donc l'envoi de destroyers en reconnaissance dans le fjord de Narvik. Pour le reste, on hésite entre Bergen et Trondheim. En fin de compte, le premier lord de l'Amirauté, qui domine les débats du fait de sa personnalité, des renseignements dont il dispose, de ses notions de stratégie, de ses nouvelles responsabilités* et du rôle prédominant de la flotte dans l'affaire, déclare que «des ordres ont été donnés aux forces navales pour qu'elles forcent l'entrée de Narvik et de

---

* Le 3 avril, le ministre de la Coordination de la Défense lord Chatfield ayant démissionné, Churchill a été nommé président du Comité de coordination militaire. Mais sa façon de conduire les débats ayant suscité presque immédiatement des remous au sein du Comité, Churchill devra prier Chamberlain dès le 15 avril de présider lui-même les séances.

Bergen, mais Trondheim sera laissé de côté jusqu'à ce que la situation se soit éclaircie[43] ».

Cette tendance va se confirmer lorsque s'ouvre, à 16 heures 20, la séance du Conseil suprême interallié. Paul Reynaud va droit au fait : « En premier lieu, il ne faut pas perdre de vue que l'un des objectifs essentiels des Alliés est de couper l'Allemagne des sources de minerai de fer. » La résolution finale du Conseil suprême mentionne en effet qu'« il sera tenu compte [...] de l'importance particulière qui s'attache à s'assurer de la possession du port de Narvik, en vue d'une action ultérieure en Suède[44] ». Ce soir-là, à 21 heures 30, le Comité de coordination militaire se réunit sous la présidence de Churchill, qui propose sans ambiguïté qu'« aucune initiative ne soit prise en ce qui concerne Trondheim ». Le Comité accepte, et les chefs d'état-major sont invités à « faire préparer un plan pour la capture de Narvik ». Mais le Comité ajoute : « Ce plan doit tenir compte de la possibilité pour les forces alliées de prendre pied à Namsos et Aandalsnes[45]. »

Ainsi, au soir du 9 avril, alors que les Allemands consolident leurs positions en Norvège et que le gouvernement norvégien hésite encore entre la résistance et la négociation, les Alliés, à l'issue de six réunions majeures en dix-sept heures, ont effectué (sur le papier) un parcours stratégique impressionnant : priorité à Bergen et Trondheim à 8 heures 30 du matin, évolution progressive vers Narvik au cours de la matinée, confirmation de la priorité donnée à Narvik sous l'influence française durant l'après-midi, abandon « définitif » de Trondheim le soir, avec apparition surprise en fin de soirée des petits ports de Namsos et Aandalsnes, au nord et au sud de Trondheim*...

Lors de la réunion du Cabinet de guerre le lendemain 10 avril, les ministres apprennent que les forces disponibles pour l'opération contre Narvik (nom de code RUPERT) se limitent aux 6 bataillons d'AVONMOUTH et de STRATFORD. Leur chef, le général Mackesy, doit partir de Scapa Flow le 11 avril. Mais il n'est responsable que des opérations terrestres ; le commandement des opérations navales à Narvik vient d'être confié – par Churchill – à l'amiral lord Cork and Orrery. Or, l'amiral et le général ne se connaissent pas, ne se sont pas concertés, ne feront pas route ensemble, et les instructions

* Voir carte, p. 351.

données à chacun d'eux sont hautement contradictoires : c'est que l'Amirauté, et surtout son chef, désirent voir enlever Narvik par un coup de main plus prompt que méthodique, tandis que le *War Office* voudrait plutôt faire prévaloir la prudence sur la rapidité...

Mais entre-temps, on a réussi à établir le contact avec le gouvernement norvégien, qui a ordonné la résistance à l'envahisseur allemand et fait savoir qu'il souhaitait s'installer à Trondheim « dès que les Allemands en auront été expulsés[46] ». Évidemment, c'était la stratégie adoptée au matin du 9 avril, mais la reprendre maintenant équivaudrait à remettre en question toutes les décisions prises laborieusement au cours des dernières quarante-huit heures. Churchill, lui, s'y oppose catégoriquement : l'expédition contre Narvik est sur le point d'être lancée, et il ne faut surtout pas l'affaiblir par une dispersion intempestive des effectifs. On peut bien poursuivre l'étude d'une opération contre Trondheim, et même envisager un débarquement « exploratoire » à Namsos, mais « aucune action ne doit être entreprise » avant que l'on connaisse les résultats de l'opération contre Narvik. Il faut se souvenir que le premier lord de l'Amirauté est mieux informé que ses collègues, qu'il est doué d'une éloquence redoutable, et que le Comité de coordination se réunit en fin de journée : les chefs d'état-major, comme les ministres, sont épuisés par soixante-douze heures de travail et de réunions presque ininterrompues – sauf Churchill, qui a des pouvoirs de récupération surprenants. On se cantonnera donc à Narvik – pour le moment...

Nous savons depuis longtemps que le système de prise de décision britannique est un mécanisme complexe, à triple détente, qui se déclenche malaisément et s'enraye facilement. Or, c'est au Cabinet de guerre que sont prises les décisions « définitives », et le débat stratégique va reprendre à ce niveau dès le lendemain. Churchill admet que l'état-major naval désirerait voir Namsos occupé dès que possible, mais il ajoute aussitôt que l'« on considère comme inopportun d'interrompre [...] le déroulement des opérations contre Narvik ». Ce jour-là, pourtant, Neville Chamberlain se sent l'âme d'un stratège, et il suggère que l'on débarque un détachement à Namsos – après quoi lord Halifax se prononce en faveur de Trondheim : « Les opérations contre Narvik auraient un impact politique bien moindre qu'une entreprise visant à expulser les Allemands de Norvège du Sud... » Là-dessus, le ministre de la Guerre Oliver Stanley intervient pour faire remarquer que l'aide

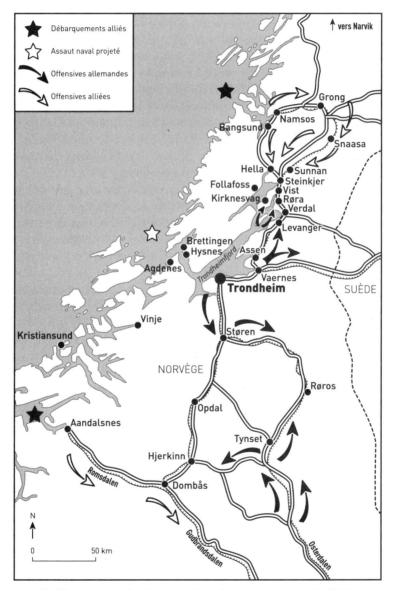

Théâtre des opérations en Norvège centrale, avril 1940

des chasseurs alpins français serait requise pour effectuer un débarquement à Trondheim ; or, les Français ont insisté pour que l'on donne la priorité à l'opération contre Narvik...

Le renfort du ministre de la Guerre et l'incertitude quant aux réactions de la France finissent par emporter la décision, et Churchill obtient gain de cause : l'attaque de Narvik ne sera pas affaiblie par une diversion sur Trondheim. Hélas ! en plus des trois niveaux de décision stratégique déjà répertoriés – Comité des chefs d'état-major, Comité de coordination militaire et Cabinet de guerre – il y a une quatrième instance qui est toute-puissante, et peut même remettre en cause les décisions du Cabinet de guerre ; il s'agit bien sûr du Cabinet de guerre du lendemain !

Le 13 avril au matin, en effet, tout va être remis en question : lord Halifax reprend ses arguments en faveur de Trondheim, le général Ironside fait remarquer qu'il faudrait pour cela retirer des troupes de France, et Winston Churchill répète ses avertissements de la veille. Mais Chamberlain fait état de « l'urgence qu'il y a à établir une position solide à Trondheim, particulièrement du point de vue politique. [...] La division de chasseurs alpins français pourrait être employée plus utilement à Trondheim qu'à Narvik. » Churchill supplie ses collègues de ne pas compromettre des plans qui sont en cours d'exécution et signale que, faute de moyens, l'opération contre Narvik pourrait bien dégénérer en un siège prolongé ; or, il s'agit au contraire de saisir la ville « par un coup de main ». Rien n'y fait : lord Halifax répète qu'il faut considérer la question sous son angle politique, le ministre de la Guerre penche tantôt pour Trondheim, tantôt pour Narvik, et le chancelier de l'Échiquier se déclare en faveur de Trondheim, bien que ses connaissances en matière stratégique se situent quelque part entre celles de Halifax et celles de Chamberlain. Pour finir, Churchill va devoir s'incliner, et les conclusions du Cabinet de guerre seront diamétralement opposées à celles de la veille : on veut « prendre Trondheim *et* Narvik », et demander aux Français la permission d'« utiliser les chasseurs alpins pour des opérations ailleurs qu'à Narvik[47] ».

D'où vient que tout cela donne une effarante impression de déjà-vu ? C'est que nous avons assisté aux mêmes péripéties un quart de siècle plus tôt exactement ! Ces chefs d'état-major qui oscillent entre l'excès de zèle et l'inaction totale, ces ministres qui ne parviennent pas à se décider, ce Premier ministre qui recule devant toute action belliqueuse pour se muer soudain en stratège amateur, ce premier lord de l'Amirauté qui intervient sans cesse dans le détail des opérations, déborde d'idées et se déclare prêt à toutes les concessions pourvu que l'on se décide enfin à faire quelque chose ; ces commandants qui voguent vers leur objectif avec des instructions diamétralement opposées de l'Amirauté et du *War Office**, c'est l'affaire des Dardanelles qui se répète trait pour trait ! Ainsi, Narvik apparaît comme une sorte de Gallipoli arctique, tandis que les mines de fer suédoises étincellent dans le lointain comme le vieux mirage de Constantinople. Pour Winston Churchill, décidément, la vie reste un éternel recommencement ; et tout comme le 28 janvier 1915, lorsqu'il s'était rallié au plan d'attaque exclusivement navale de Gallipoli, le premier lord va maintenant céder brusquement sur la question de Trondheim, et se mettre en devoir d'appliquer avec zèle les conceptions de ses collègues...

Ce soir-là, une excellente nouvelle parvient à Londres : ayant pénétré dans le fjord de Narvik, une escadre britannique a coulé les 7 destroyers allemands qui en défendaient l'accès. Enhardis par cette victoire, convaincus que la chute de Narvik est imminente et encouragés par la décision du Cabinet de guerre de l'après-midi, les membres du Comité de coordination militaire vont donc se tourner vers d'autres objectifs, et décider de lancer une attaque navale contre Trondheim (opération HAMMER), précédée d'un débarquement au sud, à Aandalsnes (SICKLE) et d'un autre plus au nord, à Namsos (MAURICE).

C'est ainsi que Churchill rend visite au général Ironside à 2 heures, au matin du 14 avril : « *Tiny***, nous nous sommes trompés d'objectif. C'est Trondheim qu'il faut viser. La marine va lancer une attaque directe contre la ville, et il me faut une petite force [...] pour exploiter l'attaque navale. Il me faut aussi des débarquements au nord et au sud de Trondheim, [...] afin d'appuyer l'assaut principal par un mouvement qui prenne Trondheim

* On se souvient que le général Hamilton était parti pour Gallipoli le 12 mars 1915 avec les instructions de l'Amirauté d'occuper immédiatement la presqu'île « par un coup de main éclair », tandis que le *War Office* lui ordonnait d'attendre des renforts et d'agir avec circonspection.

** « Minuscule » : c'est le surnom familier du général Ironside, qui mesure près de 2 mètres.

en tenaille[48].» Ironside proteste : il n'aura pas de troupes disponibles pour Trondheim tant que Narvik n'aura pas été pris. Il finit pourtant par céder, le projet ayant reçu l'aval de l'ensemble du Comité ; quelques heures plus tard, au Cabinet de guerre, Churchill se déclare résolument optimiste, et ses collègues acceptent le détournement de la 146e brigade de Narvik vers Namsos – sans déceler la part d'amateurisme qu'implique cette improvisation logistique ; enfin, les Français acceptent l'envoi des chasseurs alpins à Trondheim plutôt qu'à Narvik. La grande contre-offensive va donc pouvoir enfin se déclencher...

Pourtant, l'euphorie n'est guère justifiée : l'expédition RUPERT, qui se dirige vers Narvik, n'est plus constituée que de la 24e brigade, équipée pour un débarquement pacifique dans le cadre d'AVON-MOUTH et déjà dépouillée d'une partie de son équipement par le détournement sur Namsos des navires de la 146e brigade. Pour l'opération MAURICE sur Namsos, les opérations ne se présentent pas mieux : la 146e brigade est une unité territoriale peu entraînée, dont l'équipement a été partiellement amputé lorsque le convoi en route pour Narvik s'est scindé en deux au milieu de la mer du Nord ; les hommes possèdent donc des cartes de Narvik et une partie de l'équipement de la 24e brigade, tandis que leurs moyens de transport, une partie de leur armement... et leur commandant continuent à voguer vers Narvik ! Les troupes de la 148e brigade, elles, ont bien des cartes de Namsos, mais sans en avoir l'usage : elles débarqueront à Aandalsnes. Par ailleurs, les soldats de « Maurice » n'ont ni camions, ni skis, ni raquettes de neige, et pour atteindre Trondheim, ils devront parcourir 215 kilomètres – à condition de suivre la route, ce qui n'est guère indiqué pour des troupes dépourvues de couverture aérienne comme de DCA. Il reste bien sûr l'opération navale sur Trondheim (HAMMER) qui, à force de palabres, a pris le pas sur toutes les autres...

Le 17 avril, le Cabinet décide effectivement de lancer cette opération « le 22 avril si possible ». Participeront à l'attaque : une brigade de 2 500 chasseurs alpins français, 1 000 Canadiens et la 15e brigade régulière britannique. L'opération sera soutenue par deux porte-avions et couverte par 100 avions, dont 45 chasseurs[49]. « J'attendais avec impatience, écrira le bouillant premier lord, le déclenchement de cette exaltante entreprise, qui paraissait recueillir l'adhésion complète de l'état-major naval, comme d'ailleurs celle de tous nos experts[50]. » C'est encore vrai le 17 avril ; c'est déjà moins vrai le 18 avril ; ce n'est plus vrai du tout le 19 avril...

Qu'est-ce à dire ? Tout simplement que les chefs d'état-major viennent de changer d'avis : l'opération navale directe contre Trondheim est décidément trop risquée. C'est l'amiral Pound qui a donné le signal de la volte-face ; au matin du 18 avril, en effet, le croiseur *Suffolk*, qui bombardait l'aérodrome de Stavanger, est rentré à Scapa Flow avec la proue entièrement détruite, après avoir été harcelé pendant sept heures par l'aviation ennemie. L'amiral n'a pu s'empêcher de faire un rapprochement avec ce qui risquait de se produire si sa flotte était exposée à un pareil bombardement dans le fjord de Trondheim, et il en a fait part dès le soir du 18 avril au général Ironside ; ce dernier, sachant que son corps de débarquement serait dépourvu de toute défense antiaérienne, s'est rallié à son opinion, et ensemble, ils n'ont eu aucun mal à persuader le chef d'état-major de l'Air, peu soucieux de couvrir l'opération avec seulement cent avions démodés[51]. C'est ainsi qu'au matin du 19 avril, les chefs d'état-major rédigent un rapport dans lequel ils se prononcent catégoriquement contre la mise en œuvre du plan HAMMER[52]...

Pour Churchill, si récemment converti à cette opération, c'est une catastrophe : « Je fus indigné en apprenant cette soudaine volte-face, et j'interrogeai très soigneusement les officiers concernés. Il apparut bientôt que tous les responsables étaient désormais opposés à l'opération[53]. » Que faire dans ces conditions ? Le premier lord avait accepté d'abandonner RUPERT en faveur de HAMMER, pourvu que l'on prenne l'offensive sans plus tarder ; or, il s'avère maintenant que les résistances à l'assaut direct contre Trondheim sont encore plus fortes que l'opposition à l'attaque immédiate contre Narvik. Évidemment, il reste un partisan énergique de HAMMER : c'est l'amiral de la Flotte sir Roger Keyes qui, sorti de sa retraite, a même proposé de prendre lui-même le commandement de l'assaut. Sir Roger n'est pas le premier venu : héros de Zeebrugge en 1918, amiral de la Flotte depuis 1930, il est supérieur en grade à l'amiral Pound ; son avis revêt donc un poids certain, et son enthousiasme pour l'offensive ne peut déplaire à Churchill, qui le connaît depuis l'affaire des Dardanelles. Mais précisément, le premier lord a appris à cette occasion ce qu'il en coûtait de lancer un assaut majeur face à l'opposition des uns, à l'indifférence des autres, et à la pusillanimité de tous... Peu soucieux de voir l'histoire se répéter fidèlement, Churchill a donc repoussé sous des prétextes divers les offres de service de l'amiral Keyes ; plus encore, tout comme il s'était laissé détourner de Narvik pour accepter l'assaut contre Trondheim, Churchill va s'incliner brusquement et préconiser l'abandon de cette dernière opération ! Au matin du 20 avril, il s'adresse donc à ses collègues du Cabinet de guerre : « Compte tenu des succès que nous avons obtenus en faisant débarquer des troupes à Namsos et Aandalsnes, et des graves risques que comporterait un débarquement de vive force dans le secteur de Trondheim, il serait préférable de faire porter notre effort sur un mouvement en tenaille par le nord et par le sud, plutôt que sur un débarquement à Trondheim même[54]. »

Voilà de bien grands mots pour une tenaille aussi fragile : les troupes du général Morgan débarquées à Aandalsnes sont allées soutenir les Norvégiens devant Lillehammer – à 350 kilomètres au sud de Trondheim ! Quant à l'opération MAURICE, commandée par le général Carton de Wiart, elle reste immobilisée aux abords de Namsos, à 215 kilomètres au nord de Trondheim, par de furieux bombardements ennemis. Mais décidément, les membres du Cabinet de guerre refusent de jouer le sort de la flotte sur un seul coup de dés, d'autant que l'Italie pourrait entrer en guerre si les Alliés subissaient un désastre naval d'envergure. Enfin, Churchill a rappelé qu'il ne fallait pas se laisser détourner de l'objectif principal, qui restait... « de mettre la main sur les mines de fer de Gällivare[55] » ! Cette volte-face est donc approuvée par le Cabinet de guerre, et l'opération HAMMER rend définitivement l'âme au soir du 20 avril. Quelques heures plus tard, à l'Amirauté, juste après la dernière conférence d'état-major sur les opérations navales, les officiers de garde entendent leur premier lord remonter le temps, en dictant ses inoubliables tirades nocturnes sur la Grande Élisabeth et l'Invincible Armada, Cromwell à Naseby et Wolfe devant Québec...

Au cours des trois jours qui suivent, le Cabinet de guerre ne prend aucune décision importante, tandis que les membres du Comité de coordination militaire se perdent en récriminations : « Le général Ismay, notera John Colville*, nous décrivait d'un ton désespéré la confusion provoquée par les interventions enthou-

_____
* Qui est à l'époque l'assistant du secrétaire particulier de Neville Chamberlain.

siastes de Churchill dans les délibérations tranquilles et ordonnées du Comité de coordination militaire et du comité des chefs d'état-major. Sa verbosité et son agitation nécessitaient beaucoup de travail superflu, faisaient obstacle à une planification sérieuse et provoquaient bien des accrochages[56]. » Or, pendant ce temps, les forces britanniques engagées au sud de Trondheim sont taillées en pièces par l'infanterie allemande qui remonte d'Oslo, tandis que celles du nord, imprudemment avancées le long du fjord de Trondheim, sont sévèrement étrillées près de Steinkjer par des troupes de montagne allemandes débarquées au fond du fjord. C'est ainsi que les deux bras de la tenaille, SICKLE et MAURICE, au lieu de se refermer sur Trondheim, sont au contraire en train de s'écarter démesurément, et même de se fissurer sous les coups de boutoir de l'aviation et de l'artillerie ennemies. En d'autres termes, il n'y a pratiquement plus de tenaille… et plus du tout de marteau, puisque HAMMER a été abandonnée – sans même que les généraux Morgan et Carton de Wiart en soient avertis ! Quant à l'opération RUPERT devant Narvik, elle reste au point mort, en dépit des objurgations d'un premier lord qui sous-estime manifestement les difficultés de l'entreprise : après un furieux bombardement naval le 24 avril, lord Cork, constatant que « rien n'indique chez l'ennemi une quelconque intention de se rendre[57] », a renoncé au débarquement.

C'est à ce stade que Churchill s'avouera « fort préoccupé par l'échec complet de toutes nos entreprises contre l'ennemi, mais aussi par la faillite totale de notre manière de conduire la guerre[58] ». On le serait à moins : trois jours plus tôt, le *War Office* a certes désigné – enfin – un commandant unique en Norvège centrale* ; mais celui-ci, le général Massy, ne pouvant coordonner les opérations sur place du fait de l'absence quasi totale de moyens de communication, va devoir le faire depuis Londres. Hélas ! Même à Londres, il ne pourra pas coordonner grand-chose, d'autant qu'il ne sera invité qu'une seule fois à assister à une réunion du Comité de coordination militaire – qui lui-même ne coordonne rien du tout. Mais le 25 avril, Massy a finalement été informé de l'étendue des pertes subies par les forces SICKLE et MAURICE au sud et au nord de Trondheim, et il en a tiré une conclusion logique : « Des plans

---

* La Norvège du Nord est sous le commandement de l'amiral lord Cork and Orrery.

devraient être préparés pour assurer l'évacuation de nos forces d'Aandalsnes et de Namsos en cas de nécessité[59]. » Le Cabinet de guerre, qui examine cette proposition le lendemain, recule naturellement devant une telle mesure : ce serait politiquement désastreux, et puis, on redoute fort les réactions françaises. Pour finir, il est seulement décidé que « l'échéance de l'évacuation devrait être différée le plus longtemps possible, […] et devrait même, pour bien faire, n'intervenir qu'après la capture de Narvik[60] ».

Noble résolution, mais qui ne résistera pas vingt-quatre heures à l'épreuve des faits. Car si jusque-là, le général Massy n'a rien pu faire d'utile au milieu de la confusion complète qui préside à la prise de décisions stratégiques, la réception de deux messages décrivant la destruction complète d'Aandalsnes va l'amener pour la première fois à exercer ses prérogatives de commandant en chef ; au matin du 27 avril, il envoie une note énergique au Cabinet de guerre : l'expédition MAURICE à Namsos n'a plus qu'un rôle purement défensif depuis la défaite de Steinkjer, et la force SICKLE, déjà sévèrement malmenée et menacée d'être débordée, vient d'être soumise à de violents bombardements sur sa base arrière d'Aandalsnes. « Dès lors, conclut le général Massy, il faut prendre des mesures pour rembarquer la force SICKLE » ; et il ajoute : « Le retrait de Namsos est également nécessaire, car une jonction Oslo-Trondheim [par les Allemands] rendrait intenable la position de l'expédition MAURICE[61] ».

Cette fois, chacun comprend au Cabinet de guerre qu'il va s'agir de prendre une décision contraignante et définitive ; or, les ministres détestent profondément ce genre d'exercice – sauf bien sûr Winston Churchill, qui se déclare partisan de « laisser les troupes actuellement en Norvège donner le meilleur d'elles-mêmes, en coopération avec l'armée norvégienne ». La solution est sublime pour un fougueux lieutenant de cavalerie, mais insensée pour tout stratège raisonnable. Ses collègues, eux, mesurent parfaitement les conséquences politiques d'un désastre militaire en Norvège ; dès lors, l'accord se fait : on procédera à l'évacuation sans délai[62].

Naturellement, rien n'oblige à le crier sur les toits ; voilà pourquoi, au cours de la séance du Conseil suprême qui s'ouvre deux heures plus tard, personne ne se soucie de faire savoir aux Français que toute discussion est inutile, puisque l'on vient de décider l'évacuation de la Norvège centrale… Au lecteur qui garde cela à l'esprit, les débats entre Français et Britanniques apparaîtront sans doute comme un très mauvais vaudeville : Paul Reynaud, préoccupé avant tout par la survie de son gouvernement, exige que l'on « sauve la face », en maintenant « certains éléments de résistance au sud de Trondheim » ; ensuite, bien sûr, il faut « sauvegarder Narvik[63] » – lorsqu'on parviendra à le prendre ! Chamberlain approuve, et Reynaud rentrera à Paris pleinement satisfait. Deux heures plus tard, les ordres partent de Londres vers Aandalsnes et Namsos : évacuation immédiate…

La veille, sir Roger Keyes avait écrit à Churchill ces lignes menaçantes : « Si ce gouvernement persiste à vouloir nous saborder, il va falloir qu'il s'en aille, et je ferai tout mon possible pour accélérer le mouvement, nom de Dieu[64] ! » L'occasion ne va pas tarder à s'en présenter, et sir Roger Keyes tiendra parole… Mais pour l'heure, le Cabinet de guerre maintient sa décision d'évacuation, et au vu de la situation sur le terrain, on ne peut pas vraiment lui donner tort. Malgré de furieux bombardements et des pertes sensibles, les deux corps expéditionnaires parviendront à s'extraire de Namsos et d'Aandalsnes sans désastre majeur entre le 2 et le 3 mai* ; après cela, les forces norvégiennes autour de Trondheim, cernées et à court de munitions, acceptent de se rendre ; leur commandant, le général Ruge, rejoindra le roi et le gouvernement à Tromsø, au nord de Narvik. C'est ainsi qu'en Norvège centrale, la campagne s'achève faute de combattants.

« Il est bien trop tôt, a déclaré Chamberlain le 2 mai, pour dresser le bilan de l'affaire norvégienne, car ce n'est qu'un épisode de la campagne qui s'achève à présent[65]. » C'est possible, mais il s'achève très mal, et l'opinion publique, la presse et les honorables membres du Parlement ne peuvent s'empêcher de dresser d'ores et déjà le bilan de l'aventure ; le Premier ministre a donc dû promettre à la Chambre un débat général sur l'affaire de Norvège pour le 7 mai.

Au moment où s'ouvre au Parlement la séance du 7 mai 1940, une très grande incertitude règne dans les esprits, tant dans la majo-

---

* Le sauvetage des 4 200 soldats britanniques et français du général Carton de Wiart par la flotille de destroyers du capitaine Mountbatten, engagée au fond du fjord de Namsos parmi les épaves dérivantes et les pluies de bombes, constitue l'un des plus fabuleux exploits de la campagne. (Voir F. Kersaudy, *Lord Mountbatten, l'Étoffe des héros*, Payot, Paris, 2006, p. 85-86.)

rité que dans l'opposition. Le gouvernement va devoir justifier ses actions, ses inactions, son impréparation et ses tergiversations, tout en sachant que parmi les censeurs les plus sévères de sa politique, il y aura beaucoup de membres du parti conservateur. Du côté de l'opposition travailliste et libérale, on s'apprête certes à fustiger les insuffisances et les maladresses de la politique de guerre du Premier ministre, mais on sait bien que les conservateurs disposent d'une solide majorité aux Communes ; tout au plus peut-on espérer la constitution d'un Cabinet de coalition. Seulement, le nouveau Premier ministre ne pourrait être qu'un des membres du gouvernement que l'on s'apprête à dénoncer ; il faudra donc montrer autant de doigté que d'énergie en dressant l'acte d'accusation. Mais au-delà des clivages politiques et des sympathies personnelles, ce qui va dominer les débats et leur donner pendant deux jours une âpreté tout à fait exceptionnelle, ce n'est rien de moins que le spectre hideux de la défaite qui menace désormais l'Angleterre...

Dès son arrivée à la Chambre, Chamberlain est accueilli aux cris de « Qui a manqué le coche ? » – une allusion peu discrète à ses paroles malheureuses du 4 avril. Le Premier ministre semble gêné, fatigué, et il égrène d'une voix hésitante les arguments destinés à désarmer ses critiques : « J'espère que nous nous garderons d'exagérer l'étendue ou l'importance du revers que nous venons de subir. L'évacuation de la Norvège du Sud n'est pas comparable à celle de Gallipoli [...] Il n'y avait là guère plus d'une division [...] Le coup de force allemand a été facilité par des actes de trahison en Norvège [...] Pourtant, la campagne n'est pas terminée...

[*Interruption* : "Hitler a manqué le coche !"]

– S'il m'apparaît que les implications de la campagne de Norvège ont été gravement exagérées...

[*Interruption* : "Qui a manqué le coche ?"]

– ... et si je garde une confiance totale dans la victoire finale, je ne crois pas en revanche que les citoyens de ce pays se rendent encore compte de l'étendue et de l'imminence du danger qui nous menace...

Un député : "C'est ce que nous disions il y a cinq ans !"

– Pour ma part, je m'efforce de maintenir le cap en évitant les extrêmes...

[*Interruption.*]

– ... sans susciter de vaines illusions...

[*Interruption* : "Hitler a manqué le coche !"]

– Voilà bien des fois que des honorables membres de cette Chambre répètent la phrase "Hitler a manqué le coche"

[*Interruption* : "Elle est de vous ![66]"]

Le Premier ministre termine son discours tant bien que mal, en lançant un appel à l'unité qui ne rencontre guère d'écho. « La Chambre, note le député Henry Channon, était à la fois houleuse et amorphe. L'ambassadeur d'Égypte dormait. Enfin, le Premier ministre s'assit[67]. » Lloyd George et Herbert Morrison ayant posé quelques questions, c'est ensuite Clement Attlee qui prend la parole. Le chef du parti travailliste n'a rien d'un grand orateur, mais la pertinence de ses arguments n'échappe à personne – sauf bien sûr à l'ambassadeur d'Égypte : « L'évacuation a certes été un fait d'armes magnifique, mais enfin, c'est bien d'une retraite qu'il s'agit, donc d'un revers. [...] Rien ne sert de minimiser l'événement. [...] Je demande s'il ne s'est pas trouvé des moments où l'hésitation et la discussion ont servi de substituts à l'action. [...] Dans le pays, on dit que ceux qui sont responsables de la conduite des affaires ont derrière eux une suite d'échecs ininterrompue. Avant la Norvège, il y a eu la Tchécoslovaquie et la Pologne. Chaque fois, nous sommes arrivés trop tard. [...] Le conflit actuel est pour nous une question de vie ou de mort, et nous ne pouvons pas nous permettre de confier nos destinées à des professionnels de l'échec, ou à des hommes qui ont besoin d'une cure de repos. »

Ce réquisitoire impitoyable va être poursuivi par celui du dirigeant libéral Archibald Sinclair : « Ce n'est pas l'évacuation que je critique, ce sont les conditions qui ont mené à cette évacuation. Du point de vue de la propagande, [...] de l'économie, de la diplomatie surtout, de la stratégie dans une moindre mesure, nous avons subi un grave revers. » Sinclair va réfuter un à un les arguments du Premier ministre ; les carences dans l'équipement, l'approvisionnement et le commandement des troupes britanniques sont énumérées tour à tour par l'ancien pacifiste, qui déclare tout net : « Je prétends que cette défaillance dans l'organisation est due à un manque de prévoyance de la part de ceux qui, au niveau politique, sont chargés de la conduite de la guerre. »

On peut difficilement être plus clair, et lorsque le chef du parti libéral termine son intervention, on remarque que les applaudissements ne viennent pas seulement des bancs de l'opposition.

Plusieurs députés conservateurs se lèvent ensuite pour défendre le gouvernement; ils sont peu expérimentés, ne paraissent guère convaincus, et une certaine torpeur s'installe... Mais les honorables députés sont bientôt réveillés en sursaut, car l'orateur suivant n'est autre que l'amiral Roger Keyes, revêtu de son uniforme de cérémonie de grand amiral de la flotte, avec six rangs de décorations. Ce spectacle imposant, joint à la conviction profonde du héros de Zeebrugge et à son langage fort peu parlementaire, va littéralement envoûter l'auditoire : « La capture de Trondheim était indispensable; elle était impérative; elle était vitale. Depuis le 16 avril, j'avais conjuré l'Amirauté de lancer une opération navale plus énergique, en utilisant de vieux navires. » Keyes, conservateur de longue date, évoque longuement ses tentatives infructueuses pour obtenir le commandement de HAMMER, les rebuffades qu'il a subies, les causes réelles du désastre de Steinkjer, les hésitations du Cabinet de guerre, et finalement l'abandon définitif de tout projet d'offensive... « Une effarante démonstration d'impéritie d'un bout à l'autre ! tonne l'amiral; c'est la tragédie de Gallipoli qui s'est fidèlement répétée ! »

« La Chambre retient son souffle, note le député Harold Nicolson; c'est de loin le discours le plus dramatique que j'aie jamais entendu, et lorsque Keyes s'assoit, un tonnerre d'applaudissements retentit[68]. » De toute évidence, les propos de sir Roger Keyes ont fortement ébranlé les députés. Mais c'est une autre intervention qui va sceller le destin du gouvernement; une fois encore, elle sera le fait d'un conservateur : Leopold Amery. Député de Birmingham depuis plus d'un quart de siècle, ancien ministre, ami et collègue d'Austen et de Neville Chamberlain, Amery jouit à la Chambre d'un grand prestige; en tant que conseiller privé, il a le droit d'être entendu dès la première séance, mais le moment exact est à la discrétion du *speaker*. « Cette fois, écrira Amery, je savais que ce que j'avais à dire était important, et je tenais absolument à ce que cela produise l'effet que j'en attendais. » Mais l'heure avance, les députés sortent les uns après les autres pour aller dîner, et lorsque Leopold Amery est enfin invité à s'exprimer, il ne reste plus guère qu'une demi-douzaine d'auditeurs dans la salle. « Je faillis me résoudre à renvoyer à un autre jour mon plaidoyer en règle contre le gouvernement [...] lorsque Clement Davies, qui vint se placer derrière moi alors que je m'étais déjà levé, me murmura à l'oreille qu'il fallait à tout prix que j'expose l'ensemble de nos griefs contre le gouvernement ; sur quoi il alla battre le rappel au fumoir et à la bibliothèque. Lorsque j'eus fait quelques remarques au sujet des interventions précédentes, je me trouvai déjà devant un auditoire plus fourni, et je passai d'emblée à l'attaque directe[69]. »

Le mot n'est pas trop fort ; pendant plus d'une heure, au milieu du groupe conservateur, à quelques mètres seulement des bancs du gouvernement, Leopold Amery va prononcer un réquisitoire dévastateur : « Le Premier ministre nous a présenté des arguments logiques pour expliquer notre échec. On peut toujours faire cela après n'importe quel échec. [...] C'est sur l'histoire des décisions, de l'absence de décisions, des changements de décisions [...] que nous devons nous pencher. » Et Leopold Amery de lancer une salve de questions : pourquoi avoir envoyé des forces aussi réduites et dépourvues de moyens de transport ? Pourquoi Trondheim n'a-t-il pas été pris ? Pourquoi et par qui l'opération HAMMER a-t-elle été annulée ? « Arrivé à ce stade de mon discours, notera-t-il, je remarquai que la Chambre m'écoutait avidement ; plus encore, les murmures d'approbation et les applaudissements venaient de plus en plus des bancs conservateurs qui se remplissaient autour de moi[70]. » Enhardi, Amery en arrive à l'essentiel : « Notre organisation de temps de paix est inadaptée aux conditions du temps de guerre [...]. D'une façon ou d'une autre, il nous faut mettre à la tête du pays des hommes qui se montrent à la hauteur de l'ennemi par leur esprit combatif, leur audace, leur résolution et leur soif de vaincre. » Sur ce, Amery cite les propos tenus jadis par Cromwell à John Hampden au sujet de l'armée du Parlement, vaincue à plusieurs reprises par les cavaliers du prince Rupert : « Il vous faut trouver des hommes décidés, aptes à aller aussi loin que leurs ennemis, sinon vous serez battus de nouveau. » Et il poursuit : « Sans doute n'est-il pas aisé de trouver de tels hommes. On ne le pourra qu'en les mettant à l'épreuve, et en écartant impitoyablement tous ceux qui échouent et dont les insuffisances sont révélées. » Mais Amery a pensé à certaines autres paroles de Cromwell, des paroles plus fortes encore, qu'il hésite à citer... jusqu'à ce que l'approbation de plus en plus manifeste de ses pairs le décide à franchir le pas : « Je me sentis porté, dira-t-il, par la vague d'émotion que mon discours avait suscitée autour de moi. » Il va donc conclure par ces mots : « J'ai déjà cité certaines paroles d'Oliver Cromwell. Je vais maintenant en citer d'autres. C'est avec une grande réticence que je le fais, car je m'adresse à des hommes qui sont depuis longtemps mes amis et mes collègues, mais les paroles auxquelles je pense s'appliquent bien, je crois, à la situation actuelle. Voici ce qu'a dit Cromwell au Parlement croupion, lorsqu'il a estimé qu'il n'était plus apte à conduire les affaires de la nation : "Vous avez siégé trop longtemps en ces lieux pour le peu de bien que vous y avez fait. Partez, vous dis-je, et qu'on ne vous revoie plus. Au nom du Seigneur, partez[71] !" »

Tous les députés noteront que l'effet produit sur la Chambre est considérable : « Par le discours qu'il a prononcé ce jour-là, écrira Harold Macmillan, Leopold Amery a bel et bien détruit le gouvernement Chamberlain. Et je n'exagère pas[72]. » Certes non, mais Harold Macmillan anticipe ; le débat va se poursuivre toute la soirée et toute la journée du lendemain. Les attaques contre le gouvernement se succèdent, âpres, impitoyables, lancées depuis les bancs conservateurs, travaillistes et libéraux à la fois. Au matin du 8 mai, Herbert Morrison, au nom du parti travailliste, demande pour le soir même un vote de censure contre le gouvernement. À ces mots, Chamberlain, visiblement fatigué et énervé, se lève pour répondre : « J'accepte le défi. Je l'accueille même avec plaisir. Nous verrons au moins qui est avec nous et qui est contre nous, et j'en appelle à mes amis pour qu'ils nous soutiennent lors du vote de cette nuit[73]. »

C'est une erreur de taille, qui va semer la consternation jusque dans les rangs du gouvernement : ainsi, le Premier ministre en est toujours à considérer comme une simple affaire de parti, et même de loyauté personnelle à son égard, ce qui est devenu au plus haut point une question d'intérêt national et de salut public ! L'opposition ne va pas tarder à s'engouffrer dans la brèche, à commencer par le vieux Lloyd George : « Le Premier ministre a déclaré : "j'ai mes amis." La question n'est pas de savoir qui sont ses amis. Il s'agit de bien autre chose. [...] Il nous a invités à faire des sacrifices. [...] Je déclare solennellement que c'est au Premier ministre de donner l'exemple du sacrifice, parce que rien ne pourra contribuer davantage à la victoire que sa démission. »

Sir Stafford Cripps, Duff Cooper, le commandant Bower, le travailliste Alexander relèvent les uns après les autres l'inconvenance des derniers propos de Chamberlain ; de nombreux jeunes

conservateurs en uniforme égrènent la liste interminable des insuffisances constatées lors de la campagne de Norvège et, à l'exemple
de Duff Cooper lui-même, laissent clairement entendre qu'ils voteront ce soir-là contre le gouvernement. Mais les adversaires de
Chamberlain manifestent quelque inquiétude : ils souhaitent certes
le départ du Premier ministre, mais ne veulent pas sacrifier en
même temps Churchill, dont chacun sait bien qu'il est seul capable
de mener l'Angleterre à la victoire ; or, il s'est impliqué à fond dans
l'affaire de Norvège, et reste pleinement solidaire de ses collègues
du Cabinet. Harold Macmillan résumera ainsi le dilemme : « Nous
étions décidés à faire tomber le gouvernement, et chaque heure
qui passait nous rapprochait de notre objectif. Mais comment sauver Churchill du naufrage[74] ? »

En fait, depuis la veille, la plupart des orateurs ont déjà préparé
ce sauvetage, en concentrant leurs attaques sur le Premier ministre
et sur la politique de défense menée depuis 1935 – un exercice
périlleux pour les députés travaillistes et libéraux... Ils ont également fait à plusieurs reprises une distinction très nette entre
Churchill et ses collègues. Ainsi, dès le 7 mai, l'amiral Keyes, si
sévère pour le gouvernement, épargnait visiblement le premier
lord de l'Amirauté : « J'attends avec impatience que l'on se décide
à faire un usage convenable de ses vastes capacités. Je ne puis
croire que ce sera possible dans le cadre du système actuel. » Dès
le lendemain matin, le même phénomène se reproduit avec une
régularité déconcertante : le commandant Bower rappelle les
attaques passées de Churchill contre la politique de Chamberlain ;
A. V. Alexander, en plein milieu d'un réquisitoire impitoyable
contre les ministres de l'Air et de la Guerre, rend un vibrant hommage au ministre de la Marine, imité en cela par Duff Cooper, qui
ajoute : « Ce soir, le premier lord [...] défendra ceux qui ont
pendant si longtemps accueilli avec mépris ses avertissements. Je
ne doute pas qu'il réussira, [...] et ceux qui ont si souvent tremblé
devant son épée ne seront que trop heureux de se réfugier derrière
son bouclier. » Lloyd George va lui aussi s'engager dans cette voie,
et prononcer au passage quelques paroles mémorables : « Tout le
monde sait que le peu qui a été fait l'a été à contrecœur, sans
efficacité, sans entrain, sans intelligence. [...] Je ne crois pas que le
premier lord porte l'entière responsabilité de tout ce qui s'est
passé en Norvège...

Churchill : – J'assume l'entière responsabilité de tout ce qui a été fait par l'Amirauté.

Lloyd George : – Le très honorable gentleman ne doit pas se laisser transformer en abri antiaérien pour protéger ses collègues des éclats d'obus[75]. »

Il est clair que les honorables députés de tous les partis font eux-mêmes l'impossible pour préserver Winston Churchill des salves répétées qu'ils tirent contre son gouvernement. Lorsque le premier lord se lève finalement pour prononcer son discours, il se trouve donc dans la situation extrêmement embarrassante d'avoir à défendre ses ennemis politiques d'hier, devenus ses collègues du moment, contre les ennemis du gouvernement, qui sont déjà ses partisans et risquent de devenir ses collègues de demain... Il va donc s'efforcer d'éviter les éclats, en s'étendant longuement sur les difficultés de l'affaire de Norvège et en lançant un émouvant appel à l'unité.

Personne ne se méprend sur la signification du vote qui va suivre ; pour Harold Macmillan, « tout l'avenir de la Grande-Bretagne et de l'Empire était en jeu[76] ». À première vue, les résultats ne sont pas trop défavorables : 281 voix pour le gouvernement, 200 contre... En fait, c'est une défaite cinglante pour Chamberlain : jamais, depuis 1937, il n'a eu une majorité aussi réduite ; 33 conservateurs ont voté contre le gouvernement et 60 se sont abstenus ! « Après le débat, se souviendra Churchill, Chamberlain me demanda de venir le voir, et je m'aperçus tout de suite qu'il était très affecté par l'attitude de la Chambre à son égard. Il se sentait hors d'état de poursuivre sa tâche. [...] Quelqu'un devait former un gouvernement au sein duquel tous les partis seraient représentés, sinon on ne pourrait s'en sortir. » Avec sa pugnacité habituelle, Churchill refuse d'abandonner la partie, et tente de persuader le Premier ministre de rester en place. Mais ce dernier est découragé : « Chamberlain ne se laissa ni convaincre ni réconforter, et je le quittai vers minuit avec le sentiment qu'il persisterait dans sa résolution de se sacrifier s'il n'y avait pas d'autre solution[77]. »

En fait, Neville Chamberlain va hésiter longtemps et changer plusieurs fois d'avis. Pendant toute la matinée du 9 mai, des rumeurs de toutes sortes circulent dans les couloirs du Parlement, au sein des clubs et des états-majors de partis. Chamberlain va-t-il démissionner ? Qui peut lui succéder ? On dit que les travaillistes préféreraient Halifax ; c'est exact*. Chamberlain aussi, d'ailleurs, et le roi également... Mais une chose est sûre : la situation exige que l'on constitue un gouvernement de coalition. Le Premier ministre vient de consulter Attlee et Greenwood, pour savoir s'ils accepteraient d'entrer dans son gouvernement ; ceux-ci lui ont répondu qu'ils allaient soumettre la question au congrès de leur parti, mais qu'à leur avis, la réponse serait presque certainement négative. Cet après-midi-là, Chamberlain a donc réuni Halifax et Churchill à Downing Street : « Nous nous assîmes à la table, en face de M. Chamberlain, se souviendra Churchill. Il nous dit qu'il avait acquis la conviction qu'il lui serait impossible de former un gouvernement de coalition. La réponse des chefs du parti travailliste ne lui avait laissé aucun doute à cet égard. Il lui fallait donc choisir celui qu'il proposerait au roi comme successeur, une fois sa propre démission acceptée. [...] Il nous regarda tous deux de l'autre côté de la table[78]. »

En fait, Chamberlain s'est avancé jusqu'à déclarer à ses deux interlocuteurs que « Halifax passait pour être le plus acceptable[79] ». Mais Churchill a été dûment chapitré par Anthony Eden et par un vieil ami de Chamberlain, sir Kingsley Wood ; ce dernier avait effectivement prévenu Churchill que le Premier ministre « voudrait que Halifax lui succède, et demanderait à Churchill de donner son accord ». « Ne le donnez pas, avait ajouté Kingsley Wood ; d'ailleurs, ne dites rien[80]. » Winston Churchill va suivre ce conseil à la lettre : « D'habitude, je parle beaucoup, mais en l'occurrence, je restai coi. Ainsi, un très long silence s'ensuivit. [...] Enfin, Halifax prit la parole. Il déclara qu'à son avis, sa position de pair du Royaume, en le maintenant en dehors de la Chambre des communes, lui causerait de grosses difficultés pour s'acquitter de ses fonctions de Premier ministre au cours d'une guerre comme celle-là. [...] Il poursuivit pendant quelques minutes son argumentation en ce sens, et lorsqu'il eut achevé, il apparut clairement que la charge allait m'échoir – et qu'en fait, elle m'était déjà échue[81]. »

Ce n'est pas encore certain, car dès le lendemain 10 mai, un coup de tonnerre éclate : Hitler a attaqué la Belgique et la Hollande. Dès lors, Chamberlain revient sur sa décision et manifeste l'intention de rester à son poste[82]. C'est encore sir Kingsley Wood qui va

---

* Mais ils ne voient personne d'autre que Churchill « pour gagner la guerre », et semblent le voir plutôt dans le rôle de ministre de la Défense.

intervenir pour persuader le Premier ministre que la crise qui vient d'éclater rend plus nécessaire encore la constitution d'un gouvernement d'union nationale. Chamberlain finit par se laisser convaincre, et ce soir-là, à 18 heures, Winston Churchill se rend à Buckingham Palace, où le roi va le charger de former le nouveau gouvernement. De retour du palais, il confie à son garde du corps : « J'espère qu'il n'est pas trop tard. J'ai bien peur que si. Il ne nous reste qu'à faire pour le mieux[83].

CHAPITRE XI

SOLISTE

Beaucoup d'historiens se sont étonnés de cet étrange caprice du destin, qui a voulu que Winston Churchill soit porté au pouvoir par un désastre dont il était le principal artisan. Mais beaucoup d'historiens ont pu se tromper : dans cette malheureuse campagne de Norvège, Churchill a certes ajouté à la confusion par des improvisations hasardeuses et des interventions intempestives, mais lorsqu'ont été prises les décisions stratégiques d'envergure, il a dû le plus souvent s'incliner devant l'avis unanime des chefs d'état-major, ou celui de la majorité de ses collègues du Cabinet – ce qui s'est révélé tantôt regrettable et tantôt providentiel... Car chez cet amateur éclairé à l'illustre ascendance, les inspirations stratégiques peuvent être exceptionnellement brillantes ou parfaitement catastrophiques ! Mais ce que les honorables députés reprochaient au gouvernement Chamberlain les 7 et 8 mai 1940, c'était moins le fiasco norvégien que l'effarant cortège de négligences, de faiblesses et d'imprévoyance qui l'avait rendu possible – et que Churchill n'avait cessé de dénoncer pendant sept longues années. À l'automne de 1939, il s'était certes vu restituer ses pouvoirs d'antan à l'Amirauté, mais ses fonctions restant subordonnées et l'histoire se répétant fidèlement, il n'avait pu obtenir de meilleurs résultats qu'en 1915. Or, voici qu'à présent, le destin s'incline davantage, en lui accordant ce pouvoir suprême auquel il aspire depuis 1914 – et même depuis 1896 ! « J'avais enfin, écrira-t-il, le pouvoir de donner des directives dans tous les domaines, [...] et il me semblait que toute ma vie passée n'avait été qu'une préparation à cette heure et à cette épreuve[1]. » Même parmi les plus ambitieux, bien peu se réjouiraient d'être appelés à prendre le commandement d'un navire en perdition ; mais Winston Churchill, on le sait, n'est pas un ambitieux ordinaire...

Dans l'ensemble, l'accession au pouvoir du député et premier lord Churchill ne provoque pas un enthousiasme délirant au sein de l'establishment politique et administratif ; ainsi que l'écrira le secrétaire de Chamberlain, John Colville : « Au n° 10, nous avions tant espéré que le roi ferait appel à lord Halifax ; mais c'est Churchill qui avait été choisi, et nous considérions avec quelque répugnance l'arrivée de ses myrmidons Bracken, Lindemann et Desmond Morton* [...]. Le pays était tombé aux mains d'un aventurier, brillant certes et orateur persuasif, mais un homme dont les amis et les partisans n'étaient pas des gens à qui l'on pouvait confier la conduite des affaires de l'État à l'heure du péril suprême. Rarement l'accession au pouvoir d'un Premier ministre aura suscité autant de doutes au sein de l'establishment, et autant de conviction que ces doutes allaient se justifier[2]. »

L'imminence du danger qui pèse sur l'Angleterre présente au moins un avantage : les tractations complexes qui précèdent habituellement la constitution d'un nouveau gouvernement s'en trouvent considérablement simplifiées... Ceux qui sont sollicités pour servir hésitent à se dérober ; ceux qui ne le sont pas s'en consolent aisément. À première vue, du reste, ce n'est pas un gouvernement révolutionnaire que Winston Churchill présente aux Communes le 13 mai 1940 : on y retrouve la plupart des hommes de Munich**, et parmi les cinq membres du Cabinet de guerre figurent à la fois Chamberlain et Halifax, respectivement lord président du Conseil et ministre des Affaires étrangères. Churchill a-t-il voulu ainsi se montrer magnanime ? Pas exactement : malgré tout ce qui s'est passé depuis un an, Chamberlain reste le chef du parti conservateur, et il ne saurait y avoir une

---

* Halifax, pourtant un modèle de modération, les qualifiera même de « gangsters » !

** À l'exception de sir Samuel Hoare, qui est nommé ambassadeur à Madrid, et de sir Horace Wilson, qui est consigné aux oubliettes. Mais Maurice Hankey est nommé chancelier du duché de Lancastre, à la fois pour plaire à Chamberlain et parce qu'il préside un grand nombre de comités secrets qui sont indispensables à l'effort de guerre.

majorité de gouvernement sans le soutien de ses partisans à la Chambre. Il n'y a que sept ministres travaillistes, mais deux d'entre eux, le lord du Sceau privé Clement Attlee et le ministre sans portefeuille Arthur Greenwood, sont membres du Cabinet de guerre, et deux autres occupent des fonctions essentielles : Herbert Morrison à l'Armement et Hugh Dalton à la Guerre économique. Il y a un seul libéral, le ministre de l'Air Archibald Sinclair ; c'est le chef de son parti, mais aussi l'un des plus vieux amis de Churchill... Bien sûr, les conservateurs « dissidents » sont largement représentés : Eden à la Guerre, Amery à l'Inde, Duff Cooper à l'Information, lord Lloyd aux Colonies, tandis que le transfuge Kingsley Wood trouve sa récompense en devenant chancelier de l'Échiquier. Enfin, Churchill a insisté pour faire nommer au ministère du Travail un ancien ennemi qu'il admire, le syndicaliste Ernest Bevin, et au tout nouveau ministère de la Construction aéronautique le flamboyant magnat de la presse lord Beaverbrook, dont il connaît depuis un quart de siècle le caractère insupportable et la redoutable efficacité...

Mais la véritable innovation dans ce gouvernement, c'est la création d'un ministère de la Défense, que Churchill réclamait depuis la dernière guerre et dont il assumera lui-même la charge. Si les attributions du nouveau ministre de la Défense n'ont pas été précisément définies, c'est justement parce qu'elles doivent connaître le moins de limites possible – car sous le contrôle purement formel du Cabinet de guerre, du Parlement et du roi, le descendant du grand Marlborough compte bien prendre en mains personnellement la conduite de la guerre ! Comme le temps manque pour faire sortir de terre un ministère de la Défense entièrement équipé avec toute la bureaucratie qui l'accompagne, Churchill se contente de prendre à son service le secrétariat militaire du Cabinet de guerre avec son chef, le général Ismay, et ses deux adjoints, les colonels Leslie Hollis et Ian Jacob*. Rebaptisé « bureau du ministre de la Défense », cet organisme restreint va devenir les yeux, les oreilles, le bras armé et

---

* D'après sir Ian Jacob, Churchill voulait constituer à l'origine un service officieux regroupant ses conseillers familiers, dont Lindemann, Sandys, Lyttelton et Morton. Mais le général Ismay l'avait discrètement détourné vers l'utilisation de structures militaires plus orthodoxes – en l'occurrence, le secrétariat militaire du Cabinet de guerre et le Comité des chefs d'état-major.

la courroie de transmission du Premier ministre en matière militaire ; il assurera également une liaison permanente avec le Comité des chefs d'état-major, désormais directement subordonné au ministère de la Défense et présidé par lui. Le général Ismay, à la fois principal officier d'état-major du ministre de la Défense, secrétaire-adjoint du Cabinet de guerre* et quatrième membre du Comité des chefs d'état-major, sera véritablement la cheville ouvrière de l'ensemble**. Les ministres de la Guerre, de l'Air et de la Marine***, eux, siégeront au Comité de défense du Cabinet de guerre avec les chefs d'état-major, et se cantonneront pour le reste aux aspects administratifs de leurs ministères ; d'ailleurs, ce sont tous trois des admirateurs du Premier ministre, qui ne les a pas choisis au hasard... C'est grâce à ces savants montages que l'on évitera les lamentables atermoiements stratégiques de la Grande Guerre et de la campagne de Norvège. Quant à Winston Churchill, dont l'ambition à quatorze ans était de commander une armée, il pourra désormais les commander toutes !

À condition bien sûr que les Allemands lui en laissent... Car en Norvège du Nord, les soldats qui piétinent toujours devant Narvik vont bientôt se trouver à la merci de la Wehrmacht, qui remonte de Mosjøen à marches forcées ; en Belgique, pendant ce temps, les sept divisions britanniques de lord Gort, qui se sont portées en avant avec la 1re armée française, occupent des positions assez vulnérables derrière la Dyle, où elles attendent l'assaut ennemi avec une faible couverture aérienne et une consternante pénurie de chars ; c'est que l'unique division blindée de Sa Majesté n'a pas encore débarqué... Et dans la matinée du 13 mai, on a observé un important mouvement de panzers derrière la Meuse, entre Sedan et Dinant.

* Le secrétaire du Cabinet de guerre est sir Edward Bridges, qui s'occupe principalement des affaires civiles. Le colonel Leslie Hollis, adjoint du général Ismay, est aussi secrétaire du Comité des chefs d'état-major.
** Le général Hastings Ismay est singulièrement qualifié pour cette tâche : organisateur hors pair, homme de principes et de caractère, il est également diplomate, dévoué, courageux, patriote et d'une loyauté à toute épreuve. Sans cet infatigable intermédiaire, confident, arbitre, conciliateur et souffre-douleur, il n'est pas certain que le dispositif improvisé en 1940 aurait continué à fonctionner sans accrocs pendant les cinq années de guerre.
*** Anthony Eden, Archibald Sinclair et A.V. Alexander.

Rien de tout cela ne peut inciter à l'optimisme, mais le tout nouveau Premier ministre, à la fois soldat, politicien, journaliste et historien, sait fort bien qu'une armée ne peut tenir que par le moral de l'arrière ; c'est pourquoi, en présentant son gouvernement aux Communes cet après-midi-là, il va prononcer un discours méticuleusement préparé, qu'il a conçu comme un vibrant appel aux armes : « Je voudrais dire à la Chambre ce que j'ai dit à ceux qui ont rejoint ce gouvernement : "Je n'ai rien d'autre à offrir que du sang, de la peine, de la sueur et des larmes !" » Quatre-vingts ans plus tôt, Garibaldi avait dit à peu près la même chose à ses Chemises rouges*, mais le 13 mai 1940, la plupart des honorables députés l'entendent pour la première fois, et l'effet produit est considérable – d'autant que la suite est en tout point digne de Clemenceau lui-même : « Vous me demandez ce qu'est notre politique ? Je vous dirai : c'est de faire la guerre, sur mer, sur terre et dans les airs, de toute notre puissance, et avec toute la force que Dieu pourra nous donner ; de faire la guerre contre une monstrueuse tyrannie, sans égale dans tout le sombre et lamentable registre des crimes de l'humanité. Telle est notre politique. Vous me demandez ce qu'est notre but ? Je vous répondrai d'un mot : la victoire ! La victoire à tout prix, la victoire en dépit de toutes les terreurs, la victoire, si long et difficile que puisse être le chemin ; car sans victoire, il n'est pas de survie. [...] En cet instant, je me sens en droit de demander l'aide de tous, et je vous dis : venez donc, unissons nos forces, et marchons tous ensemble[3] ! »

Avec une modestie inhabituelle, Churchill prétendra qu'il n'a fait qu'exprimer ce jour-là les pensées de tous ses concitoyens ; c'est là une vision romantique, mais bien peu réaliste : le peuple britannique, comme le peuple français à la même époque, était partagé entre la crainte, le défaitisme et l'instinct de survie ; le courage existait sans doute à l'état latent, mais il fallait encore le solliciter... Et c'est précisément ce que vient de faire Winston Churchill, en donnant libre cours à sa combativité naturelle, véhiculée par une éloquence laborieusement acquise mais exercée à la perfection, et encore enrichie par les accents de William Pitt et de la Grande Élisabeth, dont il écrivait si récemment l'épopée. Ce genre de dis-

---

* Et lord Byron l'avait écrit quarante ans avant Garibaldi, dans le Chant XIV de *The Age of Bronze*...

cours, peu efficace par temps calme, fait merveille dans les tempêtes, et il aurait fallu aux sujets de Sa Majesté un singulier courage pour avouer leur peur après une telle prestation ; ils vont donc choisir instinctivement de se reconnaître dans cet excentrique nourri d'histoire et d'idéal, qui leur parle avec des accents d'un autre âge de la nécessité de faire triompher la justice sur la tyrannie – et d'échapper à l'anéantissement par la même occasion. Ce soir-là, le nouveau Premier ministre, qui se rend à pied de Downing Street à l'Amirauté, est salué par une foule qui lui crie : « Bonne chance, Winnie ! Dieu te bénisse ! » Une fois entré à l'Amirauté, Churchill fond en larmes et dit au général Ismay : « Les pauvres gens ! Les pauvres gens ! Ils me font confiance, et je ne pourrai leur apporter que des désastres pendant très longtemps[4]... »

Mais pour l'heure, Winston Churchill apporte autre chose, ainsi que le constate d'emblée un John Colville quelque peu éberlué : « Je doute qu'à Whitehall, on ait jamais assisté à une évolution aussi rapide de l'opinion et de la cadence à laquelle étaient menées les affaires. Le nouveau Premier ministre était encore logé à *Admiralty House**, où les ministres, les chefs militaires et les responsables civils se réunissaient après le dîner. Le salon aux meubles ornés de dauphins (« la salle aux poissons », comme l'appelait Winston) leur servait de promenoir, et le nouveau Premier ministre y faisait irruption, tantôt par une porte, tantôt par l'autre, en nommant au passage des vice-ministres avec Margesson, en discutant du mouvement des forces allemandes en direction de Sedan avec le ministre de la Guerre Eden, en écoutant les propos alarmistes de l'ambassadeur des États-Unis Joseph Kennedy, et en apaisant l'antagonisme qui germait déjà entre lord Beaverbrook et sir Archibald Sinclair. Toute cette prestation pouvait confiner à la farce, mais les réalités du moment au cours de ces journées de mai n'avaient vraiment rien de drôle, et les ordres qui fusaient d'*Admiralty House* étaient tout sauf comiques. L'énergie de Churchill était inépuisable, et ses idées commençaient à jaillir en direction du

* Par égards pour Chamberlain, Churchill n'a pas voulu emménager immédiatement au 10, Downing Street – une prévenance qui compliquera singulièrement la tâche de son entourage, écartelé entre l'Amirauté, la résidence officielle du Premier ministre et le siège du Comité des chefs d'état-major à Richmond Terrace...

Comité des chefs d'état-major et des ministères sous forme de questions et de minutes. [...] Les effets de son zèle se sont immédiatement fait sentir à Whitehall. Les ministères, qui avaient continué sous Chamberlain à fonctionner à peu près au rythme du temps de paix, se sont soudain éveillés aux réalités de la guerre. En quelques jours, l'urgence de l'heure s'est imposée aux esprits, et on a pu voir de respectables fonctionnaires courir dans les couloirs. Les atermoiements n'étaient plus admis, les standards téléphoniques ont vu quadrupler leur efficacité, les chefs d'état-major et les services de planification siégeaient pratiquement sans discontinuer, les horaires de travail réguliers avaient disparu et les weekends avec eux [...] Churchill, lui, faisait sa sieste d'une heure l'après-midi quelles que soient les circonstances, ce qui lui permettait ensuite de travailler jusqu'à 2, 3 ou 4 heures du matin, et de se replonger dans ses dossiers dès huit heures du matin[5]. »

Cette frénésie d'activité est manifestement adaptée aux circonstances, car outre-Manche, la partie est bien près d'être perdue. En Belgique, les armées alliées qui s'efforçaient de tenir tête à 22 divisions allemandes se trouvent soudain menacées sur leurs arrières ; car le 14 mai, après avoir franchi les Ardennes et la Meuse, 7 divisions de panzer enfoncent les positions françaises à Sedan. Soutenues par des bombardiers en piqué, suivies par l'infanterie motorisée, elles répandent à présent la dévastation dans les rangs de deux armées françaises, et vont couper les lignes de communication des forces engagées en Belgique. À Londres, au petit matin du 15 mai, on annonce au Premier ministre que Paul Reynaud est au téléphone : « M. Reynaud, se souviendra Churchill, s'exprimait en anglais et semblait fort ému :

– Nous sommes battus, me dit-il.

Comme je ne répondais pas immédiatement, il répéta :

– Nous sommes battus, nous avons perdu la bataille.

– Cela n'a pas pu arriver si vite, répondis-je.

Mais il reprit :

– Le front est percé près de Sedan, ils passent en masse avec des chars et des voitures blindées. [...]

Je déclarai alors :

– L'expérience a montré qu'au bout d'un certain temps, une offensive s'éteint d'elle-même. Je me souviens du 21 mars 1918. Dans cinq ou six jours, ils seront obligés de s'arrêter pour attendre leur ravitaillement, et ce sera alors le moment de la contre-attaque. J'ai appris cela dans le temps, de la bouche même du maréchal Foch.

Sans aucun doute, c'était bien ce que nous avions toujours vu dans le passé, et ce que nous aurions dû revoir à présent. Néanmoins, le président du Conseil revint à la phrase par laquelle il avait commencé, et qui ne se révéla que trop fondée : "Nous sommes battus, nous avons perdu la bataille." Je lui dis alors que j'étais prêt à aller m'entretenir avec lui[6]. »

Ce soir-là, l'armée hollandaise va capituler, tandis qu'en Belgique, la 11e armée française s'est pratiquement désintégrée à l'ouest de Dinant. Pourtant, Winston Churchill, fort de son expérience de la Grande Guerre, persiste à ne voir dans tout cela qu'un revers temporaire. Le 16 mai, sir Alexander Cadogan note dans son journal : « Réunion du Cabinet ce matin ; les nouvelles de France sont de plus en plus sombres. En fin de compte, Dill* nous a exposé le plan de retraite pour les troupes engagées en Belgique. Churchill s'est fâché tout rouge ; il a dit que nous ne pouvions laisser faire, que cela risquerait de mettre toute notre armée en péril. Puis il s'est levé d'un bond et a déclaré qu'il se rendrait en France – il était ridicule de croire que la France pourrait être conquise par 120 tanks. [...] Il a demandé à Neville Chamberlain de tenir la boutique en son absence[7] ! » De fait, à 15 heures, Winston s'envole pour Paris, accompagné des généraux Dill et Ismay ; il vient de demander une réunion urgente du Conseil suprême.

Dès leur atterrissage au Bourget, Churchill et Ismay sont frappés par le pessimisme qui règne à tous les niveaux ; on leur dit même que les Allemands peuvent être à Paris « dans quelques jours au plus[8] ». Une fois au Quai d'Orsay, ils voient de grands feux allumés dans les jardins : ce sont les archives qui brûlent... Reynaud, Daladier, Baudouin et le général Gamelin sont tous présents, et leurs visages expriment le plus grand dépit. « Churchill, se souviendra Ismay, domina la séance dès son entrée dans la pièce. Il n'y avait pas d'interprète, et il parla français pendant toute la réunion. Son français n'était pas toujours correct, et il avait parfois du mal à trouver le mot juste. Mais nul ne pouvait se méprendre sur le sens

---

* Sir John Dill, chef adjoint de l'état-major impérial ; il remplacera le général Ironside comme chef d'état-major le 25 mai.

de ses paroles : "La situation paraît assez mauvaise, commença-t-il, mais ce n'est pas la première fois que nous nous trouvons ensemble dans une mauvaise passe, et nous nous en sortirons. Où en sont les choses[9] ?" » Gamelin brosse un tableau très sombre de la situation militaire : les Allemands avancent sur Amiens et Arras à une vitesse effarante ; ils pourront bientôt atteindre la côte ou foncer vers Paris ; leurs colonnes blindées ont déjà ouvert une large brèche d'est en ouest qui a coupé en deux les armées alliées, et le saillant ainsi formé est large de 50 kilomètres. Les armées du nord, conclut le généralissime, vont sans doute devoir battre en retraite.

« Lorsque Gamelin eut achevé son triste récit, poursuit Ismay, le Premier ministre lui donna une grande claque sur l'épaule – qui le fit sursauter – et il lui dit : "De toute évidence, ce sera la bataille de la Bulge*" (Faute d'un équivalent français, il prononça *Boulge*.) "Eh bien, mon général, quand et où allons nous contre-attaquer, par le nord ou par le sud[10] ?" » Gamelin répond d'un air abattu qu'il n'a pas les moyens de contre-attaquer et que ses troupes sont en situation d'infériorité, du point de vue des effectifs, de l'équipement, de la stratégie et du moral. « Il s'arrêta, racontera Churchill, et un très long silence s'ensuivit. Je demandai alors : "Où sont les réserves stratégiques ?" Et poursuivant en français, […] j'ajoutai : "Où est la masse de manœuvre ?" Le général Gamelin se tourna vers moi et, avec un hochement de tête et un haussement d'épaules, me répondit : "Il n'y en a aucune !" Un nouveau silence prolongé tomba sur nous[11]. »

« Il n'y en a aucune »… Churchill reste interloqué : « Je dois avouer que ce fut une des plus grandes surprises de mon existence. » Pourtant, le Premier ministre se veut résolument optimiste : les Allemands, assure-t-il, n'ont pas encore traversé la Meuse en force, leurs unités mécanisées ne peuvent être partout à la fois, il est sans doute prématuré d'ordonner une retraite en Belgique, et il s'agirait plutôt de passer à la contre-attaque. Gamelin répond qu'il faudrait pour cela des forces mécanisées, et des avions de combat pour protéger l'infanterie. À plusieurs reprises, lui et Reynaud demandent davantage de chasseurs, mais Churchill répond que l'Angleterre n'a plus que 39 escadrilles pour assurer sa propre protection ; la question est plutôt de savoir si l'offensive allemande va s'essouffler. Dill assure

---

* Du saillant.

que les Allemands vont manquer d'essence, mais Daladier répond qu'ils l'apportent avec eux. Gamelin répète que si les blindés pouvaient être arrêtés par l'aviation, une attaque sur les flancs de l'ennemi aurait de bonnes chances d'aboutir. Churchill ne cesse de répondre, dans son français improvisé, que les chasseurs anglais ne peuvent être utilisés à cet effet : « Mon Général, on ne peut pas arrêter les chars avec des avions de chasse. Il faut des canons – Poof ! Mais si vous voulez nettoyer le ciel, je demanderai de mon Cabinet[12]. »

Aussitôt après la conférence, Churchill se rend à l'ambassade de Grande-Bretagne et envoie au Cabinet de guerre le télégramme suivant : « Situation grave au dernier degré. [...] Mon avis personnel est que nous devrions envoyer demain les escadrilles de chasse demandées [...] pour donner à l'armée française une dernière chance de retrouver son courage et son énergie. Notre position devant l'histoire ne serait pas bonne si nous rejetions la demande des Français et si leur défaite en résultait[13]. » À Londres, ce télégramme énergique emporte la décision ; dès 23 heures 30, la réponse arrive à Paris : « oui ». Churchill décide d'annoncer lui-même la bonne nouvelle à Paul Reynaud ; il est alors près de minuit...

Le président du Conseil se montre surpris de cette visite intempestive, mais ravi d'apprendre la nouvelle. Churchill le persuade de faire venir Daladier, et Reynaud s'exécute après quelque hésitation ; tard dans la nuit, Daladier, Baudouin et Reynaud vont donc entendre une harangue magistrale : « Extraordinaire d'énergie véhémente, notera Baudouin, couronné comme un volcan par la fumée de ses cigares, M. Churchill indique à son collègue que si la France est envahie, vaincue, l'Angleterre continuera de se battre, en attendant le concours total et prochain des États-Unis. "Nous affamerons l'Allemagne. Nous démolirons ses villes. Nous brûlerons ses récoltes et ses forêts !" Jusqu'à 1 heure du matin, il chevauche une vision apocalyptique de la guerre. Il se voit, du fond du Canada, dirigeant, par-dessus une Angleterre rasée par les bombes explosives, par-dessus une France dont les ruines seront déjà froides, la lutte par avions du Nouveau Monde contre l'Ancien, dominé par l'Allemagne. Il est certain de l'entrée en guerre rapide des États-Unis. L'impression qu'il produit sur Paul Reynaud est très forte. Il lui donne confiance. Il est le héros de la lutte jusqu'au bout[14]. »

De fait, Paul Reynaud va se sentir suffisamment encouragé pour prendre dès le lendemain une décision énergique : il relèvera Daladier de ses fonctions, assumera lui-même la charge de ministre de la Guerre et fera nommer le maréchal Pétain vice-président du Conseil. Surtout, il va remplacer Gamelin par le général Weygand. Est-ce suffisant pour enrayer l'avance allemande ? Rien n'est moins sûr, car la France se bat avec les généraux, les armées et les stratégies de la Grande Guerre ; à Rethel, à Charleroi et à Saint-Quentin, les chars allemands balaient tout sur leur passage ; les tanks français lancent bien quelques contre-attaques, mais opérant par petites unités, privés d'équipement radio et d'appui aérien, ils subissent de lourdes pertes et sont bientôt engloutis dans la retraite générale. Sur la Somme, les colonnes allemandes, au lieu de poursuivre leur avance vers le sud, ont viré vers l'ouest et menacent à présent Amiens et Abbeville. Au nord, les troupes alliées se trouvent pratiquement isolées par la percée allemande, mais aucune offensive n'a encore été lancée contre la tête de pont ennemie ; le 19 mai, le général Gamelin a bien ordonné aux armées du nord de se frayer un chemin vers le sud, mais l'ordre est annulé par le général Weygand, qui lui succède le lendemain ; lorsque le 21 mai, Weygand lui-même donne l'ordre d'attaquer, le front allié est en pleine décomposition, et lord Gort envisage déjà une retraite sur Dunkerque.

À Londres, Churchill reçoit des informations confuses et contradictoires sur le déroulement des opérations ; il recommande au général Gort de suivre les directives du haut commandement français, et dispense à Weygand conseils et encouragements. Mais lord Gort ne reçoit guère d'instructions du commandement français, et Weygand ne tient aucun compte des avis de Churchill ; d'ailleurs, la liaison entre Français et Britanniques est des plus difficiles, et Churchill ne cesse de tonner contre « cette liaison qui ne liaise pas ». Il retourne à Paris le 22 mai, et tout en approuvant le plan d'offensive, il exprime son inquiétude au sujet des carences et des retards qui président à son exécution. Bien entendu, il ne peut résister à la tentation d'intervenir dans la conduite des opérations, et il ordonne des contre-offensives dans le plus pur style de 1918, sans se rendre compte de la puissance des divisions blindées ennemies, de la situation du corps expéditionnaire britannique et de l'état des armées françaises : le 23 mai, le général Pownall, chef d'état-major de lord Gort, ayant reçu du Premier ministre l'ordre de déclencher *sur l'heure* une offensive vers le sud avec *huit divisions* de *trois pays,* se contente de noter dans son journal : « Cet homme est fou ! [15] »

Loin de passer à l'offensive, les troupes de lord Gort commencent déjà à se frayer un chemin vers Dunkerque*, suivies des divisions françaises qui ont pu se soustraire à la ruée des panzers ; les Allemands, eux, ont atteint Abbeville, capturé Boulogne et investi Calais. Plus au sud, vingt divisions françaises se sont massées derrière la Somme ; parmi elles se trouve la 4ᵉ division cuirassée du général de Gaulle, qui a reçu l'ordre d'attaquer la tête de pont allemande au sud d'Abbeville. Elle passe effectivement à l'attaque le 26 mai avec 140 chars et 6 bataillons d'infanterie, et parvient à percer les lignes ennemies ; mais le succès initial ne peut être exploité, faute de renforts et de couverture aérienne. Sur le reste du front, les armées françaises n'ont à opposer aux colonnes ennemies que des chars d'accompagnement d'infanterie, qui sont détruits isolément, abandonnés pour cause d'avaries ou emportés dans la tourmente des évacuations. À ce moment, la campagne dans le Nord est virtuellement perdue : par l'ouest, le sud et le nord, les blindés allemands convergent sur les forces alliées prises au piège, Calais est sur le point de tomber, Français et Britanniques ont établi un périmètre défensif précaire autour de Dunkerque, et ce soir-là, le *War Office* ordonne le début des opérations d'évacuation par mer. Nom de code : DYNAMO…

C'est au cours de ces heures sinistres que se produit à Londres ce qu'il faut bien appeler un flottement… Après tout, c'est l'essentiel de l'armée britannique qui est menacé d'anéantissement dans le Pas-de-Calais ; dès lors, la sagesse ne consisterait-elle pas à négocier avec l'ennemi avant qu'il ne soit trop tard ? À l'évidence, certains ministres l'envisagent sérieusement : lorsque le Cabinet de guerre se réunit au début de l'après-midi du 26 mai, lord Halifax, qui vient de s'entretenir avec Paul Reynaud et l'ambassadeur d'Italie Bastianini, fait à ses collègues ce qui ressemble fort à une proposition de négociations indirectes avec Hitler – par l'intermédiaire de Mussolini : « Il nous faut reconnaître qu'il ne s'agit plus tant aujourd'hui d'infliger une défaite complète à l'Allemagne que de préserver notre Empire. […] Nous devrions être disposés à exami-

---

* C'est très certainement cette décision de désobéir aux ordres qui va sauver le corps expéditionnaire britannique à la fin de mai 1940.

ner toute proposition susceptible d'y conduire, à condition que notre liberté et notre indépendance soient assurées. » La réaction immédiate du Premier ministre est loin d'être négative ; il répond « Si nous pouvions sortir de ce bourbier au prix de la cession de Malte, de Gibraltar et de quelques colonies africaines, nous sauterions sur l'occasion[16]. » Mais lors de la troisième réunion du Cabinet de guerre ce jour-là, Churchill durcit nettement le ton : « Nous devons veiller à ne pas nous laisser acculer à une position de faiblesse, où nous irions trouver *Signor* Mussolini pour l'inviter à aller prier Herr Hitler de nous ménager. Il ne faut pas se laisser empêtrer dans une situation de ce genre avant d'avoir engagé le combat pour de bon. » Pourtant, Halifax va pousser plus avant, en déclarant que si l'on pouvait obtenir des conditions propres à garantir l'indépendance et l'intégrité de la Grande-Bretagne, même au prix du sacrifice d'une partie de l'Empire, « il serait insensé de ne pas les accepter[17] ». Sans approuver ouvertement Halifax, les membres du Cabinet de guerre estiment manifestement que la situation militaire ne leur permet pas de rejeter catégoriquement ces considérations, puisqu'ils lui demandent de rédiger un mémorandum récapitulant ses « suggestions d'approches en direction de l'Italie ». Ce même soir, Churchill, la mort dans l'âme, fait envoyer au général Nicholson, commandant la petite garnison de Calais, l'ordre de « résister jusqu'au dernier homme ».

Le Cabinet de guerre se réunit à nouveau le 27 mai, sous l'épée de Damoclès constituée par l'évolution de la situation outre-Manche : les unités britanniques, sévèrement étrillées, ont pour la plupart gagné le périmètre défensif autour de Dunkerque, et la moitié de la 1re armée française est parvenue à les rejoindre. Il y a désormais près d'un demi-million de soldats alliés dans cette poche étroite adossée à la mer et bombardée en permanence par l'artillerie et l'aviation allemandes. 26 000 Britanniques, principalement des non-combattants, ont été évacués la veille, mais on prévoit des difficultés accrues pour la journée du 27 : l'amiral Bertram Ramsay, responsable des opérations de secours, estime pouvoir embarquer au plus 45 000 hommes en 48 heures, avant que l'ennemi ne fasse irruption à Dunkerque. Par ailleurs, on s'attend à une capitulation imminente de la Belgique, ce qui va encore compliquer les choses…

Voilà qui explique l'ambiance particulièrement tendue qui règne lors des trois séances du Cabinet de guerre ce jour-là. Dans son ébauche de mémorandum, Halifax met les Français en avant : il s'agirait seulement de les soutenir dans leurs démarches auprès de l'Italie, afin qu'ils obtiennent une médiation et s'informent d'éventuelles conditions de paix. Mais Churchill estime qu'il serait préférable de « raffermir la position des Français » – en d'autres termes, de les encourager à poursuivre le combat. Attlee et Greenwood se prononcent à peu près dans le même sens, et Chamberlain, tout en considérant qu'il ne faut pas opposer aux Français de refus catégorique, ajoute que « l'approche proposée ne servirait aucun objectif utile ». Sur ce, Halifax, abandonnant l'écran de la France et de l'Italie, déclare tout net : « Si notre indépendance n'était pas en jeu, il serait bon d'accepter une proposition qui épargnerait au pays un désastre évitable. » Comme la veille, Churchill se montre conciliant sur la forme, mais ferme sur le fond : « Si Herr Hitler était disposé à faire la paix sur la base de la restitution des colonies allemandes et de la suzeraineté de l'Allemagne sur l'Europe centrale, ce serait une chose. Mais il y avait fort peu de chances pour qu'il fasse une telle proposition. » Chamberlain, à la recherche d'une solution de compromis, déclare alors que « si le Cabinet de guerre avait sous les yeux des propositions concrètes, il [lui] serait aisé de se prononcer sur ce qui était essentiel et sur ce qui ne l'était pas ». Churchill, qui a besoin du soutien de Chamberlain et ne peut se permettre de laisser Halifax démissionner, conclut qu'il « ne s'associerait pas à la France pour demander la paix », mais que, si on lui présentait des conditions, il serait « disposé à les examiner[18] » – ce qui est déjà une concession de taille…

Le lendemain 28 mai, la situation sur le continent s'est encore dégradée : la Belgique vient de capituler et la veille, 7 700 hommes seulement ont pu être évacués de Dunkerque. Après une courte déclaration à la Chambre en début d'après-midi, Churchill réunit à 16 heures le Cabinet de guerre dans une salle voisine. Le compte-rendu de cette séance montre bien que toutes les cartes sont à présent sur la table :

« – Le ministre des Affaires étrangères a déclaré que Sir Robert Vansittart avait compris ce que l'ambassade d'Italie avait en tête : à savoir que nous devions indiquer clairement que nous souhaitions une médiation italienne.

– Le Premier ministre a répondu qu'à l'évidence, l'objectif français était de voir *Signor* Mussolini servir d'intermédiaire entre Herr

Hitler et nous-mêmes. Il était résolu à ne pas se laisser manœuvrer dans une telle position.

– Le ministre des Affaires étrangères a déclaré ensuite que la proposition qui avait été discutée avec M. Reynaud le dimanche précédent était la suivante : nous devions dire que nous étions prêts à nous battre à mort pour notre indépendance, mais que, si celle-ci pouvait être garantie, nous serions disposés à faire certaines concessions à l'Italie.

– Le Premier ministre considérait que les Français essayaient de nous entraîner sur une pente glissante. La situation serait tout autre quand l'Allemagne aurait vainement tenté d'envahir ce pays [...].

– Le ministre des Affaires étrangères a indiqué que nous ne devions pas négliger le fait que nous obtiendrions sans doute de bien meilleures conditions de paix maintenant, avant que la France ne se retire de la guerre et que nos usines d'aviation ne soient bombardées, que nous n'en obtiendrions dans trois mois.

– Le Premier ministre a ensuite lu un texte dans lequel il exprimait son point de vue. Pour lui, l'essentiel était que M. Reynaud voulait nous faire asseoir à une table de conférence avec Herr Hitler. Une fois que nous serions assis, nous nous apercevrions que les conditions qui nous étaient proposées portaient atteinte à notre indépendance et à notre intégrité. Quand, à ce moment-là, nous ferions mine de quitter la table, nous nous apercevrions que toutes les forces de détermination dont nous disposions à présent auraient disparu. [...]

– Le ministre des Affaires étrangères a dit que M. Reynaud souhaitait également que les Alliés lancent un appel au président des États-Unis. [...]

– Le ministre sans portefeuille [Greenwood] pensait que M. Reynaud avait trop tendance à lancer des appels. C'était une nouvelle échappatoire.

– Le Premier ministre est revenu sur le fait que les Français voulaient sortir de la guerre, mais ne voulaient pas manquer aux obligations qu'ils avaient contractées à notre égard. *Signor* Mussolini, s'il entrait en scène comme médiateur, essaierait de prendre sa part à nos dépens. On ne pouvait imaginer que Herr Hitler serait assez benêt pour nous laisser poursuivre notre réarmement. Dans la réalité, les conditions qu'il nous imposerait nous mettraient entièrement à sa merci. Si nous poursuivions la lutte, et même si nous étions vaincus, nous n'aurions pas de pires conditions que celles qui nous seraient offertes aujourd'hui. [...]

– Le ministre des Affaires étrangères a dit qu'il ne voyait toujours pas ce que le Premier ministre pouvait à ce point réprouver dans l'idée française d'explorer les possibilités d'une médiation.

– Le Lord Président [Chamberlain] a fait observer [...] qu'il était bon de rappeler que l'autre solution – poursuivre la lutte – n'en était pas moins extrêmement risquée. [...]

Le Cabinet de guerre a convenu que c'était là un exposé exact de la question.

– Le Premier ministre a déclaré que les nations qui tombaient en combattant se relevaient, tandis que celles qui se rendaient docilement étaient perdues.

– Le ministre sans portefeuille [Greenwood] a fait observer que tous les partis que nous pouvions prendre comportaient de grands risques. Le parti de la résistance était certes une entreprise risquée, mais il ne pensait pas que le moment de la capitulation finale était venu.

– Le ministre des Affaires étrangères a répondu que rien de ce qu'il suggérait ne pouvait être décrit, même de loin, comme une capitulation finale.

– Le Premier ministre pensait qu'il y avait une chance sur mille pour que l'on nous offre des conditions convenables à l'heure actuelle[19]. »

Il est un peu plus de 17 heures lorsque Churchill demande une suspension de séance : il souhaite aller s'entretenir avec l'ensemble des membres du gouvernement, réunis dans son bureau de la Chambre. Le Premier ministre racontera lui-même la suite : « Nous étions peut-être vingt-cinq autour de la table. Je leur ai décrit le cours des événements, en leur expliquant franchement où nous en étions et en leur exposant tout ce qui était en jeu*. Après quoi j'ai

---

* C'est exact. Leo Amery notera ainsi dans son journal que « Winston nous a exposé tous les tenants et les aboutissants de façon très claire et imagée, sans minimiser le moins du monde l'étendue du désastre et les nouvelles catastrophes pouvant résulter d'une marche victorieuse des Allemands sur Paris ou d'une capitulation française. Il nous a dit qu'il n'espérait pas évacuer de Dunkerque plus de 50 000 hommes. Il a déclaré sans ambiguïté que pour l'heure, rien ne serait plus insensé que de faire des concessions à l'Italie ou à l'Allemagne, deux

ajouté tout à fait incidemment : "Bien entendu, quoi qu'il arrive à Dunkerque, nous poursuivrons le combat." Il s'est produit alors une manifestation qui m'a surpris, considérant la nature de cette assemblée, composée de vingt-cinq parlementaires et politiciens éprouvés, qui représentaient avant la guerre toutes les nuances de l'opinion, bonnes ou mauvaises. Beaucoup d'entre eux ont semblé quitter la table d'un bond pour accourir jusqu'à mon fauteuil, en poussant des exclamations et en me donnant des tapes dans le dos[20]. »

C'est évidemment un encouragement de taille ; lorsqu'à 19 heures, Churchill rejoint le Cabinet de guerre, il expose à ses quatre collègues ce qui vient de se produire : « Les ministres ont exprimé la plus grande satisfaction lorsque je leur ai dit qu'en aucun cas nous ne cesserions le combat. Je n'ai jamais entendu auparavant une assemblée de personnes si haut placées dans le monde politique s'exprimer avec autant de conviction[21]. » Est-ce l'effet de ce compte rendu, ou plutôt l'extrême lassitude engendrée par neuf réunions en trois jours ? Toujours est-il qu'après vingt minutes à peine, il n'y a plus d'objections et la cause est entendue : on ne lancera pas d'appel à Mussolini, à Roosevelt ou à qui que ce soit... Au sommet de l'État, le temps des hésitations est révolu.

Le lendemain 29 mai, une gigantesque opération de rembarquement bat son plein à Dunkerque, avec la participation de 223 navires de guerre et de 665 embarcations civiles de toutes tailles, un engagement massif de la RAF, et une résistance opiniâtre de l'arrière-garde du corps expéditionnaire, dirigée sur le terrain par trois remarquables généraux d'origine irlandaise : Brooke, Alexander et Montgomery. Churchill supervise personnellement chaque étape de l'évacuation, envoie ses propres instructions à lord Gort depuis le *War Office,* et revient à Paris dès le 31 mai : voulant éviter toutes récriminations entre Anglais et Français, il insiste pour que l'embarquement se fasse « *bras dessus, bras dessous*[22] ». L'opération « Dynamo », exécutée avec des prodiges d'improvisation et maintenue jusqu'au 4 juin dans des conditions impossibles, réussira par

puissances fermement décidées à nous détruire. » (L.S. Amery, *The Empire at Bay*, Hutchinson, Londres, 1955, p. 619.)

miracle : on espérait rembarquer 50 000 hommes au plus ; on en évacuera 335 490*, en abandonnant l'essentiel de leur équipement.

L'armée française a déjà perdu le tiers de ses effectifs, et le reste est terriblement désorganisé ; les Anglais n'ont plus en France que deux divisions durement éprouvées ; en Norvège, si Narvik a bien été pris le 28 mai, les troupes alliées ont déjà commencé à l'évacuer dès le lendemain ! C'est que les hommes et le matériel sont désormais nécessaires à la défense d'une Angleterre devenue terriblement vulnérable : elle n'est plus protégée que par 500 canons**, 450 tanks, 29 escadrilles de chasse et 3 divisions d'infanterie ; toutes les autres sont « en cours d'instruction » – et elles n'ont pratiquement pas d'armes.

À Londres, le Premier ministre se tient informé heure par heure de l'évolution de la situation ; pendant toute la journée et jusque tard dans la nuit, depuis son bureau, sa voiture, son train, son lit et même sa baignoire, il dicte des centaines de notes et d'instructions au Comité des chefs d'état-major et aux divers ministères ; il a pris l'habitude de coller sur ses directives des petites étiquettes rouges avec la mention : « *Action this Day !* », qui frappent de terreur les bureaucrates les plus nonchalants et garantissent une prompte exécution... Il s'agit désormais de créer une nouvelle armée avec les débris de l'ancienne, et de donner à chaque sujet de Sa Majesté le moral d'un combattant ; le 4 juin, en annonçant aux Communes la réussite de l'évacuation de Dunkerque, Churchill retrouve les accents de Clemenceau pour prononcer quelques phrases immortelles : « Nous devons bien nous garder de considérer cette délivrance comme une victoire ; les guerres ne se gagnent pas par des évacuations. [...] Nous nous battrons en France, nous nous battrons sur les mers et sur les océans, nous nous battrons dans les airs, avec une confiance et des moyens sans cesse croissants. Nous défendrons notre île à n'importe quel prix. Nous nous battrons sur les terrains d'atterrissage, nous nous battrons dans les champs et dans les rues, nous nous battrons dans les collines. Jamais nous ne nous rendrons ! Et même si notre île, ou une grande partie de celle-ci, devait se trouver conquise et affamée – ce que je ne crois pas un seul instant –, alors notre Empire d'outre-mer, armé et protégé par la

---

* 224 318 Britanniques et 111 172 Français.
** Dont certains ont dû être extraits des musées...

flotte, poursuivrait la lutte, jusqu'à ce que Dieu fasse que le Nouveau Monde, avec toutes les ressources de sa puissance, s'avance pour secourir et libérer l'Ancien[23].»

L'impact de ces paroles sur la Chambre est considérable*; on voit même des députés travaillistes pleurer[24]... Mais si Churchill a déclaré que son peuple était prêt à lutter «pendant des années s'il le faut, et s'il le faut tout seul», il considère que son pays garde une obligation morale envers la France. Avant même la fin de l'évacuation de Dunkerque, il a donné des ordres pour qu'un corps expéditionnaire soit reconstitué et envoyé en France dès que possible; il a également décidé d'y faire stationner deux escadrilles de chasse supplémentaires. Et pourtant, la situation sur le terrain ne cesse de se détériorer: le 6 juin, 100 divisions allemandes attaquent sur la Somme et sur l'Aisne; plus à l'ouest, Rouen et Le Havre sont directement menacés. Ce jour-là, Churchill téléphone à son ami le général Spears, qui est – comme en 1915 – l'officier de liaison britannique auprès du commandement français : «Est-ce qu'il existe un véritable plan de bataille?» demande-t-il; «Que feront les Français si leurs lignes sont enfoncées? Le projet de réduit breton est-il sérieux? Existe-t-il une autre solution?» Et Spears notera : «Sa confiance dans le commandement français était manifestement très ébranlée. [...] Il était déçu, perplexe et plutôt mécontent[25].» C'est exact; d'autant que depuis Paris, l'ambassadeur Campbell l'informe que le défaitisme fait des ravages au sein du gouvernement français, puissamment favorisé par la progression d'une armée allemande qui menace désormais la capitale; et la déclaration de guerre de l'Italie à la France le 10 juin va encore aggraver une situation déjà très compromise...

Churchill, lui, n'hésite pas: une fois encore, il va traverser la Manche pour essayer de faire partager sa détermination aux dirigeants français. Ceux-ci ont déjà évacué Paris, et c'est à Briare qu'il va les rejoindre en compagnie d'Eden, d'Ismay et de Dill, pour une réunion improvisée du Conseil suprême; il y a là Paul Reynaud, le maréchal Pétain, le généralissime Weygand, le général Georges et le général de Gaulle, qui vient d'être nommé sous-secrétaire d'État à la

---

* En se rasseyant au milieu des applaudissements et des vivats, Churchill a murmuré à son voisin : «Et nous nous battrons avec des tessons de bouteilles, parce que c'est fichtrement tout ce que nous avons!»

défense nationale. La conférence commence par un exposé très sombre de Weygand sur la situation militaire, confirmé en tout point par le général Georges. Churchill est très frappé par le pessimisme de son vieil ami Georges, en qui il a toute confiance ; mais il est venu pour galvaniser les énergies, et pendant deux heures, il va égrener les arguments en faveur de la résistance : « Pendant la dernière guerre, il y a eu aussi des moments où tout semblait perdu » ; « Les armées allemandes doivent être épuisées, et leur pression pourrait diminuer d'ici 48 heures » ; « Il serait peut-être possible de préparer une contre-attaque britannique dans la région de Rouen » ; « Si la capitale est défendue maison par maison, elle pourra immobiliser de très nombreuses divisions ennemies » « A-t-on envisagé une guerre de guérilla ? » ; « Il y a certainement un moyen efficace de lutter contre les tanks[26]. » Weygand l'interrompt pour lui demander ce qu'il ferait si les Allemands parvenaient à envahir l'Angleterre ; Churchill lui répond qu'il « n'a pas examiné la question de très près », mais qu'« en gros, il se proposerait d'en couler le plus possible pendant leur traversée, puis de *frapper sur la tête* ceux qui parviendraient à se traîner à terre ». Du reste, « la RAF ne manquera pas de briser l'attaque de l'aviation allemande dès qu'elle se déclenchera », mais « quoi qu'il arrive, nous continuerons le combat, toujours, *all the time, everywhere,* partout, pas de grâce, *no mercy.* Puis la victoire ! » Churchill, emporté par son élan, se met à parler français, et Reynaud murmure distraitement : « Traduction[27]. »

Peu importe : ce serait une prestation extraordinaire dans n'importe quelle langue ; mais au grand dépit de Churchill, Weygand, Pétain, Georges et même Reynaud soulèvent toutes sortes d'objections : l'armée française n'a plus de réserves, cette guerre est très différente de la précédente, le projet de réduit breton est illusoire, il n'est pas question de résister dans Paris, et une guerre de guérilla entraînerait la dévastation du pays... Seul de Gaulle, qui s'entretient avec le Premier ministre après la conférence, refuse toute capitulation et parle de continuer la lutte, en France si possible, en Afrique du Nord si nécessaire. Mais il paraît bien isolé au milieu de tant de défaitistes.

Churchill, lui, ne l'a jamais été... Mais derrière sa pugnacité naturelle et son optimisme de façade, il y a manifestement des doutes, des inquiétudes et même un certain fatalisme ; au moment de reprendre l'avion avec son entourage, il confie au général

Ismay : « Nous allons apparemment devoir combattre seuls ! »
Ismay répond qu'il s'en réjouit, car « nous allons gagner la bataille
d'Angleterre », mais Churchill reprend sur un ton sinistre : « Vous
et moi serons morts dans trois mois[28]... » Il est vrai qu'une semaine
plus tôt, il avait fait parvenir à Stanley Baldwin une note rédigée en
ces termes : « Nous traversons des temps difficiles et je m'attends à
ce que les choses empirent, mais je suis sûr qu'il y aura des jours
meilleurs ! Est-ce que nous serons là pour les voir ? C'est déjà plus
douteux[29]. »

De retour à Londres dans l'après-midi du 12 juin, Churchill écrit
au président Roosevelt : « Je crains que le vieux maréchal Pétain ne
s'apprête à engager son nom et son prestige, afin d'obtenir un traité
de paix pour la France. Reynaud, lui, est partisan de continuer la
lutte, et il est secondé par un certain général de Gaulle, qui est jeune
et pense que l'on peut faire beaucoup. [...] Le moment est donc
venu pour vous de renforcer la position de Paul Reynaud autant que
vous le pouvez, afin de faire pencher la balance en faveur d'une
résistance française aussi acharnée et aussi prolongée que possible[30]. » Depuis son accession au pouvoir, Churchill soigne particulièrement ses relations épistolaires avec Roosevelt, et il espère à
présent amener le Président à intervenir pour soutenir les dirigeants
français. Ce sera en vain, mais le Premier ministre va payer une
nouvelle fois de sa personne : au matin du 13 juin, Paul Reynaud
l'invite à se rendre à Tours, où son gouvernement s'est maintenant
replié. Moins de trois heures plus tard, Churchill est déjà à bord de
son *Flamingo* jaune, en compagnie de Halifax, Beaverbrook, Ismay,
et Cadogan. C'est la cinquième fois qu'il traverse la Manche depuis
le 10 mai ; c'est aussi la dernière avant de longues années, mais cela,
il ne le sait pas encore...

Cette réunion à la préfecture de Tours sera certainement la plus
difficile de toutes ; c'est qu'en dépit de maintes précautions oratoires, les Français n'ont qu'une question à poser au Premier
ministre britannique : son gouvernement accepterait-il de délier la
France de son engagement, signé le 28 mars 1940, de ne jamais
conclure de paix séparée ? Il est extrêmement pénible à Churchill
de répondre à une telle question ; lui, le grand ami de la France,
s'entend dire que les intérêts de son pays et ceux de la France ont
cessé de coïncider, et il n'arrive pas à l'accepter : « Je comprends
pleinement, commence-t-il, ce que la France a enduré et ce qu'elle

continue à subir. [...] Le tour de l'Angleterre viendra bientôt, et elle est prête[31]...» «Winston, note le général Spears, s'emballe peu à peu, ses yeux lancent des éclairs, ses poings sont serrés comme s'il tenait le manche d'une lourde épée. Le tableau qu'il évoque le fait littéralement bafouiller de rage : «Nous devons nous battre, nous nous battrons, et c'est pourquoi nous devons demander à nos amis de poursuivre la lutte. [...] La guerre ne peut finir que par notre disparition ou notre victoire[32].”» Paul Reynaud ayant reposé sa question, Churchill se fait plus précis : «Il faut en appeler à Roosevelt. Le gouvernement français s'en chargera, et nous l'appuierons. [...] La cause de la France nous sera toujours chère. [...] Mais on ne saurait pour autant demander à la Grande-Bretagne de renoncer à l'engagement solennel qui lie les deux pays[33].» Cette fois, Reynaud comprend et n'insiste pas ; il s'ensuit un débat prolongé et assez confus, mais Churchill, pour renforcer ses arguments, prévient que si la France est occupée, elle ne sera pas épargnée par le blocus britannique. Pour finir, on convient de se réunir à nouveau dès réception de la réponse américaine, et Churchill conclut par ces fortes paroles : «Hitler ne peut pas gagner. Attendons avec patience son effondrement[34].»

De toute évidence, le Premier ministre a été terriblement déçu par l'attitude de Paul Reynaud, qui s'est uniquement accroché à l'espoir d'une aide américaine et n'a pas parlé une seule fois de continuer la guerre en Afrique du Nord. Pendant toute la conférence, Churchill a recherché une personnalité énergique parmi ses interlocuteurs, et il semble bien l'avoir trouvée lorsqu'il en sort : «Alors que je traversais le couloir plein de monde qui menait à la cour, se souviendra-t-il, je vis le général de Gaulle qui se tenait près de l'entrée, immobile et flegmatique. Le saluant, je lui dis à mi-voix, en français : «L'Homme du Destin !» Il resta impassible[35].» Winston Churchill, comme toujours, prend ses désirs pour des réalités – et comme toujours, les réalités se garderont de le détromper.

Après son retour à Londres, le Premier ministre ne renonce nullement à encourager les Français dans la voie de la résistance ; les 14 et 15 juin, il envoie des messages d'encouragement à Reynaud et un flot ininterrompu de télégrammes à Roosevelt, pour l'inciter à intervenir en faveur des Français. Il insiste même pour que des renforts britanniques et canadiens continuent à débarquer en France, alors que les Allemands font leur entrée à Paris et que

la bataille est pratiquement perdue. Les chefs d'état-major s'en
inquiètent, et le général Ismay lui demande : « Faut-il vraiment se
presser ? Ne pourrait-on retarder discrètement leur départ ? »
« Certainement pas, répond Churchill ; l'Histoire nous jugerait très
sévèrement si nous devions faire une telle chose[36] ! » Mais le général Alan Brooke, vétéran de Dunkerque et commandant des trois
divisions britanniques et canadiennes qui combattent encore en
France, est nettement moins sensible au jugement de l'Histoire :
résistant obstinément aux torrents d'éloquence de Churchill*, il
impose le rembarquement des troupes alliées par Cherbourg,
Saint-Nazaire, Brest et Saint-Malo entre le 16 et le 18 juin – un
second Dunkerque, en quelque sorte, qui permettra de sauver *in
extremis* 197 000 hommes et 300 canons.

Pourtant, l'attention du Premier ministre est de plus en plus
absorbée par les dangers qui menacent la Grande-Bretagne : elle
est maintenant soumise à des bombardements sporadiques, ses
défenses restent extrêmement faibles, et elles seraient bien plus
vulnérables encore si la flotte française devait tomber aux mains
des Allemands après une capitulation française. Dans le journal du
secrétaire John Colville, on peut lire à la date du 15 juin :
« Sommes arrivés aux Chequers à 21 heures 30, à temps pour le
dîner. Il y avait là Winston, Duncan et Diana Sandys, Lindemann
et moi-même. Cela a été une soirée tout à fait extraordinaire.
Avant de passer à table, j'ai été informé par téléphone que la
situation se dégradait rapidement, et que les Français préparaient
une nouvelle demande d'autorisation de conclure une paix séparée, rédigée cette fois en termes plus explicites. J'ai fait part de la
nouvelle à Winston, qui s'en est montré extrêmement affecté. Le
début du dîner a été lugubre ; [...] Pourtant, le champagne, le
cognac et les cigares faisant leur effet, tout le monde est devenu
plus loquace, et même bavard. Winston, pour nous remonter le
moral – et remonter le sien par la même occasion – a lu les messages qu'il avait reçus de la part des dominions, et les réponses

---

* Tout comme lord Gort trois semaines plus tôt, le général Brooke se montre
imperméable au type d'héroïsme sublime que cultive l'ancien lieutenant de
cavalerie Churchill. Placé au contact d'une armée française en pleine décomposition, il considère que les gestes symboliques ne justifient en aucun cas les
sacrifices militaires.

qu'il leur avait adressées, ainsi qu'à Roosevelt : "Maintenant, nous allons certainement connaître une guerre sanglante, a-t-il dit, mais j'espère que notre peuple saura résister aux bombardements. Les Allemands commencent à sentir leur douleur. Mais il est tout de même tragique que notre victoire de la dernière guerre ait été réduite à néant par un tas de dégonflés." [...] Winston et Duncan Sandys marchaient de long en large dans le jardin de roses au clair de lune [...]. J'ai passé le plus clair de mon temps à téléphoner, à chercher Winston parmi les buissons de roses et à écouter ses commentaires sur le déroulement de la guerre. Je lui ai dit que nous avions reçu des informations plus complètes au sujet de l'attitude des Français et qu'ils semblaient perdre pied. "Dites-leur, m'a-t-il recommandé, que s'ils nous laissent leur flotte, nous ne l'oublierons jamais, mais que s'ils se rendent sans nous consulter, nous ne leur pardonnerons jamais ! Nous les traînerons dans la boue pendant un millénaire !" Puis, craignant un peu d'être pris au sérieux, il a ajouté : "Ne le faites pas tout de suite, hein !" Il était en pleine forme, déclamait des poèmes et s'étendait sur l'aspect dramatique de la situation[37]. »

Lorsqu'au matin du 16 juin, on reçoit de Bordeaux un télégramme faisant état d'une possible demande à l'Allemagne de ses conditions d'armistice, le Cabinet, sur proposition de Churchill, fait savoir à Paul Reynaud qu'il y consent, mais « à condition que la flotte française soit immédiatement dirigée vers les ports anglais pendant les négociations[38] ». Dans l'intervalle, rien ne sera négligé pour retenir les Français au bord du gouffre. Le 16 juin, alors que Paul Reynaud semble être sur le point de démissionner, Churchill accepte même un projet d'union franco-britannique, conçu par Jean Monnet et présenté par le général de Gaulle ; le Premier ministre n'y croit pas davantage que le général, mais tous deux y voient un bon moyen d'encourager Reynaud à tenir tête aux défaitistes de son cabinet. Il est convenu que Churchill rencontrera les membres du gouvernement français à Concarneau dès le lendemain, afin de soutenir personnellement le projet d'union – et Paul Reynaud par la même occasion…

Mais ce même soir, à 22 heures, Churchill est informé de la démission du président du Conseil ; peu après, il apprend que le maréchal Pétain va former un nouveau gouvernement, et il comprend d'emblée ce que cela signifie pour la France : il n'y a plus aucune raison de se rendre à Concarneau. Mais notre farouche lutteur n'abandonne pas la partie : cette nuit-là, il décide de téléphoner au maréchal Pétain, et à 2 heures du matin, après une attente interminable, il finit par le joindre. Le général Hollis sera témoin de la suite : « Je n'ai jamais entendu Churchill s'exprimer en termes aussi violents. Il pensait que le vieux maréchal, insensible à tout le reste, réagirait peut-être à cela. Mais ce fut en vain[39]. » Au matin du 17 juin 1940, le Premier ministre ne se fait plus aucune illusion : son pays est maintenant seul. Winston Churchill, il est vrai, ignore la peur ; d'ailleurs, il est pleinement conscient des énormes avantages stratégiques que confèrent à la Grande-Bretagne sa situation d'insularité, la puissance de sa flotte et la maîtrise de ses aviateurs. Mais il ne parvient pas à admettre que la France – « sa » France – puisse ainsi disparaître du camp de la liberté, où elle a tenu naguère une place aussi éminente. Et le peuple anglais ? Comment réagira-t-il en apprenant qu'à l'heure du plus grand péril, son seul allié lui fait défaut ? Lorsqu'un coup aussi rude est porté au moral d'un peuple, ne risque-t-il pas de s'abandonner au défaitisme ? D'autant qu'il y a en Grande-Bretagne quelques hommes, comme Lloyd George ou lord Halifax, qui n'excluent nullement la possibilité de négocier avec l'Allemagne…

Cet après-midi-là, Spears se présente à Downing Street avec le général de Gaulle, rescapé solitaire du naufrage de Bordeaux. Churchill aurait certes préféré accueillir des personnalités plus en vue, comme Reynaud, Daladier ou Mandel, mais il a la satisfaction de constater que son intuition ne l'a pas trompé : de Gaulle est bien l'un de ces hommes capables de forcer le destin ; sa volonté, son courage, sa prestance, son nom même semblent le désigner pour être le porte-étendard d'une France invaincue, qui continuera la lutte aux côtés du peuple britannique. C'est du moins ainsi que Winston, artiste romantique et propagandiste incomparable, entend le présenter au peuple britannique pour soutenir son moral. Les autres membres du Cabinet de guerre ne veulent pas laisser parler de Gaulle à la BBC ? C'est qu'ils manquent d'imagination et n'entendent rien à la propagande ! Mais le Premier ministre sait se montrer persuasif : dès le lendemain, le compte rendu de la réunion du Cabinet de guerre mentionne laconiquement que « les membres du *War Cabinet,* ayant été consultés à nouveau un par un, ont

donné leur accord[40] ». Et ce même soir, Charles de Gaulle prononce les paroles irrévocables qui le font entrer dans l'Histoire.
Qui donc a dit que l'Angleterre était seule ? Il y a maintenant sur
son sol une véritable coalition d'alliés : tchèques, polonais, français,
néerlandais, belges, luxembourgeois, norvégiens – et tous sont
résolus à se battre pour la défaite de l'Allemagne. Voilà comment il
faut présenter les choses ! Ces alliés sont sans ressources ? Le Trésor de Sa Majesté leur avancera tous les subsides nécessaires. Ils
sont pratiquement désarmés, et leurs hôtes britanniques aussi ? Eh
bien, ils se battront contre l'envahisseur avec des armes de fortune,
en attendant que l'industrie britannique puisse produire le matériel
nécessaire...

Ce 18 juin 1940, cent vingt-cinquième anniversaire de la
bataille de Waterloo, un second discours va entrer dans l'histoire :
celui du Premier ministre, qui veut cuirasser son peuple au
moment de l'épreuve décisive : « Nous maintiendrons toujours
[...] nos liens de camaraderie avec le peuple français. [...] Les
Tchèques, les Polonais, les Hollandais, les Belges ont uni leur
cause à la nôtre. Tous ces pays seront libérés. [...] Ce que le
général Weygand a appelé la bataille de France vient de s'achever ; la bataille d'Angleterre est sur le point de s'engager. De cette
bataille dépend le sort de la civilisation chrétienne, la survie de
l'Angleterre, de nos institutions et de notre Empire. Toute la
violence, toute la puissance de l'ennemi va très bientôt se déchaîner contre nous. Hitler sait qu'il lui faudra nous vaincre dans
notre île, ou perdre la guerre. Si nous parvenons à lui tenir tête,
toute l'Europe pourra être libérée, et le monde s'élèvera vers de
vastes horizons ensoleillés. Mais si nous succombons, alors le
monde entier, y compris les États-Unis, et tout ce que nous avons
connu et aimé, sombrera dans les abîmes d'un nouvel âge des
ténèbres, rendu plus sinistre, et peut-être plus durable, par les
lumières d'une science pervertie. Armons-nous donc de courage
pour faire face à nos devoirs, et comportons-nous de telle sorte
que, si l'Empire britannique et le Commonwealth durent mille
ans encore, les hommes puissent toujours dire : "C'était leur plus
belle heure[41]." »

De nobles paroles, certes, mais qui ne suffiront pas à repousser
l'envahisseur. Il s'agit de transformer le pays en forteresse, et
Churchill fait en sorte que chacun s'attelle à la tâche ; tout le sud

de l'Angleterre est désormais hérissé de fossés antichars, de tranchées, d'obstacles de fortune et de kilomètres de barbelés; les poteaux indicateurs des routes, les pancartes des villes, des villages et même des gares sont retirés pour mieux dérouter l'ennemi; la *Home Guard,* ce corps d'un million de volontaires britanniques levé par le ministre de la Guerre Eden, sera équipée de mousquets, de bâtons et de fourches en attendant mieux – et Churchill viendra en personne superviser son entraînement! De jour comme de nuit, les fonctionnaires, les ministres et les chefs d'état-major reçoivent un véritable déluge de notes incitatrices, inquisitrices et comminatoires. Au ministre de la Production aéronautique : « Établir les chiffres de production d'avions, actuels et prévus, en concertation avec le professeur Lindemann; il faut des chiffres précis, avec réactualisation hebdomadaire; s'assurer que tous les avions livrés au ministère de l'Air sont effectivement incorporés dans des escadrilles immédiatement utilisables. » Au secrétaire adjoint du Cabinet de guerre : « Les ministres perdent trop de temps en réunions de comités, dont le rendement est insuffisant. Prière de me faire des propositions pour en réduire le nombre. » Au général Ismay : « Si les Allemands peuvent construire des tanks en neuf mois, nous devrions pouvoir en faire autant. Me faire des propositions pour la construction de 1 000 tanks supplémentaires, capables d'affronter en 1941 les modèles allemands améliorés. » Au professeur Lindemann : « Vous ne me fournissez pas de statistiques hebdomadaires claires et synthétiques sur la production de munitions. Faute de cela, je ne puis me rendre compte précisément de la situation. » Au ministre des Colonies : « Rapatrier les 11 bataillons de troupes régulières britanniques immobilisées en Palestine; mais ne pas omettre d'armer les colons juifs, afin qu'ils puissent assurer leur propre défense. » Au ministre de l'Intérieur : « Qui est chargé du camouflage des cibles industrielles par rideaux de fumée, et quels progrès ont été accomplis dans ce domaine? » Au ministre de la Production aéronautique : « Comment se fait-il qu'un seul viseur pour bombardier ait été converti à ce jour? Veuillez rechercher le responsable des actions retardatrices. » Au vice-chef d'état-major naval : « Quelles mesures ont été prises pour la protection des convois dans la Manche, maintenant que la côte française est occupée? » Au colonel Jacob : « Obtenir des services de renseignements un rapport détaillé sur tous préparatifs supplémentaires de l'ennemi aux fins de raids ou d'invasion.» Au ministre de l'Air : «Priorité absolue doit être donnée à la reconnaissance aérienne au-dessus des ports contrôlés par l'ennemi, et au bombardement des péniches de débarquement et concentrations de navires ainsi détectées.» Au Comité des chefs d'état-major : «Que fait-on pour renforcer la défense antiaérienne de Malte?» Au ministre de l'Intérieur : «Il n'est pas question d'autoriser l'évacuation vers le Canada des enfants britanniques, car ce serait désastreux pour le moral de la population.» Au ministre sans portefeuille : «Les informations dont je dispose me portent à croire que nos ressources en bois de construction ne sont pas adéquatement exploitées.» Au premier lord de l'Amirauté : «Veuillez examiner attentivement une nouvelle fois le plan visant à mouiller des mines au large des plages une fois l'ennemi débarqué, afin de l'isoler de ses renforts.» Au général Ismay, pour communication aux chefs d'état-major : «La politique constante du gouvernement de Sa Majesté vise à constituer de forts contingents de soldats, marins et aviateurs français, à encourager ces hommes à se porter volontaires pour combattre avec nous, et à pourvoir à leurs besoins [...]. La même politique s'applique aux contingents polonais, néerlandais, tchèques et belges. [...] Il est absolument nécessaire de donner à la guerre [...] ce caractère élargi et international qui ajoutera grandement à notre force et à notre prestige*42.»

Connaissant Churchill, on n'imagine guère qu'il se contente de gérer tout cela depuis son salon de Downing Street; de fait, il veut tout voir par lui-même : les points les plus vulnérables de la côte et leurs défenses, les installations portuaires, les usines d'aviation et de munitions, les casernes, les postes de commandement enterrés, les stations radars et les aéroports. Ce bourreau de travail s'est donc fait aménager un train spécial, avec salle de conférence, bureau, chambre à coucher, salle de bains et tous les moyens de communication nécessaires; il peut ainsi se déplacer constamment, tout en

---

* Aucun détail ne lui semble insignifiant : «Ne pourrait-on remettre en service les trophées de la Grande Guerre?» «Fournir de la cire aux troupes, pour que leurs oreilles ne soient pas affectées par le bruit des explosions.» «Que fera-t-on des animaux du zoo en cas de bombardement?»

gardant le contact avec les ministres comme avec les chefs d'état-major, sans être privé de son bain et de sa sieste... Il est accompagné en permanence de deux secrétaires, à qui il dicte sans interruption ses directives et son courrier – en apportant un soin tout particulier aux messages adressés à la Maison-Blanche ; car tout en estimant que l'Angleterre est en mesure d'affronter seule le premier choc de l'attaque ennemie, il sait parfaitement qu'elle ne pourra tenir dans la durée qu'avec l'aide massive des États-Unis. Dès le 15 mai, il avait demandé en urgence au Président une cinquantaine de destroyers anciens, plusieurs centaines de chasseurs Curtis P-40 et des canons antiaériens avec leurs munitions[43]. Ces requêtes seront réitérées dans ses lettres ultérieures, accompagnées chaque fois d'un message explicite : si la résistance britannique venait à faiblir et si certains hommes politiques acceptaient de traiter avec l'ennemi, la Grande-Bretagne, devenue un État vassal du Reich hitlérien, serait sans doute obligée de livrer la *Royal Navy.* Ajoutée à la marine allemande, italienne, française et japonaise, elle constituerait alors une menace mortelle pour la sécurité des États-Unis... Dans ces conditions, l'intérêt bien compris de la Maison-Blanche ne serait-il pas de soutenir à fond le gouvernement de Winston Churchill, qui s'est solennellement engagé à poursuivre le combat quoi qu'il advienne[44] ?

Mais le président Roosevelt est absorbé par les échéances électorales et obligé de composer avec un fort courant isolationniste au Congrès ; l'Angleterre ne peut donc espérer qu'une aide modeste et tardive. Quant à Churchill, il a pour l'heure une préoccupation qui domine toutes les autres : c'est le sort de la flotte française au lendemain de l'armistice. Entre les mains d'Hitler, ces navires rendraient la Grande-Bretagne et ses approvisionnements maritimes terriblement vulnérables. Il est vrai que l'amiral Darlan, Paul Baudouin et même le maréchal Pétain ont promis aux Anglais que la flotte ne tomberait jamais aux mains des Allemands ; seulement, Londres a reçu dans le passé l'assurance que le gouvernement français ne signerait jamais d'armistice séparé, que 400 pilotes allemands capturés seraient envoyés en Angleterre, et que les Alliés seraient informés au préalable des termes de l'armistice. Or, aucune de ces promesses n'a été tenue. En outre, les nouvelles autorités françaises ne sont plus libres de leurs décisions, et l'article 8 des conventions d'armistice dispose que la flotte française sera désarmée *sous contrôle allemand ou italien.* Il est vrai que les Allemands se sont engagés à ne pas en faire usage pendant toute la durée de la guerre ; mais s'il est déjà difficile à ce stade de croire en la parole des dirigeants français, il est bien sûr impossible de croire en la parole d'Hitler…

Étant donnée l'attachement de Churchill envers la France et ses soldats, c'est une terrible décision qu'il va maintenant devoir prendre : au soir du 3 juillet 1940, les navires français mouillant dans les ports britanniques et dans celui d'Alexandrie sont rapidement neutralisés ; la flotte en rade de Toulon est hors d'atteinte, mais il reste celle de l'amiral Gensoul à Mers el-Kébir, dans le golfe d'Oran. Sur instructions de Londres, le vice-amiral Somerville, commandant la « Force H », offre à l'amiral Gensoul le choix entre cinq possibilités : rallier un port britannique et poursuivre la guerre aux côtés des Alliés, avec tout ou partie de ses équipages ; faire appareiller son escadre pour les États-Unis ; rejoindre un port des Antilles où elle serait désarmée ; saborder les navires sur leurs lieux de mouillage ; enfin, livrer contre la *Royal Navy* un combat nécessairement inégal. Jusqu'à 17 heures 30, des négociations confuses s'ensuivent, d'où ressortent au moins deux certitudes : l'amiral Gensoul n'a communiqué à Vichy qu'une version tronquée de l'ultimatum, à savoir rallier l'Angleterre ou combattre ; ensuite, l'amiral Le Luc, adjoint de l'amiral Darlan, a ordonné aux unités navales de Toulon et d'Alger d'appareiller pour aller renforcer l'escadre de Mers el-Kébir, et il en a avisé Gensoul *en clair*[45]. Les Britanniques, en possession de ces deux informations cruciales, savent que le temps leur est désormais compté, et lorsque peu après 17 heures 30, Gensoul rejette en bloc l'ultimatum, Somerville ne peut qu'exécuter ses ordres : il fait ouvrir le feu à 17 heures 56. Les salves ne durent que seize minutes, mais elles sont meurtrières : 1 300 marins français mourront ce jour-là*.

« Ce fut, se souviendra Churchill, la plus pénible et la plus odieuse décision que j'aie jamais eu à prendre[46]. » Sans doute la plus nécessaire aussi… Le général de Gaulle, pourtant peu suspect d'anglophi-

---

* Des quatre cuirassés français au mouillage, deux sont coulés et un troisième, le *Dunkerque,* gravement endommagé. D'autres unités plus petites sont également envoyées par le fond. Le *Strasbourg* parviendra à s'échapper et à gagner Toulon.

lie débridée, avouera lui-même vingt ans plus tard : « À la place des Anglais, j'aurais fait ce qu'ils ont fait[47]. » Mais le vieux francophile de Downing Street est loin de pavoiser au moment où il s'en explique à la Chambre : « Lorsqu'un ami et un camarade, aux côtés duquel vous avez affronté de terribles épreuves, est terrassé par un coup décisif, il peut devenir nécessaire de faire en sorte que l'arme qui lui est tombée des mains ne vienne pas renforcer l'arsenal de votre ennemi commun. Mais il ne faut pas garder rancune à votre ami pour ses cris de délire et ses gestes d'agonie. Il ne faut pas ajouter à ses douleurs ; il faut travailler à son rétablissement. L'association d'intérêt entre la France et la Grande-Bretagne demeure ; la cause commune demeure ; le devoir inéluctable demeure[48]. » L'ensemble des députés se lève pour l'acclamer, mais lorsque Churchill quitte la Chambre, son secrétaire l'entend dire à l'ancien ministre de la Guerre Hore-Belisha : « Cette histoire me brise le cœur[49]. »

Après cela, en tout cas, personne ne pourra se méprendre sur la résolution des Britanniques et de leur Premier ministre. Dans un discours du 19 juillet, Hitler fait bien une offre de paix – un rameau d'olivier tendu au bout d'un sabre d'abordage –, mais Churchill ne daigne même pas la rejeter, laissant ce soin à lord Halifax – celui-là même sur qui le Führer comptait pour négocier ! Dès lors, personne ne peut douter de ce qui va suivre : Hitler va lancer d'un moment à l'autre l'opération SEELÖWE, l'assaut décisif contre les îles Britanniques. Depuis le 10 juillet, les attaques aériennes allemandes se sont déjà concentrées sur les ports de la côte sud de l'Angleterre, ainsi que sur les navires britanniques dans la Manche ; après le 21 juillet, elles vont devenir massives : la bataille d'Angleterre commence...

Pour la Grande-Bretagne, elle s'annonce très mal : c'est qu'en face des îles Britanniques, l'ennemi occupe désormais près de 5 000 kilomètres de côtes, depuis Tromsø jusqu'à Hendaye, et peut lancer ses attaques aériennes à partir de la Belgique, des Pays-Bas, de la France, du Danemark et de la Norvège ; il dispose pour ce faire de trois flottes aériennes comprenant quelque 2 200 avions, dont 1 300 bombardiers et 930 chasseurs. Face à cela, les Britanniques n'alignent que quelque 770 chasseurs modernes*, ainsi que

* Mais la disproportion n'est qu'apparente, car les Britanniques ont également 293 chasseurs de réserve, tandis que les Allemands n'en ont pratiquement aucun,

500 bombardiers assez peu performants et inutilisables en défense ;
la *Royal Navy* n'est guère mieux lotie : entre la campagne de
Norvège et Dunkerque, elle a perdu près de la moitié de ses
200 destroyers, et le reste est si vulnérable aux attaques aériennes
en mer du Nord et dans la Manche qu'il ne pourrait s'opposer
sérieusement à une invasion ; c'est également le cas des 13 cuirassés
et croiseurs de bataille, qui ont dû se réfugier dans les ports du
nord et de l'ouest. Quant à l'armée, elle ne compte que 22 divisions, dont une moitié a été sévèrement étrillée durant la campagne
de France, l'autre est dépourvue d'entraînement, et toutes
manquent cruellement d'armes et de munitions... Il leur faudra
pourtant défendre quelque 3 200 kilomètres de côtes, dont plus du
tiers se prête aisément à des opérations de débarquement amphibies.

La situation n'est tout de même pas désespérée : comme Hitler,
Churchill sait bien qu'il est impossible d'envahir les îles Britanniques sans avoir conquis au préalable la maîtrise du ciel. Or, la
Grande-Bretagne dispose à cet égard de plusieurs atouts non négligeables : des commandants d'aviation comme l'*Air Chief Marshal*
Dowding et l'*Air Vice Marshal* Park qui, avec un quart de siècle
d'expérience chacun, sont au sommet de leur art ; des aviateurs
soigneusement entraînés, renforcés en outre par des pilotes
tchèques, français et polonais aguerris par les dernières campagnes
sur le continent* ; un système de contrôle au sol récemment
achevé, et surtout une ceinture radar de basse altitude qui couvre
la Grande-Bretagne jusqu'aux extrémités est, sud et sud-ouet du

---

de sorte que le nombre de chasseurs est sensiblement égal de part et d'autre. Il en
est de même pour leurs performances : si le monomoteur allemand Me 109 est le
plus rapide, il a un rayon d'action trop limité (660 km), tandis que le bimoteur Me
110, qui a une meilleure autonomie de vol (1 100 km), est trop lourd et trop peu
maniable pour affronter les Hurricane et les Spitfire – qui sont en outre guidés
par radar vers leurs cibles.

* La *Luftwaffe,* elle, a été durement éprouvée par la campagne de France, qui
a mis 1 239 appareils hors de combat et considérablement usé les autres. Les
400 pilotes et 600 autres aviateurs allemands capturés en France ont bien été
libérés après l'armistice, mais ils ne partciperont pas à la bataille d'Angleterre,
ayant été rapatriés en Allemagne pour des périodes de repos et d'entraînement
avant réaffectation. Pendant toute la bataille d'Angleterre, la RAF aura en fait
davantage de pilotes que la *Luftwaffe* – 1 400 contre 1 050 environ.

Le palais de Blenheim, où tout a commencé… « *Étonnant édifice, qui pouvait fort bien rivaliser avec Versailles et avait déjà ruiné plus d'un Marlborough.* »

Winston à 7 ans.
« *Un petit bouledogue méchant aux cheveux roux.* »

Lord Randolph Churchill. « *C'est difficile à comprendre, mais Randolph Churchill persiste à considérer que son fils est un crétin.* »

À 15 ans avec sa mère Jennie et son petit frère Jack :
« Ma mère brillait à mes yeux comme l'étoile du soir. »

Prisonnier des Boers à Pretoria,
novembre 1899 (dernier à droite).
*« Ce n'est pas tous les jours
qu'on capture un fils de lord ! »*

Winston à 30 ans, nouveau député libéral. « *Certains changent de principes pour l'amour de leur parti ; Winston, lui, a changé de parti pour l'amour de ses principes…* »

Winston et sa fiancée Clementine, 1908.
« *Clementine avait fini par se montrer sensible au charme de ce galant peu ordinaire.* »

© Hulton Archives

Le lieutenant et ministre du Commerce Churchill assiste aux manœuvres en compagnie du Kaiser, à l'été de 1909. *« Si Guillaume II semble éprouver une certaine sympathie pour ce jeune Winston dont il a jadis connu les parents, il n'en nourrit pas moins des ambitions qui ne laissent aucune place aux sentiments. »*

© Hulton Archives

© Hulton Archives

Lloyd George et Churchill, 1913. *« Les divins jumeaux de la réforme sociale. »*

© Imperial War Museum

Au Q.G. du 33ᵉ corps d'armée, Camblain, 1915 : le commandant Churchill en compagnie du général Fayolle, à sa gauche, et du capitaine Spears, à sa droite. On notera l'uniforme résolument franco-britannique du commandant.

Le premier lord de l'Amirauté Churchill et le premier lord naval Fisher, 1914. *« Ce qui manquait à l'un, l'autre ne l'avait pas… »*

Le lieutenant-colonel Churchill, 1916 :
« Ce n'est pas moi qui quitte mon bataillon ;
c'est mon bataillon qui me quitte ! »

Le chancelier de l'Échiquier quittant
Downing Street, avril 1925 : *« On a dit*
que j'ai été le plus mauvais chancelier de
l'Échiquier que l'Angleterre ait jamais
connu… Et on a eu raison ! »

1927 : Au volant de sa nouvelle voiture,
le conducteur le plus distrait
d'Angleterre.

Retour à l'Amirauté,
3 septembre 1939 : « *Une
étrange expérience, comme celle
de revenir à une incarnation
précédente.* »

Le premier lord de l'Amirauté Churchill harangue l'équipage du croiseur *Exeter*, 15 février 1940. « *Dans ce conflit encore limité, la plupart de ses collègues du gouvernement se contenteraient volontiers de ne pas perdre ; mais Churchill, lui, n'existe que pour gagner…* »

15 août 1941, première rencontre Churchill-Roosevelt sur le croiseur *Prince of Wales* au large de Terre-Neuve. Derrière eux, de gauche à droite : Hopkins, Harriman, King, Marshall, Dill, Stark et Pound.
« *Roosevelt : "Churchill a cent idées par jour, dont quatre seulement sont bonnes… mais il ne sait jamais lesquelles !"*
Churchill : "Le Président a tort de dire cela : lui, il n'en a aucune…" »

Sur un tank américain aux abords du Rhin, mars 1945 : « *Le vieux guerrier est irrésistiblement attiré par l'odeur de la poudre…* »

Décembre 1943, en convalescence à Carthage, le patient difficile et stratège enthousiaste est entouré des généraux Eisenhower et Wilson. « *Seigneur ! Si seulement il rentrait en Angleterre, où nous pourrions le contenir…* »

© Photo Keystone

Berlin, 16 juillet 1945 : le vainqueur devant le bunker d'Hitler, assis sur les restes de la chaise du *Führer*.

5 avril 1955 : le Premier ministre quitte Downing Street pour présenter sa démission à la reine : « *Il faut bien que l'artiste abandonne l'art, avant que l'art n'abandonne l'artiste…* ».

© Tallandier

10 mai 1947, dans la cour des Invalides, un vétéran très fier de sa médaille militaire...

© Hulton Archives

© Photo Keystone

L'illustre retraité se représente aux élections à Woodford, mai 1959 : « *Bien sûr, lorsque la tempête s'apaise sous le crâne, on voit reparaître le soleil de l'orgueil.* »

pays, doublée de radars de haute altitude dont la portée s'étend jusqu'aux côtes françaises, belges et néerlandaises ; enfin, « Ultra », une technique qui permet depuis le 11 mai de décrypter une partie des codes secrets de l'aviation allemande issus de la machine « Enigma »*. Mais rien de tout cela ne peut être décisif, d'autant que les stations de contrôle radar, tout comme les PC opérationnels et les QG de secteurs de la RAF, ne sont pas tous enterrés, et que le décryptage des communications de la *Luftwaffe* est encore très limité. La partie promet donc d'être extrêmement serrée...

Et pourtant, tous ceux qui ont connu Winston Churchill à cette époque sont formels : au moment où le destin lui-même retient son souffle, ce diable d'homme est au meilleur de sa forme, et son moral est éblouissant. On le conçoit aisément : après avoir joué les seconds rôles pendant un demi-siècle sur la scène de l'histoire, le voici propulsé au premier plan, avec tout le pays derrière lui et la liberté de donner des ordres à tous, partout et à toute heure ! Comment s'étonner dès lors que notre politicien-militaire-historien se voie dans le rôle de la Grande Élisabeth attendant l'Armada, ou dans celui du duc de Marlborough défiant Louis XIV ? Comble de félicité : il s'agit d'affronter un péril mortel, et Churchill, à 65 ans, est toujours aussi fasciné par « les yeux étincelants du danger ». Sans doute a-t-il le sentiment de n'avoir jamais existé que pour cette heure, et c'est bien compréhensible : cette *Royal Air Force* sur laquelle reposent maintenant tous les espoirs, il en a été l'un des pionniers en 1912, et il a veillé jalousement pendant deux décennies à son développement comme à l'entraînement de ses pilotes ; l'*Air Chief Marshal* Hugh Dowding, commandant cette aviation de chasse dont dépendra le sort de la bataille, devait être limogé... mais il a été maintenu en fonctions sur l'intervention personnelle de Churchill lui-même ; l'homme

---

* Le service de décryptage britannique (GC & CS), créé en 1919 par fusion des sections rivales de l'armée (MI1B) et de la marine (*Room 40*), avait commencé à travailler intensivement en 1937 sur la machine à encrypter électromécanique allemande (Enigma militaire), avec l'aide des Français et des Polonais. L'ensemble du service GC & CS s'est installé en août 1939 dans le manoir de Bletchley Park, au nord-ouest de Londres, d'où il communiquera à Churchill jusqu'à la fin de la guerre des renseignements inestimables sur le dispositif et les intentions ennemis.

qui s'est mis à produire des Hurricane et des Spitfire plus vite que les Allemands ne peuvent les abattre*, c'est le magnat de la presse lord Beaverbrook, un vieux complice grognon et redoutablement efficace, que Churchill a eu l'idée providentielle de faire nommer ministre de la Production aéronautique ; ces soldats qui attendent de pied ferme le corps de débarquement allemand, c'est Churchill qui les a fait réarmer en toute hâte après l'évacuation de Dunkerque, en obtenant du président Roosevelt l'envoi immédiat d'un million de fusils, mitraillettes et canons de 75, et en ordonnant leur distribution *la nuit même* de leur arrivée ; les quelques centaines de tanks qui les appuient, c'est le premier lord de l'Amirauté Churchill qui les a inventés en 1914, et en a fait construire les premiers modèles par les chantiers de l'Amirauté ; ces radars qui seront les yeux et les oreilles de la RAF pendant toute la bataille d'Angleterre, c'est le député Churchill qui en a obtenu le développement accéléré, alors qu'il était membre du sous-comité de recherche en matière de défense antiaérienne** ; ce service secret MI6 qui guette les préparatifs d'invasion dans tous les ports d'embarquement d'Europe occupée, c'est le ministre de l'Intérieur Churchill qui en a fait voter la charte trente-deux ans plus tôt ; la plupart des navires de la *Royal Navy* qui attendent maintenant l'invasion ennemie, c'est le Premier lord Churchill qui les a fait construire entre 1911 et 1915 ; ce bureau des écoutes de Bletchley Park qui commence à déchiffrer les codes de la machine « Enigma », c'est ce même Churchill qui en a créé l'ancêtre en 1914, dans la célèbre « *Room 40* » de l'Amirauté ; quant aux obusiers lourds qui défendent désormais les abords des plages du sud de l'Angleterre, ils avaient été soigneusement graissés et entreposés en 1919, sur l'ordre d'un ministre de la Guerre prévoyant dont on devinera aisément le nom... Et puis, bien des aviateurs et des marins qui vont maintenant défier l'envahisseur sont les fils d'officiers qui servaient déjà un quart de siècle plus tôt sous les ordres du premier lord de l'Amirauté, ministre de l'Armement, ministre de la Guerre ou ministre de l'Air Winston Churchill ;

---

* 352 chasseurs par mois en moyenne jusqu'à la fin de 1940, soit plus du double de la production allemande...

** Même s'il n'a été définitivement convaincu de l'utilité du radar qu'en juin 1939.

quant à l'actuel ministre de l'Air, Archibald Sinclair, il était son commandant en second dans les tranchées de Flandres en 1916, tandis que le ministre de la Guerre, Anthony Eden, n'est autre que son ancien partenaire dans la lutte contre l'apaisement. Enfin, parmi les conseillers les plus écoutés du Premier ministre Churchill, on trouve Jan Christiaan Smuts, son ennemi de 1899, son collègue de 1917 et son ami de toujours*! Aucun doute : cette bataille d'Angleterre qui vient de s'engager, c'est l'affaire personnelle de Winston Churchill, et le point culminant de sa carrière...

Au début d'août, ce que les Allemands appellent le *Kanalkampf* – la bataille de la Manche – a semé la dévastation sur la côte sud de l'Angleterre, embouteillé les ports et décimé les convois ; mais pour l'essentiel, l'opération a manqué son but : la Manche n'est pas fermée à la navigation alliée, et quelque 800 petites unités de combat de la *Royal Navy* continuent d'y opérer ; quant à la *Luftwaffe,* elle a certes abattu 148 avions britanniques, mais elle en a perdu 270, ce qui n'est pas exactement un triomphe... Au début d'août, Hitler ordonne donc de passer à la deuxième étape : délaisser les ports et s'attaquer aux stations radars, aux aérodromes et aux usines d'aviation du sud-est de l'Angleterre, afin d'écraser la RAF dans les plus brefs délais... À partir du 12 août, des centaines de bombardiers Heinkel 111, Dornier 17 et Junkers 88, opérant par vagues successives et escortés de chasseurs Messerschmitt 109 et 110, pilonnent donc tous les objectifs militaires du Kent, du Hampshire, du Dorset, du Wiltshire et de l'estuaire de la Tamise ; le 15 août, généralement considéré comme le point culminant de la bataille d'Angleterre, les 3 flottes aériennes lancent 7 raids coordonnés sur tout le pourtour de l'île, depuis le Northumberland jusqu'au Dorset. À chaque fois, grâce au réseau d'alerte très dense mis en place dans tout le sud de l'Angleterre, les assaillants sont rapidement localisés, et les chasseurs Spitfire et Hurricane du *Fighter Command,* guidés par radar, décollent aussitôt pour les intercepter ; leurs pilotes ont ordre d'attaquer en priorité les bombardiers, ce qu'ils feront avec un courage stupéfiant : en dix jours, 367 appareils

---

* Smuts est depuis 1939 Premier ministre d'Afrique du Sud ; très admiré par les chefs d'état-major britanniques, il sera nommé maréchal d'Empire en 1941 et dispensera de sages conseils à Churchill jusqu'à la fin de la guerre.

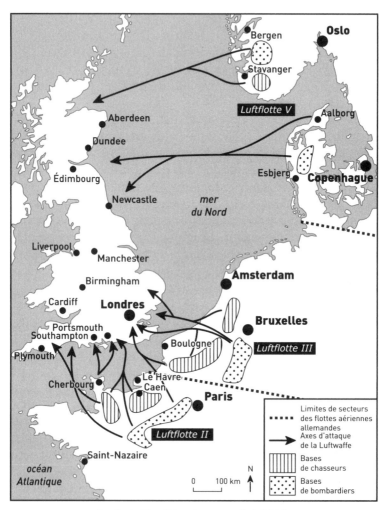

La bataille d'Angleterre, été 1940

allemands sont abattus*... Mais la RAF en perd 183, ses terrains d'aviation et ses postes de commandement sont sévèrement touchés, et certains, comme Kenley ou Biggin Hill, sont entièrement détruits ; en outre, six stations radars ont été attaquées et deux sont désormais inutilisables ; les usines d'aviation subissent des dégâts importants, et la production de Spitfire s'en trouve considérablement ralentie ; les chasseurs en cours de ravitaillement sont pilonnés au sol, les pertes se multiplient, les lignes de communication sont souvent coupées, les réserves s'épuisent, et les quelque mille pilotes engagés sans relâche sont manifestement éreintés. À la fin du mois d'août, la situation est devenue critique, la RAF a pratiquement perdu la maîtrise du ciel au-dessus du Kent et du Sussex, et les bombardiers allemands notent un net fléchissement des défenses britanniques.

C'est un événement fortuit qui va infléchir le cours du destin : le 24 août, à la suite d'une erreur de navigation, un appareil allemand a largué ses bombes sur la banlieue de Londres. Le bombardement de la capitale était expressément interdit par ordre du Führer, mais Churchill ne peut ni ne veut le savoir ; pour lui, un nouveau pas vient d'être franchi dans l'escalade de la terreur, et tant par pugnacité que par volonté instinctive de soutenir le moral de ses concitoyens, il ordonne pour le lendemain même un raid de représailles sur Berlin. D'un point de vue stratégique, c'est une décision insensée : les bombardiers britanniques de l'époque emportent une charge minime, ils ont un rayon d'action très faible, et la ville de Berlin est six fois plus éloignée des côtes anglaises que Londres des côtes françaises. De fait, l'opération sera un échec : des 81 bombardiers partis pour cette mission, 29 seulement atteignent Berlin,

---

* Les avions allemands, conçus pour opérer en soutien des blindés et de l'infanterie, sont peu adaptés aux missions de bombardement stratégique à longue distance : la *Luftwaffe* n'a aucun bombardier lourd, et, parmi ses bombardiers moyens, le He 111 est trop lent, le Do 17 emporte une charge de bombes insuffisante, le Ju 88, trop récemment sorti des usines, présente de dangereux défauts techniques, et le Ju 87 Stuka, lent et mal armé, est très vulnérable aux attaques venant de l'arrière et du dessous. Quant aux chasseurs Me 109, ils sont fatalement handicapés par leur faible autonomie et par la nécessité d'escorter des bombardiers lents, ce qui les prive de leurs principaux atouts : la vitesse et la maniabilité. Les résultats obtenus par les pilotes allemands en dépit de ces terribles handicaps sont d'autant plus impressionnants.

pour n'y provoquer que des dégâts insignifiants. Mais contre toute raison, Churchill s'entête, et les bombardements sont répétés durant les jours suivants... Or, voici que le 1ᵉʳ septembre, alors que sa *Luftwaffe* est en train de prendre l'ascendant sur la RAF en détruisant méthodiquement aérodromes, radars, centres de commandement et lignes de communication, Hitler perd brusquement patience, et décide de mener des raids de représailles massifs contre Londres et les grandes agglomérations britanniques. « Nous raserons leurs grandes villes ! » hurle-t-il lors de son discours du 4 septembre au *Sportpalast*...

C'est une erreur fatale ; le 6 septembre, alors que la RAF, avec de lourdes pertes et un système d'appui au sol fortement désorganisé, est sur le point de fléchir, la *Luftwaffe* se détourne brusquement de ses objectifs militaires pour s'en prendre aux grandes villes, où elle allume jour et nuit de gigantesques incendies. Mais si pour les civils de Londres, Manchester, Birmingham, Liverpool, Hull et Newcastle, le calvaire commence, les officiers du *Fighter Command* y voient d'emblée l'annonce du salut ; car ce répit providentiel va permettre de réparer les lignes de communication, de réapprovisionner les ouvrages défensifs, de remettre en état les aérodromes, de rebâtir les postes de commandement et de reconstituer les escadrilles décimées. En moins d'une semaine, l'effet s'en fera sentir : la RAF, revigorée, provoque un véritable carnage parmi les assaillants ; durant la seule journée du 15 septembre, les Allemands perdront 56 avions, dont 34 bombardiers*.

Pour Hitler, ce sont là des pertes insupportables – d'autant que depuis le 6 septembre, les Britanniques ont envoyé leurs propres bombardiers pilonner les concentrations de péniches de débarquement entre Ostende et Le Havre, avec des résultats dévastateurs. Décidément, les éléments nécessaires au succès de l'opération d'invasion ne sont toujours pas réunis, et les conditions de vents et de marée vont rapidement devenir défavorables. « Sur terre, a dit le

---

* Contre 26 appareils britanniques abattus, avec la perte de 13 pilotes. Les combats se déroulant au-dessus de l'Angleterre, toute destruction ou atterrissage forcé d'un appareil allemand entraîne la perte de ses équipages faits prisonniers. Par contre, les pilotes alliés qui parviennent à sauter en parachute restent disponibles pour de nouveaux combats, ce qui sera un facteur essentiel dans la bataille.

Führer, je suis un héros ; sur mer, un lâche[50] »... Le 17 septembre, il décide d'ajourner SEELÖWE « jusqu'à nouvel ordre », même si les préparatifs d'invasion se poursuivront ostensiblement tout le long des côtes de l'Europe occupée. Ainsi donc, Churchill a gagné la bataille d'Angleterre parce qu'il a agi impulsivement, en stratège amateur... et Hitler l'a perdue parce qu'il a réagi de même ! Le destin a parfois de bien étranges caprices – et comme toujours, il fait preuve à l'égard de Winston Churchill d'une partialité confondante.

À Londres, bien sûr, on ne peut savoir que l'invasion est ajournée, d'autant que les raids aériens se poursuivent sur les grandes villes anglaises ; mais ils sont si coûteux qu'ils ne se feront bientôt plus que de nuit. Par ailleurs, les appareils de reconnaissance et les services de décryptage rapportent bientôt que les préparatifs d'invasion ont été ralentis, et certaines unités navales dispersées. Churchill, qui envisageait l'invasion avec confiance, l'attend maintenant avec impatience. Quant à son activité durant la bataille d'Angleterre et le *blitz* féroce qui s'ensuit, elle a de quoi stupéfier l'observateur le plus blasé. C'est que ce diable d'homme semble être partout à la fois ; on le voit inspecter les plages, les aérodromes, les postes de commandement, les fortifications côtières, les chantiers navals, les usines d'aviation, les champs de manœuvres, les navires de guerre, les stations radars, les divisions de première ligne, les unités territoriales, les hôpitaux de campagne et les centres d'expérimentation des armes nouvelles ; on le retrouve en train de sillonner la Tamise, pour se rendre compte des dégâts occasionnés par les bombardements sur les docks de Londres, ou au milieu des ruines des maisons de l'East End, murmurant des mots d'encouragement aux habitants qui ont perdu leur logement ; on peut même repérer sur les champs de tir une silhouette massive et un peu voûtée, en costume gris clair et chapeau mou, ajustant soigneusement sa cible tout en mâchonnant un énorme cigare...

À la suite de ces excursions, les ministres et les officiers d'état-major sont soumis à un véritable bombardement de notes sur tous les sujets possibles et imaginables. Au ministre de la Guerre : « J'ai été désagréablement surpris de constater que la 3e division était dispersée sur 50 kilomètres de côtes, au lieu d'être, comme je l'imaginais, tenue en réserve à l'arrière et prête à s'opposer à toute incursion sérieuse. Plus étonnant encore, l'infanterie de cette division

[...] n'était pas pourvue des autobus nécessaires pour la transporter jusqu'aux lieux de l'engagement. [...] Il devrait être facile de remédier immédiatement à ces lacunes. » Au général Ismay : « Que fait-on pour encourager et aider les habitants de zones portuaires menacées à se construire des abris convenables pour se protéger en cas d'invasion ? Prendre des mesures sans délai. » Au même général Ismay : « Le canon de 14 pouces monté sur le promontoire de Douvres devrait ouvrir le feu dès que possible sur les batteries allemandes en cours de montage au cap Gris-Nez, avant qu'elles ne soient en mesure de répliquer. » Au professeur Lindemann : « Si nous pouvions disposer d'amples provisions de projecteurs multiples et de fusées dirigées par radar, [...] la défense contre les attaques aériennes ferait un pas décisif. [...] Rassemblez vos idées et les faits, afin que je puisse donner la plus haute priorité et l'impulsion maximum à cette affaire. » Au Comité des chefs d'état-major : « Que fait-on pour produire en série et mettre en place des petits blockhaus circulaires pouvant être enterrés au centre des terrains d'aviation, et relevés de 60 centimètres à 1 mètre au moyen d'un système à air comprimé, afin de constituer une petite tourelle qui commande tout l'aérodrome ? [...] Il me semble que c'est là un excellent moyen de défense contre les parachutistes, et il faut certainement en généraliser l'emploi. Faites-moi parvenir un plan à cet effet. » Au ministre de l'Information : « Il importe de poursuivre sans arrêt les émissions en français du général de Gaulle, et de faire relayer par tous les moyens possibles notre propagande française en Afrique. On me dit que les Belges seraient disposés à nous aider à partir du Congo. » Au ministre des Transports : « J'aimerais connaître le montant des stocks de charbon dont disposent actuellement les chemins de fer. [...] L'arrêt de nos exportations vers l'Europe a dû créer de gros excédents, et je ne doute pas que vous en profiterez pour remplir tous les dépôts existants, afin que nous possédions des provisions bien réparties pour les chemins de fer, [...] qui soient également disponibles en cas d'hiver rigoureux. » Au ministre de l'Air : « En visitant hier l'aérodrome de Manston, j'ai été indigné de constater que plus de quatre jours après le dernier bombardement, la plupart des cratères de la piste d'atterrissage n'avaient pas encore été comblés [...]. Tous les cratères de bombes doivent être comblés dans les vingt-quatre heures au plus, et ceux qui ne le seraient pas doivent être signalés aux autorités supérieures. » Au ministre de l'Intérieur : « Envoyez-moi la liste des personnalités que vous avez arrêtées*. » Au général Ismay : « Veuillez me faire parvenir dès que possible la liste des munitions tirées toutes les vingt-quatre heures pendant le mois de septembre… » Au chef de l'état-major impérial : « Je m'inquiète de l'insuffisance manifeste de l'équipement des troupes polonaises, qui se sont pourtant révélées si efficaces militairement. J'espère pouvoir les inspecter mercredi prochain. Faites-moi parvenir pour lundi les meilleures propositions possibles pour leur rééquipement[51]. »

Est-ce tout ? Non, ce n'est qu'un début ! Des centaines d'autres notes traitent de la nécessité de disperser et de camoufler les véhicules imprudemment concentrés dans les dépôts ; de la formation d'unités de guérilla pouvant opérer sur les arrières de l'envahisseur ; de l'opportunité d'économiser le verre à vitres ; de la constitution de stocks d'armes chimiques ; des activités récréatives et éducatives à prévoir pour les troupes pendant l'hiver ; des constructions navales, avec priorité à donner aux destroyers pouvant être achevés en moins de quinze mois ; de la nécessaire promotion au rang de lieutenant-colonel du major Jefferis, spécialiste de la mise au point d'armes nouvelles ; de l'affectation immédiate aux escadrilles opérationnelles de tous les avions en état de voler ; des dysfonctionnements dans les services postaux durant les bombardements aériens ; de l'augmentation des achats d'acier aux États-Unis ; des précautions à prendre au cas où les Allemands feraient débarquer des troupes en uniforme britannique ; des abus du rationnement** ; de la nécessaire révision des masques à gaz ; des retards injustifiables dans la production des mortiers et des armes antitanks ; de la nécessité de multiplier les leurres lumineux aux abords des villes, afin d'amener les Allemands à bombarder de nuit des champs en friches ; de la subordination des services de planification au ministère de la Défense ; du dédommagement par l'État des citoyens dont

* Comme présentant un risque pour la sécurité intérieure ; les premiers de la liste de 150 personnes ainsi arrêtées sont deux cousins de Churchill, Geo Pitt-Rivers, numéro deux du parti fasciste d'Oswald Mosley, et Diana Mitford, épouse du même Oswald Mosley – qui a naturellement été emprisonné lui aussi.
** Pendant toute la guerre, Churchill ne cessera de combattre les mesures d'austérité superflues, considérant que le moral des populations ne peut être durablement maintenu qu'au prix d'un minimum de confort.

les demeures ont été détruites par bombardement ; de la nécessité de construire un chasseur compact pour les porte-avions ; des mesures immédiates à prendre pour faire rapatrier sans délai le duc de Windsor, qui est à Madrid et a tendance à se faire prier*, etc.

Tout ce travail s'accomplit en grande partie sous les bombardements. « Il pouvait s'inquiéter de son prochain discours, mais pas de sa sécurité, se souviendra John Colville. Un matin d'octobre 1940, nous l'avons prévenu qu'il y avait à Saint James's Park une bombe non explosée, et qu'à moins qu'elle ne soit désamorcée, le 10 Downing Street courrait un grand danger. [...] Il s'est contenté de lever les yeux de ses papiers en exprimant son inquiétude pour les canards et les pélicans[52]. » Le 14 novembre, alors que l'on s'attend à un bombardement de Londres particulièrement violent, il envoie ses deux secrétaires particuliers se mettre à l'abri dans la station souterraine de Down Street, en leur disant : « Vous êtes trop jeunes pour mourir ! » – après quoi il va s'installer sur le toit du ministère de l'Air pour observer le bombardement[53]...

La tâche est donc aussi dangereuse qu'herculéenne, mais Churchill est habilement secondé par les personnels du secrétariat du Cabinet de guerre et du ministère de la Défense, qui assurent le suivi de toutes les affaires ayant éveillé l'attention du Premier ministre – avec d'autant plus de zèle que celui-ci trépigne de rage lorsque ses admonestations n'ont pas immédiatement les effets escomptés. Fonctionnaires et ministres reçoivent d'ailleurs assez fréquemment des rappels comminatoires du genre de celui-ci : « Veuillez me faire savoir en quoi le situation s'est améliorée depuis ma note d'hier ! » Lorsque les rapports ne sont pas satisfaisants, les responsables sont convoqués et invités à s'expliquer ; si certains facteurs ralentissent la production, le Premier ministre veut immédiatement savoir lesquels ; si l'obstacle vient de l'excès ou du manque de zèle de certains fonctionnaires, il exige des noms... Et lorsque la mise au point d'une antenne aérienne sera ralentie par une querelle entre le ministère de l'Approvisionnement et celui du Travail, Churchill se fera arbitre – en les dessaisissant tous deux au

---

* La question est d'importance, dans la mesure où l'on craint que les Allemands ne l'enlèvent pour l'ériger en rival du roi George VI – ce qu'ils tenteront effectivement de faire lors du séjour de l'ancien monarque à Lisbonne. Il sera finalement rapatrié et nommé gouverneur des Bahamas.

profit du ministère de la Production aéronautique. Comme si tout cela n'était pas suffisant, il faut trouver un successeur à Neville Chamberlain, qui vient d'abandonner la présidence du parti conservateur, et Winston Churchill, qui n'était jusqu'alors que Premier ministre, ministre de la Défense, député et président d'une demi-douzaine de comités, devient en outre chef de parti*... Et comme avant tout, il est un humble sujet de Sa Majesté, notre homme-orchestre se fera un devoir d'aller chaque semaine déjeuner en tête à tête avec le roi George VI, pour lui expliquer sa politique de guerre**.

Cette frénésie d'activité est d'autant plus effarante que l'attention du Premier ministre est simultanément absorbée par quatre autres affaires de toute première importance : la correspondance avec le président Roosevelt, grâce à laquelle les négociateurs britanniques à Washington finiront par obtenir au début de septembre la livraison des cinquante destroyers si ardemment convoités, en échange de la cession à bail de plusieurs bases britanniques aux Antilles et à Terre-Neuve ; la nécessité de parer à la menace italienne contre l'Égypte, qui amènera Churchill et Eden à prendre la décision extraordinairement risquée d'envoyer au Moyen-Orient 154 tanks supplémentaires – soit la moitié des chars modernes disponibles –, au moment où l'on attend d'une semaine à l'autre un débarquement allemand en Grande-Bretagne même*** ; les recherches sur le système allemand de guidage des

---

* Churchill a beaucoup appris des mésaventures de Lloyd George pendant et après la Grande Guerre : le « Sorcier gallois » ayant négligé le Parlement et n'ayant pas le contrôle du parti libéral, sa position s'en était trouvée fatalement affaiblie.

** Au début, le couple royal gardera quelque peu ses distances, à la fois parce qu'il s'était habitué aux manières plus formelles de Chamberlain, et parce que Winston, dont le manque de ponctualité est légendaire, « dit qu'il viendra à 18 heures annonce ensuite par téléphone qu'il sera plutôt là à 18 heures 30, et finit par arriver à 19 heures, pour un entretien précipité de dix minutes. » (J Colville.) Mais les relations ne cesseront de s'améliorer au cours de la guerre, en raison d'une très grande admiration mutuelle.

*** Cette décision hardie a été prise conjointement avec le War Office et l'Amirauté. Churchill voulait même les faire passer par la Méditerrranée, afin qu'ils arrivent plus tôt à destination, mais les chefs d'état-major s'y sont opposés, estimant l'entreprise trop risquée. Le Premier ministre a dû s'incliner et le convoi a emprunté la route du Cap, plus lente mais plus sûre.

bombardiers par faisceau radioélectrique, qui aboutiront dès la fin du mois d'août, grâce aux pressions constantes du Premier ministre, à la mise au point d'une parade décisive. Enfin, bien sûr, il y a la préparation minutieuses de ses discours au Parlement et à la BBC, qui sont devenus la voix et la conscience du peuple britannique ; c'est ainsi qu'on l'entendra le 20 août rendre cet hommage immortel aux pilotes de la RAF : « La gratitude de chaque foyer de notre île, de notre empire, et même du monde entier, [...] se porte vers ces aviateurs britanniques dont la vaillance et le dévouement sont en train de changer le cours de la guerre. Jamais, dans l'histoire des conflits humains, tant d'hommes n'ont dû tant de choses à un si petit nombre de leurs semblables[54] ». L'élaboration de tels tours de force absorbe naturellement des nuits entières, et l'on apprendra sans doute avec soulagement que Churchill a interrompu sa rédaction de l'*Histoire des peuples de langue anglaise*. Mais c'est uniquement parce que cet invraisemblable hyperactif passe tout le temps libre qu'il ne peut matériellement lui rester... à concevoir des plans d'offensive !

C'est évidemment bien difficile à croire ; mais le lecteur aura compris depuis longtemps qu'il n'a pas affaire à un personnage ordinaire. Alors qu'au début d'août 1940, les responsables de la planification au *War Office* excluent formellement toute opération offensive de quelque envergure pour les six mois à venir[55], Churchill, lui, est d'un avis résolument opposé ; mais ce qui est plus stupéfiant encore, c'est qu'il exhortait déjà à la contre-attaque *le jour même* où se terminait l'évacuation de Dunkerque ! Dans une lettre adressée au général Ismay, pour transmission aux chefs d'état-major, il écrivait en effet dès le 4 juin : « Nous ne devons pas permettre que la mentalité exclusivement défensive qui a causé la perte des Français compromette également toutes nos initiatives. Il est de la plus haute importance [...] que nous nous mettions en état de lancer des raids contre les côtes dont les populations nous sont acquises. Ces raids seraient effectués par des unités autonomes, parfaitement équipées, comprenant environ 1 000 hommes, et au maximum 10 000 hommes lorsqu'il s'agirait d'opérations combinées. [...] Comme ce serait merveilleux, si nous pouvions amener les Allemands à se demander où ils subiront le prochain assaut, au lieu d'être nous-mêmes contraints de murer notre île et de la couvrir d'un toit ! Nous devons nous efforcer de nous débarrasser de notre sujétion mentale et morale à la volonté et à l'initiative de l'ennemi.» Et deux jours plus tard, comme on pouvait s'y attendre, il ajoute : «J'attends du Comité des chefs d'état-major qu'il me soumette les plans d'une offensive vigoureuse, hardie et ininterrompue contre l'ensemble de la ligne côtière tenue par les Allemands[56].»

D'ailleurs, Churchill a lui-même quelques suggestions à faire: lorsque les troupes australiennes arriveront, ne pourrait-on, demande-t-il, les constituer en détachements de 250 hommes, «munis de grenades, de mortiers, de véhicules blindés, etc., et susceptibles non seulement de s'opposer à une attaque contre nos côtes, mais encore de débarquer sur les côtes amies actuellement occupées par l'ennemi»? Il s'agirait pour eux de «faire régner la terreur sur ces côtes» et, accompagnés de chars et de véhicules blindés, d'«effectuer des raids en profondeur, couper des communications vitales, puis se retirer en laissant derrière eux une traînée de cadavres allemands[57]». Enfin, il faudrait mettre au point le plus rapidement possible des navires capables de transporter des véhicules blindés et de les débarquer sur les plages – on reconnaît là les «chalands avec proue rabattable» que Winston avait conçus vingt-trois ans plus tôt, en juillet 1917! Aucun doute: l'homme a de la suite dans les idées…

Il ne s'agit pas là de simples suggestions, mais d'ordres dont le ministre de la Défense Churchill va surveiller personnellement l'application. Au début de juillet, ce glorieux vétéran de la guerre des Boers crée de sa propre initiative le *Directorate of Combined Operations* (DCO), qui sera spécialisé dans l'exécution des raids en territoire ennemi. Il utilisera à cet effet les «*Independent Companies*» formées lors de la campagne de Norvège et qui, avec de nouvelles unités, deviendront les «*Commandos**». Le chef de cette Direction des opérations combinées n'est autre que l'amiral de la Flotte sir Roger Keyes; Churchill n'a pu se résoudre à utiliser ses services lors de l'attaque contre Trondheim, mais justement, il a eu l'occasion de le regretter. D'ailleurs, le héros de Zeebrugge continue de faire preuve d'un esprit résolument offensif, que

---

* Ce nom, choisi par Churchill lui-même, est justement un souvenir de la campagne d'Afrique du Sud: c'est ainsi que les Boers nommaient leurs petites unités de combat, très mobiles et efficaces.

Churchill recherche souvent en vain chez ses autres amiraux*. Mais sir Roger a depuis longtemps dépassé l'âge de la retraite, il a un caractère difficile, un sens des réalités quelque peu émoussé, et la modération n'est pas son fort – autant d'éléments qui auraient dû rappeler à Churchill ses relations difficiles avec un autre vieux loup de mer vingt-cinq ans plus tôt...

Ce même mois, une autre organisation voit le jour ; c'est le SOE, *Special Operations Executive,* qui sera placé sous l'autorité du ministère de la Guerre économique. D'après l'un de ses chefs, le général sir Colin Mc V. Gubbins, c'est Churchill lui-même qui a fixé ses tâches dans une lettre adressée au ministre Hugh Dalton[58] : « Encourager les populations des pays occupés à entraver l'effort de guerre allemand partout où ce sera possible, au moyen de sabotage, de subversion, de grèves perlées, de coups de main, etc., et leur donner les moyens de le faire. Simultanément, constituer en leur sein des forces secrètes organisées, armées et entraînées pour participer uniquement à l'assaut final. » Comme le fera remarquer le général Gubbins, ces deux tâches étaient en fait incompatibles : « Pour constituer des armées secrètes, il fallait éviter toute activité de nature à attirer l'attention des Allemands ; or, le fait d'entreprendre des actions offensives ne pouvait qu'attirer l'attention et concentrer les efforts de la Gestapo et des SS, les amenant ainsi à redoubler de vigilance[59]. » C'est un fait ; mais dans son enthousiasme, Churchill ne s'arrête pas à ces détails...

L'Amirauté et le *War Office* voient tout cela d'un œil beaucoup plus critique ; pour eux, ces « commandos », qui absorberont les meilleurs éléments des forces armées de Sa Majesté et seront soustraits à leur autorité, ne peuvent rien apporter de bon ; quant au SOE, qui emploie des civils et se spécialise dans la guerre « irrégulière », il sera considéré d'emblée par les autres services comme une organisation de dangereux amateurs. C'est pourquoi le Premier ministre va devoir intervenir constamment pour empêcher le *War Office* de mettre un terme au recrutement des commandos, et pour obliger les autres services à prêter leur concours aux deux nouvelles organisations. En fin de compte, le ministère de la Guerre, l'Amirauté et les chefs d'état-major devront céder dans une large mesure,

---

* Churchill songe même à lui faire présider le Comité des chefs d'état-major, mais doit y renoncer devant l'opposition unanime de ses membres.

et tout en continuant à attendre l'invasion, ils feront à la stratégie offensive du Premier ministre une place nettement plus importante que prévu.

Ce n'est pas encore tout ; le 8 juillet 1940, notre inlassable chef de guerre écrit à lord Beaverbrook : « Lorsque j'examine les moyens de gagner la guerre, je ne trouve qu'un seul moyen infaillible. Nous n'avons pas d'armée capable de vaincre la puissance militaire allemande sur le continent. Le blocus est brisé et Hitler peut disposer des ressources de l'Asie et probablement de l'Afrique. S'il est repoussé ici ou renonce à ses projets d'invasion, il se reportera vers l'Est, et nous n'avons aucun moyen de l'arrêter. Mais il y a une chose qui le fera revenir et qui causera sa chute, c'est une attaque absolument dévastatrice du territoire nazi par des bombardiers lourds venus de chez nous. Je ne vois pas d'autre solution*[60]. » Voilà qui entraînera la RAF dans de bien coûteuses expéditions au cours des mois et des années à venir, mais pour l'heure, le général Brooke, qui vient d'être nommé responsable de la défense du territoire, note dans son journal que le Premier ministre « est en très grande forme et déborde d'idées sur la façon de passer à l'offensive[61] ».

Le mot n'est pas trop fort... En fait, la liste de ses cibles potentielles donne véritablement le vertige ; aux services de planification conjoints, il va proposer tour à tour la capture d'Oslo, le minage du port suédois de Luleå**, l'invasion de l'Italie par une opération amphibie, l'occupation du Cotentin, un débarquement aux Pays-Bas pour se porter ensuite vers la Ruhr, la prise de Dakar, la conquête de l'Afrique du Nord avec l'aide de Vichy, un raid de grande ampleur contre les îles anglo-normandes***, le déclenchement anticipé de l'offensive contre les Italiens en Libye, un effort pour faire entrer la Turquie dans la guerre, et des débarquements

---

* Une conception qui se retrouve intégralement dans son célèbre mémorandum du 3 septembre 1940 : « Les chasseurs représentent notre salut, mais seuls les bombardiers nous donnent les moyens de la victoire. Nous devons donc nous donner la capacité de larguer sur l'Allemagne une quantité toujours croissante d'explosifs, afin de pulvériser toute l'industrie et la structure scientifique sur lesquelles reposent son effort de guerre et sa vie économique. »

** Opération PAUL, destinée à interrompre l'exportation de minerai de fer vers l'Allemagne.

*** Opération SUSAN, confiée au DCO de l'amiral Keyes.

dans l'île de Pantelleria*, en Sardaigne, à Rhodes, à Djibouti, aux Açores et au Cap-Vert – pour commencer ! L'essentiel, déclame-t-il devant ses chefs d'état-major, c'est de « briser les chaînes insupportables de la défensive[62] ».

Si les généraux, les amiraux et les membres du service de planification accueillent tous ces projets avec un scepticisme poli, c'est qu'ils sont habitués *ex officio* à distinguer le souhaitable du possible – à l'inverse de leur Premier ministre et ministre de la Défense... « Winston, dira le major Morton, était capable de produire [...] des idées stratégiques puissamment argumentées. Il était extraordinaire d'observer ses accès de rage lorsque d'aventure quelque affreux officier d'état-major lui faisait observer que son idée était peut-être géniale, mais que pour quelque raison stupide – comme le fait qu'il n'y avait pas assez de moyens de transport pour approvisionner les troupes –, elle était parfaitement irréalisable. Même alors, il ne se donnait pas pour battu, et se mettait à la recherche de quelques nouvelles idées générales (il n'entrait jamais dans le détail) sur la façon de réfuter les objections[63]. » Neville Chamberlain l'avait déjà noté douze ans plus tôt : « Ses décisions ne sont jamais fondées sur une connaissance précise de la question, ni sur un examen attentif et prolongé du pour et du contre. Ce qu'il recherche d'instinct, c'est l'idée générale et de préférence originale, susceptible d'être exposée dans ses très grandes lignes. Qu'elle soit réalisable ou non, bonne ou mauvaise, elle le séduira pourvu qu'il se voie en train de la recommander avec succès à un auditoire enthousiaste... Lorsqu'il échafaude un projet, il s'emballe si fougueusement qu'il lui arrive de perdre le contact avec la réalité[64]. »

C'est un fait : sa riche imagination s'exprime par une somptueuse rhétorique, qui le transporte très au-delà des réalités prosaïques du moment. Le rôle de son entourage civil et militaire sera justement de le faire redescendre à des altitudes moins vertigi-

---

* Entre la Tunisie et la Sicile. (Voir carte, p. 436.) C'est l'opération WORKSHOP, véritable bête noire des services de planification, qui condamnent formellement l'entreprise : c'est que l'île de Pantelleria n'a pas de ports ni de ressources en eau potable, elle est militairement vulnérable et stratégiquement inutile, et les moyens affectés à son occupation manqueraient cruellement à la défense de Malte, qui est directement menacée au même moment. Comme la plupart des autres plans hasardeux de l'amiral Keyes, WORKSHOP ne sera jamais mis en œuvre.

neuses. Mais à l'été de 1940, les chefs d'état-major ne sont pas encore rompus à ce genre d'exercice, et Churchill règne pratiquement en maître sur la stratégie britannique. Ainsi s'explique par exemple la genèse du plan d'attaque contre Dakar en août 1940, nom de code SCIPION, puis MENACE : c'est un projet d'opérations insuffisamment préparé, basé sur des renseignements très fragmentaires, et dont le Comité des chefs d'état-major avait signalé qu'il « ne pourrait réussir qu'avec la collaboration franche et loyale de l'ennemi[65] ». Mais Churchill ne veut rien savoir et le 6 août, il fait venir à Downing Street le général de Gaulle, qui racontera la suite dans ses Mémoires : « M. Churchill, colorant son éloquence des tons les plus pittoresques, se mit à me peindre le tableau suivant : "Dakar s'éveille un matin, triste et incertaine. Or, sous le soleil levant, voici que les habitants aperçoivent la mer couverte au loin de navires. Une flotte immense ! De cette escadre alliée se détache un inoffensif petit bateau portant le drapeau blanc des parlementaires. Il entre au port et débarque les envoyés du général de Gaulle. Ceux-ci sont conduits au gouverneur. [...] Le gouverneur sent que, s'il résiste, le terrain va se dérober sous ses pieds. Vous verrez qu'il poursuivra les pourparlers jusqu'à leur terme satisfaisant. Peut-être, entre-temps, voudra-t-il, 'pour l'honneur', tirer quelques coups de canon. Mais il n'ira pas au-delà. Et, le soir, il dînera avec vous en buvant à la victoire finale[66]." »

Évidemment, Churchill ne connaît pas personnellement le gouverneur Boisson, et les maigres informations disponibles sur lui à Londres indiquent que c'est un homme de Vichy pur et dur, qui ne se rendra pas sans combat. Du reste, on ne sait rien au sujet des forces qu'il a sous ses ordres, de leur nombre, de leur équipement ou de l'état de leur moral. Enfin, on ignore la topographie exacte des plages autour de Dakar, l'état de la mer au large de ces plages*, et les renseignements sur la ville elle-même datent d'avant la guerre – d'avant la première guerre, s'entend... C'est donc sur de tels renseignements que Churchill fonde l'exposé admirable et résolument optimiste qu'il vient de faire à de Gaulle ! Le Général, qui est pourtant très méfiant, se laisse malgré tout persuader... et à la fin de septembre, l'expédition de Dakar sera un échec complet.

---

* Le contre-amiral Maund écrira qu'ils étaient du genre de « la mer sera peut-être mauvaise, ou peut-être pas »...

Cet exemple flagrant de ce que les Britanniques appellent « *wishful thinking** » se retrouve dans les innombrables projets d'offensives que Churchill soumet à ses planificateurs, alors même que la situation stratégique d'ensemble est résolument défavorable à l'automne de 1940 : le Japon a signé le pacte tripartite avec l'Allemagne et l'Italie, et son avance au Tonkin fait peser une lourde menace sur la Malaisie comme sur Singapour ; les soldats de Sa Majesté ont été chassées du Somaliland britannique par des forces italiennes très supérieures en nombre**, une offensive brusquée a porté les 80 000 hommes du général Graziani jusqu'à Sidi Barrani, à plus de 100 kilomètres en territoire égyptien, et les troupes de Mussolini viennent d'envahir la Grèce ; plus à l'ouest, ni Pétain ni Weygand ne sont disposés à ouvrir aux Britanniques les portes de l'Afrique du Nord[67], le Maréchal vient même de s'entretenir avec Hitler à Montoire d'un renforcement de la collaboration, on s'attend à une attaque imminente de la Wehrmacht contre Gibraltar avec la complicité de l'Espagne***, et les troupes allemandes ont pris le contrôle de la Roumanie, avec ses puits de pétrole et son importante position stratégique en mer Noire. Pendant ce temps, la contre-offensive de la RAF sur les villes allemandes donne des résultats insignifiants, et Churchill lui-même est contraint d'admettre que « le volume de bombes larguées sur l'Allemagne est pitoyablement réduit[68]. ». Par contre, l'intensification des bombardements de la *Luftwaffe* sur les villes industrielles du sud de l'Angleterre, notamment Coventry, Bristol et Southampton, a sensiblement ralenti la production de guerre entre octobre et décembre, et la RAF n'a pas encore d'appareils adaptés à l'interception de nuit ; sur mer, au nord-ouest comme au sud-ouest des îles Britanniques, les sous-marins qui attaquent désormais en meutes (*Rudeltaktik*) provoquent des pertes effroyables parmi les convois alliés.

Enfin, il faut bien se rendre à l'évidence : même après la réélection de Franklin Roosevelt en novembre, les États-Unis ne sont pas plus près de la belligérance que six mois plus tôt ; depuis l'été de

---

* Le fait de prendre ses désirs pour des réalités.

** Ce qui permet à la marine italienne opérant depuis l'Érythrée et la Somalie de menacer les voies d'approvisionnement de l'Égypte passant par la mer Rouge.

*** Les services secrets britanniques ont eu vent du plan d'opération FELIX, ainsi que des laborieuses tractations d'Hitler avec Franco.

1940, Winston Churchill attendait que le Nouveau Monde se décide à entrer en lice pour venir au secours de l'Ancien. Il avait d'abord pensé que le coup d'éclat de Mers el-Kébir, en démontrant la résolution britannique, encouragerait Washington à intervenir ; et puis, il comptait sur l'effet produit par la destruction des villes anglaises : « Comprenez, expliquait-il ainsi au général de Gaulle, que le bombardement d'Oxford, de Coventry, de Canterbury provoquera aux États-Unis une telle vague d'indignation qu'ils entreront dans la guerre[69] ! » C'est évidemment prêter aux cousins d'outre-Atlantique un romantisme churchillien qui leur est parfaitement étranger : ils restent fermement isolationnistes, et Franklin Roosevelt ne peut passer outre ; le voudrait-il qu'on ne le laisserait pas faire ; et le laisserait-on faire qu'il n'en aurait pas les moyens : son pays, qui commence tout juste à réarmer et dispose de forces militaires insignifiantes, n'est absolument pas prêt à entrer en guerre. Il fournit certes une imposante quantité d'armes et de matériel aux forces armées britanniques*, mais il les fait payer fort cher à un Royaume-Uni dont les réserves monétaires sont pratiquement épuisées.

« Le Premier ministre, notera son secrétaire Colville, a dit qu'il ne comprenait pas pourquoi il semblait avoir conservé une telle popularité. Après tout, depuis son accession au pouvoir, tout avait mal tourné, et il n'avait eu que des désastres à annoncer[70]. » En fait, tout n'est pas uniformément noir pour Londres en cette fin de 1940 : le danger immédiat d'un débarquement allemand s'est éloigné, la RAF s'est beaucoup renforcée, et l'armée rescapée de Dunkerque reconstituée et modernisée, a pratiquement doublé ses effectifs. L'efficacité des bombardements allemands est nettement réduite du fait de l'aptitude des techniciens britanniques à détourner les

---

* Notamment 250 000 fusils Enfield, 30 000 mitraillettes Thompson, 1 000 canons de 75, ainsi que plusieurs centaines d'hydravions et de vedettes lance-torpilles. Ils leur ont également livré 50 destroyers datant de la Grande Guerre, en échange du droit d'établir des bases militaires pour 99 ans à Terre-Neuve, aux Bermudes, aux Bahamas, en Jamaïque, en Guyane britannique, à Sainte-Lucie et à Antigua. Toujours soucieux de l'avenir des relations anglo-américaines et du verdict de l'histoire, Churchill a insisté pour que tout cela soit présenté comme un échange de bons procédés entre nations amies, plutôt que comme une simple transaction commerciale. Après réception, 9 destroyers seulement sur les 50 s'avéreront utilisables…

faisceaux radio guidant les appareils de la *Luftwaffe*, et les experts de Bletchley Park déchiffrent de mieux en mieux les transmissions des forces aériennes ennemies grâce au décrypteur « Ultra » ; par d'autres sources, le MI6 a appris dès la fin de novembre que les entretiens d'Hitler avec Pétain et Franco étaient loin d'avoir produit les résultats escomptés, et que ni la France ni l'Espagne n'étaient disposées à entrer en guerre contre la Grande-Bretagne ; d'autre part, l'échec de Dakar est resté sans influence sur l'allégeance de l'Afrique équatoriale au général de Gaulle et à la cause alliée ; et puis, en Méditerranée, les initiatives martiales de Mussolini commencent à tourner au désastre : les Grecs ont sévèrement malmené les envahisseurs italiens et les poursuivent même jusqu'en Albanie, tandis qu'en Égypte, dès le début de décembre, l'armée italienne du général Graziani, excessivement dispersée entre Sidi Barrani et la frontière*, démoralisée et très mal équipée, est bousculée et repoussée vers la Cyrénaïque par les éléments de tête de la 8ᵉ armée du général Wavell** ; l'île de Malte, résistant à tous les assauts, reste une épine dans le flanc de l'Axe et une menace permanente pour ses convois à destination de l'Afrique ; pour couronner le tout, la RAF a commencé à bombarder l'Italie***, et la *Royal Navy* a lancé le 11 novembre une attaque surprise contre la base navale italienne de Tarente, au moyen d'avions torpilleurs qui ont coulé trois cuirassés, fortement endommagé un croiseur et détruit de nombreuses petite unités – un raid dévastateur, qui souligne l'ascendant pris par la marine britannique en Méditerranée.

Pourtant, le plus important de tout, c'est que la mère patrie a tenu, seule contre la plus puissante machine de guerre jamais vue en Europe. Peu de Britanniques osaient l'espérer au mois de juin, et Churchill lui-même, on le sait, a eu bien des moments de doute.

---

* Voir carte, p. 436.

** Opération COMPASS. En fait, il y a de grosses déficiences d'équipement dans les deux camps : les chars britanniques Cruiser A 10 ont des blindages trop légers, les chars d'infanterie Matilda A12 sont trop lourds et trop lents, et les uns comme les autres sont armés du canon « *two pounder* » (40 mm), qui leur donne une faible puissance de feu. Ils se révèlent toutefois très supérieurs aux chenillettes L-3 et aux chars M-13/40 italiens.

*** Le 2 novembre, après avoir donné le feu vert pour le bombardement de Rome, Churchill a ajouté : « Il faudra faire attention de ne pas bombarder le pape : il a des amis influents ! »

Mais au moment où 1940 touche à sa fin, il confie aux maréchaux de l'Air Portal et Dowding : « Je suis sûr que nous allons gagner la guerre – même si ne vois pas encore très bien comment[71]. » La veille de Noël, alors que les bombardements sur Londres marquent une pause, l'incorrigible guerrier congédie ses secrétaires par ces mots : « Je vous souhaite un Noël affairé et un nouvel an frénétique[72]. ».

Chapitre XII

CHEF D'ORCHESTRE

Au cours des premiers mois de 1941, une avalanche de défis et de désastres s'abat simultanément ou consécutivement sur des Britanniques manifestement débordés : « Aucun de nos problèmes, se souviendra Churchill, ne pouvait être résolu indépendamment des autres. Ce que l'on affectait à un théâtre d'opérations devait être soustrait à un autre ; ouvrir un front quelque part, c'était s'exposer à un risque ailleurs ; nos ressources matérielles étaient strictement limitées, et l'attitude d'une douzaine de puissances, amicales, opportunistes ou potentiellement hostiles, était imprévisible. En métropole, nous devions faire face au péril sous-marin, à la menace d'invasion et à la poursuite du *blitz* ; il nous fallait aussi conduire une série de campagnes au Moyen-Orient, et enfin constituer un front contre l'Allemagne dans les Balkans[1]. » A tout cela, il faut encore ajouter la menace allemande qui pèse sur Malte et Gibraltar, le danger d'interruption des communications vitales de la Grande-Bretagne en mer Rouge par les forces italiennes d'Afrique orientale, et la vulnérabilité de Hong Kong et de Singapour devant l'avance inexorable des armées japonaises de Chine et d'Indochine...

Pourtant, on se souvient que l'adversité a toujours décuplé l'énergie de Winston Churchill : « Avant mai 1940, écrira l'inspecteur Thompson, nous, les membres du personnel, pensions que Churchill travaillait à la limite de ses possibilités. Par la suite, nous nous aperçûmes de notre erreur[2] ! » C'est un fait : la capacité de travail de cette étrange créature semble réellement illimitée ; lorsqu'un assistant ou un ministre lui déclare qu'il va prendre quelques jours de congé, le Premier ministre en reste stupéfait : « Un congé ? Mais... Vous n'aimez donc pas cette guerre[3] ? » Churchill, lui, ne vit que pour elle, la nuit, le jour, la semaine ou le week-end, à Downing Street ou dans l'« annexe » souterraine de Storey's Gate. Chartwell a pratiquement été déserté depuis 1940, et les week-ends se passent le plus souvent aux Chequers ; le Premier ministre y débarque chaque vendredi soir avec plusieurs valises de dossiers et l'inévitable mallette beige contenant les décryptages d'« Enigma », qu'il appelle affectueusement « ses œufs en or » ; il est suivi d'un assistant, de trois secrétaires, d'un valet, de deux détectives, d'un électricien, de deux projectionnistes, de trois chauffeurs, de huit policiers et d'une dizaine de visiteurs officiels ou privés... De tels week-ends épuiseraient les plus robustes ; dans la vénérable rési-dence de campagne des Premiers ministres de Sa Majesté, on orga-nise désormais des séances du Cabinet de guerre, des réunions d'état-major, des réceptions de chefs d'État, des essais d'armes nouvelles, des conciliabules avec ministres, assistants, émissaires secrets, membres de la famille et vieux acolytes, des projections de films (vers 1 heure du matin), et naturellement des dictées de mémorandums et d'instructions jusqu'à l'aube, sur tous les sujets concernant de près ou de loin la conduite de la guerre. Lors des repas, Churchill, pensant tout haut devant ses convives, déverse des flots d'éloquence qui charrient d'innombrables perles ; John Colville, devenu son Boswell*, en notera quelques unes, saisies à la volée : « Je ne déteste personne et je ne crois pas avoir d'ennemis – à part les Boches... et encore, c'est professionnel ! » ; « Après la guerre, il faudra mettre un terme à toute effusion de sang, même si j'aimerais voir Mussolini, ce pâle imitateur de la Rome ancienne, étranglé comme Vercingétorix dans la meilleure tradition romaine. Quant à Hitler et aux chefs nazis, je les exilerais dans une île quel-conque, mais pas question de profaner Sainte Hélène ! » ; « Je n'ai jamais entendu parler d'un grand athlète qui soit aussi un grand général. Il y a peut-être une exception dans l'armée italienne, où un général peut avoir besoin d'être un bon coureur[4]. »

Au Moyen-Orient, en effet, les forces du général Wavell ont mis en déroute les Italiens et se sont emparées de Bardia au matin du

---

* Mémorialiste de Samuel Johnson et équivalent britannique de Joinville et Saint-Simon – *mutatis mutandis*.

5 janvier 1941. Le Premier ministre presse dès lors Wavell de se porter sans retard vers Tobrouk pour entamer le processus de « destruction totale des forces italiennes en Cyrénaïque » ; mais comme notre stratège compulsif veut également fournir des renforts aériens et terrestres aux Grecs menacés d'une attaque allemande[*], il informe peu après le général Wavell que « le soutien à la Grèce doit désormais avoir priorité sur toutes les opérations au Moyen-Orient[5]. » Les armées britanniques étant simultanément engagées au sud du Soudan et Churchill insistant pour déclencher de surcroît l'attaque de l'Abyssinie depuis le Kenya, organiser le blocus de l'Irlande[**] et occuper l'île de Pantelleria, les chefs d'état-major et les responsables de la planification s'inquiètent sérieusement de cette débauche d'esprit offensif : « Churchill, écrira le général sir John Kennedy[***], nous bombardait de mémorandums sur tous les sujets imaginables, petits ou grands, et nous devions perdre beaucoup de temps pour y répondre. Son heure habituelle pour réunir les chefs d'état-major était 21 h.30, et les séances se prolongeaient souvent jusqu'à deux ou trois heures du matin[****]. [...] Son imagination stratégique était inépuisable, et beaucoup de ses idées nous paraissaient aussi farfelues qu'inexécutables[6]. »

Beaucoup, peut-être, mais pas toutes... Car Churchill considère que le seul moyen infaillible de gagner la guerre est d'y faire entrer les États-Unis, et ce stratège passablement brouillon n'en reste pas moins un propagandiste de génie. Après la mort de lord Lothian en novembre 1940, lord Halifax a été nommé ambassadeur de Grande-Bretagne à Washington[*****], avec mission d'y conduire

[*] Il s'agit pour les Britanniques d'honorer la garantie donnée par Chamberlain en 1939 ; mais les Grecs, redoutant de provoquer Hitler, commencent par décliner l'offre de renforts terrestres – au grand soulagement du général Wavell et des services de planification de Londres. Quatre escadrilles de la RAF sont tout de même envoyées pour assister les Grecs en Albanie.

[**] L'Irlande du Sud, restée obstinément neutre, refuse l'installation de bases navales et aériennes britanniques sur sa côte occidentale. Churchill voudrait l'y contraindre par des mesures de représailles économiques.

[***] Directeur du service des opérations militaires et de la planification (DMO & P).

[****] Les chefs d'état-major avaient baptisé ces réunions « *Midnight Follies* ».

[*****] Il a été remplacé par Anthony Eden en tant que ministre des Affaires étrangères.

un intense travail de propagande ; mais d'autres y travaillent en coulisses bien plus efficacement que l'ancien chantre de l'apaisement : le MI6, le ministère de l'Information, la BBC, le « *British Press Service* », et bien entendu le Premier ministre lui-même, qui orchestre tout cela avec son imagination coutumière. C'est ainsi que l'on mobilise au service de la cause l'écrivain Graham Greene, le philosophe Isaiah Berlin et le cinéaste Alfred Hitchcock, qui vont porter la bonne parole aux États-Unis ; on soutient à fond les comités américains probritanniques*, on publie des sondages d'opinion truqués et des révélations sur le financement des mouvements isolationnistes américains par le parti nazi, on achète certaines bonnes volontés dans la presse américaine, on exerce un chantage contre certaines mauvaises volontés dans le monde politique, et on engage même un astrologue chargé de prédire la défaite du IIIe Reich ! À l'évidence, l'ancien rédacteur en chef de la *British Gazette* ne dort jamais que d'un œil... Sherlock Holmes lui-même, pourtant décédé avec son créateur une décennie plus tôt, est ressuscité pour lutter contre les espions allemands ; et sachant qu'après Sherlock Holmes, l'Anglais le plus populaire aux États-Unis est le roi George VI, Churchill ordonne que le bombardement de Buckingham Palace reçoive un maximum de publicité outre-Atlantique.[7]

Mais naturellement, c'est sur le Président lui-même que doit s'effectuer le principal travail de persuasion ; or, Franklin Roosevelt reste fermement décidé à éviter l'erreur du président Wilson, en allant trop ostensiblement au-delà de ce que l'opinion et le Congrès pourraient supporter. Une fois encore, le petit-fils du Yankee Leonard Jerome, le propagandiste de choc et auteur prolifique de la (toujours inachevée) *Histoire des peuples de langue anglaise* est sur la brèche ; sa correspondance avec la Maison-Blanche, qui se poursuit depuis un an déjà, prend désormais une importance vitale, et la menace conjuguée de la guerre sous-marine et de la ruine économique amène ce suppliant peu banal à forcer son talent : sa lettre du 7 décembre 1940, dictée pendant deux nuits fébriles aux Chequers, est l'un de ces tours de force épistolaires qui changent le cours de

---

* Comme le *White Committe* « pour défendre l'Amérique par l'aide aux Alliés », ou le *Century Group*, qui va plus loin en réclamant l'entrée en guerre des États-Unis.

l'histoire : « En tant que Britanniques, il est de notre devoir, dans l'intérêt commun comme pour notre propre survie, de tenir le front et de lutter contre la puissance nazie, jusqu'à ce que les États-Unis aient terminé leurs préparatifs. Je soumets respectueusement à votre amicale considération la proposition selon laquelle il existe une solide identité d'intérêts entre l'Empire britannique et les États-Unis [...] et je me vois contraint de vous exposer les différentes façons dont les États-Unis pourraient apporter une aide décisive à ce qui est, par certains côtés, notre cause commune. » C'est donc dans leur intérêt même que les États-Unis se voient priés d'intervenir sur mer pour protéger la navigation, ou à défaut de céder à l'Angleterre un grand nombre d'unités navales ; il leur est également demandé d'intercéder auprès des Irlandais pour qu'ils mettent à la disposition de Londres des ports et des aérodromes sur leur côte occidentale, d'importance stratégique vitale pour la bataille de l'Atlantique ; il faudrait aussi que les États-Unis construisent quelque trois millions de tonneaux de navires marchands, afin de compenser les pertes subies par la marine britannique, ainsi que... 2 000 avions *supplémentaires* chaque mois, pour ne rien dire des nouvelles commandes de tanks, d'artillerie, d'armes individuelles et de munitions...

Mais c'est la fin de la lettre qui reste le plus remarquable : « Le moment approche où nous ne serons plus en état de payer comptant les bateaux et autres approvisionnements [...]. Je pense que vous conviendrez qu'il serait mal venu par principe, et mutuellement désavantageux, qu'au point culminant de cette lutte, la Grande-Bretagne doive se défaire de tous ses actifs vendables, de sorte qu'après avoir remporté la victoire avec notre sang, sauvegardé la civilisation et donné aux États-Unis le temps nécessaire pour s'armer et faire face à toute éventualité, nous nous retrouvions entièrement dépouillés. Voilà qui ne serait ni dans l'intérêt moral, ni dans l'intérêt matériel de nos deux pays. [...] Soyez assuré que nous sommes prêts aux souffrances et aux sacrifices ultimes dans l'intérêt de la Cause, et que nous nous faisons gloire d'en être les champions. Pour le reste, nous nous reposons avec confiance sur vous et votre peuple, assurés que l'on pourra trouver des voies et des moyens propres à susciter l'approbation et l'admiration des générations futures de part et d'autre de l'Atlantique. Si, comme je le pense, vous êtes convaincu, Monsieur le Président, que la défaite de la tyrannie nazie et fasciste est une affaire suprêmement importante pour les États-Unis et l'hémisphère occidental, vous voudrez bien considérer cette lettre, non comme un appel à l'aide, mais comme l'énoncé des mesures minimales nécessaires à l'accomplissement de notre tâche commune[8]. »

Comment résister à un tel plaidoyer ? Robert Sherwood, témoin privilégié, notera que « le message de Churchill a fait une profonde impression sur Roosevelt[9] ». Il a même fait davantage, en l'incitant à agir sur-le-champ ; entre le 17 et le 29 décembre, les Américains ont donc entendu leur Président s'exprimer sur les questions de politique étrangère avec une emphase et une conviction tout à fait inhabituelles : « Je m'efforce de me débarrasser de ce stupide problème de dollars » ; « Imaginez que la maison de mon voisin soit en feu, et que j'aie un tuyau d'arrosage. [...] Je ne vais pas le lui vendre, je le lui prêterai, et il me le rendra lorsque son incendie sera éteint » ; « Nous devons être le grand arsenal de la démocratie ! » ; et surtout cet argument imparable, à un moment où les sondages indiquent que 88 % des Américains s'opposent à ce que leur pays abandonne sa neutralité : « J'affirme au peuple américain qu'il y a bien moins de chances pour que les États-Unis entrent en guerre si nous faisons maintenant tout notre possible pour aider les nations qui résistent aux attaques de l'Axe, plutôt que d'accepter leur défaite[10]. »

Le 6 janvier 1941, Roosevelt envoie à Londres son bras droit et ami Harry Hopkins, pour s'enquérir des besoins de la Grande-Bretagne – et bien sûr de sa capacité à tenir contre l'Allemagne. Hopkins, qui n'a au départ qu'une sympathie très limitée pour Churchill, va être accueilli aux Chequers comme un membre de la famille. Il est vrai que l'infortuné visiteur, qui est de santé fragile, connaîtra à cette occasion de bien rudes épreuves : la nourriture anglaise est immangeable, le climat exécrable, le chauffage rudimentaire, les bombardements incessants, et il n'y a pas moyen de se coucher avant les petites heures de la matinée... Mais Churchill le tient constamment sous le charme de sa remarquable personnalité, et les rapports de Hopkins au Président donneront une bonne idée de l'effet produit : « Ici, les gens – à commencer par Churchill – sont stupéfiants. Et si le courage suffisait pour gagner une guerre, ce serait déjà chose faite. Le gouvernement, c'est *Churchill* – dans tous les sens du terme. Lui seul assume la direction de la haute stratégie, et il veille souvent aux détails. Les travaillistes ont confiance en lui, l'armée, la marine, l'aviation sont derrière lui, sans exception. Hommes politiques et gens du monde donnent l'impression de l'aimer. Je ne saurais trop insister là-dessus : c'est ici le seul et unique personnage avec qui vous devez être pleinement en accord. [...] Jamais il ne flanche, jamais il ne trahit le moindre découragement. Jusqu'à 4 heures du matin, il a arpenté la pièce où nous étions, m'exposant ses plans offensifs et défensifs. [...] J'ai examiné avec lui en détail tous les aspects de nos problèmes. Votre "ex-personnalité navale" n'est pas seulement Premier ministre, c'est aussi la force motrice qui anime pour l'essentiel la stratégie et la conduite générale de la guerre. [...] Le courage et la volonté de résistance de ces gens sont au-dessus de tout éloge, et quelle que soit la violence de l'attaque, on peut être certain qu'elle se heurtera à une résistance efficace. Il faudra autre chose que la mort de quelques centaines de milliers de personnes pour vaincre la Grande-Bretagne. Si nous agissons hardiment et sans délai, je suis persuadé que le matériel que nous enverrons à la Grande-Bretagne pendant les semaines qui vont suivre constituera l'appoint de force nécessaire pour abattre Hitler [11]... »

Ce matériel, Hopkins va en inclure la liste, et elle n'est pas mince : « Dix destroyers par mois à partir du 1er avril ; besoin urgent de nouveaux navires marchands ; 50 hydravions PBY supplémentaires, avec radios, grenades anti-sous-marines, bombes, canons, munitions... et équipages ; 58 moteurs d'avions Wright 1820 ; 20 millions de cartouches calibre 50 ; un maximum de bombardiers B-17 avec pièces de rechange, bombes, munitions et équipages ; 80 instructeurs, etc. » Les Britanniques recevront tout cela, et bien d'autres choses encore ; car c'est ce même Hopkins, une fois revenu à Washington, qui sera chargé par Roosevelt d'administrer le futur programme de prêt-bail ! Avec son représentant à Londres Averell Harriman, il va faire des prodiges pour aider ces courageux Britanniques, qui sont maintenant des alliés en tout sauf le nom... Car durant ces premiers mois de 1941, quiconque regarde en coulisse doit bien admettre que les États-Unis se comportent bien étrangement pour un pays neutre : il y a déjà avec la Grande-Bretagne des échanges d'informations scientifiques sur les sujets les plus confidentiels ; les renseignements militaires et les techniques de décryptage commencent à être mis en commun ; une coopération étroite s'est instaurée entre les services d'espionnage et de contre-espionnage des deux pays, afin de neutraliser les agents de l'Axe dans l'hémisphère occidental ; de nombreux techniciens américains, militaires et civils, sont envoyés discrètement en Grande-Bretagne pour étudier les méthodes britanniques et évaluer les performances du matériel américain en situation de combat ; des navires de guerre britanniques endommagés sont réparés dans les chantiers navals américains ; des tanks, des avions, des pièces détachées, des ateliers de réparations entiers vont être envoyés directement en Égypte par le port africain de Takoradi ; des pilotes de la RAF seront entraînés aux États-Unis ; et plus extraordinaire encore, il se tient à Washington à partir du mois de janvier, dans le plus grand secret, des conversations d'état-major anglo-américaines, au cours desquelles on élabore une stratégie commune pour le cas où les deux pays se trouveraient engagés ensemble dans une guerre contre l'Allemagne et le Japon : dans cette éventualité, il est prévu de contenir le Japon et de donner priorité à l'effort de guerre contre l'Allemagne[12] ! Tout cela aurait-il pu se faire si tout autre que l'incomparable lutteur, artiste et propagandiste anglo-américain Winston Churchill avait été Premier ministre de Grande-Bretagne ? Rien n'est moins sûr...

Pourtant, les États-Unis ne sont toujours pas prêts à se départir officiellement de leur neutralité, alors que la Grande-Bretagne est engagée dans une lutte à mort contre un péril qui menace non seulement sa capacité d'offensive sur les théâtres d'opérations extérieurs, mais encore sa survie en tant que citadelle de la résistance alliée. Pour Hitler et son état-major, en effet, si l'Angleterre s'est imposée dans les airs, elle reste très vulnérable sur mer. En 1917, l'Allemagne impériale avait bien failli l'étrangler au moyen d'une guerre sous-marine à outrance ; à présent, les perspectives semblent plus favorables encore : le Reich a des sous-marins perfectionnés, des avions Focke-Wulfe Condor à long rayon d'action, et de grandes unités de surface capables d'intercepter les convois dans l'Atlantique* ; des Pyrénées jusqu'au cap Nord, il dispose des bases de départ qui avaient fait si cruellement défaut lors du conflit précédent ; par un gigantesque mouvement de faux sur mer et dans les airs, il peut désormais balayer toutes les approches occidentales du

---

* Notamment le *Scheer*, le *Hipper*, le *Prinz Eugen*, le *Scharnhorst* et le *Gneisenau*, bientôt renforcés par le *Bismarck*.

Royaume-Uni, et couper ses communications vitales avec le Moyen-Orient, les États-Unis, le Commonwealth et l'Amérique du Sud. Au début de 1941, les résultats de cette offensive sont réellement terrifiants : en deux mois, 640 000 tonneaux de navires alliés envoyés par le fond*, les convois déroutés, retardés ou annulés, la Manche bloquée, les principaux ports embouteillés et partiellement détruits, les chenaux d'accès obstrués, et le port de Londres lui-même qui ne fonctionne plus qu'au quart de sa capacité. Or, la Grande-Bretagne a absolument besoin pour survivre d'importer chaque mois 33 millions de tonnes de matières premières, vivres et armements, et de ravitailler tous ses théâtres d'opérations extérieurs...

Churchill le sait mieux que tout autre, comme en témoignera son médecin personnel, sir Charles Wilson : « Je me suis aperçu que le Premier ministre a constamment en tête les statistiques mensuelles sur tous les navires coulés, même s'il n'en parle jamais. [...] L'autre jour, je l'ai surpris dans la salle des cartes. Il contemplait un énorme diagramme avec des petits scarabées noirs, qui représentaient les sous-marins allemands. "C'est terrifiant !", a-t-il murmuré, et il est passé devant moi la tête baissée. [...] Il sait que nous risquons de perdre la guerre sur mer dans quelques mois, et qu'il ne peut rien y faire[13]. » C'est un fait, et Churchill le reconnaîtra lui-même : « Ce danger mortel qui menaçait nos communications vitales me rongeait les entrailles. Combien j'aurais préféré une invasion sur une grande échelle à ce péril insondable et impalpable, qui s'exprimait en organigrammes, en courbes et en statistiques[14]. »

Mais pour Winston Churchill, l'inaction reste un mot inconnu ; au début de mars 1941, il écrit à l'amiral Pound : « Nous devons donner une priorité absolue à cette affaire. » Et pour concentrer toute l'ardeur de ses compatriotes sur la lutte, ce propagandiste hors pair, qui avait annoncé dix mois plus tôt « la bataille d'Angleterre », ajoute maintenant : « Je vais proclamer la bataille de l'Atlantique[15]. » Afin d'associer les chefs militaires, les ministres, les experts civils et les capitaines d'industrie à cet effort vital, il décide également de constituer un « Comité pour la bataille de l'Atlantique », qu'il présidera

---

* Et 818 000 tonneaux durant les trois mois suivants. À l'époque, l'Allemagne construit 10 sous-marins par mois, dont les nouveaux modèles de 500 et 740 t., avec une autonomie de 11 000 et 15 000 milles marins respectivement. 18 de ces sous-marins opèrent simultanément dans l'Atlantique au début de 1941.

lui-même. Ce ne sera pas une présidence symbolique ; dès le 6 mars, les directives pleuvent de tous côtés : les sous-marins allemands doivent être attaqués sans relâche ; il faut créer des « groupes d'attaque » indépendants, comprenant de puissantes unités mixtes de croiseurs, de destroyers et de porte-avions, pour traquer les navires de surface ennemis avant même qu'ils ne s'en prennent aux convois ; les ports de la côte ouest, d'importance vitale pour les importations, doivent bénéficier d'une protection antiaérienne maximale ; 40 000 ouvriers supplémentaires sont affectés aux chantiers de construction et de réparation navales, avec effet immédiat ; l'équipement des ports en grues roulantes est à multiplier par trois, et le temps de rotation des navires marchands dans ces ports à réduire du tiers – pour commencer ; plus question de publier les chiffres hebdomadaires des pertes de tonnage, ce qui ne pourrait qu'aider l'ennemi. Chaque jour après cela, les petites notes surmontées de la menaçante étiquette rouge s'abattent sur les ministères et les états-majors : « Quelles difficultés rencontrez-vous ? » ; « Pourquoi ne peut-on faire mieux ? » ; « Quelqu'un fait-il obstacle à vos efforts ? »…

Tout cela n'est bien sûr qu'un début ; Churchill, se souvenant de l'aide précieuse que lui avaient apportée les grands hommes d'affaires en 1917 et des prouesses de lord Beaverbrook à la production aéronautique en 1940, a fait nommer l'industriel lord Leathers à la tête d'un nouveau ministère des Transports de guerre, où il fera merveille ; toujours fasciné par les armements nouveaux, il suit de près les travaux de l'inventeur de talent qu'est le lieutenant-colonel Jefferis ; ayant en mémoire la résistance acharnée des ronds-de-cuir du *War Office* à toute innovation durant la Grande Guerre, il a fait subordonner Jefferis directement au ministre de la Défense – c'est-à-dire à lui-même ; quant aux démonstrations d'armes nouvelles, elles se feront… sur les terres de sa propriété de Chartwell ! Bien lui en prendra : des étranges arsenaux du lieutenant-colonel Jefferis sortiront quelques armes destinées à révolutionner la guerre sous-marine*. Enfin, les décryptages de la machine « Enigma » utilisée par la *Kriegsmarine* commencent à jouer un rôle dans la lutte anti-sous-marine, et Churchill veillera jalousement à ce que les interceptions de Bletchley Park soient entourées du secret le plus

---

* Notamment le *Hedgehog*, une arme redoubtable projetant des gerbes de 24 grenades anti-sous-marines.

absolu, ainsi que d'un « rempart de mensonges ». Pourtant, il faudra encore davantage pour remporter cette bataille dont dépend le sort de l'Angleterre et de l'Empire...

À cet égard, un renfort inestimable se profile justement outre-Atlantique, sous la forme d'une proposition de loi « prêt-bail », autorisant le Président « à vendre, transmettre, échanger, louer, prêter ou céder de toute autre manière [...] des matériels militaires [...] à tout pays dont la défense est considérée par le Président comme vitale pour celle des États-Unis ». Afin d'en faciliter le vote au Congrès, on lui donne la référence HR 1776 – un chiffre quasi sacré outre-Atlantique –, et on l'intitule « loi pour promouvoir la défense des États-Unis ». Comment rejeter un projet ainsi libellé sans passer pour un mauvais patriote ? Ni les sénateurs ni les représentants ne trouveront la réponse, et la loi sera votée à une confortable majorité au début de mars 1941. Avant même que ce soit chose faite, on décide d'échanger des missions militaires, et un mois plus tard, le président Roosevelt fait patrouiller ses navires dans l'Atlantique jusqu'au 26ᵉ méridien – c'est-à-dire dans l'immense domaine maritime à l'ouest du Cap-Vert, des Açores et de l'Islande –, avec pour mission de détecter les sous-marins allemands et de les signaler à la *Royal Navy*[16]. Tout spécialiste du droit international y verrait à coup sûr un acte de guerre ; Churchill, lui, y voit d'emblée un grand pas vers le salut.

C'est d'autant plus nécessaire qu'en Méditerranée, la situation stratégique s'est sérieusement dégradée. Au début de février 1941, pourtant, la 8ᵉ armée du général O'Connor a occupé Benghazi, puis El-Agheila*, en expulsant de Cyrénaïque les armées italiennes, qui abandonnent 130 000 prisonniers, 400 chars et 1 300 canons. Mais après cela, trois facteurs vont se conjuguer pour faire pencher la balance en faveur de l'Axe : d'une part, les Grecs, immobilisés militairement en Albanie et désorientés politiquement depuis le décès du général Metaxas**, finissent par accepter l'aide britannique ; au début de mars, le général Wavell envoie donc en Grèce la 6ᵉ division

---

* Au fond du golfe de Syrte. (Voir carte, p. 436.) Simultanément, les troupes britanniques, indiennes et sud-africaines, parties du Kenya, ont mis les Italiens en déroute et occupé Kismayu, au sud de la Somalie.

** Le 29 janvier 1941. Il est remplacé en tant que président du Conseil par Alexandre Koryzis, gouverneur de la Banque nationale.

australienne, la 2ᵉ division néo-zélandaise et une brigade blindée britannique pour défendre la ligne de l'Aliakhmon, un réseau de fortifications entre le Mont Olympe et la frontière yougoslave. Ce corps expéditionnaire très réduit, commandé par le général Henry «Jumbo» Wilson, ne sera couvert que par 3 escadrilles de la RAF, en sus des 4 escadrilles engagées en Albanie – soit 80 appareils au total* ! Tout cela paraît dérisoire pour enrayer une éventuelle attaque allemande, mais l'entreprise a de solides motivations politiques : en se portant au secours de la Grèce, le gouvernement britannique veut envoyer un signal fort à la Turquie et à la Yougoslavie, qu'il espère voir constituer avec la Grèce un «front balkanique» contre l'Allemagne. C'est pourquoi l'intervention en Grèce, souvent présentée comme une initiative téméraire et inconsidérée du Premier ministre, a en fait reçu l'appui du Cabinet de guerre, du ministre des Affaires étrangères, des chefs d'état-major et même pour finir du général Wavell en personne**. Mais d'autre part, il faut pour se porter au secours de la Grèce puiser dans les maigres effectifs disponibles en Libye, de sorte que le front de Cyrénaïque s'en trouve considérablement affaibli : la 6ᵉ division d'infanterie australienne, celle qui s'était emparée de Benghazi, va maintenant débarquer au Pirée, tandis que l'essentiel de la 7ᵉ division blindée est reparti pour l'Égypte, afin d'y être reformé et rééquipé. Dès lors, il ne reste plus entre El-Agheila et Benghazi qu'une brigade motorisée indienne, trois brigades de la 9ᵉ division australienne et une partie de la 2ᵉ division blindée britannique, ces deux dernières formations étant peu aguerries et privées d'une partie de leur équipement comme de leurs véhicules***. L'aviation

---

  * Dont un quart est constitué de biplans Gladiator passablement démodés. Il faut tout de même y ajouter une centaine d'appareils de l'aéronavale, basés en Crète.
  ** Wavell y était hostile au départ, et les services de planification du général Kennedy le sont restés. Churchill lui-même connaît des moments d'hésitation, et il écrit à Eden le 21 février : «Ne vous croyez pas obligé de conseiller une intervention en Grèce si, au fond de vous-même, vous sentez que cela aboutirait au même fiasco qu'en Norvège. Si aucun bon plan ne peut être établi, n'hésitez pas à le dire.» Mais Eden et le général Dill, après s'être rendus à Athènes et au Caire, ont persisté à recommander catégoriquement l'opération, ce qui a décidé le Cabinet de guerre.
  *** Afin d'équiper le corps expéditonnaire de Grèce. Les tanks légers et

tactique qui appuyait jusque là l'offensive de la 8ᵉ armée a également été retirée, et le général O'Connor lui-même a été remplacé par le général Neame.

En vérité, tout cela ne préoccupe guère les responsables militaires britanniques, dont la plupart n'avaient pas prévu de poursuivre leur offensive jusqu'à Tripoli*. Du reste, les cinq divisions italiennes repliées sur cette ville ont été si sévèrement étrillées qu'elles ne font peser aucune menace sérieuse sur les positions défensives du général Neame échelonnées entre El-Agheila, Mersa el Brega, Msous, El Mechili et Benghazi**. C'est pourtant à ce stade qu'intervient un troisième facteur, qui va tout changer : le 11 février 1941, le général Erwin Rommel débarque à Tripoli. Il a été placé par le Führer à la tête d'une *Sperrverband*, une « unité d'arrêt » destinée à empêcher les Britanniques d'expulser entièrement les Italiens de Tripolitaine. Pour cette mission purement défensive, il n'aura à sa disposition que deux divisions, la 15ᵉ Panzer et la 5ᵉ division légère, dont les effectifs complets ne lui parviendront qu'entre avril et mai. Voilà pourquoi personne au Caire, à Londres et même à Berlin ne s'attend à ce que l'arrivée des avant-gardes de l'*Afrika Korps* en Tripolitaine modifie substantiellement la donne stratégique sur le théâtre africain. Mais à la guerre, rien ne se passe jamais comme prévu – sauf exceptionnellement et par hasard.

Ce qui va se produire dans les Balkans est par contre assez prévisible : l'état-major grec éprouve les plus grandes difficultés à coordonner la défense de son territoire avec les contingents britanniques du général Wilson ; alors que ce dernier veut faire de la ligne Aliakhmon le principal point d'appui pour barrer la route à l'envahisseur, le général Papagos persiste à disperser ses troupes en Albanie à l'ouest et sur la ligne Metaxas à l'est***. Les autorités turques, elles, n'ont ni les moyens ni la volonté de s'allier à la Grèce, et la

---

moyens qui leur restent sont en mauvais état mécanique, et les hommes ne se sont pas encore habitués au maniement des tanks italiens capturés.

* Wavell l'avait bien proposé à Londres, mais sans insister ; les services de planification l'avaient recommandé avec insistance ; Churchill, lui, n'en voyait pas l'intérêt dans l'immédiat.

** D'autant que 1 000 kilomètres de désert séparent Tripoli de Benghazi. Voir carte, p. 436.

*** Une ligne fortifiée de 150 km le long de la frontière bulgare, depuis la Macédoine jusqu'à la Thrace.

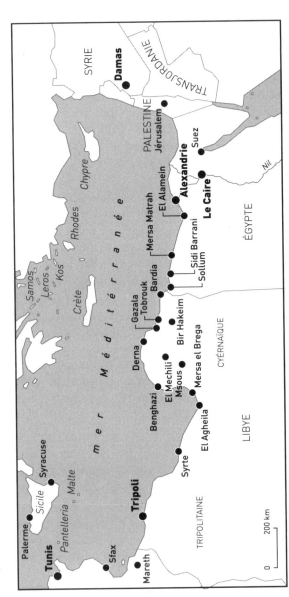

La guerre du désert, 1940-1942

Yougoslavie du régent Paul penche plutôt du côté d'Hitler – à tel point même qu'elle se joint au pacte tripartite le 25 mars. C'est du reste ce qui va précipiter le désastre : deux jours plus tard, un coup d'État pro-Alliés à Belgrade renverse le régime du prince Paul et porte au pouvoir le jeune roi Pierre. Sans même attendre de savoir ce que sera la politique du monarque, Hitler ordonne une attaque brusquée de la Yougoslavie, à mener simultanément avec l'opération MARITA, destinée à occuper la Grèce.

Les deux attaques sont déclenchées conjointement au matin du 6 avril. Tandis que l'armée yougoslave ploie sous le choc de la IIe armée du maréchal von Weichs, la XIIe armée du maréchal von List se lance à l'assaut de la Grèce. Attaquant sur trois axes en Thrace, en Macédoine et à travers la trouée de Monastir, ses treize divisions* entreprennent de détruire les forces grecques et de contourner par l'ouest les positions alliées de la ligne Aliakhmon. A partir du 11 avril, les contingents britanniques, australiens et néo-zélandais, ployant sous le nombre, n'ayant que 180 avions à opposer aux 1 100 chasseurs et bombardiers de l'Axe,** vont devoir se replier progressivement vers le sud, en s'efforçant de retarder le plus longtemps possible les colonnes allemandes qui foncent en direction de Missolonghi à l'ouest, d'Athènes à l'est et des Thermopyles au centre. Décidément, l'histoire se répète avec une déprimante régularité : entre le 26 et le 28 avril 1941, 45 000 soldats alliés sont précipitemment évacués vers la Crète, au prix d'un suprême et coûteux effort de la *Royal Navy* ; à l'issue de ce nouveau Dunkerque sur les rives de la mer Égée, ils laissent derrière eux 12 000 hommes tués ou prisonniers, ainsi que l'essentiel de leur équipement lourd. Ainsi, à la fin du mois d'avril, le Reich et ses alliés dominent l'ensemble des Balkans.

En fait, ce n'est là que le début des problèmes qui assaillent le général Wavell sur le théâtre de Méditerranée. Alors que la Crète se trouve désormais en ligne de mire et qu'il doit couvrir Alexandrie, Le Caire et la zone du Canal***, assurer la défense de l'île de Malte

* Dont trois motorisées et deux blindées, avec 200 chars.
** 400 bombardiers Ju 88 et He 111, 380 chasseurs Me 109 et 110, ainsi que 320 appareils italiens opérant depuis l'Albanie.
*** Déjà attaquée par la *Luftwaffe*, opérant à partir de ses nouvelles bases du Dodécanèse.

qui a subi 58 attaques majeures au cours du seul mois de janvier, fortifier au mieux l'île de Chypre et sauvegarder les zones pétrolifères d'Irak et de Perse, tout en procédant à la conquête de l'Érythrée, de l'Abyssinie et de la Somalie italienne, il est entièrement pris au dépourvu par l'offensive de l'*Afrika Korps* en Cyrénaïque. C'est que, contrairement aux ordres reçus et sans attendre de recevoir tous ses effectifs, Rommel, parti de Tripoli, a lancé vers l'est ses 55 chars légers, ses 130 chars moyens et un bataillon d'artillerie équipé des redoutables canons de 88 mm – le tout suivi des éléments avancés des deux divisions italiennes *Ariete* et *Brescia*. Rencontrant une faible résistance, il a poussé son avantage et pris El-Agheila le 24 mars 1941 ; de là, il a déclenché une attaque en trident vers le nord et le nord-est, avec pour objectifs Benghazi, M'sous et El-Mechili, emportés respectivement les 4, 6 et 8 avril. L'ennemi se retirant dans la confusion, il a forcé l'allure, dépassé Gazala, encerclé Tobrouk et atteint Bardia dès le 12 avril. Les Britanniques et les Australiens, ayant perdu l'essentiel de leurs chars et 8 000 prisonniers – dont les généraux O'Connor et Nearne –, battent en retraite vers la frontière, laissant derrière eux 25 000 Australiens retranchés dans Tobrouk. À la fin d'avril, alors que les dernières troupes alliées ont évacué la Grèce, les blindés et l'infanterie motorisée de Rommel s'emparent de Sollum et repoussent l'ennemi jusqu'à Mersa Matrouh. À ce moment, dira le général Wavell, « il n'existe plus rien entre Tobrouk et Le Caire ».

C'est à peine exagéré, mais il y a plus grave encore : loin *derrière* Le Caire, en Irak, un cinquième front s'ouvre lorsque le Premier ministre Rachid Ali organise un soulèvement antibritannique à Bagdad, fait cerner la base d'entraînement de la RAF à Habbaniya par 10 000 hommes équipés de tanks et d'artillerie, et lance un appel à l'aide allemande dès le début de mai. Or, l'Irak est l'une des principales sources de pétrole de l'armée britannique, et c'est par ce pays que passent les pipe-lines reliant le golfe Persique à la Méditerranée. C'est donc une région essentielle pour l'effort de guerre britannique et une cible de choix pour les forces armées du Reich. Mais pour venir en aide à la rébellion irakienne, la *Luftwaffe* doit pouvoir utiliser les aérodromes syriens, et Berlin en fait immédiatement la demande à Vichy. Lorsque les cent premiers avions à croix gammée atterrissent en Syrie, Wavell comprend qu'un septième front est sur le point de s'ouvrir – au moment même où le deuxième vient de s'embraser : le 20 mai, en effet, les parachutistes du général Student sautent sur la Crète. Ils se heurtent aux 22 000 défenseurs de l'île, commandés par le général néo-zélandais Freyberg, tandis que les navires de l'amiral Cunningham coulent la plupart des renforts et du matériel que la Wehmacht tente d'acheminer par voie de mer. Mais en dépit de lourdes pertes, les assaillants parviennent à prendre pied sur les trois principaux aéroports, Maleme, Suda et Heraklion, les défenseurs n'ont pas de chars pour les repousser et ils doivent reculer pied à pied, constamment harcelés par les chasseurs et les Stukas de la *Luftwaffe**. C'est ainsi que le général Wavell est contraint de gérer quatre retraites consécutives ou simultanées en moins d'un mois, et depuis la mer Égée jusqu'à la corne de l'Afrique, il se trouve littéralement pris entre sept feux...

En fait, le compte n'y est pas, car il existe un *huitième* feu, qui provient directement de Londres... Il s'agit bien entendu des télégrammes du Premier ministre ! C'est que Winston Churchill, qui croit encore avoir affaire aux vieilles badernes de la campagne d'Afrique du Sud ou de la Grande Guerre, s'obstine à envoyer aux commandants sur les divers théâtres de guerre des instructions stratégiques et tactiques détaillées – bien trop détaillées même au goût de ses chefs d'état-major. Ceux-ci sont déjà intervenus à de nombreuses reprises pour le dissuader de fixer les effectifs de la garnison de Crète ou le nombre de destroyers nécessaires à l'escorte d'un convoi donné[17]. Mais Churchill ne cesse de récidiver, et les responsables militaires sur le théâtre de Méditerranée doivent supporter stoïquement le bombardement quotidien de questions, d'injonctions, de conseils et d'instructions qui s'abat sur leur QG : « Merci de veiller à ce que je reçoive une ample provision de photos des théâtres d'opérations, par exemple Sollum, Bardia, etc. » « Je ne puis naturellement avoir la prétention de juger à distance des conditions locales, mais la maxime de Napoléon semble bien s'imposer : *"Frappez la masse et tout le reste vient par surcroît**."* Il me faut répéter la suggestion formulée dans mon télégramme précédent concernant les opérations amphibies et

---

* Opérant à partir des bases aériennes de Grèce et à Rhodes.
** En français dans le texte.

les débarquements derrière les lignes ennemies* » ; « Je considère l'opération "Marie" [pour la prise de Djibouti] comme extrêmement importante. C'est pourquoi il ne faut pas seulement y affecter le bataillon de Légion étrangère, mais aussi deux autres bataillons français. [...] Veuillez me faire parvenir ce jour vos propositions pour la mise en œuvre de ce qui précède[18]. » ; « Il n'est pas question que vous retardiez la capture de Rhodes, que nous considérons comme étant des plus urgentes » ; « Toutes les forces en Crète doivent se protéger des bombardements en se dispersant, et faire usage de leurs baïonnettes contre les parachutistes ou autres intrus aéroportés s'il y en a[19]. »

Comme le vieux guerrier cherche à rééditer quelques exploits passés, comprend mal les impératifs techniques de la guerre moderne et se réfère constamment à 1918, à la guerre de Sécession, et même à Austerlitz et à Blenheim, ses instructions sont parfois difficiles à prendre au sérieux. C'est ainsi que son désir presque obsessionnel d'entraîner la Turquie dans la guerre, fondé sur le souvenir des prouesses de l'armée turque un quart de siècle plus tôt, le rend sourd aux arguments des militaires qui lui rapportent que la patrie d'Ataturk n'a plus qu'« une armée primitive** », et qu'elle refuse catégoriquement de s'engager dans le conflit[20]. De même, l'ordre qu'envoie le Premier ministre à l'amiral Cunningham le 15 avril est manifestement inspiré par l'action héroïque de l'amiral Keyes à Zeebrugge en 1918*** : il s'agit d'aller couler un croiseur et un cuirassé moderne, le *Barham*, dans la passe conduisant au port de Tripoli, afin d'en interdire l'accès aux navires de ravitaillement ennemis. À l'évidence, Churchill, quelque peu aveuglé par les mirages du passé, confond là le souhaitable et le possible... Mais Cunningham, qui mène déjà simultanément quatre opérations majeures à cette époque, ne s'en laisse pas conter : il répond que, pour une demi-douzaine de raisons au

---

* Les chefs d'état-major considèrent la chose comme impossible, en raison du manque d'effectifs et de la maîtrise du ciel par la *Luftwaffe* à cette époque.

** « *A bow and arrow army.* » C'est ce que rapportait le général Marshall-Cornwall, grand spécialiste de la Turquie, à la suite d'une visite rendue aux forces armées turques en novembre 1940.

*** Dont le caractère héroïque tend généralement à faire oublier qu'elle avait échoué...

moins*, l'opération est parfaitement irréalisable[21]. De même, lorsque Churchill ordonne de tenir indéfiniment l'île de Crète avec le seul concours de l'infanterie et de la *Royal Navy*, il persiste à sous-estimer l'effet des bombardements aériens sur les navires et les troupes à terre : « Les conceptions militaires de Churchill, dira sir Ian Jacob, étaient un curieux mélange d'ancien et de nouveau ; il avait tendance à penser en termes de "sabres et de baïonnettes", un terme utilisé par les historiens pour évaluer la force de deux armées en présence à une époque révolue. Ainsi, lorsqu'il considérait Singapour ou Tobrouk, il s'en faisait l'image de fortifications à l'ancienne tenues par des milliers d'hommes qui, parce qu'ils avaient un fusil chacun, étaient capables de vendre chèrement leurs vies, au corps-à-corps si nécessaire[22]. » Le Premier ministre australien Gordon Menzies, en visite à Londres au printemps de 1941, ne dira pas autre chose : « Churchill ne semble pas comprendre que des hommes armés seulement de fusils ne comptent pas dans une guerre moderne. Après tout, nous ne vivons plus à l'époque d'Omdurman[23]. »

Ni à celle de Pretoria, du reste : lors de la guerre des Boers, il suffisait de débarquer les hommes avec des armes individuelles, des munitions et un peu de pain pour entamer la campagne sans tarder… En 1941, par contre, un corps expéditionnaire requiert d'innombrables services de soutien, comprenant des spécialistes de l'intendance, de l'entretien, des moteurs, des essences, des radars, des blindés, de la climatisation, des explosifs, de la météorologie, des communications, des maladies tropicales, de la menuiserie, de la cartographie, de la géologie, des engins de remblayage, de l'interprétation photographique, des systèmes de visée optique, des revêtements de tarmacs, des courants marins, de la propagande, des langues étrangères, des tactiques de l'ennemi, du matériel capturé, des pièces détachées, du conditionnement, du minage, du

---

* En particulier le fait que le chenal d'accès n'est pas assez profond pour permettre le passage de tels navires, que les approches du port sont minées, qu'il faudrait sacrifier mille marins au moins, que l'escorte des convois et la défense de Malte revêtent une priorité absolue, que la flotte de Méditerranée orientale n'a que trois cuirassés en tout, et enfin que les batteries du port et l'aviation ennemie basée à proximité de Tripoli détruiraient à coup sûr les deux navires bien avant qu'ils n'aient pu se mettre en position pour bloquer la passe.

déminage, du désensablage, du camouflage, du sabotage – bref, de tout ce qui est désormais nécessaire pour maintenir une armée moderne en campagne. Or, Churchill, manifestement réfractaire à toute considération de logistique, n'admettra jamais que « ses » armées puissent avoir « une queue aussi démesurée » – ce qui fera passer bien des nuits blanches à ses chefs d'état-major... De même, l'incitation permanente à attaquer partout à la fois, avant même de disposer d'une concentration d'effectifs, de blindés, d'artillerie et de réserves suffisante pour emporter la décision, est manifestement le réflexe d'un fougueux officier de cavalerie du Raj, soucieux avant tout de dérouter les autochtones par quelque manœuvre soudaine et imprévue. Enfin, on retrouve pratiquement intacte en 1941 la mentalité du jeune ministre de 1914, incapable de résister à la tentation de quitter son poste pour aller prendre le commandement des troupes à Anvers ou à Ploegsteert ; le 24 mai, John Colville note dans son journal : « Le Premier ministre considère que l'affaire du Moyen-Orient a été très mal conduite. S'il pouvait se voir confier le commandement là-bas, il démissionnerait volontiers de ses fonctions actuelles – oui, et il irait jusqu'à renoncer aux cigares et à l'alcool[24] ! »

Pourtant, quiconque croirait avoir affaire à un simple touche-à-tout aux conceptions antédiluviennes commettrait une grave erreur ; car notre homme est informé, actif, intuitif, inquisiteur, improvisateur... et surtout passé maître dans l'art de pousser les responsables à s'aventurer très au-delà de ce qu'ils croyaient possible. Les résultats peuvent en être prodigieux : c'est ainsi qu'à la fin de 1940, Churchill insiste pour que le général Wavell déclenche à partir du Kenya des opérations contre Kismayu en Somalie et Jimma en Abyssinie, sans égards pour les obstacles naturels, les distances et les conditions climatiques. L'opposition est naturellement très vive, mais les militaires reçoivent de Downing Street ce magistral rappel à l'ordre : « Je crois comprendre que vous allez nous communiquer un rapport complet sur les raisons censées interdire une opération contre Kismayu avant le mois de mai. Je crois également comprendre que vous allez faire un effort considérable pour ne pas vous rendre à ces raisons[25]. » De guerre lasse, Wavell finit par accepter d'ouvrir les hostilités avant la saison des pluies, et l'opération CANVAS va déclencher une stupéfiante réaction en chaîne : entre le 10 février et le 29 mars 1941, les troupes britanniques, indiennes, souda- naises et sud-africaines des généraux Platt et Cunningham* vont chasser les Italiens de Mogadiscio et de Ferfer en Somalie, de Keren et d'Asmara en Érythrée, de Harrar et de Diredawa en Abyssinie, et entrer dans Addis-Abbeba dès le 6 avril**. Impossible n'est pas churchillien...

C'est encore ce que constateront les chefs d'état-major moins de deux semaines plus tard : à l'aube du dimanche 20 avril, Churchill reçoit un télégramme alarmant du général Wavell expliquant qu'à l'issue de la retraite précipitée de son armée devant l'*Afrika Korps*, il ne dispose plus d'un nombre suffisant de tanks moyens et lourds pour barrer la route d'Alexandrie à Rommel, qui doit recevoir incessamment des renforts de blindés. C'est plus que suffisant pour remettre en branle l'implacable machine winstonienne : le général Ismay, qui espérait passer un dimanche paisible à la campagne, est tiré du lit en sursaut par une convocation du Premier ministre. Accourant à Ditchley***, il le trouve déjà sur le pied de guerre : « Il m'a dit que nous devions absolument envoyer un grand nombre de nos meilleurs tanks au Moyen-Orient, directement par la Méditerranée, et il m'a donné pour instruction de présenter sans délai aux chefs d'état-major un mémorandum en ce sens, qu'il avait déjà dicté. J'ai eu beau présenter nombre d'objections – c'était dimanche, les chefs d'état-major étaient probablement dispersées dans tout le pays, il serait difficile de les rassembler avant le lendemain matin –, il a balayé tout cela d'un revers de la main : 'Il n'y a pas de téléphones ? Il n'y a pas de voitures ?' À ce moment, notre hôtesse est entrée dans la pièce, et il a devancé sa question : "Pug ne pourra pas rester déjeuner. Il part pour Londres sur-le-champ." C'est ce que j'ai fait. Les chefs d'état-major se sont réunis l'après-midi même. Ils paraissaient plutôt mécontents d'avoir été dérangés au milieu de leur unique jour de congé[26]. » C'est exact, et ils sont

---

* Le général sir Alan Cunningham, frère de l'amiral.

** Il reste une résistance sporadique dans le nord de l'Abyssinie, mais à la mi-mai 1941, après la reddition du duc d'Aoste, les Italiens auront définitivement perdu leur empire d'Afrique de l'Est.

*** C'est la propriété au nord d'Oxford que M. Ronald Tree met à la disposition du Premier ministre lorsque les nuits de pleine lune rendent les Chequers trop vulnérables à une attaque de l'aviation allemande.

également effarés par le mémorandum du Premier ministre, qui
veut dégarnir de 300 tanks supplémentaires les défenses d'un pays
toujours menacé d'invasion, pour les envoyer en Égypte par la voie
la plus dangereuse ! Pourtant, ils ne sont visiblement pas prêts à
affronter sur cette question un Premier ministre très remonté, et le
convoi « *Tiger* », composé de cinq navires sous forte escorte,
déchargera 238 tanks à Alexandrie dès le 14 mai*. Cette fois
encore, l'impossible est devenu possible – moyennant de gros
risques, un peu de chance, beaucoup d'efforts et un certain degré
d'intimidation...

À cette date, pourtant, Wavell a de nombreuses autres préoccupations, et l'Irak en fait manifestement partie. On se souvient
qu'à la suite de la révolte de Rachid Ali, les Britanniques ont été
chassés de Bagdad, et qu'une garnison de la RAF s'est trouvée
encerclée à Habbaniya par des forces irakiennes dix fois supérieures en nombre. Wavell a reçu l'ordre d'y envoyer sans tarder
une colonne de secours basée en Palestine, mais il proteste avec
véhémence : ses forces sont déjà étirées à l'extrême sur cinq
théâtres d'opérations, l'ouverture d'un nouveau front mettrait en
danger la Palestine comme l'Égypte, et il serait sûrement préférable d'entamer des négociations avec Rachid Ali. Mais à
Downing Street, la dynamo s'est déjà enclenchée, et l'infortuné
Wavell reçoit dès le 9 mai la réponse suivante : « Il n'est pas
question de négociation avec Rachid Ali. [...] Ce qui compte,
c'est l'action, à savoir l'avance rapide de la colonne mobile pour
établir un contact effectif entre Bagdad et la Palestine. Chaque
jour compte, car les Allemands ne vont pas tarder à arriver. Nous
escomptions que la colonne serait prête à partir dès le 10, et
qu'elle atteindrait Habbaniya dès le 12, pourvu que la garnison
ait tenu dans l'intervalle ; elle a effectivement tenu, et même fait
bien davantage**. Nous comptons fermement que ces dates
seront respectées, et que vous ferez l'impossible pour accélérer le
mouvement[27]. » Le général Wavell juge plus prudent d'obtempérer, Habbaniya est délivré le 18 mai, et la colonne venue de

---

* Sur les 295 initialement envoyés, un navire ayant sauté sur une mine en
chemin.
** Allusion au fait qu'entre le 5 et le 7 mai, la garnison de Habbaniya a mis en
déroute ses assaillants, avec l'aide de bombardiers de la RAF venus d'Égypte.

Palestine repousse les Irakiens vers Bagdad, où l'insurrection va s'effondrer*.

Mais le général Wavell n'est pas au bout de ses peines, car dans l'intervalle, de nombreuses escadrilles allemandes se sont posées sur les aérodromes syriens, menaçant de prendre à revers l'ensemble des positions britanniques en Égypte, en Irak et en Palestine**. C'est donc une crise encore plus grave qui est sur le point d'éclater ; or, personne ne peut tenir tête au Premier ministre en temps de crise, car dès lors, il se saisit de l'affaire, intervient à tous les niveaux, impose ses idées, ignore les objections, mobilise le Cabinet de guerre, intimide les diplomates, terrorise les généraux et harangue les chefs d'état-major. C'est exactement ce qui va se passer cette fois encore ; le 8 mai, Churchill écrit au général Ismay : « Il faut tout mettre en œuvre pour empêcher les Allemands de prendre pied en Syrie avec de faibles effectifs, puis d'utiliser ce pays comme base avancée pour acquérir la maîtrise de l'air en Irak et en Perse. Tant pis si le général Wavell est mécontent de cette diversion sur son flanc Est [...]. Nous devons apporter toute notre aide, sans nous soucier de ce qui se passe à Vichy. Je serais très obligé à l'état-major de voir quel est l'effort maximum que nous pouvons fournir[28]. » Et dès le lendemain, ayant arraché l'approbation du Comité de défense, il télégraphie au général Wavell : « Vous vous rendez certainement compte du grave danger qu'il y a à ce que quelques milliers d'Allemands transportés par air s'emparent de la Syrie. Les renseignements qui nous parviennent nous portent à croire que l'amiral Darlan a sans doute fait un marché pour les aider à y pénétrer. Puisque de toute évidence, vous considérez que vous manquez de moyens, il ne reste rien d'autre à faire que de mettre les moyens de transport nécessaires à la disposition du général Catroux et de le laisser, avec ses Forces françaises libres, agir pour le mieux, au moment qu'il jugera le plus opportun et avec l'appui de la RAF, chargée de s'opposer aux atterrissages allemands. Tout ce que vous pourriez faire en sus de cela serait le bienvenu[29]. »

Le général Wavell hésite encore à agir, mais les pressions qui s'exercent sur lui s'intensifient de jour en jour. Visiblement

---

* Le 30 mai, les forces britanniques pénètrent dans Bagdad, évacuée la veille par Rachid Ali et son entourage de militaires allemands et italiens.

** Voir carte, p. 447.

influencés par les interventions de Churchill, le Cabinet de guerre et les chefs d'état-major ordonnent au général Wavell de « rassembler les éléments d'une force aussi importante que possible, sans que la sécurité du désert de Libye en soit affectée » et de « se préparer à pénétrer en Syrie au plus tôt[81] ». En même temps, Wavell reçoit l'ordre d'assurer le transport des Forces françaises libres jusqu'à des positions proches de la frontière et de leur apporter toute l'aide possible. À partir de là, les choses vont aller très vite. Le général Wavell a beau pester, protester, et même télégraphier au chef de l'état-major impérial pour menacer de démissionner si les dirigeants britanniques continuent à se laisser influencer par de Gaulle, rien n'y fait. Le 21 mars, Wavell déclare à l'ambassadeur de Grande-Bretagne sir Miles Lampson qu'il « vient de passer une assez mauvaise nuit, car il a été tiré du lit aux premières heures de la matinée pour se voir remettre deux télégrammes, l'un émanant du Premier ministre et lui demandant de soutenir à tout prix l'avance des Français Libres en Syrie, et l'autre du général de Gaulle lui "ordonnant" de faire de même[30]. ». Le télégramme du Premier ministre est en effet sans ambiguïté : « Vous vous trompez lorsque vous supposez que la stratégie exposée dans ce message a été influencée par l'avis des chefs de la France Libre. Elle résulte entièrement du point de vue adopté par ceux qui ont ici la direction suprême de la guerre et de la diplomatie sur tous les théâtres de la guerre. Nous considérons que si les Allemands peuvent cueillir la Syrie et l'Irak avec quelques avions disparates, des "touristes" et des soulèvements locaux, nous ne devons pas non plus hésiter à courir des risques militaires à une petite échelle et à nous exposer au danger de voir la situation politique empirer en cas d'échec. Bien entendu, nous prenons l'entière responsabilité de cette décision, et, au cas où vous ne seriez pas disposé à y donner suite, nous ferions le nécessaire pour répondre à tout désir que vous pourriez formuler d'être déchargé de votre commandement[31]. »

Le général Wavell se met donc en devoir de rassembler les effectifs nécessaires pour aider les Français Libres à pénétrer au plus tôt en Syrie. C'est le général Henry Maitland Wilson, vétéran de la malheureuse campagne de Grèce, qui commandera les unités britanniques. Bien entendu, le général Wavell n'apporte pas le moindre enthousiasme à sa tâche, et il déclare même au général Spears qu'il « n'a pas l'intention de se laisser forcer la main[32] » ; mais

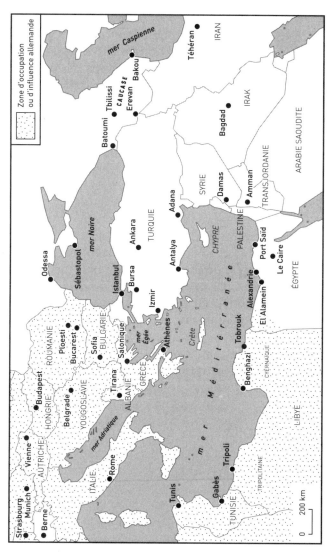

L'avance allemande en Méditerranée, printemps 1941

Légende :
Zone d'occupation ou d'influence allemande

Villes et lieux :
Strasbourg, Munich, Berne, Vienne, Rome, Budapest, Belgrade, Tirana, Tripoli, Gabès, Tunis, Sofia, Bucarest, Ploesti, Salonique, Athènes, Benghazi, Tobrouk, El Alamein, Alexandrie, Le Caire, Port Saïd, Odessa, Sébastopol, Istanbul, Bursa, Izmir, Antalya, Ankara, Adana, Amman, Damas, Bagdad, Batoumi, Tbilissi, Erevan, Bakou, Téhéran

Pays et régions :
AUTRICHE, HONGRIE, ITALIE, YOUGOSLAVIE, ROUMANIE, BULGARIE, ALBANIE, GRÈCE, TURQUIE, TUNISIE, TRIPOLITAINE, LIBYE, CYRÉNAÏQUE, ÉGYPTE, PALESTINE, TRANSJORDANIE, SYRIE, IRAK, IRAN, ARABIE SAOUDITE, CHYPRE, CAUCASE

Mers :
mer Adriatique, mer Méditerranée, mer Égée, mer Noire, mer Caspienne, Crète

0   200 km

Churchill continue à le bombarder de télégrammes tour à tour éloquents, stimulants, impératifs, courroucés et inquisiteurs – du type de celui-ci, en date du 3 juin : « Veuillez me dire par télégramme quelles sont exactement les forces terrestres et aériennes que vous utilisez pour la Syrie. Que faites-vous des Polonais ? Il semble important de déployer et d'utiliser dès le départ le plus de forces aériennes possible, et même les vieux appareils peuvent avoir leur rôle à jouer, ainsi qu'ils l'ont si bien fait en Irak[33]. » Que faire, sinon obtempérer ? Le 8 juin 1941, les forces britanniques, françaises libres et australiennes pénètrent en Syrie, et la dure campagne qui va suivre, fruit des efforts inlassables du farouche lutteur de Downing Street, va porter un second coup d'arrêt à l'entreprise de pénétration allemande au Moyen-Orient... À l'évidence, l'homme reste une incomparable dynamo ; le général Brooke, chef des forces de métropole*, remarquable stratège et impitoyable critique de ses contemporains, note dans son journal à cette époque : « Le Premier ministre est en grande forme. [...] Il est étonnant de le voir afficher une si grande sérénité en dépit du lourd fardeau qu'il porte. C'est de loin l'homme le plus merveilleux que j'aie jamais rencontré ; on ne se lasse jamais de l'étudier et de constater qu'à l'occasion, de tels êtres humains peuvent apparaître sur cette terre – des gens qui dépassent à ce point tous les autres[34]. »

On voit donc qu'il n'est pas simple de porter un jugement sur les multiples incursions de Winston Churchill dans le domaine stratégique ; c'est que le meilleur y côtoie bien souvent le pire, l'un et l'autre se trouvant parfois inextricablement mêlés : ainsi, les pressions incessantes du Premier ministre ont certes permis de retourner la situation en Irak et de pénétrer en Syrie, mais elles ont également poussé le général Wavell à déclencher simultanément une contre-offensive à la frontière égyptienne ; or, cette opération anticipée et improvisée en direction de Sollum et Bardia – nom de code BATTLEAXE – sera aisément repoussée entre le 15 et le 17 juin. De même, son ordre à Wavell de tenir coûte que coûte le port de Tobrouk contre tous les assauts allemands s'avère judicieux, mais il

---

* Dont la principale mission depuis un an consiste à défendre les îles Britanniques contre un débarquement allemand – toujours considéré comme probable au printemps de 1941.

devient parfaitement nuisible lorsqu'il est suivi d'instructions détaillées pour une contre-offensive à partir de ce même port, avec des effectifs insignifiants et *vingt-cinq* tanks très usés*... Enfin, Churchill s'est montré bien plus apte que ses prédécesseurs à apprécier la valeur de l'interception des transmissions allemandes[35], et il est d'autant plus persuadé de son génie stratégique que les décryptages des services de Bletchley Park lui donnent l'impression de lire à livre ouvert dans les intentions et les dispositifs de l'ennemi ; mais le malheur est qu'à cette époque, la machine Ultra ne permet encore de décrypter que les communications de la *Luftwaffe*. Or, sur le théâtre principal de Cyrénaïque, celle-ci n'a qu'une très vague idée des intentions de Rommel, et lorsque Churchill lit chaque jour les interceptions d'ordres de l'OKW, il ne peut savoir que Rommel en tient rarement compte. Dès lors, les instructions qui partent de Londres pour Le Caire sont bien souvent fondées sur des prémisses parfaitement erronées**...

En Grande-Bretagne, au début de juin 1941, tous ces éléments échappent largement aux observateurs ; depuis la Grèce jusqu'à la Libye en passant par la Crète***, ils voient surtout des défaites, des retraites, des évacuations et une avance inexorable de l'ennemi en Méditerranée. Les succès britanniques en Afrique de l'Est et dans l'Atlantique**** ont un moindre retentissement, la campagne de Syrie est mal engagée faute de moyens, et depuis un mois, beaucoup se plaignent amèrement de la façon dont la guerre est conduite – ce qui s'exprime sans détours dans la presse, dans les clubs et lors de séances houleuses à la Chambre : « À cette époque, se souviendra le général sir John Kennedy, les critiques à l'encontre de Churchill étaient acerbes et générales. On affirmait que quelque chose n'allait

---

* De fait, le commandement de l'armée d'Égypte négligera l'ordre – avec l'encouragement discret des chefs d'état-major.

** Ainsi, les ordres de Berlin à Rommel en février 1941 étaient de défendre Tripoli et d'attendre le mois de mai pour effectuer des reconnaissances offensives. On sait ce qu'il en est advenu...

*** Le 1er juin, les Allemands se sont rendus entièrement maîtres de l'île, dont la *Royal Navy* est parvenue à évacuer 16 500 hommes. 13 000 autres ont été tués, blessés ou faits prisonniers.

**** Le *Bismarck* a été coulé le 27 mai dans l'Atlantique nord, à 400 milles de Brest, mais la *Royal Navy* a perdu dans l'engagement le *Hood,* son croiseur de bataille le plus moderne, avec 1 300 hommes d'équipage.

pas dans le mécanisme de direction militaire de la guerre. [...] On parlait d'improvisation et d'opportunisme. On disait que personne ne présentait au Cabinet de guerre des plans militaires clairement établis, sur lesquels il puisse délibérer, exprimer son accord ou son désaccord ; que dès l'origine, les opinions des militaires étaient faussées et influencées par la redoutable éloquence d'un Premier ministre qui était à la fois avocat, témoin, procureur et juge. On critiquait aussi sa façon d'envoyer aux commandants en chef des instructions personnelles sans avoir consulté les experts, de même que son habitude d'épuiser dangereusement les chefs d'état-major[36]. » Le député Henry « Chips » Channon, une redoutable commère, écrit également dans son journal à cette époque : « Les critiques de Churchill s'amplifient de tous côtés. Sa popularité est en chute libre et beaucoup de ses ennemis, longtemps réduits au silence, ont recommencé à donner de la voix. Il a été sérieusement atteint par l'affaire de Crète[37]. »

La victoire a d'innombrables pères, mais la défaite est orpheline... Churchill a promis de s'expliquer à la Chambre dès le 10 juin sur la succession de revers subis en Méditerranée, et comme toujours, il prépare son intervention avec un soin méticuleux. John Colville sera témoin d'une étape de cet étonnnant processus : « J'ai passé une heure déconcertante avec lui, le temps d'un déjeuner au cottage de Chartwell. C'était le 3 juin 1941 ; la situation au Moyen-Orient était déroutante, lord Beaverbrook faisait des siennes, et un discours important sur l'état de la guerre devait être prononcé incessamment à la Chambre. L'autre convive à ce déjeuner était le chat orange, résident de Chartwell et préféré de tous les chats de Churchill*. Il était assis sur une chaise à sa droite, et Churchill lui a parlé avec la plus grande affection pendant tout le repas ; il lui nettoyait les yeux, lui offrait du mouton et se désolait du fait qu'il n'ait pas de crème à lui donner en temps de guerre. Et pendant tout ce temps, il composait son discours à mi-voix, discutait avec Beaverbrook et reprochait à Wavell la dimension excessive des services d'intendance de son armée. C'était la première fois, mais non la dernière, que je m'apercevais de son aptitude à jouer un rôle – en

---

* En concurrence à cet égard avec Nelson, le chat noir (et borgne) de service à Downing Street.

l'occurrence un rôle extrêmement amusant – alors que ses pensées restaient fixées sur des réalités bien concrètes[38]. »

Le discours du 10 juin sera un véritable tour de force, qui laissera pantois les honorables députés : « Pour pouvoir porter un jugement rationnel sur notre dispositif aérien et sur notre incapacité subséquente d'affecter suffisamment d'avions à la défense de la Crète, il faudrait savoir, non seulement à quoi se montait l'ensemble de nos ressources, mais encore ce qu'était la situation sur tous les autres théâtres qui étaient étroitement interdépendants, et il est vain de prétendre juger de ces questions sans avoir une connaissance exhaustive de faits qui, à l'évidence, ne peuvent être rendus publics, et ne doivent même pas être connus au-delà du cercle extrêmement étroit des personnes responsables de l'exécution des opérations. [...] Je vois que certains disent que nous ne devrions jamais combattre sans avoir un soutien aérien adéquat. [...] Mais que faites-vous si vous ne pouvez l'avoir ? Nous n'avons pas toujours le choix entre une bonne et une mauvaise solution ; très souvent, il nous faut choisir entre deux très mauvaises solutions. Et si vous ne pouvez avoir tout le soutien aérien souhaitable, allez-vous abandonner des secteurs stratégiques importants, l'un après l'autre ? D'autres m'ont dit que nous ne devrions défendre que des endroits que nous sommes certains de pouvoir tenir. Mais alors, peut-on être sûr de l'issue de la bataille avant même qu'elle ait été livrée ? Et dans ce cas, l'ennemi ne pourrait-il procéder sans combat à une quantité illimitée de conquêtes ? Supposons que nous ne soyons pas allés en Grèce et que nous n'ayons pas tenté de défendre la Crète : où se trouveraient les Allemands à présent ? Ne seraient-ils pas maîtres de la Syrie et de l'Irak ? Ne se prépareraient-ils pas à avancer jusqu'en Perse ? [...] En se battant opiniâtrement pour défendre des positions importantes, même dans des conditions défavorables, on ne fait pas que gagner du temps ; on oppose une résistance farouche à la volonté de l'ennemi. [...] La Crète était un saillant très important dans notre ligne de défense ; elle était comme le fort de Douaumont à Verdun en 1916, ou la colline de Kemmel en 1918. Tous deux ont été pris par les Allemands, mais dans les deux cas, ils ont perdu la bataille, et aussi la campagne, et pour finir la guerre. Mais êtes-vous sûrs que le résultat aurait été identique si les Alliés n'avaient pas combattu pour Douaumont et pour la colline de Kemmel ? Et pour quoi d'autre auraient-ils combattu ? On ne peut juger de ces

batailles qu'en relation avec l'ensemble de la campagne. [...] La
défaite est amère ; il est vain de tenter d'expliquer la défaite ; les
gens n'aiment pas la défaite, et ils n'aiment pas les explications
qu'on leur en donne, si détaillées et si convaincantes soient-elles. La
seule réponse que l'on puisse donner à la défaite, c'est la victoire. Si
un gouvernement en temps de guerre donne l'impression qu'il est
hors d'état d'obtenir la victoire en dernier ressort, qu'importent ses
justifications ? Il lui faut démissionner – à condition, naturellement,
que l'on soit certain d'en trouver un autre qui soit capable de faire
mieux. [...] Mais si un gouvernement est obligé de regarder en
permanence par-dessus son épaule de peur d'être poignardé dans le
dos, alors il lui est impossible de garder l'œil sur l'ennemi[39]. »

Comment après cela ne pas renouveler sa confiance à un Premier ministre armé d'une telle éloquence ? Mais sans qu'il puisse
l'avouer à la Chambre, Churchill, lui, a perdu confiance en Wavell,
et il va le faire remplacer*. Ce grand général a certes remporté
trois victoires, mais il a subi autant de défaites, et il semble avoir
perdu cette ardeur de vaincre que Churchill veut imposer à tous
les niveaux de la conduite de la guerre. Du reste, les chefs d'état-
major eux-mêmes sont résolument pessimistes quant à l'avenir des
opérations en Méditerranée ; le 21 juin, sir John Dill confie au chef
des services de planification : « Je suppose que vous comprenez
que nous allons perdre le Moyen-Orient[40] ? » En fait, alors que
l'Allemagne contrôle toute la rive nord de la Méditerranée jusqu'à
la mer Égée et toute sa rive sud jusqu'à la frontière égyptienne,
chacun sent bien que si Hitler concentre tous ses moyens dans une
ultime offensive, il est en mesure de balayer l'ensemble des
défenses britanniques, depuis Alexandrie jusqu'au golfe Persique.
Mais il se trouve que le Führer a d'autres projets...

Parce qu'il a de l'intuition et parce qu'il a lu *Mein Kampf*,
Churchill déclarait déjà un an plus tôt : « Hitler doit nous envahir
ou échouer ; s'il échoue, [...] il se reportera forcément vers l'Est[41]. »
À partir de mars 1941, les décryptages d'« Enigma » sont venus
confirmer cette prévision : Hitler masse des forces en Pologne, et ce
mouvement, après une courte interruption du fait de la campagne
des Balkans, s'est poursuivi durant tout le printemps. Au début

---

* Par le général Auchinleck, commandant en chef de l'armée des Indes.
Wavell le remplacera dans cette fonction dès la mi-juin 1941.

d'avril, Churchill a même écrit à Staline pour le mettre en garde... Mais le maître du Kremlin n'en a tenu aucun compte, et le 22 juin à l'aube, de la Baltique à la mer Noire, une armée de 170 divisions, appuyée par 2 700 avions et 3 500 chars, pénètre en Union soviétique. À Londres, ce matin-là, on accueille la nouvelle avec soulagement : ainsi, la Grande-Bretagne n'est plus seule à affronter le Reich ; mieux encore, pour la première fois depuis un an, elle est à l'abri d'une invasion allemande – pour quelques semaines au moins. Car Churchill, comme tout son entourage, pense que c'est à peu près le délai qu'il faudra aux armées d'Hitler pour conquérir l'URSS ; mais dans la lutte à mort de l'Angleterre contre le nazisme, tout répit doit être mis à profit, et le plus vieil antibolchevik du Royaume décrète sur-le-champ que les nouveaux ennemis de ses ennemis ne peuvent être que ses amis ; à son secrétaire, il confie ainsi : « Si Hitler envahissait l'enfer, je mentionnerais au moins le diable en termes favorables à la chambre des Communes[42]. » C'est ce qu'il déclarera ce même soir à la BBC, en phrases plus nobles il est vrai : « Tout homme, toute nation, qui poursuivra la lutte contre le nazisme aura notre appui. [...] Il s'ensuit que nous apporterons toute l'aide possible à la Russie et au peuple russe. [...] Le péril de la Russie est notre péril et celui des États-Unis, de même que la cause de chaque Russe combattant pour son foyer est la cause des hommes et des peuples libres dans toutes les parties du monde. Redoublons donc d'efforts, et frappons à l'unisson avec tout ce qu'il nous reste de vie et de puissance[43]. »

Toute médaille a naturellement son revers : une dictature est venue rejoindre l'alliance des pays démocratiques qui s'opposait à Hitler, et cela risque de nuire quelque peu à l'image de la coalition alliée aux États-Unis... Et puis, le Premier ministre s'est engagé à fournir toute l'aide possible à l'Union soviétique : comment tenir une telle promesse, alors que la Grande-Bretagne a déjà bien du mal à faire front sur les champs de bataille de Libye et sur la route des convois de l'Atlantique Nord, qu'elle ne s'est imposée que très péniblement en Syrie*, et que sa production de guerre est sans cesse

---

* C'est le 14 juillet que les vichystes du général Dentz ont finalement rendu les armes en Syrie. Les négociations aboutissant à l'armistice de Saint-Jean-d'Acre provoqueront le premier conflit sérieux entre les Britanniques et le général de Gaulle. (Voir F. Kersaudy, *De Gaulle et Churchill*, op.cit., p. 142-164.)

entravée par les bombardement allemands ? De toute évidence, il faudrait décider les États-Unis à étendre la loi prêt-bail à l'URSS ; en outre, les généraux britanniques s'attendent à une tentative de débarquement en Angleterre pour l'automne, lorsqu'Hitler aura écrasé l'armée soviétique, et ils manquent encore cruellement de moyens pour y faire face ; enfin, tous les renseignements disponibles font état d'une menace japonaise sur les possessions britanniques et néerlandaises d'Asie du Sud-Est ; or, la Grande-Bretagne ne peut se maintenir seule sur deux fronts à la fois, et Hong Kong ou Singapour seraient hautement vulnérables à une attaque déterminée. Pour Churchill, c'est donc par l'engagement accru – et pour tout dire par l'entrée en guerre – des États-Unis que passe la voie du salut... Il est vrai qu'au début de juillet, le Président a annoncé son intention d'envoyer des troupes occuper l'Islande aux côtés des Britanniques, mais il n'est toujours pas question d'une déclaration de guerre. En janvier, déjà, Churchill avait parlé à Hopkins de la nécessité d'un entretien en tête à tête avec Roosevelt ; à la Maison-Blanche, l'idée a fait son chemin, et le Président finit par accepter : le 9 août 1941, on se rencontrera donc à Argentia, au large de Terre-Neuve.

Churchill a préparé minutieusement cette entrevue, et lors de la traversée de l'Atlantique à bord du grand cuirassé *Prince of Wales,* il se trouve tout à fait dans les dispositions d'esprit d'un collégien se rendant à un examen... Harry Hopkins, qui l'accompagne à cette occasion, ira même plus loin : « On aurait dit que Winston montait au ciel à la rencontre du Bon Dieu[44]. » Il est vrai que devant Averell Harriman, il a tenu ces propos désarmants : « Je me demande si le Président va m'aimer[45]... » En tout cas, rien n'a été négligé pour assurer le succès de la conférence : les deux hommes, également passionnés par les affaires navales, se rencontreront à bord des plus puissantes unités de leurs marines respectives, au large de la base navale de Placentia Bay, que les Britanniques ont cédée aux États-Unis moins d'un an plus tôt ; ils sont tous deux accompagnés de leurs plus proches conseillers, de leurs chefs d'état-major et des vice-ministres des Affaires étrangères ; enfin, le secret même qui entoure ces quatre jours de conciliabules en garantira le retentissement mondial.

La rencontre de nos deux grands séducteurs, aussi fermement résolus à séduire qu'à se montrer séduits, ne devait en aucun cas être un échec : ce sera donc un succès. Il est vrai que le Premier ministre et le Président ont sympathisé, que les cérémonies et les manifestations d'unité anglo-américaine à bord des deux grands vaisseaux ont impressionné jusqu'aux observateurs les plus blasés, et que les rencontres des chefs d'état-major des deux pays ont permis des échanges de vues fort utiles pour l'avenir ; et puis, la « Charte de l'Atlantique », conçue au départ comme un simple communiqué de presse, va connaître un retentissement mondial, en raison des buts élevés qu'elle proclame : aucun agrandissement territorial ; pas de modification de frontières qui ne soit conforme à la volonté librement exprimée des peuples intéressés ; respect du droit des peuples à choisir leur forme de gouvernement ; accès de tous les États au commerce et aux matières premières mondiales ; collaboration de toutes les nations dans le domaine économique ; rétablissement d'une paix qui permette à toutes les nations de vivre en sécurité à l'intérieur de leurs propres frontières ; liberté des mers et des océans ; renonciation à l'emploi de la force ; création d'un système permanent de sécurité mondiale, etc. L'effet de cette proclamation sera d'autant plus considérable que l'on ignorera les âpres marchandages ayant présidé à sa rédaction, et les sordides querelles qui suivront sa publication*…

Dès son retour à Londres, Churchill se déclare enchanté de cette rencontre historique. En fait, il a toutes les raisons d'être amèrement déçu : Roosevelt n'a pas voulu entendre parler d'un projet de communication diplomatique pour mettre en garde le Japon contre toute nouvelle expansion en Asie aux dépens des intérêts britanniques ; les chefs d'état-major américains, obnubilés par la sécurité de l'hémisphère occidental et par les discussions au Congrès sur l'extension de la conscription**, n'ont manifesté que très peu d'intérêt pour la Libye, l'Égypte, le bombardement de l'Allemagne ou les besoins de Staline en matière d'armement ; les

---

* Les références à la libéralisation du commerce mondial, ainsi qu'à l'instauration d'une « organisation internationale de sécurité efficace », font l'objet de vifs désaccords. Après la publication de la Charte, on demandera à Churchill si le « respect du droit des peuples à choisir leur forme de gouvernement » s'applique également aux colonies et dominions anglais – notamment à l'Inde. Sa réponse décevra les idéalistes…

** Qui sera adoptée le 12 août, à une voix de majorité.

cérémonies, les politesses et les plaisanteries n'ont pu masquer le fait que Roosevelt, certes impressionné par la verve et la combativité de son interlocuteur, le considère également comme un impérialiste d'un autre âge, dont les préjugés et l'impulsivité justifient la plus grande méfiance ; mais surtout, le Président n'a pris aucun engagement quant à une éventuelle entrée en guerre des États-Unis, se bornant à laisser entendre qu'il pourrait « rechercher un "incident" qui justifierait l'ouverture des hostilités[46]. » Le fait qu'après son retour à Washington, il ait même cru bon de préciser que « rien n'avait changé » et que « les États-Unis n'étaient pas plus près de la guerre », sera la confirmation officielle d'un échec que Churchill aurait préféré ne pas ébruiter…

Pour l'Angleterre, l'automne de 1941 sera donc sombre et difficile : le bombardement des villes anglaises se poursuit sans relâche, faisant chaque mois des milliers de victimes civiles ; les pertes de navires marchands dans l'Atlantique Nord se multiplient, bien que la marine américaine escorte désormais tous les convois entre les côtes américaines et l'Islande ; sur le continent, alors que les Allemands approchent de Moscou, Staline exige sans cesse davantage d'armements et l'ouverture d'un « deuxième front » à l'Ouest, pour détourner de l'URSS une partie des divisions allemandes – alors qu'à cette époque, l'Angleterre serait bien en peine d'ouvrir un nouveau front où que ce soit, et voit ses convois décimés par la *Luftwaffe* et la *Kriegsmarine* sur le chemin de Mourmansk. Par ailleurs, le MI6 rapporte que les Allemands progressent dans la recherche nucléaire, en utilisant l'eau lourde de Norvège pour la mise au point d'une pile atomique ; dès lors, Churchill fait pousser au maximum les recherches atomiques, sous le nom de code de « *Tube Alloys* », mais les moyens matériels et financiers du pays restent très insuffisants pour mener à bien un projet d'une telle ampleur. Et puis, le 21 octobre, quatre des principaux cryptanalystes de Bletchley Park lancent un appel désespéré au Premier ministre : ils manquent des moyens suffisants en matériel et en personnel pour mener à bien leur tâche de décryptage du code naval et militaire d'« Enigma »… Churchill, qui accorde une importance vitale à ses « oies qui pondent des œufs en or et ne caquettent jamais* », envoie immédiatement au

---

* Leurs premiers décryptages de l'Enigma naval ont permis de prendre l'ascendant sur les sous-marins allemands dans l'Atlantique – pour un temps du moins.

général Ismay le message suivant, surmonté de la redoutable étiquette rouge *Action this Day* : « Faites en sorte qu'ils aient tout ce qu'ils demandent en priorité absolue, et informez-moi dès que ce sera chose faite[47]. »

Dans le sud de l'Europe, la situation reste préoccupante : de nombreux renseignements font état d'une pression accrue de Berlin sur l'Espagne, afin qu'elle participe à une attaque allemande contre Gibraltar ; en Afrique et au Moyen-Orient, le général de Gaulle, ulcéré par la politique conciliatrice de Londres à l'égard de Vichy, se révèle un allié ombrageux et vindicatif ; en Égypte, le nouveau commandant en chef Auchinleck, ayant résisté pendant trois mois aux pressions de Churchill en faveur d'un déclenchement anticipé de la contre-offensive, lance enfin le 18 novembre l'opération CRUSADER contre les positions de Rommel le long de la frontière libyenne ; mais dans la bataille confuse qui s'ensuit, les premiers résultats sont incertains, les Britanniques perdent 200 chars, et Churchill commence à bombarder Auchinleck de télégrammes recommandant instamment des raids d'envergure sur les arrières de l'ennemi.

Dans l'intervalle, les chefs d'état-major et les services de planification ont eu le plus grand mal à étouffer dans l'œuf quelques audacieuses inspirations issues de l'imagination fertile de leur Premier ministre et ministre de la Défense – à commencer par un plan AJAX pour la prise de Trondheim ! En fait, les services de planification avaient déjà rejeté ce projet un mois plus tôt[48], mais Churchill, nullement impressionné, charge au soir du 3 octobre le général Brooke, commandant des forces de métropole, d'établir un nouveau plan détaillé *en une semaine**… Le 11 octobre, après une étude détaillée, Brooke et son état-major parviennent aux mêmes conclusions que les planificateurs : opération impossible, faute d'effectifs, de moyens de transport et de couverture aérienne[49]. Ce ne sera que partie remise, mais cinq jours plus tard, l'imagination

---

* Assez curieusement, l'historien britannique Andrew Roberts, dans son remarquable ouvrage *Masters and Commanders* (Allen Lane, Londres, 2008, p. 47), relate l'épisode du plan AJAX comme s'étant déroulé à la fin de l'été 1940 – soit un an trop tôt… Le principal but d'AJAX étant d'assurer la sécurité des convois à destination de Mourmansk, un tel plan n'aurait eu aucun sens dix mois avant l'entrée en guerre de l'URSS.

de Churchill ayant déjà rallié la Méditerranée, il charge les chefs d'état-major d'étudier un plan WHIPCORD visant à envahir la Sicile ! Voilà qui dépasse encore de très loin les capacités des forces armées de Sa Majesté, et entraînerait de surcroît une fantastique dispersion de ressources... Mais une fois ce nouveau projet rejeté le 28 octobre, alors que le général Dill se demande à haute voix ce que Churchill va bien pouvoir inventer de nouveau, la porte de la salle du Conseil s'ouvre brusquement, livrant passage au Premier ministre qui lui remet un plan GYMNAST pour l'occupation rapide de l'Afrique du Nord – à étudier toutes affaires cessantes[50] !

« J'aime qu'il se passe quelque chose ; et s'il ne se passe rien, je fais en sorte qu'il se passe quelque chose ! » : toujours avide d'action à n'importe quel prix, Churchill va opérer cet automne-là deux changements radicaux dans l'organisation de la haute direction militaire. La première victime en sera sir Roger Keyes, commandant de la Direction des opérations combinées ; c'est que l'efficacité de l'ancien héros de Zeebrugge s'est révélée très limitée, ses raids ont donné des résultats négligeables, ses lubies font perdre un temps précieux aux responsables de la planification, sa véhémence est préoccupante, ses projets chimériques et ses relations avec les chefs d'état-major exécrables. Pour remplacer ce glorieux septuagénaire, Churchill a besoin d' un autre habitué des actions héroïques, à la fois plus jeune, plus mesuré, plus entreprenant et plus diplomate ; c'est ainsi que lui vient à l'esprit le nom de lord Louis Mountbatten, le fils cadet de son ancien premier lord naval l'amiral de Battenberg. Bien sûr, lord Louis – « Dickie » pour les intimes – a tout juste 41 ans, une réputation bien ancrée de casse-cou et de casse-navires*, et il n'est que capitaine de vaisseau. Mais pour le vieux bouledogue de Downing Street, la valeur n'attend pas le nombre des galons... De fait, ce choix s'avérera extrêment judicieux[51].

Un second choix sera plus heureux encore : à la mi-novembre, Churchill décide de remplacer le chef de l'état-major impérial sir John Dill, qu'il soupçonne d'avoir « perdu l'esprit d'offensive ». Ce

---

* Les destroyers qu'il commandait entre 1939 et 1941 ont été torpillés, minés, bombardés, rasés ou coulés avec une régularité déconcertante. L'amiral sir James Somerville dira de lui : « Il n'y a personne au monde que j'aimerais mieux avoir avec moi que Dickie Mountbatten si j'étais dans le pétrin – et personne qui m'y mettrait plus sûrement ! »

diagnostic n'est que très partiellement fondé, mais il est vrai que le général Dill est épuisé, moins par ses responsabilités militaires que par la rude tâche d'avoir à veiller jusqu'aux petites heures pour modérer les brusques inspirations du stratège amateur et effervescent de Downing Street – avec des résultats uniformément décevants*. Mais à la surprise générale, Churchill nomme pour le remplacer un militaire à la forte personnalité, qui lui a maintes fois tenu tête dans le passé : c'est le général sir Alan Brooke, 58 ans, ancien sauveur du corps expéditionnaire britannique en 1940, commandant des forces terrestres de métropole et prodigieux stratège devant l'Éternel**... Churchill, conscient de sa propre impulsivité, a-t-il délibérément jeté son dévolu sur un homme capable de le contenir ? Brooke, en tout cas, ne se fait guère d'illusions sur ce qui l'attend : « J'avais eu suffisamment affaire à Winston, dira-t-il, pour connaître sa nature impétueuse, sa mentalité de risque-tout et sa détermination à suivre la voie qu'il s'était choisie, quel qu'en soit le coût[52]. »

En fait, la véritable menace vient d'ailleurs ; depuis l'été de 1941, les Japonais ont entièrement occupé l'Indochine, se rapprochant ainsi dangereusement de Singapour et de la Malaisie. En outre, les sanctions économiques décrétées par Washington en guise de rétorsion ont considérablement renforcé le risque de guerre : à Tokyo, dès la mi-octobre, la démission du Premier ministre Konoyé et son remplacement par le général Tojo rendent plus certaine encore la perspective d'une agression japonaise en Asie du Sud-Est, à laquelle la Grande-Bretagne ne pourra certainement pas faire face toute seule. C'est pourquoi Churchill, jamais

---

* Commentaire perfide mais à peine exagéré du major Desmond Morton, bras droit et confident de Churchill : « On pourrait presque dire que si Churchill n'est jamais allé contre l'avis de Dill, c'est parce qu'il ne lui a jamais demandé son avis. »

** Septième fils de sir Victor Brooke, biologiste, grand chasseur et sportif émérite, Alan Brooke descend d'une longue lignée d'officiers irlandais au service de la Couronne, remontant aux temps de Cromwell et des campagnes de Wellington. Victor et Ronnie Brooke, deux des frères aînés de sir Alan, ont combattu aux côtés de Winston Churchill, respectivement en Inde et en Afrique du Sud, et tous deux sont décédés prématurément avant la Seconde Guerre mondiale. On ignore dans quelle mesure le souvenir de cette ancienne fraternité d'armes a pu influencer le choix de Churchill.

las de guetter dans l'ombre la plus petite lueur d'espoir, reste par tous les moyens en contact avec le président des États-Unis : « Aucun amant, dira-t-il, ne s'est jamais penché avec autant d'attention sur les caprices de sa maîtresse que je ne l'ai fait moi-même sur ceux de Franklin Roosevelt »…

Mais le mariage approche : au soir du 7 décembre 1941, on apprend aux Chequers que la base navale de Pearl Harbor a été attaquée par l'aviation japonaise*. Churchill appelle aussitôt au téléphone le président Roosevelt, qui lui confirme la nouvelle ; et l'ancien vice-ministre de la Marine américain termine sa conversation transatlantique avec l'ex-premier lord de l'Amirauté britannique par cette constatation hautement pertinente : « Nous voilà tous dans le même bateau ! » Ce ne sera pas une croisière d'agrément, mais Churchill est aux anges : « Avoir les États-Unis à nos côtés fut pour moi une joie insigne. Je ne pouvais prédire le cours des événements, je ne pouvais prétendre avoir pris la mesure des capacités martiales du Japon, mais à ce moment précis, je savais que les États-Unis étaient en guerre, jusqu'au cou et jusqu'à la mort. Ainsi, nous avions fini par vaincre ! […] L'Angleterre survivrait, la Grande-Bretagne survivrait, le Commonwealth des nations et l'Empire survivraient. Personne ne pouvait dire combien de temps dureraient encore les hostilités, ni la manière précise dont elles se termineraient, et peu m'importait à ce moment. Une fois de plus dans la longue histoire de notre île, quoique meurtris et mutilés, nous allions ressurgir, saufs et victorieux. Nous ne serions pas anéantis ; notre histoire ne s'achèverait pas ; nous n'aurions peut-être même pas à mourir en tant qu'individus. Le destin d'Hitler était scellé ; le destin de Mussolini était scellé ; quant aux Japonais,

* La rumeur selon laquelle Churchill aurait été informé par ses service de renseignements des plans japonais d'attaque de Pearl Harbor, mais se serait abstenu de les communiquer à Roosevelt, n'a pas le moindre fondement. Celle selon laquelle Roosevelt en aurait été informé par ses propres services, mais aurait choisi de ne rien faire, afin d'entraîner son pays dans la guerre, n'est pas sérieuse non plus. En fait, seules deux parties sur quatorze d'un message urgent de Tokyo à son ambassade de Washington avaient été décryptées le 6 décembre 1941 par le service OP-20-G de l'*US Navy*, et les interceptions du principal code naval japonais JN-25B, qui comportaient des indications très précises sur les plans japonais, étaient encore pratiquement indécryptables pour les Américains comme pour les Anglais (environ 4 000 groupes de codes identifiés sur 55 000).

ils allaient être réduits en poussière. [...] Il faudrait évidemment longtemps, [...] nous aurions encore à connaître bien des désastres, à subir bien des pertes et des tribulations, mais désormais, l'issue du combat ne faisait plus de doute[53]. ! »

Jusque-là, Churchill était certes convaincu que l'Angleterre ne perdrait pas la guerre, mais il voyait mal comment elle pourrait la gagner... À présent, la voie lui paraît toute tracée : rien au monde ne pourra résister à une grande coalition des États-Unis, du Royaume-Uni et de l'Union soviétique –- à condition que l'on sache jouer habilement ses cartes. Or, pour l'heure, les Américains vont être tentés de faire porter tout leur effort de guerre contre l'agresseur japonais ; en outre, l'expédition vers l'Europe du matériel et de l'armement couverts par les accords prêt-bail est instantanément suspendue : on s'attend à ce qu'ils servent en priorité à l'équipement des forces armées américaines. C'est pour mettre bon ordre à tout cela, et surtout pour définir avec le Président une stratégie commune, que Churchill se rend aux États-Unis dès le 12 décembre 1941, à bord du cuirassé *Duke of York*. Il est accompagné de l'amiral Pound, du maréchal de l'Air Portal, du maréchal Dill*, du ministre de l'Approvisionnement lord Beaverbrook et de son médecin sir Charles Wilson, qui notera à cette occasion : « Winston est un autre homme depuis que l'Amérique est entrée en guerre. [...] Comme si, en un tournemain, il avait été remplacé par quelqu'un de plus jeune[54]. »

---

* C'est le général Brooke qui a insisté pour que son prédécesseur, qu'il admire énormément, participe à cette conférence. C'est aussi à sa demande que Dill, devenu maréchal, ne sera pas exilé en Inde comme gouverneur de Bombay, mais nommé à la tête de la mission militaire britannique à Washington. La sagesse de cette mesure apparaîtra clairement au cours des années suivantes.

CHAPITRE XIII

DUETTISTE

Seul un homme dans toute la force de la jeunesse aurait pu supporter le rythme d'activité auquel va être astreint Winston Churchill dès son arrivée à Washington le 22 décembre 1941 : ceux qui le voient saluer la foule avec son célèbre V de la victoire, plaisanter avec les journalistes et participer à d'interminables banquets, sont loin de soupçonner que chaque jour durant près de trois semaines, entre 8 heures et 4 heures le lendemain matin, Churchill va s'entretenir avec le Président, les ministres, les chefs d'état-major, les sénateurs, les représentants, les hauts fonctionnaires et les industriels américains, les parlementaires et le Premier ministre canadiens, les diplomates étrangers et les membres de sa propre délégation, avant d'échanger un flot de télégrammes avec ses ministres restés à Londres...

L'ordre du jour est particulièrement chargé : la priorité à accorder au conflit en Europe* ; l'adoption d'une stratégie défensive dans le Pacifique** ; la constitution à Washington d'un « Comité des chefs d'état-major combinés » anglo-américains, ainsi que d'un « Comité d'approvisionnement combiné » subordonné au

* Cette priorité avait déjà été demandée par l'état-major américain lui-même, en considération du fait que l'Allemagne serait l'adversaire le plus dangereux. Il s'agit pour les Britanniques d'en obtenir confirmation au lendemain de l'attaque japonaise. Hitler les a beaucoup aidés, en déclarant la guerre aux États-Unis dès le 11 décembre.

** Churchill a rédigé lui-même pendant la traversée un long mémorandum à ce sujet, en plus de trois autres : tous prédisent avec une étonnante perspicacité les péripéties prévisibles de la guerre au cours des années suivantes.

précédent ; la rédaction d'une « Déclaration des Nations unies* » ; la définition d'une politique anglo-américaine d'aide à la Chine de Tchang Kaï-chek ; un long échange de notes avec le Premier ministre australien, qui s'inquiète de l'avance japonaise dans le Pacifique et réclame une protection navale accrue ; l'examen d'un plan de stationnement de troupes américaines en Irlande du Nord ; l'apaisement de la gaullophobie pathologique du Président et de son secrétaire d'État Cordell Hull, après le débarquement des fusiliers marins de la France libre à Saint-Pierre-et-Miquelon la veille de Noël ; l'organisation de nouveaux convois anglo-américains d'aide à l'URSS ; l'établissement des plans américains d'armement pour 1942 qui, grâce à l'intervention de lord Beaverbrook, prévoiront entre autres la production de 45 000 avions, d'autant de tanks... et près du double de ces chiffres pour l'année suivante ; la mise sur pied d'un état-major conjoint anglo-américano-australo-néerlandais (A. B. D. A.), sous le commandement du général Wavell, pour mener la guerre en Extrême-Orient ; l'accord sur un programme commun en matière de recherche atomique, qui se fixera pour but d'établir avant juillet 1942 la possibilité d'une réaction en chaîne contrôlée ; l'examen du plan de débarquement en Afrique du Nord (GYMNAST), devenu un projet anglo-américain à mettre en œuvre avec la coopération de Vichy ; de longues négociations sur l'aide américaine au front de Libye ; d'âpres discussions jusqu'à l'aube** au sujet de l'Empire britannique – et particulièrement de l'Inde, que Roosevelt aimerait voir accéder à l'indépendance ; la préparation minutieuse de deux longs discours, que Churchill va prononcer devant le Congrès américain le 26 décembre et devant le Parlement canadien le 30... Et en plus de tout cela, le Premier ministre, qui s'est fait aménager une salle des cartes près de sa chambre à la Maison-Blanche, se tient régulièrement informé de la situation militaire en Asie, qui est catastro-

---

* Cette déclaration, signée par 24 pays le 1er janvier 1942, stipule entre autres que les gouvernements signataires s'engagent à employer la totalité de leurs ressources contre les puissances de l'Axe, et à ne pas conclure de paix séparée avec ces puissances.

** Le fait que le président Roosevelt, qui a l'habitude de se coucher tôt, ait pu être exaspéré par les épiques monologues nocturnes de son illustre visiteur est une chose qui échappera toujours à Winston Churchill.

phique*, et de la situation politique en Grande-Bretagne, qui est à peine meilleure !

C'est manifestement excessif pour un homme de 67 ans ; le 27 décembre, en essayant d'ouvrir une fenêtre, Churchill ressent une intense douleur à la poitrine, qui descend dans son bras gauche et le laisse hors d'haleine. Pour son médecin, c'est le signe évident d'une thrombose coronaire ; mais comment persuader Churchill de prendre du repos ? En définitive, ce sont les Américains qui s'en chargeront : l'industriel Stettinius met à sa disposition une luxueuse villa en Floride, où le chef d'état-major Marshall l'amènera dans son avion personnel. Même Churchill ne saurait tenir tête à une coalition de l'industrie lourde et des forces armées américaines ; il va donc prendre un repos (très relatif) à Palm Beach, avant d'affronter les dernières négociations de Washington, le voyage de retour et les innombrables tracasseries qui l'attendent à Londres. Il s'en faudra d'ailleurs de bien peu qu'il n'en connaisse plus jamais : le 16 janvier 1942, alors qu'il rentre en Angleterre, son hydravion perd le cap et fonce droit vers Brest occupé. Une chance : le maréchal de l'Air Portal est à bord, et il fait corriger la trajectoire *in extremis.* Mais l'appareil se dirigeant alors vers l'Angleterre par le sud-est, le contrôle de la chasse britannique le prend pour un bombardier ennemi : six Hurricane, guidés par radar, sont envoyés pour l'abattre... et ne le trouvent pas !

Pour les armées alliées, la situation en ce début de 1942 est sans doute la plus sombre de toute la guerre : les Japonais ont pris pied aux Philippines, envahi les Célèbes, les Moluques, Bornéo, la Nouvelle-Bretagne et les îles Salomon ; ils ont occupé Hong Kong, investi la plus grande partie de la Malaisie, et déferlent à présent vers Singapour ; or, depuis la perte des cuirassés *Repulse* et *Prince of Wales* le mois précédent, il n'y a plus de grandes unités navales pour protéger cette base, qui est très vulnérable à une attaque terrestre. Plus à l'ouest, la situation n'est guère meilleure : à Alexandrie, des nageurs de combat italiens sont parvenus à mettre

---

* Avant la fin de 1941, Hong Kong a été occupé, les deux seuls cuirassés britanniques présents sur le théâtre asiatique, le *Repulse* et le *Prince of Wales*, ont été coulés par l'aviation japonaise, et les troupes nippones progressent dans le nord de la Malaisie.

hors d'action les 2 grands cuirassés *Queen Elizabeth* et *Valiant*, le croiseur *Barham* a été coulé en Méditerranée centrale, et les Allemands ont fait venir de Russie un corps d'aviation qui soumet l'île de Malte à un bombardement intensif ; or, du fait de la pénurie de capacité de transport, aggravée par les pertes terrifiantes dues à l'action des sous-marins ennemis en Méditerranée, Malte est encore plus difficile à ravitailler que Singapour. En Libye, les renforts promis ont dû être détournés vers l'Extrême-Orient, ce qui a fatalement compromis l'offensive CRUSADER : ayant repoussé les Allemands et les Italiens jusqu'à leur point de départ d'El Agheila à la mi-janvier 1942, le général Auchinleck n'a pu poursuivre son avantage, et le balancier va repartir en sens inverse : Rommel reprend Msous le 23 janvier et Benghazi le 29, tandis que la 1re division blindée britannique, refluant en désordre, perd les deux tiers de ses tanks* Enfin, dans l'Atlantique, particulièrement au large des côtes américaines, la navigation alliée subit des pertes sans précédent : 31 navires, soit 200 000 tonneaux coulés pour le seul mois de janvier**

Revenu à Londres, le Premier ministre doit défendre son gouvernement contre les critiques de nombreux parlementaires effarés par tant de désastres. Le 27 janvier 1942, au matin du jour où les débats vont s'ouvrir aux Communes, le général Brooke est convoqué à Downing Street, et il note dans son journal : « J'ai trouvé le Premier ministre au lit, vêtu de sa robe de chambre ornée de dragons rouges et or, un gros cigare aux lèvres, occupé à préparer son discours capital. [...] La robe de chambre à elle seule valait le déplacement : il ressemblait à quelque mandarin chinois, avec de rares cheveux ébouriffés sur son crâne chauve. Le lit était constellé de rapports et de télégrammes, avec les reliefs du petit déjeuner sur la table de chevet. Il n'arrêtait pas de sonner ses secrétaires, ses dactylos, ses sténographes et son fidèle valet Sawyers[1]. »

---

* 100 sur 150. La plupart ont été abandonnés dans le désert faute d'essence, alors que d'immenses dépôts de carburant venaient d'être évacués précipitamment devant l'avance ennemie. C'est un des aspects les plus ostensibles du désordre.

** Les décryptages des transmissions de sous-marins sont devenus impossibles depuis la fin de 1941, la *Kriegsmarine* ayant ajouté un rotor à sa machine Enigma.

Mais Churchill finit par s'extraire de son lit pour se rendre à la Chambre, et il prononce cet après-midi-là un premier discours de deux heures, en insistant énergiquement pour que les débats s'achèvent par un vote de confiance. Au cours des deux jours qui suivent, il y a bien des échanges acerbes, mais Churchill reste un maître de son art : « Il y a des gens qui parlent et se comportent comme s'ils avaient anticipé cette guerre et l'avaient soigneusement préparée en accumulant de vastes stocks d'armement. Mais il n'en est rien. Pendant deux années et demie de combats, nous avons tout juste réussi à garder la tête hors de l'eau. Quand j'ai été appelé à devenir Premier ministre, il n'y avait guère d'autres candidats à l'emploi. Depuis lors, sans doute, le marché s'est quelque peu amélioré : en dépit de la honteuse négligence, de l'indécente gabegie, de la flagrante incompétence, de la béate suffisance et de l'incurie administrative qui nous sont quotidiennement reprochées, nous commençons à aller de l'avant. [...] Au bout du compte, la Chambre ne doit pas imaginer que si tout avait parfaitement fonctionné sur le terrain – ce qui est très rare en temps de guerre –, cela aurait radicalement atténué le lourd tribut que Britanniques et Américains ont dû payer du fait de la perte temporaire de la maîtrise du Pacifique, jointe au fait que nos ressources étaient dispersées à l'extrême partout ailleurs. [...] Nous n'avons jamais eu les moyens, et nous n'aurions jamais pu avoir les moyens, de combattre simultanément l'Allemagne, l'Italie et le Japon à nous tout seuls. [...] Je me suis efforcé d'exposer la situation à la Chambre, dans toute la mesure permise par les considérations de sécurité publique. [...] Je n'ai à offrir ni excuses, ni échappatoires, ni promesses, [...] mais en même temps, j'exprime ma confiance, plus forte que jamais, en une issue de ce conflit qui se révélera hautement favorable au meilleur ordonnancement du monde futur[2]. » C'est une mesure de ses talents oratoires qu'ayant commencé la séance devant une chambre hostile, Churchill obtient la confiance au bout du troisième jour par 464 voix contre 1. Les honorables députés ont bien dû se rendre à l'évidence : s'il est difficile de résister aux forces de l'Axe, il est impossible de remplacer Churchill au milieu du combat...

Le Premier ministre va profiter de cette confiance renouvelée pour remanier quelque peu son gouvernement ; Lord Beaverbrook, aussi affaibli par ses crises d'asthme qu'épuisé par ses querelles avec Ernest Bevin, quitte le ministère de l'Approvisionnement, et le

Cabinet de guerre est ramené à sept membres – dont l'ancien ministre d'État au Caire Oliver Lyttelton, qui devient ministre de la Production, et l'ancien ambassadeur à Moscou Stafford Cripps, désormais lord du Sceau privé et leader de la Chambre*.

La situation militaire ne s'améliore pas pour autant, et les catastrophes s'enchaînent : le 11 février, les croiseurs de bataille allemands *Scharnhorst* et *Prinz Eugen* parviennent à quitter Brest et à passer de la Manche en mer du Nord, sans être inquiétés par la *Royal Navy* ; le 15 février, Singapour capitule, un désastre qui laissera Churchill sans voix ; depuis cette base, les Japonais menacent désormais l'île de Java au sud et la Birmanie au nord-ouest. Pis encore, après la bataille de la mer de Java le 25 février, l'Australie elle-même est devenue vulnérable à l'invasion. Au début de mars, les premiers débarquements japonais s'effectuent en Nouvelle-Guinée, tandis que les forces britanniques en Birmanie, sous le commandement du général Alexander, sont contraintes d'évacuer Rangon. Lorsque Java capitule à la mi-mars, c'est à la fois l'Inde et l'Australie qui se trouvent directement menacées ; or, l'Australie est si peu peuplée qu'elle ne pourra offrir qu'une résistance symbolique aux envahisseurs. En Inde, Gandhi se prononce en faveur de la non-résistance, tandis que des éléments nationalistes sont tout disposés à collaborer avec l'ennemi ; dès la fin de mars, les Japonais, qui contrôlent à la fois Singapour, le détroit de Sumatra et tout le sud de la Birmanie, se dirigent vers les frontières de l'Assam, alors que leurs unités navales commencent à pénétrer en force dans l'océan Indien...

Pour les chefs d'état-major britanniques, c'est le cauchemar suprême : si les Japonais parviennent jusqu'à Ceylan et aux côtes de l'Inde, ils seront en mesure de couper les lignes de communication maritimes britanniques passant par le golfe Persique, la mer d'Oman et les côtes africaines ; ils pourront même faire leur jonction avec les troupes allemandes, que leur offensive d'été portera probablement jusqu'au Caucase, et peut-être plus au sud vers l'Irak et l'Iran, sources principales de l'approvisionnement britannique en

---

* Les autres membres du Cabinet de guerre restent Churchill, Eden, Attlee, Bevin et sir John Anderson. Parmi les nouveaux ministres, sir James Grigg succède au capitaine Margesson en tant que ministre de la Guerre, et lord Selborne remplace Hugh Dalton au ministère de la Guerre économique.

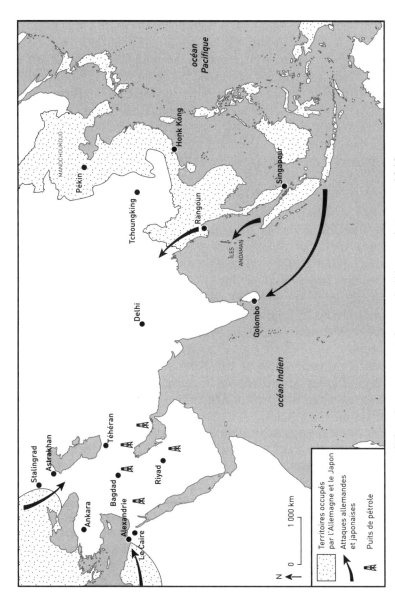

Offensives concentriques de l'Axe, printemps 1942

océan Pacifique

océan Indien

MANDCHOUKOUO

Pékin

Tchoungking

Rangoun

Honk Kong

Singapour

ÎLES ANDAMAN

Colombo

Delhi

Stalingrad

Astrakhan

Téhéran

Ankara

Bagdad

Riyad

Alexandrie

Le Caire

N

0   1 000 km

Territoires occupés
par l'Allemagne et le Japon

Attaques allemandes
et japonaises

Puits de pétrole

pétrole* Dans une telle éventualité, les 750 000 hommes qui font face à Rommel au Proche-Orient seront pris à revers, privés de carburant et contraints à la capitulation ; la Grande-Bretagne elle-même ne pourrait sans doute pas continuer la guerre bien long-temps sans les ressources pétrolifères du golfe Persique. Lorsqu'au début d'avril, les Japonais occupent les îles Andaman** talonnent l'armée britannique en retraite dans le nord de la Birmanie et dirigent vers Ceylan une escadre comprenant cinq porte-avions, les Britanniques peuvent redouter le pire. D'autant que dans l'Atlantique, la guerre sous-marine cause aux Alliés leurs plus grosses pertes de toute la guerre : 680 000 tonneaux coulées en février, 750 000 en mars ! Et pendant ce temps, dans l'Arctique, les convois qui s'efforcent d'approvisionner la Russie en longeant le cap Nord subissent des pertes effroyables : un quart des navires est coulé, et personne ne sait au juste ce que Staline va faire de ce qui parvient à bon port... À Londres, le général Brooke, si récemment nommé chef de l'état-major impérial, se trouve manifestement dans une situation impossible : « C'est une lutte désespérée pour tenter de boucher les trous[3] », écrit-il dans son journal. Il est vrai que sur trois continents et quatre océans, de nouveaux trous ne cessent d'apparaître, et toutes les ressources des Alliés ne suffisent plus à les boucher...

Mais l'infortuné général Brooke n'a pas encore tout vu : le 8 avril 1942, Harry Hopkins et le général Marshall débarquent à Londres, porteurs d'un plan d'offensive en France pour l'été de 1942 ! Baptisé SLEDGEHAMMER, il prévoit le débarquement d'une force anglo-américaine chargée d'établir une tête de pont autour du Cotentin, dans l'attente du grand débarquement (ROUNDUP) au printemps de 1943. But de l'opération : détourner l'effort de guerre allemand de la Russie et écraser les forces allemandes en Europe, afin de pouvoir engager au plus tôt l'ensemble des effec-tifs alliés dans le Pacifique... Tout cela est fort attrayant en théorie,

---

* Des unités anglo-indiennes et soviétiques ont occupé à l'été de 1941 les champs de pétrole et les principales lignes de communication d'Iran, avant de converger sur Téhéran, où elles ont forcé le chah pro-allemand à abdiquer en faveur de son fils, Mohammed Réza Pahlévi. Ce dernier, solidement encadré, suivra désormais une politique nettement favorable aux Alliés.

** À moins de 700 milles des côtes indiennes.

mais désespérément naïf en réalité : c'est que les Américains n'ont pas tiré un seul coup de fusil en Europe depuis 1918, leurs services de planification et de coordination des états-majors sont encore dans l'enfance*, l'*US Army* reste embryonnaire, et le Président, qui est le chef des armées, n'a pas même un secrétariat pour les affaires militaires ! Il reçoit ses chefs d'état-major séparément, entre deux portes, sans même que soit établi un procès-verbal des entretiens ! Et c'est dans ces étonnantes conditions d'improvisation que Franklin Roosevelt a donné sa bénédiction au plan SLEDGEHAMMER...

Mais pour les responsables militaires britanniques, lancer une douzaine de divisions peu entraînées, faiblement équipées et manquant de péniches de débarquement contre une côte puissamment fortifiée et défendue par 40 divisions d'élite, ce serait un suicide pur et simple ! D'autant que le détournement de l'équipement, de l'armement, de l'aviation et des moyens de transport maritimes vers ce nouveau front reviendrait pratiquement à garantir la perte du Moyen-Orient, de l'océan Indien et du golfe Persique... C'est ce que le général Brooke, l'amiral Pound, le maréchal de l'air Portal et l'amiral Mountbatten** vont tenter d'expliquer à Marshall et à Hopkins, en se gardant bien de les heurter de front ; ils se déclarent même en accord avec eux, tout en soulevant discrètement quelques objections. Les Américains en concluent un peu rapidement que leur stratégie pour 1942 vient d'être adoptée, sans comprendre que leurs homologues britanniques en ont une autre – moins ambitieuse mais plus réaliste : il s'agit de contenir les Japonais dans l'océan Indien et de chasser les troupes germano-italiennes des côtes libyennes, afin de rouvrir la Méditerranée à la navigation alliée et d'éviter le détour par le Cap, qui absorbe en permanence un million de tonnes de capacité de transport. Avec le concours du Premier ministre, ils s'estiment en mesure de persuader les Américains.

C'est précisément là que le bât blesse... Tout d'abord, Churchill ne veut à aucun prix heurter Franklin Roosevelt en lui disant que le

---

* Ils ont été constitués trois mois plus tôt, sur le modèle du Comité des chefs d'état-major et des services de planification conjoints britanniques.

** Qui est devenu en mars 1942 le quatrième membre du Comité des chefs d'état-major, en tant que directeur des opérations combinées. Simultanément, le général Brooke a succédé à l'amiral Pound en tant que président du Comité.

plan américain est impraticable ; mais il y a pire : tout en se rendant parfaitement compte de la menace qui pèse sur les positions britanniques au Moyen-Orient comme dans l'océan Indien, ainsi que de la pénurie des moyens disponibles pour y faire face, notre stratège inspiré et brouillon veut toujours attaquer partout à la fois. Il demande – et obtient – une opération visant à occuper Madagascar (IRONCLAD)* ; il veut des raids « de moyenne importance » sur l'ensemble des côtes de l'Europe occupée, qui vont bientôt aboutir au désastre de Dieppe ; il exerce une pression constante sur le général Auchinleck pour qu'il passe à l'offensive contre Rommel en Libye, alors qu'il n'a encore ni les moyens matériels ni les concentrations de troupes nécessaires pour espérer réussir ; il veut faire élaborer des plans pour une offensive en Birmanie, alors que le général Alexander vient de l'évacuer *in extremis* avec ses 30 000 hommes très éprouvés ; il réclame sans cesse de nouveaux convois pour la Russie, afin d'apporter à Staline les milliers d'avions et de chars qui manquent à Auchinleck, et dont la plupart finiront au fond de l'eau ou à la ferraille** ; il exige des bombardements toujours plus massifs de l'Allemagne, avec des avions réclamés à cor et à cri par l'armée pour l'appui tactique au Moyen-Orient, et par la marine pour la chasse anti-sous-marine dans l'Atlantique*** ; il reparle du plan GYMNAST pour l'occupation de l'Afrique du Nord, et pour couronner le tout, il veut imposer à tout prix son idée fixe : l'invasion de la Norvège…

On se souvient que les services de planification, le Comité des chefs d'état-major et le chef des forces de métropole ont tour à tour rejeté la dangereuse entreprise norvégienne à l'automne de 1941.

---

* À cette occasion, il aura raison contre ses propres services de planification : le nord de l'île sera occupé en mai sans difficultés majeures.

** Les conditions d'utilisation et d'entretien en URSS étant inadaptées aux appareils, et les appareils eux-mêmes étant inadaptés aux conditions climatiques extrêmes de l'URSS.

*** Churchill a toujours été partisan du bombardement stratégique de l'Allemagne, principalement parce que pendant très longtemps, la Grande-Bretagne n'avait pas d'autre moyen de passer à l'offensive. Mais il a souvent exprimé des doutes sur l'efficacité de cette méthode, même après l'arrivée à la tête du *Bomber Command* du maréchal Arthur *« Bomber »* Harris. Au sein du Cabinet de guerre, Clement Attlee et sir Stafford Cripps seront par contre des adversaires acharnés du bombardement stratégique.

Rien de ce qui s'est produit depuis lors n'est de nature à les faire changer d'avis : si l'on manque déjà cruellement de navires et d'escadrilles pour les opérations en cours au Proche-Orient et dans l'océan Indien, si l'on est même hors d'état de traverser la Manche pour occuper le Cotentin, comment imaginer que l'on puisse franchir une mer du Nord infestée de sous-marins, débarquer sur des côtes abruptes, puissamment fortifiées et défendues par plus de 300 000 hommes, pour opérer ensuite sur un terrain montagneux, entrecoupé de fjords et pratiquement dépourvu de routes – le tout dans des conditions climatiques impossibles et sans la moindre couverture aérienne ? C'est manifestement déraisonnable, mais on sait que Churchill n'a jamais fait clairement la distinction entre le souhaitable et le possible, et que son entêtement est légendaire : le plan a seulement changé de nom, et il s'appelle désormais JUPITER. Dans une lettre du 28 mai 1942, Churchill s'en ouvre au président Roosevelt, en précisant qu'il « attache une grande importance à cette affaire[4] » – ce qui est presque une litote. Mais dès lors, les chefs d'état-major britanniques se trouvent dans une situation impossible : alors qu'ils s'efforcent depuis près de deux mois d'expliquer à leurs homologues américains la nécessité de concentrer toutes les forces disponibles, en évitant les dispersions et les offensives prématurées, ils doivent à présent essayer de justifier l'inspiration de leur Premier ministre au sujet de ce JUPITER dont ils ne veulent à aucun prix... Si l'on considère qu'à cette époque, les Américains insistent toujours pour mettre en œuvre SLEDGEHAMMER dès le mois de septembre, tandis qu'en Libye, Rommel vient de reprendre l'offensive contre les éléments avancés de la 8e armée, on ne peut que s'émerveiller du fait que les responsables militaires britanniques n'aient pas fait valoir leur droit à la retraite, ou demandé à être internés...

En fait, c'est surtout à Londres et à Washington que va se livrer la bataille. Il faudra déjà tous les talents de persuasion de Brooke, Pound, Portal, Mountbatten et leurs assistants pour amener Churchill à renoncer au plan JUPITER, qui vient d'être déchiré à belles dents par ses services de planification,[5] puis le convaincre de remiser son plan GYMNAST, considéré comme irréaliste sans la coopération de Vichy ; il faudra ensuite intercepter et faire atténuer les télégrammes que Churchill envoie au général Auchinleck pour le sommer de prendre l'offensive en Libye sans plus tarder, et surtout persuader le bouillant Premier ministre de renoncer à faire remplacer Auchinleck par lord Gort, ou par quelque autre général dont il a entendu dire du bien ; il faudra également des trésors de diplomatie pour lui faire admettre que les pertes subies par les convois à destination de Mourmansk sont insupportables, et lui suggérer de les interrompre provisoirement* ; il faudra enfin le persuader de résister aux clameurs des Soviétiques, des Américains, des députés britanniques et de l'opinion publique « progressiste » en faveur de l'ouverture d'un deuxième front en Europe dès 1942 – d'autant que Marshall, l'amiral King et le secrétaire à la Guerre Stimson ont fait discrètement savoir à leurs homologues britanniques que, s'ils n'acceptaient pas SLEDGEHAMMER pour septembre, les États-Unis reporteraient tout leur effort de guerre sur le Pacifique !

C'est à ce stade que la situation devient fascinante : Churchill et ses chefs d'état-major retournent aux États-Unis le 17 juin pour la conférence ARGONAUT, où la scène va se jouer en trois actes : au Comité des chefs d'état-major combinés entre le 19 et le 20 juin, les membres de la délégation britanniques font valoir qu'aucune nouvelle opération n'est possible pour 1942, que ce soit en France, en Norvège, en Afrique du Nord ou ailleurs, et ils invitent leurs homologues américains à les aider de toutes leurs forces au Moyen-Orient comme dans l'océan Indien. Bien entendu, ils acceptent le plan BOLERO de concentration accélérée des troupes américaines en Grande-Bretagne, et le plan ROUNDUP de débarquement en France au cours de l'année 1943[6]. L'accord se fait, mais le général Brooke note dans son journal le 20 juin, à l'issue d'un déjeuner avec son homologue Marshall : « Je crois que la réunion a été un succès, [...] mais nous étions pleinement conscients des nombreuses difficultés que nous risquons d'affronter lorsqu'on nous soumettra les plans que le Premier ministre et le président mijotent ensemble à Hyde Park. [...] Nous craignons le pire ; ils vont certainement ressortir des plans d'opérations en Afrique du Nord ou en Norvège du Nord pour 1942, alors que nous sommes convaincus qu'ils sont inexécutables[7] ! »

C'est une bonne prémonition : au même moment, Churchill, qui séjourne dans la propriété de Roosevelt à Hyde Park, remet au

---

* Les départs seront finalement interrompus le 13 juillet, après la destruction presque totale du convoi PQ 17.

Président un mémorandum magistral*, qui commence par énoncer les mêmes arguments que ses chefs d'état-major, mais en tire des conclusions radicalement opposées : « Nous restons persuadés qu'il ne devrait pas y avoir de débarquement substantiel en France cette année, à moins que ce ne soit pour y rester. Jusqu'ici, aucune instance militaire britannique responsable n'a été en mesure d'établir un plan pour septembre 1942 qui ait quelque chance d'aboutir [...]. Les états-majors américains ont-ils un plan ? À quels endroits se proposeraient-ils de frapper ? Combien y a-t-il de péniches de débarquement et de navires de transport disponibles ? Quel officier est disposé à commander l'expédition ? Au cas où il serait impossible d'élaborer un plan susceptible de recueillir l'approbation des autorités responsables, que faire d'autre ? [...] Ne devrions-nous pas préparer [...] quelque autre opération qui nous permette de prendre l'avantage et de soulager directement ou indirectement la Russie ? C'est dans ce contexte qu'il s'agirait d'étudier le plan d'opérations en Afrique du Nord française[8]. »

Or, Roosevelt a comme toujours exclu ses chefs d'état-major des discussions, il est bien conscient de son incompétence en matière stratégique, et il n'a pas d'arguments valables à opposer à ce plan GYMNAST qui le séduit à bien des égards : c'est la promesse d'une entreprise militaire pour 1942 dont il a absolument besoin avant les élections de l'automne, ainsi que la perspective de remporter un succès plus aisé contre les Français que contre les Allemands. Au matin du 21 juin, les militaires américains et britanniques découvrent donc avec consternation ce mémorandum, qui vient de recueillir l'approbation du Premier ministre comme du Président... Là-dessus, un troisième élément vient tout compliquer : ce même 21 juin, on apprend qu'après la victoire de Rommel à El-Gazala, les 35 000 défenseurs de Tobrouk se sont rendus pratiquement sans combat, en abandonnant à l'ennemi d'énormes dépôts de matériel. Sous l'effet du choc, les Américains proposent de fournir une aide immédiate et substantielle à leurs alliés : 300 chars Sherman et 100 obusiers de 105 autotractés.

Lorsque les visiteurs britanniques prennent le chemin du retour au soir du 25 juin 1942, ils laissent derrière eux un message suffi-

* Qu'il semble avoir dicté sous l'inspiration du moment, dans les petites heures de la matinée du 20 juin...

samment ambigu pour que chacun puisse y trouver son compte : plein accord pour BOLERO, décision d'« étudier » un plan GYMNAST ressuscité, et quelques considérations suffisamment vagues sur SLEDGEHAMMER et ROUNDUP pour faire croire au général Marshall que ses projets de prédilection restent d'actualité : « Je pensais, dira plus tard Marshall, avoir obtenu un engagement ferme pour ROUNDUP*.[9] » En fait, il n'a rien obtenu de tel – pas même de son propre Président.

Dès son retour à Londres le 26 juin, Churchill doit affronter une nouvelle tempête parlementaire, suscitée cette fois par les défaites de Singapour, de Rangoun et de Tobrouk. C'est le député conservateur sir John Wardlaw-Milne qui a déposé une motion de censure exprimant « le manque de confiance de la Chambre dans la direction centrale de la guerre » ; cette motion est soutenue par l'amiral Keyes et par l'ancien ministre de la Guerre Hore-Belisha. Les débats s'ouvrent donc à la Chambre le 1ᵉʳ juillet avec un discours énergique de sir Wardlaw-Milne, qui accuse Churchill d'intervenir intempestivement dans la haute direction de la guerre, et propose d'emblée la séparation des fonctions de Premier ministre et de ministre de la Défense, ainsi que la désignation d'un généralissime. Mais pour occuper ce dernier poste, sir John avance le nom du duc de Gloucester, un aimable membre de la famille royale aussi mal préparé que possible à exercer une telle fonction ! Il en résulte un certain flottement dans l'assemblée, qui s'accentue visiblement lorsque sir Roger Keyes, se trompant quelque peu de cible, concentre ses attaques sur le Comité des chefs d'état-major, puis déclare en réponse à une question : « Le départ du Premier ministre serait un désastre déplorable. » Au cours de débats qui se prolongent jusqu'à 3 heures du matin, lord Winterton trouve des arguments plus convaincants en stigmatisant les dissensions ministérielles, les déficiences matérielles et les erreurs stratégiques ; il est suivi le lendemain du député travailliste Aneurin Bevan, qui souli-

---

* La méprise vient sans doute d'une certaine confusion terminologique : l'examen des discussions ultérieures entre militaires américains montre en effet qu'ils ont tendance à confondre SLEDGEHAMMER, BOLERO et ROUNDUP – et notamment à prendre le deuxième pour le troisième. Le comble de la confusion sera atteint lorsque le ministre de la Guerre Stimson en viendra à parler de ROUNDHAMMER.

gne dans un discours venimeux que « le Premier ministre gagne tous les débats et perd toutes les batailles », avant de perdre tout son avantage lorsqu'il propose de confier la direction des opérations sur le terrain à des généraux tchèques, polonais ou français. Sir Hore-Belisha conclut en rappelant les nombreuses défaites subies dans le passé et en reprochant au Premier ministre son manque de jugement, mais il commet l'erreur fatale de s'étendre longuement sur la mauvaise qualité des armes britanniques, qui ont été conçues à l'époque où il était lui-même ministre de la Guerre...

Cette fois, Churchill va s'exprimer en dernier, et il le fera pendant plus de deux heures avec une pugnacité inégalée : « Au cours du long débat qui s'achève, [...] tous les arguments imaginables ont été utilisés pour affaiblir la confiance dans le gouvernement, pour prouver que les ministres sont incompétents et les faire douter d'eux-mêmes, pour inspirer à l'armée la méfiance du pouvoir civil, pour faire perdre aux ouvriers toute confiance dans les armes qu'ils s'efforcent de produire, pour présenter le gouvernement comme un ramassis de nullités dominé par le Premier ministre, et pour compromettre l'image de ce dernier à ses propres yeux et si possible à ceux de la nation. Et tout cela est répandu dans le monde entier par le câble et la radio, au désespoir de tous nos amis et à la joie de tous nos ennemis. » Suit une défense en règle des généraux, des ministres, des diplomates, des soldats, des stratégies suivies et de la qualité des matériels de guerre, après quoi l'offensive reprend : « On peut avoir de la malchance, et la chance peut tourner. Mais on ne peut pas s'attendre à ce que les généraux courent des risques sans avoir l'assurance d'être appuyés par un gouvernement fort, sans savoir qu'ils n'ont besoin ni de regarder par-dessus leurs épaules, ni de se préoccuper de ce qui se passe à l'arrière, sans avoir le sentiment qu'ils peuvent concentrer toute leur attention sur l'ennemi. Et j'ajouterai que l'on ne peut s'attendre à ce qu'un gouvernement coure des risques sans avoir l'assurance d'être soutenu par une majorité solide et loyale. En temps de guerre, si vous voulez être bien servi, il vous faut donner de la loyauté en échange. [...] Nous n'avons pas le droit d'être certains de la victoire ; elle ne viendra que si nous ne manquons pas à nos devoirs. Une critique sobre et constructive, ou une critique en session secrète, peut avoir de grands mérites ; mais le devoir de la Chambre des communes est de soutenir le gouvernement ou d'en changer. Si elle ne peut en changer, elle doit le soutenir. En temps de guerre, il n'y pas d'autre solution. [...] Chacun de vos votes va compter. Si le nombre de ceux qui nous ont assailli est réduit à quantité négligeable, et si leur vote de censure du gouvernement national se transforme en un vote de censure contre eux-mêmes, alors, ne vous y trompez pas, on entendra les acclamations de tous les amis de la Grande-Bretagne et de tous les fidèles serviteurs de notre cause, tandis que le glas du désespoir sonnera à l'oreille de tous les tyrans que nous cherchons à renverser[10]. »

Comment résister à ce genre d'éloquence ? Au soir du 2 juillet, la motion de censure est rejetée par 475 voix contre 25. Ce sera la dernière tentative de déstabilisation politique du gouvernement Churchill jusqu'à la fin de la guerre...

Pendant ce temps, sur le vaste champ de bataille du monde, le destin commence lentement à infléchir son cours : en Égypte, les Britanniques ont été chassés de Mersa Matruh, mais le front s'est stabilisé devant El-Alamein, à 200 kilomètres plus à l'est, où Rommel a dû s'immobiliser dans l'attente de renforts en blindés et en carburant ; à Ceylan, 36 Hurricane ont tellement malmené l'aviation japonaise embarquée que les porte-avions de l'amiral Nagumo ont dû repasser le détroit de Sumatra, et ne reparaîtront plus dans l'océan Indien ; en Birmanie, les troupes japonaises piétinent à la frontière indienne, et commencent à être harcelées sur leurs arrières par les tribus autochtones ; dans le Pacifique, les grandes batailles de la mer de Corail et de Midway vont faire subir de telles pertes à la marine japonaise qu'elle sera désormais acculée à la défensive. Ainsi, l'irrésistible expansion de l'empire du Soleil-Levant a atteint ses limites, tandis qu'en Russie, la progression de la Wehrmacht au-delà du Don et de la Crimée se heurte à une résistance croissante. À l'évidence, les puits de pétrole d'Iran et d'Irak restent hors d'atteinte, et le spectre d'une jonction entre les forces de l'Axe commence à s'éloigner dès le début de l'été 1942.

Dans l'intervalle, les chefs d'état-major britanniques se sont quelque peu réconciliés avec le plan GYMNAST : c'est après tout un bon moyen d'associer les Américains à leurs entreprises, de les intéresser à la Méditerranée et de les détourner de la Manche comme du Pacifique ; c'est surtout la meilleure façon d'éclipser JUPITER, que Churchill a naturellement exhumé dès son retour à

Londres. Connaissant bien l'hostilité de ses propres services au plan de débarquement en Norvège, il l'a confié cette fois au général Andrew MacNaughton, commandant en chef des forces canadiennes de Grande-Bretagne* Devant la perspective de s'égarer dans la région du cercle polaire, l'Afrique du Nord apparaît assez logiquement comme un moindre mal, et l'accord finit par se faire entre le Premier ministre et ses chefs d'état-major, qui vont enfin pouvoir présenter un front commun…

Le 17 juillet, le général Kennedy, convoqué au 10, Downing Street en même temps que le directeur du renseignement militaire** note dans son journal : « Le Premier ministre était assis le dos tourné à un grand feu dans la salle du Cabinet ; il était vêtu de son bleu de travail, fumait un gros cigare et était d'humeur aimable. […] Il nous a lu à haute voix, le cigare à la bouche, quelques-uns des télégrammes qu'il avait reçus dans la journée, […] puis il a parlé de nos plans pour renforcer le Moyen-Orient. […] Il m'a demandé mon évaluation de la situation, […] il s'est déclaré d'accord avec moi, puis il a dit que les Italiens étaient manifestement inaptes et qu'ils s'effondreraient dès la première attaque, après quoi il a ajouté : "Si l'armée de Rommel était entièrement composée d'Allemands, elle nous battrait." Au moment où nous prenions congé, il nous a dit : "Appelez-moi à n'importe quelle heure si vous avez des nouvelles. Je suis joignable au téléphone toute la nuit." Winston inspire indéniablement confiance ; j'admire la façon dont il abat un travail colossal, calmement et en paraissant toujours se distraire. Je comprends bien pourquoi tous ceux qui l'entourent lui sont si dévoués et se laissent même dominer par lui. Je me souviens d'un mot de Dudley Pound : "Cet homme-là, on ne peut pas s'empêcher de l'aimer." Je comprends tout à fait ce qu'il a voulu dire. Il y a une chose que même les ennemis et les critiques de Winston sont bien

---

* Macnaughton, quelque peu hypnotisé par les harangues nocturnes de Churchill, accepte d'élaborer un plan d'opérations détaillé, mais, après consultation des chefs d'état-major, des services de planification et des autorités norvégiennes en exil, il prend peur, exige des effectifs considérables pour exécuter l'opération, et finit par demander au Premier ministre canadien Mackenzie King d'intervenir pour le tirer de ce mauvais pas… Churchill doit donc renoncer une nouvelle fois, en maugréant que tout le monde s'obstine à contrecarrer ses projets.
** Le général Francis Davidson.

obligés d'admettre, c'est qu'il n'a qu'un seul intérêt dans la vie en ce moment, c'est de gagner la guerre. Il y consacre chaque heure de veille, mène une curieuse existence de reclus, sort rarement, et pourtant, ce régime paraît lui convenir, il ne donne pas de signes de fatigue et semble être en meilleure forme que beaucoup des politiciens qui travaillent moins que lui. [...] C'est tout de même un extraordinaire tour de force [11]. »

Le lendemain 18 juillet, lorsque Marshall, Hopkins et King reviennent à Londres pour tenter d'imposer SLEDGEHAMMER avec l'assentiment de leur Président* ils constatent que leurs interlocuteurs britanniques parlent désormais d'une seule voix ; c'est en l'occurrence celle du général Brooke, qui note dans son journal :

« *20 juillet.* À 15 heures, rencontré Marshall et King, avec qui nous avons eu une longue discussion. Ils persistaient à vouloir attaquer de l'autre côté de la Manche cette année, afin de soulager le front russe. Ils ne se rendaient pas compte du fait qu'une telle opération ne pouvait conduire qu'à la perte de six divisions, sans le moindre résultat ! [...] Nous avons ensuite discuté de la possibilité d'une opération en Afrique du Nord, qui ne les enthousiasme guère, dans la mesure où ils seraient plutôt en faveur du Pacifique.

22 juillet. À 11 heures, nouvelle réunion avec les chefs d'état-major américains. Ils nous ont remis un mémorandum recommandant toujours une attaque du saillant de Cherbourg, en tant que préliminaire d'une offensive en 1943. Le mémorandum en soulignait tous les avantages, mais n'en discernait pas le principal inconvénient, à savoir que nous n'avions aucun espoir de pouvoir nous accrocher à Cherbourg jusqu'au printemps prochain ! Je leur ai exposé tout cela et ils ne sont pas revenus à la charge, mais ils ont déclaré qu'ils allaient soumettre tout cela au Président et qu'ils voulaient d'abord voir le Premier ministre. Je leur ai donc fixé un rendez-vous avec le Premier ministre pour 15 heures, et suis ensuite allé le voir pour lui expliquer la situation et convenir avec lui de la meilleure tactique à adopter.

À 15 heures, nous sommes tous allés à Downing Street. [...] Le Premier ministre a informé les Américains qu'il partageait entière-

---

* De fait, Roosevelt s'est finalement laissé persuader par Marshall, qui exerce sur lui un certain ascendant du fait de son expertise militaire. Mais cette influence est notoirement éphémère.

ment l'avis de ses chefs d'état-major et allait présenter l'ensemble de la question au Cabinet de guerre à 17 heures 30. À la réunion du Cabinet, c'est moi qui ai ouvert le bal, en présentant les résultats de nos réunions et en exposant tous les arguments en défaveur d'une attaque de Cherbourg en 1942. Je n'ai eu aucun mal à les convaincre, et ils s'y sont déclarés unanimement opposés. Les chefs d'état-major américains câblent donc tout cela aux États-Unis[12]. »

Le lendemain 23 juillet, ils auront la réponse : le président Roosevelt, commandant en chef des armées américaines, désavoue ses propres chefs d'état-major et leur ordonne d'accepter le plan britannique de débarquement en Afrique du Nord...

Pour la première fois de la guerre, Anglais et Américains vont donc travailler au même plan d'opérations : GYMNAST, que Churchill a fait rebaptiser TORCH. Voulant témoigner sa reconnaissance au Président, il a également insisté pour que le commandant de l'expédition soit américain : ce sera le général Eisenhower, chef adjoint de la section de planification à l'état-major et fervent partisan de SLEDGEHAMMER ! Cet obscur général, qui n'a pas même commandé un bataillon au feu et ne connaît pas plus l'Afrique que l'Europe, est pourtant un organisateur de talent, un diplomate chevronné... et un fervent apôtre de la coopération anglo-américaine.

Pour les chefs d'état-major britanniques, la partie est pourtant loin d'être gagnée : il va falloir persuader les Américains de voir grand, en débarquant à la fois en Algérie et au Maroc*, et d'envoyer suffisamment d'effectifs pour que l'entreprise ne puisse échouer ; il leur faudra en même temps contenir Churchill, qui veut toujours pousser Auchinleck à l'offensive, puis le faire remplacer sans tarder. Le général Brooke, qui s'apprête à aller au Caire pour remettre de l'ordre dans le commandement, s'aperçoit le 30 juillet que Churchill a décidé de l'accompagner, et de se rendre ensuite à Moscou pour informer personnellement Staline des nouveaux projets stratégiques anglo-américains !

Aussitôt dit, aussitôt fait : le 3 août, le Premier ministre et sa suite atterrissent au Caire. Le général Brooke, s'étant entretenu

---

* Les Américains, redoutant d'entrer en Méditerranée, voulaient débarquer uniquement à Casablanca.

avec Auchinleck, admet la nécessité de le faire remplacer* ; il parvient à persuader Churchill de nommer le général Alexander commandant en chef au Moyen-Orient** et de placer le général Montgomery à la tête de la 8ᵉ armée ; après quoi il lui faudra se montrer plus persuasif encore pour dissuader Churchill de donner à ces nouveaux chefs des instructions détaillées sur la façon de passer à l'offensive...

Après cela, Churchill, accompagné d'une nombreuse délégation***, s'envole pour Moscou, où il parvient au soir du 12 août, après une escale à Téhéran et dix heures d'un vol agité au-dessus des monts du Caucase. C'est son premier contact personnel avec un véritable dictateur, et Staline le surprend par son accueil fastueux dans la « villa d'État n° 7 » comme dans les salons dorés du Kremlin. En fait, c'est à 19 heures, au soir même de l'arrivée du Premier ministre, que se déroule l'entretien décisif : « Les deux premières heures, notera Churchill, ont été mornes et sombres. J'ai abordé immédiatement la question du second front. [...] Les gouvernements des deux pays ne se sentaient pas capables de lancer une opération majeure en septembre, dernier mois où l'on pouvait compter sur un temps favorable. Mais, comme M. Staline le savait, ils préparaient une action de très grande envergure pour 1943. Dans ce dessein, il était prévu qu'une armée d'un million de soldats américains serait rassemblée dans le Royaume-Uni au début de

---

* La stratégie d'Auchinleck consistait à sauvegarder son armée, en faisant retraite vers le delta du Nil dès la première attaque en force de Rommel. C'était inacceptable pour Brooke - et plus encore pour Churchill. Par ailleurs, Auchinleck a eu le plus grand mal à justifier son choix de disperser les chars en petites unités d'accompagnement d'infanterie, au lieu de les regrouper en corps blindés.

** Churchill a commencé par offrir le poste au général Brooke lui-même, qui a été très tenté mais a fini par refuser, au motif qu'il n'était pas habitué à la guerre du désert. Sa véritable raison était que, en tant que chef d'état-major de l'armée, il pensait être le seul à pouvoir « contrôler » les impulsions stratégiques du Premier ministre... Churchill choisit ensuite le général Gott, mais celui-ci est tué lorsque son avion est abattu près d'Héliopolis. Le général Brooke impose alors son choix, et le commandement de la 8ᵉ armée revient au général Montgomery. C'est donc par un enchaînement de hasards que se constitue l'une des plus brillantes associations de toute la guerre : celle d'Alexander et de Montgomery.

*** Comprenant le maréchal de l'air Tedder, les généraux Brooke et Wavell, le colonel Ian Jacob, le sous-secrétaire d'État aux Affaires étrangères Cadogan et le représentant personnel du président Roosevelt Averell Harriman.

cette année 1943, constituant un corps expéditionnaire de 27 divisions, auxquelles le gouvernement britannique était prêt à ajouter 21 des siennes. Près de la moitié de ces unités seraient blindées. [...] Pour une division que nous étions capables de transporter cette année, nous pourrions en transporter 8 ou 10 l'année suivante. [...] Staline, de plus en plus maussade, a dit alors que, s'il comprenait bien, nous étions incapables d'ouvrir un second front avec des forces suffisamment importantes. Je lui ai répondu que c'était exact ; la guerre était la guerre, mais non une folie, et ce serait folie que de s'exposer à un désastre qui n'aurait d'utilité pour personne [...]. Un silence pesant s'est installé. Staline a fini par déclarer que si nous ne pouvions débarquer en France cette année, il n'avait pas qualité pour l'exiger ou pour insister, mais il était obligé de me dire qu'il n'était pas d'accord avec mes arguments.

» Nous sommes passés ensuite au bombardement de l'Allemagne, qui donnait satisfaction à tout le monde. M. Staline a souligné combien il était nécessaire d'atteindre le moral de la population allemande ; il a ajouté qu'il attachait la plus grande importance au bombardement, et qu'il savait que nos raids avaient un effet considérable en Allemagne.

» Après cet intermède qui a détendu l'atmosphère, Staline a fait remarquer qu'il ressortait de notre longue conversation que nous ne voulions exécuter ni SLEDGEHAMMER ni ROUNDUP, et que nous allions nous contenter de payer notre écot en bombardant l'Allemagne. [...] Le moment était venu de présenter TORCH. J'ai déclaré vouloir revenir à la question du second front, qui était la raison même de ma visite à Moscou. [...] Nous avions arrêté avec les Américains un projet que le président des États-Unis m'avait autorisé à lui révéler confidentiellement ; au moment de le faire, j'ai souligné à nouveau l'importance capitale du secret. À ces mots, Staline s'est redressé en grimaçant un sourire, et a dit qu'il espérait que l'information ne s'étalerait pas dans la presse britannique. Je lui ai alors expliqué dans le détail l'opération TORCH. Au fur et à mesure de mon exposé, Staline s'est mis à manifester un intense intérêt. [...] J'ai décrit les avantages militaires qui découleraient d'un dégagement de la Méditerranée, qui pourrait permettre l'ouverture d'un autre front. Il nous fallait vaincre en Egypte au mois de septembre et en Afrique du Nord au mois d'octobre, tout en fixant l'ennemi dans le nord de la France pendant ce temps. Si nous étions en possession de l'Afrique du Nord à la fin de l'année, nous pourrions alors menacer l'Europe d'Hitler au ventre, et l'opération devait être envisagée en liaison avec celle de 1943. C'était ce que les Américains et nous avions décidé de faire.

» Pour bien illustrer mon argumentation, j'avais dessiné entre-temps l'image d'un crocodile, et je m'en suis servi pour expliquer à Staline que nous avions l'intention d'attaquer simultanément le ventre mou et le museau dur de cet animal. Staline, dont l'intérêt était maintenant à son comble, s'est écrié : "Que Dieu favorise cette entreprise !" [...] Il a paru en comprendre brusquement les avantages stratégiques, et il en a énuméré quatre : elle permettrait de prendre Rommel à revers, elle en imposerait à l'Espagne, elle déclencherait en France une lutte entre les Allemands et les Français, et elle ferait porter tout le poids de la guerre sur l'Italie. J'ai été très impressionné par cette remarquable déclaration ; elle montrait que le dictateur russe était capable de maîtriser rapidement et exhaustivement un problème tout nouveau pour lui. Très peu de gens au monde auraient pu comprendre ainsi, en si peu de temps, les arguments avec lesquels nous nous étions débattus pendant des mois. Il avait tout saisi en un éclair. [...]

» Je lui ai dit que je me tenais à sa disposition pour le cas où il désirerait me revoir. Il m'a répondu que, selon la coutume russe, c'était aux visiteurs d'exprimer leurs souhaits, et qu'il me recevrait à ma convenance. Il avait maintenant été instruit du pire, et pourtant, nous nous sommes séparés dans une atmosphère cordiale[13]. »

La cordialité ne durera pas, car Staline applique une technique très élaborée de « douche écossaise » : démonstrations d'amitié un jour, insultes calculées le lendemain, savant dosage de flatteries et d'intimidations le surlendemain*... De fait, le traitement

---

* Pendant tout ce temps, les militaires britanniques tenteront d'obtenir de leurs homologues soviétiques des renseignements sur leurs plans de guerre, et surtout sur leur dispositif de défense au Caucase – une région qui intéresse Londres au premier chef, pour les raisons géostratégiques que nous connaissons. En définitive, les informations communiquées avec réticence par les maréchaux soviétiques Vorochilov et Chapochnikov au général Brooke seront aussi rassurantes qu'évasives, et à peu près totalement inexactes. Au début d'août, le groupe d'armées A du maréchal von List vient d'occuper Armavir et Maïkop, au nord du Caucase, tandis que la 6e armée du général Paulus n'est plus qu'à 70 kilomètres de Stalingrad.

commence dès le soir du 13 août : « Nous avons discuté pendant deux heures, au cours desquelles il nous dit un grand nombre de choses désagréables, prétendant en particulier que nous avions trop peur des Allemands et que, si nous essayions de nous battre comme les Russes, nous constaterions que ce n'était pas si terrible ; que nous avions violé notre promesse au sujet de SLEDGEHAMMER ; que nous avions manqué aux engagements pris pour la livraison de matériel à la Russie et ne lui avions envoyé que les restes, après avoir gardé tout ce qui nous intéressait. Ces reproches paraissaient s'adresser autant aux États-Unis qu'à la Grande-Bretagne.

» J'ai repoussé catégoriquement toutes ses allégations, mais sans aucune provocation. Je suppose qu'il n'avait pas l'habitude d'être contredit sur toute la ligne, mais il ne s'est pas du tout fâché, ni même énervé. Il a répété que les Britanniques et les Américains pouvaient fort bien débarquer six ou huit divisions dans la péninsule de Cherbourg, puisqu'ils avaient la maîtrise de l'air. Il pensait que si l'armée anglaise s'était autant battue contre les Allemands que les armées russes, elle n'en aurait pas aussi peur. [...]

» Je l'ai interrompu pour dire que j'excusais les remarques qu'il venait de faire, par égard pour la bravoure de l'armée soviétique. La proposition d'un débarquement à Cherbourg négligeait l'existence de la Manche[14]. »

Mais Staline continue à tourner en dérision les forces armées britanniques, et Churchill, incapable de se contenir plus longtemps, se lance dans une longue diatribe qui fascine manifestement Averell Harriman : « C'était l'un des plus brillants discours que je l'aie jamais entendu prononcer, et je regrette qu'il n'ait pas été enregistré[15]. » Sir Alexander Cadogan en a tout de même noté les premières salves : « Le Premier ministre a tapé violemment du poing sur la table, il s'est redressé et a déversé un torrent d'éloquence : "J'ai fait tout le voyage depuis l'Europe au milieu de tous mes problèmes – oui, monsieur Staline, moi aussi, j'ai mes problèmes –, et j'espérais tendre la main à un compagnon d'armes ; je suis amèrement déçu, car cette main n'a pas été saisie[16]." » Un autre témoin, le maréchal Tedder, se souviendra que « Churchill a parlé pendant cinq bonnes minutes avec une lucidité, une vigueur et une solennité que je n'ai jamais entendues dans aucun autre propos[17] ». « Je me suis passablement échauffé, reconnaîtra Churchill. [...] J'ai dit que nous avions fait tout notre possible pour aider la Russie, et que nous continuerions à le faire. Nous avions combattu seuls pendant un an contre l'Allemagne et l'Italie. Maintenant que les trois grandes puissances étaient alliées, la victoire était certaine, à condition que nous restions unis, etc. Sans attendre l'interprétation, Staline a déclaré que le ton de mes paroles lui plaisait. La conversation a repris alors dans une atmosphère un peu moins tendue[18]. »

En fait, Staline a dit en levant la main : « Je ne comprends pas vos paroles, mais, par Dieu, j'aime l'esprit dans lequel elles sont prononcées[19] ! » C'est qu'une bonne partie des propos de Churchill s'est perdue dans l'interprétation, les deux truchements étant plutôt médiocres et manifestement à contre-emploi*. Mais le ton des paroles et l'expression du visage de son interlocuteur ont suffi à Staline pour comprendre qu'il était urgent d'en revenir au stade des amabilités... « Staline, se souviendra Churchill, a fini par déclarer qu'il était inutile de discuter plus longtemps. Il était bien obligé d'accepter notre décision. Puis, sans transition, il nous a invités à dîner pour le lendemain soir à 20 heures[20]. »

Pendant le dîner du lendemain, chacun s'efforce de rester courtois, le banquet est interminable, on propose d'innombrables toasts, mais Churchill, qui a encore sur le cœur les affronts de la veille, quitte rapidement la table et se fait reconduire à ses appartements, où il déclare à son médecin Charles Wilson : « Staline ne voulait pas me parler. J'ai mis fin à l'entretien ; j'en avais assez. Le repas était infect ; je n'aurais pas dû venir. Et pourtant, j'ai toujours le sentiment que je pourrais m'entendre avec cet homme, si seulement j'arrivais à surmonter la barrière de la langue. C'est cela qui est terriblement difficile[21]. » Churchill, qui envisage un moment de quitter Moscou, en est dissuadé par les diplomates américains et britanniques, et il tente d'expliquer le comportement erratique de Staline par l'influence de son Conseil des commissaires du peuple, « qui a peut-être plus de pouvoir que nous le supposons[22] ».

En fait, l'ogre du Kremlin va continuer à souffler le chaud et le froid jusqu'à l'aube du 16 août, lorsqu'un dernier banquet produira une réconciliation de façade et un communiqué laborieusement

---

* Un interprète doit toujours traduire vers sa langue maternelle, et dans ce cas, c'est l'inverse qui s'est produit. À la fin de la conférence, on utilisera de bien meilleurs interprètes, en la personne de Pavlov et du major Birse.

rédigé*. À 5 heures 30 du matin, Churchill s'envole pour l'Égypte avec le sens du devoir accompli, une certaine perplexité et une forte migraine** Il est clair que Staline l'a impressionné par son apparente bonhomie, sa vivacité d'esprit, son humour caustique et sa toute-puissance évidente. Bien avant l'escale de Téhéran, il confie à son médecin : « J'ai l'intention de nouer des liens solides avec cet homme-là[23]. » Autant vouloir nouer des liens avec un boa constrictor, mais Churchill prend toujours ses désirs pour des réalités : une relation harmonieuse et même cordiale avec Staline est indispensable à la victoire alliée ; cette relation existe donc nécessairement...

De retour au Caire le 17 août, Churchill et son entourage ont l'agréable surprise de constater que le général Montgomery a pris ses fonctions par anticipation*** et commencé à réorganiser entièrement la 8ᵉ armée ; il a entrepris de constituer un corps blindé analogue à celui de Rommel, de faire venir d'Angleterre des spécialistes de l'artillerie, des chars et des transmissions, et surtout de constituer un solide périmètre défensif autour de la crête d'Alam Halfa, au sud-est d'El-Alamein[24]. Churchill, lui, songe déjà à l'offensive, et Brooke écrit dans son journal au matin du 18 août : « Pendant que je m'habillais, le Premier ministre est arrivé en robe de chambre et m'a dit qu'il songeait à l'urgence d'une offensive contre Rommel. J'ai dû lui faire remarquer que *Monty* venait d'arriver, qu'il s'agissait avant tout de remédier au désordre, etc. Je me rends bien compte qu'à partir de maintenant, j'aurai beaucoup de mal à calmer son impatience[25]. »

C'est un fait ; d'ailleurs, Churchill veut rester au Caire jusqu'au 30 août au moins, parce que les décryptages d'Enigma laissent prévoir une offensive de l'Afrika Korps autour de cette date. Or, le vieux lutteur, toujours aussi fasciné par « les yeux étincelants du

---

* En fait, les dernières heures de la nuit ont été consacrées à d'interminables négociations entre diplomates au sujet de la teneur du communiqué final, qui réaffirmera « la détermination des deux gouvernements à lutter de toutes leurs forces jusqu'à la destruction complète de l'hitlérisme et de toute autre tyrannie similaire ».

** Probablement liée à la quantité de vodka ingurgitée au cours de cet ultime banquet.

*** Auchinleck devait lui céder le commandement de l'armée le 15 août seulement, mais Montgomery, peu soucieux de formalités, avait pris les choses en main dans le désert dès le 13 août.

danger », voudrait rester pour observer, conseiller, participer, commander peut-être… « J'ai dû faire de mon mieux pour lui tenir tête, notera le général Brooke ; je lui ai dit qu'en restant, il se mettrait dans une position impossible, et qu'il serait accusé de prendre personnellement les choses en main. (Ce serait bien pire que son excursion à Anvers durant la dernière guerre, mais je ne le lui ai pas dit – je n'ai fait que le sous-entendre[26] !) »

Il est vrai que beaucoup de temps a passé depuis Omdurman, Ladysmith et Anvers ; les inspirations, même géniales, ne suffisent plus, et la conduite des opérations sur le terrain est devenue une affaire de professionnels, qu'il faut laisser travailler en paix. Que faire en vérité d'un chef d'orchestre virtuose, mais perpétuellement tenté de descendre de son pupitre pour jouer la partition du violoniste ou celle du trompettiste, tout en prétendant continuer à diriger l'orchestre ? Dans de tels cas, les fausses notes sont inévitables… Mais le 24 août, au grand soulagement de tous, le maestro accepte de regagner son pupitre, et il entame le dangereux chemin du retour.

À Londres, il n'en sera pas moins aux premières loges pour suivre la symphonie ; dans la nuit du 31 août, comme prévu, Rommel lance ses trois divisions blindées contre les positions alliées au sud d'El-Alamein, en un vaste mouvement tournant qui les mène jusqu'au pied de la crête d'Alam Halfa. C'est là que l'attendent les chars et l'artillerie de Montgomery, parfaitement retranchés au sud comme au sud-est de la crête, et l'attaque allemande échoue avec de lourdes pertes dès le 3 septembre. Dès lors, Churchill commence à envoyer des télégrammes pour presser Montgomery de passer immédiatement à la contre-offensive, mais *Monty* refuse tout net : pour espérer remporter une victoire décisive sur Rommel, il doit encore parfaire l'entraînement de ses « civils en uniforme », camoufler ses divisions sur leurs lignes de départ, attendre la réception des nouveaux tanks et obusiers américains, réduire l'approvisionnement maritime de Rommel, coordonner ses opérations avec celles de la RAF et attendre le retour de la pleine lune. Il répond donc à Londres qu'il ne prendra pas l'offensive avant le mois d'octobre et que, « si l'on veut une attaque en septembre, il faudra trouver quelqu'un d'autre pour la commander[27] ». Churchill n'insiste pas…

C'est qu'il a une autre préoccupation : entre-temps, les préparatifs de l'opération TORCH se sont poursuivis à une cadence accélé-

rée, sous la conduite du général Eisenhower ; celui-ci semble voir
toute l'entreprise d'un assez mauvais œil, et le consul américain
Robert Murphy, qui s'entretient avec lui à l'époque, le trouve plutôt déprimé : « Le général, écrira-t-il, détestait à peu près tout de
cette expédition[28]. » On peut le comprendre : les ordres des chefs
d'état-major quant aux objectifs n'ont cessé de changer, jusqu'à ce
que Churchill et Roosevelt s'accordent enfin sur un débarquement
simultané à Casablanca, Oran et Alger ; Roosevelt voulait une
expédition exclusivement américaine, jusqu'à ce que les responsables britanniques – et certains de ses propres généraux – le per-
suadent de changer tous les plans, en incluant un fort contingent
britannique pour soutenir des GIs aussi peu nombreux qu'inexpérimentés ; il n'aura en tout que 110 000 hommes à sa disposition,
alors que les Français d'Afrique du Nord peuvent en aligner jusqu'à 300 000, en incluant les réserves ; l'arrivée tardive d'armements et d'équipements vitaux a singulièrement compliqué la
planification, retardant d'autant l'échéance d'un débarquement
que le président Roosevelt veut pourtant lancer avant les élections
du 3 novembre au Congrès ; enfin, les responsables de l'opération
sont très mal informé des conditions régnant en Afrique du Nord,
à en croire le témoignage de Robert Murphy : « D'après les questions qui m'étaient posées, je pouvais me rendre compte qu'*Ike* et
certains de ses officiers pensaient avoir affaire à des contrées primi-
tives, avec des agglomérations de cases en boue séchée au fin fond
de la jungle[29]. » À vrai dire, ils n'en savent guère plus au sujet de la
personne et des intentions de ce général Giraud*, nom de code
« *King Pin* », qui est censé leur livrer les clés de l'Afrique du Nord,
mais qui pose des conditions assez peu compatibles avec les plans
opérationnels en vigueur**...

Rien de tout cela ne rassure Churchill, ainsi que le constate
l'adjoint d'Eisenhower, le général Mark Clark, lors d'une visite à

---

* Henri-Honoré Giraud, général à cinq étoiles, récemment évadé d'Allemagne. Pour le président Roosevelt, ce beau sabreur, peu suspect d'intellectua-
lisme et passablement compromis avec Vichy, semble présenter toutes les
garanties de naïveté politique et d'antigaullisme viscéral pour être l'homme des
Américains en Afrique du Nord.

** Le brave général croit comprendre qu'il aura le commandement de
l'opération, et veut débarquer... dans le sud de la France.

Downing Street : « L'avancement de nos préparatifs a produit un curieux effet sur Churchill ; au lieu de s'en enthousiasmer, il a commencé à s'inquiéter, notamment au sujet des complications affectant les transports maritimes, et il s'est déclaré préoccupé du fait que des troupes américaines allaient quitter la Grande-Bretagne. Il marchait de long en large, le dos à l'âtre, en s'arrêtant de temps à autre pour s'adresser à un officier anglais ou américain. Il a passé en revue l'ensemble de la situation, en déclarant qu'il voulait faire immédiatement préparer des plans pour une attaque de la Norvège, afin de protéger la route des convois à destination de la Russie. [...] Après cela, il en est revenu à divers plans paraissant indiquer clairement qu'il songeait à engager de plus en plus de troupes américaines sur divers fronts. "Nous devrions", s'est-il exclamé, "être capables de frapper Hitler à la tête [en France], et d'ouvrir en même temps le ventre de l'Axe [en Méditerranée]." Cette nuit-là, nous avons passé en revue la stratégie sur tous les fronts, y compris l'Inde. [...] Churchill a vérifié tous les détails de nos plans, en essayant avant tout de voir ce qui n'allait pas et comment il pourrait nous aider. Je lui ai expliqué à cette occasion que nous manquions de soutien aérien pour le débarquement d'Oran. Il nous fallait absolument un porte-avions supplémentaire. [...] Churchill a ordonné au premier lord sir Dudley Pound d'en faire venir un immédiatement de l'océan Indien, afin qu'il puisse participer à la bataille[30]. » Le Premier ministre a également confié au général Clark : « TORCH est l'opération qui va nous permettre de gagner la guerre. [...] Mais le premier combat qu'il nous faut remporter, c'est le combat pour éviter d'avoir à combattre les Français[31]. » Toutes les dispositions semblent avoir été prises, mais Churchill, toujours aussi peu rassuré, déclare au Cabinet de guerre le 1er octobre : « Si TORCH échoue, je suis cuit ; je devrai m'en aller et céder la place à l'un d'entre vous[32]. »

C'est le 24 octobre que la longue attente se termine : Montgomery, jouissant désormais d'une supériorité écrasante en hommes et en matériel*, lance à El-Alamein une puissante offensive

---

* 195 000 hommes contre 104 000, 2 400 pièces d'artillerie contre 1 090, 1 351 chars contre 497, 500 automitrailleuses contre 50, 1 200 avions contre 400. En outre, l'action des sous-marins et des avions britanniques a tellement malmené les convois italiens à destination de Tripoli et de Benghazi que Rommel est à court

contre le centre du dispositif ennemi, qui va briser l'Afrika Korps en douze jours, et le contraindre à une longue retraite le long de la route côtière menant à Benghazi*. Au même moment, les Britanniques se rendent entièrement maîtres de l'île de Madagascar ; et le 7 novembre, en point d'orgue, les troupes anglo-américaines débarquent à Oran, Alger et Casablanca... Pour les armées alliées, la période des grands revers s'achève ; pour les forces de l'Axe, elle ne fait que débuter. « Ce n'est pas la fin, exulte Churchill, ni même le commencement de la fin ; mais c'est peut-être bien la fin du commencement[33]. »

---

d'essence et de munitions d'artillerie. Enfin, les décryptages d'Enigma ont donné à Montgomery des renseignements précieux sur le dispositif et les intentions de l'ennemi.

* Il laisse derrière lui 35 000 hommes tués, blessés ou prisonniers, ainsi que 430 chars, 900 canons et des milliers de véhicules. Les pertes alliées sont de 13 500 tués ou blessés, ainsi que de 150 chars et 100 canons détruits.

CHAPITRE XIV

SECOND VIOLON

Que de chemin parcouru en une année! Au début de novembre 1941, bien peu de gens auraient misé sur les chances de survie de l'Angleterre : acculée à la défensive en Europe, tenue en échec au Moyen-Orient, menacée en Extrême-Orient, lentement étranglée dans l'Atlantique, elle avait pour seule alliée une Russie envahie, dont l'effondrement paraissait inéluctable. Un an plus tard, tout a changé : le Royaume-Uni se trouve au centre d'une puissante coalition qui a porté un coup d'arrêt aux puissances de l'Axe sur tous les théâtres de guerre, depuis l'Arctique jusqu'au Pacifique Sud. Pour Winston Churchill, il n'y a pas de doute : ce miracle est dû avant tout à l'union des peuples de langue anglaise et aux liens personnels qu'il entretient avec le président Roosevelt. C'est effectivement grâce à l'appoint du matériel américain que l'on a pu tenir dans la Manche, en Méditerranée, dans l'Atlantique et dans l'océan Indien ; c'est encore grâce à la compréhension de Franklin Roosevelt que l'effort de guerre américain s'est porté en priorité vers l'Europe, alors que les États-Unis étaient attaqués en Asie ; c'est enfin grâce à la bonne volonté du Président que les Alliés ont évité le désastre sanglant qu'aurait été un débarquement prématuré en France, et mis en œuvre la stratégie britannique d'offensive en Afrique du Nord.

Churchill, aussi sentimental que pragmatique, a exprimé sa gratitude en insistant pour que le commandement de TORCH soit confié à un général américain, mais aussi en se déclarant le « fidèle lieutenant » du Président dans cette affaire[1]. Cela impliquait naturellement qu'il irait au-devant de tous ses désirs et le soutiendrait quoi qu'il advienne. Or, précisément, Roosevelt avait quelques exigences à formuler avant le déclenchement de l'opération TORCH : misant sur le prestige des Américains auprès des autorités de Vichy pour désarmer les défenseurs de l'Algérie et du Maroc, le Président souhaitait que les Britanniques se fassent très discrets lors des débarquements, et que les Français Libres en soient entièrement exclus* Voilà qui semblait quelque peu naïf, surtout depuis le retour de Laval au pouvoir à Vichy... et pour Londres, cela compliquait singulièrement les choses : l'exclusion de la France Libre ne manquerait pas de déclencher les foudres du général de Gaulle, avec qui les relations étaient déjà bien difficiles**. Mais, en fidèle lieutenant du Président, Churchill a naturellement tout accepté.

En l'occurrence, le stratagème va faire long feu : c'est à Casablanca, où débarquent uniquement des forces américaines, que la résistance est la plus acharnée ; à Alger, où elles sont à l'avant-garde, il leur faudra également livrer de rudes combats. Mais le hasard voudra qu'elles trouvent sur place l'amiral Darlan, venu rendre visite à son fils malade ; le général Giraud, lui, tarde à venir, et lorsqu'il parvient finalement à Alger le 9 novembre, on s'aperçoit qu'aucun des responsables français d'Afrique du Nord n'est disposé à lui obéir. L'amiral Darlan est certes au pouvoir des Américains et les combats vont cesser à Alger, mais partout ailleurs, les forces françaises restées fidèles à Vichy opposent aux Alliés une farouche résistance ; or, l'amiral Darlan est le seul à pouvoir ordonner un cessez-le-feu, et il faut à tout prix que les hostilités cessent en Algérie comme au Maroc ; c'est que les Allemands se sont ressaisis, et ils commencent à acheminer des troupes vers la Tunisie, avec la complicité des autorités locales. Pour les Américains, la situation est donc très grave ; mais le général Clark, qui représente Eisenhower en Afrique du Nord, est un homme d'action, et de son propre aveu, il « ne s'y connaît guère en poli-

---

* Depuis 1941 au moins, le président Roosevelt est animé d'un antigaullisme quasi pathologique, nourri par son représentant à Vichy, par des Français exilés aux États-Unis, ainsi que par ses propres préjugés sur les Français en général et sur les généraux français en particulier. (Voir F. Kersaudy, *De Gaulle et Roosevelt*, Perrin, Paris, 2004.)

** Les désaccords au sujet du Levant et de Madagascar avaient provoqué à l'automne de 1942 un esclandre majeur entre de Gaulle et Churchill, au cours duquel on était passé très près de la rupture.

tique[2] ». Au matin du 10 novembre, il conclut donc un accord avec Darlan : l'amiral pourra exercer le pouvoir en Afrique du Nord « au nom du Maréchal », en échange de quoi il ordonnera un cessez-le-feu général en Algérie et au Maroc. Eisenhower, arrivé à Alger ce jour-là, donne son assentiment ; après tout, la solution Giraud a échoué, et l'accord avec Darlan permettra de sauver de nombreuses vies américaines. « Je ne suis qu'un soldat, a dit Eisenhower. Je ne comprends rien à la diplomatie[3]. »

Le Département d'État s'y entend déjà mieux, mais il est tenu entièrement à l'écart des négociations ; quant au président Roosevelt, il n'y connaît rien du tout : pour lui, Darlan, Giraud et de Gaulle ne sont que « trois *prime donne* », et le meilleur moyen de régler toute l'affaire, c'est de « les laisser tous les trois seuls dans une pièce, et de confier le gouvernement des territoires occupés à celui qui en ressort[4] ». Mais à défaut de cela, la solution proposée par les généraux Clark et Eisenhower lui semble tout à fait acceptable. Il est vrai que l'amiral Darlan a collaboré avec Hitler pendant plus d'un an, qu'il a abandonné l'Indochine française aux Japonais, qu'il a autorisé les Allemands à utiliser les aéroports français de Syrie, qu'il a permis à l'Afrika Korps d'être ravitaillé par la Tunisie, et qu'il a déclaré six mois plus tôt : « Un jour viendra où l'Angleterre paiera. » Et puis, n'est-il pas l'homme le plus détesté de France après Laval ? N'a-t-il pas ordonné à ses troupes d'ouvrir le feu sur les Américains deux jours plus tôt ? En somme, n'est-ce pas un collaborateur et un traître ? Vues de Washington, les choses ne sont sans doute pas aussi nettes, et Eisenhower reçoit le feu vert ; trois jours plus tard, Darlan devient « haut-commissaire pour l'Afrique du Nord », avec le soutien des Américains et « au nom du Maréchal ». C'est évidemment une fiction : entre-temps, le Maréchal l'a officiellement désavoué et les Allemands ont envahi la zone libre. Mais le haut-commissaire Darlan n'en est pas moins reconnu par les « proconsuls » Noguès, Chatel et Bergeret, par le gouverneur Boisson et même par le général Giraud, qui a reçu le commandement en chef de l'armée en guise de prix de consolation.

La nouvelle de cette prise de pouvoir en Afrique du Nord avec la bénédiction des Américains est accueillie à Londres avec incrédulité et consternation ; Churchill lui-même est dégoûté : « Darlan devrait être fusillé[5] ! » tempête-t-il. Mais avant le déclenchement de TORCH, le Premier ministre avait promis au président Roosevelt de l'appuyer en toutes circonstances, et il se trouve à présent dans une situation fort embarrassante ; le 16 novembre, il confie au général de Gaulle qu'« il comprend parfaitement ses sentiments et qu'il les partage. Mais [...] on est actuellement dans la bataille et ce qui compte avant tout, c'est de chasser l'ennemi de Tunisie. [...] Les dispositions prises par le général Eisenhower sont essentiellement temporaires et n'engagent en rien l'avenir. » Pourtant, de Gaulle a l'habitude de faire connaître ses vues, et elles sont en l'occurrence d'une singulière perspicacité : « Je ne vous comprends pas. Vous faites la guerre depuis le premier jour. On peut même dire que, personnellement, vous êtes cette guerre. Vos armées sont victorieuses en Libye. Et vous vous mettez à la remorque des États-Unis, alors que jamais un soldat américain n'a vu encore un soldat allemand. C'est à vous de prendre la direction morale de cette guerre. L'opinion publique européenne sera derrière vous. » À ce stade, le Général notera : « Cette sortie frappa Churchill. Je le vis osciller sur son siège[6]. » De fait, le Premier ministre a été ébranlé ; dès le lendemain, il écrit au président Roosevelt : « Je suis obligé de vous signaler que l'accord avec Darlan a soulevé de profonds remous dans l'opinion. [...] La grande masse des gens du peuple, dont la fidélité simple et franche fait notre force, ne comprendrait pas la conclusion d'un accord permanent avec Darlan, ou la constitution d'un gouvernement présidé par lui en Afrique du Nord[7]. »

Il est vrai que la grande masse des gens du peuple ne comprend pas, et le Président a déjà pu s'en rendre compte, car la Maison-Blanche vient de recevoir un véritable déluge de protestations. Roosevelt, en politicien consommé, s'emploie à désarmer les critiques, et il déclare lors d'une conférence de presse : « J'ai accepté les dispositions politiques prises à titre provisoire par le général Eisenhower, concernant l'Afrique du Nord et de l'Ouest. Je comprends parfaitement et j'approuve ceux qui [...] estiment qu'en raison des événements de ces deux dernières années, aucun accord définitif ne peut être conclu avec l'amiral Darlan. Mais l'accord temporaire conclu pour l'Afrique du Nord et de l'Ouest n'est qu'un expédient provisoire, uniquement justifié par les nécessités de la bataille[8]. » Il y aura encore trois « temporaire » et deux « provisoire » avant la fin du discours, mais en privé, Roosevelt déclare nettement qu'il se servira de Darlan aussi longtemps que ce sera nécessaire, et qu'il continuera à collaborer avec les hommes de

Vichy en Afrique du Nord tant que cela ne sera pas trop coûteux pour son image politique aux États-Unis ; l'expédient provisoire menace donc de s'éterniser.

Pourtant, cette association contre nature avec l'un des principaux artisans de la collaboration va provoquer en Grande-Bretagne une indignation croissante ; la presse proteste énergiquement, le Parlement s'agite, les gouvernements en exil se plaignent amèrement, et le SOE rapporte que la nouvelle de l'accord avec Darlan « a suscité de violentes réactions dans tous nos réseaux clandestins en territoire occupé, et particulièrement en France, où elle a fait l'effet d'une bombe[9] ». À la BBC et au *Political Warfare Executive,* la quasi-totalité du personnel employé dans les sections françaises donne sa démission, et même au sein du gouvernement britannique, plusieurs ministres, avec à leur tête Anthony Eden, se déclarent résolument hostiles à une politique si manifestement contraire à l'esprit de la Charte de l'Atlantique et de la Déclaration des Nations unies. Mais Churchill, en habitué des derniers carrés, soutient Roosevelt contre vents et marées : comment peut-on espérer gagner la guerre sans une collaboration intime entre la Grande-Bretagne et les États-Unis ? Il reste donc, selon ses propres mots, « l'ardent et entreprenant second » du Président[10], et les attaques ne font que réveiller son esprit combatif : « Il m'était pénible de constater que le succès de notre immense opération et la victoire d'El-Alamein se trouvaient éclipsés dans l'esprit de beaucoup de mes meilleurs amis par ce qui leur paraissait être une tractation ignoble et sordide avec l'un de nos pires ennemis. Je trouvais leur attitude déraisonnable, car elle ne tenait pas assez compte des difficultés de la lutte et de la vie de nos soldats. Leurs critiques se faisant plus vives, j'en conçus de la colère, et quelque mépris pour un tel manque de sens des proportions[11]. »

Bien que Churchill ne veuille pas l'admettre, sa réaction aux critiques prend également une forme plus inattendue, en l'éloignant du général de Gaulle et en le rapprochant de l'amiral Darlan ! Ainsi, le 26 novembre, il déclare à Eden que « Darlan fait davantage pour nous que de Gaulle[12] ». Deux jours plus tard, le conseiller diplomatique Oliver Harvey note dans son journal que « le Premier ministre est de plus en plus favorable à Darlan[13] ». Si l'on considère que Churchill a traité ce même Darlan de scélérat, de misérable, de fripouille, de traître et de renégat, et qu'il a déclaré treize jours plus tôt que l'amiral « devrait être fusillé », on est forcé d'en conclure que le Premier ministre n'a pas toujours un jugement très assuré. Mais le plus surprenant reste sans nul doute le discours qu'il prononcera lors d'une session secrète du Parlement moins de deux semaines plus tard : on y trouve un brillant exposé des obstacles auxquels s'est heurtée l'opération TORCH à ses débuts, un extraordinaire portrait du maréchal Pétain (que Churchill prononce « *Pétaigne* » et décrit comme un défaitiste antédiluvien), une apologie marquée de l'amiral Darlan qui fera sursauter plus d'un parlementaire, et enfin... une attaque en règle contre le général de Gaulle[14]. Par chance, ce dernier n'en sera pas informé, mais il n'a pas manqué de noter un très net changement d'attitude de la part de Churchill au cours des dernières semaines, ainsi qu'il le confiera à M. Trygve Lie, ministre des Affaires étrangères de Norvège, qui notera dans son rapport : « De Gaulle a mentionné qu'il avait vu Churchill quatre fois depuis l'accord avec Darlan, et qu'à chaque fois, le Premier ministre s'était montré encore un peu plus soumis vis-à-vis des Américains[15]. »

C'est un fait ; mais les autorités britanniques continuent à recevoir d'innombrables messages des organisations de résistance françaises, affirmant leur allégeance à de Gaulle et leur irréductible opposition à l'amiral Darlan ; le *Foreign Office* fait également état de protestations énergiques de tous les gouvernements en exil, qui craignent par-dessus tout de voir les Américains collaborer avec Mussert, Degrelle, Neditch et autres Quisling après la libération de leurs propres pays ; quant à la presse britannique, elle continue à s'indigner bruyamment : à la mi-décembre, même le *Times* entre en lice, pour souligner « les graves inquiétudes suscitées par le passé de Darlan et par ses ambitions actuelles[16] ». Les critiques sont d'autant plus virulentes que les opérations alliées en Méditerranée semblent marquer le pas : en Libye, les troupes de Rommel ont pu échapper à leurs poursuivants grâce aux pluies diluviennes et à la prudence du général Montgomery ; en Tunisie, Hitler a fait débarquer 80 000 hommes, qui tiennent solidement le pays avec la complicité des autorités de Vichy. Dès lors, une évidence s'impose : la conquête de l'ensemble des rivages africains de la Méditerranée sera encore un processus long et difficile.

Tout cela ne fait pas l'affaire de Churchill, qui grogne : « Je voyais l'Afrique du Nord comme un tremplin, et non comme un sofa[17] ! »

Mais à l'impossible nul n'est tenu, et le général Kennedy notera à cette époque : « Quelles que soient les pressions du Premier ministre en faveur d'une accélération de nos opérations, il n'en demeurait pas moins qu'elles dépendaient étroitement du nombre de navires disponibles, et que nous n'en avions jamais assez[18]. » Refusant de l'admettre, Churchill exige des rapports détaillés sur l'usage qui est fait des navires, la façon dont ils sont chargés, le contenu de leurs cargaisons, leurs temps de déchargement et le choix de leurs itinéraires ; toujours obnubilé par la disproportion entre le nombre de soldats au front et les effectifs des services de l'arrière, il somme le général Brooke de faire réduire la « queue administrative » des divisions d'Afrique du Nord : « Votre armée, lui dit-il, est comme un paon : elle est presque toute en queue ! » Redoutable erreur : le général Brooke, stratège émérite, est aussi un ornithologue passionné, et la réponse fuse : « Monsieur le Premier ministre, le paon sans sa queue serait un oiseau complètement déséquilibré[19] ! »

« Churchill, écrira le général Kennedy, aspirait alors à de nouveaux projets. Pour lui, si nous n'en venions pas aux mains avec les Allemands sur le continent européen au début de 1943, les Russes pourraient bien être hors d'état de tenir encore pendant un été. Un dimanche au milieu de novembre, il a convoqué les chefs d'état-major aux Chequers et les a quelque peu harcelés, en les accusant de manquer d'esprit offensif. [...] Il a convoqué plusieurs réunions nocturnes du Comité de défense pour discuter des futurs plans d'opérations, mais c'était en grande partie du temps perdu. Le 24 novembre, Brooke m'a parlé de la réunion qui s'était tenue la nuit précédente. La séance avait débuté à 22 heures, et Churchill s'était lancé dans un grand discours. À 22 heures 15, quelqu'un avait écrit sur un petit papier qu'il avait passé au ministre des Affaires étrangères, assis près de lui : "quinze minutes de passées et rien n'a été fait." À 22 heures 20, il avait repris le papier et changé le "15" en "20", puis successivement en "25", "30", "35", "40" et pour finir "45". Une autre nuit, Smuts avait envoyé le Premier ministre se coucher, et celui-ci s'était exécuté, comme un petit garçon obéissant à sa mère[20]. »

Pendant ce temps, la campagne de presse contre l'« expédient provisoire » prend de l'ampleur outre-Atlantique, surtout lorsque l'on apprend que les gaullistes et les juifs sont à nouveau persécutés en Afrique du Nord ; les hommes de Vichy, les collaborateurs, les officiers antibritanniques et antiaméricains ont retrouvé leurs fonctions, tandis qu'un grand nombre d'agents allemands et italiens franchissent sans encombre les frontières algériennes et marocaines. La presse et les adversaires de Roosevelt commentent tout cela sans indulgence, et le Président commence à s'inquiéter : il est clair que ses déclarations apaisantes au sujet de l'« expédient provisoire » n'ont pas eu l'effet escompté. Il a certes déclaré en privé qu'il allait bientôt se débarrasser de l'amiral, tout en faisant savoir publiquement qu'il était prêt à recevoir le général de Gaulle. En réalité, il aurait fallu bien plus que cela pour apaiser la tempête politique qui s'est levée sur Washington en cette fin d'année 1942 ; mais le 24 décembre, on apprend que l'amiral Darlan a été assassiné à Alger…

Peu d'attentats ont été accueillis avec autant d'indignation publique et de soulagement secret que l'assassinat de l'amiral Darlan à la veille de Noël 1942. Franklin Roosevelt, qui s'empresse de condamner le crime, y voit malgré tout une solution très acceptable au délicat problème de l'expédient provisoire ; et lorsqu'il apprend peu après que le général Giraud a été nommé haut-commissaire et commandant en chef civil et militaire pour l'Afrique française par un « conseil impérial » composé des vichystes Boisson, Chatel, Noguès et Bergeret, le Président a toutes raisons d'être satisfait : à la différence de Darlan, Giraud ne s'est pas compromis avec les Allemands, c'est un excellent soldat, il ne s'intéresse guère à la politique et il déteste le général de Gaulle. Que demander de plus ?

Derrière un masque d'indignation vertueuse, Winston Churchill est tout aussi satisfait que Roosevelt de la tournure prise par les événements. Comme il l'écrira dans ses Mémoires : « Le meurtre de Darlan, si criminel soit-il, a épargné aux Alliés l'embarras d'avoir à poursuivre leur coopération avec lui, en leur laissant tous les avantages que l'amiral avait pu leur procurer au cours des heures cruciales du débarquement allié[21]. » Churchill est également fort satisfait de la nomination du général Giraud comme successeur de Darlan : voici enfin venue l'occasion de faire l'unité entre Français de Londres et Français d'Afrique du Nord, et de former « un noyau français, solide et uni », qui sera sans doute moins intransigeant que le Comité de Londres et son irascible président. D'ailleurs, le Premier ministre a appris avec plaisir que de Gaulle était tout disposé à s'entendre avec le général Giraud, et avait proposé de le rencontrer sans délai ; comme de Gaulle doit également se rendre à Washington à la fin du mois, on peut penser que les choses s'arrangeront au mieux...

Pourtant, rien ne se déroulera comme prévu : Giraud refuse de rencontrer de Gaulle, et ce dernier reçoit le 27 décembre une note de Washington le priant de remettre à plus tard son voyage aux États-Unis. Le même jour, le chef de la France combattante a une entrevue avec Churchill qui lui laisse une impression pénible : le Premier ministre lui déclare sans détour qu'il ne s'opposera en aucun cas à la politique américaine, même si Washington devait remettre toute l'Afrique du Nord au seul Giraud[22]. Pour de Gaulle, tout cela semble indiquer que Giraud cherche à l'exclure d'Afrique du Nord, avec le soutien des Américains et la connivence des Anglais. Sa réaction ne se fait pas attendre : il va en appeler à l'opinion publique. Après une première allocution radiodiffusée le 28 décembre, il rédige le 2 janvier 1943 un communiqué révélant à la fois le désordre qui règne en Afrique du Nord, ses propres efforts pour parvenir à l'unité et l'attitude dilatoire du général Giraud. Cette déclaration, publiée par la presse britannique et aussitôt reprise par la presse américaine, va déclencher des deux côtés de l'Atlantique un immense courant de sympathie pour le général de Gaulle et ses « *gallant Fighting French* », en même temps qu'un véritable raz-de-marée d'indignation contre la politique nord-africaine du Président et de son fidèle lieutenant...

Roosevelt s'inquiète naturellement des campagnes de presse dirigées contre lui ; en politicien consommé, il se préoccupe surtout du tort qu'elles pourraient causer à sa réputation de démocrate. Et bien qu'il n'ait aucunement l'intention de contribuer à une réconciliation entre Français, le Président en vient à penser qu'il n'est plus possible d'exclure entièrement le général de Gaulle d'Afrique du Nord ; il demande donc à ses diplomates de concevoir une sorte de plan de fusion permettant d'associer le Général à l'administration de l'Afrique du Nord – en lui attribuant une fonction subordonnée, bien entendu. Winston Churchill se trouve lui aussi devant une situation des plus délicates : il attache une importance primordiale à la poursuite de ses relations privilégiées avec les États-Unis, et il verrait sans déplaisir de Gaulle quitter le devant de la scène ; mais en

1940, il s'est officiellement engagé à le soutenir, et il ne peut revenir sur sa parole. En outre, l'affaire Darlan a considérablement accru le prestige du Général, qui est appuyé par la Résistance française et bénéficie du soutien de la très grande majorité de l'opinion publique britannique, de la presse, du Parlement, et même de la famille royale ; toute mesure prise contre lui affaiblirait donc la Résistance en France, mais aussi la position du Premier ministre en Grande-Bretagne. Enfin, la situation en Afrique du Nord s'est encore aggravée : tous les fonctionnaires fidèles à Vichy ont retrouvé leurs fonctions, les collaborateurs sont revenus, les gaullistes sont en prison, le Service d'ordre légionnaire tient la population en respect, la législation de Vichy est toujours en vigueur, et toutes les communications avec Vichy sont rétablies. En Angleterre, la presse s'insurge et critique de plus en plus ouvertement le gouvernement qui tolère cet état de fait et couvre la politique américaine.

Face à cette situation, Churchill n'a plus le choix : sur les conseils d'Eden, il assure la presse, l'opinion publique et le Parlement qu'il ne ménage aucun effort pour promouvoir l'union de tous les Français d'Afrique du Nord. Mais il va maintenant s'agir de joindre le geste à la parole, tout en restant officiellement solidaire de la politique nord-africaine de Washington, et en s'efforçant d'atténuer en privé la gaullophobie pathologique du Président ! Qui croira après cela qu'il suffit d'être un bon guerrier pour mener une guerre mondiale ?

En attendant, la basse politique ne doit pas faire oublier la haute stratégie, et il est devenu urgent de réunir les responsables militaires anglais et américains pour définir les nouvelles priorités ; car si la position alliée s'est considérablement renforcée du fait de l'occupation de l'Algérie, du Maroc, de l'Afrique occidentale et de la plus grande partie de la Libye* – ainsi que depuis la victoire de Guadalcanal dans le Pacifique et l'encerclement des armées allemandes à Stalingrad**–, il n'en demeure pas moins que les Allemands se sont maintenant emparés de l'ensemble du territoire

---

* La 8ᵉ armée a repris Benghazi le 19 novembre 1942.

** Le 19 novembre, au cours de l'opération « Uranus », cinq corps blindés soviétiques ont déclenché une vaste offensive au nord-ouest et au sud-ouest de Stalingrad. Trois jours plus tard, en faisant leur jonction à Kalatch, ils ont effectivement isolé dans la ville les 22 divisions du général Paulus.

français et restent solidement retranchés en Tunisie, où ils contiennent les Britanniques de Montgomery à l'est et les Américains d'Eisenhower à l'ouest. Mais pour Churchill, stratège impulsif et expéditif, la victoire en Tunisie est imminente, et il s'agit désormais de s'atteler à des tâches plus grandioses : une offensive en Birmanie pour rétablir les communications avec la Chine, un débarquement en Norvège pour assurer le passage des convois vers l'URSS, et surtout... l'ouverture d'un second front en France dès 1943, au motif qu'il l'aurait promis à Staline lors de son séjour à Moscou [*23] !

Ces débordements d'enthousiasme stratégique provoquent une levée de boucliers chez les chefs militaires, à commencer par le général Eisenhower, qui a câblé à Londres : « Je suis catégoriquement opposé à toute idée de réduire les effectifs de TORCH. Au contraire, il faudrait les renforcer [...] pour achever la conquête de l'Afrique du Nord. Il est bien normal d'établir des plans stratégiques pour l'avenir, mais au nom du ciel, tâchons de faire une chose après l'autre [24]. » C'est exactement ce que ne sait pas faire Winston Churchill, dont le général Ismay avait dit un jour : « C'est le plus grand génie militaire de l'histoire : il peut utiliser une division sur trois fronts à la fois [25] ! » Ses chefs d'état-major, qui en sont incapables, partagent entièrement l'avis d'Eisenhower : les difficultés de la campagne de Tunisie ne doivent pas être sous-estimées, et la conquête de l'Afrique du Nord n'aurait qu'un intérêt stratégique très limité si elle n'était suivie d'un débarquement en Sicile. En d'autres termes, il s'agit pour eux de s'en tenir aux plans préétablis, sans se laisser séduire par des rêves de conquêtes qui restent chimériques au vu des ressources disponibles.

Il va s'agir d'en persuader non seulement Churchill, mais encore Roosevelt et ses chefs d'état-major ; c'est que le général Marshall et le ministre de la Guerre Stimson veulent liquider en vitesse le théâtre méditerranéen, pour pouvoir procéder à un débarquement

---

* Le général Brooke lui ayant fait remarquer qu'aucune promesse de ce genre n'avait été faite en sa présence, Churchill a dû admettre qu'il n'avait pu prendre cet engagement que lors du dernier tête-à-tête passablement éthylique avec « le petit Père des Peuples » dans la nuit du 16 août... (A. Danchev & D. Todman, *War Diaries of Field Marshal Lord Alanbrooke*, Weidenfeld, Londres, 2001, p. 346.)

en Bretagne ou dans le Pas-de-Calais *dès le printemps de 1943*. Ils sont donc enchantés d'apprendre que c'est également l'avis du Premier ministre britannique, et estiment à juste titre que personne ne pourra résister à un front unissant Roosevelt, Churchill et les responsables militaires américains. Mais ils oublient un détail : Winston Churchill est assez facile à influencer, pour peu que ses interlocuteurs sachent s'y prendre et connaissent bien leur métier. Or, c'est exactement le cas des membres du Comité des chefs d'état-major, avec à leur tête le général Brooke ; dès le 16 décembre, ce dernier note dans son journal : « Réunion du comité des chefs d'état-major avec le Premier ministre. Comme il était partisan d'un front en France pour 1943, alors que nous demandions des opérations amphibies en Méditerranée, je craignais le pire. [...] Pourtant, j'ai réussi à le faire changer d'avis, et je crois qu'il n'est plus très dangereux. Il me reste à persuader les Américains[26]... » Personne ne s'attend à une partie de plaisir, mais les discussions se dérouleront au moins dans un cadre agréable : Churchill et Roosevelt ont convenu d'organiser un sommet politico-stratégique à Casablanca dès la mi-janvier 1943 *

Ce sera une conférence mémorable ; dans un luxueux hôtel situé sur la colline d'Anfa, surplombant la mer et la ville de Casablanca, les états-majors anglais et américains vont tenter de s'accorder sur une stratégie commune, tandis qu'à proximité immédiate, dans de somptueuses villas réquisitionnées, le Président et le Premier ministre s'entretiennent de haute politique. Les militaires, quant à eux, vont prendre leur travail très au sérieux, et les Britanniques plus encore que les Américains : ils ont minutieusement préparé les séances, adopté des positions communes** et fait venir un paquebot de 6 000 tonnes converti en QG flottant, avec services de décryptage, de cartographie, de planification, d'archives et de statistiques, ainsi que l'équipement nécessaire pour effectuer tous les calculs et simulations concevables. Leurs homologues américains,

---

* Staline a également été invité, mais il a répondu qu'il lui était impossible de quitter Moscou.

** Les services de planification britanniques, ainsi que l'amiral Cunningham et le vice-amiral Mountbatten, étaient plutôt partisans d'un débarquement en Sardaigne, mais la question avait été réglée entre Britanniques avant le début de la conférence.

eux, sont arrivés sans aucun service auxiliaire, et ne se sont pas
même accordés sur la stratégie à adopter*

Dans ces conditions, les Britanniques parviendront, après cinq
jours de palabres, à imposer leur plan de débarquement en Sicile
(HUSKY), qui sera mis en œuvre dès que les forces de l'Axe auront
été éliminées de Tunisie. On espère ainsi contraindre l'Italie à
sortir de la guerre, et encourager la Turquie à y entrer ; pour le
reste, on donnera une priorité absolue à la bataille de l'Atlantique
et on continuera à accumuler des forces en Grande-Bretagne
(BOLERO), en prévision du débarquement en France (ROUNDUP)
dès 1944. Enfin, si le général Eisenhower est confirmé dans ses
fonctions de commandant suprême, la direction des opérations sur
le terrain est confiée à des officiers britanniques beaucoup plus
expérimentés : Alexander, Tedder et l'amiral Cunningham. Le
18 janvier, alors que les négociations étaient encore dans l'impasse,
le général Dill, représentant britannique auprès du Comité des
chefs d'état-major combinés, avait tenu au général Brooke ces propos révélateurs : « Il vous faut parvenir à un accord avec les Américains, car il n'est pas question d'apporter un problème non résolu
au Premier ministre et au Président : vous savez comme moi quels
dégâts ils feraient[27]. »

C'est précisément ce qu'ils sont en train de faire dans le domaine
politique... Tandis que les débats stratégiques se poursuivent toute
la journée dans l'hôtel d'Anfa, c'est le soir que les choses commencent à s'animer dans le parc en contrebas : « Les deux empe-
reurs, écrira le ministre résident à Alger Harold Macmillan** se
réunissaient d'ordinaire tard dans la nuit [...]. Tout cela ressemblait

---

* L'amiral King veut reporter tout l'effort de guerre vers le Pacifique, le
général Marshall est partisan d'un débarquement en France dès l'été de 1943, et
le général Arnold ne s'intéresse qu'au bombardement de l'Allemagne.

** Macmillan a été envoyé à Alger au début de janvier 1943, avec pour
mission de conseiller un général Eisenhower peu au fait des questions politiques
françaises – et bien sûr de tenir Londres informé des développements en Afrique
du Nord. Il était censé le faire en plein accord avec le représentant du président
Roosevelt, Robert Murphy, mais le « ministre résident » Macmillan étant député,
ancien sous-secrétaire d'État aux Colonies, membre du gouvernement britannique, ami personnel de Winston Churchill, francophone, francophile et d'une
habileté diplomatique consommée, son influence à Alger sera infiniment plus
grande que celle de Robert Murphy.

à un mélange de croisière, de séminaire et de camp de vacances, au milieu de ce décor oriental incroyablement fascinant. La villa de Churchill (*Mirador*) était gardée par des *Royal Marines*, mais pour le reste, tout était assez simple. Sa curieuse habitude de passer la plus grande partie de la journée au lit et de veiller toute la nuit éreintait quelque peu son entourage. [...] Il mangeait et buvait énormément à toute heure, réglait d'énormes problèmes, jouait constamment à la bagatelle et à la bézigue, bref, il s'amusait beaucoup. [...] La villa de Roosevelt (*Dar es Saada*) était difficile d'accès ; si vous l'approchiez de nuit, vous vous retrouviez aveuglé par des projecteurs, et une horde de ce que l'on appelle des G-men – pour la plupart d'anciens gangsters de Chicago –, dégainaient leurs revolvers et les braquaient sur vous. [...] Mais une fois à l'intérieur, tout devenait simple. Les deux favoris de la cour, Harriman et Hopkins, se tenaient à la disposition de l'Empereur, de même que ses deux fils, qui servaient d'assistants et [...] presque d'infirmiers à ce personnage hors du commun. On jouait beaucoup à la bézigue, on buvait d'énormes quantités de cocktails, les entretiens se succédaient sans discontinuer, et tout cela dans une ambiance bon enfant tout à fait remarquable[28]. »

Cette ambiance se retrouve effectivement dans les tractations politiques entre les deux potentats ; le consul Robert Murphy avait noté d'emblée que « l'humeur du président Roosevelt était celle d'un écolier en vacances, ce qui explique la manière presque frivole dont il a abordé certains des problèmes difficiles qu'il avait à traiter[29] ». Parmi ceux-ci, il y a bien sûr l'épineuse question de l'unité française : en arrivant à Casablanca, le Président s'est fait communiquer les derniers extraits de la presse, qui continue à dénoncer sa politique nord-africaine sur le ton le plus sarcastique ; en outre, certains des chroniqueurs américains qui ont fermement soutenu sa politique libérale dans le passé sont devenus dans cette affaire ses plus féroces détracteurs. Roosevelt comprend immédiatement le danger, et il va se résigner à traiter lui-même de la question avec Churchill. Ainsi qu'il l'écrit à Cordell Hull : « J'espérais que nous pourrions éviter les discussions politiques en ce moment ; mais je me suis aperçu à mon arrivée ici que les journaux américains et anglais ont fait une véritable montagne d'une taupinière, si bien que je ne rentrerai pas à Washington avant d'avoir réglé cette affaire[30]. »

Le Président va donc chercher une solution propre à satisfaire les Français, ou du moins à calmer l'opinion américaine ; mais son humeur étant celle « d'un écolier en vacances », il va aborder cette affaire délicate avec une étonnante légèreté, et la solution qu'il propose à son interlocuteur britannique est la suivante : « Nous appellerons Giraud le marié, et je le ferai venir d'Alger. Quant à vous, vous ferez venir de Londres la mariée, de Gaulle, et nous arrangerons un mariage forcé[31]. » Churchill est assez surpris : le problème lui paraît plus compliqué que cela, et le général de Gaulle n'a jamais vu d'un très bon œil l'immixtion des « Anglo-Saxons » dans les affaires françaises. Mais Roosevelt ne comprendrait pas qu'il refuse de faire venir le Général, et d'ailleurs, de Gaulle n'a-t-il pas lui-même exprimé le désir de rencontrer Giraud ? Le Président sait être persuasif, Churchill est manifestement tombé sous son influence, et en rentrant au petit matin, il marmonne devant son garde du corps : « Il va falloir marier ces deux-là d'une façon ou d'une autre[32] ! »

Ce ne sera pas une partie de plaisir : de Gaulle décline d'abord l'invitation ; lorsqu'il consent enfin à venir le 22 janvier, il a un entretien glacial avec Giraud, refuse tout net le plan de « réconciliation » visant à faire fusionner gaullistes, giraudistes et vichystes d'Afrique du Nord sous l'égide anglo-américaine, et repousse même le projet de communiqué destiné à sauver la face du Président et du Premier ministre devant l'opinion internationale ! Churchill en est mortifié : alors que le peuple et le Parlement britanniques attendaient des résultats concrets de cette rencontre, lui, le Premier ministre de Sa Majesté, a été littéralement bafoué en présence du président des États-Unis, par un homme que tout le monde considère comme son obligé et sa créature... Voilà qui explique les très rudes paroles que Churchill va adresser au Général, dans son français imagé : « Si vous m'obstaclerez, je vous liquiderai ! » ; « Je vous accuserai publiquement d'avoir empêché l'entente, je dresserai contre vous l'opinion de mon pays, et en appellerai à celle de la France ! » ; « Je vous dénoncerai aux Communes et à la radio ! » À quoi de Gaulle se contentera de répondre d'un ton glacial : « Vous êtes libre de vous déshonorer[33]... » Cette impassibilité ne peut que décupler la fureur du Premier ministre, mais certaines autres paroles du Général sont plus blessantes encore, parce qu'elles touchent un point sensible : « Pour satisfaire à tout prix l'Amérique, vous épousez une cause inacceptable pour la France, inquiétante pour l'Europe, regrettable pour l'Angleterre[34]. »

C'est indéniable : Churchill s'est subordonné au président Roosevelt, et cela explique le cuisant revers diplomatique qu'il va subir à Anfa ; car dans ce faubourg marocain entièrement contrôlé par l'armée américaine, Roosevelt s'est conduit en maître des lieux, a dicté à son « fidèle lieutenant » la conduite à suivre dans les affaires françaises, rejeté la faute sur lui lorsque cette politique a fait long feu*, conféré en privé avec le sultan du Maroc et reconnu au général Giraud, sans concertation préalable avec Churchill, « le droit et le devoir d'agir comme gérant des intérêts français ». C'est encore le Président qui, pour apaiser son opinion publique, va organiser la mise en scène de la poignée de mains entre Giraud et de Gaulle devant les caméras, et faire devant les journalistes sa fameuse déclaration sur la « reddition sans conditions » de l'Allemagne. Churchill, mis devant le fait accompli, se gardera bien de protester, estimant que dans cette guerre totale, l'union des peuples de langue anglaise vaut bien quelques sacrifices. Même pour un farouche lutteur, le pli de la subordination est facile à prendre et difficile à perdre...

Ainsi donc, la conférence d'Anfa aura été un franc succès pour les militaires britanniques, et un échec personnel pour leur Premier ministre. Mais Churchill n'est pas homme à s'attarder sur ses revers ; dès la fin de la conférence, il se rend à Marrakech, demande à Hopkins de faire l'impossible pour obtenir que l'armée française d'Afrique du Nord soit réarmée au plus vite, plonge à nouveau dans ses dépêches et ses rapports de décryptages Enigma, installe son chevalet sur le toit de la villa Taylor, et médite à haute voix sur les prochaines initiatives stratégiques. Puis, sur un coup de tête, il décide de se rendre au Caire sans tarder, avant de s'envoler pour la Turquie, où il compte persuader les Turcs d'entrer en guerre ! Le général Brooke, quelque peu ébahi, décrira ainsi la première partie du voyage, avec l'arrivée au Caire à l'aube du 26 janvier 1943 : « Il n'était guère plus de 7 heures 30 du matin, nous avions voyagé toute la nuit dans un confort rudimentaire, parcouru 4 000 kilomètres en onze heures de vol sans escale, dont une bonne partie au-dessus de

---

* Roosevelt a laissé entendre que Churchill était un « mauvais père », incapable de se faire respecter par son « enfant terrible » (R. Murphy, *Diplomat among Warriors, op.cit.*, p. 172).

14 000 pieds, et voilà Churchill frais comme un gardon, qui dégustait du vin blanc au petit déjeuner, après avoir bu deux whiskys et fumé deux cigares[35] !» Le général Eisenhower, qui le retrouve ce jour-là, complétera pour nous le tableau : «C'était un maître du débat et de l'argumentation. Il maniait le comique et le tragique avec une égale aisance, et pour étayer ses arguments, il jouait sur une vaste gamme allant de l'argot au cliché, avec des citations prises à toutes les sources imaginables, depuis les Grecs anciens jusqu'à Donald Duck[36].»

C'est sans doute insuffisant pour pousser les Turcs à la belligérance, mais rien n'empêche d'essayer... Le 30 janvier 1943, Churchill s'envole donc du Caire en compagnie de sir Alexander Cadogan et des généraux Brooke et Wilson.* C'est le début de l'opération SATRAP : à Adana, près de la frontière syrienne, la délégation britannique va s'entretenir secrètement avec le président Inönü, son Premier ministre Saracoglou et son ministre des Affaires étrangères Menemencioglou, dans le salon confortablement aménagé d'un train spécial arrêté en rase campagne. Après les compliments d'usage, Churchill leur lit un long document «contenant une proposition de mariage platonique[37]», mais les Turcs ne comprenant pas l'anglais et Churchill n'étant pas satisfait de l'interprète, il entreprend de traduire lui-même le document dans un mélange de français d'écolier et d'anglais francisé – qui suscite une franche hilarité chez ses accompagnateurs britanniques et une perplexité certaine chez ses interlocuteurs turcs ; le fait que ces derniers soient tous trois passablement durs d'oreille ne facilite pas non plus les choses, d'autant que leur surdité semble s'accentuer à chaque fois qu'il est question de la possibilité d'une entrée en guerre de la Turquie... Et puis, comme le notera sir Alexander Cadogan : «Durant cet entretien, il est apparu clairement que le président Inönü et ses collègues considéraient que la principale menace venait de la Russie[38].» C'est exact, et M. Saracoglou a même déclaré : «Toute l'Europe est pleine de Slaves et de communistes. Si l'Allemagne est battue, tous les pays vaincus deviendront bolcheviques et slaves[39].» Pourtant, comme la délégation britannique ne demande pas une participation immédiate de la Turquie à la guerre

---

* Ce dernier est à présent commandant de la 10e armée sur le théâtre Iran-Irak, qui est encore considéré à l'époque comme très menacé.

et propose de lui fournir les moyens de moderniser son armée, l'accord se fait dès le lendemain, et l'on se sépare dans les meilleurs termes. Churchill reviendra au Caire convaincu d'avoir produit une forte impression sur ses interlocuteurs, et de les avoir persuadés de la nécessité d'entrer en guerre. Seule la première conviction est fondée...

Après un détour par Alger, notre politicien-stratège-diplomate s'apprête à entamer un voyage de retour qui n'est pas sans danger : plusieurs avions de transport viennent d'être abattus entre Benghazi et Gibraltar. Churchill, qui ne paraît guère inquiet, confie tout de même à son entourage : « Ce serait bien dommage de quitter la scène avant d'avoir vu la fin d'un spectacle aussi intéressant[40]. » Le mot n'est pas trop fort : Tripoli est tombé, les derniers Japonais ont été chassés de Guadalcanal, et les survivants de la 6ᵉ armée du maréchal Paulus viennent de capituler à Stalingrad*. C'est manifestement un tournant de la guerre, et, dès le 1ᵉʳ février, Churchill a envoyé à Staline un télégramme de félicitations ; ainsi, il a eu raison de miser sur la capacité de résistance du peuple russe ! Bien entendu, ce n'est pas là une affaire de sentiment : engagé à fond dans sa croisade contre l'hitlérisme, notre vieil antibolchevik constate que les Soviétiques retiennent sur leur front 185 divisions de l'Axe, tandis que les alliés anglo-américains en affrontent moins d'une douzaine en Afrique du Nord ; en outre, la résistance soviétique au Caucase est la seule garantie sérieuse contre une irruption allemande en Iran et en Irak, dont les réserves pétrolières alimentent l'effort de guerre britannique ; enfin, en soutenant Staline, on le préserve de la tentation de conclure une paix séparée avec l'Allemagne, et peut-être l'amènera-t-on un jour à combattre le Japon. Pour Churchill, sinon pour ses généraux, voilà qui justifie bien des sacrifices économiques, diplomatiques et militaires...

Ils sont effectivement considérables : les convois qui acheminent à Mourmansk d'immenses quantités de tanks, d'avions, de camions, de pièces de rechange et de matières premières continuent à subir des pertes effroyables lors de leur passage en mer de Barents, entre le cap Nord et l'île aux Ours. Pour maintenir des relations satisfai-

---

* Sur les 270 000 hommes entrés dans Stalingrad à l'été de 1942, il n'en reste plus que 90 000 à la fin de janvier 1943. Les bombardements continuels, le froid, la faim, l'épuisement et les épidémies ont eu raison des autres.

santes et obtenir la signature d'un traité anglo-soviétique, il faut également accepter de passer sous silence le sort des pays baltes envahis en 1940, et même renoncer à toutes garanties concernant l'avenir de la Pologne, pour laquelle on est pourtant entré en guerre... Mais l'alliance soviétique contre Hitler est à ce prix, et Churchill, espérant toujours établir avec Staline des relations comparables à celles qu'il entretient avec Roosevelt, a engagé une correspondance suivie avec le dictateur soviétique, qui s'est mis à jouer le jeu de bonne grâce et non sans habileté.

C'est pourtant un jeu de dupes, et l'entourage de Churchill n'a pas tardé à s'en apercevoir : Staline demande des armes et du matériel en quantités déraisonnables, se répand en propos désobligeants lorsqu'il n'obtient pas satisfaction, et exige toujours l'ouverture immédiate d'un deuxième front en Europe occidentale, sans égards pour les difficultés et les dangers encourus ; il laisse sa propagande tourner en dérision l'effort de guerre anglo-américain, fait isoler, censurer, menacer, harceler ou expulser les journalistes, les militaires et les diplomates occidentaux présents en URSS, et demande sans cesse des informations sur les intentions stratégiques de ses partenaires, sans rien leur dévoiler des siennes propres[41].

Pourtant, le Premier ministre de Sa Majesté est prêt à faire toujours davantage de concessions : il propose d'envoyer vingt escadrilles de la RAF au Caucase, pour servir sous les ordres du commandement soviétique ; il transmet à Moscou des renseignements stratégiques sur la Wehrmacht en Russie, obtenus par les décryptages d'Enigma ; il choisit de ne pas répliquer aux allégations mensongères ou insultantes de Staline, et de répondre avec chaleur aux quelques mots aimables que le dictateur lui distille avec parcimonie ; il s'abstient de protester contre les traitements indignes infligés en URSS à certains citoyens britanniques, ou contre la fermeture arbitraire d'un hôpital naval construit à Mourmansk pour les marins des convois alliés, et il insiste énergiquement pour que tous les convois partent dans les délais prévus, avec l'intégralité de leurs chargements. Naturellement, il n'ose demander à Staline ni compensation pour le matériel fourni, ni renseignements sur la manière dont il est utilisé, ni même des informations générales sur les plans d'opérations futures de l'Armée rouge, car ce serait, écrit-il au général Ismay, « s'exposer à un refus certain[42] ». C'est tout de même beaucoup de timidité pour un si farouche lutteur... Et lorsqu'en avril 1943, le général Sikorski viendra à Downing Street lui annoncer que l'on a découvert les corps de 5 000 Polonais assassinés par les Soviétiques dans la forêt de Katyn, il s'entendra répondre : « S'ils sont morts, rien ne pourra les faire revenir. » La suite des propos du Premier ministre explique tout, sans rien excuser : « Nous devons vaincre Hitler, et ce n'est pas le moment de provoquer des querelles ou de lancer des accusations[43]. »

En ce printemps de 1943, la capacité de travail de Winston Churchill continue d'ébahir son entourage ; depuis dix mois, cet homme de 68 ans s'est rendu à sept reprises sur trois continents, par mer, par air et par terre, le tout dans des conditions de confort très rudimentaires ; il a passé d'innombrables journées en tournées d'inspection et d'interminables nuits en banquets, conférences et négociations de toutes sortes ; en février, il est resté alité avec une pneumonie – et tout cela, sans jamais cesser de méditer sur de nouvelles initiatives stratégiques et d'envoyer aux ministres comme aux chefs d'état-major un flot de notes inquisitrices, incitatives et comminatoires sur tous les sujets imaginables : pourquoi ne pas envoyer les officiers belges au Congo, au lieu de les laisser en Grande-Bretagne, où ils n'ont rien à faire ? Établir un rapport (pas plus de deux pages) sur les activités de résistance en Yougoslavie ; les télégrammes diplomatiques sont trop longs, ce qui fait perdre un temps précieux en codage et décodage ; a-t-on pensé à se prémunir d'une éventuelle riposte des Allemands au dernier raid de mille bombardiers sur l'Allemagne ? Si Blum, Mandel ou Reynaud veulent s'échapper, il faut tout faire pour les y aider ; les envois de la Croix-Rouge à destination de la Russie sont à répartir entre au moins six navires de chaque convoi ; que fait la brigade de *Royal Marines* depuis Dakar ? Ne faudrait-il pas l'envoyer en Birmanie ? Les équipages des destroyers perdent trop de temps à nettoyer les chaudières : mieux vaudrait employer des équipes spécialement formées à cet effet, et mettre les équipages des navires au repos pendant ce temps ; il n'est pas question de libérer des soldats pour qu'ils travaillent dans les mines, mais plutôt de transférer les mineurs vers les mines les plus productives ; accélérer les efforts pour trouver un moyen de dissiper le brouillard au-dessus des aéroports ; lorsqu'un convoi est supprimé, il faut tout faire pour que les Allemands continuent à l'attendre au large du cap Nord, afin d'immobiliser le plus possible de leurs forces dans cette région ; quel est le poids et la vitesse de chaque modèle de tank allemand, et le poids des obus qu'ils tirent ? Chaque sous-marin de la *Royal Navy* doit avoir un nom plutôt qu'un numéro ; les officiers américains en Irlande du Nord ne sont jamais invités aux mess des officiers britanniques, ce qui est une grave entorse aux lois de l'hospitalité ; considérant la pénurie de capacité de transport, il ne faut envoyer en Afrique du Nord que les tanks les plus performants ; 150 000 fusils et 332 000 mitraillettes Sten ont été manufacturés ces deux derniers mois ; comment ces armes ont-elles été réparties ? Il faut restreindre au maximum le travail des psychologues et des psychiatres dans les forces armées, ces messieurs pouvant faire énormément de ravages avec une pratique susceptible de dégénérer en charlatanerie ; consulter le général Catroux, qui a exercé un commandement en Tunisie, au sujet des défenses de la ligne Mareth, et en faire un rapport à l'intention des généraux Alexander et Montgomery ; faire établir un plan pour produire davantage d'œufs ; comment se fait-il que parmi les troupes de l'Axe en Tunisie, il y ait sept combattants pour un non-combattant, alors que c'est l'inverse dans l'armée anglaise ? Il est scandaleux que le pécule du soldat britannique soit aussi ridiculement bas par rapport à celui de l'ouvrier des industries d'armement ; préparer une étude sur les mesures à envisager pour empêcher les Allemands de s'échapper de Tunisie par mer ; veiller au moral des troupes territoriales, en leur faisant distribuer davantage de munitions d'exercice et en organisant régulièrement des parades ; prévoir une réduction de 25 % des personnes ayant accès aux documents secrets ; le général (néo-zélandais) Freyberg, qui s'est distingué en Crète et en Afrique du Nord, doit se voir confier le commandement d'un corps d'armée ; pourquoi a-t-on supprimé la ration de sucre consentie aux petits éleveurs d'abeilles ? La campagne de Birmanie n'est pas conduite de façon satisfaisante : que fait au juste le général Wavell en Inde ? 95 bombardiers lourds ont été produits cette semaine : établir un rapport sur leur répartition dans les unités opérationnelles ; pourquoi l'interdiction de transporter des fleurs par train a-t-elle été maintenue, alors qu'il existe une capacité excédentaire de transport ferroviaire ? La RAF doit se conformer aux pratiques américaines en matière de nomenclature des avions, et tout cas d'obstruction est à signaler sans retard ; pourquoi ne fait-on rien pour attaquer le cuirassé *Tirpitz* pendant qu'il est encore au mouillage à Trondheim[44] ? « La plupart des ministres, écrira lord Boothby, vivaient dans la hantise de recevoir du Premier ministre une note à l'encre rouge ou une lettre de licenciement – et certains reçurent les deux[45]. » Les autres feront preuve d'un zèle étonnant...

Pourtant, en observant attentivement le torrent d'instructions, d'inquisitions et d'exhortations qui jaillit de Downing Street, on remarque qu'elles sont pratiquement toutes en rapport avec la conduite de la guerre. Pour ce qui est de la gestion des affaires intérieures du Royaume, Churchill a trouvé une solution aussi simple qu'efficace, qui consiste à les laisser entièrement entre les mains de Bevin, d'Anderson et d'Attlee – ce que ce dernier reconnaîtra avec une parfaite simplicité teintée d'une extrême indulgence : « Après 1942, lorsque Winston et les chefs d'état-major se sont entièrement concentrés sur la conduite de la guerre, ils m'ont laissé m'occuper des affaires intérieures avec John Anderson. Au sein du Cabinet, si Winston ne pouvait parler de la guerre, il préférait ne pas parler du tout. Les seuls aspects des affaires intérieures qui l'intéressaient étaient ceux qui pouvaient avoir un rapport avec l'effort de guerre. Il ne s'intéressait pas du tout au fameux Livre Blanc sur la Grande-Bretagne d'après-guerre ; en fait, nous avons eu quelque difficulté à le persuader de le lire. De temps à autre, lors des séances du Cabinet, il s'emparait d'un dossier sur les affaires intérieures, choisissait un des premiers mémorandums au-dessus de la pile ou se focalisait sur un paragraphe au milieu du document, puis posait des questions avec le ton de l'homme qui a lu l'ensemble plusieurs fois, en a découvert la faille fatale et s'apprête à conduire une grande investigation : "Comment pouvez-vous justifier ça !" disait-il, en parcourant la pièce d'un regard menaçant. Il fallait parfois lui faire remarquer que le passage incriminé était suivi de sa réfutation, et ne constituait donc pas une recommandation. Sans se démonter, il pouvait en prendre un autre, ou encore négliger notre observation et pontifier pendant 10 ou 15 minutes sur quelque chose qui n'existait plus. Nous le laissions se décharger de tout ce qu'il avait sur le cœur, sans l'interrompre – d'ailleurs, il était très difficile de l'interrompre, parce que non seulement il n'avait aucune intention de se taire, mais souvent, il n'avait pas la moindre intention d'écouter. Ses monologues pouvaient donc se poursuivre pendant fort longtemps[46]. »

La qualité des monologues explique sans doute la patience des auditeurs... Mais Attlee poursuit : « Franchement, les Cabinets présidés par Churchill n'étaient guère propices au travail, mais ils étaient extrêmement amusants. Il nous obligeait à rester vigilants, en partie parce que c'était Winston, et aussi parce qu'il n'arrêtait pas de lancer des idées ; certaines étaient très bonnes, d'autres étaient carrément dangereuses, mais elles jaillissaient à jet continu et elles nous stimulaient[47]. » Depuis son bureau de l'état-major, le général Kennedy ne dira pas autre chose: « Même si nous l'aurions probablement nié catégoriquement à l'époque, il est hors de doute que ses sarcasmes, ses exhortations et ses critiques de chaque détail de notre travail nous obligeaient à rester constamment vigilants...[48] » – « et à donner le meilleur de nous-mêmes », ajoutera le secrétaire John Colville.[49]

Il va sans dire que dans cette guerre, la famille Churchill a été pleinement mobilisée : Clementine travaille au service de la protection civile, Diana s'est engagée dans la marine, Sarah dans les services photographiques de l'aviation, Mary dans la défense anti-aérienne et Randolph dans les commandos ; quant à la femme de ce dernier, Pamela, elle va se consacrer corps et âme au développement des relations anglo-américaines, notamment en devenant la maîtresse du très séduisant Averell Harriman... Son beau-père, connaissant le caractère insupportable de Randolph, se souvenant des exploits de sa propre mère et ayant grand besoin de l'assistance américaine, semble apprécier pleinement cette contribution à l'effort de guerre: *All is fair in Love and War**...

Quatre mois plus tôt, dans une lettre de félicitations au général Marshall à l'occasion du débarquement en Afrique du Nord, Churchill avait écrit : « Les problèmes du succès ne nous paraîtront pas moins embarrassants [...] que ceux que nous avons surmontés ensemble jusqu'à présent[50]. » Depuis l'assassinat de l'amiral Darlan jusqu'à l'affrontement Giraud – de Gaulle, cette prédiction s'est vérifiée très exactement. Mais au printemps de 1943, alors que Giraud fait preuve à Alger d'une rare incompétence politique, que de Gaulle dénonce depuis Londres le régime quasi vichyste qui subsiste en Afrique du Nord, et que divers émissaires font vainement la navette entre les deux généraux pour essayer de les réconcilier, Churchill est dans une situation des plus embarrassantes : lui qui a toujours voulu aider la France se trouve désormais pris en

---

* « En amour comme à la guerre, tous les coups sont permis. »

tenaille entre son opinion publique qui lui reproche de ne pas aider suffisamment de Gaulle, et le président des États-Unis qui lui reproche de soutenir de Gaulle au détriment des intérêts américains. Or, il faut reconnaître que les tractations politiques en Algérie déroutent singulièrement les Américains comme les Britanniques. Seul le ministre résident de Sa Majesté à Alger, Harold Macmillan, semble avoir quelques lumières sur ce qui se trame entre gaullistes et giraudistes, mais il suit dans ces affaires une politique personnelle qui échappe quelque peu à Winston Churchill – et entièrement à Franklin Roosevelt[51]. Entre février et mai 1943, Macmillan, travaillant en étroite concertation avec Jean Monnet, Catroux, Louis Joxe et Eisenhower, va modifier suffisamment l'image et l'état d'esprit du « commandant en chef civil et militaire » pour rendre possible la venue à Alger du général de Gaulle...

Pour les Alliés, en tout cas, la situation stratégique d'ensemble s'est brusquement améliorée : les bombardements massifs de la Ruhr ont durement frappé l'industrie du Reich ; dans l'Atlantique, les sous-marins allemands, encore triomphants en mars grâce à leur « tactique de meute », se retrouvent deux mois plus tard dans une dramatique position d'infériorité : grâce au décryptage du code allemand « Triton », à l'utilisation d'avions à long rayon d'action équipés du nouveau radar centimétrique et à l'intervention des nouvelles « escadres de chasse » de l'amiral Horton, les Allemands perdent 40 sous-marins entre avril et mai, et doivent abandonner la route principale des convois ; enfin, en Tunisie, les 250 000 soldats de l'Axe, pris en tenaille entre les Américains à l'ouest et les Britanniques à l'est, sont contraints de capituler après la chute de Tunis et de Bizerte au début de mai.

À ce moment, Churchill et tout son état-major sont déjà en route pour les États-Unis à bord du *Queen Mary*. Il s'agit pour eux de persuader les Américains de la nécessité d'exploiter au mieux les victoires d'Afrique du Nord, en attaquant le « ventre mou » de l'Axe : la Sicile, puis la péninsule italienne elle-même. À l'occasion de cette nouvelle conférence (nom de code : Trident), les états-majors britanniques s'attendent à rencontrer de très grosses difficultés, et ils n'ont pas tort ; car les Américains sont décidés à imposer un débarquement en France dans les meilleurs délais, et à refuser toute nouvelle attaque en Méditerranée après la conquête de la Sicile. Churchill, lui, est résolument optimiste, car il se croit toujours en mesure de « convaincre le Président de la sagesse de toute politique qu'il veut suivre, que ce soit par écrit ou lors d'une conversation[52] ». Voilà qui a manifestement cessé d'être vrai depuis la conférence d'Anfa : à mesure que s'accentue le poids économique et militaire de son pays, Roosevelt s'estime en mesure de définir sa propre politique, fort éloignée du rêve churchillien d'une alliance indissoluble entre les peuples de langue anglaise, dans laquelle les Américains fourniraient les moyens et Churchill les idées...

Le 7 mai, au beau milieu de l'Atlantique, le capitaine du *Queen Mary* reçoit un message inquiétant, dont il fait part aussitôt au Premier ministre : un sous-marin allemand parti de Brest risque de croiser leur route. Churchill confie alors à l'ambassadeur Harriman : « Il n'est pas question que je sois capturé ; la meilleure façon de mourir, c'est dans la fureur du combat contre l'ennemi... Évidemment, ce serait moins bien si j'étais dans l'eau et s'ils essayaient de me repêcher.

Harriman : – Monsieur le Premier ministre, tout cela me paraît très troublant. Il me semble que vous m'aviez dit que le pire qu'une torpille puisse faire à ce paquebot, avec ses compartiments étanches, serait de mettre hors d'usage une salle des chaudières, ce qui nous permettrait encore de naviguer à 20 nœuds...

Churchill : – Ah, mais ils pourraient nous envoyer *deux* torpilles... Venez donc voir mon canot de sauvetage ! »

Sur son canot de sauvetage, Churchill a fait monter une mitrailleuse lourde[53]...

Mais une fois à Washington, cet implacable combattant va retomber sous l'influence du président des États-Unis : sur le plan politique, il se laisse persuader de la nécessité d'une rupture des relations avec le général de Gaulle ; le télégramme qu'envoie Churchill au Cabinet de guerre le 21 mai est donc celui d'un homme sous influence : « Je demande à mes collègues d'examiner d'urgence la question de savoir si nous ne devrions pas dès maintenant éliminer de Gaulle en tant que force politique, et nous en expliquer devant le Parlement et devant la France* [...] Lorsque je considère l'intérêt absolument vital que représente pour nous le maintien de

---

* Le Cabinet de guerre, sous l'impulsion d'Eden et d'Attlee, répondra par un refus catégorique, et informera Churchill de l'arrivée imminente du général de Gaulle à Alger.

bonnes relations avec les États-Unis, il me semble qu'on ne peut vraiment pas laisser ce gaffeur et cet empêcheur de tourner en rond poursuivre ses néfastes activités[54]. » Il n'y a même pas de contrepartie stratégique à cette remarquable servilité politique : Roosevelt, dûment chapitré par Marshall, King et Stimson, se déclare fermement opposé à toute « diversion » méditerranéenne. Harry Hopkins constate lui-même que Churchill s'est montré « plutôt soumis » au cours des premiers entretiens[55] – dont il sort amèrement déçu.

Mais lorsque Churchill et Roosevelt se réuniront avec leurs chefs d'état-major, il y aura presque autant d'opinions que de participants sur la stratégie à suivre, depuis un débarquement immédiat en France jusqu'à la guerre anti-sous-marine à outrance, en passant par une concentration exclusive sur le bombardement aérien de l'Allemagne. Du côté britannique, les chefs d'état-major ont fini par s'accorder sur une poursuite de l'offensive en Italie après le débarquement en Sicile, afin de soulager le front de l'Est et de dégarnir les défenses de l'Ouest, facilitant ainsi le succès ultérieur du débarquement en France. Et Churchill ? « Il est d'un avis à un moment, rapporte le général Brooke, et de l'autre le moment suivant... Certaines fois, il considère que la guerre peut être gagnée grâce aux bombardements, et que tout doit leur être sacrifié ; à d'autres moments, il veut que nous nous lancions sur le continent quelles que soient les pertes, pour faire comme la Russie ; à d'autres moments encore, il veut faire porter l'effort principal sur la Méditerranée, tantôt contre l'Italie et tantôt contre les Balkans, sans compter qu'il lui vient périodiquement l'envie d'envahir la Norvège. [...] Mais le plus souvent, ce qu'il veut, c'est lancer toutes les opérations en même temps, quelle que soit la pénurie de moyens de transport maritimes[56]. »

Malgré tous ces obstacles, on s'accordera sur un compromis provisoire à l'issue de TRIDENT : le débarquement en France est promis aux Américains, mais pour le mois de mai 1944 seulement, et la planification détaillée de l'opération, rebaptisée OVERLORD, va être confiée aux services du COSSAC* En attendant, on « maintiendra la pression sur l'Italie » une fois la Sicile conquise, mais jusqu'en

---

* *Chief of Staff to the Supreme Allied Commander* (chef d'état-major du commandant suprême allié) – en l'occurrence, le général F. C. Morgan. Le commandant suprême lui-même reste à désigner.

novembre seulement – après quoi il faudra commencer à transférer les troupes vers les îles Britanniques[57]. Churchill déclame aussitôt que « rien de moins que Rome ne pourrait satisfaire les exigences de la campagne menée cette année[58] », mais les Américains ne veulent prendre aucun engagement concernant des opérations dans la péninsule italienne elle-même. Du reste, les chefs d'état-major de Sa Majesté ne sont pas non plus au bout de leurs peines, car les Américains les soupçonnent de vouloir poursuivre leur stratégie « périphérique » en Méditerranée au prix d'un nouveau report d'OVERLORD – et l'intérêt marqué de Churchill pour les Balkans n'a fait qu'entretenir leurs soupçons à cet égard. Pour finir, il est décidé que le Premier ministre se rendra à Alger en compagnie des généraux Marshall et Brooke, afin de s'informer des vues d'Eisenhower et d'Alexander sur la meilleure stratégie à suivre.

En réalité, Churchill compte bien mettre à profit ce voyage pour influencer les généraux Marshall et Eisenhower dans le sens des conceptions britanniques, et moyennant des débauches d'éloquence, il pensera même y être parvenu. Du reste, le périple a également un autre but : le général de Gaulle ayant finalement atterri à Alger le 30 mai, son union attendue avec le général Giraud constituera un événement historique ; or, depuis près de sept décennies, Winston est irrésistiblement attiré par les événements historiques. En outre, il veut préparer le terrain et encourager son vieil ami le général Georges, qu'il a fait discrètement sortir de France et espère bien voir entrer dans le Comité français en cours de formation. Enfin, il se réserve d'intervenir personnellement – ou d'ordonner une intervention armée – au cas où les choses tourneraient mal ; mais se souvenant de son échec d'Anfa, il demande à Eden de venir de Londres « pour être garçon d'honneur au mariage Giraud – de Gaulle », qui peut fort bien se muer en « un drame sérieux[59] ». Il ne se produira rien de tel, et le nouveau « Comité français de Libération nationale », avec Giraud et de Gaulle comme coprésidents et les généraux Georges et Catroux parmi les commissaires, convient pleinement au Premier ministre, qui rentre à Londres le 6 juin 1943 avec la satisfaction du devoir accompli...

Il n'y restera pas longtemps ; car le 10 juillet, les Alliés débarquent en Sicile avec huit divisions, qui ne rencontrent qu'une faible résistance initiale ; la 8e armée britannique de Montgomery se porte à l'est vers Syracuse, tandis que la 7ᵉ armée américaine de Patton établit une tête de pont à l'ouest, sur le golfe de Gela. C'est un coup de théâtre qui va provoquer par contrecoup la chute et l'arrestation de Mussolini à la fin de juillet. Dès lors, il devient urgent de trancher le débat stratégique concernant la suite des opérations, et les âpres discussions interalliées vont reprendre lors de la conférence QUADRANT à Québec au mois d'août. Mais cette fois, les Américains ont la volonté bien arrêtée de faire prévaloir leurs propres thèses : pour le général Marshall, il s'agit d'imposer l'exécution d'OVERLORD dans les plus brefs délais et avec toutes les ressources disponibles ; pour l'amiral King, il faut obtenir que des ressources supplémentaires soient affectées à la prochaine offensive contre les Japonais dans le Pacifique. Si divergentes soient-elles, ces deux stratégies se rejoignent au moins sur un point : elles excluent toute nouvelle extension des opérations en Méditerranée. Cette fois, les Américains ont pris toutes les précautions, et l'historien officiel J. Harrison écrira : « Ils avaient analysé en détail le déroulement des conférences précédentes, les techniques d'argumentation employées par les Britanniques, et même le nombre exact de responsables de la planification requis pour affronter les Britanniques sur un pied d'égalité[60]. » Enfin, le secrétaire d'État Stimson a fait le siège du Président, afin qu'il soutienne à fond les thèses américaines…

Au château Frontenac, la conférence QUADRANT sera donc particulièrement animée, avec à l'ordre du jour des chefs d'état-major anglais et américains l'opération OVERLORD, la Méditerranée, la campagne de Birmanie et les opérations dans le Pacifique. La note suivante de l'amiral Leahy, qui préside le Comité des chefs d'état-major américains, donne une idée du ton général des discussions : « Le général Marshall se déclarait résolument opposé à un engagement en Méditerranée. L'amiral King était décidé à empêcher que le moindre navire de guerre, si nécessaire aux opérations dans le Pacifique, soit détourné au profit de nouvelles opérations sur le théâtre qui tenait tant au cœur de nos alliés britanniques. Ceux-ci ayant insisté pour développer leurs opérations en Italie, King a eu recours à un langage assez peu diplomatique, c'est le moins que l'on puisse dire[61]. »

En fait, si les chefs d'état-major et le Premier ministre britanniques finissent par obtenir au moins de pénétrer en Italie et d'aller jusqu'à une ligne Pise-Rimini, c'est en partie grâce aux informations favorables en provenance du théâtre méditerranéen, où Messine a été capturé le 16 août, tandis que le maréchal Badoglio s'apprête à engager des pourparlers d'armistice. Mais les forces disponibles pour des opérations en Italie seront limitées à l'extrême, et, sous la pression américaine, les chefs de l'état-major combiné ont adopté le principe d'un débarquement dans le sud de la France (ANVIL) pour précéder l'opération OVERLORD, ce qui limitera encore davantage les effectifs et les moyens de transport disponibles pour l'offensive en Italie – d'autant qu'OVERLORD devra impérativement être déclenchée le 1er mai 1944 au plus tard...

Si les chefs d'état-major britanniques sont revenus de Québec relativement satisfaits des résultats obtenus, c'est qu'ils avaient été effrayés par certaines exigences américaines, comme celle d'une grande offensive en Birmanie pour aider la Chine ; ils avaient été plus effarés encore par les idées de Churchill lui-même, qui venait de découvrir l'intérêt stratégique de l'extrémité nord-ouest de l'île de Sumatra, et voulait que l'on s'en empare toutes affaires cessantes[62] ; après quoi il s'était lancé dans une longue digression au sujet de la côte dalmate, de la nécessité de faire entrer la Turquie dans la guerre[63], et... de lancer l'opération JUPITER en Norvège du Nord[64] ! Tout cela avait confirmé les Américains dans leur méfiance profonde à l'égard des « divagations périphériques » de leurs homologues britanniques, et menacé à plusieurs reprises de compromettre les négociations...

Mais, en marge de cette conférence, une autre question a été réglée discrètement entre Roosevelt et Churchill ; c'est celle des commandants suprêmes. Le Premier ministre a fait d'emblée au Président une concession de taille, en acceptant que le futur débarquement en France soit commandé par un général américain*. En échange, il a demandé que l'ensemble du théâtre méditerranéen soit placé sous les ordres du général britannique Henry Wilson, et que le vice-amiral Mountbatten soit nommé commandant suprême allié pour l'Asie du Sud-Est. Le Premier ministre, très préoccupé depuis seize mois par l'immobilisme qui règne sur le « théâtre indien léthargique et stagnant », veut envoyer sur place un personnage qui soit

---

* Churchill avait promis ce commandement à plusieurs reprises au général Brooke, qui sera amèrement déçu – mais n'en laissera rien paraître.

capable de faire bouger les choses*. Il est vrai que le flamboyant chef de la Direction des opérations combinées n'a que 43 ans, et qu'il est bien plus à l'aise sur mer que dans les jungles asiatiques ; mais Churchill connaît bien ses qualités d'organisateur, d'improvisateur et de meneur d'hommes, Roosevelt l'apprécie énormément, ses chefs d'état-major plus encore[65], et l'affaire est vite conclue. Lors d'une allocution radiodiffusée depuis Québec le 31 août, Churchill annonce cette nomination avec un fabuleux mélange d'éloquence et d'humour britannique : « Il n'est pas fréquent, dans le monde moderne et dans le cadre de la profession militaire, qu'un homme aussi jeune atteigne une position aussi élevée. Mais si un officier qui a consacré sa vie à l'art militaire ne sait pas encore mener la guerre à 43 ans, il y a peu de chances pour qu'il l'apprenne plus tard. En tant que chef des opérations combinées, lord Louis a fait preuve de rares capacités d'organisation et d'initiative**. Il est ce que j'oserais appeler – tant pis pour les puristes – un "triphibien complet", c'est-à-dire qu'il est également à son aise dans les trois éléments : la terre, l'air et l'eau, et il a également l'habitude du feu[66]... »

Avant de rentrer à Londres, Churchill retourne à Washington, où il est de nouveau l'hôte du Président à la Maison-Blanche. Le 1er septembre, Franklin Roosevelt, grand décolonisateur devant l'Éternel, prend soin d'inviter à déjeuner Mrs Helen Reid, une directrice du *New York Herald Tribune* notoirement hostile à la pérennité de l'Empire britannique. Bien avant les liqueurs, elle entreprend d'attaquer Churchill au sujet du sort réservé aux infortunés Indiens... Mais le Premier ministre de Sa Majesté l'interrompt aussitôt :

« Avant toute chose, madame, il nous faut éclaircir un point : est-ce que nous parlons des Indiens bruns de l'Inde, qui ont grande-

---

* Lord Mountbatten à l'auteur, 4 juin 1979 : « Moi, je voulais retourner à la mer, c'était mon métier. Mais la situation en Asie était catastrophique à l'été de 1943 : les Japonais nous avaient chassés de Birmanie, ils étaient aux portes de l'Inde, et nos responsables militaires sur place étaient comme paralysés. Winston était quelqu'un qui ne supportait pas l'inaction [...], alors, en m'envoyant là-bas comme commandant suprême, il voulait donner un coup de pied dans la fourmilière, en quelque sorte. »
** C'est exact : il est notamment l'artisan des raids de Bruneval et de Saint-Nazaire au début de 1942 – mais aussi le principal responsable de la malheureuse opération de Dieppe à l'été de la même année.

ment prospéré et se sont vertigineusement multipliés sous l'administration bienveillante de la Grande-Bretagne ? Ou bien est-ce que nous parlons des Indiens rouges d'Amérique, dont je crois savoir qu'ils sont en bonne voie d'extinction[67] ? »

Dès le début de septembre, les stratèges britanniques vont pouvoir mesurer les effets du refus américain d'augmenter les effectifs et les moyens de transport disponibles en Méditerranée : ayant pris pied en Calabre et débarqué à Salerne avec des moyens navals, des effectifs et une couverture aérienne limités, ils n'avaient progressé que très lentement, et les Italiens, après avoir signé l'armistice le 8 septembre, s'étaient révélés incapables d'empêcher les Allemands de s'emparer de Rome et de libérer Mussolini ; la Wehrmacht avait également occupé Rhodes, puis les autres îles du Dodécanèse, sans que les Britanniques puissent réagir faute de péniches de débarquement et d'avions de transport. C'est cette même pénurie qui va paralyser l'ensemble des opérations en Italie, d'autant que les Alliés n'ont guère plus d'une dizaine de divisions à opposer aux 19 divisions allemandes défendant la péninsule. Tout cela va monopoliser l'attention des chefs d'état-major britanniques pendant la plus grande partie de l'automne ; celle du Premier ministre également, bien sûr... Mais Churchill, lui, n'est pas homme à s'attarder trop longtemps sur un seul objectif.

Avant la fin de septembre, les Britanniques, fortement encouragés par leur Premier ministre, se sont emparés de trois petites îles du Dodécanèse : Cos, Leros et Samos ; dès lors, Churchill insiste pour que l'on attaque l'île de Rhodes toutes affaires cessantes : c'est la clé des Balkans, et cela encouragera les Turcs à entrer en guerre. Mais le 4 octobre, Hitler ordonne une contre-attaque brusquée, l'île de Cos est reprise par la Wehrmacht et d'importants renforts sont dépêchés vers Rhodes. À Londres, Churchill est désagréablement surpris : Cos était la seule île à posséder un terrain d'aviation, et sa perte compromet fatalement les plans de débarquement à Rhodes. Or, si l'on ne prend pas Rhodes, il est vain d'espérer faire entrer la Turquie dans la guerre aux côtés des Alliés. Les chefs d'état-major, eux, répondent patiemment que des opérations en mer Égée ne pourraient se faire qu'aux dépens de l'offensive en Italie, mais Churchill ne cesse de revenir à la charge. Le 6 octobre, le général Brooke note dans son journal : « Notre réunion de chefs d'état-major a été consacrée à l'examen de la situation créée par l'attaque allemande de l'île de Cos [...], à la volonté du Premier ministre de recapturer ce précieux trophée, et à l'effet de sa perte sur les opérations visant à s'emparer de l'île de Rhodes. Il m'apparaît clairement qu'avec tous nos engagements en Italie, nous ne devrions lancer aucune opération d'envergure en mer Egée.» Et le 7 octobre : « Encore une journée consacrée aux folies de Rhodes. [...] Bataille d'une heure et demie avec le Premier ministre. Toujours les mêmes arguments. [...] Dès samedi, je dois l'accompagner à Tunis pour une conférence ! Tout cela pour décider si nous devons tenter de prendre Rhodes. Il est dans un état très préoccupant, nettement déséquilibré, et Dieu sait comment nous finirons cette guerre si cela continue[68].» Ce même jour, sir Alexander Cadogan note dans son propre journal : «Le Premier ministre a donné des instructions pour que son avion soit prêt à l'emmener à Tunis cette nuit même ! Il s'est monté la tête au sujet de Cos, et il veut conduire lui-même une expédition pour prendre Rhodes ! Je crois qu'Eden et quelques autres l'en ont dissuadé*[69].» Touchante naïveté ! Le lendemain 8 octobre, Brooke note encore : «Je n'arrive plus à le contrôler. Il est obnubilé par cette attaque de Rhodes, et a tellement magnifié son importance qu'il ne peut plus rien voir d'autre**[70].»

Ce n'est pas sûr ; il voit en même temps bien d'autres choses... comme la Yougoslavie, un pays compliqué où il va intervenir avec des idées simples : le contrôle de la côte dalmate permettrait de tourner les défenses allemandes en Italie et d'ouvrir le chemin de Ljubljana et de Vienne ; mais les Américains ne voulant pas entendre parler d'un tel plan, il n'est pas question d'y engager des

---

* Ce même 7 octobre, Churchill a écrit au président Roosevelt : «Ce que je réclame, c'est la prise de Rhodes et des autres îles du Dodécanèse, ainsi que le déplacement vers le nord de nos forces aériennes du Moyen-Orient et leur installation dans ces îles – et peut-être même sur la côte turque, ce que nous pourrions bien finir par obtenir. Ceci contraindrait l'ennemi à disperser ses forces bien plus que nous. [...] Rhodes est la clé de tout cela.» Le Président, qui est assez imperméable à l'éloquence churchillienne, répond dès le lendemain qu'il est «opposé à toute diversion qui mettrait en péril [...] la sécurité de notre position actuelle en Italie», et que «l'exécution prévue du plan OVERLORD ne doit être entravée par aucune dispersion de forces ou d'équipements».

** Il doit tout de même abandonner la partie au soir du 9 octobre, lorsque Eisenhower câble à Londres qu'il n'a pas de troupes disponibles pour effectuer l'opération.

troupes régulières. Pourtant, rien n'empêche de parvenir aux mêmes résultats en armant et en poussant à l'action les résistants « tchetniks » du royaliste Mihaïlovitch et les partisans « progressistes » de Josip Broz, dit Tito. Par l'intermédiaire du SOE, dont les activités échappent dans une large mesure au contrôle des chefs d'état-major, grâce à quelques amis personnels envoyés sur place, comme le capitaine William Deakin et le « général de brigade » Fitzroy Maclean*, et enfin sur la foi des interceptions « Ultra » de Bletchley Park, Churchill se fait rapidement – bien trop rapidement sans doute – une idée de la situation : les résistants royalistes de Mihaïlovitch sont inactifs ou collaborent avec les Allemands ; les partisans de Tito, eux, harcèlent sans cesse la Wehrmacht, tuent cinq Allemands pour un des leurs tués, bénéficient du soutien total de la population, se montrent aussi humains que tolérants, et ne sont même pas communistes[71]... Que demande le peuple ? Dès la fin de l'automne 1943, Churchill ordonne donc d'appuyer par tous les moyens les partisans de Tito, et de rompre les relations avec ceux de Mihaïlovitch.

En fait, comme toujours lorsqu'il n'est pas encadré, Churchill s'est laissé emporter par son imagination et son impulsivité ; car Tito n'est autre que l'ancien agent du Komintern Walter, un communiste fanatique dont la première préoccupation est de se débarrasser de tous ceux qui pourraient l'empêcher de prendre le pouvoir à Belgrade après la guerre – à commencer par les royalistes de Mihaïlovitch ; la direction du SOE au Caire, qui a informé le Premier ministre sur la situation yougoslave, est infiltrée par des éléments communistes entièrement dévoués à Moscou** ; Deakin et Maclean, qui ne parlent pas un mot de serbo-croate et ne voient que ce que Tito veut bien leur montrer, ont omis de signaler que leur héros fait systématiquement massacrer les civils récalcitrants, pactise à l'occasion avec les Allemands pour pouvoir attaquer les tchetniks, et reçoit directement ses instructions de Moscou...

---

* Deakin est un de ses « assistants littéraires » d'avant-guerre, et Maclean un député conservateur, promu général pour l'occasion.

** À commencer par James Klugmann, personnalité dirigeante du parti communiste britannique et agent actif des services secrets soviétiques. Il a été, entre autres, le recruteur d'Anthony Blunt et de John Cairncross, deux des « *Magnificent Five* » de Cambridge.

Enfin, les décryptages des communications de la Wehrmacht et de l'Abwehr en Yougoslavie donnent une image assez contrastée*, qui aurait demandé un examen approfondi – auquel le Premier ministre n'est guère enclin à se livrer. Ainsi, au moment où Churchill s'inquiète de la progression en Grèce des partisans communistes, il travaille assidûment à assurer le triomphe d'autres partisans communistes en Yougoslavie ! Les militaires professionnels, surtout ceux qui connaissent bien la situation sur le terrain**, s'efforceront bien d'ouvrir les yeux du Premier ministre, mais en vain : sa capacité d'autosuggestion est illimitée, et du reste, il y a déjà fort à faire pour l'empêcher de provoquer des catastrophes sur d'autres théâtres...

Dans l'océan Indien, par exemple, où Churchill veut toujours déclencher une opération pour occuper le nord de l'île de Sumatra, afin de contrôler le détroit de Malacca et de couper les lignes de communication japonaises dans le golfe du Bengale. Belle idée en théorie, mais parfaitement impraticable au vu des ressources disponibles : « Une heure de bataille rangée avec le Premier ministre, note le général Brooke le 1ᵉʳ octobre, sur la question du retrait des troupes du théâtre méditerranéen pour une offensive dans l'océan Indien. Je refuse de compromettre notre potentiel amphibie en Méditerranée pour [...] des aventures à Sumatra. Mais le Premier ministre est prêt à renoncer à toute notre politique de base pour

---

* Ils montrent que quelques officiers de Mihaïlovitch pactisent avec les Allemands pour pouvoir combattre les partisans de Tito, et que presque tous les tchetniks de Bosnie et de Croatie coopèrent d'une façon ou d'une autre avec les Italiens. Mais ils indiquent aussi que les partisans de Tito s'entendent eux-mêmes avec l'Abwehr à l'occasion, afin d'éliminer les tchetniks, et que Tito reçoit ses ordres directement de Moscou. Enfin et surtout, ils établissent clairement que les partisans se livrent à une guerilla permanente, tandis que les tchetniks ont tendance à limiter l'ampleur de leurs opérations, pour pouvoir déclencher une insurrection générale lors du débarquement allié sur la côte dalmate. Churchill, sachant depuis Québec que ce débarquement n'aura jamais lieu (mais ne pouvant pas le dire), préfère de beaucoup la stratégie de Tito, qui est plus rentable à court terme ; le long terme, pour ce qui concerne la Yougoslavie, ne l'intéresse manifestement pas. (Voir dans M. Smith & R. Erskine, *Action This Day*, Bantam, Londres, 2001, le très intéressant chapitre de John Cripps : « Mihailovic or Tito ? How the Codebreakers helped Churchill choose », p. 237-263.)

** Comme le général Armstrong, chef de la mission britannique auprès de Mihaïlovitch.

faire passer le Japon avant l'Allemagne... J'ai tout de même fini par lui faire abandonner la partie[72]. »

Churchill, abandonner ? Jamais ! Il reprend simplement l'offensive sur un terrain plus familier : a bord du *Queen Mary* qui l'amenait à Québec pour la conférence QUADRANT, il avait déjà essayé de faire établir un nouveau projet de débarquement en Norvège par les services de planification, en court-circuitant le Comité des chefs d'état-major[73]... Et pour surmonter les objections de ces derniers, fondées sur l'absence de couverture aérienne, il fait maintenant pousser à fond les travaux de la Direction des opérations combinées sur le projet HABBAKUK, visant à construire des porte-avions *en glace**, taillés dans la banquise, renforcés avec de la sciure de bois et équipés de moteurs auxiliaires[74] !

C'est un fait : Churchill, stratège brouillon, continue à confondre le souhaitable et le possible, faisant ainsi perdre un temps précieux à ses chefs d'état-major comme à ses planificateurs. Trois ans plus tôt, l'amiral Pound disait avec philosophie : « C'est le prix à payer pour Churchill ! » – et, à l'évidence, il ne paraissait pas le trouver excessif. Mais Pound vient de mourir à la tâche, et son successeur, l'amiral Cunningham, se joint à ses collègues Brooke et Portal pour tenir tête au Premier ministre chaque fois qu'il bat la campagne... Lorsque ses chefs d'état-major font bloc contre lui, Churchill tempête, trépigne, déverse jusqu'à l'aube des flots d'éloquence, fait observer d'un ton sinistre que « Staline a la chance de pouvoir faire fusiller tous ceux qui sont en désaccord avec lui, et a déjà utilisé beaucoup de munitions à cet effet », mais il finit toujours par céder – évitant ainsi les catastrophes majeures qui s'abattront sur cet autre amateur inspiré, mais dépourvu de contradicteurs, qui préside aux destinées du Reich millénaire...

Pour l'heure, cependant, les Américains s'alarment au plus haut point des « divagations périphériques » du Premier ministre, et en déduisent qu'il essaie par tous les moyens de se soustraire à l'obligation de lancer OVERLORD en mai 1944. Ils n'ont d'ailleurs pas entièrement tort : marqué à jamais par les hécatombes de la Grande Guerre sur le front de France, Churchill appréhende en effet de lancer une nouvelle fois la fleur de la jeunesse britannique

---

* Ces engins monstrueux seront effectivement construits au Canada. La fin des hostilités mettra fin au projet, qui fondra sans laisser de traces.

contre les dispositifs les mieux fortifiés de l'ennemi ; en attaquant par surprise dans l'Arctique, l'Adriatique ou la mer Égée, en lançant des offensives éclair contre Trondheim, Sofia ou Vienne, il pense pouvoir obtenir les mêmes résultats que Franchet d'Esperey en 1918... Mais ses chefs d'état-major, nettement moins influencés par la guerre précédente, poursuivent une stratégie bien différente : fixer le plus possible de divisions allemandes en Italie, afin d'obliger Hitler à dégarnir les côtes de l'Europe occidentale ; alors seulement, ils lanceront OVERLORD, une opération qu'ils estiment indispensable pour provoquer l'effondrement de l'Allemagne. Pourtant, au vu des difficultés rencontrées en Italie, les échéances fixées à Québec pour le lancement de cette opération leur semblent de plus en plus déraisonnables ; le 11 novembre 1943, le Comité des chefs d'état-major rédige donc à l'intention de Washington la note suivante, dans laquelle il fait appel des décisions prises à QUADRANT : « La question qui se pose est de savoir dans quelle mesure "le caractère sacro-saint d'OVERLORD" doit être préservé dans son intégralité, quelle que soit l'évolution de la situation en Méditerranée[75]. » C'est précisément pour débattre de cela que va se tenir à Téhéran une nouvelle conférence au plus haut niveau dès la fin du mois de novembre – avec cette fois un participant de plus : Staline.

Le président Roosevelt va quitter Washington bien décidé à traduire sa nouvelle puissance économique et militaire en influence politique et stratégique ; bien plus qu'avec l'impérialiste réactionnaire et paléolithique Churchill, c'est avec Staline, ce puissant chef d'État progressiste, qu'il compte nouer à l'avenir des relations politiques privilégiées. N'écrivait-il pas à Churchill l'année précédente : « Staline est enclin à me préférer, et j'espère que cela va continuer[76] » ? Du point de vue stratégique, il est également décidé à imposer sa volonté aux Britanniques, avec l'aide de Staline si nécessaire : déclenchement d'OVERLORD pour le 1er mai 1944, débarquement dans le sud de la France (ANVIL) *un mois plus tôt,* abandon des opérations offensives en Italie, nomination du général Marshall comme commandant en chef suprême pour l'ensemble du théâtre européen depuis la Méditerranée jusqu'à la mer du Nord, et conquête des îles Andaman comme premier stade d'une grande offensive en Birmanie, destinée à ouvrir une voie de communication terrestre avec la Chine...

Pour les militaires britanniques, *rien* de tout cela n'est réalisable ! La conférence préliminaire qui se tient au Caire, en présence du généralissime Tchang Kaï-chek, s'engage donc très mal et ne débouche sur rien de concret. Ainsi, c'est sans aucune position commune que les dirigeants civils et militaires anglo-américains arrivent le 27 novembre 1943 à Téhéran, où Staline va servir d'arbitre... Il insiste naturellement pour que l'opération OVERLORD soit déclenchée dans les plus brefs délais[*] et précédée du débarquement dans le sud de la France, le tout au détriment des opérations dans l'Adriatique[77]. Roosevelt, n'ayant pas compris que Staline veut écarter ses alliés des Balkans, est agréablement surpris de ce soutien providentiel, qui assure le triomphe de « sa » stratégie sur celle des Britanniques ; pour le reste, il s'en remet aux chefs d'état-major[78]. Quant à Churchill, il défend pied à pied les positions britanniques, mais joue une fois encore contre son propre camp en s'évadant constamment vers la mer Égée, l'Adriatique, les Balkans et la Turquie (qu'il veut plus que jamais faire entrer dans la guerre[79]). À un Staline ébahi, il annonce que « tout plaide en faveur d'une aide à Tito, qui immobilise un grand nombre de divisions allemandes et fait bien davantage pour la cause alliée que son compatriote Mihaïlovitch » ; il ajoute même que la Grande-Bretagne va retirer sa mission militaire auprès des tchetniks. Staline, toujours soupçonneux, pense à une ruse de Churchill ; ce n'est que de la naïveté... Les Américains, eux, voient les excursions stratégiques du Premier ministre sur les divers théâtres de Méditerranée comme autant de tentatives de saboter OVERLORD. Au soir du 29 novembre, le général Brooke, désespéré, écrira dans son journal : « Après avoir entendu les arguments avancés au cours des deux derniers jours, j'ai envie de m'enfermer dans un asile de fous ou dans une maison de retraite[80]. »

Heureusement pour la cause alliée, il n'en fera rien, et, à la suite d'innombrables marchandages, ses collègues et lui-même parviendront à arracher des concessions de taille à leurs homologues américains : l'offensive alliée pourra se poursuivre en Italie jusqu'à la conquête de Rome, et tous les moyens de débarquement nécessaires seront maintenus sur le théâtre italien jusqu'à la mi-janvier 1944 ;

---

[*] Et qu'un commandant de l'opération soit désigné sans tarder. Ce sera fait dès le 5 décembre, lorsque Roosevelt nommera le général Eisenhower.

OVERLORD sera reporté à la fin du mois de mai ; quant à l'opération ANVIL, sa date sera fixée ultérieurement, en fonction de la disponibilité des moyens de transport. Mieux encore, les chefs d'état-major britanniques parviennent à persuader leurs vis-à-vis qu'il serait déraisonnable de nommer un commandant en chef unique pour tous les théâtres d'opérations européens, et que des opérations amphibies dans l'océan Indien ne manqueraient pas de compromettre ANVIL, en monopolisant tous les navires de débarquement disponibles. C'est ainsi que l'accord se fait *in extremis* entre militaires, et il est aussitôt entériné par leurs chefs politiques : Roosevelt, qui n'est pas un stratège, ne tient pas à se démarquer des positions de Marshall ; Staline, qui n'est concerné que de loin, se déclare satisfait ; quant à Churchill, il est bien conscient d'avoir échappé au pire... Étant tout sauf ingrat, il fera élever les généraux Brooke et Portal au grade de maréchal.

Sauvé d'une déroute stratégique, le Premier ministre n'a pu en revanche échapper au désastre politique ; Roosevelt s'est entretenu en tête à tête avec Staline, mais lorsque Churchill lui a proposé un déjeuner à deux, le Président a refusé, « afin de ne pas donner à Staline l'impression que les Américains et les Britanniques complotent contre lui[81] »... En outre, les conversations entre les « Trois Grands », officielles ou officieuses, sérieuses ou badines, ont laissé à Churchill un goût amer : sur le traitement à réserver au Reich vaincu, comme sur l'organisation du monde d'après-guerre et l'avenir des empires coloniaux, ses deux interlocuteurs ont semblé s'accorder dans une large mesure, sans paraître se soucier des intérêts britanniques*. C'est ainsi que Winston Churchill, recherchant à l'origine une alliance anglo-américaine sur un pied de parfaite égalité, passé dès la fin de 1942 à la position déjà moins glorieuse de lieutenant du Président, se voit désormais comme le partenaire le plus insignifiant d'un bloc dirigé par une entente américano-soviétique...

---

* Avec tout de même quelques nuances étonnantes. Ainsi, lors de son premier tête-à-tête avec Staline, Roosevelt lui expose ses visées décolonisatrices, en précisant au sujet de l'Inde qu'il voudrait « la voir réformer en partant de la base, un peu sur le modèle soviétique ». Mais Staline, tempérant quelque peu ses ardeurs, lui fait remarquer que « la question indienne est compliquée » et qu'« une réforme en partant de la base aboutirait à une révolution » – un avertissement à prendre au sérieux, venant d'un expert en révolutions...

Le Premier ministre de Sa Majesté en conçoit une grande amertume, et le fastueux banquet qui se tient au soir du 29 novembre à
l'ambassade soviétique ne fera rien pour le dérider – bien au
contraire : à l'heure des toasts, Staline déclare avec un sourire car-
nassier qu'il faudra après la guerre liquider l'ensemble de l'état-
major allemand : « Toute la puissance des armées allemandes reposant sur quelque 50 000 officiers et techniciens, il suffira de les faire
fusiller pour extirper définitivement le militarisme allemand. » Rien
ne pourrait être plus étranger à la mentalité de Churchill, qui
répond aussitôt : « Le Parlement et l'opinion publique britanniques
ne toléreront jamais des exécutions de masse. Même s'ils les laissaient commencer sous l'emprise des passions engendrées par la
guerre, ils se retourneraient avec violence contre les responsables
dès que la première boucherie aurait été perpétrée. Que les Soviétiques ne se fassent aucune illusion sur ce point ! » Mais Staline
reprend obstinément : « Il faudra en fusiller 50 000 ! » Churchill,
hors de lui, s'écrie: « J'aimerais mieux qu'on me conduise dans le
jardin ici et maintenant pour y être fusillé, plutôt que de souiller
l'honneur de mon pays et le mien propre par une telle infamie ! »

Le président Roosevelt, qui pense sans doute calmer le jeu par
un supplément de badinage, déclare alors : « J'ai un compromis à
proposer: on n'en fusillera pas 50 000, mais 49 000 ! » Quelques
convives, dont Anthony Eden, tentent de faire comprendre avec
force signes qu'il s'agit d'un trait d'esprit, mais le Premier ministre,
qui a sans doute en mémoire l'affaire de Katyn, ne goûte pas ce
genre d'humour ; lorsque Elliott Roosevelt, le fils du Président, se
lance dans un discours quelque peu éthylique pour approuver
lourdement le plan de Staline, la mesure est comble : Churchill se
lève d'un bond et quitte la salle[82].

Bien entendu, il est rapidement rejoint dans la pièce attenante
par Staline et Molotov, qui l'assurent en souriant largement que
tout cela n'était qu'une plaisanterie. Churchill consent finalement
à reprendre sa place au banquet, mais lorsqu'il rejoint ses appartements cette nuit-là, son médecin le trouve extrêmement déprimé.
« Le Premier ministre, note-t-il dans son journal, est consterné par
sa propre impuissance[83]. »

Le lendemain soir 30 novembre, on fête à la fois la clôture de la
conférence et le 69e anniversaire de Winston Churchill. Ce sera
une occasion mémorable, et le jubilaire, trônant entre les deux

hommes les plus puissants de la terre, fait encore bonne figure ; du reste, Staline et Roosevelt, rendant cette fois un vibrant hommage à l'âge et au courage, le reconnaissent volontiers comme l'inspirateur suprême de la croisade contre le nazisme. Il est vrai qu'il n'a jamais cessé de lutter depuis le 3 septembre 1939 – quatre années déjà ! – et qu'il a engagé dans le combat tout son temps, toute son énergie, toute sa vaste imagination... et toute sa famille : Clementine dirige un fonds d'aide médicale à la Russie ; Diana sert dans la marine ; Mary, mobilisée dans la DCA, l'a accompagné à Québec comme aide de camp ; Sarah, engagée dans les services auxiliaires de la RAF, est également son aide de camp à Téhéran ; enfin Randolph, qui a au moins hérité du courage de son père, vient de participer avec les commandos au débarquement de Salerne. Qui ne serait saisi d'une légitime fierté en fêtant ainsi son 69e anniversaire ?

CHAPITRE XV

FAUSSES NOTES

Hélas ! Le surhomme n'existe pas, et Churchill, de retour en Égypte le 2 décembre 1943, donne des signes évidents de fatigue. En un an, il a participé à sept conférences majeures, au Maroc, en Turquie, aux États-Unis, au Canada, en Égypte et en Iran, voyagé jusqu'à vingt heures de suite dans les cabines improvisées d'hydravions vétustes ou dans les soutes à bombes mal chauffées de bombardiers hâtivement reconvertis, passé d'innombrables journées en tournées d'inspection et d'interminables nuits à dicter instructions, mémorandums et projets d'offensives – le tout sans jamais cesser de boire et de fumer ! Entré dans sa 70e année, quel organisme résisterait à un tel traitement ? La maladie s'attaque habituellement aux points faibles, et celui de Winston, depuis sa plus tendre enfance, ce sont les bronches : le 12 décembre, alors qu'il est à Carthage, une pneumonie se déclare, accompagnée d'une très forte fièvre. C'est la seconde en un an, et elle se double cette fois de palpitations. Le 15 décembre, son état s'est encore détérioré, et il murmure à sa fille Sarah, qui se penche sur son lit : « Ne t'inquiète pas. Si je meurs maintenant, c'est sans importance. Tous les plans ont été faits pour la victoire, et ce n'est plus qu'une question de temps[1]. »

Mais le docteur Wilson veille au grain, il manie avec dextérité la digitaline et les antibiotiques, fait venir un cardiologue du Caire et un pneumologue de Londres, contraint son patient à garder le lit et finit par gagner la partie : le 18 décembre, les symptômes s'atténuent, la fièvre retombe, et trois jours plus tard, Churchill peut se redresser et s'asseoir. Il recommence à grogner – un signe évident de guérison –, et prétend prendre personnellement en charge son traitement… Mais l'alerte a été sérieuse, et Eden, Macmillan, Duff Cooper*, Portal et Brooke s'attendent tout naturellement à ce que le Premier ministre, en prenant un repos bien mérité, cesse pour un temps de s'occuper de leurs affaires.

Décidément, ces diplomates affables et ces vaillants militaires sont d'un incorrigible optimisme ! Qu'il reste alité à Carthage ou parte en convalescence à Marrakech, Churchill prétend continuer à se mêler de diplomatie, de stratégie, de politique, de logistique et de tout le reste : le maréchal Brooke lui ayant parlé de l'utilité d'un débarquement à Anzio, près de Rome, afin de contourner les défenses allemandes au nord de Naples, notre patient récalcitrant entreprend de remuer ciel et terre pour obtenir les moyens nécessaires à l'opération ; et de la logistique à la haute stratégie, il n'y a qu'un pas : en un tournemain, la villa mauresque de Mrs Taylor se transforme en QG, l'alcôve en salle des cartes, et Churchill, au saut du lit, établit lui-même les plans de l'opération** ! Dès le 31 décembre, de même, il se penche avec le général Montgomery sur le plan initial d'OVERLORD, qui ne le satisfait pas***. À son médecin qui lui rapporte qu'Hitler, non content de concevoir la politique de guerre, s'occupe également d'en planifier tous les détails, Churchill répond joyeusement : « C'est exactement ce que je fais moi-même[2] ! » Certes… À tel point qu'il en résultera, selon le maréchal Brooke, « un flot de télégrammes expédiés dans toutes les directions, finissant par créer une confusion totale[3] ».

L'intervention de l'illustre malade dans les affaires françaises produira des résultats assez similaires. Il est vrai que beaucoup de choses ont changé à Alger depuis le mois de juin 1943 : la coprésidence a été abolie, le général Georges a quitté le CFLN, et de Gaulle est resté seul maître à bord. L'affaire du Liban n'ayant pas arrangé

---

* Ce dernier étant désormais le représentant du gouvernement britannique auprès du CFLN.

** Le débarquement d'Anzio sera exécuté le 22 janvier 1944, avec un certain succès initial – suivi de quatre mois d'atermoiements…

*** Ce en quoi il a raison : le général Montgomery relèvera immédiatement que le plan prévoit un débarquement initial sur un front beaucoup trop étroit, avec un nombre de divisions excessivement réduit. C'est Montgomery qui vient d'être désigné par Eisenhower pour commander les troupes terrestres lors du débarquement.

les choses* Churchill a décidé de se cantonner vis-à-vis du Comité français « dans une attitude de réserve complète[4] ». Mais ayant appris le 20 décembre que le CFLN avait fait arrêter Marcel Peyrouton, Pierre-Étienne Flandin et le gouverneur Boisson pour collaboration avec l'ennemi, Churchill, scandalisé, alerte Eden, Macmillan, Duff Cooper, Eisenhower et même Franklin Roosevelt. Le Président est naturellement tout disposé à agir ; après avoir déclaré à Cordell Hull que « le moment est venu d'éliminer de Gaulle[5] », il télégraphie à Eisenhower pour lui dire de faire savoir sans délai au Comité français qu'il a « ordre de ne prendre aucune mesure contre ces personnalités à l'heure actuelle [6] ». C'est évidemment un ultimatum particulièrement provocateur, mais, le 23 décembre, Churchill télégraphie à Eden : « Je suis d'avis qu'il est essentiel que nous soutenions le Président[7]. » Pourtant, Eden, qui est plus pondéré et mieux informé, lui répond que les trois hommes ayant été arrêtés à la demande de la Résistance et après délibération de l'Assemblée consultative d'Alger, le fait d'exiger leur libération entraînerait une désastreuse rupture avec le CFLN ; il ajoute que les nouveaux protégés du Premier ministre sont tout de même assez peu recommandables : Boisson, par exemple, a fait ouvrir le feu sur les troupes anglo-françaises à Dakar, et cruellement maltraité des sujets britanniques internés en Afrique occidentale entre 1940 et 1942.[8] Churchill gronde, tempête, vocifère, mais finit par lâcher prise**…

C'est pour mieux se consacrer à la Yougoslavie, où son impulsivité va encore provoquer quelques catastrophes : le 3 janvier 1944, il écrit ainsi à Eden : « J'ai été persuadé par les arguments d'hommes que je connais et en qui j'ai confiance que Mihaïlovitch est un boulet pour le petit roi***, et que celui-ci ne pourra rien faire tant qu'il ne

---

* Le 11 novembre 1943, l'ambassadeur Helleu, délégué général du CFLN au Liban, a pris l'initiative de faire arrêter le Premier ministre libanais et plusieurs de ses ministres, après quoi il a prononcé par décret la dissolution de la Chambre et la suspension de la Constitution. Ce coup de force a suscité dans tout le pays des manifestations de masse, suivies d'une féroce répression. Le général Catroux, constatant que l'ambassadeur Helleu « cessait d'être lucide à certaines heures de la journée », le fera rappeler à Alger et restaurera au Liban un calme précaire.

** Roosevelt, ne pouvant prendre lui-même l'initiative d'une rupture avec de Gaulle pour des raisons de politique intérieure, abandonnera l'ultimatum.

*** Pierre II. Le colonel Mihaïlovitch, qui dirige la résistance royaliste en Yougoslavie, est son ministre de la Défense.

s'en sera pas débarrassé[9]. » Les hommes en question sont naturellement Deakin et Maclean, mais aussi le vaillant Randolph Churchill, qui vient d'être parachuté en Yougoslavie. Malheureusement, les partisans de Tito ont tôt fait de découvrir son point faible, et Randolph, imbibé en permanence de *slivovitsa* locale, a naturellement rapporté à son père tout ce que les partisans souhaitaient lui faire croire… C'est donc sur la base d'informations aussi fiables que Churchill va développer sa politique yougoslave, qui consiste à soutenir Tito par tous les moyens et à encourager le roi à aller le rejoindre ; étant donné que les partisans communistes livrent aux royalistes une guerre féroce, et que Tito lui-même a annoncé un mois plus tôt qu'il répudiait le roi, la politique personnelle de Churchill dans le guêpier yougoslave ne sera guère plus sensée que dans les affaires françaises… « Seigneur, note le maréchal Brooke dans son journal, si seulement il rentrait en Angleterre, où nous pourrions le contenir[10]. »

C'est le 18 janvier 1944 que le vœu du maréchal sera exaucé – dans sa première partie tout au moins : Winston Churchill rentre à Londres. Quant à le contenir, ce ne sera guère plus facile qu'à Marrakech : à l'effarement de ses chefs d'état-major et du général Eisenhower, devenu commandant suprême d'OVERLORD, l'infatigable stratège de Downing Street ressort bientôt ses plans de débarquement en Norvège et à Sumatra. C'est à cette époque que le maréchal Brooke, exaspéré, dira au général Kennedy en supprimant les neuf dixièmes du texte d'un rapport destiné au Premier ministre : « Plus vous en dites à cet homme sur la guerre, plus vous réduisez vos chances de la gagner[11] ! »

Le diplomate enthousiaste va également semer la consternation au *Foreign Office* : sur la question yougoslave toujours, Eden recevra le 1er avril 1944 l'instruction suivante : « Agissez rapidement, rédigez une bonne proclamation pour le roi, faites-lui renvoyer Puritch [son Premier ministre] et compagnie, rompre tout contact avec Mihaïlovitch, et former un gouvernement de transition qui soit acceptable pour Tito[12]. » Ce sera chose faite, et des années plus tard, bien des diplomates de Sa Majesté se demanderont encore comment leur Premier ministre, ce vieux monarchiste si férocement anticommuniste, a pu contribuer avec tant de légèreté à la défaite de la monarchie et au triomphe du communisme en Yougoslavie… Il est vrai qu'au cours des premiers mois de 1944, le même mélange d'amateurisme, de naïveté et d'autosuggestion se retrouve dans sa correspondance au sujet de Staline, à qui il trouve toutes les qualités : « *Uncle Joe* » est un grand stratège, il est franc, modéré, tient ses promesses, c'est même « *a great and good man*[13] » ; le 16 janvier, Churchill évoque même dans une lettre à Eden « les changements profonds dans le caractère de l'État et du gouvernement russes », ainsi que « cette nouvelle confiance envers Staline qui anime nos cœurs[14] » – sans que l'on sache très bien sur quoi se fonde une si touchante confiance. Ne faudrait-il pas plutôt s'alarmer des intrigues du « petit Père des Peuples » en Roumanie ? De son aide à la subversion communiste en Grèce ? De ses menaces contre certains membres du gouvernement polonais en exil ? De ses revendications territoriales en Pologne ? Allons donc ! Churchill le dit tout net au Premier ministre polonais : il « ne permettra pas que les relations anglo-russes soient compromises par un gouvernement polonais qui refuserait une offre considérée comme raisonnable[15] ». C'est, *mutatis mutandis,* ce que Chamberlain avait dit aux Tchèques six ans plus tôt, mais rien n'indique que Churchill ait été frappé par l'analogie…

C'est sans doute par manque de temps ; car l'attention du Premier ministre est à nouveau sollicitée par les affaires françaises. À cette époque, la question est d'ailleurs de toute première importance : les Alliés vont débarquer en France, et aucun accord d'administration civile n'a été conclu avec le Comité d'Alger ; comment seront donc administrés les territoires français libérés ? Le président Roosevelt, qui persiste à vouloir ignorer de Gaulle, a décidé d'imposer à la France un gouvernement militaire allié, l'« AMGOT* », semblable à celui de tous les territoires ennemis occupés. Eden, qui est un professionnel de la diplomatie et connaît bien le général de Gaulle, se rend compte qu'une telle mesure entraînerait la rupture immédiate des relations avec le Comité français de Libération nationale ; or, voyant au-delà des péripéties de la guerre et refusant de tout miser sur une alliance anglo-américaine, il compte fermement sur une entente avec la France pour empêcher toute renaissance du militarisme allemand dans l'après-guerre. Churchill est donc prié de demander au président Roosevelt d'envoyer des négociateurs

---

* « *Allied Military Government of Occupied Territories* ».

pour conclure un accord tripartite d'administration civile avant le débarquement en Normandie...

Le Premier ministre commence par répondre qu'il « refuse de déranger le Président pour cela à l'heure actuelle[16] », mais comme la presse et le Parlement britanniques s'indignent à haute voix de l'absence de tout accord avec les Français, il est contraint de s'exécuter. La réponse de Roosevelt sera entièrement négative, et Churchill, toujours guidé par ses rêves de partenariat anglo-américain, se garde bien d'insister : « Nous ne devons pas nous quereller avec le Président pour le compte de De Gaulle », écrit-il à Eden le 10 mai[17]. Pas plus qu'il ne faut compromettre les relations avec Staline pour le compte des Polonais ? Quatre mois plus tôt, recevant de Gaulle à Marrakech, Churchill lui avait tenu ces propos éloquents : « Regardez-moi ! Je suis le chef d'une nation forte et invaincue. Et pourtant, tous les matins au réveil, je commence par me demander comment plaire au président Roosevelt, et ensuite comment me concilier le maréchal Staline[18]. »

C'est un aveu de taille, et la politique qui en résulte ne peut qu'avoir de fâcheux résultats – surtout lorsque celui qui la pratique est tenté d'intervenir dans la diplomatie à tout propos et hors de propos : « Le Premier ministre, confie Eden à son conseiller Oliver Harvey, se mêle de tout et envoie des messages personnels à droite et à gauche, généralement avec des résultats déplorables[19]. » Le constat des militaires est étonnamment semblable ; le 24 mars, le général Kennedy note dans son journal, à l'issue d'une interminable réunion présidée par le Premier ministre : « En vérité, l'énergie qu'il nous reste pour mener la guerre après l'avoir affronté est presque négligeable[20]. » Il est vrai qu'à cette époque, Churchill exhorte le général Alexander à marcher sur Rome sans tarder, et qu'il a découvert une île au large de Sumatra, Simuluë, dont il demande l'occupation toutes affaires cessantes – en oubliant sur l'heure la Normandie, l'Italie, la Birmanie, le Pacifique et tout le reste[21]... « Son défaut le plus remarquable, constate amèrement le maréchal Brooke, c'est sans doute son incapacité à saisir d'emblée un problème stratégique dans son ensemble. Son regard s'attarde toujours sur une petite partie de la toile, et le reste du tableau lui échappe. Il est difficile de lui faire prendre conscience de l'influence d'un théâtre d'opérations sur un autre. [...] Ce défaut est accentué par le fait que bien souvent, il ne *veut pas* voir le tableau dans son ensemble, surtout si cela risque de faire obstacle à l'opération sur laquelle il a temporairement jeté ton dévolu[22]. »

Dans les ministères comme dans les états-majors, bien des responsables soupçonnent que les décisions stratégiques de Churchill lui sont dictées par quelques amateurs de son entourage, en particulier Brendan Bracken, le professeur Lindemann, Duncan Sandys, le major Morton, lord Beaverbrook et quelques autres. Le général Kennedy rapporte ainsi que, lors d'une réunion au *War Office*, un officier a déclaré au maréchal Smuts : « Churchill s'en trouverait bien mieux si quelques personnes de son entourage étaient éloignées – celles qui ont sur lui une influence délétère. » À quoi le vieux sage sud-africain a répondu : « Churchill ne subit pas d'autre influence délétère que la sienne[23]. » Le major Morton, un fin connaisseur du problème, sera plus explicite encore : « D'où Winston Churchill tirait-il ses idées stratégiques les plus farfelues, y compris Trondheim et bien d'autres par la suite ? La réponse est : strictement et absolument de son propre esprit. Cela, je peux le certifier. [...] Il n'aimait pas du tout les gens qui attaquaient d'emblée ses idées, si idiotes soient-elles, et il ne consultait que des gens comme Beaverbrook, qui répondaient invariablement "Merveilleux ! Merveilleux !" sans avoir soumis la question au moindre examen intelligent. Le « prof* » pouvait être également inclus, en vertu de sa haine aveugle pour Hitler, qui dépassait presque celle de Winston. Mais en de telles occasions, Winston les utilisait comme auditoire : ils n'étaient pas censés répondre au discours[24]. »

Pourtant, cet incontrôlable touche-à-tout, avec son imagination débordante et sa dangereuse impulsivité, n'en reste pas moins un improvisateur de génie. Aux préparatifs d'OVERLORD, qu'il suit littéralement jour et nuit, il apportera quelques contributions essentielles : les quais remorquables en béton sont sortis de son imagination vingt-six ans plus tôt, et depuis des mois, il ne cesse d'en affiner la conception : en août 1943, lors de la traversée de l'Atlantique, il essayait des maquettes de ses caissons flottants dans les baignoires du *Queen Mary*[25]... Jeux d'enfants ? Absolument pas : ce sont ces « *Mulberries* » qui rendront possible le débarquement de Normandie en dehors de toute zone portuaire. Et puis, notre amateur inspiré apportera une autre contribution décisive à l'effort

---

* Frederick Lindemann, qui deviendra lord Cherwell.

de guerre pendant cette période; c'est que des installations équipées de rampes de lancement pour fusées ont été détectées sur la
côte baltique et dans le nord de la France; plus grave encore,
l'usine norvégienne de Vemork, sabotée un an plus tôt*, a été
entièrement remise en état, et l'on redoute qu'elle produise suffisamment d'eau lourde pour permettre au Reich de mettre au point
une bombe atomique. «Nous envisagions avec terreur, écrira le
physicien Eugen Wigner, le danger mortel que courait le débarquement allié, si la bombe était lancée au moment où il s'effec-
tuait[26].» Le 16 novembre 1943, l'*US Air Force* avait largué
1 000 tonnes de bombes sur l'usine de Vemork, sans aucun résultat.
Mais Churchill exerce une pression quotidienne sur ses services, et
ce sont les agents norvégiens du SOE, cette «organisation de dangereux amateurs sortie de l'imagination enfiévrée du Premier
ministre», qui vont apporter la délivrance : le 20 février 1944, sur le
lac de Tinn, ils sabotent et coulent le ferry-boat qui transportait
vers l'Allemagne 620 litres d'eau lourde**. Pour les Alliés, voilà un
obstacle de taille qui disparaît, quatorze semaines seulement avant
le déclenchement d'OVERLORD.

Pourtant, on sait que Churchill ne peut jamais s'attarder longtemps sur un seul théâtre, et quelles que soient les tensions liées au
futur débarquement, son attention se porte épisodiquement sur les
derniers développements de la guerre dans le Pacifique, dans
l'océan Indien... et bien sûr en Méditerranée. Or, à la fin du mois
de mars, l'EAM/ELAS communiste***, retranché dans les montagnes grecques, a proclamé la formation d'un «Comité national
de libération» ayant tous les aspects d'un gouvernement «popu-

---

* Dans la nuit du 27 juillet 1943, dix Norvégiens appartenant à un commando
du SOE avaient fait sauter les tubes d'électrolyse de l'usine de Rjukan, qui
produisait de l'eau lourde.

** Lorsqu'au printemps de 1945, les Alliés découvriront le réacteur allemand
de Haigerloch, ils constateront qu'il ne lui manquait que 700 litres d'eau lourde
pour permettre au dispositif d'atteindre la masse critique. Mais après cela, il
restait un long chemin à parcourir pour mettre au point une bombe atomique,
même dans des conditions normales de recherches et avec des ressources
appropriées – deux choses qui faisaient entièrement défaut en Allemagne à ce
stade.

*** L'EAM est la direction politique du mouvement, et l'ELAS son bras
armé.

laire » pour une Grèce libérée. Cette initiative a déclenché un mouvement de mutinerie au sein de l'armée et de la marine grecques stationnées en Égypte, et Rex Leeper, ambassadeur de Sa Majesté auprès des autorités grecques en exil au Caire, a envoyé au *Foreign Office* un message de détresse : le gouvernement du roi Georges II étant profondément déstabilisé par la mutinerie et son Premier ministre, Emmanuel Tsouderos, venant même de démissionner, le diplomate demande instamment des instructions. Mais au *Foreign Office*, Eden est en congé de maladie, et Churchill prend personnellement les choses en main ; sans même consulter le Cabinet de guerre, il envoie à l'ambassadeur Leeper et au général Paget un flot d'instructions détaillées : le roi rentrera d'urgence au Caire ; le Premier ministre Tsouderos devra reprendre sa démission en attendant le retour du roi ; toutes mesures seront prises pour assurer la sécurité du monarque ; les mutins sont à cerner dans leurs bases par une force très supérieure en nombre, et leur ravitaillement en vivres comme en eau doit être interrompu ; tous les agitateurs sont à emprisonner sans délai ; il ne saurait être question de négociations, et encore moins de concessions : la seule solution est la reddition complète... À l'ambassadeur Leeper, qui se sent quelque peu dépassé par les événements, Churchill écrit : « Vous dites que vous êtes assis sur un volcan. Où d'autre voudriez-vous être assis par les temps qui courent ? » Et au général Paget : « Nous sommes disposés à utiliser toute la force nécessaire, mais tâchons d'éviter un carnage si possible[27]. » Ce mélange de dureté et de modération s'avère hautement efficace : le 25 avril, la mutinerie s'effondre...

Mais à ce moment, l'attention du Premier ministre s'est déjà déplacée vers les confins de l'Assam ; dans cette région, les Japonais ont déclenché en mars 1944 une vaste offensive contre le nœud ferroviaire de Dimapour, ouvrant l'accès au cœur de l'Inde. Mais il leur faut auparavant s'emparer d'Imphal et de Kohima, deux objectifs clés à l'ouest de la frontière birmane* ; or, ces bourgades, défendues par moins de 6 000 soldats britanniques, indiens et népalais, ont repoussé les assauts de 23 000 Japonais pendant sept semaines. Si les défenseurs n'ont pas succombé sous le nombre, c'est qu'ils étaient soutenus par les chasseurs-bombardiers de la RAF et de l'*US Air Force*, et ravitaillés par 79 avions de

* Voir carte, p. 570.

transport que le commandant suprême allié Mountbatten*avait fait prélever sur les forces aériennes de Méditerranée. Mais le 2 mai, au moment où les garnisons d'Imphal et de Kohima commencent à faiblir, le commandement de Méditerranée réclame la restitution des avions, devenus nécessaires à la campagne d'Italie. Mountbatten refuse tout net, au risque d'être relevé de ses fonctions. À Londres, pourtant, il a un puissant allié, à qui personne ne peut résister lorsqu'il est saisi par l'ivresse des combats ; dès le 14 mai, Churchill écrit en effet aux chefs d'état-major : « Quoi qu'il arrive, l'amiral Mountbatten ne doit pas renvoyer en Méditerranée les 79 avions, sauf s'ils sont remplacés par des appareils américains adaptés provenant des États-Unis [...]. Les arguments de l'amiral Mountbatten ne me paraissent pas contestables[28]. » De fait, ils ne seront plus contestés, et entre mai et juin, les Japonais vont subir devant Imphal et Kohima leur première grande défaite en Asie du Sud-Est[29].

Retour en Europe : à l'approche du jour J, Churchill est aussi nerveux qu'un collégien avant sa première rentrée des classes ; toujours obsédé par le souvenir de Gallipoli, il redoute fort que tout cela se termine par le sacrifice inutile de centaines de milliers de jeunes soldats. Lors d'une conférence donnée par le général Montgomery aux officiers qui vont participer à l'opération, le Premier ministre apparaît au général Kennedy « bouffi et déprimé, avec les yeux rougis ». Et le général d'ajouter : « Il a parlé sans entrain, [...] et lorsqu'il est descendu de l'estrade, j'ai cru qu'il allait pleurer[30]. » En fait, Churchill ne peut s'empêcher d'intervenir constamment dans les préparatifs : les bombardements aériens prévus sur les lignes de communications menant à la Normandie lui paraissent trop dangereux pour les civils français[31], il s'inquiète du moral des hommes, s'indigne de la présence à Alger de milliers d'officiers vivant dans l'oisiveté, désapprouve le chargement des navires et veut faire annuler l'opération ANVIL**.

---

* Depuis son arrivée en Inde à l'automne de 1943, l'amiral Mountbatten a véritablement accompli des prodiges, en donnant à l'armée hétéroclite rassemblée sur place de nouveaux officiers, un armement moderne, une nouvelle stratégie et un moral de vainqueur (voir F. Kersaudy, *Lord Mountbatten, l'Étoffe des héros*, *op.cit.*, p. 145-199).

** Le débarquement en Provence, désormais prévu pour le milieu du mois

Le général Montgomery, commandant l'ensemble des troupes terrestres, va naturellement bénéficier en priorité de ses attentions : « Il est venu me voir le 19 mai 1944 à mon QG près de Portsmouth, se souviendra Montgomery. Depuis quelque temps déjà, il n'était pas convaincu que nous avions une bonne proportion de véhicules par rapport aux troupes combattantes pour le débarquement initial en Normandie. Il considérait qu'il n'y avait pas assez d'hommes avec des fusils et des baïonnettes, et trop de camions, de véhicules radio, etc. [...] Je l'ai invité à venir dans mon bureau pour un bref entretien avant qu'il ne rencontre mes officiers d'état-major. Lorsqu'il a été confortablement installé, je lui ai dit : "Je crois comprendre, sir, que vous voulez discuter avec mon équipe de la proportion de soldats par rapport aux véhicules débarqués sur les plages avec les premières vagues. Je ne peux pas vous le permettre. Les officiers de mon service me conseillent, après quoi je prends la décision finale. Ils font alors ce que je leur dis de faire. Cette décision finale, je l'ai déjà prise. Quoi qu'il en soit, je ne pourrai jamais vous laisser harceler mes officiers en ce moment. [...] Ils ont un énorme travail à faire pour préparer l'invasion. [...] De toute façon, il est trop tard pour changer quoi que ce soit. Je considère que nous avons fait tout ce qu'il faut, et cela se vérifiera au jour J. Mais si vous pensez le contraire, cela ne peut signifier qu'une seule chose : que vous n'avez plus confiance en moi." Un silence quelque peu embarrassant a suivi ; le Premier ministre n'a pas répondu tout de suite, et j'ai cru bon de prendre l'initiative ! Je me suis donc levé, et je lui ai dit que s'il voulait bien passer dans la pièce attenante, je lui présenterais les membres de mon état-major. Il a été splendide ; avec un air malicieux, il leur a dit : "Messieurs, je n'ai pas reçu la permission de m'entretenir avec vous !" Le dîner a été hautement divertissant, et lorsqu'il est parti, je suis allé me coucher en conservant l'image d'un homme extraordinaire[32]. » Avant de prendre congé, l'homme en question a écrit sur le livre d'or de Montgomery : « À la veille de la plus grande aventure jamais retracée dans ces pages, j'exprime ici ma confiance que tout ira bien, et que l'organisation comme l'équipement de l'armée seront dignes de la valeur des soldats et du génie de leur chef. Signé : *Winston S. Churchill*[33]. »

---

d'août. Il est juste de dire que la plupart des responsables militaires britanniques y sont aussi peu favorables.

Tout le sud de l'Angleterre est devenu un vaste camp militaire : 8 divisions, 180 000 hommes, 5 000 navires et 11 000 avions se préparent à traverser la Manche pour livrer le premier assaut ; ils seront précédés par des unités de commandos et suivis d'une armée de 2 millions d'hommes. Leur chef suprême, Eisenhower, commence à avoir une certaine expérience des opérations de débarquement, il a un chef d'état-major avisé en la personne du général Bedell Smith, et ses commandants en chef terrestre, naval et aérien* sont des professionnels de grand talent. Au milieu des préparatifs de la plus grande opération amphibie de l'histoire du monde, on peut apercevoir une silhouette trapue, légèrement voûtée, surmontée d'un chapeau melon et prolongée d'un cigare, qui parcourt inlassablement les bases aériennes, visite les navires, examine le matériel, essaie les armes, interroge les soldats et conseille leurs officiers ; mieux encore : il a prévu d'assister personnellement au débarquement, à bord du croiseur *Glasgow* ! Car pas plus qu'à Omdurman, Ladysmith ou Anvers, on ne pourra tenir Churchill éloigné d'une bataille décisive… Et qui sait si, cette fois encore, il ne trouvera pas quelque rôle héroïque à jouer dans la mêlée ?

C'est précisément ce que redoute son entourage, qui va appeler à la rescousse le seul homme au monde capable de faire revenir Winston sur sa décision : le roi George VI en personne. Il faudra tout de même deux missives royales, courtoises mais impératives, pour soustraire le vieux lutteur à l'attrait du danger[34]… Mais dès le 3 juin, il va se rapprocher du théâtre des opérations en se rendant à Portsmouth, près du quartier général d'Eisenhower ; de son train spécial, il pourra tout suivre et tout superviser : « M. Churchill, commentera Eden, avait fait preuve d'imagination, mais le confort s'en ressentait : il y avait fort peu de place, une salle de bains située à proximité de son compartiment, et un seul téléphone. M. Churchill semblait être toujours dans son bain et le général Ismay toujours au téléphone, de sorte que si nous étions physiquement plus près du théâtre des opérations, il était pratiquement impossible de faire quoi que ce soit[35]. » Au soir du 3 juin, la nouvelle de la prise de Rome par les troupes du général Alexander détend quelque peu l'atmosphère dans le train spécial, mais les yeux de tous n'en restent pas moins fixés sur la Manche…

---

* Respectivement Montgomery, Ramsay et Leigh-Mallory.

Eden a persuadé le Premier ministre d'inviter le général de Gaulle la veille du débarquement. S'étant beaucoup fait prier, le Général arrive le 4 juin à Portsmouth, où Churchill a prévu de l'accueillir dans son wagon-salon, de le mettre dans le secret au cours d'un bon repas, et de l'amener au QG d'Eisenhower. Mais, pour les raisons que nous connaissons, aucun accord d'administration civile n'a été signé avec les autorités françaises, la France va être libérée sans leur concours, et les Alliés émettront leur propre monnaie sur son territoire ; le général de Gaulle est donc de fort méchante humeur, et après les politesses d'usage, ce qui devait être un cordial banquet franco-britannique va dégénérer en esclandre : « Je note, dit de Gaulle d'un ton glacial, que les gouvernements de Washington et de Londres ont pris leurs dispositions pour se passer d'un accord avec nous. [...] Je m'attends à ce que demain, le général Eisenhower, sur instruction du président des États-Unis et d'accord avec vous-même, proclame qu'il prend la France sous son autorité. Comment voulez-vous que nous traitions sur ces bases ? [...] Allez, faites la guerre, avec votre fausse monnaie ! » Et Churchill, qui se contrôle de plus en plus difficilement, finit par hurler : « Aucune querelle n'éclatera jamais entre la Grande-Bretagne et les États-Unis du fait de la France. [...] Sachez-le ! Chaque fois qu'il nous faudra choisir entre l'Europe et le grand large, nous serons toujours pour le grand large. Chaque fois qu'il me faudra choisir entre vous et Roosevelt, je choisirai toujours Roosevelt[36] ! » Voilà qui ne surprendra personne, mais Eden ne semble pas approuver, et Bevin souligne que Churchill n'a pas parlé au nom du Cabinet britannique[37] – ce qui ne risque pas de calmer son bouillant Premier ministre...

Comme le Général refusera également de s'adresser aux Français après Eisenhower au matin du jour J et d'envoyer des officiers de liaison avec les unités qui débarquent*, les explosions entendues au petit matin du 6 juin ne proviendront pas uniquement des plages de Normandie ; Churchill, au paroxysme de la rage, hurle même au major Morton : « Allez dire à Bedell Smith qu'il mette de Gaulle dans un avion et qu'il le renvoie à Alger, enchaîné s'il le faut. Il ne faut pas le laisser rentrer en France[38] ! » Mais Morton connaît bien les humeurs de son patron, Eden sait y faire, et à

_____
* Dans les deux cas, le Général se ravisera le lendemain.

l'aube du 6 juin, l'ordre d'expulsion est rapporté[39]. La nuit la plus longue se termine ; le jour le plus long peut commencer...

La complexité des opérations, les hasards de la météorologie et la puissance des défenses côtières allemandes pouvaient faire redouter un échec catastrophique ; mais après quarante-huit heures, les nouvelles de France sont rassurantes : les pertes sur les plages normandes ont été nettement plus légères que prévu, et les troupes ont déjà progressé de dix kilomètres à l'intérieur des terres ; au quatrième jour, les trois têtes de pont britanniques et canadiennes à l'est ont avancé de seize kilomètres en direction de Bayeux et de Caen, tandis qu'à l'ouest, les deux corps de débarquement américains d'Omaha et d'Utah Beach, après de grosses difficultés initiales, ont pu opérer leur jonction et faire mouvement vers Cherbourg. Dès lors, en dépit des énormes problèmes d'approvisionnement dus à une forte tempête sur la Manche, le général Montgomery peut mettre en œuvre son plan de bataille initial : fixer le gros des divisions allemandes à l'est de Caen, afin de permettre aux armées américaines d'occuper le Cotentin et la Bretagne. L'écrasante supériorité aérienne alliée, jointe à l'action de la Résistance, paralyse les contre-attaques de l'ennemi en coupant ses lignes de communication, tandis que de nouvelles divisions alliées ne cessent de débarquer, suivies d'un matériel considérable. Le commandement allemand, attendant toujours une offensive dans le Pas-de-Calais, a réagi trop tard, et n'a déjà plus les moyens de rejeter les Alliés à la mer.

Le soulagement de Churchill est immense. Il passe l'essentiel de ses nuits dans la salle des cartes ou le QG des opérations, à guetter la moindre nouvelle en provenance de France ; les réunions du Cabinet de guerre et du Comité des chefs d'état-major se terminent encore plus tard qu'à l'ordinaire, et comme toujours, le Premier ministre intervient sans relâche pour que l'on fasse débarquer en France « des combattants et des armes » plutôt que « des psychiatres et des chaises de dentiste », pour que l'on prépare de nouveaux convois à destination de Mourmansk, pour que la flotte qui bombarde les côtes françaises soit renforcée par de vieilles unités, pour que l'on fasse un emploi judicieux de la brigade polonaise, etc. Dès le 12 juin, il se rend en Normandie libérée avec ses chefs d'état-major, leurs homologues américains et le maréchal Smuts ; ayant débarqué à Courseulles, la délégation se dirige vers Bayeux pour rendre visite à Montgomery, et le maréchal Brooke note dans son journal : «J'ai été étonné de voir combien cette contrée avait été peu affectée par l'occupation allemande et les cinq années de guerre. [...] Comme toujours, Winston a décrit la situation dans son style inimitable : "Nous sommes environnés de bestiaux fort gras qui nous regardent passer les pattes croisées au milieu de pâturages luxuriants[40]."» À bord d'un destroyer longeant la côte, l'inusable guerrier ne peut résister à la tentation de faire ouvrir le feu sur les positions allemandes, «pour participer à la guerre et provoquer une riposte». Ce sera en vain, mais, dès le lendemain, les premiers V1 vont tomber sur Londres, et le maréchal Brooke ajoutera : «Winston a rajeuni d'une bonne dizaine d'années, parce que les bombes volantes nous ont remis en première ligne[41].» Certains ne changeront jamais...

Dès la fin du mois de juin, les 16 divisions du 21e groupe d'armées anglo-canadien se heurtent à une puissante contre-offensive de 725 panzers et 64 bataillons d'infanterie dans le secteur de Caen, tandis qu'à l'ouest, 140 tanks et 63 bataillons d'infanterie bloquent la progression des 20 divisions du 12e groupe d'armées américain devant Saint-Lô. Mais si Montgomery semble piétiner, sa stratégie reste extrêmement efficace : l'ennemi use l'essentiel de ses forces blindées devant les positions défensives anglo-canadiennes, tandis que plus à l'est, ses panzers et son infanterie sont étirés à l'extrême face aux deux armées américaines*.

Les chefs d'état-major britanniques apprécient en connaisseurs cette stratégie d'usure, mais Churchill, avec son impatience habituelle, trouve déjà que les opérations s'éternisent, et à Whitehall, l'ambiance s'en ressent nettement ; le 6 juillet, lors d'une réunion du Comité de défense consacrée aux futures opérations en Asie du Sud-Est, le maréchal Brooke note avec une évidente exaspération : «À 22 heures, nous avons eu avec Winston une réunion horripilante, qui s'est prolongée jusqu'à 2 heures du matin ! [...] Il était très fatigué à la suite de son discours à la Chambre sur les bombes volantes, et il semblait avoir forcé sur la boisson. Il avait donc l'air hébété, maussade, éméché, prêt à s'offenser de tout, soupçonneux

---

* Sur les deux fronts, les forces allemandes sont en outre harcelées par les chasseurs-bombardiers alliés, qui déciment leurs colonnes de ravitaillement et les empêchent de manœuvrer.

à l'égard de tous et très remonté contre les Américains* En fait, il était d'humeur si agressive que tout son jugement stratégique s'en est trouvé faussé. [...] Il a commencé à s'en prendre à *Monty* parce que les opérations n'allaient pas plus vite, Eisenhower lui ayant apparemment dit que *Monty* était trop prudent. J'ai explosé et je lui ai demandé s'il ne pourrait pas faire confiance à ses généraux pendant cinq minutes, au lieu de les insulter et de les rabaisser sans cesse** Il a répondu qu'il ne faisait jamais rien de tel. [...] À un moment, il s'est retourné vers Eden pour lui demander s'il trouvait cette accusation fondée. J'ai eu la satisfaction d'entendre Eden se déclarer d'accord avec moi, en déclarant qu'à son avis, ce qui préoccupait le chef d'état-major de l'armée, c'était que Winston exprimait lors des réunions du Cabinet certaines vues sur ses généraux qui risquaient d'être mal interprétées par des ministres qui n'étaient pas entièrement informés des faits. Cela n'a guère calmé Winston ; il a continué à déchaîner le tonnerre et la foudre qui, heureusement pour moi, ont fini par s'abattre sur l'infortuné Attlee***[42]. » « Une soirée lamentable », conclut sobrement Anthony Eden, qui en discerne avec lucidité les véritables raisons : « Nous étions tous marqués au fer par cinq années de guerre[43]. »

Le 10 juillet, alors que Caen vient d'être libéré, la tempête est quelque peu retombée outre-Manche, à en croire le maréchal Brooke : « Réunion du Cabinet à 17 heures 30, avec un Premier ministre d'humeur affable. Nous avons voleté de fleur en fleur comme un essaim d'abeilles, sans jamais rester assez longtemps sur une seule fleur pour pouvoir faire notre miel. Toutefois, Winston s'est montré moins vindicatif à l'égard des Américains et nettement plus facile à gérer. Mais quelle perte de temps ! Il ne connaît rien de la situation et se fait une idée fausse de la répartition des forces comme de leurs capacités d'action. Un amateur complet en matière

---

* En raison du désaccord stratégique au sujet de l'opération ANVIL et des offensives à mener en Asie du Sud-Est.

** Quelques jours plus tôt, en Conseil des ministres, Churchill s'en était déjà pris au général Alexander, lui reprochant son inaction (très relative) sur le front italien.

*** Ce soir-là, l'amiral Cunningham notera dans son propre journal : « Il est certain que le Premier ministre n'était pas en état de discuter de quoi que ce soit. Très fatigué et trop d'alcool. » (M. Gilbert, *Road to Victory*, Heinemann, Londres, 1986, p. 844.)

de stratégie ; il se perd dans des détails dont il ne devrait même pas avoir connaissance, et le résultat est que la perspective réelle des problèmes stratégiques lui échappe invariablement[44]. » Il est vrai que c'était aussi le cas du grand William Pitt, mais celui-ci n'avait pu venir à bout de Napoléon, tandis que Winston Churchill est bien décidé à vaincre Hitler…

En fait, ce que relèvent surtout les participants à ces réunions du Comité de défense, du Cabinet de guerre et du Comité des chefs d'état-major, c'est que le Premier ministre se lance dans d'interminables réminiscences, qui n'ont pas le moindre rapport avec les problèmes de l'heure ; or, ceux-ci ne cessent de s'accumuler, et ils exigent des solutions immédiates : il faut trouver d'urgence une parade au bombardement des V1, qui commencent à faire d'importants dégâts dans les grandes villes du sud de l'Angleterre ; il est urgent de s'accorder sur une stratégie en Asie du Sud-Est, au moment où le commandant suprême allié sur place veut prendre Rangoun au moyen d'une opération amphibie dans l'océan Indien, alors que les chefs d'état-major préféreraient une opération navale dans le Pacifique en liaison avec les forces du général MacArthur*, et que le Premier ministre en revient à son éternel plan de débarquement sur la pointe nord de l'île de Sumatra ! Il s'agit également de prévenir une prise de pouvoir à Athènes par les forces communistes de l'ELAS lors du départ des Allemands, et de prendre toute la mesure de la situation en Yougoslavie, où Tito se sert des armes que lui fournissent les Britanniques pour combattre les partisans de Mihaïlovitch… Et que faire en Italie ? Depuis la prise de Rome, les chefs d'état-major britanniques comptent sur une percée rapide vers le nord, en direction de Pise, Rimini et Florence ; les généraux Wilson et Alexander envisagent même un débarquement sur la côte nord de l'Adriatique, suivi d'une offensive en direction de Ljubljana, puis de Vienne – un plan chaleureusement approuvé par le Premier ministre, mais résolument combattu par ses chefs d'état-major**. Malgré tout, ces derniers voient parfaitement l'intérêt de poursuivre jusqu'à la plaine du Pô des opérations qui ont obligé le Reich à retirer huit divisions des fronts de l'est et de l'ouest, pour

---

* Un plan peu attrayant pour les Américains, qui semblent très désireux de rester maîtres de leur théâtre d'opérations dans le Pacifique…

** Voir carte, p. 551.

les diriger précipitamment vers le sud. Puissamment soutenus par Churchill, ils vont donc demander à Washington le maintien en Italie des divisions normalement destinées à ANVIL. Mais le rapport des forces est maintenant en faveur des Américains, et ce sont eux qui disposent : ils répondent donc par un refus catégorique ; aucune « diversion périphérique » ne doit entraver ANVIL (rebaptisé « Dragoon »), dont le général Marshall attend des résultats décisifs. La mort dans l'âme, les Britanniques s'inclinent, et 7 divisions seront retirées d'Italie pour participer au débarquement du 15 août 1944.

En France, dans l'intervalle, la stratégie de Montgomery s'est avérée payante : à la fin de juillet, alors que la masse des panzers est toujours contenue à l'est de Caen et qu'une contre-attaque allemande s'est enlisée au nord-ouest de Mortain, les Américains déclenchent l'opération « Cobra » : couverte par 3 000 bombardiers, la 1re armée *US* atteint Coutances le 28 juillet et Avranches le 30. À partir de là, les divisions américaines du général Patton vont entièrement déborder le dispositif allemand par le sud-est et le sud-ouest, libérant successivement Saint-Malo, Rennes, Laval, Le Mans et Alençon, avant d'obliquer vers le nord pour opérer leur jonction avec les forces britanniques et canadiennes venues de Caen. Entre les deux armées, il reste quinze divisions allemandes, qui vont se trouver encerclées au milieu d'août dans la poche de Falaise.

Churchill, qui n'a cessé de pousser à l'action, commence désormais à s'inquiéter de la rapidité de l'offensive ! « Il craignait la cristallisation d'un front en France, se souviendra sir Ian Jacob, ainsi qu'un renouvellement des énormes pertes occasionnées en 1916 et 1917 par les tentatives de percée. Je me souviens que lorsque l'armée de Patton a commencé son offensive à partir de Saint Lô, et qu'il est devenu évident que ses forces allaient bientôt déboucher en rase campagne, j'ai trouvé le Premier ministre dans la *Map Room**, en train de contempler une carte retraçant les derniers mouvements de troupes. Il m'a demandé où je pensais que le front allait se stabiliser. Je lui ai répondu qu'une stabilisation du front me paraissait peu probable, et que les forces blindées alliées ne seraient sans doute pas arrêtées avant le Rhin. C'était manifestement une notion nouvelle et surprenante pour le Premier

---

* Salle des cartes. Il y en a une à Downing Street, une aux Chequers, et une troisième, mobile, qui le suit dans ses voyages.

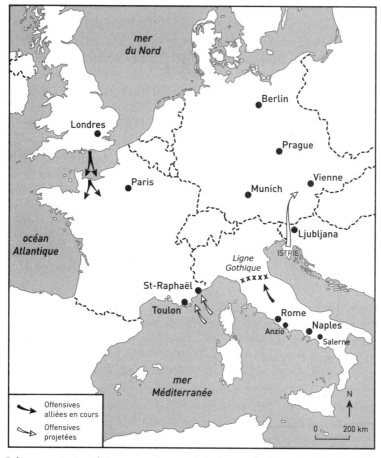

mer
du Nord

Londres

Berlin

Prague

Paris

Munich

Vienne

Ljubljana

océan
Atlantique

ISTRIE

Ligne
Gothique

St-Raphaël

xxxxx

Rome

Toulon

Anzio

Naples

Salerne

mer
Méditerranée

N

Offensives
alliées en cours

Offensives
projetées

0   200 km

Désaccord stratégique anglo-américain après Overlord, juin 1944 ministre, qui en était resté à l'idée que les réserves pouvaient colmater n'importe quelle brèche, même majeure[45].»

Le 15 août, les forces alliées de l'opération DRAGOON débarquent sur les plages de Provence, entre Toulon et Saint-Raphaël. «Une pure folie», avait dit Churchill[46], qui tient tout de même à y assister. Ce sera un indéniable succès, et le début du vaste mouvement des troupes alliées le long du Rhône, qui va aboutir à la libération de tout l'est de la France. Mais entre-temps, notre stratège enthousiaste, qui décidément ne tient pas en place, s'est rendu en Italie pour conférer avec les généraux, encourager les troupes et parcourir la ligne de front; le général Alexander, qui sait à qui il a affaire, lui offre même l'occasion de tirer au canon sur l'ennemi – ce que ce grand écolier belliqueux fera naturellement avec une joie sans mélange.

Pourtant, si les militaires regardent avec indulgence leur Premier ministre jouer au soldat, les ministres sont nettement moins ravis de le voir jouer au diplomate. C'est que, le 12 août, il a rencontré près de Naples le chef des partisans yougoslaves; l'autosuggestion aidant, notre incorrigible romantique considère toujours le maréchal Tito comme un Robin des Bois nationaliste, qu'il a soutenu, armé et même fait protéger dans l'île de Vis lorsque les Allemands ont rendu sa situation intenable en Yougoslavie. Exploitant à fond la propension du Premier ministre à prendre ses désirs pour des réalités, Tito va l'assurer qu'il « n'a pas la moindre intention d'introduire le système communiste en Yougoslavie», même s'il refuse de l'annoncer publiquement[47]. Lui ayant longuement vanté les mérites de la monarchie constitutionnelle (que son interlocuteur a répudiée neuf mois plus tôt), Churchill, enthousiasmé par son propre sermon, écrira à Clementine que «cette rencontre a été fort utile, et semble avoir rendu Tito plus disposé à respecter nos souhaits[48].».

En échange des concessions que Tito n'a pas faites, Churchill obtiendra du roi Pierre II qu'il invite publiquement ses compatriotes à se rallier aux partisans de Tito! N'étant pas à une contradiction près, ce vieil antibolchevik s'inquiète toujours de la menace des forces communistes (armées par les Anglais) contre les éléments royalistes en Grèce, et se promet de faire intervenir les forces britanniques à Athènes dès le départ des Allemands[49]. La situation en Albanie est assez similaire, et le 21 août, à Rome, sir Charles Wilson note dans son journal : « Winston revient sans cesse sur les dangers du communisme, et ne semble guère penser à autre chose[50]. » Il est vrai que les armées soviétiques progressent en Roumanie, en Bulgarie et en Pologne, dévastant tout sur leur passage, et au début d'août, sur instructions de Staline, elles laissent écraser le soulèvement de Varsovie, rejetant même toute assistance aérienne britannique aux insurgés*. Churchill, qui se faisait encore une semaine plus tôt l'avocat de Staline[51], sera très choqué par le machiavélisme du « petit Père des Peuples », et sa désillusion va rapidement tourner à l'obsession : « Il voit en rêve, note son médecin, l'Armée rouge se répandre comme un cancer d'un pays à l'autre[52]. »

Le 29 août, Churchill rentre d'Italie avec une forte fièvre ; de toute évidence, ce sont les contrastes de températures consécutifs à ses déplacements à l'étranger qui provoquent les accès de pneumonie. Le Premier ministre va-t-il enfin prendre du repos, à Londres ou aux Chequers ? Allons donc ! Trois jours plus tard, il a déjà embarqué sur le *Queen Mary* avec ses chefs d'état-major pour se rendre à Québec, où doit se tenir la conférence OCTOGON. C'est que les militaires britanniques veulent s'accorder avec leurs homologues américains sur la stratégie à suivre en France, sur les modalités d'une offensive en Birmanie et sur la participation britannique à la guerre du Pacifique. Mais Churchill a deux projets supplémentaires, dont aucun n'a recueilli l'approbation de ses propres chefs d'état-major : un plan pour la reconquête de Singapour, et un autre – toujours le même – pour une opération amphibie dans l'Adriatique Nord, avec Vienne pour ultime objectif. Aux Américains, à qui il va demander des navires de débarquement, il déclare qu'une entrée dans Vienne est nécessaire « pour contrer la dangereuse extension de l'influence russe dans les Balkans[53] », et qu'une intervention en Grèce ne l'est pas moins, pour les mêmes raisons…

En fait, rien ne sera vraiment réglé à Québec, pas même le grave désaccord stratégique entre militaires britanniques et américains ; après la brillante réussite des opérations de l'été en Normandie, qui ont coûté aux Allemands près de 300 000 hommes et porté les armées alliées jusqu'à la Seine, le général Eisenhower a insisté pour ajouter à son titre de commandant suprême celui de commandant

---

* Le président Roosevelt lui-même refusera à la RAF l'usage de bases aériennes américaines en Italie à cette fin, « pour ne pas offenser nos vaillants alliés soviétiques »…

en chef des armées sur le terrain*. Or, en tant que tel, il veut opérer un mouvement de reconquête progressive avec trois groupes d'armées, sur un front de 1 000 kilomètres allant de la Manche jusqu'à l'Alsace. À cette stratégie de dispersion assez timorée et nécessairement longue à mettre en œuvre, le général Montgomery, récent vainqueur de la bataille de Normandie, opposait un plan beaucoup plus hardi : faire porter l'essentiel de l'effort sur une offensive éclair de 40 divisions en Belgique et en Hollande pour atteindre la Ruhr, alors faiblement défendue par une vingtaine de divisions allemandes très éprouvées. Mais à Québec, les chefs d'état-major américains entérinent la stratégie d'Eisenhower, et cette fois encore, les Britanniques doivent s'incliner ; en outre, le général Marshall refuse toute idée d'opérations en Adriatique, et Roosevelt, préoccupé avant tout par l'approche de l'élection présidentielle, le soutient fermement ; Churchill, pour faire plaisir à son hôte, va même apposer sa signature sous le plan Morgenthau de « pastoralisation » de l'Allemagne d'après-guerre**, au grand effarement de M. Eden et de l'ensemble du *Foreign Office*[54]. Seule l'intervention énergique du secrétaire d'État Cordell Hull, indigné par cet empiètement sur ses prérogatives, permettra de faire enterrer cette dangereuse fantaisie[55]. C'est malgré tout à l'occasion de cette conférence que seront signés les accords de Hyde Park, établissant les bases de la coopération anglo-américaine en matière de recherche nucléaire ; mais comme les Américains omettront presque aussitôt de les respecter, ce ne sera pour Londres qu'un demi-succès...

Sur l'essentiel, en tout cas, le Premier ministre a échoué : la stratégie d'Eisenhower risque de prolonger la guerre de plusieurs mois***, et les Américains ne feront rien pour limiter l'expansion

---

* Ce qu'il n'avait jamais été jusqu'alors. Durant les précédentes campagnes, depuis l'Afrique du Nord jusqu'à l'Italie en passant par la Sicile, il était resté dans son rôle de commandant suprême, les responsables des opérations sur le terrain étant des généraux plus expérimentés – et le plus souvent britanniques...

** Ce plan prévoyait un démantèlement complet de l'industrie allemande ; le pays n'aurait plus qu'une économie pastorale et se verrait interdire de posséder une armée.

*** Dès le mois de septembre 1944, on verra les premiers effets calamiteux de cette excessive dispersion des armées alliées, lorsque l'attaque aéroportée sur Arnhem, aux Pays-Bas, échouera faute de matériel et d'effectifs.

du communisme en Europe ; mais Churchill est décidément incapable de s'avouer vaincu, et il fourmille toujours d'idées géniales ou saugrenues – sans pouvoir distinguer clairement les premières des secondes. En tout cas, la dernière en date est d'une désarmante simplicité : « Tout pourrait s'arranger, confie-t-il au docteur Wilson, si je parvenais à gagner l'amitié de Staline. Après tout, le Président est stupide de penser qu'il est le seul à pouvoir traiter avec Staline. J'ai découvert que je pouvais parler avec Staline d'homme à homme, et [...] je suis sûr qu'il se montrera raisonnable[56]. » Élémentaire, mon cher Wilson !

Aussitôt dit, aussitôt fait ; à peine rentré à Londres, ce jeune homme de 70 ans à l'énergie diabolique décide de s'envoler pour Moscou ! Après trente-six heures de vol, il atterrit à Moscou avec une forte fièvre au soir du 9 octobre, et se rend directement au Kremlin pour entamer des négociations nocturnes avec Staline... Les pourparlers sont longs et ardus, mais Churchill est persuadé qu'entre gentlemen il est toujours possible de s'entendre : les Russes veulent exercer une influence prépondérante en Roumanie et en Bulgarie ? Ils en ont d'autant mieux les moyens qu'ils campent désormais sur le terrain ? Fort bien : lui, Churchill, est tout disposé à y consentir, pourvu qu'en échange, Staline reconnaisse la prééminence anglaise en Grèce, où les premiers soldats de Sa Majesté viennent de débarquer après l'évacuation allemande. Pour ce qui est de la Pologne, Churchill va montrer sa bonne volonté en exerçant une pression considérable sur le Premier ministre du gouvernement polonais en exil, afin qu'il accepte de participer à un gouvernement de coalition avec le Comité de Lublin, et reconnaisse la ligne Curzon comme frontière polono-soviétique* ; quant à la Yougoslavie, Churchill acceptera un partage d'influence à égalité entre Soviétiques et Britanniques. Le Premier ministre a résumé tout cela dans un plan de « pourcentage d'influence » hâtivement griffonné, que le dictateur accepte sans sourciller : « Roumanie : 90 % pour la Russie, 10 % pour les autres. Grèce : 90 % pour la Grande-Bretagne (en accord avec les États-Unis), 10 % pour la Russie. Yougoslavie : 50 %-50 %. Hongrie : 50 %-50 %. Bulgarie : 75 % pour la Russie, 25 % pour les autres[57]. »

---

* Frontière orientale de l'État polonais, fixée en 1919, mais déplacée 200 kilomètres plus à l'est l'année suivante, à la suite des victoires polonaises sur la Russie.

Une solution apparemment séduisante, certainement cynique, mais surtout d'un consternant amateurisme : que peuvent bien représenter 10 % d'influence en Roumanie et 25 % en Bulgarie, alors que les Soviétiques y règnent en maîtres et que les Britanniques n'y ont même pas accès ? Que signifient 50 % d'influence en Yougoslavie, alors que le communiste Tito, ce protégé ingrat du Premier ministre, prétend y exercer un pouvoir absolu et vient justement de demander l'aide de Staline pour y parvenir ? Que peuvent bien espérer les Britanniques d'un gouvernement de coalition entre les Polonais communistes de Lublin et leurs compatriotes de Londres, dans une Pologne entièrement contrôlée par l'Armée rouge ? Rien, sans doute, mais Churchill semble satisfait, et il écrit le 13 octobre à son épouse : « Les affaires vont bien. Nous avons réglé beaucoup de choses au sujet des Balkans et désamorcé des quantités de querelles en puissance. Les deux variétés de Polonais sont arrivées et sont logées pour la nuit dans deux cages distinctes. Nous les verrons demain à tour de rôle. [...] J'ai eu des conversations très agréables avec le vieil ours. Plus je le vois, plus il me plaît. *Maintenant* on nous respecte ici, et je suis sûr qu'ils veulent coopérer avec nous*[58]. » Malgré tout, c'est sans doute un fort sentiment de culpabilité qui explique ces propos violents tenus le même jour devant le chef du gouvernement polonais en exil Mikolajczyk, qui refuse de céder sur la question des futures frontières de la Pologne : « Si vous pensez pouvoir conquérir la Russie, eh bien, vous êtes tombé sur la tête, vous devriez être enfermé. Vous nous entraîneriez dans une guerre qui pourrait faire 25 millions de morts. Vous seriez liquidé. Vous détestez les Russes ; je sais que vous les détestez. Nous, nous avons avec eux des relations amicales – bien plus amicales qu'elles ne l'ont jamais été... et j'entends que cela continue[59] ! »

Churchill rentrera donc de Moscou aussi enchanté que Chamberlain était revenu de Munich. Tout comme alors, on peut craindre le pire pour l'Europe centrale en général et pour la Pologne en particulier, mais l'inlassable pèlerin de la cause alliée répond avec assurance que « Staline n'a qu'une parole », et que, d'ailleurs, « de bonnes relations avec Staline sont plus importantes

---

* Il sera également question de coordination militaire, de l'avenir de l'Allemagne d'après-guerre et des modalités d'une possible entrée en guerre de l'URSS contre le Japon, mais aucune décision ferme ne sera prise sur tous ces sujets.

qu'un tracé de frontières[60]. » Pourtant, même avec sa capacité d'autosuggestion illimitée, il ne faudra pas deux semaines à Churchill pour comprendre qu'il a été dupé : les rapports en provenance de Roumanie indiquent que les Soviétiques ont mis le pays en coupe réglée ; dans toute la Bulgarie, ils ont fait mettre en prison les officiers britanniques, afin qu'ils n'assistent pas aux ultimes étapes de la soviétisation ; en Yougoslavie, les partisans de Tito, ayant opéré leur jonction avec les divisions soviétiques du maréchal Tolboukhine, sont entrés dans Belgrade le 20 octobre pour y installer un pouvoir communiste, avec son cortège habituel de règlements de comptes sanglants et d'exécutions massives ; en Grèce, enfin, les communistes de l'ELAS menacent à tout moment de déclencher un soulèvement armé dans la capitale...

À la fin du mois d'octobre, Churchill, manifestement épuisé, ne sait plus s'il doit s'adresser à nouveau au président Roosevelt pour le persuader de tenir tête à Staline, ou bien faire de nouvelles concessions à Staline pour sauver quelque chose du désastre qui s'annonce. Un front anticommuniste en Europe, ou bien un pacte avec le diable ? « Il n'arrive pas à se décider, note sir Charles Wilson, et parfois, les deux politiques alternent dans son esprit avec une rapidité déconcertante[61]. » Cruel dilemme, en effet... Jusque-là, Churchill n'avait qu'une seule politique : vaincre Hitler, en étroite concertation avec les États-Unis et en coopération avec toutes les nations qui poursuivaient le même but ; comme Clemenceau, il se bornait à « faire la guerre », et cela lui simplifiait beaucoup l'existence. Mais à présent, alors que la victoire est en vue, les choses se compliquent singulièrement : la Grande-Bretagne est économiquement ruinée, et son potentiel militaire est insignifiant comparé à celui de ses deux grands alliés – dont l'un représente une menace assez comparable à celle de l'Allemagne en 1939. Dès lors, que diraient le peuple, le Parlement, le roi et la postérité, s'il s'avérait que Winston Churchill n'avait sauvé l'Europe des barbares nazis que pour la livrer aux bourreaux de Katyn et de Varsovie ?

C'est exactement la question que l'on se pose au *Foreign Office* à la même époque. Anthony Eden, s'efforçant de gérer l'avenir, ne partage pas les vues d'un Premier ministre qu'il juge bien trop obnubilé par les péripéties du présent. La solution churchillienne d'une indissoluble alliance politique, économique, diplomatique et sentimentale entre les deux grandes nations de langue anglaise, des-

tinée à garantir la paix et la prospérité du monde d'après-guerre, lui
semble par trop naïve et simpliste ; les événements des deux dernières années l'ont convaincu que les Américains, par-delà leurs
proclamations idéalistes, poursuivaient une politique d'égoïsme
sacré, sans grand rapport avec les intérêts britanniques. D'ailleurs,
Roosevelt a déjà fait savoir qu'il se désintéresserait de l'Europe une
fois la paix revenue ; dès lors, qui aidera la Grande-Bretagne à prévenir toute renaissance du militarisme allemand ? Et à réfréner les
appétits de l'ogre du Kremlin ? À l'évidence, ce ne peut être que le
vieux rempart de l'Angleterre sur le continent, celui qui a si bien
tenu en 1914 et si vite cédé en 1940 : la France, qui n'a pas achevé
de se libérer, mais où s'est déjà fermement imposée l'autorité du
général de Gaulle.

Ce ne sera pas une mince affaire que de persuader le Général
d'inviter Churchill aux cérémonies du 11 Novembre, et de dissuader Churchill de refuser l'invitation : derrière une raide politesse de
façade, les deux anciens complices de 1940 remâchent des griefs
tenaces. Mais de part et d'autre de la Manche, Eden, Duff Cooper,
Morton, Macmillan, Dejean, Massigli et Bidault vont progressivement abattre tous les obstacles… C'est ainsi que le 11 Novembre
1944, on pourra voir de Gaulle et Churchill descendre les Champs-
Élysées en voiture découverte, sous les acclamations des Parisiens.
Les diplomates des deux pays espéraient une réconciliation entre
les deux hommes, face à la solennité du moment et à l'enthousiasme
populaire ; les militaires, eux, redoutaient que Churchill ne sortît
pas vivant de sa tournée dans l'est de la France, où il passera des
heures à regarder défiler les troupes, immobile au milieu des bourrasques de neige. Mais ni les feux de l'amitié retrouvée ni les froids
des éléments déchaînés ne feront dévier le Premier ministre de la
ligne qu'il s'est tracée : hors de l'alliance américaine, point de salut !
Plutôt que de partager avec de Gaulle la première place en Europe,
il sera l'un des Trois Grands dans le monde – quitte à jouer le rôle
d'honnête courtier entre les deux autres. N'ayant jamais su dissimuler, il s'en ouvrira sans détour au Général : « Les Américains ont
d'immenses ressources. Ils ne les emploient pas toujours à bon
escient. J'essaie de les éclairer, sans oublier, naturellement, d'être
utile à mon pays. J'ai noué avec Roosevelt des relations personnelles
étroites. Avec lui, je procède par suggestions, afin de diriger les
choses dans le sens voulu. Pour la Russie, c'est un gros animal qui a

eu faim très longtemps. Il n'est pas possible aujourd'hui de l'empêcher de manger, d'autant plus qu'il est parvenu au milieu du troupeau des victimes. Mais il s'agit qu'il ne mange pas tout. Je tâche de
modérer Staline. [...] Je suis présent à toutes les affaires, ne consens
à rien pour rien, et touche quelques dividendes[62]. »

C'est pourtant un rôle bien ingrat, et Churchill va s'en rendre
compte dès le début de décembre 1944, lorsque les communistes
organiseront un soulèvement à Athènes. Churchill, qui appuie résolument le gouvernement royaliste grec de M. Papandréou et estime
avoir « payé à la Russie le prix de la liberté d'action en Grèce[63] », ne
prend même pas le temps de consulter le Cabinet : il ordonne l'envoi
immédiat à Athènes de renforts en provenance d'Italie, et télégraphie au général Scobie, commandant en chef britannique sur le
terrain : « Nous devons tenir et dominer Athènes. Il faut y procéder
sans effusion de sang si possible, mais avec effusion de sang si nécessaire[64]. » L'ambassadeur à Athènes Rex Leeper, le général Alexander, Harold Macmillan et Anthony Eden, moins royalistes que
Churchill et connaissant mieux les sentiments de la population
grecque, estiment qu'il serait sage de nommer un conseil de régence,
sous l'autorité de l'archevêque Damaskinos, qui chercherait une
solution politique avec toutes les parties en présence ; Churchill, lui,
se méfie de l'archevêque, qu'il soupçonne d'avoir des sympathies de
gauche. Mais tous s'accordent sur les mesures militaires qui
viennent d'être prises pour contrer le coup de force communiste.

C'est pourquoi ils seront catastrophés d'apprendre dès le
5 décembre que le Département d'État américain condamne sans
ambiguïté l'intervention britannique. À Harry Hopkins, Churchill
écrit le 10 décembre : « Je suis extrêmement peiné de voir ces signes
de nos divergences[65] » ; et ce soupirant déçu de quémander du
Président quelque marque d'approbation – qu'il n'obtiendra pas.
Depuis la mise en œuvre de l'opération ANVIL/DRAGOON jusqu'à la
suppression de son plan de débarquement dans l'Adriatique, en
passant par l'adoption de la stratégie d'Eisenhower en France, que
de couleuvres le Premier ministre n'a-t-il pas avalées au nom de
l'alliance des peuples de langue anglaise ! Pourtant, sur la Grèce, il
refuse de céder : le roi est son ami, la Grèce ne peut échapper à la
sphère d'influence britannique, l'ELAS a une regrettable tendance
à massacrer ses otages, et il faut bien arrêter quelque part l'expansion communiste. Dès lors, le Premier ministre est si obnubilé par la

Grèce qu'il en néglige pratiquement tout le reste, et ne parle de rien d'autre au Cabinet comme à la Chambre. Pourtant les députés, la presse et l'opinion publique considérant les hommes de l'ELAS comme d'héroïques maquisards modérément progressistes, Churchill se heurte à l'incompréhension complète de ses compatriotes. Mais qu'importe l'opinion publique ! Les troupes britanniques sont assiégées au centre d'Athènes, le gouvernement de M. Papandréou est manifestement débordé, et Churchill ne tient plus en place : décidément, cette affaire est bien trop sérieuse pour être confiée aux politiciens, aux diplomates ou aux militaires ; un seul homme, estime-t-il, pourrait y mettre bon ordre... C'est pourquoi, la veille de Noël 1944, sur un brusque coup de tête, Winston Churchill s'envole pour Athènes !

Ce sera une folle équipée : à bord d'une automitrailleuse, le Premier ministre, en compagnie d'Eden, de Leeper et d'Alexander, sillonne à toute allure la capitale dévastée ; il donne des consignes de fermeté aux militaires, aux diplomates et aux ministres, harangue le Premier ministre Papandréou, tombe instantanément sous le charme de l'archevêque Damaskinos, fait réunir toutes les factions – y compris les communistes – et les invite à négocier sous la présidence de l'archevêque, essuie quelques coups de feu... et repart enchanté. L'infortuné Eden, qui l'a suivi tant bien que mal, soupire : « Comme j'aimerais qu'il me laisse faire mon travail[66] ! » C'est beaucoup demander, mais la prestation improvisée du Premier ministre aura incontestablement été un succès : les renforts britanniques vont chasser l'ELAS de la capitale, contrôler toute l'Attique dès la mi-janvier et distribuer des tonnes de vivres aux populations affamées ; les communistes acceptent un cessez-le-feu et le roi de Grèce Georges II, soumis à une très forte pression britannique, nomme régent l'archevêque Damaskinos. Dans cette affaire, même Staline s'abstiendra de jeter de l'huile sur le feu, la Grèce se verra épargner le sort de bien des nations voisines... et Churchill restera un héros dans le pays pendant plusieurs décennies !

Dès son retour à Londres, le Premier ministre abandonne temporairement la diplomatie pour mieux se consacrer à la haute stratégie. C'est que le général Eisenhower, cantonné à Reims sans moyens de communication efficaces, contrôle mal ses armées dangereusement dispersées sur 1 000 kilomètres de front ; et le 16 décembre, les Allemands en ont profité pour lancer 28 divisions dans les Ardennes : c'est le point faible du dispositif allié, tenu seulement par quatre divisions étirées à l'extrême. Six jours plus tard, les blindés allemands, ayant enfoncé les lignes américaines, pris Saint-Vith et dépassé Rochefort, ne sont plus qu'à une vingtaine de kilomètres de la Meuse ; mais ils commencent à manquer d'essence, ils sont harcelés par l'aviation alliée, et une contre-offensive se développe sur leurs flancs...

Churchill, qui a déjà téléphoné à Eisenhower au début de l'attaque allemande pour lui demander de confier au maréchal Montgomery le commandement de l'ensemble du dispositif allié au nord de la percée ennemie, va naturellement venir en France dès le 3 janvier 1945. Rendant visite à Eisenhower dans son QG, il ne sera avare ni de son aide ni de ses conseils. L'aide prendra la forme d'un message à Staline, lui demandant de lancer une offensive au plus tôt pour détourner les Allemands du front des Ardennes* ; quant aux conseils, ils seront aussi diplomatiques que stratégiques : c'est que le général Eisenhower avait ordonné à la 6e armée américaine d'évacuer Strasbourg et de se porter vers les Ardennes ; mais pour le vieux francophile de Downing Street, il est politiquement et humainement impossible de laisser Strasbourg retomber aux mains de l'ennemi ; il va donc persuader Eisenhower de rapporter son ordre. Le général de Gaulle, arrivé peu après au quartier général pour présenter la même requête, s'entendra dire que ses souhaits ont été exaucés avant même d'avoir été formulés ! Au grand étonnement du général Juin, présent à cette occasion, de Gaulle jugera superflu de remercier Churchill**, mais daignera lui adresser quelques mots presque aimables au sujet de son équipée en Grèce :

« – *Oh ! Yes,* s'exclama Churchill, le visage soudainement éclairé, *very interesting, it was good sport, indeed !*

– Mais on vous a tiré dessus ? coupa de Gaulle.

– Oui, et le plus fort, c'est qu'ils m'ont tiré dessus avec les armes que je leur avais données... »

---

* À l'ébahissement général, Staline acceptera aussitôt.
** Il jugera également superflu de préciser dans ses *Mémoires de Guerre* que Churchill avait déjà obtenu l'annulation de l'ordre d'évacuation. Strasbourg sauvé par un Anglais, et de surcroît par ce vieux forban de Churchill ? Impossible !

– Ce sont là choses qui arrivent, conclut de Gaulle, et l'on se sépara[67]. »

C'est au même moment que Montgomery et Bradley ont lancé leur contre-offensive sur les arrières de l'ennemi, resté bloqué devant la Meuse par le manque de carburant et les bombardements massifs sur ses lignes d'approvisionnement. Le 16 janvier 1945, la brèche est colmatée lorsque les armées britanniques et américaines font leur jonction à Houffalize. Dès lors, la Wehrmacht n'aura plus jamais la capacité de lancer une attaque d'envergure*– d'autant qu'à l'est, les Soviétiques viennent de déclencher une puissante offensive sur l'ensemble du front, depuis la Prusse orientale jusqu'au sud de la Pologne ; et puis, en Italie, les troupes anglaises, américaines, françaises et polonaises ont réussi à percer la ligne Gothique et avancent vers Bologne. C'est ainsi qu'à l'ouest, à l'est et au sud, le grand Reich rétrécit comme peau de chagrin, et la situation des armées allemandes est de plus en plus désespérée…

Le Premier ministre, rentré à Londres au soir du 7 janvier 1945, pourrait dès lors prendre un repos bien mérité. En l'occurrence, il ne fera rien de tel : dans le vieux bureau de Downing Street, au son des terrifiantes explosions des V1 et de V2**, de magnifiques discours se préparent jusqu'aux petites heures de la matinée, et les redoutables notes à l'encre rouge continuent à s'abattre sans distinction sur les civils et les militaires : si la malaria a pu faire tant de ravages parmi les troupes engagées en Birmanie, est-ce en raison d'une négligence des services de santé ? Quelles mesures ont été prises pour disperser les avions sur les aérodromes belges depuis la dernière attaque aérienne allemande ? Soumettre un rapport détaillé sur l'approvisionnement en vivres des territoires libérés. Ne faudrait-il pas détruire les ponts sur le Rhin, en arrière des lignes allemandes, à l'aide de mines fluviales par exemple ? Donner une priorité absolue aux projets de recherches pouvant aboutir avant la fin de 1946, et freiner ou abandonner les autres. Établir

---

* Elle a perdu dans l'offensive 100 000 hommes, 500 chars et 800 avions.

** Depuis septembre 1944, les V2 se sont en effet ajoutés aux V1 au-dessus de l'Angleterre, et ils sont autrement redoutables : volant à près de 5 000 km/h (contre 500 km/h pour les V1), ces premières fusées sont pratiquement invulnérables en vol – et elles emportent une charge d'explosif dix fois plus importante que les V1.

un rapport (une page au maximum) sur la pénurie de pommes de terre et les mesures adoptées pour y remédier, etc. Les réunions nocturnes du Cabinet de guerre et du Comité des chefs d'état-major s'éternisent, Churchill se perd toujours en longues digressions sur des questions de détail ou sur des réminiscences de jeunesse, et ses ministres ont du mal à rester éveillés... Même le timide Attlee finira par protester[68]! Quant au maréchal Brooke, il note dans son journal : «Je l'aime beaucoup, mais il faut bien reconnaître qu'il met notre patience à rude épreuve[69]» – un jugement que l'infortuné Anthony Eden ne désavouerait certainement pas...

Mais Churchill n'en a cure; la guerre, comme la révolution, n'est pas un dîner de gala, et elle ne lui semble pas être menée avec toute l'énergie et l'enthousiasme requis. D'ailleurs, les bouleversements stratégiques, la défaite prévisible de l'Allemagne, l'irruption de l'Armée rouge en Europe centrale, le projet de création d'une Organisation des Nations unies, la question polonaise restée en suspens, tout cela ne justifierait-il pas amplement une nouvelle réunion anglo-américano-soviétique au plus haut niveau? Roosevelt ne voulant pas se rendre à Londres et Staline refusant de quitter l'URSS, on finit par s'accorder sur une rencontre en Crimée, précédée d'une conférence du Comité des chefs d'état-major combinés à Malte. Pour notre infatigable septuagénaire, ce ne sera jamais que le douzième voyage en quinze mois : Téhéran, Le Caire, Tunis, Marrakech, Naples, Québec, Moscou, Paris, Malte, Athènes, Reims et maintenant Yalta*...

C'est donc dans la somptueuse résidence d'été des tsars, laissée à l'abandon par ses successeurs, dévastée par les Allemands et hâtivement restaurée pour l'occasion, que s'ouvre le 4 février 1945 la conférence la plus étonnante de la guerre. C'est que le président Roosevelt, qui vient d'inaugurer son quatrième mandat, atterrit en Crimée avec des objectifs restreints et une candeur sans limite : il veut persuader Staline de participer à la guerre contre le Japon, d'adhérer à son projet d'Organisation des Nations unies, et même de se joindre à une sorte de coalition des États «progressistes» contre les vieilles puissances coloniales ! «Staline, a-t-il déclaré à son entourage, va travailler avec moi pour un monde de démocratie

---

* Voir carte, p. 564.

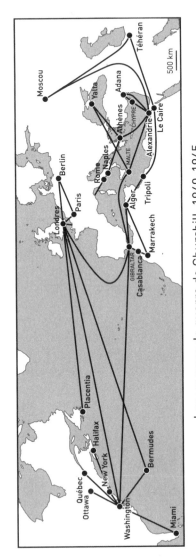

Les voyages de guerre de Churchill, 1940-1945

et de paix[70].» Mais « *Uncle Joe* », derrière son masque bonhomme, dédaigne les bons sentiments comme les vagues abstractions, et il poursuit des résultats bien concrets : modifications de frontières, réparations, désarmement et morcellement de l'Allemagne, extension indéfinie de l'influence soviétique en Europe centrale comme en Extrême-Orient... Il dispose pour cela de deux atouts maîtres : l'avance irrésistible de l'Armée rouge qui vient d'atteindre l'Oder, et l'étonnante crédulité de son interlocuteur américain Franklin Roosevelt. Churchill, désabusé, confiait quinze jours plus tôt à son secrétaire John Colville : « Ne vous y trompez pas : l'ensemble des Balkans, à l'exception de la Grèce, va être bolchevisé, et je ne peux rien faire pour l'empêcher. Je ne peux rien faire pour la pauvre Pologne non plus[71]. »

Soucieux de préserver malgré tout les intérêts britanniques et l'avenir de l'Europe, Churchill, pris en tenaille entre ses deux puissants alliés, va s'efforcer de limiter les concessions de Roosevelt et les appétits de Staline. Resté très naïvement sentimental à l'égard du dictateur soviétique (« Je ne crois pas que Staline soit inamical à notre égard[72] »), le Premier ministre n'en est pas moins cuirassé de fermes convictions et solidement encadré par les professionnels du *Foreign Office*, ce qui explique sa très grande combativité lors des négociations qui vont suivre : sur la Pologne, tout en acceptant le tracé de la ligne Curzon comme future frontière polono-soviétique, il refuse toujours de reconnaître le Comité communiste de Lublin comme autorité légitime de la Pologne[73] ; sur l'Allemagne, dont la division en zones d'occupation est confirmée, il fait valoir que la nécessité de nourrir les populations vaincues doit passer avant le souci de prélever des réparations au bénéfice des vainqueurs ; concernant l'ensemble des pays d'Europe centrale et balkanique libérés, il insiste pour que soient organisées des élections libres et démocratiques ; pour la France, enfin, il exige non seulement une zone d'occupation en Allemagne, mais encore un siège à la Commission de contrôle interalliée ; ce n'est pas seulement un reflet de ses sentiments francophiles : les Américains ayant annoncé que tous leurs soldats seraient retirés d'Europe dans les deux années suivant la fin de la guerre, M. Eden a clairement fait comprendre au Premier ministre qu'il était « peu soucieux de partager seul la cage avec l'ours soviétique » dans l'Europe d'après-guerre...

Si en définitive, la délégation britannique se montrera plutôt satisfaite des résultats obtenus, c'est que le comportement du Président lui a fait redouter le pire : Roosevelt a clairement laissé entendre à Staline qu'il se désintéressait de la question polonaise et du tracé des frontières en Europe centrale ; qu'il ne tenait nullement à concéder à la France une zone d'occupation en Allemagne, et encore moins un siège à la Commission de contrôle ; que Hong Kong devrait être rendu à la Chine, et certains autres points stratégiques comme Dakar ou Singapour passer sous le contrôle des Nations unies ; il a même confié à Staline que « les Britanniques sont des gens curieux, qui veulent gagner sur tous les tableaux[74] ». Enfin, il a négocié en tête à tête avec le dictateur l'entrée de l'URSS dans la guerre contre le Japon et les territoires qu'elle obtiendra en échange – Churchill venant humblement signer ensuite l'accord ainsi conclu ! Et puis, les Britanniques avaient un autre sujet d'inquiétude : le Président, dont le visage émacié faisait peine à voir, avait de longs passages à vide, pendant lesquels il regardait au loin en gardant la bouche ouverte ; à l'évidence, il n'avait étudié aucun des documents préparés à son intention par le Département d'État[75], et il « ne paraissait plus s'intéresser réellement au déroulement de la guerre[76] ».

Dans ces conditions, Churchill et son entourage peuvent sans doute s'estimer heureux d'avoir permis le retour de la France dans le concert européen et mondial, et d'avoir obtenu de Staline quelque chose comme un engagement de modération : aucune décision radicale sur le démembrement de l'Allemagne, une « déclaration sur l'Europe libérée », la promesse d'un élargissement du gouvernement de Lublin à des Polonais non communistes, le renvoi de la fixation des frontières occidentales de la Pologne à une future conférence de paix, la perspective d'élections libres et démocratiques dans tous les pays d'Europe centrale occupés par l'Armée rouge, et même un engagement implicite de non-intervention soviétique en Grèce. Naturellement, tout cet édifice repose sur les promesses de Joseph Staline, qui détient en Europe de l'Est toutes les cartes maîtresses ; mais Churchill, dont le pouvoir d'autosuggestion est décidément sans limites, déclare au Cabinet dès son retour de Crimée qu'il est « certain que Staline a été sincère[77] », et aux Communes que « le maréchal Staline et les dirigeants soviétiques désirent vivre dans une amitié et une égalité honorables avec les démocraties occidentales. Je crois aussi qu'ils n'ont qu'une parole[78].» À son retour de Munich, Chamberlain avait dit à peu près la même chose au sujet d'Hitler, mais l'espoir fait vivre, et cette fois encore, la réaction des honorables députés est enthousiaste : par 396 voix contre 25, ils approuvent les accords de Yalta. À l'issue de ce vote, notera le député Harold Nicolson, « Winston est fou de joie, et se comporte comme un écolier[79] ».

Ce ne sera pas la première fois, ni la dernière... Mais il y a des écoliers plus dangereux que d'autres : deux semaines plus tôt, le bombardement massif de la ville de Dresde a fait près de 100 000 morts ! La responsabilité de Churchill est manifestement engagée dans une opération dont le caractère indispensable reste à démontrer. On peut certes alléguer que les chefs d'état-major préconisaient depuis longtemps des bombardements massifs sur les villes allemandes jusque-là épargnées, afin de porter un coup décisif au moral de l'ennemi ; que Dresde était un nœud de communications important, par où passaient les renforts allemands dépêchés vers le front de l'Est ; qu'au moment de la conférence de Yalta et de la grande offensive soviétique en Prusse orientale, il fallait montrer à Staline que les alliés occidentaux menaient la guerre sans faiblesse ; et surtout que l'opération avaient été effectuée à la demande des Soviétiques eux-mêmes*. Tout cela est exact ; mais la destruction de cette ville d'art encombrée de réfugiés n'en frappe pas moins par son insigne barbarie. La vérité est sans doute qu'après cinquante-cinq mois de bombar-

---

* Le témoignage suivant de Hugh Lunghi, l'un des interprètes britanniques à Yalta, est extrêmement intéressant à cet égard : « En vérité, c'est lors de la première session que Staline et son chef d'état-major adjoint, le général Antonov, [...] nous ont demandé instamment, ainsi qu'aux Américains, de bombarder les routes et les voies ferrées, afin d'empêcher Hitler de transférer des divisions d'ouest en est, renforçant ainsi ses troupes qui avaient bloqué l'avance soviétique sur Berlin. C'était le réseau routier et ferroviaire menant à Dresde qui constituait la cible, *non* la ville – et *certainement pas* les civils. Antonov a insisté sur l'importance de Dresde en tant que nœud ferroviaire essentiel. Churchill et Roosevelt ne pouvaient qu'être d'accord. Le lendemain, à la réunion des chefs d'état-major au palais Youssoupov, Antonov est revenu sur le sujet. J'ai interprété notre assentiment. [...] Les Américains et nous-mêmes ne pouvions refuser : nous n'avions pas pris l'initiative, mais nous avons accepté sans difficultés. » (Hugh Lunghi, *Tribute to Sir Winston Churchill at the Churchill Memorial Concert*, Blenheim Palace, 1 March 1977, p. 7-8.)

dement des villes anglaises et soixante-sept mois de tensions quotidiennes, d'incertitudes mortelles, de responsabilités écrasantes et de deuils sans nombre, le plus humain des dirigeants peut être saisi par cette fureur dévastatrice que les Vikings nommaient *berserk* et les Malais *amok*. Il est bien difficile de le juger depuis la quiétude de son salon, plus d'un demi-siècle après le dernier coup de canon ; l'histoire, en promenant sa lampe vacillante sur les chemins du passé, ne jette qu'une faible lueur sur les passions des jours révolus...

Pour l'heure, en tout cas, l'homme qui avait toute confiance dans la parole de Staline ne va pas tarder à déchanter ; en Bulgarie, en Roumanie et en Hongrie, une chape de plomb s'est abattue sur les territoires occupés par l'Armée rouge ; en Pologne, tous les observateurs étrangers sont expulsés ou refoulés aux frontières, la promesse d'élargir le « gouvernement de Lublin » apparaît rapidement comme une sinistre duperie, les éléments non communistes disparaissent mystérieusement et les élections libres sont renvoyées aux calendes grecques ; en Yougoslavie, Tito s'est installé en maître, a jeté le masque et instauré un effarant régime de terreur. « Ici, écrira à Londres le vice-Premier ministre Milan Grol avant de démissionner, ce n'est pas un État, c'est un abattoir[80] » ; en Allemagne, les rapports sur les sévices de l'armée soviétique et du NKVD contre la population dépassent en horreur tout ce que l'on pouvait craindre. Aussi scandalisé par la duplicité de Staline qu'effaré par la perspective d'avoir à avouer aux députés qu'il a été abusé – et les a abusés par la même occasion –, Churchill écrit à Roosevelt le 13 mars : « Je serai certainement obligé d'expliquer que nous nous trouvons en présence d'un immense échec, d'un écroulement complet de tout ce qui avait été convenu à Yalta[81]. » Très préoccupé par le caractère assez vague et dilatoire des réponses du Président, il croit même utile de préciser quatre jours plus tard : « Notre amitié est le roc sur lequel je construis pour assurer l'avenir du monde » – à quoi il ajoute cette touche de modestie prémonitoire : « ... aussi longtemps que j'en serai l'un des constructeurs[82] ».

Dans l'intervalle, n'ayant pu résister à l'attrait des combats, Churchill s'est rendu en Allemagne, où les troupes alliées ont réussi dès la fin de février à percer les défenses allemandes à l'ouest du Rhin ; moins d'une semaine plus tard, on peut voir le Premier ministre parcourir les champs de bataille depuis Maastricht jusqu'à

Aix-la-Chapelle, et visiter les ouvrages désertés de la ligne Siegfried. Depuis l'automne de 1939, tous les soldats de Sa Majesté s'étaient promis d'y faire sécher leur linge* ; Churchill et les officiers qui l'accompagnent feront beaucoup mieux : tous alignés sur l'un des ouvrages de la redoutable ligne, ils se soulagent avec une intense satisfaction[83]...

À la mi-mars, on reçoit à Londres d'excellentes nouvelles d'Asie du Sud-Est : bien que les opérations en Europe n'aient pas permis de fournir au commandant suprême Mountbatten les moyens d'une offensive amphibie contre Rangoun, l'intrépide amiral a lancé dès le début de 1945 une triple attaque terrestre par le nord, l'ouest et le sud-ouest de la Birmanie. En deux mois, sa 14e armée, sous les ordres du général Slim, a repris successivement aux Japonais les localités de Myitkyina, Thabeikkyin, Namkhan, Myitsson, Ramree et Meiktila**. Mais le 17 mars, elle s'empare également du grand nœud routier et ferroviaire de Mandalay – une victoire éclatante, que Churchill annonce aux Communes en ces termes : « Dieu soit loué ! Nous avons enfin pris une ville dont le nom peut se prononcer***... »

Dès le 24 mars, le Premier ministre et sa suite seront de retour en Allemagne, cette fois pour traverser le Rhin à la suite des troupes américaines – ce qu'ils feront dès le lendemain par le pont de Wesel. Mais la ville sur l'autre rive étant encore occupée, des obus commencent à encadrer le pont, et Churchill se trouve pris sous le feu... Il faudra toute l'autorité et la diplomatie du général américain Simpson, commandant le secteur, pour faire battre en retraite le vieux guerrier irrésistiblement attiré par l'odeur de la poudre[84].

Une fois rentrés à Londres, Churchill et son état-major apprennent que le général Eisenhower a décidé d'arrêter le mouvement de ses troupes lorsqu'elles auront atteint l'Elbe, et d'attendre le long du fleuve l'arrivée des troupes soviétiques. Berlin sera ainsi laissé à l'Armée rouge, tandis que les avant-gardes américaines se dérouteront vers le sud, en direction de Leipzig et de Dresde. Le

---

* Leur chanson de marche préférée commençant ainsi : « *We're going to hang our washing on the Siegfried Line...* »

** Voir carte, p. 570.

*** Rangoun sera libéré à son tour le 3 mai 1945.

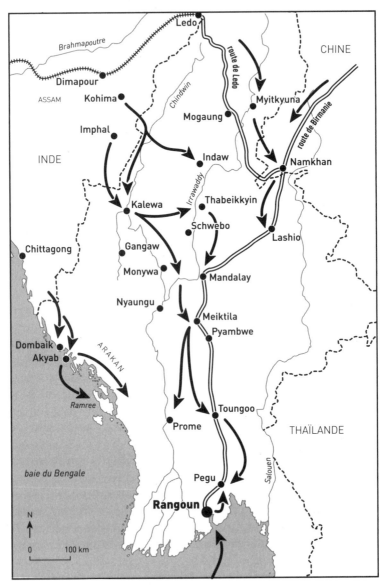

Contre-offensive alliée en Birmanie, mai 1944-juin 1945

28 mars, Eisenhower en informe Staline, qui lui répond avec ravissement qu'«une telle proposition coïncide entièrement avec les plans du haut commandement soviétique», et que de toute manière «Berlin a perdu toute l'importance stratégique qu'elle avait naguère[85]».

À Londres, on est atterré ; depuis Alger jusqu'aux Ardennes en passant par Kasserine, le général Eisenhower avait déjà commis quelques erreurs de taille, mais celle-ci les dépasse toutes : sur les plans stratégique, politique, diplomatique, psychologique et humain, tout commande d'entrer à Berlin au plus tôt, et de rencontrer les armées soviétiques le plus à l'est possible ; en outre, le fait qu'Eisenhower n'ait même pas jugé utile d'informer Londres de ses nouveaux plans, alors que le tiers de ses soldats est britannique ou canadien, voilà qui illustre bien la chute catastrophique de l'influence et du prestige de Winston Churchill au sein de la coalition alliée... Naturellement, le Premier ministre va envoyer une longue série de télégrammes à Washington ; toutes les ressources de l'art épistolaire, de la diplomatie et de la flatterie seront mobilisées pour persuader le Président d'intervenir dans cette affaire, rendue plus grave encore par le comportement des Soviétiques dans les régions où s'exerce leur autorité. «Avec Roosevelt, avait dit Churchill au général de Gaulle quatre mois plus tôt, je procède par suggestions, afin de diriger les choses dans le sens voulu[86].» Voilà qui a depuis longtemps cessé d'être efficace ; à présent, le Premier ministre peut exhorter, conjurer, implorer... rien n'y fait : l'importance de la capitale du Reich et la gravité de la menace soviétique échappent totalement à Franklin Roosevelt, qui répond le 11 avril avec une certaine nonchalance : «Je suis enclin à minimiser autant que possible l'ensemble des problèmes soviétiques, parce que ces problèmes ont tendance à se poser chaque jour sous une forme ou sous une autre, et la plupart finissent par s'arranger tout seuls[87].»

Sans être le message le plus perspicace du Président, ce sera le dernier : le 12 avril, à Warm Springs en Géorgie, Franklin Delano Roosevelt meurt d'une congestion cérébrale. Churchill, informé le lendemain matin, fond en larmes : «Je viens de perdre un grand ami», murmure-t-il à son garde du corps[88]. Il est vrai que depuis plus de cinq ans, la riche imagination de Winston Churchill avait transformé cette relation politiquement utile en une amitié profonde, exemplaire et désintéressée entre deux partenaires parfaitement égaux, pour le plus grand bien de leurs peuples respectifs. Que Franklin Roosevelt l'ait plutôt conçue comme un éphémère mariage de convenance avec un impérialiste antédiluvien, auquel se substituerait à terme une solide alliance entre les deux grandes puissances « progressistes et anticolonialistes » du moment, voilà qui n'est apparu que très rarement à Winston Churchill – et s'opposait par trop à ses sentiments comme aux intérêts de l'Empire britannique pour qu'il en tirât toutes les conclusions...

Le jour même de la mort du Président, les armées américaines atteignent l'Elbe ; Berlin est à moins de cent kilomètres plus à l'est, mais conformément aux ordres du général Eisenhower, les forces anglo-américaines resteront derrière le fleuve pendant les treize jours nécessaires aux armées soviétiques pour encercler et dépasser la capitale du Reich. Le 18 avril, les derniers défenseurs allemands de la Ruhr se rendent aux forces anglo-américaines ; chaque jour après cela, on annonce la prise de nouvelles villes, la capture de divisions et d'armées entières ; en Italie, la grande offensive lancée au sud de Bologne parvient le 23 avril jusqu'aux rives du Pô, où une vingtaine de divisions britanniques, américaines, françaises, polonaises, sud-africaines, brésiliennes et italiennes vont contraindre les 27 divisions allemandes et fascistes à refluer en désordre, harcelées par les bombardements de l'aviation et les attaques des partisans ; le 27 avril, Mussolini, qui tentait de s'enfuir vers le Brenner, est arrêté par des partisans communistes et exécuté dès le lendemain. Dans Berlin assiégé, où le Führer s'est retranché avec ses derniers fidèles, l'Armée rouge progresse inexorablement, tandis que sur l'Elbe, près de Torgau, la jonction vient de se faire entre Américains et Soviétiques ; la fin ne peut être loin...

Churchill, lui, n'a ni le temps ni l'envie de se réjouir ; en même temps que les nouvelles des triomphes sur le Reich, il a reçu des renseignements de plus en plus détaillés sur les exactions commises en Roumanie, en Bulgarie, en Yougoslavie, en Allemagne et surtout en Pologne, où une délégation de seize représentants de la résistance intérieure et des partis politiques, ayant reçu un sauf-conduit pour aller négocier avec les autorités soviétiques, a disparu sans laisser de traces : de toute évidence, les communistes sont les maîtres à Varsovie comme dans le reste de la Pologne, et le « gouvernement polonais démocratique » promis à Yalta n'est qu'une pure fiction. À Churchill qui s'en indigne, Staline répond cyniquement que les gouvernements grec ou belge ne sont pas nécessairement plus représentatifs, et que la sécurité de l'URSS exige qu'elle soit entourée de nations amies[89].

Comprenant que la sécurité absolue de l'Union soviétique ne sera jamais assurée qu'au prix de l'insécurité absolue de tous ses voisins, Churchill a insisté énergiquement pour que les troupes de Montgomery franchissent l'Elbe et s'emparent de Lübeck au plus tôt, barrant ainsi l'accès du Danemark aux armées soviétiques. Le 30 avril, il écrit également au nouveau président américain Harry Truman : « Si les Alliés occidentaux ne prennent pas une part importante à la libération de la Tchécoslovaquie, ce pays suivra le chemin de la Yougoslavie[90]. » ; peu après, il lui adresse d'autres mises en garde concernant le sort de Vienne, occupé le 2 mai par l'Armée rouge, et celui de Trieste, investi la veille par les partisans de Tito.

Mais Harry Truman, vice-président pendant cinq mois et président depuis deux semaines, est arrivé au sommet du pouvoir sans expérience et sans lumières ; s'efforçant de poursuivre la politique de son prédécesseur, avec les mêmes conseillers et les mêmes préjugés, il risque fort de commettre les mêmes erreurs, en laissant partout en Europe la tyrannie rouge se substituer à la dictature brune…

Voilà ce qui préoccupe le Premier ministre de Sa Majesté, au moment où se succèdent les nouvelles de l'effondrement des armées du Reich, des négociations en vue de la reddition des troupes allemandes d'Italie, du suicide d'Hitler, de la chute de Lübeck et de Hambourg, de la libération de Copenhague et de l'arrivée au QG de Montgomery des émissaires de l'amiral Dönitz, successeur d'Hitler. Le 1er mai, Churchill a déclaré aux Communes : « Je n'ai pas de déclaration particulière à faire sur la situation en Europe, sinon qu'elle est nettement plus satisfaisante qu'il y a cinq ans à la même époque[91]. » Après ce chef d'œuvre d'*understatement* britannique, chacun sent bien que la fin des hostilités n'est plus qu'une question de jours – d'heures peut-être… Et pourtant, comme le constatera l'inspecteur Thompson, « l'approche de la fin n'apporte aucun repos au Premier ministre, qui continue à travailler 18 heures par jour[92] ». C'est un fait : il se couche maintenant vers 5 heures du matin, il est manifestement épuisé et néglige désormais de lire ses dossiers avant les réunions de Cabinet[93]. Et lorsque le 7 mai au matin, on apprend à Londres que la reddition de l'Allemagne vient d'être signée au quartier général d'Eisenhower, lord Moran note que « le Premier ministre n'a pas du tout l'air enthousiasmé par la fin de la guerre[94] ».

On peut le comprendre ; pourtant, dès le lendemain, il ne manquera pas d'être gagné par l'explosion de joie qui marque le « VE-Day », la proclamation officielle de la fin des combats en Europe. Follement acclamé dans les rues, ovationné à la Chambre, félicité par le roi, il peut un bref instant savourer l'aboutissement triomphal de six années d'efforts opiniâtres et souvent désespérés. Le Royaume-Uni pleure 360 000 morts, ses villes sont détruites, son empire ébranlé, sa dette extérieure dépasse les trois milliards de livres… mais il a survécu ! Cette fois encore, Winston Churchill a dû ressentir une étrange impression de déjà-vu : c'est que vingt-sept ans plus tôt, il avait été accueilli aux mêmes endroits par les mêmes acclamations, à l'issue d'un conflit presque aussi long et tout aussi meurtrier. Mais à l'époque, il pensait réellement que le monde entrait dans l'ère de la paix universelle ; à présent, il ne se fait aucune illusion : la guerre continue en Asie, tandis qu'en Europe, comme il l'écrit au président Truman le 12 mai, « un rideau de fer est tombé sur le front russe[95] ». Et le discours qu'il prononce à la BBC le lendemain est autant une mise en garde qu'un cri de victoire : « Il nous reste à nous assurer que les mots "liberté", "démocratie" et "libération" […] garderont leur vrai sens, celui que nous leur attribuons. À quoi bon punir les hitlériens pour leurs crimes, si le règne de la loi et de la justice ne s'établissait pas, si des gouvernements totalitaires ou policiers devaient prendre la place des envahisseurs allemands[96] ? »

En Europe de l'Est, c'est chose faite : Prague, Vienne, Sofia, Bucarest, Varsovie, Belgrade, Budapest ont été submergés par la vague rouge ; Athènes reste menacé, et Trieste vient d'être occupé par les forces yougoslaves. Il est vrai que Churchill va ordonner une démonstration de force à Trieste par les troupes du général Alexander, et les partisans de Tito seront contraints d'évacuer la ville. En Grèce, Churchill continue à soutenir les autorités contre les tentatives de déstabilisation communistes ; mais le président Truman lui a clairement fait comprendre qu'il ne devait compter sur aucun engagement américain dans les Balkans ou en Europe centrale ; au Premier ministre, qui lui demandait au moins de surseoir au retrait des troupes américaines en Allemagne vers les zones d'occupation définies à Yalta, afin de conserver quelques atouts dans les futures négociations avec Staline, Truman a également répondu par la négative. Pourtant, il a fini par accepter le principe d'une conférence à trois au mois de juillet, à Potsdam – non sans envisager de rencontrer auparavant Staline en tête à tête ! Avec de tels alliés, qui aurait besoin d'ennemis ?

Mais désormais, pour la première fois depuis bien longtemps, ce n'est pas la situation internationale qui absorbe l'essentiel du temps et de l'énergie de Winston Churchill ; car le 19 mai, sans attendre la fin de la guerre contre le Japon, le congrès du parti travailliste a décidé de quitter la coalition. Dès lors, le Premier ministre n'a plus le choix : il demande au roi la dissolution du Parlement (qui siégeait depuis 1935), forme un gouvernement provisoire, et annonce que les élections se tiendront le 5 juillet. C'est ainsi qu'à partir de la fin du mois de mai, Churchill va se lancer à corps perdu dans la bataille électorale, alors que « de toute sa vie, il n'a jamais été plus préoccupé par la situation en Europe[97] », qu'il doit encore faire face à la guerre contre le Japon, aux incertitudes de la conférence de San Francisco, et aux « regrettables incidents » provoqués par la France à Damas, qui menacent à tout instant de dégénérer en conflit franco-britannique*.

Outre ces graves préoccupations, Churchill s'est engagé dans la campagne électorale avec quelques handicaps de taille : après avoir apporté la victoire à ses concitoyens, il n'a pas grand-chose à leur proposer pour l'après-guerre : « Je n'ai plus de message à leur transmettre », confie-t-il tristement à son médecin le 22 juin[98] ; or, les travaillistes, eux, ont un ambitieux projet de nationalisations et de réformes sociales, et ils savent fort bien le présenter aux électeurs. En outre, Brendan Bracken et lord Beaverbrook, qui gèrent la campagne électorale conservatrice, ne sont pas exactement des modèles de finesse politique, et le premier discours électoral du Premier ministre, au cours duquel il accuse le *Labour* de vouloir instaurer un État totalitaire, une dictature rouge et même « une sorte de Gestapo », est très mal reçu dans le pays. Enfin et surtout, Churchill est extraordinairement las ; dès le mois de mai, se souviendra-t-il,

---

* Sur le bombardement de Damas et l'intervention britannique, voir F. Kersaudy, *De Gaulle et Churchill*, *op.cit.*, p. 343-362.

« j'étais si faible physiquement qu'il fallait me porter sur une chaise pour me faire monter l'escalier à la sortie des réunions du Cabinet[99] ». Or, tout au long du mois de juin, en plus de ses tâches gouvernementales, il va devoir affronter une campagne électorale en règle, avec des jours et des nuits de déplacements, de fréquents bains de foule, des interviews sans nombre et quatre allocutions radiodiffusées, laborieusement préparées aux petites heures de la matinée : combien de septuagénaires, avec un cœur faible et des poumons fragiles, auraient résisté à un tel traitement ?

C'est donc avec un réel soulagement que Churchill voit arriver le 5 juillet 1945, jour de l'élection ; en raison des délais nécessaires pour collecter les bulletins de vote des soldats britanniques stationnés aux quatre coins du monde, les résultats ne seront annoncés que le 26 juillet. Entre-temps, le Premier ministre, cédant aux injonctions de son médecin, va partir prendre un repos bien mérité dans le sud de la France, en attendant la grande conférence de Potsdam (nom de code : TERMINAL), qui doit débuter le 17 juillet.

Une semaine passée au manoir de Bordaberry, près d'Hendaye, avec son épouse et sa fille Mary, ses pinceaux, son chapeau de paille, quelques bonnes bouteilles et pas un seul dossier : voilà de quoi remettre en forme notre estivant malgré lui, qui part pour l'Allemagne le 15 juillet avec un moral de vainqueur… Il en aura grand besoin : arrivé à Berlin en même temps qu'Eden et Attlee*, il va assister à d'interminables défilés militaires, barboter dans la baignoire en or du maréchal Goering, parcourir les rues de la capitale et inspecter les ruines de la chancellerie du Reich : « La ville n'était plus qu'un amas de décombres, se souviendra-t-il. Bien entendu, notre visite n'avait pas été annoncée, et il n'y avait dans les rues que des passants ordinaires. Mais sur la place, devant la chancellerie, je trouvai un rassemblement considérable. Lorsque je descendis de voiture et traversai cette foule de gens, tous se mirent à m'acclamer, à l'exception d'un vieil homme qui hochait la tête d'un air désapprobateur. Ma haine s'était éteinte avec leur reddition, et je fus profondément ému par leurs manifestations de sympathie, ainsi que

---

* Churchill, impressionné par l'exemple de Harry Truman, a demandé au chef de l'opposition d'assister à la conférence, afin qu'il puisse prendre immédiatement le relais en cas de victoire travailliste aux élections – une éventualité jugée improbable à l'époque.

par leurs visages hâves et leurs vêtements élimés[100].» *Debellare superbos, sed parcere subjectis**...

À Potsdam, le 17 juillet, Churchill rencontre un président Truman «vif et résolu», avant de retrouver son vieil ami Staline, «fort aimable, mais ouvrant très largement la bouche[101]». C'est pour mieux dévorer... car d'emblée, le «petit Père des Peuples» va demander le transfert à l'URSS de Königsberg et d'une partie de la Prusse orientale, des réparations prélevées sur les zones d'occupation occidentales en Allemagne (en plus de celles qu'il prélèvera sur la sienne propre), une large part de la marine marchande et de la flotte de guerre allemandes, la rupture de toutes relations avec le général Franco et l'établissement d'un «régime démocratique» en Espagne, le transfert aux autorités communistes de Varsovie des avoirs du gouvernement polonais en exil, le contrôle des Détroits turcs, une colonie en Libye – et tout cela pour commencer !

Huit jours durant, Churchill, Eden et Attlee vont s'employer à modérer les appétits de Staline, avec l'aide inattendue de Truman et de son nouveau secrétaire d'État James Byrnes ; de fait, ces derniers ont rapidement renoncé à jouer le rôle rooseveltien d'arbitre entre l'«impérialisme» britannique et la «démocratie» soviétique, pour protester contre la répression communiste en Europe centrale et rappeler à Staline l'attachement des États-Unis à des élections véritablement libres – ainsi qu'au traitement humain des peuples libérés comme des ennemis vaincus. Churchill en a naturellement vu sa position considérablement renforcée, d'autant que le Président venait de lui remettre un document ultra-secret annonçant le succès de la première explosion atomique dans le désert du Nouveau-Mexique – un événement susceptible de bouleverser le rapport de forces en Asie comme en Europe. Pour le reste, les Américains vont proposer la création d'un «Conseil des ministres des Affaires étrangères» (États-Unis, Grande-Bretagne, URSS, France et Chine), ayant pour mission d'élaborer les traités de paix avec les anciens pays satellites de l'Allemagne, et de préparer le règlement des questions territoriales restées en suspens.

Mais à ce conclave des vainqueurs, Winston Churchill n'est pas à son aise ; il l'avait prédit avant son départ de France : «Je ne serai que la moitié d'un homme avant le résultat des élections.» Et la

---

* Voir *supra,* p.

tension grandit à mesure que l'échéance approche : « Les élections planent au-dessus de moi comme un vautour d'incertitude[102] », avoue-t-il entre deux séances. Le 25 juillet, la conférence est ajournée, afin que la délégation britannique puisse rentrer à Londres pour la proclamation des résultats ; lors du dernier banquet avant son départ, Churchill porte un toast : « Au prochain chef de l'opposition en Grande-Bretagne, quel que soit son nom[103] ! » Staline, ogre courtois, lui a prédit une majorité de 80 sièges : n'est-ce pas un bon signe ? Sur les résultats des élections en URSS, après tout, il ne s'est jamais trompé...

À Londres, dans l'après-midi du lendemain, la surprise sera immense ; les travaillistes remportent 393 sièges, les conservateurs et leurs alliés libéraux, 210 seulement* : l'homme qui a gagné la guerre vient de perdre les élections, et l'ampleur de la défaite est telle qu'il ne veut pas rester un jour de plus au pouvoir ; le soir même, il va remettre sa démission au roi.

---

* Les deux hommes les plus surpris seront Clement Attlee, qui espérait seulement que les conservateurs n'auraient pas plus de quarante sièges de majorité, et Josef Staline, qui était convaincu que Churchill avait fait le nécessaire pour truquer les élections...

CHAPITRE XVI

L'ÉTERNEL RETOUR

Le verdict des urnes a été pour Churchill un choc terrible. Cinq ans plus tôt, il avait certes confié à Anthony Eden : «Je ne ferai pas l'erreur de continuer après la guerre, comme Lloyd George[1]». Mais le pouvoir est une drogue puissante, Winston ne vit que pour la politique ou pour la guerre, et il a ressenti la défaite électorale comme un cinglant désaveu de son action et de sa personne. Enfin, comme toujours lorsque l'hyperactivité se relâche, le *black dog* de Winston pointe le bout du museau, avec son habituel cortège d'insomnies, d'idées noires et de maux psychosomatiques divers ; d'où ces sombres propos durant les semaines qui suivent : « À mon âge, il ne saurait être question d'un retour aux affaires. [...] Des pensées désespérées me viennent en tête. [...] Je n'arrive pas à m'habituer à la pensée de ne rien faire pour le reste de ma vie ; il aurait mieux valu que je sois tué dans un accident d'avion, ou que je meure comme Roosevelt[2]. »

Bien sûr, le monde continue de tourner sans Winston Churchill, et ce n'est pas le moins vexant : à la mi-août, les bombes atomiques larguées sur Hiroshima et Nagasaki ont contraint le Japon à la capitulation, tandis qu'à Potsdam, la conférence a repris, avec Attlee et Bevin comme représentants des intérêts britanniques*. Bien entendu, Churchill les accusera aussitôt de faire à Staline des concessions excessives** – en sachant parfaitement que les Sovié-

---

* Un esprit facétieux dira à l'issue de la séance de reprise : « Eden a parlé aussi bien que d'habitude, mais je trouve qu'il a un peu grossi ! »

** Notamment en ce qui concerne la question des frontières orientales de la Pologne.

tiques ont tous les atouts en main ; quant au programme de nationalisations et de planification des travaillistes, l'ancien Premier
ministre prévoit qu'il soumettra à l'inquisition, à la confiscation et
aux privations une Angleterre déjà ruinée par la guerre. Le petit
monde de Chartwell ne lui apporte guère de consolations : la propriété, fermée pendant toute la guerre, nécessite d'importants travaux de réfection, et le domaine qui l'entoure a tellement pâti du
manque d'entretien que le jardinier le considère comme irrécupé-
rable. Et puis, Winston Churchill doit maintenant vivre avec les
rations très frugales du citoyen britannique ordinaire, et même se
passer pour un temps de domestiques…

De tout cela, l'atmosphère familiale se ressent naturellement,
d'autant que le grand homme et son épouse, qui ne se sont vus que
très occasionnellement pendant la guerre, se retrouvent désormais
quotidiennement face à face, et Clementine écrit à sa fille Mary :
« Dans notre malheur, au lieu de nous appuyer l'un sur l'autre, nous
sommes perpétuellement en train de nous quereller. Il est si malheureux, et cela le rend très difficile à vivre[3]. » C'est exact, et une
surdité de plus en plus marquée ne risque pas d'arranger les
choses… « Le roi voudrait me décerner l'ordre de la Jarretière ? Il
n'en est pas question : ses sujets m'ont congédié comme un vulgaire
domestique ! » ; « Écrire mes Mémoires ? C'est exclu : l'inquisition
fiscale des travaillistes confisquerait immédiatement tous mes
gains ! » ; « On m'invite à me rendre en Australie et en Nouvelle-
Zélande ? Je n'en ai ni la force ni l'envie[4]. » Quant à ses nouvelles
tâches de leader de l'opposition, elles ne lui conviennent pas davantage ; le 21 août, il s'adresse à un comité du parti, et le député
Henry Channon notera dans son journal : « Winston, qui paraissait
complètement pris au dépourvu, indifférent et sourd, n'a guère fait
impression sur l'assistance[5]. » Ses adversaires politiques – et même
ses amis – voient déjà sans déplaisir le vieux lion s'effacer enfin
pour faire place aux jeunes.

Ils en seront pour leurs frais ; le 1er septembre, l'illustre vaincu
part pour l'Italie avec sa fille Sarah, son médecin, ses secrétaires, son
valet et son garde du corps : il est l'invité du maréchal Alexander,
qui a mis à sa disposition une luxueuse villa au bord du lac de
Côme. Trois semaines de farniente ensoleillé, sans dossiers ni journaux, avec des pinceaux, d'agréables compagnons et 96 bouteilles
de Veuve Clicquot réquisitionnées vous ressuscitent un homme !

D'autant que celui-ci s'est absorbé pendant son séjour dans la lecture de tous ses télégrammes, mémorandums et instructions du temps de guerre, et il estime en toute équité qu'au vu de tels documents, la postérité le jugera beaucoup moins sévèrement que les électeurs... Dix jours à Antibes et à Monte-Carlo compléteront la cure de jouvence : Winston y peint de nouveaux tableaux, barbote dans la mer, ne peut résister à l'attrait du casino et y laisse 7 000 £ – une perte qui restera symbolique, le directeur de l'établissement lui ayant fait discrètement savoir qu'il conserverait son chèque en souvenir... Décidément, il est parfois utile d'être connu comme l'homme qui a gagné la guerre ! D'autant qu'à l'Hôtel de Paris, Winston aura le privilège unique de déguster une fine Napoléon de 1810 – pour commencer*.

C'est donc parfaitement revigoré à tous égards que ce septuagénaire pugnace rentre à Londres le 6 octobre 1945. Ayant fait l'acquisition d'une nouvelle résidence londonienne au 28, Hyde Park Gate, il replonge avec délice dans les tourbillons de la politique, en s'adressant tour à tour à ses électeurs de Woodford, aux vétérans d'El-Alamein, aux élèves de Harrow et aux honorables députés de la Chambre ; il s'entretient avec le roi George VI et avec les principaux leaders de l'opposition conservatrice, qu'il veut regrouper en un « cabinet fantôme » et entreprend de galvaniser par un discours de combat contre « les doctrines socialistes, avec toute leur haine de classe, leur penchant pour la tyrannie, leur appareil de parti et leur horde de bureaucrates[6] ». Entre-temps, il va à Paris pour s'entretenir avec ses vieux amis Herriot et Blum, prendre son siège à l'Académie des sciences morales et politiques, et rendre visite à un général de Gaulle « souriant et prévenant », qui le traite « avec bien plus d'égards que lorsqu'il était Premier ministre[7] ». Après quoi il se rend à Bruxelles et à Anvers, qui lui réservent un accueil triomphal, lui confèrent la distinction de citoyen d'honneur, et se voient gratifier de plusieurs discours immortels en français churchillien, dont

---

* En 1940, La Société des Bains de mer de Monaco avait décidé de faire murer une partie des célèbres caves de l'Hôtel de Paris, afin de soustraire à la convoitise de l'occupant ses réserves de vin, de champagne et de liqueurs les plus rares ; or, au début d'octobre 1945, en l'honneur de Winston Churchill, on procède à la destruction du mur, et ce grand connaisseur pourra déguster quelques-unes des meilleures pièces de la collection.

l'un commence par «Je suis très heureux d'être rentré enfin à l'Anvers», et l'autre s'achève par «Vive la Bruxelles[8]!». Il est vrai qu'à son retour en Angleterre, l'accueil est tout aussi enthousiaste : ses apparitions à la Chambre ou aux manifestations publiques sont saluées à chaque fois par de véritables ovations.

Dopée par l'enthousiasme populaire, les premiers échecs économiques du parti travailliste et une dose respectable de remontants divers, la prodigieuse machine winstonienne s'est donc remise en marche, et elle va retrouver rapidement son rythme des années d'avant-guerre ; entre les discours au Parlement, les interviews et les réceptions d'innombrables personnalités étrangères, notre stakhanoviste en chapeau melon reprend ses travaux historiques, rédige quelques articles, se remet à peindre, planifie avec une rigueur toute militaire la reconquête des terres de Chartwell envahies par la nature*, se plonge dans les documents diplomatiques et militaires que lui communiquent discrètement certains ministres et fonctionnaires (la vie est un éternel recommencement !), et dicte pendant les petites heures de la matinée des réponses au volumineux courrier qui lui parvient des quatre coins du monde...

Pour Churchill, l'une de ces lettres est plus importante que toutes les autres : c'est une invitation du président Truman à venir prononcer un discours au *Westminster college*, à Fulton, dans le Missouri. Si Churchill accepte, le Président promet de venir en personne faire le discours d'introduction. C'est évidemment trop d'honneur pour un modeste chef de parti, qui n'a plus le moindre lien officiel avec le gouvernement de son pays ; mais Winston considère toujours une association privilégiée avec les États-Unis comme l'unique planche de salut pour la Grande-Bretagne et son Empire ; et puis, c'est l'occasion rêvée de faire connaître dans le monde entier ses vues sur le danger d'un affrontement entre l'URSS et le monde occidental, considérablement accru ces derniers temps par les désaccords au sujet de l'Allemagne et les mesures d'intimidation soviétiques contre la Turquie et l'Iran ; enfin, son médecin lui avait justement recommandé d'aller passer l'hiver sous les cieux plus cléments de la Floride, et Churchill pourra ainsi joindre l'utile à l'agréable...

---

* L'aspect martial se trouve accentué par le fait que ce travail est effectué par des prisonniers de guerre allemands...

Ainsi donc, entre la mi-janvier et le début de mars 1946, on pourra apercevoir à Miami un retraité jovial et rubicond, surmonté d'un immense chapeau de paille, qui se prélasse sur la plage en mâchonnant un cigare démesuré ; mais qu'on ne s'y trompe pas : ce vieux gentleman apparemment oisif est un véritable volcan en activité ; il peint des tableaux à la chaîne, dicte quelques chapitres de son *Histoire des peuples de langue anglaise*, envoie des centaines de lettres vers les cinq continents, étudie les télégrammes diplomatiques que lui font parvenir la Maison-Blanche et le Département d'État, discute avec des éditeurs de la rédaction de ses futurs *Mémoires de guerre*, confie aux journalistes ses impressions sur l'histoire du monde depuis Omdurman jusqu'à Potsdam, collectionne les doctorats *honoris causa**, négocie avec son vieil ami de la Grande Guerre Bernard Baruch des conditions plus avantageuses pour l'emprunt de 4 milliards de dollars que Londres souhaite contracter auprès de Washington – et tout cela en préparant avec le plus grand soin un discours destiné à ébranler le monde !

Ce projet de discours, Churchill le montre aux divers stades de son élaboration à Truman, à Byrnes et à l'amiral Leahy, qui s'en déclarent enchantés ; le Premier ministre Attlee l'aurait été nettement moins, mais il n'a été informé qu'en termes très généraux de ce qui se prépare. Le 5 mars 1946, il sera donc stupéfait en entendant son prédécesseur s'adresser aux étudiants et aux professeurs du *Westminster college* de Fulton ; leur ayant déclaré qu'il avait lui aussi été éduqué à Westminster**, que ses propos n'engageaient que lui-même, et que « les peuples de langue anglaise » avaient un héritage commun à défendre en temps de paix comme en temps de guerre, il entre dans le vif du sujet : « Une ombre s'est répandue sur la scène si récemment illuminée par les victoires alliées. [...] De

---

* Son discours du 6 février 1946 à l'université de Miami, qui vient de lui conférer un doctorat *honoris causa*, reste un modèle du genre : « Je suis surpris d'être devenu sur mes vieux jours si expérimenté dans l'art d'obtenir des diplômes, alors qu'en tant qu'écolier, j'étais pratiquement incapable de passer des examens. En fait, on pourrait presque dire que personne n'a jamais passé si peu d'examens et reçu autant de diplômes. De tout cela, un penseur superficiel pourrait déduire que le meilleur moyen de recevoir le maximum de diplômes est d'échouer au maximum d'examens. » (R. R. James, éd., *Winston S. Churchill, His complete Speeches*, vol. VII, *op.cit.*, p. 7283-7284.)
** C'est le palais qui abrite la Chambre des communes.

Stettin sur la Baltique à Trieste sur l'Adriatique, un rideau de fer est descendu sur le continent. Il y a derrière lui toutes les capitales des anciens États d'Europe centrale et occidentale : Varsovie, Berlin, Prague, Vienne, Budapest, Belgrade, Bucarest et Sofia. Toutes ces villes célèbres et les populations qui les entourent sont maintenant incluses dans ce qu'il me faut appeler la sphère soviétique, et toutes sont soumises non seulement à l'influence soviétique [...], mais encore à un degré croissant de contrôle par Moscou. [...] Les partis communistes, qui étaient très réduits dans tous ces petits États d'Europe orientale, ont été élevés à une position de puissance et de prééminence très supérieure à leur importance numérique, et cherchent partout à imposer un pouvoir totalitaire. [...] La Turquie et la Perse sont toutes deux profondément troublées et alarmées par des revendications et des pressions exercées sur elles par le gouvernement de Moscou. [...] À présent, les Russes s'efforcent de constituer un parti quasi communiste dans leur zone de l'Allemagne occupée. Quelles que soient les conclusions que l'on tire de ces faits, ce n'est certainement pas là l'Europe libérée pour laquelle nous avons combattu ; et ce n'est pas non plus celle qui porte en elle les ferments d'une paix durable. »

Ayant souligné que « les partis et la cinquième colonne soviétiques constituent un défi et un péril croissant pour la civilisation chrétienne », et lancé un appel à « une nouvelle unité en Europe », Churchill en vient à l'essentiel : « Je ne pense pas que la Russie soviétique veuille la guerre ; ce qu'elle veut, ce sont les fruits de la guerre et l'expansion sans limites de sa puissance comme de ses doctrines. [...] Nos difficultés et nos dangers ne disparaîtront pas si nous nous voilons la face, si nous attendons de voir ce qui va se passer, ou encore si nous pratiquons une politique d'apaisement. Ce qu'il faut, c'est un règlement, et plus il sera retardé, plus ce sera difficile et plus grands seront les dangers. En fonction de ce que j'ai pu voir de nos amis et alliés russes pendant la guerre, je me suis convaincu qu'il n'y a rien qu'ils admirent tant que la force, et rien qu'ils respectent moins que la faiblesse, particulièrement la faiblesse militaire. »

Pour le nouveau docteur *honoris causa* du *Westminster college*, la parade à cette menace est claire et simple, c'est naturellement l'unité des démocraties occidentales en général, et de certaines d'entre elles en particulier : « Si les populations du Commonwealth de langue anglaise se joignent aux États-Unis, avec tout ce que cela implique de coopération dans les airs, sur les mers, partout autour du globe, dans la science, l'industrie et la force morale, il n'y aura pas d'équilibre des forces précaire et branlant pour offrir une tentation à l'ambition et à l'aventure. [...] Si toutes les forces matérielles et morales de la Grande-Bretagne se joignent aux vôtres en une association fraternelle, alors s'ouvriront les larges chemins de l'avenir, non seulement pour nous, mais pour tous, non seulement pour aujourd'hui, mais pour le siècle à venir[9].»

De somptueuses phrases cadencées, un vibrant appel à l'unité anglo-américaine, une mise en garde contre le relâchement et l'apaisement, un appel à la négociation avec les Russes, mais uniquement en position de force; rien de bien nouveau à première vue, si ce n'est que Churchill vient de clamer à la face du monde ce qui se murmurait dans les chancelleries depuis un an déjà: l'expansionnisme soviétique, relayé par les partis communistes du monde entier, représente un nouveau danger mortel pour les démocraties occidentales. Or, c'est là un message que les citoyens de ces démocraties ne sont manifestement pas prêts à entendre: pendant quatre longues années, la propagande alliée a chanté les louanges du vaillant peuple soviétique, et l'opinion publique en a été durablement marquée; des deux côtés de l'Atlantique, le discours de Fulton est donc fort mal compris par les populations, et encore plus mal accueilli par la presse. À Londres comme à Washington, on s'empresse donc d'ouvrir le parapluie: Clement Attlee déclare que Churchill n'était pas mandaté pour parler au nom du gouvernement britannique, et Harry Truman affirme qu'il n'avait pas eu connaissance au préalable de la teneur de son discours – ce qui est à l'évidence un très gros mensonge...

Ainsi donc, les citoyens et la presse refusent de regarder la réalité en face, et les gouvernements leur emboîtent le pas? Churchill, qui a déjà connu cela maintes fois dans le passé, n'en poursuivra pas moins sa croisade au cours des mois à venir; le 19 septembre, à Zurich, il déclare que «la sécurité du monde exige une nouvelle unité en Europe», et donc la création d'«une sorte d'États-Unis d'Europe»; le premier pas dans cette direction devrait être «un partenariat franco-allemand», conçu comme la pierre de touche d'un vaste «Conseil européen»; quant à la Grande-Bretagne et au Commonwealth, ils seraient, avec les États-Unis, «les amis et les garants de cette nouvelle Europe[10]». En d'autres termes, ils n'en feraient pas vraiment partie ! De toute évidence, Churchill conçoit cette construction européenne comme un rempart continental contre les nouveaux barbares, bien plus solide que celui qui a cédé en 1940 ; mais la Grande-Bretagne et son Empire, soutenus, armés et financés par le partenaire privilégié d'outre-Atlantique, se contenteraient d'encourager les défenseurs depuis le sommet du donjon... Ce n'est pas à proprement parler la conception du comte Coudenhove-Kalergi, mais chacun en retiendra ce qui correspond à ses aspirations, et le discours de Zurich va donner une impulsion décisive au mouvement européen !

Après cela, ce tourbillon humain continue à parcourir le monde de Bruxelles à Oslo, de Washington à Ottawa et de La Haye à Copenhague pour y recevoir des distinctions de citoyen d'honneur, des décorations* et de nouveaux doctorats *honoris causa* – de quoi combler ce grand modeste, qui reste fasciné par les médailles et a toujours regretté de n'avoir pas fréquenté les universités... Ensuite, notre docteur multiple et très décoré rentre à Londres pour prononcer aux Communes quelques diatribes incendiaires contre le parti travailliste.

Pourtant, l'homme ne vit pas que d'honneurs et de politique, et Winston Churchill, qui a refusé à la fois les indemnités d'ancien Premier ministre et celles de chef de l'opposition – tout en conservant un train de vie de grand seigneur –, risque fort de se trouver dans la situation d'impécuniosité chronique si familière à ses ancêtres Marlborough. Une fois encore, il envisage de céder Chartwell ; mais cette mésaventure lui sera épargnée par quelques personnages puissants et discrets, aussi bien introduits dans l'establishment que dans l'administration fiscale, et qui considèrent qu'un homme comme Churchill doit être mis à l'abri des contingences ordinaires ; c'est ainsi qu'au début de 1946, un vieil ami, le magnat de la presse lord Camrose, a proposé à Winston de constituer avec quelques autres philanthropes une fondation qui lui rachèterait Chartwell pour la somme princière de 50 000 £, et lui en laisserait la jouissance jusqu'à la fin de ses jours, moyennant un loyer symbolique ; à sa mort, la propriété deviendrait monument national... Le seigneur de

---

* Le 10 mai 1947, dans la cour des Invalides, il recevra la médaille militaire des mains de Paul Ramadier.

Chartwell accepte avec ravissement, et le produit de la vente, tout en le mettant à l'abri du besoin, lui permet d'acheter trois fermes autour de sa propriété. Dès lors, il peut réaliser un vieux rêve : ajouter à sa collection d'animaux déjà considérable des chevaux, un troupeau de vaches laitières, ainsi que des douzaines de ces cochons auxquels il s'est si souvent identifié, et qu'il admire profondément : « Un chien vous regarde d'en bas, un chat vous regarde de haut, mais un cochon vous traite en égal*[11]... »

On se souvient pourtant que Winston Churchill est un piètre gentleman-farmer, et Clementine n'est pas seule à prédire que l'entreprise tournera court ; mais ces pronostics pessimistes seront démentis par un événement aussi heureux que fortuit : à la fin de 1945, Mary a fait la connaissance du capitaine Christopher Soames, attaché militaire adjoint à Paris, auquel elle va se fiancer quelques mois plus tard. Or, ce capitaine-diplomate est aussi un grand amoureux de la terre, et il acceptera avec empressement de s'installer sur le domaine de son beau-père – qui va trouver en lui un superbe régisseur. Hélas ! Tous ses enfants ne donnent pas autant de satisfactions à Winston Churchill : Randolph et Pamela ont divorcé dès la fin de 1945 – un événement prévisible depuis le jour de leur mariage, et que seule une guerre mondiale pouvait différer... Diana s'entend très mal avec sa mère et donne des signes de dépression ; quant à Sarah, elle poursuit une carrière d'actrice aux États-Unis, boit beaucoup, fréquente des jeunes gens que ses parents supportent mal, et finira par épouser sans les prévenir le photographe mondain Anthony Beauchamp.

Aussi curieux que cela puisse paraître, Churchill a toujours redouté de mourir dans la misère, en laissant ses enfants dans le besoin. Deux grands avocats, Leslie Graham-Dixon et Anthony Moir, lui ont donc recommandé la constitution d'une fondation littéraire qui lui permettrait de transmettre ses droits d'auteur à sa descendance, sans que l'essentiel en soit confisqué par l'administration fiscale. De vieux amis comme lord Cherwell, Oliver Lyttelton et Brendan Bracken se chargent de gérer cette fondation, le *Chartwell Literary Trust*, et dès lors, rien ne s'oppose plus à ce que le grand homme rédige ses Mémoires de guerre...

---

* Les lettres de Winston à Clementine étaient généralement signées d'un portrait de cochon ou de carlin.

Cela paraît d'autant plus nécessaire que son rôle pendant le conflit vient d'être remis en question outre-Atlantique par des mémorialistes de moindre envergure, comme le capitaine Harry C. Butcher, Ralph Ingersoll et Elliott Roosevelt ; et puis, après de longues négociations menées par lord Camrose et Emery Reves*, les éditeurs Cassell en Grande-Bretagne, Hougthon-Mifflin et le magazine *Life* aux États-Unis, lui ont offert pour la publication de ses Mémoires des sommes fabuleuses, atteignant au total 555 000 £** – étant entendu que tous les frais de l'auteur lui seront remboursés durant la période de rédaction, qu'il y aura cinq volumes au moins, et qu'il sera payé en six annuités[12].

Dès lors, notre Premier ministre-conférencier-stratège-châtelain-peintre-fermier-historien-politicien-journaliste-député et leader de l'opposition va se remettre au travail avec ses méthodes, son énergie et son talent habituels. Cette fois encore, ce sont les « assistants » qui se chargeront du travail de recherches, puis de la rédaction des grandes lignes de chaque chapitre : les généraux Ismay et Pownall pour les affaires militaires, le commodore Allen pour les questions navales, le capitaine Deakin, vétéran de l'*Histoire des peuples de langue anglaise,* pour les aspects politico-diplomatiques et la coordination de l'ensemble, sir Norman Brook pour la relecture, la critique et la réécriture éventuelle***, ainsi que l'archiviste Dennis Kelly pour le tri et la sélection des documents originaux, déjà entreposés à Chartwell ou gracieusement mis à la disposition de l'auteur par permission spéciale du Cabinet ; il faut naturellement ajouter à ce groupe l'inusable Eddie Marsh, qui se chargera cette fois encore de corriger la ponctuation…

Voyons maintenant Winston Churchill à l'ouvrage dans son manoir de Chartwell : au fond de son lit, avec une perruche sur la tête, un chat sur les genoux et un caniche sur les pieds. De son lit, de son bureau ou de sa baignoire, il dicte sans discontinuer ses

---

* Emery Reves, de son vrai nom Imre Revesz, est un Hongrois naturalisé britannique, qui s'était chargé dès avant la guerre de vendre les droits étrangers des livres et des articles de Churchill – une entreprise hautement rentable.

** Soit 2,23 millions de dollars – environ 40 millions de dollars d'aujourd'hui. Il faut tout de même en déduire les quelques 20 % prélevés par le fisc américain.

*** En tant que secrétaire du Cabinet travailliste, sir Norman Brook est également en mesure d'apporter de nouveaux documents d'archives – et de persuader le gouvernement de permettre leur utilisation.

souvenirs de chaque épisode du conflit ; les documents qui lui seront nécessaires s'entassent dans la cave, souvent mélangés à ses cahiers d'écolier ou empilés jusqu'au plafond autour du poêle à mazout, le tout au grand effarement de son archiviste. On lui monte les liasses, il les rature, découpe ce qui l'intéresse, jette le reste... Ses assistants lui soumettent ensuite les plans des divers chapitres, puis les chapitres eux-mêmes, qu'il remanie, réécrit, « churchillise », après quoi on les envoie aux « experts » pour commentaires et révision : vingt, trente, quarante généraux, ministres, parlementaires, diplomates, historiens, y compris bien sûr tous ses collègues, subordonnés et acolytes des temps de guerre : Cherwell, Morton, Macmillan, Beaverbrook, Smuts, Boothby, Eden, Duff Cooper, Bracken, Sandys, Colville, Lyttelton, Mountbatten, Camrose, Vian, Somerville, Halifax, Butler, Leathers, Rowan, Wavell, Alexander, Montgomery, Cunningham, Wavell, Menzies, Fraser, Martin, Hollis, Jacob, Cadogan, Paget, Sinclair, Brooke, Freyberg, Harris, Portal, Attlee, Bevin et Paul Reynaud... Ces Mémoires de guerre, c'est bien sûr du plus pur Churchill, mais c'est aussi une œuvre collective à plus d'un titre* !

Et puis, brusquement, Churchill saute de son lit ; avec son épouse, sa fille, son gendre, ses assistants, ses secrétaires, son médecin, son valet, son chevalet, ses pinceaux, des milliers de documents et 55 valises, il part pour Monte-Carlo, Lausanne ou Marrakech, où il se remet à dicter et à peindre – tout cela aux frais de ses éditeurs américains et britanniques, qui reçoivent au fur et à mesure les feuillets et les factures ! Comme prévu dans les contrats, l'édition américaine paraîtra plusieurs mois avant l'édition britannique, et toutes deux seront précédées de la publication des bonnes feuilles dans *Life*. Après de longs palabres, on s'est accordé sur un titre aussi sobre qu'éloquent : *The Second World War*.

Clement Attlee était en droit d'escompter que son illustre prédécesseur, désormais absorbé par ses Mémoires, ses élevages, ses voyages, ses enfants et ses petits-enfants**, ne trouverait plus guère

---

* Sur la saga de la rédaction des Mémoires de guerre de Churchill, voir le prodigieux ouvrage de David Reynolds, *In Command of History*, Penguin, Londres, 2005.
** Winston, fils de Randolph et Pamela, ainsi que Julian, Edwina et Celia, les enfants de Diana et Duncan Sandys.

le temps de s'occuper des affaires de l'État... Lourde erreur : Winston se tient informé de tout et n'a rien perdu de sa redoutable éloquence ; c'est ainsi qu'il déclare aux Communes le 4 octobre 1947 au sujet des dirigeants travaillistes : « Ces malheureux se trouvent dans la sombre et désagréable situation d'avoir promis des bénédictions et imposé des fardeaux, d'avoir promis la prospérité et accordé la misère, d'avoir promis d'abolir la pauvreté pour n'abolir en fin de compte que la richesse, d'avoir tant vanté leur monde nouveau, pour ne réussir finalement qu'à détruire l'ancien[13]... »

C'est un fait : qu'il s'agisse de nationalisations, de rationnement, de la monnaie, de la défense, de l'Inde, de la Palestine, de l'Égypte ou de l'Europe, on peut être sûr de retrouver l'indomptable capitaine à la barre du vieux navire conservateur, tirant des salves répétées contre le frêle esquif travailliste et bravant résolument les tempêtes qu'il a lui-même déclenchées. Si l'équipage rechigne, c'est que le vieux loup de mer navigue souvent à l'aveuglette au milieu des écueils : c'est ainsi qu'il attaque le programme travailliste, mais ne peut proposer aucune solution de rechange aux nationalisations de la Banque d'Angleterre, des chemins de fer et des services de santé ; il condamne le projet de Constitution indienne et le plan d'indépendance totale pour le pays, mais ses propres solutions au problème – qui se résument à un retour au Raj de sa jeunesse ou à un morcellement complet du pays sous tutelle anglaise – sont si manifestement rétrogrades qu'il n'ose pas les formuler publiquement ; sur la Palestine, de même, il se prononce en faveur d'un abandon immédiat du mandat et d'un soutien sans réserve aux colons juifs, puis au nouvel État d'Israël, mais sa position devient pratiquement intenable lorsque les terroristes du groupe Stern exécutent des militaires anglais, et que l'aviation israélienne abat des appareils de la RAF ; il s'élève avec vigueur contre le projet d'évacuation de la zone du canal de Suez, mais ne parvient pas à expliquer comment le maintien des troupes britanniques dans cette région pourrait se concilier avec la souveraineté égyptienne ; il demande la tenue d'une conférence au sommet avec Moscou, en négligeant le fait que, pour dialoguer, il faut être au moins deux – et avoir quelque chose à dire ; il veut que l'Allemagne contribue à la défense de l'Europe, mais craint une reconstitution de l'armée allemande ; il voudrait que l'on oblige les Soviétiques à évacuer l'Europe de l'Est en les menaçant de l'arme atomique, mais l'administration américaine s'y refuse et le gouvernement britannique n'en a pas les moyens ; il accuse le Premier ministre Attlee de se désintéresser des projets d'union européenne, mais ses propres prises de position concernant les liens indissolubles entre la Grande-Bretagne et le Commonwealth, ainsi que les relations privilégiées avec les États-Unis, montrent bien l'extrême fragilité de ses engagements européens ; il accuse le gouvernement de retard dans le développement de l'arme atomique, sans connaître l'état d'avancement des recherches britanniques dans ce domaine ; il peut certes condamner les lacunes travaillistes en matière de défense, mais il est bien obligé de soutenir leur politique de maintien de la conscription, de réarmement accéléré et d'adhésion à l'Organisation du traité de l'Atlantique Nord... À quoi il faut ajouter que ce pionnier de la guerre froide échange des messages amicaux avec Staline, notamment à l'occasion de leurs anniversaires respectifs !

Pourtant, ces multiples contradictions ne l'empêchent nullement de conduire sa diplomatie personnelle, en s'entretenant avec le président israélien Weizmann ou le leader musulman Jinnah*, de fonder en 1948 un « Mouvement de l'Europe unie » – dont le secrétaire général sera son propre gendre Duncan Sandys –, de tenir la vedette aux premières sessions du Conseil de l'Europe et de préconiser l'admission immédiate de l'Allemagne dans cette nouvelle organisation, ainsi que la création d'une armée européenne... Bien des membres du gouvernement travailliste assistent, écœurés et impuissants, aux tours de passe-passe et aux artifices du vieux magicien : devenu pratiquement monument national, il est absolument intouchable, d'autant que, comme par le passé, ses propos ont une désagréable propension à se révéler prophétiques : c'est ainsi que l'évolution des relations Est-Ouest, la doctrine Truman et le plan Marshall ont conféré à son discours de Fulton un caractère prémonitoire des plus impressionnants ; quant à ses prédictions, si souvent répétées, de hideux massacres après l'indépendance de l'Inde, elles sont en train de se réaliser au Bengale comme au Pendjab... Il est vrai que Churchill a prédit également une troisième guerre mondiale avant cinq ans, mais il a été assez prudent pour ne pas le faire en public !

* Qui obtiendra la sécession et l'indépendance du Pakistan, en même temps que celle de l'Inde, en août 1947.

Pour les travaillistes, d'ailleurs, ce curieux prophète se révèle également indispensable dans le rôle de conseiller, et même d'honnête courtier : qu'il s'agisse d'obtenir des conditions plus favorables lors des négociations financières avec les États-Unis, de réviser le discours que le Premier ministre a préparé pour le roi ou de donner un avis autorisé sur le plan de réorganisation de la défense, le gouvernement a pris l'habitude de faire discrètement appel à ses services. Ainsi, tout comme en 1936 ou en 1938, les irréductibles ennemis politiques s'interpellent furieusement à la Chambre, avant d'aller s'entretenir fort civilement dans l'antichambre... Du reste, les invectives elles-mêmes donnent souvent une étrange impression de déjà-vu : exactement comme après la guerre des Boers ou la Grande Guerre, Churchill reproche au gouvernement de poursuivre de sa vindicte l'ennemi vaincu, et recommande instamment le relèvement économique de l'Allemagne, ainsi que des mesures de clémence envers ses maréchaux emprisonnés* ; et puis, tout comme en 1938, notre homme s'inquiète des faiblesses de la RAF et fustige la stupidité d'un gouvernement qui, au milieu d'un programme de réarmement accéléré, se met à vendre des armes à l'étranger et des équipements à l'ennemi potentiel**. Quel est donc ce destin cruel et facétieux, qui replonge sans cesse Winston Churchill dans les mêmes situations absurdes et dramatiques ?

Il n'a sans doute pas le temps de se poser la question, car cet infatigable septuagénaire a pratiquement repris son rythme d'activité des années de guerre – avec en plus la rédaction des Mémoires, les réunions du « cabinet fantôme », les préoccupations électorales, la peinture, les voyages d'agrément et les cérémonies inaugurales – pour ne rien dire des réceptions : on verra ainsi à Chartwell ou à Hyde Park Gate la princesse Élisabeth, le général Eisenhower, une délégation du Sénat américain, Margaret Truman,*** le Premier

---

* Comme le maréchal Kesselring, ancien commandant en chef des troupes allemandes en Italie. Churchill écrira à Eden le 13 septembre 1948 : « J'en suis personnnellement si indigné que j'envisage de contribuer à une souscription pour la défense de ces vieux maréchaux. [...] Après tout, les principaux criminels ont déjà été punis. Nous devons prendre garde de ne pas nous aliéner l'âme de l'Allemagne. » (M. Gilbert, *Winston S. Churchill*, vol. VIII, *op. cit.*, p. 431-432.)

** Il s'agit notamment de la vente d'avions de combat à l'Égypte et de machines-outils à l'URSS.

*** La fille du président des États-Unis.

ministre canadien et le général Marshall, en plus de tous les habitués de la maison comme Bracken, Cherwell, Deakin, Ismay, Moran, et tous les membres d'une famille qui s'agrandit à vue d'œil... Ajoutons que ce patriarche hyperactif monte encore en selle pour participer à des chasses à courre, a constitué sur les conseils du capitaine Soames une écurie de courses complète* et se rend fréquemment à l'étranger, où il rencontre politiciens et gens du monde, peint avec acharnement et fréquente assidûment les casinos ; dans l'intervalle, il donne des interviews à la presse, rédige des articles et entretient une volumineuse correspondance avec quelques centaines de personnes, allant du président Truman à sa très vieille amie lady Lytton, née Pamela Plowden... Rien d'étonnant en somme à ce que, juste avant d'être opéré d'une hernie inguinale dans un hôpital de Londres, il ait déclaré à l'anesthésiste : « Vous me réveillerez vite : j'ai beaucoup de travail[14] ! »

Une fois de plus, on est bien obligé de se demander d'où lui vient cette énergie. Le dopage, peut-être ? Notre coureur de fond fume toujours ses énormes cigares noirs et continue à boire du sherry, du champagne, du porto, du cognac et du cointreau au déjeuner comme au dîner, du vin blanc au petit déjeuner et du whisky and soda à toute heure... Mais quel que soit le carburant utilisé, il est clair que ce rythme d'activité est très anormal pour un homme de 75 ans. Pourtant, son entourage sait bien que tout ralentissement provoquerait immanquablement une dépression, d'autant que Winston vient d'avoir l'immense douleur de perdre son petit frère Jack ; du reste, les amis, compagnons et frères d'armes commencent à se faire rares, et lui-même se doute que son heure n'est pas très éloignée. C'est donc le moment des bilans, et Winston se penche de plus en plus souvent sur l'invraisemblable roman de son existence : « Si seulement certaines personnes avaient été encore en vie pour assister aux événements des dernières années de la guerre – pas beaucoup : mon père et ma mère, et F. E. [Smith], et Arthur Balfour, et Sunny[15]. »

Son père en premier, bien sûr... Si seulement il avait pu voir Winston à l'été de 1940, alors qu'il accomplissait l'impossible et détournait le cours de l'histoire ; ou bien en novembre 1943, lorsqu'il était à Téhéran l'un des trois hommes les plus puissants de la terre ; ou encore en mai 1945, sur le balcon de Buckingham Palace,

---

* Qui a naturellement repris les couleurs de lord Randolph.

entouré du roi et de la reine, et acclamé par tout le royaume ! Alors, certes, lord Randolph aurait dû admettre qu'il s'était trompé sur le compte de son fils, et sans doute aurait-il enfin accepté de le traiter en ami, en confident, en égal peut-être... Et puisque décidément, dans la vie de Winston Churchill, tout recommence toujours, lord Randolph aurait pu revenir au Parlement à ses côtés, et que de grandes choses n'auraient-ils pas accomplies ensemble !

Jusqu'à sa dernière année, lord Randolph Churchill avait aspiré à occuper de hautes fonctions et à présider aux destinées du parti conservateur – en attendant de présider à celles de l'Angleterre. Toutes les ambitions de son père, Winston les a réalisées ; mais ce magnifique franc-tireur parlementaire, ministre industrieux et Premier ministre éblouissant est en revanche un médiocre chef de l'opposition, et un chef de parti plus médiocre encore : il omet d'expliquer au comité directeur les méandres de sa politique européenne, se préoccupe de ses propres vues plutôt que de celles de l'opinion publique, se désintéresse des élections partielles, ressasse interminablement des épisodes de la guerre* et doit laisser à d'autres le soin d'élaborer un programme politique cohérent ; étant donné qu'il est de plus en plus sourd** et que sa santé donne quelques inquiétudes, bien des dignitaires conservateurs rêvent de le voir remplacer à la tête du parti. Pourtant, ils ne peuvent faire davantage, car son prestige est si grand que personne n'ose l'affronter directement ; il faudra donc se résigner à aller aux élections avec le vieux chef de guerre, qui tient absolument à effacer sa défaite de 1945 et se plaît à rappeler que Gladstone a formé son dernier gouvernement à 83 ans !

Le premier volume des Mémoires de guerre, intitulé *The Gathering Storm****, est terminé au début de 1948 ; publié aux États-Unis le 5 juin et en Grande-Bretagne quatre mois plus tard, il va connaître un immense succès des deux côtés de l'Atlantique ; cela se comprend aisément : on y suit pas à pas la faillite de la paix

---

* « Un jour, se souviendra son ancien secrétaire John Martin, rencontrant Churchill quelques années après la guerre, je lui ai dit que la vie n'était plus aussi exaltante qu'autrefois. À quoi il m'a répondu : "On ne peut quand même pas s'attendre à avoir une guerre *tout le temps*." » (Sir John Martin *in* J. Wheeler-Bennett, éd., *Action this Day, op. cit.*, p. 139.)

** Mais refuse de le reconnaître...

*** Dans l'édition française : *L'Orage approche*.

et la descente vers la guerre, les avertissements prophétiques de Churchill avant Munich et Varsovie, puis l'atmosphère crépusculaire de la « drôle de guerre », l'effrayant désordre de la campagne de Norvège, et pour finir, la chute du gouvernement Chamberlain. Le livre contient beaucoup de documents d'archives publiés pour la première fois, mais aussi des envolées lyriques, des clins d'œil au lecteur, des citations de la Bible, des poèmes parfois, et surtout de majestueuses phrases rythmées, où transparaît toujours l'influence de Gibbon et de Macaulay : « C'est ainsi que la malveillance des méchants se trouva renforcée par la faiblesse des vertueux », ou bien encore l'évocation de « ces heureuses et sereines altitudes, où toutes questions sont réglées pour le plus grand bien du plus grand nombre, grâce au bon sens de la plupart et après consultation de tous ». Bien sûr, l'œuvre du grand homme a été « censurée » au préalable par son épouse, ses amis, le *Foreign Office*, le ministère de la Guerre, le gouvernement et le roi ; pour ne froisser personne, les controverses ont donc été estompées, les propos modérés, les désaccords gommés et les documents d'époque expurgés. En outre, le lecteur peut constater d'emblée que cette Seconde Guerre mondiale est très centrée sur l'Angleterre en général, et sur Winston Churchill en particulier. Enfin, si l'auteur reproduit en abondance les consignes, instructions et exhortations du député et premier lord de l'Amirauté Churchill, il n'inclut presque jamais les réponses des destinataires – qui auraient seules permis de comprendre les graves objections suscitées par les inspirations du bouillant ministre et du stratège effervescent...

Au début de septembre 1948, le couple Churchill fête son 40ᵉ anniversaire de mariage au cap d'Antibes, dans la villa du duc de Windsor. La conduite du duc avant et pendant la guerre a certes été moins que glorieuse, Churchill n'a plus guère de respect pour ses idées politiques – ou pour ce qui en tient lieu –, et le couple Windsor promène sur la Côte d'Azur une oisiveté ostentatoire. Mais ce sont de vieilles connaissances, et leur résidence est décidément bien confortable... Lorsque la conversation du duc finit par le lasser, Winston se transporte à Cap-d'Ail, où son vieil ami lord Beaverbrook a mis à son entière disposition la villa « Capponcina »* ; semblable à

---

* Qu'il a achetée en 1940 au couturier Molyneux, et récupérée à peu près intacte à la fin de la guerre.

un petit monastère – l'austérité en moins –, avec patio espagnol, grande terrasse, immense jardin fleuri, bassin de nénuphars, vaste piscine et plage privée, la résidence offre une vue superbe sur le rocher de Monaco, à six kilomètres de là. Clementine, qui n'aime guère Beaverbrook, ne s'y attarde pas, laissant Winston seul pour peindre et terminer la relecture des épreuves du deuxième volume de *The Second World War*, sous la surveillance attentive de tout le personnel de la villa.

Retour à Londres en octobre, mais pour peu de temps : quelques jours avant la fin de l'année 1948, Winston, Clementine et leur fille Sarah sont de retour sur la Côte ; c'est que notre héros a d'excellents souvenirs de l'Hôtel de Paris à Monte-Carlo, et la famille va y demeurer quinze jours, dans un appartement du quatrième étage – le plus haut à cette époque, au centre de la rotonde. Juste avant la nouvelle année 1949, l'honorable Winston Churchill recevra le diplôme de « maître de chai *honoris causa* de l'Hôtel de Paris », qui ne sera certainement pas la moins prisée de ses distinctions…

Au printemps de 1949, le deuxième volume des Mémoires de guerre paraît enfin, sous le titre évocateur de *Their Finest Hour**. Il couvre toute la période allant du 10 mai 1940 jusqu'au Nouvel An 1941, avec l'habituelle richesse de style et de documentation, le souci permanent d'expliquer les craintes et les contraintes du temps de guerre, et bien sûr toutes les faiblesses inhérentes au premier volume : l'histoire de la guerre reste anglo-centrée, l'omniprésence du héros donne l'impression qu'il ne se trouvait personne d'autre à Londres pour penser ou agir, et certains épisodes embarrassants sont entièrement passés sous silence – au prix de quelques contorsions sémantiques. C'est ainsi qu'il écrit au sujet de la période cruciale de mai-juin 1940 : « Les générations futures trouveront sans doute remarquable que la question suprême de savoir si nous devions poursuivre seuls le combat n'ait jamais figuré à l'ordre du jour du Cabinet de guerre[16]. » C'est littéralement exact, mais pour le moins trompeur si l'on se souvient de la teneur des débats lors des cinq réunions tenues à Downing Street entre le 26 et le 28 mai 1940**. Une autre omission remarquable est due au

---

* La version française portera le titre moins triomphant de *L'heure tragique*.
** Voir *supra*, p. 380-385. Les Britanniques emploient un admirable euphémisme pour qualifier ce genre de procédé : « *To be economical with the truth* »

strict respect de l'*Official Secrets Act :* toute mention de Bletchley Park et des premiers décryptages d'Ultra a été soigneusement expurgée, comme elle le sera de tous les volumes ultérieurs.

Au moment où paraît ce deuxième volume, Winston a déjà largement entamé le troisième, tout en poursuivant son périple à travers l'Europe ; cet été-là on le verra séjourner sur le lac de Garde, puis se rendre à Strasbourg pour assister à la session inaugurale de l'Assemblée consultative du Conseil de l'Europe. Après avoir été fait citoyen d'honneur de la ville de Strasbourg, il repart pour le midi de la France ; cette fois encore, il séjournera dans la villa de lord Beaverbrook, stratégiquement située à un jet de pierre de Monte-Carlo. Au programme : bains de mer, peinture, fin du troisième volume, et bien sûr excursions au casino.

Cette fois, pourtant, rien ne se passera comme prévu : le 24 août 1949 au matin, Churchill ressent une crampe dans le bras et la jambe ; il vient d'avoir un spasme d'une artère cérébrale. Charles Wilson, son médecin particulier, est appelé en urgence de Londres, et il trouve son patient fort préoccupé : « Est-ce que je vais avoir un autre spasme ? Il y aura peut-être une élection bientôt. [...] Je pourrais être obligé de reprendre les rênes ! » Telle est sa véritable préoccupation : si la nouvelle de l'attaque s'ébruitait ou si les séquelles en étaient perceptibles, les chances électorales de cet aspirant Premier ministre de 75 ans s'en trouveraient manifestement compromises... Son médecin racontera la suite : « Lorsque quelques jours plus tard, il a déjeuné à l'hôtel de Paris, et que tout le monde s'est levé à son entrée sans que personne ne remarque rien, il a repris confiance. [...] Il voulait rentrer, mais il craignait qu'à sa descente d'avion en Angleterre, les journalistes s'aperçoivent qu'il ne marchait pas droit. [...] Lorsqu'en fin de compte, nous avons atterri à Biggin Hill et qu'il a vu tous les photographes avec leurs caméras, il s'est persuadé qu'ils remarqueraient quelque chose d'anormal dans sa démarche, et il leur a fait signe de s'éloigner d'un geste courroucé. Un peu plus tard, à Chartwell, il m'a dit : "Je ne suis plus l'homme que j'étais avant cette attaque" [...]. Et puis son visage s'est éclairé : "Quand je suis arrivé à Downing Street, il y avait cinq personnes devant l'entrée. Quand je suis reparti, il y en avait cinq cents [17] !" »

(être économe de la vérité). À l'évidence, Churchill a voulu ménager lord Halifax, qui reste un personnage influent au sein du parti conservateur d'après-guerre.

C'est indéniable : l'homme est plus populaire que jamais, et les travaillistes au pouvoir le sont de moins en moins. C'est au début de 1950, alors qu'il se repose à Madère en peignant et en rédigeant le quatrième volume de ses Mémoires, que Churchill apprend la nouvelle : Attlee a annoncé des élections générales pour le 23 février. Cette fois, le chef de parti se réveille ; remisant sa palette, délaissant ses Mémoires, oubliant ses problèmes de santé, il reprend l'avion pour Londres et plonge dans la mêlée : discours, interviews, négociations, rédaction du manifeste électoral, conciliabules avec les dignitaires du parti... Plus que jamais, on ira à la bataille en famille : Churchill se représente à Woodford, son fils Randolph à Davenport, son gendre Duncan Sandys à Streatham, et son second gendre Christopher Soames à Bedford ! Les perspectives semblent favorables, car les travaillistes sont usés par près de cinq années de pouvoir, des résultats économiques calamiteux et de profondes divisions internes. Mais le 23 février 1950, ce ne sera pas suffisant : Churchill et ses gendres sont certes élus, le parti conservateur gagne 85 sièges et les travaillistes en perdent 78, mais il leur reste une majorité d'une dizaine de sièges qui leur permet de se maintenir au pouvoir d'extrême justesse. Toutefois, ce sera nécessairement un pouvoir fragile, constamment à la merci d'un vote de défiance, et chacun s'attend à de nouvelles élections dans un proche avenir ; Churchill est donc loin d'être découragé, et il se remet avec vigueur à la rédaction de ses Mémoires*. Une nuit, alors qu'il en dicte un chapitre à sa secrétaire, il s'interrompt brusquement et dit : « Je sens que je serai à nouveau Premier ministre. Je le sens[18]. »

Ce sera tout de même plus long que prévu ; en dépit de ses divisions internes et du mécontentement provoqué dans le pays par la crise du logement et la pénurie des matières premières, la majorité gouvernementale tient bon et résiste à plusieurs motions de censure.

---

* Le troisième volume, The Grand Alliance, paraît deux mois plus tard et couvre la période allant des campagnes de Libye et de Grèce jusqu'à l'entrée en guerre des États-Unis. Le quatrième, The Hinge of Fate, sera publié aux États-Unis dès octobre 1950 et reprendra les événements depuis la chute de Singapour en février 1942 jusqu'à la conquête de la Tunisie en mai 1943. Pour ces deux volumes, Churchill, très affairé, se repose de plus en plus sur ses « assistants » Deakin, Pownall et Kelly, dont il reproduit souvent les écrits in extenso. Mais lorsque les chapitres lui tiennent vraiment à cœur, il les réécrit entièrement.

Elle est d'ailleurs aidée en cela par la situation internationale, surtout lorsque le déclenchement de la guerre de Corée en juin 1950 crée un réflexe de solidarité nationale. Du reste, ce ne sera pas la seule fois que le leader de l'opposition Churchill montera au créneau pour défendre le gouvernement travailliste contre ses propres dissidents ! Il l'a déjà fait pour la loi sur le service national et l'installation d'une base de bombardiers atomiques américains dans l'East Anglia ; il le fera encore pour le programme triennal de réarmement et pour le soutien à la renaissance de l'armée allemande ; enfin, lorsqu'en mai 1951, le Premier ministre iranien Mossadegh annonce la nationalisation des champs de pétrole de l'*Anglo-Iranian Oil Company*, Churchill télégraphie lui-même au président Truman pour soutenir la démarche du ministre des Affaires étrangères travailliste Herbert Morrison...

Tout cela ne l'empêchera pas de dénoncer à la Chambre les lourdes erreurs du gouvernement, y compris le refus du plan Schuman sur la CECA, les lenteurs du réarmement, l'impéritie en matière de construction de logements, les maladresses de la dévaluation, l'ineptie du rationnement, le scandale des pénuries alimentaires, la folie des nationalisations et le délire des livraisons de matières premières stratégiques à la Chine, au moment même où les troupes britanniques se heurtent aux « volontaires » chinois en Corée...

Au milieu de tout cela, Churchill peint avec enthousiasme, se rend sur les champs de courses pour voir courir ses chevaux*, parcourt ses vastes terres de Chartwell avec une légitime fierté, achève péniblement le cinquième et avant-dernier volume de ses Mémoires de guerre**, part se reposer à Lausanne, Venise, Madère ou Marrakech, et rentre en Angleterre pour encourager les dirigeants de son parti, caresser ses animaux, inaugurer un monument ou recevoir un dignitaire étranger. À l'été de 1951, les sondages d'opinion sont très favorables aux conservateurs, et personne n'en

---

* Sur les conseils de son gendre, Churchill a engagé le meilleur entraîneur du moment.

** Qui est publié aux États-Unis à la fin de novembre 1951 sous le titre *Closing the Ring*. Il traite de toute la période allant de la conquête de la Sicile à la veille du débarquement de Normandie. Ce volume paraîtra en Grande-Bretagne *dix mois* plus tard, en raison d'une grève des imprimeurs...

doute : dès que M. Attlee se décidera à organiser des élections, l'heure du retour triomphal de Winston Churchill aura sonné.

En fait, c'est sa dernière heure qui manque bien de sonner : le 23 août 1951, dans un train qui approche de Venise, il se penche par la fenêtre du compartiment pour mieux apercevoir la ville, sans remarquer le poteau en ciment qui se rapproche à toute vitesse sur sa droite. Le résultat était inévitable, mais Scotland Yard ne paie pas ses agents pour se prélasser : au tout dernier moment, l'imprudent voyageur est brutalement tiré en arrière. « Eh bien ! s'exclame-t-il en se relevant, Anthony Eden a bien failli hériter de nouvelles fonctions [19]… »

Un mois plus tard, Clement Attlee, avec un gouvernement à bout de souffle au propre comme au figuré*, annonce que les élections générales se tiendront le 25 octobre. Venise perd aussitôt tous ses charmes, le chevalet est escamoté, les Mémoires renvoyés aux calendes, et l'artiste rentre à Londres séance tenante ; au cours des cinq semaines qui suivent, ce jeune homme de 77 ans va parler à la BBC, donner des interviews à la presse, mettre la dernière main au programme électoral du parti et parcourir le pays en prononçant des discours enflammés, dans sa circonscription de Woodford, à Huddersfield, à Newcastle, à Glasgow et à Plymouth, où se présente son fils Randolph. Ses propos sont comme toujours pleins de lyrisme, d'anecdotes, d'humour, de métaphores et d'allitérations, avec une forte dose d'exagération pour faire passer le message : les travaillistes sont responsables de tout, depuis les retards dans le développement de la bombe A jusqu'à la crise du logement, en passant par la pénurie alimentaire et « le déclin et la chute de l'Empire britannique ». Que les conservateurs soient élus, et ils construiront 300 000 logements par an, assureront un gouvernement stable, amélioreront l'État providence et rendront à la Grande-Bretagne la position internationale qu'elle mérite !

Le 25 octobre, ce ne sera pas un triomphe : les conservateurs ont toujours moins de voix que leurs adversaires, mais le découpage électoral les favorise et ils remportent 321 sièges, contre 295 aux travaillistes. Randolph est encore battu, mais son père est réélu à

---

* Bevin et Cripps sont mourants, Bevan a démissionné, Morrison est très mal à l'aise au *Foreign Office*, et le gouvernement est profondément divisé au sujet du programme de réarmement.

une confortable majorité – et surtout, il tient enfin sa revanche : au soir du 26 octobre 1951, un communiqué du Palais annonce que l'honorable Clement Attlee a remis sa démission au roi, et que Sa Majesté a demandé au non moins honorable Winston Churchill de former le nouveau gouvernement.

Éternel retour ! Après un véritable Namsos économique, un Andalsnes financier, un Sedan monétaire, un Arras industriel, un Calais social et un Gravelines commercial, les plages de Dunkerque se profilent à nouveau devant une Angleterre exsangue – et voici notre vieux lutteur rajeuni de onze ans. Qu'on sonne le clairon du rassemblement général ! Tiré brusquement de son sommeil vers minuit, le fidèle Ismay est convoqué à Hyde Park Gate séance tenante, pour se voir offrir le poste de ministre des Relations avec le Commonwealth : « Je pensais que l'eau froide n'avait pas fait son effet et que je rêvais encore, mais M. Churchill a balayé mes doutes et m'a poussé dans la salle à manger, où j'ai retrouvé M. Eden, lord Salisbury, sir Norman Brook et un essaim de secrétaires travaillant avec acharnement à divers avant-projets. Les années semblaient s'estomper, et nous nous retrouvions au bon vieux temps[20]. » Harold Macmillan, qui se voit offrir le ministère du Logement, aura la même impression : « C'était amusant de se replonger dans un passé qui rappelait inévitablement le Churchill du temps de guerre. Les enfants, les amis, les ministres, les secrétaires privés, les dactylos, tous étaient très affairés, mais ravis de revenir sur l'avant-scène[21]. »

Il est vrai que pour faire revivre le passé, Churchill, toujours aussi allergique aux « nouvelles têtes », a battu le rappel de tous les anciens combattants : en plus d'Ismay et de Macmillan, revoici donc Lyttelton aux Colonies, Cherwell au Trésor, lord Woolton à l'Agriculture, lord Leathers aux Transports, Anthony Head* à la Guerre, R. A. Butler à l'Échiquier, et naturellement Anthony Eden aux Affaires étrangères ; John Colville reprendra du service comme secrétaire privé du Premier ministre, Norman Brook comme secrétaire du Cabinet et Ian Jacob comme principal assistant du ministre de la Défense, qui sera cette fois encore Churchill lui-même – en attendant que le poste revienne au maréchal Alexander, son militaire préféré... Et pourquoi donc voudrait-on changer une équipe qui gagne ? Si l'on ne peut recruter ni l'ancien ministre de l'Intérieur

---

* Un des assistants de Churchill au Cabinet de guerre entre 1940 et 1945.

John Anderson ni le fidèle disciple Brendan Bracken, c'est que le premier a mieux à faire et que le second est très malade ; mais le gendre Duncan Sandys devient ministre de l'Approvisionnement, l'autre gendre Christopher Soames secrétaire parlementaire, et l'on remobilise tout le petit personnel de l'époque héroïque, depuis les statisticiens jusqu'aux dactylos...

Pour effacer les années et mener sur le front intérieur cette nouvelle bataille d'Angleterre, le nouveau Premier ministre aurait naturellement voulu faire table rase de toute la parenthèse socialiste, à commencer par l'ensemble des nationalisations. Mais, à la différence de Winston Churchill et d'H. G. Wells, les ministres de Sa Majesté jugent imprudent de remonter le temps ; ils préfèrent dénationaliser prudemment et à bon escient, toucher le moins possible aux réformes sociales et ne s'attaquer qu'aux points faibles de la gestion travailliste : le dogmatisme, le dirigisme, la bureaucratie, le laxisme budgétaire et l'incohérence fiscale. Ils vont donc abolir par étapes le contrôle des changes et le rationnement, doubler les taux d'intérêt, réduire les subventions alimentaires, revenir sur la gratuité totale des services médicaux, limiter les dépenses ministérielles*, relancer la construction de logements, dynamiser le commerce extérieur et s'efforcer de rééquilibrer la balance des paiements...

Dans tous ces domaines, Churchill n'interviendra que très rarement : la politique fiscale le déprime, la politique industrielle le dépasse, la politique sociale a cessé de l'intéresser depuis 1911, et la politique économique est devenue encore plus complexe qu'en 1925, lorsqu'il était chancelier de l'Échiquier – avec le bonheur que l'on sait... Il se contentera donc de faire quelques coups d'éclat, comme celui d'annoncer dès le premier conseil de Cabinet une réduction de 20 % du traitement des ministres et une baisse d'un tiers du sien propre ; pour le reste, il soutiendra aux Communes la politique économique et sociale de ses ministres, avec toutes les ressources de sa redoutable éloquence : « Ce qu'il faut à la nation, ce sont plusieurs années d'administration stable et tranquille ; ce qu'il faut à la Chambre, c'est une période de débat tolérant et constructif sur les problèmes de l'heure, sans que

---

* À leur grand regret, ils devront aussi réduire substantiellement les dépenses militaires.

chaque discours, de quelque bord qu'il vienne, se trouve dénaturé par les passions d'une élection ou les préparatifs de la suivante[22]. »

Il est vrai que, tout comme le général de Gaulle, Churchill considère qu'il n'a pas été élu pour s'occuper de la ration de macaronis, et que si la guerre est horrible, la paix peut être assommante. Comme le dira lord Norman Brook : « En temps de paix, les tâches du gouvernement étaient plus complexes, au moins pour les affaires intérieures. Il y avait autant de désaccords sur les buts que sur les moyens à engager pour y parvenir. [...] Certains des enjeux lui paraissaient dérisoires au regard des controverses qu'ils suscitaient. Et il lui arrivait d'être irrité de devoir se quereller, au sujet de questions d'importance mineure, avec des hommes qui avaient été pendant la guerre de proches et efficaces partenaires. Je soupçonne qu'il avait parfois la nostalgie de la camaraderie du temps de guerre, lorsque tous poursuivaient le même but dans la concorde et l'unisson*[23]. »

Dans le domaine militaire, qui lui tient tant à cœur, le Premier ministre est naturellement beaucoup plus actif ; il interviendra notamment en faveur de la reconstitution de la *Home Guard* et de la formation de « colonnes mobiles » de réserve, après avoir constaté que toutes les unités régulières étaient en service outre-mer. Il va sans dire que l'on pourra toujours compter sur lui pour expliquer ces mesures à la Chambre en termes appropriés : « Devenu ministre de la Défense au mois d'octobre dernier, j'ai été assailli par une sensation d'extrême dépouillement, comme je n'en avais jamais connue auparavant, en temps de guerre ou en temps de paix – un peu comme si je me trouvais au milieu d'une colonie de nudistes[24]. » Quant à s'en prendre publiquement à un tel rhéteur, cela reste tout aussi dangereux qu'un demi-siècle plus tôt ; à un député de l'opposition qui vient de l'interpeller avec violence, il répond placidement : « L'honorable gentleman pourrait-il beugler cela une nouvelle fois ? »

Pourtant, malgré les apparences, Winston Churchill n'a toujours pas confiance dans ses talents d'orateur, et la préparation de ses

---

* C'est certainement la vision rétrospective de Churchill au début des années cinquante, mais elle peut sembler exagérément idyllique à ceux qui se souviennent des innombrables querelles et controverses au sein du Cabinet de guerre entre 1940 et 1945...

discours reste une entreprise majeure, complexe, délicate – et passablement désordonnée, si l'on en croit son secrétaire John Colville : « Une fois le discours composé, le processus de correction final, avec ses insertions et ses excisions, s'apparentait aux dernières touches d'un tableau. Le texte devait ensuite être lu et relu, avant d'être transposé en forme de psaumes, comme disait lord Halifax, puis tapé à la machine sur des feuilles de papier spéciales, que l'on assemblait ensuite avec un instrument appelé "clop". […] Étant donné que le texte définitif était généralement tapé au tout dernier moment, et que Churchill était invariablement dans son lit à apporter les dernières corrections alors qu'il aurait déjà dû être en route pour la Chambre, la scène avant son départ de Downing Street, avec les secrétaires privés qui le pressaient, les liftiers qui retenaient l'ascenseur, les moteurs des voitures qui ronflaient et les chefs de fractions parlementaires inquiets qui téléphonaient, tenait à la fois de l'opéra-comique et du lancement d'une offensive générale*. Et Colville d'ajouter : « Churchill n'était pas homme à s'éloigner du sujet ou même des termes exacts qu'il avait laborieusement préparés et mis en forme. Il a conservé jusqu'à la fin un sentiment d'appréhension en s'adressant à la Chambre des communes, ou même à toute assemblée de quelque importance. […] Il ne cherchait pas à dissimuler son inquiétude avant la tenue d'un discours, et lorqu'il avait fini de le prononcer, son soulagement et son désir d'en connaître l'effet sur l'auditoire étaient touchants de candeur enfantine[25]. »

En dehors de la défense, ce qui absorbe le plus clair du temps de notre nouveau Premier ministre, c'est la politique étrangère et impériale. Sa première ambition était naturellement de reconstituer l'Empire britannique de l'époque victorienne, mais six ans de

---

* Une scène qui s'était déjà jouée à d'innombrables reprises pendant la guerre ; ainsi, le 30 décembre 1941, à la Maison-Blanche, Churchill est en train de corriger dans son lit le discours qu'il va prononcer devant le Congrès, lorsque son secrétaire Leslie Rowan fait irruption dans la chambre :

« – Vous rendez vous compte, sir, que vous êtes attendu au Congrès dans vingt minutes ? »

Churchill bondit hors du lit, faisant voler les feuilles du discours dans toutes les directions. En disparaissant dans la salle de bains, il crie au secrétaire :

« – Remettez toutes les pages dans l'ordre : ma vie en dépend ! » (H. Ismay, *Memoirs, op. cit.*, p. 169-170.)

guerre et cinq ans de gouvernement socialiste ont mis fin à de telles chimères ; l'Inde, le Pakistan, Ceylan, la Birmanie, l'Égypte et la Palestine sont désormais indépendants, et rien ne permettra de revenir en arrière. Pour Churchill, il s'agit dès lors de préserver les avant-postes, les bases stratégiques et les intérêts économiques de la Grande-Bretagne dans ces pays, et surtout d'empêcher que d'autres parties de l'Empire soient gagnées par la vague de décolonisation. On dépêche donc le général Templer en Malaisie avec des renforts pour mater la rébellion communiste* ; en Iran, Mossadegh, qui avait foulé aux pieds les intérêts britanniques, se trouve confronté à une redoutable opposition économique et politique, dont les apparences indigènes ne masquent qu'imparfaitement les origines anglo-saxonnes ; en Égypte, l'agitation organisée par le gouvernement en faveur d'une évacuation du canal de Suez par les forces britanniques se heurte à une réaction militaire déterminée ; au Kenya, des troupes sont envoyées pour mater la révolte des Mau-Mau, et le meneur rebelle Jomo Kenyatta est emprisonné ; en Afrique australe, on constitue une Fédération regroupant la Rhodésie du Nord, la Rhodésie du Sud et le Nyassaland, qui sera naturellement dominée par les colons blancs ; en Afrique du Sud, Churchill insiste pour que l'on conserve à perpétuité la base navale de Simonstown ; enfin, il ordonne que l'on assure efficacement et ostensiblement la défense des îles Falkland, convoitées depuis un siècle par l'Argentine. « Je ne suis pas devenu le Premier ministre de Sa Majesté », avait dit Churchill à Roosevelt pendant la guerre, « pour présider au démantèlement de l'Empire britannique. » Depuis lors, la chose s'est faite sans lui, mais s'il est revenu au pouvoir, c'est justement pour mettre un terme au processus !

Pourtant, dans ce domaine comme dans bien d'autres, rien de durable ne peut se faire sans la coopération des États-Unis, et Churchill se soucie immédiatement de rétablir ses « relations privilégiées » du temps de guerre avec le grand allié d'outre-Atlantique. Deux mois à peine après la constitution de son gouvernement, il est déjà en route pour Washington avec Eden, Ismay, Cherwell et toute une délégation de généraux et d'amiraux. Arrivé à Washington le

---

* Churchill n'a rien perdu de ses intuitions fulgurantes : le général Gerald Templer fera des prodiges en Malaisie, où les insurgés communistes seront définitivement vaincus.

5 janvier 1952, il aura pendant trois semaines un emploi du temps assez effarant : déplacements continuels en train, en bateau, en voiture et en avion ; deux grands discours devant le Congrès américain et le Parlement d'Ottawa ; innombrables conférences de presse ; visites à des dizaines de vieux amis comme Bernard Baruch, Eisenhower ou Marshall ; soirée au théâtre pour y voir jouer sa fille Sarah ; et surtout négociations ininterrompues avec le président Truman, le secrétaire d'État Acheson et tout leur entourage.

Ces pourparlers seront laborieux, car les Britanniques sont invariablement en position de demandeurs : ils voudraient un soutien politique et une présence militaire américaine dans la région du canal de Suez ; une participation de Washington aux efforts pour écarter Mossadegh du pouvoir en Iran ; une fourniture massive d'acier ; une coopération franche et loyale en matière atomique, comme le prévoyaient les accords de Québec ; l'organisation d'une conférence au sommet avec les Soviétiques, ainsi que la nomination d'un amiral britannique comme commandant suprême de l'OTAN pour le secteur atlantique. Jusque tard dans la nuit, après force libations, Churchill va donc déployer des trésors d'éloquence qui frapperont de stupeur ses interlocuteurs américains ; sur le commandement du secteur atlantique, par exemple, ils pourront entendre ceci : « Pendant des siècles, l'Angleterre a tenu les mers contre toutes sortes de tyrans, en protégeant l'hémisphère occidental de toute incursion européenne lorsque l'Amérique était faible. [...] À présent que celle-ci est au sommet de sa puissance, elle peut certainement se permettre de laisser l'Angleterre continuer à jouer son rôle historique sur cette mer occidentale, dont le fond est encore blanchi par les os des marins anglais[26]. »

Et ce ne sont là que des improvisations d'après-dîner ! En revanche, le discours qu'il va prononcer au Congrès le 17 janvier 1952 lui a coûté des nuits entières de labeur, et les résultats seront à la hauteur des efforts : « Je suis venu pour vous demander non de l'or, mais de l'acier ; non des faveurs, mais de l'équipement. » Ayant rendu hommage à l'aide des Américains pendant la guerre et à leur action décisive en Corée, il passe ensuite au Moyen-Orient, où « la Grande-Bretagne ne peut plus porter seule le fardeau consistant à assurer le libre passage à travers cette célèbre voie d'eau qu'est le canal de Suez » ; c'est devenu « une responsabilité internationale », qu'il invite les États-Unis, la France et la Turquie à partager, « en envoyant des forces symboliques ». Après avoir parlé d'Israël, de la nécessité de tenir tête à l'URSS et de « ne se départir à aucun prix de l'arme atomique », il conclut par un hommage solennel au partenariat anglo-américain : « Bismarck a dit un jour que le fait essentiel du XIXᵉ siècle était que la Grande-Bretagne et les États-Unis parlaient la même langue. Faisons en sorte que le fait essentiel du XXᵉ siècle soit que les deux pays avancent de concert le long du même chemin[27]. »

Après cela, il y aura encore quelques banquets, un départ en train pour New York, une parade triomphale dans la ville par une température glaciale, ainsi qu'une réception à la mairie agrémentée d'un dîner de gala avec les libations d'usage, suivie d'un départ pour Ottawa avec discours au Parlement, entretiens officiels, banquets, interviews, et ainsi de suite *ad nauseam*. On se souvient qu'en décembre 1941, huit jours d'un tel traitement avaient suffi pour provoquer une crise cardiaque ; mais c'était il y a dix ans : à présent, Winston est nettement plus jeune !

Pourtant, lorsque l'inusable visiteur quitte enfin les Amériques à bord du *Queen Mary* le 22 janvier 1952, il doit reconnaître que cette visite triomphale n'a été au mieux qu'un demi-succès : en dehors d'une aide économique et de quelques concessions de détail, il n'a pas obtenu ce qu'il était venu chercher. C'est que l'administration Truman est entièrement absorbée par le conflit en Corée, la menace chinoise et le nouveau danger que représente l'URSS depuis qu'elle est en possession de l'arme atomique*. Les brillants monologues de Churchill ont donc laissé ses interlocuteurs admiratifs mais inébranlables, et le Premier ministre en ressent une profonde humiliation : « Ce sentiment d'inégalité, notera lord Moran, le ronge comme un cancer. Il est consterné que l'Angleterre déchue ne puisse parler d'égal à égal avec l'Amérique, et en soit réduite à venir prendre les ordres en tendant la main[28]. » À quoi le secrétaire privé d'Anthony Eden ajoutera : « Il est impossible de ne pas prendre conscience du fait que nous jouons à présent les seconds violons[29]. » En réalité, c'est une évidence depuis neuf ans déjà, mais Winston Churchill ne parvient toujours pas à l'admettre…

Le retour en Angleterre sera endeuillé par la mort du roi, que Churchill ressent comme une tragédie personnelle : George VI

---

* La première bombe atomique soviétique a explosé le 23 septembre 1949.

avait été à la fois son maître, son protégé, son conseiller et son compagnon de guerre ; et la princesse Élisabeth, qui doit lui succéder, n'est pour lui qu'une enfant[30]. Il est vrai qu'elle pourra compter sur l'appui sans faille et les conseils éclairés d'un prodigieux homme d'État.

Toujours soucieux de reprendre la diplomatie mondiale à l'endroit exact où il avait été contraint de l'abandonner le 26 juillet 1945, Churchill s'estime seul en mesure d'apaiser les tensions Est-Ouest, en s'entendant personnellement avec Staline. Les deux hommes n'ont-ils pas eu des rencontres amicales à Moscou, Téhéran, Yalta et Potsdam ? N'ont-ils pas échangé depuis lors quelques messages d'une grande cordialité ? En vérité, Winston considère toujours que « le petit Père des Peuples » est foncièrement généreux et tout à fait disposé à s'entendre avec l'Occident, mais qu'il en est empêché par quelque force occulte au sein du Kremlin... Que Churchill, avec ses talents de persuasion reconnus, vienne avec son partenaire américain renouer les liens de camaraderie des temps héroïques, et plus rien ne fera obstacle à une réconciliation au sommet ! Ainsi, lui, le seigneur de la guerre, sera également reconnu comme le grand artisan de la paix. Il ne reste donc plus qu'à persuader le Cabinet britannique, le président Truman et Staline lui-même. Pourtant, tous trois semblent penser que la chose n'est pas aussi simple, et le nouveau pèlerin de la paix rencontre un enthousiasme très mitigé – ce qui ne suffira évidemment pas à le décourager.

À cette époque, on parle beaucoup du traité signé à Paris en mai 1952, portant création d'une Communauté européenne de défense et d'une armée européenne intégrée. N'est-ce pas précisément ce que demandait Churchill un an plus tôt ? Certes, mais il était alors dans l'opposition et cherchait une cause à défendre – voire une tâche à assumer ; celle de ministre de la Défense européenne lui aurait sans doute convenu*. Mais à présent qu'il est revenu au pouvoir, l'armée européenne lui apparaît comme « un amalgame vaseux[31] », auquel la Grande-Bretagne n'aurait aucun intérêt à se joindre. Du reste, c'est à peu près la position du nouveau

---

* C'est en tout cas l'hypothèse avancée par le député Robert Boothby, une très ancienne connaissance de Churchill (voir R. Boothby, *Recollections of a Rebel*, op. cit., p. 219.

Premier ministre au sujet de l'ensemble de la construction européenne, ainsi qu'il l'a confié au chancelier Adenauer quelques semaines après son retour aux affaires : « Nous sommes *avec* l'Europe, mais non *dans* l'Europe[32]. » Ce n'est là qu'un retour à ses conceptions premières ; pendant la guerre, déjà, il avait exposé sa théorie d'une Grande-Bretagne située à l'intersection de trois grands cercles : le Commonwealth, l'Europe et la « communauté atlantique » anglo-américaine. Ainsi, le lion britannique, avec une patte dans chaque cercle, récolterait les fruits de l'ensemble...

Au bout de dix mois de pouvoir seulement, l'attrait de la Côte d'Azur est devenu irrésistible ; le 9 septembre 1952 voit donc le couple Churchill de retour à Cap-d'Ail, où Max Beaverbrook a remis gracieusement sa villa à leur disposition ; le grand homme y débarque donc une fois encore avec un valet, une femme de chambre, deux secrétaires, deux inspecteurs de Scotland Yard, 58 valises et tout l'attirail d'un peintre professionnel. Mais cette fois, une surprise l'attend : le conseil municipal de Cap-d'Ail, désireux d'honorer celui qui fait maintenant figure d'habitué, a décidé à l'unanimité de nommer sir Winston maire honoraire de la commune ! Une telle mesure ne se prenant pas à la légère, la décision a été approuvée par décret de tout le conseil municipal réuni ; ainsi, en plus de tous les sujets de Sa Majesté, le Premier ministre aura désormais 2 876 nouveaux administrés...

« Il y a mille tableaux à peindre depuis le jardin de Max », avait dit Winston avant de quitter l'Angleterre[33]. Donc, pas de temps à perdre ! Dans le salon, sur la terrasse ou dans le jardin de La Capponcina, il s'installe avec chevalet, parasol, sombrero et cigare, pour peindre la mer, les rochers et les pins. L'un des détectives qui l'accompagnent, le sergent Edmund Murray, lui est particulièrement précieux : en tant qu'ancien de la Légion étrangère, il parle parfaitement le français ; mais c'est aussi un peintre de talent, et ses conseils en matière artistique sont très judicieux. C'est durant ce séjour que le chancelier de l'Échiquier R. A. Butler viendra en visite avec sa famille ; or, Butler est lui-même un peintre amateur, et l'on verra ce jour-là devant la villa du vieux magnat de la presse Beaverbrook un spectacle unique : le Premier ministre de Sa Majesté, le ministre des Finances et un détective de Scotland Yard peignant côte à côte, chacun derrière son chevalet ! Mais à tout seigneur, tout honneur : seules les toiles de Winston Churchill seront exposées ; c'est que l'Académie royale des arts vient de l'élire « académicien royal extraordinaire » – un titre parfaitement justifié à tous égards...

À la fin de septembre 1952, Churchill rentre à Londres en pleine forme, et confie à son médecin : « Je n'avais pas d'argent à miser sur les tables de jeu, mais j'ai peint trois tableaux, et j'ai travaillé à mon livre cinq heures par jour[34]. » Cinq heures par nuit serait plus exact, mais il est vrai que le séjour lui a fait le plus grand bien. Il va en avoir besoin, du reste, car les mois suivants seront particulièrement agités...

L'élection de Dwight D. Eisenhower à la présidence des États-Unis en novembre 1952 est pour Churchill un triomphe personnel : avec *Ike*, le vieux compagnon d'armes des campagnes d'Afrique du Nord, de Normandie et d'Allemagne, qu'il sait peu doué pour la politique et assez influençable, tout va redevenir possible ! Avant même que le nouveau Président ait officiellement pris ses fonctions, notre politicien-pèlerin-diplomate-pacificateur a déjà remis le cap sur les États-Unis. Mais pendant la traversée à bord du *Queen Mary*, le Premier ministre Winston Churchill s'avise brusquement du fait qu'il va devoir censurer l'écrivain du même nom, et il confie à son secrétaire : « Comme Eisenhower a remporté l'élection, il va falloir faire de larges coupes dans le volume VI des Mémoires de guerre, et il sera impossible de raconter l'épisode de l'abandon par les Américains de vastes portions de l'Europe [...] pour plaire aux Russes [en 1945], ou d'évoquer la méfiance avec laquelle ils ont accueilli à l'époque mes appels à la prudence[35]. » Décidément, il est bien difficile d'écrire l'histoire et de la faire en même temps ! C'est dit : la vérité historique de 1945 devra s'incliner devant les nécessités politiques de 1953...

Ce sera pourtant un sacrifice inutile, car dès le 5 janvier 1953, les retrouvailles avec le compagnon des heures de gloire vont se révéler extrêmement décevantes ; à l'évidence, Eisenhower et son secrétaire d'État Dulles ne voient pas plus que leurs prédécesseurs démocrates l'intérêt d'une relation privilégiée avec la Grande-Bretagne. En revanche, ils tiennent essentiellement à la CED, qui a l'avantage de résoudre le problème du réarmement allemand et de contenir l'expansion communiste ; dans le même ordre d'idées, ils ont repris à leur compte un projet démocrate de pacte d'alliance avec l'Australie et la Nouvelle-Zélande, l'ANZUS, dont la Grande-Bretagne

serait exclue... Autant pour les trois cercles de Winston Churchill !
En ce qui concerne une coopération franche et loyale en matière
nucléaire, ils ne jugent même pas utile d'informer leurs interlocuteurs britanniques que la première bombe H américaine a été expé-
rimentée deux mois plus tôt. Quant à une négociation au sommet
avec Staline, Eisenhower commence par dire qu'elle n'aurait guère
de chances d'aboutir, après quoi il suggère à son interlocuteur
consterné qu'elle se limite à un tête-à-tête américano-soviétique[36] !
C'est donc un Churchill amer et déçu qui confiera à son entourage
sur le chemin du retour qu'Eisenhower est « un homme d'une stature limitée[37] », et qu'au fond, « ce n'est qu'un général de brigade[38] ». Il en est pourtant de fort perspicaces ; celui-ci a en effet
noté dans son journal que « Winston essaie de revivre l'époque de
la Seconde Guerre mondiale », et qu'« il s'est forgé une sorte de
conviction enfantine qu'un partenariat anglo-américain peut fournir la réponse à tous les problèmes[39] ». Pour le reste, il a trouvé le
vieux bouledogue très diminué, et en a déduit qu'il devrait prendre
sa retraite.

À Londres, bien d'autres politiciens sont déjà parvenus à la
même conclusion ; mais, comme l'a constaté à maintes reprises lord
Moran, il est bien délicat d'établir un diagnostic pour un patient
aussi singulier. Il est vrai qu'à 78 ans, Winston Churchill est affecté
d'une surdité prononcée, encore aggravée par son refus d'utiliser
un Sonotone ; mais à l'ébahissement de ses interlocuteurs, le syn-
drome peut disparaître pendant de longues périodes. Il a aussi une
tension irrégulière et des sensations de vertige, mais le spasme cérébral survenu à Monte-Carlo en 1949 n'est plus qu'un lointain souvenir. Il se fatigue plus vite qu'auparavant et dort davantage, mais
un travail intéressant, un grand événement, une cérémonie officielle, un grand discours à la Chambre, un déplacement à l'étranger
ou la visite de ses vieux amis suffisent à lui redonner toute l'énergie
nécessaire. Il a maintenant des trous de mémoire, et il lui arrive de
ne pas finir ses phrases... mais il connaît toujours par cœur les
derniers rapports sur l'état des défenses du pays, et il peut encore
déclamer d'innombrables poèmes qu'il a lus une seule fois soixante
ans plus tôt. Durant les conseils de Cabinet, il a certes tendance à
faire traîner les choses, en se répétant et en se perdant dans les
détails, mais n'est-ce pas ce qu'il faisait déjà en 1940 – et en 1911 ?
Il est vrai qu'il s'intéresse moins à ses dossiers, préférant jouer aux

cartes ou lire des romans, et que sa capacité de concentration s'est nettement réduite ; mais il lui en reste suffisamment pour prononcer des discours d'une heure, argumenter jusqu'à l'aube avec des interlocuteurs épuisés, ou faire quelque prédiction prophétique ; à son secrétaire John Colville, il annonce ainsi aux petites heures du 1er janvier 1953 : « Si vous arrivez jusqu'au terme normal de votre vie, vous verrez assurément l'Europe de l'Est libérée du communisme *40 ! » Quant à son appétit et à sa capacité d'absorption éthylique, ils ne sont nullement affectés par l'âge, ainsi qu'en témoignera l'un des secrétaires adjoints du *Foreign Office,* sir Pierson Dixon, à la suite d'un déjeuner au 10, Downing Street : « Le repas s'est prolongé pendant trois heures trois quarts, accompagné d'une procession de vins nobles et variés, auxquels je n'ai pas pu faire entièrement honneur ; champagne, porto, cognac et cointreau ; Winston a bu beaucoup de chacun, et a terminé avec deux verres de whisky and soda[41]. »

Mais l'éthylomètre n'étant pas imposé à ceux qui conduisent les destinées de l'Empire britannique, le Premier ministre pourra tranquillement porter quelques nouveaux toasts, en attendant l'apéritif du soir... Quant à sa volonté de rester aux affaires, elle est, tout comme ses humeurs, sujette à de fréquentes variations : après la victoire électorale, il avait bien déclaré en privé qu'il céderait la place à son *alter ego* Anthony Eden au bout d'un an, dès qu'il aurait rétabli les relations privilégiées avec les États-Unis ; mais ensuite, il y a eu le grand mirage de la conférence au sommet avec Staline, que lui seul pouvait mener à bien. Et puis, il y aura les cérémonies du couronnement en juin 1953, qu'il se doit de présider ; et lorsque Staline meurt le 5 mars 1953, qui d'autre que Winston Churchill, le dernier survivant des Trois Grands, pourrait convaincre Malenkov d'œuvrer pour la paix ? Et qui mieux que lui saurait préserver ce qui reste de l'Empire ? Lors d'une conférence de presse à bord du *Queen Mary* deux mois plus tôt, un journaliste américain qui lui demandait s'il songeait à prendre sa retraite avait obtenu cette réponse : « Pas avant que mon état ne se détériore énormément, et que celui de l'Empire ne s'améliore considérablement[42]. »

---

* Sir John Colville décédera deux ans trop tôt pour voir cette prédiction s'accomplir...

À cette époque, du reste, le Premier ministre se sent d'autant plus indispensable que son dauphin Anthony Eden vient de subir deux opérations délicates, et restera éloigné des affaires pour de longs mois ; dès lors, loin de songer à démissionner, Churchill va exercer avec enthousiasme les fonctions de son ministre des Affaires étrangères en plus des siennes propres. À son médecin qui s'en alarme, il répond : « Je vais merveilleusement bien, Charles. Tout le monde autour de moi tombe malade. [...] Anthony [Eden] sera absent pendant des mois. [...] Il aimerait garder un œil sur les affaires du *Foreign Office*, mais je ne le permettrai pas. Je ne peux pas travailler avec un homme malade[43]. » Et puis, à 55 ans, Eden doit se ménager ; Churchill, qui n'en a que 78, va donc le remplacer aussi allègrement que maladroitement : c'est ainsi qu'aux Communes, il se déclare prêt à aller à Moscou sur-le-champ pour rencontrer en personne les dirigeants soviétiques, « sans ordre du jour pesant ou rigide[44] » – ce qui causera quelques apoplexies à Washington, et manquera d'achever l'infortuné Eden bien avant sa troisième opération chirurgicale... Au sujet du canal de Suez, alors que le *Foreign Office* avait entamé des pourparlers avec les nouvelles autorités égyptiennes après la destitution du roi Farouk, Churchill va envoyer des consignes de fermeté aux diplomates et faire renforcer les garnisons le long du canal, ce qui entraînera l'échec des négociations ; et lorsqu'à la mi-mai, il accueille Konrad Adenauer, le chancelier fédéral est aussi effaré par la légèreté avec laquelle Winston traite le problème allemand que par le peu d'attention qu'il semble porter aux propos de ses interlocuteurs. Dans ces conditions, Adenauer imagine sans peine les dégâts que pourrait occasionner ce singulier touche-à-tout, s'il obtenait la conférence au sommet qu'il appelle si ardemment de ses vœux ; et le chancelier fera savoir peu après au *Foreign Office* qu'il a « été terrifié par la politique du Premier ministre[45] ». Seul le flegme britannique empêchera les diplomates de Sa Majesté de lui répondre qu'il est loin d'être le seul...

Détails mesquins que tout cela ! Entre la mi-mai et le 20 juin 1953, Winston Churchill, qui vient d'être décoré de l'ordre de la Jarretière, est ravi de se trouver sous le feu des projecteurs, de tout régenter et de tout organiser : il brille dans les réceptions officielles, étincelle aux Communes, prononce d'excellents discours d'après-dîner, préside les conseils de Cabinet, dicte lui-même les télégrammes importants du *Foreign Office,* supervise personnellement les préparatifs de la cérémonie royale*, reçoit l'ambassadeur de Turquie, correspond avec Eisenhower pour organiser une rencontre anglo-américaine aux Bermudes, assiste au couronnement, préside un banquet à Lancaster House en l'honneur des Premiers ministres du Commonwealth**, se rend au Derby d'Epsom pour voir courir ses chevaux, retourne à Chartwell, apprend que la princesse Margaret désire épouser un homme divorcé, évite de commettre une nouvelle fois l'erreur de voler au secours des amours princières grâce à l'intervention de Clementine, retourne presque aussitôt à Downing Street pour de nouvelles réunions ministérielles, et met la dernière main aux préparatifs de la conférence des Bermudes qui doit s'ouvrir une semaine plus tard ; au soir du 23 juin, il préside un dîner en l'honneur du Premier ministre italien Alcide De Gasperi, à l'issue duquel il prononce un brillant discours improvisé au sujet de la conquête de l'Angleterre par les légions romaines. C'est vers la fin de cette soirée que tout bascule : voulant se lever de sa chaise, Winston retombe lourdement, sans plus pouvoir marcher ni s'exprimer distinctement... Il vient d'avoir une nouvelle attaque cérébrale.

C'est difficile à croire, mais dès le lendemain matin, ce diable d'homme préside le conseil de Cabinet – et ses collègues ne remarquent rien d'anormal, sinon qu'il a le teint blafard et parle moins qu'à l'ordinaire[46] ! Mais tous les miracles ont une fin, et dès le 25 juin, son état s'aggrave considérablement : le bras et la jambe gauches sont paralysés, de même que le côté gauche de la mâchoire. On le décide avec peine à quitter Downing Street pour Chartwell, et dès le vendredi 26 juin, alors que sa déglutition devient difficile,

---

* En prévision des cérémonies du couronnement, Churchill a ordonné que l'on mette fin au rationnement du sucre, estimant que les fastes se devaient d'être partagés par la population. On s'apercevra à cette occasion que les stocks de sucre étaient surabondants...

** Extrait de son discours à cette occasion : « Dans notre île, à force de longs tâtonnements et d'une persévérance séculaire, nous avons conçu un excellent système. Le voici : la reine ne saurait faillir. Mais ses conseillers peuvent être remerciés aussi souvent que le peuple souhaite utiliser ses prérogatives à cet effet. Une grande bataille est perdue : le Parlement congédie le gouvernement ; une grande bataille est gagnée : les foules acclament la reine. [...] Nous sommes ici aujourd'hui pour rendre hommage à 50 ou 60 Parlements – et à une seule reine. »

lord Moran confie à Colville qu'il « ne croit pas que Winston passera le week-end[47] ». À ce stade, une démission semble inévitable... mais elle est impossible : le successeur désigné est au même moment sur la table d'opération d'un hôpital de Boston, où un chirurgien de renom s'efforce de réparer les dégâts causés par les deux opérations précédentes. Dès lors, la famille, les médecins et les secrétaires vont faire le nécessaire : personne ne doit rien savoir, hormis la reine et quelques membres importants du gouvernement ; lord Salisbury se chargera des affaires extérieures et R. A. Butler des affaires intérieures ; lord Beaverbrook et lord Camrose réussiront l'exploit unique en temps de paix de museler les journalistes pour qu'ils ne soufflent pas un mot de ce qui s'est produit ; quant aux médecins, ils vont signer le communiqué de presse suivant, qui est un chef-d'œuvre d'*understatement* britannique : « Le Premier ministre a besoin d'un repos complet ; nous lui avons donc conseillé de renoncer à son voyage aux Bermudes et d'alléger son emploi du temps pendant au moins un mois[48]. »

La famille croit bon de faire venir Brendan Bracken, lord Beaverbrook et lord Camrose, qui sont les plus proches amis du Premier ministre ; Clementine ne les aime guère, mais il ne faut rien négliger pour stimuler l'illustre malade, et Randolph a décrété que « tant que son moral tient, aucun miracle n'est impossible[49] ». C'est un fait ; à l'issue du week-end, son père, au lieu d'être mort, semble aller un peu mieux, et l'amélioration se poursuit durant les jours qui suivent : le 30 juin, en présence de sir Norman Brook et de John Colville, il parle d'Anvers, de la démobilisation de 1919 et du sixième volume de ses Mémoires de guerre. Et ce soir-là, après le dîner, il décide de se lever : « Colville et moi, se souviendra Brook, avons essayé de l'en dissuader, mais comme il insistait, nous nous sommes placés à ses côtés pour pouvoir le rattraper s'il tombait. Mais il nous a fait signe de reculer en agitant sa canne, il a posé les pieds au sol, a agrippé les bras de son fauteuil et, au prix d'un effort surhumain, la sueur ruisselant sur son visage, il s'est hissé sur ses pieds et s'est redressé. Ayant montré qu'il en était capable, il s'est rassis et a repris son cigare. » Quelques secondes seulement de station verticale, mais une magnifique victoire sur la maladie : « C'était une remarquable démonstration de volonté, conclut un Norman Brook admiratif ; il était résolu à se rétablir[50]. »

Au cours des semaines suivantes, notre héros va se remettre lentement à marcher ; dans l'intervalle, il regarde des films, lit des quantités de romans, reçoit beaucoup, boit avec entrain, parle souvent de la mort, mais ne pense qu'à la vie – et surtout à la vie politique, bien sûr. Le 26 juin, on envisageait une démission immédiate ; le 29, il n'en est plus question avant le mois d'octobre ; et dès le 4 juillet, même l'échéance d'octobre semble devoir être reportée : « Je ferai ce qui servira le mieux les intérêts de mon pays. Les circonstances pourraient me persuader que je suis indispensable[51]... » À cette époque, ce n'est qu'une forfanterie : Churchill sait parfaitement qu'il est à la merci d'une nouvelle attaque et que, faute d'avoir recouvré toutes ses capacités, il ne peut effectuer le moindre travail sérieux ; Soames et Colville prennent discrètement en son nom toutes les décisions urgentes. Le 18 août, il préside bien le conseil de Cabinet, mais c'est surtout pour préserver les apparences...

Les progrès sont lents, la fatigue vient beaucoup plus vite, et Churchill découvre avec étonnement que l'alcool peut avoir des effets néfastes ; n'étant pas homme à reculer devant les mesures énergiques, il déclare à son médecin : « J'essaie de réduire ma consommation d'alcool, Charles ; j'ai déjà renoncé au cognac... et je l'ai remplacé par du cointreau[52] ». Mais l'héroïsme ayant des limites, sa consommation de champagne, vin blanc, sherry, porto et whisky ne s'en trouvera pas affectée ; quant au cognac, il reparaîtra deux mois plus tard...

Pourtant, notre abstinent réticent s'est fixé une échéance impérative : celle du 10 octobre. C'est ce jour-là que se tient à Margate le congrès annuel du parti conservateur. « À Margate, dit-il à lord Moran, je devrai faire un discours ou m'en aller[53] ! » Tels sont donc les termes du défi : s'il est hors d'état de prononcer son discours ou se trouve brusquement réduit au silence par une nouvelle attaque, il cédera la place à Anthony Eden, d'ailleurs entré dans la famille depuis son mariage avec Clarissa Churchill l'année précédente* S'il sort vainqueur de l'épreuve et se montre capable d'affronter le Parlement, alors tous les espoirs seront permis, la démission sera renvoyée à un avenir indéfini, et il pourra se consacrer à nouveau aux projets qui lui sont chers : la conférence des Bermudes, le sommet avec les Soviétiques (rendu d'autant plus nécessaire du fait

---

* Clarissa est la fille de son frère cadet Jack, décédé en 1947.

qu'ils viennent à leur tour d'expérimenter une bombe H) et la préservation de l'Empire – ou du moins de ce qu'il en reste. Mais tout cela n'est-il pas du ressort du ministre des Affaires étrangères Eden, qui va bientôt reprendre ses fonctions ? Allons donc ! Le pauvre Anthony est encore trop faible pour s'occuper de telles choses : « Il avait l'air bien frêle lorsqu'il est venu me voir, et il m'a semblé déprimé[54]. » Décidément, tous ces jeunes n'ont pas la santé !

Le 25 août, sir Winston préside à nouveau le conseil de Cabinet, plus activement cette fois. On y discute de la chute du Premier ministre Mossadegh, renversé par l'armée iranienne avec l'« encouragement » des services spéciaux britanniques et américains, et Churchill insiste pour que la Grande-Bretagne ne soit pas éclipsée par les États-Unis dans ses relations avec le général Zahedi, nouvel homme fort de Téhéran ; pour ce qui est des négociations avec les Égyptiens, le Premier ministre donne une fois encore des consignes de fermeté. La séance dure près de trois heures, et pour finir, ses collègues semblent nettement plus fatigués que lui ! Juste après la réunion, il corrige les épreuves du dernier volume de ses Mémoires de guerre, puis reçoit deux ministres à dîner et se couche à 1 heure du matin ; quatre jours plus tard, c'est jusqu'à 2 heures du matin qu'il entretiendra Eden et Macmillan de son projet de remaniement ministériel[55].

Pendant la première moitié de septembre 1953, il y aura d'autres conseils de Cabinet, et l'on verra également le Premier ministre sur les champs de courses, au palais de Balmoral et à diverses réceptions, dont une en l'honneur du président irlandais, son vieil ennemi Eamon De Valera. Entre-temps, il s'est replongé dans son *Histoire des peuples de langue anglaise* depuis si longtemps délaissée, il a entrepris de nouveaux travaux à Chartwell et s'est mis en tête de développer son élevage de cochons. Tout cela ne va pas sans fatigue, et le 17 septembre, il quitte Londres pour aller se reposer sur la Côte d'Azur.

Ce jour-là, des précautions extraordinaires sont prises pour écarter la presse : deux journalistes français qui devaient prendre le même avion que le Premier ministre voient leurs réservations annulées au dernier moment[56], et Winston lui-même voyage sous le pseudonyme de « Mr Hyde », accompagné seulement de sa fille Mary, de son gendre Christopher Soames, de son détective Murray, de son valet, de sa femme de chambre, de deux dactylos, de son chevalet, de ses pinceaux et de quelques dizaines de valises. Max Beaverbrook est en voyage, mais sa villa de Cap-d'Ail, son cuisinier suisse, ses domestiques, sa vieille Fiat... et sa cave sont à l'entière disposition de l'illustre convalescent. Il n'est plus question de bains de mer, mais le temps magnifique est propice à la peinture, et Churchill, ayant installé son chevalet sur la terrasse, s'exclame joyeusement : « Quel dommage que ce sacré Max ne soit pas là, lui qui aime tant la peinture moderne ! » Notre artiste enthousiaste aura bien sûr un grand nombre de visiteurs, dont son nouveau collègue le maire de Cap-d'Ail, l'écrivain Somerset Maugham venu en voisin, et sir Charles Kelly, président de l'Académie royale de peinture. Il y aura également quelques sorties nocturnes à Monaco, dont un dîner mémorable à l'Hôtel de Paris en compagnie du couple Soames, ainsi qu'un feu d'artifice spectaculaire au-dessus du Sporting Club... Et Churchill poussera la coquetterie jusqu'à sortir sans canne – autant pour les journalistes italiens, qui avaient déjà annoncé sa mort !

Pourtant, derrière l'éternel sourire et le cigare publicitaire, cet incomparable comédien se montre très préoccupé : il n'a pas entièrement récupéré de son attaque, ne peut marcher que quelques minutes et éprouve des difficultés croissantes à finir ses phrases. L'échéance du discours de Margate est une véritable hantise, et sa préparation l'absorbe presque exclusivement, même au milieu de ses autres activités : il en dicte de longs extraits à ses dactylos, les essaie sur son entourage et s'entraîne pendant de longues heures à les déclamer devant un miroir ou dans sa baignoire. Le doute n'est jamais très loin, et notre tribun convalescent a confié à son médecin : « Je ne suis pas un orateur ; un orateur est spontané. La parole écrite – ah, c'est différent. [...] Toute ma vie, j'ai voulu être un maître du verbe – c'était mon unique ambition. Bien sûr, on apprend beaucoup de choses quand on a parlé pendant cinquante ans, et avec ma longue expérience, je ne crains plus de faire une déclaration aux Communes qui me mettra dans le pétrin, [...]. Mais ça, ce n'est que de la compétence discursive. L'éloquence, c'est autre chose[57]. »

Lorsqu'il rentre à Londres à la fin du mois de septembre, Churchill redoute toujours l'épreuve, d'autant qu'il lui faudra prononcer le discours *ex cathedra* pendant près d'une heure, alors que depuis son attaque, il est rarement resté debout plus de quelques minutes... « Le Premier ministre, note lord Moran, a misé sa chemise sur ce discours[58].» C'est exact, et le jour fatidique, il sera aussi bien préparé qu'un athlète de haut niveau ; pour compléter l'analogie, son médecin lui a d'ailleurs donné une petite pilule, mistimulant, mi-placebo, dont il attend des merveilles. Mais le 10 octobre 1953, c'est surtout la taille de l'enjeu et l'ampleur de la mise qui dopent le vieux joueur, et sa performance sera plus qu'honorable : pendant cinquante minutes, il harangue les délégués d'une voix forte et sans aucune défaillance ; il leur parle du programme conservateur, de l'action syndicale, de l'OTAN, de l'Allemagne et de son propre projet de conférence au sommet, avant de conclure par ces mots : « Si je persiste à porter le fardeau à mon âge, ce n'est pas par amour du pouvoir ou par attachement à la fonction. J'ai eu largement ma part de l'un comme de l'autre. C'est parce que je pense pouvoir exercer une influence dans un domaine qui m'importe plus que tout : l'édification d'une paix solide et durable. Allons donc de l'avant avec courage et sang-froid, avec loyauté et détermination, pour atteindre les buts qui nous tiennent à cœur[59]. »

À l'issue de la conférence, les délégués, les membres du gouvernement et la presse doivent bien admettre que le vieux lutteur est resté maître du terrain. Dans la foulée, il se présente à la Chambre le 20 octobre pour répondre aux questions, et le député Henry Channon notera dans son journal : « Il semblait sûr de lui, bien qu'un peu sourd en dépit de son Sonotone, mais apparemment plus vigoureux qu'avant[60]. » Pourtant, Channon, qui n'aime guère Churchill, sera encore plus impressionné par son discours aux Communes deux semaines plus tard : « Un spectacle olympien ; une performance magistrale. [...] En dix-huit années passées dans cette honorable Chambre, je n'ai jamais rien entendu de tel[61]. » Il est vrai que le Premier ministre s'est surpassé : abordant la question des prochaines échéances électorales – principal sujet de préoccupation des députés –, il commence par faire remarquer que « ce sont les élections qui servent à la Chambre, et non la Chambre qui sert aux élections... » Après quoi il poursuit : « J'ai participé à davantage d'élections parlementaires que quiconque dans cette Chambre, [...] et dans l'ensemble, elles sont très divertissantes. Mais elles doivent être entrecoupées d'intermèdes de tolérance, de dur labeur et d'étude des problèmes sociaux. Se quereller pour le plaisir de se quereller entre politiciens est peut-être une bonne chose de temps à autre, mais dans l'ensemble, c'est une mauvaise habitude de la vie politique. ». Après avoir parlé du logement, des nationalisations et de l'agriculture, il passe aux Affaires étrangères et aborde la situation en Corée, puis les événements en URSS depuis la mort de Staline : « Il ne me paraît ni déraisonnable ni dangereux de conclure que c'est sur la prospérité intérieure plutôt que sur les conquêtes extérieures que reposent les aspirations profondes des peuples de Russie, ainsi que les intérêts à long terme de leurs dirigeants. » Après avoir rappelé ses efforts pour obtenir une conférence au sommet, il évoque la question nucléaire et annonce, d'une façon aussi imagée que prophétique, ce qui sera connu plus tard sous le nom d'« équilibre de la terreur » : « J'ai parfois la curieuse impression que le potentiel d'anéantissement de ces instruments pourra apporter à l'humanité une sécurité absolument imprévisible. [...] Lorsque les progrès des armes de destruction permettront à tout le monde de tuer tout le monde, personne n'aura plus envie de tuer personne... » Et l'orateur inspiré de conclure majestueusement : « En cet instant de l'histoire de l'humanité, nous voici, avec toutes les autres nations, face aux portes de la catastrophe suprême ou de la récompense sans limites. Je crois fermement que Dieu, dans sa miséricorde, nous permettra de faire le bon choix[62]. »

Après ce véritable tour de force, rendu possible par un demi-siècle d'expérience parlementaire, un exceptionnel talent, une volonté de fer... et les petites pilules de lord Moran, Churchill savoure son triomphe et annonce à son docteur : « C'était le dernier de ces satanés obstacles. Maintenant, Charles, nous pouvons nous occuper de Moscou. [...] Il faut que je voie Malenkov. Après, je pourrai partir en paix[63] ! » C'est ce qui s'appelle avoir de la suite dans les idées... Mais le chemin de Moscou passe par Washington, où le président Eisenhower, sous l'influence de son secrétaire d'État, voit toujours d'un mauvais œil toute conférence au sommet avec les Soviétiques. Pourtant, Churchill a la plus grande confiance dans ses talents de persuasion, et la suite des événements semble lui donner raison ; Eisenhower, sans doute impressionné par les rapports qu'il reçoit au sujet de la résurrection du Premier ministre, se déclare disposé à se rendre aux Bermudes – à condition que les Français soient présents, ainsi que le secrétaire général de l'OTAN ; quant aux Soviétiques, ils font savoir qu'ils acceptent le principe d'une conférence des ministres des Affaires étrangères à Berlin.

Pour le nouvel apôtre de la paix mondiale, c'est une première victoire ; entre-temps, il a pu en savourer une seconde : le comité de Stockholm vient de lui attribuer le prix Nobel de littérature* On imagine sans peine ce qu'une telle nouvelle peut représenter pour cet éternel esthète de l'écriture, à qui son père disait six décennies plus tôt : « Je te renverrai ta lettre, pour que tu puisses de temps à autre revoir ton style pédant d'écolier attardé. » Une fois encore, lord Randolph avait très mal jugé son fils... Si seulement il pouvait assister à tout cela !

Le 1er décembre 1953, au lendemain de son 79e anniversaire, Churchill s'envole pour les Bermudes ; il est accompagné de ses secrétaires particuliers, de Cherwell, de Moran, de Soames et bien sûr d'Anthony Eden, qui a repris ses fonctions depuis deux mois et ne partage guère l'enthousiasme du Premier ministre pour une conférence au sommet. Arrivé aux Bermudes, Eden découvrira qu'il n'est pas le seul : Eisenhower et Dulles, obnubilés par le danger communiste en Europe comme en Asie, ne voient que des inconvénients à rencontrer les nouveaux dirigeants soviétiques ; ils sont disposés à accepter une réunion à Berlin des ministres des Affaires étrangères, mais uniquement pour faire apparaître clairement la futilité de telles rencontres. Seule leur importe la constitution rapide d'alliances défensives comme la CED en Europe et quelque pacte équivalent en Asie ; or, tout relâchement de la tension consécutif à une conférence Est-Ouest ne pourrait que compromettre la dynamique d'alliances européennes et asiatiques. Par ailleurs, Washington compte sur les Britanniques pour mettre la Chine en quarantaine, mais se désintéresse de leurs problèmes en Égypte, et ne voit toujours pas l'intérêt de coopérer avec eux en matière nucléaire. Churchill étant venu aux Bermudes précisément pour obtenir une conférence au sommet, tout en refusant une participation britannique à la CED, en se désintéressant de la Chine, en n'ayant toujours pas renoncé à obtenir une présence au moins symbolique des États-Unis en Égypte, et en demandant

---

* Le prix lui est attribué pour l'ensemble de son œuvre, et lors de la cérémonie à Stockholm, le représentant du comité Nobel prendra soin de ne faire aucune allusion aux Mémoires de guerre – dont le dernier volume vient de paraître aux États-Unis. Intitulé *Triumph and Tragedy*, il mène le lecteur du débarquement de Normandie à la conférence de Potsdam.

toujours une franche coopération anglo-américaine en matière nucléaire, ce sera un dialogue de sourds à plus d'un titre : la délégation française, paralysée par les dissensions politiques, le conflit indochinois et la rivalité entre Laniel et Bidault, ne pourra guère contribuer aux pourparlers ; du côté américain, Eisenhower ne semble pas avoir d'idées personnelles et se repose presque entièrement sur Dulles, dont l'horizon se limite à un anticommunisme sans compromis ; chez les Britanniques, enfin, Churchill effare son entourage en refusant de lire les dossiers préparés à son intention, en s'absorbant dans des romans entre les séances, en rabâchant des histoires de guerre pendant les séances, et en refusant de se servir de son Sonotone avant, pendant et après les séances... Rien d'étonnant dès lors à ce que les trois délégations se séparent le 8 décembre 1953 sans avoir rien décidé de concret !

Éternel gentleman, Anthony Eden se gardera bien de faire connaître ses vues sur les raisons de cette déroute diplomatique ; mais l'étonnant étalage d'amateurisme au plus haut niveau lors de la conférence semble l'avoir décidé à sortir de son rôle de brillant second, pour apporter aux négociations internationales une touche de professionnalisme bien nécessaire. Qu'on en juge : dès son retour des Bermudes, il repart pour Paris, assiste à la réunion du Conseil de l'Atlantique Nord et s'entretient avec Spaak, Stikker* et Adenauer, qui est très soulagé de retrouver un interlocuteur sérieux parmi les responsables britanniques. Au début de janvier 1954, Eden se rend à Berlin, et après de longues consultations avec Bidault et Dulles pour harmoniser les vues du côté occidental, il aborde la conférence des ministres des Affaires étrangères dans une position très favorable ; si les séances officielles permettent rapidement de se convaincre de l'impossibilité d'un accord Est-Ouest sur la réunification de l'Allemagne, le traité autrichien ou la conférence au sommet sur l'Europe, Eden s'aperçoit lors de ses entretiens privés avec Molotov que le ministre des Affaires étrangères soviétique serait favorable à une conférence à cinq sur l'Asie, avec la participation des Chinois, pour y traiter des conflits d'Indochine et de Corée[64]. Après d'interminables discussions, on s'accorde donc le 18 février 1954 pour organiser une conférence à Genève dès la fin du mois d'avril.

---

* Dirk Stikker, le ministre des Affaires étrangères néerlandais.

Ce sera encore une étonnante performance que celle de M. Eden à Genève ; ayant assumé avec Molotov la coprésidence des séances, il va jouer tour à tour ou simultanément le rôle de conciliateur, de pédagogue, de confident, d'honnête courtier, d'interprète, d'arbitre, d'animateur, de rédacteur et de modérateur, pour rapprocher des positions à première vue inconciliables. Mettant à profit la position très précaire des Français en Indochine, les menaces américaines d'intervenir dans le conflit et la réticence des Soviétiques comme des Chinois à s'y laisser entraîner, il réussira le tour de force d'obtenir des concessions de Molotov, de Chou En-lai, de Bidault, de Dulles et des représentants du Viêt-minh, de sorte que dès la fin du mois de juin 1954, à défaut de progrès sur la Corée, il y a déjà un accord préliminaire sur des négociations d'armistice pour le Vietnam, le Cambodge et le Laos, et l'ébauche d'une possibilité d'accord sur une partition du Vietnam... Revenu à Londres pour expliquer à ses collègues les difficultés et les succès de sa titanesque entreprise, Eden aura la surprise de constater que le Premier ministre ne l'écoute pas : il a d'autres priorités et déteste voir sous les feux de la rampe un autre acteur que lui-même – à plus forte raison lorsqu'il s'agit de son successeur en puissance...

Mais l'élégant commis voyageur de la diplomatie britannique est simultanément engagé dans d'autres négociations, pour le succès desquelles le désintérêt du Premier ministre serait une véritable bénédiction : il s'agit en tout premier lieu de l'Iran et de l'Égypte. Fin connaisseur de ces deux pays, dont il parle les langues*, Eden a repris les négociations avec leurs dirigeants dès son retour au *Foreign Office* ; dès la fin de 1953, en étroite concertation avec les États-Unis, il a obtenu une reprise des relations diplomatiques avec le nouveau gouvernement iranien ; au cours du printemps de 1954 – alors qu'il a déjà fort à faire à Genève –, Eden va superviser de très près les négociations quadripartites qui se sont instaurées entre la Grande-Bretagne, l'Iran, les États-Unis et les consortiums pétroliers. Le problème des pourparlers avec l'Égypte sera plus ardu encore ; pendant les six mois d'absence de M. Eden, une base d'accord avait été établie : les troupes britanniques évacueraient l'Égypte avant le milieu de 1956, et les bases britanniques du canal de Suez seraient entretenues par des techniciens civils,

---

* Anthony Eden est diplômé d'Oxford en arabe et en persan.

pour pouvoir être réutilisées en cas de conflit dans la région. Il ne restait que deux questions en suspens : les techniciens britanniques porteraient-ils l'uniforme, et les bases du canal pourraient-elles être réoccupées en cas d'attaque de la Turquie ? En essayant de surmonter ces obstacles apparemment mineurs, Eden va se heurter à l'opposition résolue de son Premier ministre, qui tient absolument à ce que les Britanniques restent en Égypte, et veut exploiter les quelques différends restants pour torpiller tout accord débouchant sur une évacuation du pays ! Profitant de l'accession au pouvoir de l'intransigeant colonel Nasser et des immixtions égyptiennes au Soudan, Churchill multiplie les déclarations belliqueuses, allant jusqu'à ordonner l'occupation de Khartoum au mois de mars ! Mais Eden veille, et les ordres sont rapportés *in extremis*[65]...

Entre-temps, le ministre des Affaires étrangères s'est entendu avec les Américains pour qu'ils s'abstiennent de fournir des armes à l'Égypte, et avec les Égyptiens pour qu'ils reprennent les pourparlers ; au beau milieu des négociations à Genève et à Téhéran, il parvient donc à un compromis avec le colonel Nasser : les Britanniques pourront réoccuper les bases du canal quel que soit le pays attaqué (en dehors d'Israël), en échange de quoi les techniciens travaillant sur ces bases resteront en civil. Au Cabinet, Churchill mène contre cet accord un farouche combat d'arrière-garde, mais Eden est soutenu par un chancelier de l'Échiquier qui veut réaliser des économies, par des chefs d'état-major qui tiennent à rapatrier leurs troupes, et par la plupart des ministres pour qui cette affaire a assez duré. Winston n'en sera que plus combatif, et il insistera sur « les inconvénients politiques d'abandonner une position en Égypte que nous tenons depuis 1882[66] ». Deux mois plus tard, après l'aboutissement des négociations entre Eden et le ministre sud-africain de la Défense, le Premier ministre devra également se résoudre à l'abandon de la base navale de Simonstown, une étape stratégique vitale sur la route de l'Extrême-Orient. Décidément, le morcellement de l'Empire se poursuit, et ses propres collègues refusent de mettre un terme à cette tragédie...

En vérité, pendant que son ministre des Affaires étrangères est occupé sur tous les fronts, depuis Genève jusqu'à Téhéran en passant par Suez et Pretoria, Churchill n'a qu'une seule véritable préoccupation, et l'on devine laquelle : il veut reprendre le sommet de Potsdam avec les successeurs de Staline. En dépit de l'échec des négociations avec les États-Unis aux Bermudes et de l'impasse des entretiens Eden-Molotov à Berlin, il reste convaincu qu'un tête-à-tête avec les nouveaux maîtres du Kremlin permettrait de mettre fin à la guerre froide – et de sauver l'humanité par la même occasion. Noble ambition, mais comme du temps de Staline, Churchill s'exagère considérablement son influence sur les nouveaux dirigeants soviétiques, comprend mal leur mentalité et ignore jusqu'à leur identité*. Pourtant, il intrigue ferme depuis des mois pour obtenir son sommet, allant jusqu'à faire demander discrètement à l'ambassade d'URSS si Moscou accepterait de le recevoir ; toujours en secret, il propose à Eisenhower d'aller le rencontrer à Washington, et il n'en informe son Cabinet qu'après l'acceptation du Président ! Le conseil de Cabinet donnera son autorisation pour ce voyage, mais en y mettant une condition qui en dit très long : le Premier ministre devra être accompagné de M. Eden...

Sage précaution en vérité : à Washington, entre le 25 et le 29 juin 1954, après d'interminables digressions sur les empires austro-hongrois et ottoman, le gouvernement Kerenski de 1917, les colonies africaines, l'Indochine, la guerre des Boers, la Seconde Guerre mondiale et le pacte de Locarno, Churchill va tenter une nouvelle fois de persuader ses interlocuteurs américains de l'utilité d'un sommet à trois et d'une présence américaine à Suez... Pendant ce temps, Eden, qui a renoncé à lui faire entendre raison, mène les discussions sérieuses avec son homologue Dulles, qu'il parvient à convaincre de ne pas faire obstacle à un règlement raisonnable du conflit indochinois, notamment en s'abstenant de promettre un soutien militaire aux Français avant la conclusion des négociations de Genève. En fait, ce sera le seul succès de ce séjour à Washington, qui manquera de s'achever par un désastre : pendant la traversée du retour, Churchill tient absolument à envoyer un télégramme à Molotov, pour lui proposer une conférence au sommet un mois plus tard ! Après avoir refusé tout net, Eden finit par céder – à condition que le Cabinet soit informé au préalable. Churchill envoie donc le message à R. A. Butler, qui tient les rênes du gouvernement en son absence, et lui demande de le faire suivre directement à Molotov ; naturellement, il n'est pas fait mention du Cabinet dans

---

* À l'été de 1954, Churchill pense encore que Malenkov est au pouvoir en URSS.

les instructions du Premier ministre, et la note est dûment communiquée à Moscou...

Lorsque le Cabinet en prendra connaissance le 7 juillet, il y aura un véritable esclandre : plusieurs ministres menacent de démissionner, Eden et Butler se voient reprocher de s'être laissé berner, et même Eisenhower tient à protester contre cette démarche intempestive. Churchill devra faire machine arrière, et il s'en faudra de peu que tout cela ne s'achève par la chute du gouvernement, avec le départ forcé d'un Premier ministre qui avait pourtant fondé toute sa politique extérieure sur une étroite concertation avec les États-Unis !

Tout en connaissant bien l'idée fixe de Winston Churchill au sujet d'une conférence au sommet, beaucoup de ses collègues estiment qu'il n'aurait jamais commis auparavant une erreur de cette ampleur – et ils ont sans doute raison. C'est que les atteintes de l'âge deviennent de plus en plus manifestes : le grand homme refuse fréquemment de lire les documents officiels les plus importants, il a du mal à se concentrer et passe énormément de temps à dormir, à jouer aux cartes, à lire des romans ou à ne rien faire du tout. En mars 1954, le fidèle Eden disait déjà en privé : « Cela ne peut pas durer : il est sénile et n'arrive pas à finir ses phrases[67] ! » Winston lui-même confiera à la même époque à R. A. Butler : « Je me sens comme un avion au bout de son vol, au crépuscule, pratiquement à court d'essence, et qui cherche à atterrir sans dommage[68]. » C'est possible, mais il a manifestement des réservoirs de secours, un moteur très performant et une autonomie de vol stupéfiante : dans les grandes occasions, il peut toujours prononcer un discours mémorable, ou passer une partie de la nuit à argumenter avec des ministres ou des diplomates qui tombent littéralement de sommeil...

Ces contrastes, joints à sa combativité naturelle, à son amour de la politique et à l'intime conviction qu'il est irremplaçable, lui font reporter continuellement la date de son départ ; au début, il avait été question de mai 1954, lorsque la reine reviendrait de son voyage en Australie ; en mai, l'échéance est repoussée à juillet, mais dès le mois de juin, il informe Eden qu'il ne démissionnera qu'en septembre... En juillet, pourtant, sa fille Mary note dans son journal : « Aucun de nous ne connaît vraiment ses intentions. Peut-être ne les connaît-il pas lui-même[69]. » C'est possible, en effet, mais ce qui est sûr, c'est qu'au début du mois d'août, il ne veut déjà plus entendre parler de septembre ! Trois semaines plus tard, il déclare à Macmillan que les complications intervenues en politique étrangère et l'éventualité d'une rencontre au sommet dans un proche avenir rendent souhaitable son maintien en fonctions... « Naturellement, comme tout homme de près de 80 ans qui a déjà eu deux attaques, je pourrais mourir à tout moment ; mais je ne peux pas promettre de mourir à échéance fixe. Dans l'intervalle, je n'ai pas l'intention de démissionner[70]. » Qu'on se le dise ! La prochaine échéance est donc fixée aux élections de novembre 1955. Tout cela suscite l'effarement des membres d'un gouvernement de moins en moins dirigé, la consternation de diplomates qui redoutent les interventions du Premier ministre dans leurs affaires, et le désespoir de Clementine, qui supplie depuis longtemps son époux de prendre une retraite amplement méritée...

Clementine pense bien sûr à sa santé physique, mais ses médecins et ses amis se préoccupent surtout de sa santé morale, car ils savent bien que cet homme-là n'existe que pour la politique, le pouvoir et sa fameuse mission de paix derrière le rideau de fer ; son pire ennemi, ce n'est donc pas le surmenage, mais l'inaction, fidèle complice des idées noires, de la dépression et du *black dog* constamment à l'affût. Il est vrai qu'à l'approche de ses 80 ans, Churchill a quelques raisons de se sentir démoralisé : il a vu partir un à un tous ses camarades des temps héroïques de Cuba, Bangalore, Ladysmith, Omdurman et Ploegsteert : Reginald Barnes, Richard Molyneux, Reginald Hoare et bien d'autres encore ; ensuite, ce sont tous ses collègues du Cabinet de Lloyd George qui ont quitté la scène, bientôt suivis de ses grands alliés et sages conseillers des années trente et quarante : Jan Smuts, Duff Cooper, Eddie Marsh, lord Camrose... Et lui, que fait-il encore là, à cet âge canonique, alors que tant de vaillants compagnons ont déjà pris congé ? S'arrêter, ou même ralentir, ce serait tomber à coup sûr !

La famille elle-même n'apporte que de rares consolations : la chère Clementine, de santé fragile, toujours fatiguée, souvent partie en cure, n'aime pas plus Chartwell que les occupations de son époux ; Randolph, qui a abandonné la politique pour se consacrer au journalisme, trempe souvent sa plume dans le vitriol, dessoûle rarement, provoque des esclandres dans les réunions publiques comme dans les réceptions privées, et s'entend aussi mal avec son vieux père qu'avec sa nouvelle femme* ; Diana connaît depuis 1953 une longue période de dépression, aggravée par l'alcool, qui nécessite des soins attentifs en milieu psychiatrique ; quant à Sarah, la préférée, elle poursuit une carrière d'actrice perpétuellement remise en question par son caractère fantasque, ses problèmes conjugaux et ses délires éthyliques**. Les animaux eux-mêmes sont source de tracas sans fin : les nombreux chats recueillis par le maître de maison ne s'entendent pas entre eux, les chevaux de Chartwell mangent les nénuphars de l'étang, et les bébés cygnes disparaissent mystérieusement ; Winston soupçonne les renards et fait installer un système de protection perfectionné, avec grillages, projecteurs tournants et signaux d'alarme, mais rien n'y fait. Refusant comme toujours de s'avouer vaincu, il fait ouvrir une enquête par la police – qui finit par trouver les coupables : ce sont des corbeaux charognards ! Entre-temps, tous les lapins de Chartwell sont morts de maladie, et les renards ont dû se rabattre sur les faisans et les porcelets du domaine ; Christopher Soames ayant pris des mesures pour les en empêcher, Churchill craint que les renards écœurés ne choisissent de s'exiler, laissant Chartwell à la merci d'une prolifération de campagnols... « Le règne animal n'offre guère de consolations ces temps-ci », conclut notre éleveur désabusé[71].

Mais la terre n'en continue pas moins de tourner, et cette année-là, décidément, Anthony Eden semble en être le grand ordonnateur : dès son retour (agité) des États-Unis au début de juillet 1954, il est reparti pour Genève, et à l'issue d'une semaine d'épuisantes négociations, grâce à l'aide du nouveau président du Conseil Mendès France et à la coopération de Molotov et de Chou en-lai, il obtient une série d'accords sur l'armistice en Indochine, la fixation du 17e parallèle comme ligne de démarcation entre un Vietnam du Nord communiste et un Vietnam du Sud pro-occidental, ainsi que la mise sur pied d'une commission de contrôle tripartite, chargée de superviser l'application des conventions*** et la tenue d'élections générales. À la fin de juillet, il obtient également à Téhéran un accord propre à satisfaire l'Iran, les États-Unis, le gouvernement de

---

* Il s'est remarié en 1948 avec June Osborne, dont il aura une fille, Arabella.

** Les seules véritables satisfactions de Churchill à cette époque lui viennent de Mary et Christopher Soames, ainsi que de ses 9 petits-enfants.

*** Composée de représentants de l'Inde, de la Pologne et du Canada.

Sa Majesté et les consortiums pétroliers – pratiquement la quadrature du cercle ! L'accord anglo-égyptien, finalement signé en octobre, sera également un succès personnel pour M. Eden, mais c'est encore en Europe qu'il connaîtra son plus grand triomphe : en France, à la fin du mois d'août, l'Assemblée nationale avait définitivement mis fin au projet de CED ; dès lors, le risque était grand de voir l'Europe occidentale retomber dans la désunion, le réarmement allemand s'effectuer sans limitations, et les États-Unis se détourner définitivement de l'Europe. Le grand mérite de M. Eden sera d'exhumer le traité de Bruxelles*, dirigé à l'origine contre une renaissance du militarisme allemand, pour proposer sa transformation en un pacte de défense mutuel élargi à l'Allemagne et à l'Italie ; ainsi, la Grande-Bretagne serait enfin ancrée à l'Europe, et l'Allemagne, solidement encadrée, pourrait se joindre à l'OTAN. À la conférence de Londres en septembre et à celle de Paris en octobre, Eden parvient à convaincre toutes les parties d'adopter son projet et de signer le traité donnant naissance à l'Union de l'Europe occidentale[72]. *Mutatis mutandis,* Anthony Eden est décidément l'homme de 1954, comme Winston Churchill avait été celui de 1940…

Cette comparaison aurait naturellement offusqué un Churchill si férocement résolu à s'accrocher au pouvoir qu'il voit en son dauphin et parent un rival en puissance. Au mois d'octobre, lors de la conférence du parti à Blackpool, il n'a pas soufflé mot d'une démission prochaine ; à cette occasion, il a certes pu parler près d'une heure sans fatigue excessive, mais cette fois, les petites pilules du docteur Moran n'ont pas suffi : il y a eu des silences embarrassants, des hésitations, des confusions et des lapsus révélateurs : « 1850 » au lieu de « 1950 », et « souveraineté » au lieu de « solvabilité »… Mais l'orateur n'a pas semblé s'en apercevoir, et sa prestation a achevé de le convaincre qu'il n'avait rien perdu de ses capacités ; il entreprend dès lors de remanier son gouvernement en nommant Macmillan à la Défense, Selwyn Lloyd à l'Approvisionnement et son gendre Duncan Sandys au Logement. Ayant ainsi promu ses plus fidèles partisans, il pense avoir durablement consolidé sa position.

C'est une illusion, car en vérité, la menace ne vient pas de l'extérieur : mois après mois, l'âge se fait plus pesant, la lecture des

---

* Signé en 1946 entre la France, la Grande-Bretagne et les pays du Benelux.

rapports et des télégrammes passe au second plan, la préparation d'un discours de quelques lignes en réponse à une seule question parlementaire peut prendre une matinée entière, et la simple signature des lettres demande souvent des efforts disproportionnés[73] ; ses confusions, ses distractions et sa surdité embarrassent énormément ses collègues, et même les churchilliens inconditionnels comme Macmillan et Soames lui conseillent maintenant de démissionner. Le 23 novembre 1954, lors d'un discours dans sa circonscription de Woodford, le Premier ministre se met lui-même dans une situation délicate en déclarant qu'en 1945, il avait télégraphié à Montgomery pour lui ordonner de rassembler et de conserver les armes capturées « afin qu'elles puissent être redistribuées aux soldats allemands, avec lesquels nous aurions à coopérer si l'avance soviétique devait se poursuivre[74] ». Venant au beau milieu d'un discours préconisant un rapprochement avec la Russie, c'est une déclaration pour le moins incongrue, et Churchill aggravera encore son cas en précisant que le télégramme en question se trouve reproduit dans ses Mémoires de guerre – ce qui se révélera inexact. Il finit par présenter ses excuses aux Communes, pour s'inquiéter ensuite à l'excès de l'effet produit en URSS...

Pourtant, les célébrations de son 80e anniversaire le 30 novembre 1954 seront pour l'inébranlable vétéran un tonique plus puissant encore que les concoctions du bon docteur Moran ; un Premier ministre de cet âge ne s'était jamais vu depuis la mort de Gladstone, et le concert de louanges et d'encouragements venus de tout le pays, un message de félicitations du Palais, d'innombrables cadeaux, une souscription de 140 000 £ et un vibrant éloge prononcé au Parlement par son adversaire et admirateur Clement Attlee achèvent de persuader le lion vieillissant qu'il est indispensable. Son entourage le voit donc rajeunir comme par magie : « Maman s'est écroulée de fatigue, note Mary Soames dans son journal, et nous sommes tous épuisés. Mais Winston est frais comme une rose, et prend plaisir à contempler ses cadeaux et ses lettres[75] ». C'est un fait, et notre jeune octogénaire est si dynamisé par l'enthousiasme général qu'il est fermement décidé à rester au pouvoir jusqu'en juillet 1955 – au moins...

C'est justement ce que son gouvernement et son parti veulent éviter à tout prix ; d'une part, il faudrait que les élections générales se tiennent au plus vite, avant que la situation économique ne se dégrade sérieusement ; d'autre part, Eden doit être en fonctions bien avant l'échéance électorale, afin de se faire mieux connaître dans le pays ; enfin, que Churchill soit présent ou non, les conseils de Cabinet n'ont plus désormais de présidence effective, et cette situation ne peut durer indéfiniment. Bien entendu, personne n'ose aborder directement la question devant le Premier ministre, mais l'orage qui couve finit par éclater à la réunion de Cabinet du 22 décembre ; à cette occasion, la discussion sur les prochaines élections introduit inévitablement la question d'un nouveau gouvernement, et donc celle de sa démission. Churchill gronde qu'« il est clair qu'on veut le pousser vers la sortie » et personne ne le contredit, ce qui ne fait que décupler sa fureur ; il crie aux ministres qu'ils « n'ont qu'à tous démissionner », et conclut d'un ton sinistre qu'il « leur fera connaître sa décision [76] ».

Mais passé Noël et le Nouvel An, l'indétrônable Jupiter de Downing Street, ayant brandi la foudre, aura la sagesse de ne pas la lancer : le 7 janvier 1955, recevant Macmillan à déjeuner, il lui annonce qu'il partira à Pâques. Un mois plus tard, la chute de Malenkov le fortifie dans sa résolution, et il confirme à Eden qu'il partira en avril : il faut bien que l'artiste abandonne l'art, avant que l'art n'abandonne l'artiste... Pourtant, ce n'est pas sans regret : le 21 février, il confie à son médecin : « Je serais resté plus longtemps s'ils me l'avaient demandé. [...] Enfin, j'ai donné une date à Anthony, et je m'y tiendrai. » Mais le vieil acteur tient absolument à réussir sa sortie : « Dans une semaine, je ferai un discours important lors du débat sur le budget de la défense. [...] Je veux que ce soit l'un de mes meilleurs discours. Avant de quitter mes fonctions, je montrerai au monde que je suis toujours capable de gouverner. Je ne m'en vais pas parce que je ne suis plus en état d'assumer la charge, mais parce que je veux donner sa chance à un homme plus jeune [77]. » Bref, il ne s'agirait pas de confondre générosité et sénilité !

Le discours du 1er mars 1955, lui, sera une imposante démonstration de virtuosité : aguerri par trente heures de préparation intensive, fortifié par la potion magique du docteur Moran, cuirassé d'une résolution d'airain et armé de sa seule éloquence, l'illustre gladiateur va régner en maître sur l'arène parlementaire. Pendant trois quarts d'heure, il retrouvera les accents de 1940, lorsqu'il était seul dans la fosse au lion, pour brandir cette fois le trident nucléaire ; car ce qu'il tient à annoncer personnellement aux députés et au peuple, c'est que son gouvernement a décidé de doter la Grande-Bretagne de la bombe H* : «Confrontés à la menace de la bombe à hydrogène, nous avons entrepris d'en construire une à notre tour. [...] C'est ce qu'on appelle la défense par la dissuasion : les armes de dissuasion peuvent à tout moment engendrer le désarmement, à cette seule condition qu'elles dissuadent effectivement. Pour pouvoir contribuer à la dissuasion, nous devons donc posséder nous-mêmes les armes nucléaires les plus modernes, ainsi que leurs vecteurs.» Le pouvoir de la dissuasion, ajoute l'orateur, est compris des responsables des deux camps, et c'est pourquoi il mise lui-même depuis si longtemps sur une conférence au sommet, où ces questions pourraient être évoquées sans détours ; dès lors, la dissuasion deviendrait une arme de paix, et «il se pourrait bien que, par un sublime paradoxe, nous atteignions ce stade de l'histoire où la sécurité serait le vigoureux enfant de la terreur, et la survie la sœur jumelle de l'anéantissement[78]».

Pour cet octogénaire inspiré, c'est à la fois une belle performance physique et une fulgurante démonstration d'éloquence visionnaire. Mais une fois rassuré sur ses aptitudes, le maestro va commencer à s'interroger sur l'opportunité de son départ, et dès le 11 mars, il pense avoir trouvé l'échappatoire : ce jour-là, alors qu'il joue aux cartes avec John Colville, on lui communique un télégramme diplomatique faisant état d'un possible voyage du président Eisenhower en Europe au mois de mai, qui lui permettrait d'assister aux cérémonies du 10e anniversaire de la victoire et à celles de la ratification des accords de Paris sur l'UEO. Colville racontera la suite en ces termes : « "Naturellement, m'a dit Winston, cela change tout. Je resterai en fonctions, et en compagnie d'*Ike*, je rencontrerai les Russes." Je lui ai fait remarquer que personne n'avait proposé de rencontrer les Russes, mais il a balayé cet argument d'un revers de main, parce que tout cela lui offrait l'occasion d'échapper à une échéance qui lui était de plus en plus insupportable[79]. »

Dès le lendemain, Churchill annonce à Eden qu'il a renoncé à se retirer au début d'avril. La consternation est générale, et le 14 mars,

---

* La décision avait déjà été prise secrètement en conseil de Cabinet à l'été de 1954.

la séance du Cabinet sera extrêmement houleuse : Churchill déclare qu'il doit être présent au futur sommet « dans l'intérêt de la nation », et Eden, dans un mouvement de révolte, lui répond : « Voilà dix ans que je suis ministre des Affaires étrangères. Ne peut-on me faire confiance ? » Il s'ensuit une discussion confuse, et le Premier ministre clôt les débats par ces mots : « Je connais mon devoir et je le ferai. Si un membre du Cabinet n'est pas d'accord, il sait ce qui lui reste à faire[80]. »

Certains le savent, en effet : l'ambassadeur des États-Unis est discrètement informé du fait que les autorités britanniques tiennent essentiellement à ce que des élections générales se tiennent immédiatement après la démission de Churchill au début d'avril, et que le gouvernement de Sa Majesté serait particulièrement reconnaissant au président Eisenhower de reporter son voyage en Europe. Il y a des services qui ne se refusent pas : dès le 16 mars, Churchill apprend par un télégramme de Washington que la visite du Président est ajournée *sine die*, et qu'en outre, il n'a jamais été question d'une conférence au sommet avec les Soviétiques[81]. *Damned !* Encore manqué... Le lendemain, la mort dans l'âme, Churchill confirme sa décision de se retirer le 5 avril 1955.

L'affaire paraît entendue... Mais avec Winston Churchill, elle ne l'est jamais ! Le 27 mars, il apprend qu'à Moscou, le maréchal Boulganine s'est prononcé en faveur d'une conférence des quatre puissances ; dès lors, l'extraordinaire machine churchillienne se remet en marche à toute vapeur, néglige tous les signaux d'avertissement, et faisant feu de tout bois, s'engage résolument sur la voie familière du revirement : « Il m'a dit qu'il y avait une crise, notera Colville : deux grèves sérieuses (la presse et les dockers) ; un budget important ; la date de l'élection générale à fixer ; la proposition de Boulganine. Il n'était pas question de partir à un moment pareil pour satisfaire la soif de pouvoir d'Anthony[82]. » Dès le lendemain, en effet, Churchill envoie une missive à Eden pour l'informer de sa décision ; le 29 mars, lors d'une audience au Palais, il confie à la reine qu'il songe à reporter sa démission, et lui demande si elle y voit un inconvénient – à quoi la jeune souveraine répond naturellement qu'elle n'en voit aucun. Colville, lui, adjure Eden de ne pas réagir : « Amabilité avant tout ! » lui conseille-t-il. « Face aux oppositions et aux confrontations, le Premier ministre est parfaitement dans son élément ; mais il ne peut résister à l'amabilité[83]. »

Le 30 mars, lors de la réunion du Cabinet, Eden reste donc aussi aimable qu'impassible, les autres ministres refusent poliment de parler des échéances électorales avec le Premier ministre, et celui-ci comprend que tous ses stratagèmes ont fait long feu : le budget, les grèves et Boulganine s'évanouissent en fumée, et ce soir-là, il rend discrètement les armes : démission dans six jours, comme prévu... « Je ne veux pas partir, confie-t-il à lord Moran, mais Anthony y tient tellement[84] ! » Au soir du 3 avril, le vieux lutteur résigné écrit au président Eisenhower : « Démissionner, ce n'est pas prendre sa retraite, et je ne suis nullement certain qu'il ne se présentera pas d'autres occasions de servir et de promouvoir les deux causes pour lesquelles nous avons tous deux œuvré pendant si longtemps : la fraternité anglo-américaine et l'endiguement de la menace communiste. À mon sens, ces deux causes sont identiques[85]. »

Le 4 avril, une grande réception d'adieu se tient à Downing Street, en présence de la reine et du duc d'Édimbourg ; on y retrouve tous les membres du Cabinet, les hauts fonctionnaires et secrétaires du gouvernement, les principaux dignitaires conservateurs, les chefs de l'opposition avec leurs épouses, la duchesse de Westminster, la veuve de Neville Chamberlain, la famille au grand complet et tous les fidèles serviteurs des années de gloire et de labeur. De beaux discours sont prononcés, chacun se presse autour du couple royal, Attlee chante une nouvelle fois les louanges de son cher adversaire, Randolph se soûle et vocifère, et lorsque la soirée se termine, tout le monde s'accorde pour dire qu'elle a été très réussie. Colville, qui accompagne Churchill jusqu'à sa chambre à coucher, l'entend soudain murmurer : « Je ne crois pas qu'Anthony y arrivera[86] ! » Paroles sévères, injustes, déraisonnables... mais étrangement prophétiques.

Voici enfin venir la date fatidique du 5 avril 1955. À midi, le Premier ministre préside son dernier conseil de Cabinet, où chacun essuie une larme furtive ; après quoi il se rend à Buckingham Palace pour remettre sa démission à la reine. C'est une formalité, bien sûr, mais au royaume de Sa Majesté, l'essentiel est souvent dans les formalités, et John Colville est extrêmement nerveux ; c'est qu'il avait suggéré au Palais d'offrir à Churchill un titre de duc au moment de sa démission. Le secrétaire de la reine, sir Michael Adeane, lui avait répondu que les souverains ne conféraient plus de duchés, excepté aux personnes de sang royal, mais qu'en l'occurrence, le geste semblait effectivement s'imposer ; la reine était donc disposée à offrir un duché à sir Winston, à condition d'obtenir au préalable de son secrétaire l'assurance qu'il le refuserait – une solution typiquement britannique... Colville avait discrètement sondé le Premier ministre, et s'était entendu répondre qu'il ne voulait pas être duc, car il tenait essentiellement à mourir comme député de la Chambre des communes ; dès lors, au cas très improbable où on lui offrirait un duché, il le refuserait catégoriquement. Fort de cette assurance, le secrétaire avait donc fait savoir au Palais que la reine pouvait sans risque offrir un duché à sir Winston lors de l'audience du 5 avril.

Colville racontera lui-même la suite : « Lorsque je vis le Premier ministre partir pour le Palais, [...] et connaissant ses sentiments pour la reine, je me mis à redouter qu'il accepte au dernier moment – auquel cas la reine et sir Michael ne me pardonneraient pas de m'être engagé avec tant de légèreté. Enfin, Churchill revint de l'audience royale, [...] et il me dit avec des larmes dans les yeux :

– "Il s'est passé une chose incroyable : elle m'a offert un duché !"

Je lui demandai avec anxiété ce qu'il avait répondu.

– "Eh bien, j'étais si ému par sa beauté, son charme et sa gentillesse, que j'ai bien failli accepter. Et puis, je me suis souvenu qu'il me fallait mourir comme j'étais né : sous le nom de Winston Churchill. Je lui ai donc répondu que je ne pouvais accepter, et l'ai priée de m'en excuser. Et vous savez, le plus étrange, c'est qu'elle a paru presque soulagée[87] !" »

Chapitre XVII

RETOUR À L'ÉTERNEL

« Je pense que je mourrai rapidement après ma retraite. À quoi bon vivre quand il n'y a rien à faire[1] ? » Voilà ce que disait Winston Churchill le 16 décembre 1954. Quatre mois plus tard, l'heure de la démission a sonné, mais la mort peut attendre : notre retraité malgré lui doit encore rentrer à Chartwell, s'occuper de ses chers animaux, mettre de l'ordre dans ses finances, faire répondre à quelques-unes des 70 000 lettres venues du monde entier, revoir ses petits-enfants, assister au Derby d'Epsom, partir quinze jours en Sicile, retrouver son chevalet et achever enfin l'*Histoire des peuples de langue anglaise* ; après cela, il lui faudra s'occuper sérieusement des élections générales, prévues pour le 27 mai 1955...

Le séjour en Sicile ne sera qu'un demi-succès : quinze jours de pluie, huit heures de bésigue par jour, deux tableaux un peu tristes... Mais l'artiste est revenu en grande forme pour affronter les élections, et il peut dire, exactement comme quarante-sept ans plus tôt : « Je reviens sur la ligne de feu en aussi bonne santé que possible, et disposé à combattre d'aussi près que possible. » Cette fois, pourtant, on lui fait clairement comprendre que le parti n'a pas besoin de son aide ; c'est que le nouveau chef, Anthony Eden, veut montrer aux électeurs qu'il s'est définitivement affranchi de la tutelle du grand homme, et tient à aller au combat sous ses propres couleurs. Winston est déçu, mais n'en laisse rien paraître : il se contentera de faire quelques discours dans sa circonscription de Woodford et dans celle de son gendre Christopher Soames à Bedford.

Le journaliste américain Cyrus Sulzberger va assister à l'une de ces prestations, qui lui laissera un souvenir indélébile : « Nous sommes partis pour East Walthamstow, puis nous avons gagné Chigwell, où le vieil homme a parlé dans une école de filles. [...] Comme un bon artiste, il a donné au public tout son dû : il le regardait par-dessus ses lunettes archaïques en demi-lune ; il se montrait tantôt grognon et tantôt content de lui, décidé, souriant, sentimental. Il a secoué la tête pour faire "non" quand on l'a présenté comme "le plus grand Anglais de tous les temps", et il a parlé d'une voix zozotante, lourde et résonnante. [...] Il tenait quelques notes à la main, mais s'est laissé aller de temps à autre à des improvisations enthousiastes, dignes d'un homme qui aurait la moitié de son âge. Il n'a proféré que des clichés, mais il les a dits mieux que quiconque sur cette terre : "l'État est le serviteur du peuple, et non son maître". Puis encore : "Notre niveau de vie est le plus élevé que nous ayons jamais connu. Nous mangeons davantage..." Là, il a ajouté *sotto voce,* en regardant son ventre : "Et c'est très important." Quelques instants plus tard, il déclarait : "Il y a un point sur lequel je voudrais contredire M. Attlee", pour confier aussitôt au public : "M. Attlee, vous le savez, est le chef du parti travailliste." Manifestement, il s'amusait. [...] Il a parlé plus longtemps que prévu, affirmant : "Ma politique a toujours été la paix par la force", et évoquant "l'action unie des peuples de langue anglaise". Il a parlé des "bredouillements et des cris inarticulés, chaotiques et brouillons du parti travailliste". [...] Un incident embarrassant : Randolph, son fils, s'est endormi la tête sur la table pendant le discours, occasion faste pour les photographes, qui l'ont mitraillé à bout portant. Le bruit des appareils photo l'a réveillé et il est passé comme un bourdon devant la rangée de chaises pour sortir de la salle. Cela n'a pas troublé le vieil homme, qui a continué à parler avec bonheur. [...] Il a prononcé deux discours et parlé en tout une heure vingt, ce qui est vraiment bien pour un homme de 80 ans[2]. »

L'orateur sera naturellement réélu, et bien d'autres conservateurs avec lui : la nouvelle administration de M. Eden dispose désormais d'une confortable majorité de 59 sièges aux Communes. Et lorsqu'à la première séance, le député de Woodford viendra d'un pas hésitant inscrire pour la treizième fois son nom sur le registre des élus, il sera acclamé debout par l'ensemble de la Chambre – les plus enthousiastes étant encore les travaillistes ! Notre vétéran en repartira les larmes aux yeux : après son souverain, la chambre des Communes est ce qu'il respecte et redoute le plus au monde ; depuis cinquante-cinq ans, il vivait dans la hantise secrète du rejet de ses pairs, qu'il avait frôlé à plusieurs reprises ; et voilà qu'ils lui rendent à présent un hommage aussi spontané qu'unanime... Décidément, il y a des moments qui ne s'oublient pas.

Sauf impossibilité absolue, Churchill sera toujours présent pour voter lors des affaires importantes, mais il n'interviendra plus dans les débats. Le centre de son existence s'est déplacé vers son cher Chartwell, où il ne vit pas exactement une retraite solitaire : en plus de Clementine, de la famille Soames, d'un régiment de domestiques et d'un imposant cheptel, le vieux manoir accueille tour à tour enfants et petits-enfants, cousins et neveux, assistants et secrétaires, médecins et historiens, journalistes et notables locaux, ainsi naturellement que tous les vieux collègues, amis et acolytes du temps de guerre et de l'avant-guerre : Cherwell, Moran, Bracken, Beaverbrook, Colville, Morton, Ismay, Mountbatten, Brook, Portal, Montgomery, Alexander, Eden, Macmillan, Butler, Salisbury, Heath, Martin, Hume, Deakin, Boothby, Spears, Pownall, Jacob, Cunningham, Diana Cooper,* Violet Bonham-Carter née Asquith, Pamela Lytton née Plowden, etc. Les repas sont un peu moins animés que jadis, du fait de la surdité très marquée du maître de maison, mais une fois l'atmosphère réchauffée par les convives et Winston ravivé par les alcools, la vieille flamme se rallume l'espace d'un instant et embrase le passé, le présent ou l'avenir de quelques lueurs éblouissantes. Et puis, le vieux gentleman farmer tient absolument à faire visiter son domaine à tous les invités : « Il avançait d'un pas énergique mais chancelant, notera Sulzberger ; il nous a montré de loin des cygnes noirs sur un étang et un veau né de la semaine précédente ; il est fier de ses vaches à robe noire et blanche, [...] et s'intéresse beaucoup aux poissons des deux étangs, [...] des carpes vieilles de 25 ans. C'est quand nous revenions de notre petite promenade qu'il a aperçu un oiseau minuscule, mort. Il l'a montré de sa canne, très tristement, en grommelant, les yeux pleins de larmes[3]. » Mais c'est sans doute de ses chevaux que Winston est le plus fier : « Il m'a mené à la fenêtre, se souviendra l'historien A. L. Rowse, et m'a désigné une splendide jument qui broutait, avec son poulain sous elle – Hyperion, je crois, un fils de je ne sais plus qui. Il a fini par

---

* Veuve de Duff Cooper (lord Norwich).

se rendre compte que je n'étais pas venu pour parler chevaux, même si j'en avais été capable[4]. »

C'est exact : comme beaucoup de ses collègues, A. L. Rowse est venu parler histoire ; car Churchill a constitué une nouvelle équipe d'« assistants », sous la direction d'Alan Hodge, William Deakin et Denis Kelly, pour l'aider à réviser et compléter son *Histoire des peuples de langue anglaise*. C'est qu'il faut bien revoir ce très gros manuscrit en quatre volumes, composé pour l'essentiel à une époque où l'auteur était bien trop absorbé par les urgences de l'heure pour faire pleinement justice aux péripéties du passé... Les meilleurs spécialistes de chaque époque sont donc consultés, apportent de nouveaux documents et rédigent de nombreux passages, mais la conception d'ensemble reste purement churchillienne, avec ses forces et ses faiblesses habituelles : un style bien plus vivant et moins compassé que celui de l'historien traditionnel, une analyse superficielle des caractères et des motivations, et une progression historique reposant principalement sur les guerres, au détriment des facteurs économiques, sociaux, culturels et scientifiques... Mais l'auteur est maintenant si célèbre que son ouvrage connaît un énorme succès dès la sortie du premier volume, au printemps de 1956[5]. Quelques mois plus tard, son agent littéraire Emery Reves lui offrira également 20 000 £ pour écrire un épilogue de 10 000 mots à une version abrégée de ses Mémoires de guerre – soit environ 30 € actuels *par mot*... Une très belle somme, surtout si l'on considère que la plupart de ces mots seront écrits par ses assistants[6] !

Alors que Winston Churchill est déjà largement à l'abri du besoin, ses passe-temps les plus innocents semblent se transformer en or : le magazine *Time-Life* lui a offert une petite fortune pour publier des photos de certains de ses tableaux, l'imprimeur américain Hallmark lui propose de fortes sommes pour en reproduire d'autres sur des cartes de vœux, et une exposition de ses œuvres à Kansas City a attiré des milliers de visiteurs. Même les courses de chevaux, qui ont si souvent ruiné sa famille, vont enrichir le Crésus de Chartwell : ses chevaux Welsh Abbott, Gibraltar, Hyperion et Colonist II remportent les derbys avec une embarrassante régularité devant ceux de l'écurie royale, à tel point que Churchill doit souvent présenter ses excuses à la reine ! Pour un homme dont la hantise a été longtemps de mourir dans la misère, il y a tout de même des satisfactions qui ne se méprisent pas...

Mais à l'insu de la plupart de ses visiteurs, le vieux lutteur mène un nouveau combat, qu'il redoute fort de perdre à brève échéance ; c'est que les effets de l'artériosclérose poursuivent dans son organisme leur lent travail de sape, périodiquement ponctué de quelques alertes majeures : le 1ᵉʳ juin 1955, il a eu un nouvel accident vasculaire cérébral qui a nettement affecté ses mouvements du côté droit, l'empêchant d'écrire correctement et de marcher sans assistance ; depuis lors, il a de fréquents trous de mémoire, il lui arrive de s'endormir à table, il ne finit pas toujours ses phrases et surtout, il vit dans la hantise permanente d'une rechute qui le paralyserait pour de bon. Tout cela est désastreux pour le moral, et il confie à son gendre d'un ton sinistre : «Pour moi, la vie est terminée ; le plus tôt sera le mieux[7].»

Chez Winston, pourtant, la dépression est une hôtesse familière qui ne peut jamais s'installer à demeure ; au bout de quelques semaines, sous l'effet d'une volonté farouche, les handicaps se résorbent, la main devient plus sûre, la démarche moins hésitante, et dès la fin du mois de juin, notre homme n'est déjà plus si certain de vouloir mourir. Il est vrai que l'ambition et l'exercice du pouvoir, qui lui faisaient toujours donner le meilleur de lui-même, ne sont plus que de lointains souvenirs ; et ce pouvoir dont il conserve la nostalgie, il lui arrive désormais de n'en avoir plus sur lui-même. Mais il lui reste l'autre préoccupation, celle qui l'animait déjà à Bangalore, à Omdurman, à Ladysmith, à Anvers, à Gallipoli et pendant la bataille d'Angleterre : son équipe, celle du Royaume-Uni, ne doit pas perdre, et lui, Churchill, s'en estime toujours responsable : «Lorsque l'esprit de Winston n'est pas absorbé par l'imminence de la mort, note lord Moran, il rumine sur la sécurité du royaume. [...] Il a peur de le laisser sans la volonté ou les moyens de se défendre[8].»

C'est un fait ; l'Empire fabuleux de sa jeunesse a certes été tragiquement amoindri par deux guerres mondiales, par l'éveil des nationalismes et par l'impéritie des socialistes, mais il reste sa raison de vivre. Eden et son ministre des Affaires étrangères Macmillan le savent bien, qui ont donné des instructions précises pour que l'illustre retraité soit tenu au courant des affaires du royaume ; c'est ainsi qu'il sera régulièrement informé de l'évolution des pourparlers de Genève avec les nouveaux maîtres du Kremlin, des tensions au Moyen-Orient et des projets de voyages officiels de la reine.

Pourtant, Churchill s'habitue mal à sa retraite ; bien sûr, il peut désormais s'occuper sérieusement de son cher Chartwell, de sa famille, de sa peinture, de ses chevaux de course, de ses écrits, de ses parties de cartes, de ses amis, de ses voyages et de bien d'autres choses encore... Mais quoi de plus démoralisant pour un homme d'État que la brusque disparition des télégrammes urgents, des appels téléphoniques prioritaires, des grandes affaires d'État à régler sans délai, des conseils de Cabinet, des voyages officiels, des conférences au sommet, bref, de tout ce qui constitue, accompagne et symbolise le pouvoir ? À l'évidence, on ne peut se sevrer aisément d'une telle drogue...

Mais la cure de désintoxication passe obligatoirement par la Côte d'Azur ; notre retraité malgré lui y débarque le 15 septembre 1955, accompagné de son épouse, de sa fille Mary, de son gendre, de son détective, de son secrétaire particulier, de deux assistants littéraires, d'une dactylo, d'un valet, d'une femme de chambre, d'une infirmière, d'une perruche, de 48 valises et de 8 cartons à chapeaux*... Bien entendu, la Capponcina lui donne une fois encore l'hospitalité, et c'est avec le plus grand plaisir que Winston y retrouve son cher Max. « Il paraissait toujours beaucoup plus décontracté », se souviendra son valet de chambre Roy Howells, « lorsqu'il était avec lord Beaverbrook, qui ne donnait jamais l'impression de faire des efforts pour le divertir. On ne prenait pas de dispositions compliquées lorsqu'ils étaient tous deux à la villa : l'un comme l'autre passait son temps comme il l'entendait[9]. » D'ailleurs, Max Beaverbrook a bien dit à son vieil ami de se considérer comme chez lui à La Capponcina, et d'y inviter qui il voudra.

Cette fois, Winston sera également l'hôte de la villa « La Pausa », ancienne demeure de Coco Chanel sur les hauteurs de Roquebrune** ; son nouveau propriétaire, l'agent littéraire Emery Reves, est doté d'un grand talent de pianiste et d'un goût très sûr en matière de peinture, de sculpture et d'objets d'art. Dans sa villa, qui possède une vue admirable sur Monaco et la baie de Menton,

---

* Depuis longtemps déjà, Churchill passait pour être « le seul Londonien à avoir davantage de chapeaux que son épouse ».
** À une dizaine de kilomètres à l'est de Monte-Carlo.

il a accumulé, entre autres, des tableaux de Cézanne, Gauguin, Renoir, Van Gogh, Toulouse-Lautrec et Manet, ainsi que des sculptures de Rodin ; au nombre de ces chefs-d'œuvre, on est tenté d'inclure l'ancien mannequin américain Wendy Russell, qui est sa maîtresse et deviendra bientôt son épouse. Or, Wendy a pour Churchill une admiration qui confine à la vénération, et elle n'aura de cesse qu'il vienne s'installer à la villa « La Pausa » avec toute sa suite...

Et le grand homme passerait désormais toutes ses journées à lézarder au soleil, dans la plus grande oisiveté ? Ce serait très mal connaître Winston Churchill ; pour commencer, on ne se libère pas si facilement des démons de la politique : chaque matin, Winston reçoit les journaux de Londres par le premier avion arrivé à Nice, et il les épluche consciencieusement dans son lit ; les feuilles déjà lues jonchent le plancher ou s'accumulent sur le plateau du petit déjeuner, le plus souvent couvertes de cendres de cigare. Les nouvelles du pays peuvent lui donner l'idée d'un discours, d'un courrier diplomatique ou d'un communiqué de presse, et c'est justement pour limiter les dégâts à cet égard que le *Foreign Office* lui a délégué un de ses membres, M. Anthony Montague Brown, comme secrétaire particulier chargé de lui expliquer la politique du gouvernement ; du reste, il arrive que le bureau du Premier ministre, le ministère des Affaires étrangères ou la fraction parlementaire lui demande des conseils, des interventions discrètes, des messages ou des discours de soutien...

Le 21 avril 1956, lors de la visite de Boulganine et Khrouchtchev, Churchill est naturellement invité au dîner qui leur est offert à Downing Street : « Le dîner était très réussi, constatera ce grand modeste, parce qu'on a fait de moi le personnage central ; j'étais assis à côté de Khrouchtchev. Les Russes étaient ravis de me voir ; Anthony leur a dit que j'avais gagné la guerre ! » À son secrétaire qui lui demande si c'est Boulganine ou Khrouchtchev qui lui a semblé détenir le pouvoir réel, notre homme d'État diminué mais toujours perspicace répond sans hésiter : « C'est Khrouchtchev, sans aucun doute[10] ! »

Trois mois plus tard, les Égyptiens nationalisent le canal de Suez, offrant au retraité réticent de Chartwell une nouvelle occasion de fuir l'oisiveté ; dès le 1er août, après avoir reçu du Premier ministre les dernières informations sur cette délicate affaire, il déclare à son entourage au sujet de Nasser : « Il n'est pas question de laisser cet abominable sagouin s'installer sur nos lignes de communications.» À son médecin qui lui demande ce que feront les Américains, il répond vivement : « Nous n'avons pas besoin des Américains dans cette affaire[11] !» et il se met en devoir de préparer une intervention parlementaire, destinée à justifier d'avance l'intervention militaire – à laquelle il songe naturellement d'emblée. Quatre jours plus tard, lorsque Harold Macmillan dîne à Chartwell, il n'est même question que de cela : « Churchill a sorti des cartes et s'est passablement enflammé[12]». De fait, il n'aurait fallu qu'un minimum d'encouragements pour que le planificateur enthousiaste du débarquement d'Anzio reprenne du service, mais en l'occurrence, son concours ne sera pas sollicité. Eden, en revanche, va lui demander un appui à la Chambre, qu'il apportera d'autant plus volontiers que toute cette affaire lui semble justifier *a posteriori* son opposition solitaire à l'évacuation de Suez deux ans plus tôt...

S'il n'a été mis au courant ni des pourparlers secrets avec les Français et les Israéliens à la fin octobre, ni des préparatifs militaires pour une opération conjointe en Égypte, Churchill s'empressera de faire publier dès le début des hostilités un communiqué soutenant fermement la politique du gouvernement, et exprimant la conviction que « nos amis américains se rendront compte qu'une fois encore, nous avons agi indépendamment pour le bien commun[13]». C'est là une allusion aussi subtile que transparente aux deux guerres mondiales et à l'intervention en Grèce où, après de longs atermoiements, les Américains ont fini chaque fois par emboîter le pas aux Britanniques... Mais on admirera plus encore le style du communiqué en apprenant qu'une semaine seulement avant de le rédiger, Churchill a eu une nouvelle attaque cérébrale, qui lui a fait perdre conscience pendant vingt minutes et l'a laissé paralysé du côté droit pendant plusieurs jours.

Malgré tout, les Américains refusent de comprendre l'allusion, les Soviétiques brandissent la foudre, les Nations unies s'indignent, l'opposition britannique se déchaîne, le gouvernement se divise, et le corps expéditionnaire finit par se retirer en toute hâte, laissant Nasser maître du terrain et Eden acculé à la démission. Churchill, lui, dira à son entourage qu'une fois l'opération lancée, « c'était une folie de s'arrêter», mais qu'à la place d'Eden, il « n'aurait rien fait sans consulter les Américains[14]». Ce sont là des propos à prendre *cum grano salis,* venant de l'homme qui déclarait quatre mois plus tôt : « Nous n'avons pas besoin des Américains dans cette affaire »... Mais si notre fin stratège peut être en privé d'une mauvaise foi saisissante, il est en public d'une loyauté absolue, et l'infortuné Eden, accablé de toutes parts, verra sa retraite protégée par l'artillerie vétuste – mais toujours dévastatrice – de l'éloquence churchillienne : « Notre parti, comme d'ailleurs notre pays tout entier, a envers lui une dette de gratitude [...] et ceux qui, chez nous comme à l'étranger, ont attaqué l'action résolue qu'il a entreprise conjointement avec nos alliés français, ont peut-être maintenant quelque raison de se raviser. Je crois d'ailleurs que l'attitude adoptée à cette occasion par les Nations unies n'a aidé ni la cause du monde libre, ni celle de la paix et de la prospérité au Moyen-Orient[15]. »

Au cours des mois qui suivent, ceux qui prenaient Winston Churchill pour un vieillard sénile en seront encore maintes fois pour leurs frais. N'est-ce pas lui que la reine va consulter avant de nommer Harold Macmillan Premier ministre le 10 janvier 1957 ? Et combien d'observateurs chevronnés pouvaient écrire à la même époque, après avoir lu le premier roman d'Alexandre Soljenitsyne, *Une journée d'Ivan Denissovitch*: « C'est un pas dans la bonne direction, que nous devrions observer avec attention[16] » ? Combien d'autres sujets de Sa Majesté auraient misé sur le général de Gaulle au début de 1958 pour résoudre le conflit algérien et rendre à la France sa grandeur d'antan* ? Combien se trouvait-il de politiciens en pleine possession de leurs moyens pour déclarer en avril 1959 que la clé des négociations sur le désarmement résidait dans le contrôle et l'inspection ? Et qui d'autre que ce jeune homme de 87 ans aura le courage d'écrire au Premier ministre pour déconseiller formellement une visite royale au Ghana, qui cautionnerait le régime tyrannique et corrompu de Kwame Nkrumah ? C'est indéniable : le pouvoir de l'imagination, la force de la volonté et la science du docteur Moran peuvent accomplir des miracles...

Mais les miracles sont notoirement éphémères, et Winston Churchill a constaté depuis longtemps que les misères de la

---

* Au lendemain du 13 mai 1958, il dira à lord Moran : « De Gaulle a une occasion unique ; il a pris le dessus. Ils se sont tous soumis à lui. Voilà qui pourrait permettre de faire le ménage dans la politique française ! » Plus gaullliste que Winston Churchill...

vieillesse étaient bien moins pénibles au soleil : fuyant les brumes de l'Angleterre, il reprend donc ses quartiers d'hiver, de printemps et d'automne sur la Côte d'Azur, que ce soit dans la villa de lord Beaverbrook à Cap-d'Ail, à l'Hôtel de Paris à Monte-Carlo ou dans la villa d'Emery et Wendy Reves à Roquebrune. Il y séjourne en compagnie de Diana, de Sarah, du couple Soames, de Randolph, de Montague Brown, des Colville, de lord Moran, de Montgomery, de son petit-fils Winston et d'une armée de secrétaires et de domestiques, pour ne rien dire de la perruche Toby et de tous les chats qu'il réussit à apprivoiser dans le voisinage. Dans ces cadres aussi luxueux qu'ensoleillés, il dort beaucoup, mange et boit avec entrain, lit d'innombrables romans, parcourt les Mémoires de ses anciens compagnons de guerre, corrige les épreuves des deux derniers volumes de l'*Histoire des peuples de langue anglaise*, joue aux cartes sans discontinuer et écrit des lettres tendres à Clementine...

Après tout cela, il reste bien sûr l'essentiel : la peinture. De la terrasse de sa chambre à « La Capponcina », Churchill passe des heures à peindre le jardin, la côte, la principauté et son palais ; du balcon ou du jardin de « La Pausa », il peint la baie de Menton, les champs de lavande et les oliveraies. Et puis, il y a les hauteurs de Menton et le mont Agel ; pour l'aider à trouver le bon emplacement et l'y conduire, il y a la très serviable Wendy Russell, ainsi que le détective Edmund Murray, qui doit autant à ses talents de peintre qu'à ses capacités linguistiques le privilège d'avoir été choisi par Winston pour l'accompagner dans sa retraite.

Enfin, après la lecture des journaux, le farniente, les mondanités, la bonne chère, l'écriture et la peinture, il y a naturellement les visites au casino de Monte-Carlo, une activité qui continue à le fasciner. Mais désormais, ses expéditions nocturnes ne doivent plus rien à l'improvisation : le détective Murray, prévenu au moment du dîner des intentions de Churchill, commence par alerter ses collègues français, puis il appelle la direction de l'Hôtel de Paris, afin qu'elle contacte les préposés à la sécurité du casino et que l'on mette en route une table de jeu, avec quelques joueurs triés sur le volet... Dès son arrivée, Churchill est accompagné par un haut responsable de la Société des Bains de mer jusqu'à sa table, où le jeu a déjà commencé, afin que tout ait l'air le plus naturel possible. Une fois absorbé par la roulette, Winston oublie à la fois l'heure qui s'écoule, son cigare qui tombe souvent sur la moquette, et les autres joueurs qui se sont massés discrètement pour entrevoir le grand homme. « Il semblait apporter à la table de jeu, écrira Edmund Murray, la même concentration intense, la même implacable volonté de réussir que celles dont il avait fait preuve aux heures les plus sombres de la guerre[17]. » Lorsqu'il sort du casino, en tout cas, la foule s'écarte respectueusement et applaudit fréquemment... Beaucoup ont les larmes aux yeux.

Pendant les deux premières années de sa retraite, une autre activité va occuper les après-midi de Winston Churchill : il s'est mis en tête d'acheter sa propre villa sur la Côte, afin de n'avoir pas à dépendre de la générosité de ses hôtes. Son épouse voit le projet d'un mauvais œil ; c'est qu'ils ont un manoir à Chartwell et une maison à Londres, qui occupent déjà suffisamment de domestiques. Mais de toute façon, le projet échouera pour deux autres raisons : chaque fois que l'ancien Premier ministre de Sa Majesté fait mine de s'intéresser à une villa, son prix s'envole comme par magie ! Et puis, les séjours à « La Pausa » de Roquebrune sont si enchanteurs que la perspective de s'installer dans ses meubles paraît de moins en moins attrayante à sir Winston : « Reves et Wendy, écrit-il à son épouse, sont des plus prévenants. » C'est presque un euphémisme : ils vont au devant de tous ses désirs, s'adaptent à ses horaires fantaisistes, lui préparent de superbes repas et lui font apprécier toutes les beautés de la musique classique comme de la peinture moderne... Du reste, il y a autre chose, comme il le précisera également dans sa lettre à Clementine : « Ils invitent tous les gens que j'aime, et aucun que je n'aime pas[18]. »

C'est un fait, et Winston pourra ainsi s'entretenir avec bien des personnalités excentriques, célèbres ou controversées. Outre les vieilles connaissances comme les Windsor, Daisy Fellowes, R. A. Butler, le préfet Moatti et le maréchal Montgomery, on verra se succéder à la Pausa le couturier Molyneux, Greta Garbo, Joseph Kennedy,* Somerset Maugham, Stavros Niarchos, Paul Reynaud, Noël Coward, lord Derby, l'amiral Mountbatten et le président René Coty. Une autre visite qui aura bien des conséquences : celle d'Aristote Onassis ; c'est Randolph Churchill qui, l'ayant interviewé pour son journal, a suggéré à son père d'inviter l'armateur

* Ancien ambassadeur des États-Unis à Londres et père de John, Edward et Robert Kennedy.

grec à « La Pausa » ; très curieux de le connaître, Winston a accepté, et Wendy a prévu un dîner aussi somptueux que bien arrosé, en compagnie de quelques invités judicieusement choisis. Tout cela manquera de tourner à la catastrophe lorsque Churchill et Onassis se déclareront en complet désaccord sur l'avenir politique de l'île de Chypre. Mais les apparences sont trompeuses ; les deux hommes se sont fascinés mutuellement, et ils tiendront absolument à se revoir... Churchill est irrésistiblement attiré par les fortes personnalités, surtout lorsqu'elles sont entourées d'un halo de mystère ; Onassis, lui, a le culte des héros de l'histoire, et Churchill est pour lui le plus grand du siècle, celui qui a personnellement sauvé l'Angleterre en 1940 – et la Grèce en 1944. Voilà pourquoi Winston, le couple Reves et tous les convives de ce dîner recevront presque aussitôt une invitation à se rendre à bord du *Christina,* le yacht d'Onassis ancré en rade de Monte-Carlo... La première réception est aussi bruyante que triomphale : les correspondants de presse sont massés sur les quais, et Onassis a fait monter à bord tout l'orchestre de l'Hôtel de Paris !

En février 1958, on verra également à la villa de Roquebrune Konrad Adenauer, venu en voisin après avoir passé ses vacances à Vence. Le chancelier, âgé de 82 ans, arrive à « La Pausa » accompagné de son interprète, Hermann Kusterer ; à cette occasion, Winston n'est visiblement pas au mieux de sa forme, puisque l'interprète écrira dans ses Mémoires : « Je découvris une épave. Adenauer semblait être le fils de ce vieillard, qui avait toutes les peines du monde à se lever de son fauteuil, appuyé sur des bras secourables. Churchill avait beaucoup de mal à parler, entendait à peine, portait avec difficulté avec les deux mains un gigantesque verre de whisky à ses lèvres, et suçait son légendaire cigare, qui semblait être devenu une partie de lui-même. "Pitoyable", pensai-je. Mais j'eus le souffle coupé quand Adenauer lui dit : "Je me réjouis de voir que vous avez tant rajeuni[19]" » On parlera beaucoup de la région et de la famille, mais fort peu de politique, sauf pour échanger quelques considérations générales sur le Marché commun et l'AELE. Winston offrira au chancelier un de ses tableaux*, avant de le raccompagner personnellement jusqu'à sa voiture.

---

* Que l'on peut encore voir en bonne place dans le salon de la maison d'Adenauer, à Rhöndorf.

Enfin, il y a un autre engagement auquel Churchill ne manque jamais : « À chacun de ses séjours, écrira le détective Edmund Murray, il y avait au moins un dîner avec le couple Rainier au palais. À l'époque, je pensais qu'il considérait cela comme un devoir, mais avec le recul, je me rends compte qu'il prenait beaucoup de plaisir à ses soirées avec leurs Altesses, d'autant que le dîner était toujours suivi de la projection d'un film qui venait de sortir[20]. » C'est exact ; le 16 mars 1959, il est même invité à déjeuner au palais en même temps que la reine d'Espagne. Le couple princier a tout prévu pour lui être agréable, les époux Reves ont également été invités, et le repas est suivi de la projection d'un film judicieusement choisi : *Lawrence d'Arabie*. Une semaine plus tard, le prince Rainier et la princesse Grace seront naturellement invités à « La Pausa ».

Désormais, les passages en Grande-Bretagne se font brefs et tré-pidants : dans un minimum de temps, il faut présider des inaugura-tions*, être présent aux grandes cérémonies commémoratives, participer aux votes importants à la Chambre**, assister aux courses d'Ascot, dîner au Palais, passer quelques soirées à l'*Other Club,* s'entretenir avec Macmillan, Nixon ou Ben Gourion, et pro-noncer des discours à Woodford en prévision des élections législa-tives à venir. Et avant de repartir pour le soleil, il lui faudra encore faire un détour par Paris, pour recevoir la croix de la Libération des mains de son vieil ami et insupportable allié Charles de Gaulle...

C'est à l'hôtel Matignon, le 6 novembre 1958, que se déroule cette cérémonie émouvante ; en présence de tous les compagnons de la Libération, le général de Gaulle décore le lutteur implacable, l'illustre homme d'État et le fidèle ami de la France. « Je tiens à ce que sir Winston Churchill sache ceci, déclare le Général au cours d'une courte allocution : la cérémonie d'aujourd'hui signifie que la France sait ce qu'elle lui doit. Je tiens à ce qu'il sache ceci : celui qui vient d'avoir l'honneur de le décorer l'estime et l'admire plus que jamais[21]. » Churchill, visiblement ému, répond en ces termes : « Aujourd'hui, je m'adresserai à vous en anglais. Il est vrai que j'ai

* Dont celle du Churchill College, une sorte de MIT britannique dont Churchill, encouragé par lord Cherwell, avait prôné la création et patronné la souscription.
** Ce grand pionnier de la dissuasion tiendra à voter contre l'abolition de la peine de mort.

souvent prononcé des discours en français, mais c'était en temps de guerre, et je préfère vous épargner les rudes épreuves de jadis. Je suis particulièrement heureux que ce soit mon vieux compagnon et ami, le général de Gaulle, qui me fasse aujourd'hui cet honneur. Il restera à jamais le symbole de l'âme de la France et de sa fermeté inébranlable en face de l'adversité. Je me souviens lui avoir dit, lors des sombres jours de 1940 : "Voici le Connétable de France". C'est un titre qu'il a bien mérité depuis ! [...] Je crois pouvoir dire que j'ai toujours été un ami de la France. Il est vrai qu'au cours de toutes les entreprises et des graves événements auxquels nous avons été mêlés lors de ce dernier demi-siècle, votre grande nation et votre vaillant peuple ont occupé dans mes pensées et dans mon affection une place privilégiée [...]. Nul ne sait ce que nous réserve l'avenir, mais il est certain que si la Grande-Bretagne et la France, qui sont depuis si longtemps à l'avant-garde de la civilisation occidentale, restent unies, avec leurs empires, leurs amis américains et leurs autres alliés, alors tous les espoirs nous sont permis. Je vous remercie tous pour l'honneur que vous m'avez fait. Vive la France[22] ! »

Pierre Lefranc, qui a organisé toute la cérémonie, racontera lui-même la suite : « La musique joua le *God save the Queen* et la *Marseillaise*, et Churchill passa les troupes en revue à la façon britannique, c'est-à-dire avec une extrême lenteur. Le Général, en uniforme, l'accompagnait. Churchill s'arrêtait à chaque pas et nous nous demandions s'il allait repartir. Il regardait l'un après l'autre les soldats dans les yeux. Le Général paraissait trouver la promenade un peu longue. Ensuite, nous conduisîmes le grand Anglais à l'ascenseur. [...] Churchill arriva à bon port et fut installé dans un solide fauteuil, il prit un cigare et du champagne lui fut servi. À table, installé face au Général, il commença à s'animer et raconta en français une ou deux histoires de guerre. Churchill parlait plus lentement encore qu'il ne marchait et nous souffrions tous du silence qui, entre chaque mot d'un français fantaisiste, s'abattait sur les convives. Le Général s'efforçait d'animer la conversation, mais Churchill repartait sur un autre récit et l'attente anxieuse du mot à venir recommençait. Si mes souvenirs sont exacts, il parla de 1940 : "Pauvre grande France", constata-t-il. Puis il relata un épisode confus de la Grande Guerre. Il fut question de Foch. À nouveau Reynaud entra en scène. "Pétain ! Un malheur !" Puis le Débarquement : "Il y avait du vent, beaucoup. Soldats magnifiques. Le roi ne pouvait pas être là. Alors moi non plus. Je regrette encore." Enfin, il me semble qu'il fut aussi question de l'Angleterre. Nous l'escortâmes jusqu'à la Rolls-Royce de l'ambassadeur, au pied du perron. Dans le jardin, tourné vers de Gaulle, il salua longuement du chapeau. "Quelle tristesse !" me dit de Gaulle dans l'ascenseur[23]. »

Il est vrai que Churchill, comme bien des octogénaires, a quelques passages à vide ; le problème est qu'ils se font plus fréquents et plus apparents. Sa famille est à la fois un soutien moral et une source majeure de préoccupation : la très chère Clementine, qui a toujours de gros problèmes de santé, des crises de mélancolie et des humeurs voyageuses, n'aime pas plus Chartwell que le midi de la France, et ne goûte pas davantage la compagnie de lord Beaverbrook que celle des époux Reves ; on la retrouve donc à Saint-Moritz quand Winston est à Chartwell, à Chartwell quand il est à Roquebrune, et à Ceylan quand il est à Cap-d'Ail – ce qui n'empêche pas les tendres époux de s'écrire régulièrement et de se retrouver à l'occasion aux Canaries, à Marrakech... ou à Londres. Comme on pouvait s'y attendre, la seconde épouse de Randolph ne s'est pas mieux accommodée que la première de son caractère impossible et de son alcoolisme vertigineux ; les attaques au vitriol du journaliste Randolph Churchill contre Anthony Eden dans l'*Evening Standard* et le *Manchester Guardian* ont largement dépassé les limites de la bienséance, et son agressivité insensée lui a fermé bien des portes. Enfin, ses relations avec ses sœurs, sa mère et son père sont franchement détestables ; mais Winston finit toujours par pardonner, et en 1960, il l'autorisera même à écrire sa biographie – une entreprise de très longue haleine, que Randolph ne pourra qu'entamer*. Diana Sandys, toujours affectée d'une dépression nerveuse, d'un problème de boisson et d'un mari volage, s'est séparée de Duncan en 1956 et a divorcé quatre ans plus tard ; elle est soignée en clinique, et son équilibre fragile donne bien des inquiétudes. Quant à Sarah, divorcée d'Anthony Beauchamp en 1955, elle a poursuivi tant bien que mal une carrière d'actrice qui l'a menée du cinéma d'Hollywood au théâtre de boulevard londonien, où elle joue dans des pièces aussi secondaires que *La Vie nocturne d'une pomme de terre virile*. En 1957, elle apprend le suicide d'Anthony Beauchamp, qui aura sur son moral

---

* Il décédera en juin 1968.

des effets catastrophiques ; en janvier 1958, à Los Angeles, elle est emprisonnée pour ivresse sur la voie publique ; en mars 1959, à Liverpool, on l'arrête pour la même raison. Sur l'insistance de son père, elle suivra bien une cure de désintoxication dans une clinique suisse, mais les résultats seront décevants ; trois ans plus tard, elle va épouser le baron Audley, bel homme distingué et alcoolique, avec qui elle tentera de retrouver le bonheur. Seule Mary semble échapper au désastre : elle mène une vie de famille heureuse en compagnie de Christopher Soames, qui poursuit une brillante carrière au ministère de l'Air, puis à la Guerre et à l'Agriculture. Pour Churchill, atterré par les tribulations de ses autres enfants, c'est une consolation inestimable.

Hélas ! Les sujets de réconfort se font rares, dans une existence rendue chaque jour plus étriquée par les atteintes de l'âge. En 1959, il est clair que la surdité de Winston s'est aggravée, et son entourage s'époumone bien souvent en vain ; et pourtant, quelques rares privilégiées parviennent à communiquer avec lui sans même élever la voix : Aristote Onassis est de ceux-là, et le chancelier de l'Échiquier Selwyn Lloyd constatera avec stupéfaction qu'il lui est tout à fait possible de s'entretenir de haute politique avec Churchill, lorsque l'armateur grec sert d'interprète[24]...

À cette époque, Winston Churchill est devenu un habitué des réceptions et des dîners privés organisés par Onassis à bord du *Christina*. Ce gigantesque yacht effilé de 100 mètres de long est une ancienne frégate d'escorte canadienne, reconvertie cinq ans plus tôt en palace flottant avec piscine, hydravion, cinéma et même un bloc opératoire complet... À son bord, Churchill a participé avec son épouse à plusieurs croisières depuis 1958, la première le long des côtes espagnoles, la deuxième au Maroc et aux Canaries, et la troisième, celle de l'été 1959, en mer Egée ; cette dernière sera sans doute la plus fertile en événements, principalement du fait de la présence à bord de la cantatrice Maria Callas*, mais à 85 ans, Churchill n'a plus que des intérêts sélectifs, et une bonne partie des péripéties du voyage lui échappera...

Ces croisières n'en sont pas moins un émerveillement pour lui comme pour Clementine ; on y visite bien des lieux chargés d'his-

---

* Qui nouera à cette occasion une liaison peu discrète avec Onassis, sous les yeux de son épouse...

toire, depuis Épidaure jusqu'aux Dardanelles, et Churchill s'entretient durant les escales avec les Premiers ministres de Grèce et de Turquie, ainsi qu'avec le patriarche Athénagoras ; et puis, Arisote Onassis est un hôte incomparable, qui fait réellement l'impossible pour être agréable à son illustre passager. On a cherché bien des raisons sordides à ce dévouement sans limites ; mais la vérité semble être qu'Onassis, passionné d'épopées et fasciné par les grands destins, se plaît réellement en compagnie d'un homme qui a fait l'histoire et sait si bien la raconter. Pourtant, le célèbre armateur grec faisant preuve d'une certaine désinvolture envers les femmes – à commencer par la sienne* –, Clementine Churchill renoncera aux croisières après 1960, laissant son époux profiter seul de la somptueuse hospitalité d'Onassis.

Tous ses proches le constatent : les croisières, comme les séjours sur la Côte d'Azur, représentent pour Winston une véritable cure de jouvence. Et pourtant, cet estivant luxueusement entretenu ressent de plus en plus les atteintes de l'âge : sa surdité s'est encore aggravée, sa concentration faiblit, et il s'endort souvent au milieu des repas ; une pneumonie compliquée d'une pleurésie a fait redouter le pire, et après un nouvel accident vasculaire en avril 1959, il contrôle mal sa main droite ; l'expression orale lui est devenue pénible, et les deux discours électoraux qu'il prononce à Woodford quelques semaines plus tard sont à peine audibles – ce qui ne l'empêchera pas d'être réélu. Le 4 mai, ignorant les recommandations de son médecin, il part pour Washington, où il parvient encore à faire bonne figure lors de longs entretiens avec le président Eisenhower**

Après son retour à Londres, obsédé par la crainte d'une défaillance, Winston ne prononcera plus que quelques allocutions très brèves, et à partir de novembre 1960, il ne prendra plus la parole en public. Le grand écrivain abandonne également la plume, car l'inspiration s'évade à mesure que la concentration faiblit ; mais le vieil homme s'acharne à rééduquer sa main pour écrire personnellement à Clementine, et comme toujours, l'infirmité cède devant la force de la

---

* Athina (Tina) Onassis. Clementine restera sa grande amie et son admiratrice, même et surtout après son divorce d'avec Aristote Onassis en 1960.

** Certains de ses interlocuteurs à la Maison-Blanche sont en moins bonne forme que lui : Foster Dulles et le général Marshall mourront respectivement deux semaines et cinq mois après sa visite.

volonté. Depuis plusieurs années déjà, sa prodigieuse mémoire connaît des défaillances, rendues plus fréquentes après chaque spasme artériel ; mais si les circonstances s'y prêtent, il peut encore réciter un poème interminable ou faire le récit détaillé de la bataille de Gettysburg. La démarche elle-même s'est faite plus hésitante : il y a de nombreuses chutes, non sans dégâts, et Winston devra bientôt se résoudre à limiter ses déplacements. Le gentleman-farmer, lui aussi, est contraint de prendre congé : ses séjours à Chartwell se sont faits plus rares, tandis que son gendre et régisseur Christopher Soames est maintenant trop absorbé par sa carrière ministérielle. Il faut donc vendre les fermes autour de Chartwell – encore un rêve doré qui s'éloigne... Et la peinture, consolation suprême ? À Roquebrune, à Cap-d'Ail et à Marrakech, elle a bien voulu tenir compagnie au vieil artiste, mais à partir de l'été 1960, l'inspiration a faibli en même temps que les mains, et la muse s'est discrètement éclipsée...

À Monte-Carlo, les allées et venues des médecins ont naturellement suscité beaucoup de commentaires et attiré des nuées de journalistes. Les journaux se sont donc fait l'écho de bien des récits fantaisistes ; on a même pu lire en première page : « Winston est mort ! », mais il s'agissait d'un cheval de l'écurie royale... Commentaire de son célèbre homonyme : « Heureusement, moi, je n'ai que deux pattes ! ». En fait, notre homme a des capacités de récupération surprenantes, qui ne doivent certainement rien à ses repas pantagruéliques, à sa stupéfiante consommation d'alcool et aux huit gros cigares qu'il continue à fumer tous les jours – même lors de sa pneumonie... Ainsi s'explique l'une des rares confidences faites à la presse par lord Moran : « Vous savez, ce n'est pas un malade ordinaire ![25] »

C'est indéniable, et l'infatigable retraité revient périodiquement sur la Côte d'Azur pour faire à nouveau la navette entre Monte-Carlo, Cap-d'Ail et Roquebrune. Il y a là des amis à revoir et du soleil en abondance – celui qui fait tant défaut à Londres et à Chartwell. « Un jour, racontera lord Boothby, il a téléphoné à un de mes amis, qui avait une villa à Monte-Carlo, et lui a dit qu'il aimerait venir déjeuner. Ayant quelque appréhension, mon ami a invité en même temps Mme [Daisy] Fellowes, l'héritière des machines à coudre Singer, qui le connaissait depuis très longtemps, afin qu'elle lui donne un coup de main. Peu après le début du déjeuner, [Winston] a fermé les yeux et a semblé perdre connaissance. Sur quoi Mme Fellowes a dit à son hôte : "Quelle pitié qu'un si grand homme achève son existence en compagnie d'Onassis et de Wendy Reves." Soudain, à leur grand effarement, Churchill a ouvert un œil et a dit : "Daisy, Wendy Reves a trois choses que vous n'aurez jamais : la jeunesse, la beauté et la bonté !" Et l'œil s'est refermé[26]. »

À partir de 1960, pourtant, Churchill n'habite plus chez les Reves, ni même dans la villa de lord Beaverbrook ; à chacun de ses séjours, il descend à l'Hôtel de Paris, où Onassis lui a fait réserver une luxueuse suite au huitième étage : 250 mètres carrés, trois chambres à coucher, un grand salon, un bureau et une terrasse longue de 50 mètres, avec vue imprenable sur le palais, le port et la mer. Churchill s'y installe avec son secrétaire particulier, son valet de chambre, son infirmière et sa secrétaire ; Clementine y vient aussi, mais se plaint d'être « étouffée par le luxe et l'ennui[27] ». Ses enfants font également de brèves visites, ainsi que son petit-fils Winston, 20 ans, qui écrit à son père Randolph : « Je m'amuse beaucoup ici. [...] Grand-père est en très bonne forme, et insiste pour aller au casino. L'autre soir, nous avons perdu tous les deux. Ari [Onassis], qui était ici, est maintenant reparti pour Londres et la Grèce[28]. » De fait, à chacun de ses passages à Monte-Carlo, Onassis ne manque jamais de rendre visite à son cher invité, lui offre à dîner à bord du *Christina,* l'emmène déjeuner au *Château de Madrid* ou chez *le Pirate,* et l'accompagne même lorsqu'il va jouer au casino – une nouvelle marque de dévouement de la part de ce grand armateur qui déteste les tables de jeu...

Parmi les autres visiteurs de Churchill à l'Hôtel de Paris, il y a l'écrivain Somerset Maugham, Emery et Wendy Reves, le préfet Moatti, l'inévitable Max Beaverbrook et, *last but not least,* le couple princier. En octobre de cette année-là, il y aura une autre entrevue mémorable : le général de Gaulle est à Nice en compagnie de Mme de Gaulle, et une réunion à quatre est organisée dans les locaux de la préfecture ; les deux hommes d'État évoquent des souvenirs de guerre, bien sûr, mais échangent aussi leurs vues sur le conflit algérien. À l'ébahissement de ses proches, Churchill retrouve pour l'occasion toute sa vaste mémoire, sa surdité s'éclipse, et son français devient presque intelligible*...

---

* Le général de Gaulle avait déjà été reçu au domicile de Churchill en avril 1960, lorsqu'il était revenu à Londres pour la première fois depuis la guerre.

Cette même année 1960 a vu deux autres croisières partir de Monte-Carlo : le *Christina* a emmené le couple Churchill et sa suite aux Antilles en avril et dans l'Adriatique en juillet. Au cours du second périple, le yacht a abordé à Split, en Yougoslavie, et il y a eu une soirée bien arrosée à bord avec un maréchal Tito très en forme… En mars 1961, nouvelle croisière aux Antilles, qui s'achève à New York, où Churchill s'entretient avec Adlai Stevenson* et avec son vieil ami Bernard Baruch ; il s'en faudra de peu qu'il ne rencontre également le nouveau président John Kennedy, un autre grand admirateur**

Mais cette année-là, Monte-Carlo est pour Churchill le théâtre d'un bien triste événement : sa perruche Toby s'envole par la fenêtre du huitième étage de l'Hôtel de Paris, et en dépit des efforts conjugués de son secrétaire particulier, de son valet, de son garde du corps et des membres du personnel de l'hôtel – qui n'hésiteront pas à déployer la grande échelle –, elle ne pourra être rattrapée ; on la verra pour la dernière fois se dirigeant vers le casino, peut-être pour faire honneur à son maître. La presse locale trouvera là matière à d'innombrables articles, avec de gros titres humoristiques du genre : « *Toby or not Toby ?* », mais Churchill, lui, rentrera en Angleterre très dépité.

À cette époque, il ne reste plus guère à l'illustre retraité que la lecture et la compagnie de son entourage… Il y a aussi la méditation, qui n'est pas toujours une amie ; car l'oisiveté forcée a ouvert largement la porte au *black dog*, sa dépression fidèle et implacable. Lorsqu'elle règne en maîtresse, le vieil homme revient sans cesse sur l'inutilité de sa vie passée : n'a-t-il pas assisté impuissant à l'écroulement de l'immense Empire de sa jeunesse ? À quoi ont servi ses entreprises surhumaines pendant deux guerres mondiales, puisque l'Angleterre en est ressortie chaque fois fatalement diminuée ? Que reste-t-il du grand mirage de l'union fraternelle des peuples de langue anglaise, après les amères désillusions de Téhéran en 1943 et

* Gouverneur démocrate de l'Illinois et candidat malheureux aux élections présidentielles de 1952 et 1956, il conduit depuis 1961 la délégation américaine à l'ONU.
** Kennedy avait téléphoné personnellement pour l'inviter à Washington, mais le secrétaire Anthony Montague Brown, considérant l'état de fatigue et les trous de mémoire de Churchill, avait pris sur lui de décliner l'invitation.

de Suez en 1956 ? A quoi ont abouti ses efforts pour rencontrer personnellement les successeurs de Staline, et instaurer dans le monde une paix juste et durable ? Et ses enfants ? Il s'est bien efforcé d'être plus affectueux et attentif que son père, mais lorsque trois enfants sur quatre connaissent d'aussi graves problèmes psychologiques, l'éducation des parents y est-elle tout à fait étrangère ? Bien sûr, lorsque la tempête s'apaise sous le crâne, on voit reparaître le soleil de l'orgueil : la vie, après tout, a été belle, le pays et son souverain ont triomphé de tous leurs ennemis, et lui, Winston, a pu leur rendre quelques signalés services – qui ne sont pas passés inaperçus... N'était-ce pas son rêve le plus cher, lorsqu'il guerroyait en solitaire dans sa nursery de Phoenix Park ?

Pourtant, c'est un homme bien diminué qui doit à présent jouer les utilités jusqu'à la fin de la représentation, et le spectacle de son déclin le désole chaque jour davantage. Ne vaudrait-il pas mieux tirer sa révérence, avant que le monde entier ne soit témoin de sa déchéance ? C'est après tout ce qu'ont fait un à un ses compagnons les plus chers : lord Cherwell, « *the Prof* », sans doute son meilleur ami depuis la mort de F. E. Smith, s'est éclipsé à l'été de 1957 ; un an plus tard, c'est Brendan Bracken qui a suivi, à l'âge étonnamment jeune de 56 ans : au Parlement, les mauvaises langues l'appelaient son fils naturel, parce qu'il avait une tignasse rousse et lui était entièrement dévoué... Et lord Ivor Spencer-Churchill, le propre fils de son cher cousin Sunny, qui a pris congé à son tour, suivi d'Edwina Mountbatten*, qu'il a pratiquement vu naître ? Ainsi, tout le monde s'en va, même les enfants de ses vieux compagnons ! Et lui, que diable fait-il encore sur cette scène, alors qu'il n'a plus ni talent, ni répertoire, ni auditeurs ? « Il semble que je vais continuer à vivre, confie-t-il à son médecin, en devenant de plus en plus inutile. Il n'y a rien d'autre à faire que mourir... Je n'ai pas peur de mourir ; enfin, je crois... Dites-moi, Charles, comment les gens meurent-ils ? Moi, c'est ce que j'attends[29]... »

Après avoir fêté son 87ᵉ anniversaire à Chartwell, Winston revient sur la Côte d'Azur au début de décembre 1961, accompagné de sa fille Diana et de son secrétaire particulier Montague Brown. S'il est ravi de retrouver le soleil, le vieil artiste est à

---

* Edwina était la petite-fille du banquier Ernest Cassel, le vieil ami de Churchill.

l'évidence très affaibli ; sa démarche est de plus en plus incertaine, mais il insiste pour aller au Cap Ferrat, à Villefranche, au Mont Agel, et surtout à « La Capponcina » ; dans ce jardin où il a passé tant d'heures à peindre, il retrouve le calme, le soleil et les souvenirs d'autrefois. La lecture absorbe désormais le plus clair de son temps, et ses secrétaires empruntent pour lui des douzaines de livres à la bibliothèque anglaise de Monte-Carlo. Et puis, il y a toujours le casino...

La session parlementaire de printemps retient à Londres l'infatigable député ; mais en avril 1962, une nouvelle croisière sur le *Christina* le mène jusqu'en Crète et au Liban, en passant par la Sicile et la Libye – avec retour à Londres par *Olympic Airways*, naturellement. Tous ces séjours sont pour Winston des cures de jouvence, comme le constatera avec étonnement l'une de ses secrétaires : « Pendant trois semaines, il avait rajeuni de vingt ans, et maintenant, il est heureux comme un enfant d'être de retour à Chartwell[30]. »

Moins de deux mois plus tard, notre grand voyageur est de retour à Monte-Carlo ; comme toujours, son arrivée mobilise tout le personnel de l'hôtel, une foule compacte se presse devant l'entrée et des monceaux de fleurs s'entassent dans sa suite. Hélas ! Deux jours après son arrivée, il tombe dans sa chambre et se casse le col du fémur. Le docteur Roberts, appelé en urgence à 7 heures du matin, le fait transférer à la polyclinique Princesse-Grace, où on le monte au bloc opératoire ; mais alors qu'il a déjà été anesthésié, les médecins apprennent que lord Moran, joint au téléphone, a insisté pour que son patient soit opéré à Londres. Sur quoi les chirurgiens se contentent de réduire la fracture et de plâtrer sa jambe jusqu'à la hanche...

Au réveil, Churchill murmure à son secrétaire particulier : « Souvenez-vous ; je veux mourir en Angleterre. Promettez-moi que vous ferez le nécessaire[31]. » Montague Brown promet et appelle le 10, Downing Street. Presque immédiatement, le Premier ministre Macmillan donne l'ordre de faire décoller pour Nice un avion sanitaire Comet II de la RAF, afin de rapatrier l'illustre patient. Entretemps, Churchill a pris un plantureux repas, complété par l'inévitable cognac et l'éternel cigare ; les médecins monégasques ont bien souligné que c'était contre-indiqué, mais l'entourage de Churchill a fait valoir qu'un tel régime était essentiel à son rétablissement... Des télégrammes d'encouragement venus du monde entier arrivent à l'hôpital, à commencer par ceux du prince Rainier et de la princesse Grace, de la reine Élisabeth et du prince Philip, ainsi qu'un message personnel du général de Gaulle : « Je tiens à vous adresser mes vœux de prompt et complet rétablissement, et vous exprime ma plus sincère et cordiale sympathie[32]. »

Une horde de photographes tente de parvenir jusqu'à la chambre 102 de la polyclinique, en ayant recours à tous les déguisements imaginables ; mais il y a là des détectives britanniques, des agents monégasques en uniforme et des policiers français en civil, et personne ne passera. Dès le lendemain, sir Winston quitte l'hôpital sur un brancard, le sourire et le cigare aux lèvres. « On lui a fait des adieux formidables », se souviendra son valet. « Les infirmières, les patients, les médecins, le personnel d'entretien, les habitants des maisons alentour, tous sont sortis pour lui dire au revoir. Quand sir Winston est passé sur son brancard, la foule a applaudi, et on a entendu des cris de "Bon voyage !" Cela lui a énormément remonté le moral[33]. »

C'est un fait ; vers 11 heures du matin, à l'aéroport de Nice, juste avant d'être placé à bord de l'avion, Winston déclare aux personnes venues le saluer : « Je ne vous dis pas adieu, mais au revoir... » ; et au consul de Grande-Bretagne, il murmure : « Je reviendrai, mon cher, à bientôt ! » Au cours du voyage de retour, pourtant, l'euphorie retombe quelque peu, et ses seules paroles à Montague Brown seront : « Je ne crois pas que je reviendrai. C'est un endroit qui porte malheur. D'abord Toby, et maintenant ça[34]... »

Dépression très passagère... À Londres, la population réserve un accueil triomphal au vieux lutteur de 87 ans, qui est opéré dès son arrivée au Middlesex Hospital et surmonte dans la foulée une bronchite suivie d'une pneumonie, compliquée d'une thrombose et aggravée d'une jaunisse – sans doute un cas unique dans l'histoire médicale... Il continue à fumer ses huit cigares journaliers, boit ses doses habituelles de champagne, cognac et whisky, reçoit tant de fleurs qu'il faut en distribuer à toutes les chambres de l'hôpital, refuse de prendre ses médicaments, refuse les piqûres, refuse de se débarrasser de son cigare le temps d'un examen au stéthoscope... et retourne à son domicile de Hyde Park Gate le 21 août 1962, sous les vivats de milliers de Londoniens !

La récupération est lente, il y a des hauts et des bas, le patient difficile veut se lever trop tôt et doit être sermonné par ses infirmières, son garde du corps, son secrétaire, son médecin et son épouse pour consentir à garder le lit. Lorsqu'il peut enfin recommencer à marcher avec l'aide d'une canne, son moral s'améliore notablement, et une première excursion à Chartwell le ravit au-delà de toute expression. Les visiteurs se succèdent sans interruption, depuis le Premier ministre Macmillan jusqu'au chef d'état-major de la défense Mountbatten, en passant par les vieux amis Beaverbrook et Montgomery. Au début de novembre, le premier convalescent du royaume annonce qu'il est suffisamment rétabli pour se rendre à son club de l'hôtel Savoy – qui lui réserve un accueil triomphal.

Tout le monde pensait que sir Winston ne reviendrait plus jamais sur la Côte d'Azur – et tout le monde avait tort. Le 11 avril 1963, le voici qui débarque à l'aéroport de Nice, suivi de sa fille Diana, de sa petite-fille Celia, de son valet de chambre, de son infirmier et de son détective. Il a nettement maigri, ses jambes tremblent un peu, et c'est d'un pas hésitant qu'il descend la passerelle ; mais la foule venue l'accueillir aura droit à un sourire radieux et au V de la victoire – une victoire sur le malheur et sur la maladie. C'est une véritable caravane de voitures, précédée d'une escorte de policiers motocyclistes, qui se dirige ensuite vers Monte-Carlo ; arrivé à l'Hôtel de Paris, où il est accueilli et ovationné par tout le personnel et les clients rassemblés, l'inusable touriste serre la main du directeur et lui dit : « J'espère qu'il vous reste un peu de cette fine Napoléon 1810 ! » On ne se refait pas...

Au cours des jours qui suivent, les Monégasques pourront apercevoir à de nombreuses reprises sir Winston dans une grosse limousine noire mise à sa disposition par Onassis ; il se rend à Roquebrune, à Peille, sur les hauteurs de Menton, de la Turbie et du Mont Agel. À l'Hôtel de Paris, il déjeune habituellement dans sa suite en compagnie de son cher Max, de Somerset Maugham ou du préfet Moatti, à qui il fait part de ses préoccupations du moment – au premier rang desquelles il y a le Marché commun, ce qui est bien naturel en ce printemps de 1963. Mais le plus surprenant, c'est que Winston est admirablement informé et d'esprit particulièrement agile pour un homme de 88 ans ; le lendemain de son arrivée à Monaco, il est devenu le plus vieux Premier ministre de toute l'histoire britannique... Voilà qui justifie tout de même quelques libations supplémentaires !

Le 25 avril 1963, Churchill repart pour Londres, mais la Méditerranée le revoit dès le 8 juin, lorsqu'il embarque pour une nouvelle croisière sur le *Christina,* en compagnie cette fois de son fils Randolph et de son petit-fils Winston. Ils pourront ainsi contempler le Stromboli – qui voudra bien entrer en éruption à leur passage –, admirer le coucher de soleil au cap Sounion et même aborder à Ithaque, la patrie d'un autre héros de légende...

Cette année-là, on annonce à Washington que Winston Churchill a été nommé citoyen d'honneur des États-Unis – une distinction qui n'avait été accordée à aucun étranger depuis La Fayette. Mais à quoi bon les honneurs, lorsqu'on s'enfonce dans la brume ? Sans boussole ni gouvernail, le vieux cuirassé dérive inexorablement, secoué périodiquement par de terrifiantes explosions : en août 1963, après sa dernière croisière en Méditerranée, Winston a un nouvel accident vasculaire, qui l'oblige à rester alité sans bouger, sans même pouvoir lire. Le naufrage peut-il être bien éloigné ? Clementine a persuadé son époux de renoncer à se représenter aux élections de 1964 ; c'est un sage conseil, bien sûr, mais l'idée de n'être plus député dans quelques mois l'a profondément déprimé ; Clementine elle-même, épuisée par ses journées et ses nuits de veille, a dû être admise en maison de repos ; et le baron Audley, dernier époux de sa fille Sarah, vient de mourir d'une crise cardiaque ; dès lors, la police devra surveiller discrètement Sarah Oliver-Beauchamp-Audley lorsqu'elle s'aventurera dans les bars de Londres après la fermeture des théâtres...

Pourtant, à la surprise générale, le vaillant navire poursuit sa route incertaine, et la gîte commence même à diminuer... En septembre 1963, avec cet étonnant pouvoir de récupération dont il a le secret, Winston Churchill marche à nouveau, reprend ses interminables parties de cartes, se met à parler fort intelligiblement, et reparaît même à son club. Le 13 octobre, c'est le Premier ministre Macmillan qui démissionne, pour raisons de santé... Décidément, ces jeunes ne sont vraiment pas résistants ! Churchill, lui, retourne siéger à la Chambre, quelques jours seulement avant son 89e anniversaire... Il y faut pourtant bien du courage, car le destin continue à tirer ses salves dévastatrices : le 14 octobre, à la suite d'un accès de dépression plus insupportable que les autres, Diana s'est suicidée ; Mary, qui annonce avec ménagement la nouvelle à son père, est atterrée par sa réaction : « Il ne prit conscience que lentement de ce que je lui disais ; mais lorsque ce fut chose faite, il se réfugia dans un silence lourd et distant[35]. »

L'aube de 1964 éclaire un monde bien étrange ; Staline, Roosevelt et Churchill, les géants de la guerre, ont depuis longtemps cédé la place ; Truman, Eisenhower, Malenkov et Attlee leur ont succédé, pour s'effacer à leur tour ; Boulganine, Khrouchtchev, Kennedy et Macmillan ont alors pris la relève avec énergie, mais voici à présent que Boulganine sombre dans l'insignifiance, Khrouchtchev donne des signes de faiblesse, Macmillan démissionne et Kennedy disparaît tragiquement. Pendant ce temps, à la Chambre des communes, on retrouve l'insubmersible député de Woodford à son poste de vigie habituel, juste derrière le banc du gouvernement ; les redoutables canons de son éloquence ne menacent plus personne, mais sa seule présence impose le respect et force l'admiration. Le soir, on peut encore le rencontrer au fumoir de l'*Other Club* où, tout comme à la Chambre, il écoute beaucoup et parle peu – après une vie entière passée à faire exactement l'inverse... Ses médecins lui ont bien prescrit un repos absolu et formellement déconseillé l'alcool, mais comme toujours, il a accueilli leurs recommandations avec un mépris souverain. En avril, il va au théâtre de Croydon pour encourager sa fille Sarah, qui joue le premier rôle dans une pièce de second ordre, et deux mois plus tard, le mariage de son petit-fils Winston lui apportera une joie sans mélange. À la fin de juillet 1964, on le revoit à la Chambre, peu avant qu'elle ne vote une résolution « exprimant au très honorable gentleman et représentant de Woodford son admiration et sa gratitude sans limites pour les services qu'il a rendus au Parlement, à la nation et au monde ». Et pour la première fois dans la vie de Winston Churchill, le vote d'approbation des députés sera unanime...

Bien sûr, les grandes tempêtes politiques approchent : aux élections d'octobre, les conservateurs perdent la majorité, et un gouvernement travailliste se constitue sous la direction de Harold Wilson ; peu après, le monde stupéfait apprend qu'à Moscou, Nikita Khrouchtchev a été destitué ; en Asie du Sud-Est, tout indique qu'un gigantesque affrontement se prépare... Mais Winston Churchill, redevenu simple citoyen, n'écoute plus guère la rumeur du monde : sa mémoire s'est obscurcie et il est presque complètement sourd ; manifestement en fin de course, l'héroïque vaisseau navigue désormais au plus près parmi les récifs de la décrépitude.

Depuis la mi-octobre, sir Winston a quitté son cher Chartwell pour s'installer définitivement à Hyde Park Gate ; Eden, Macmillan, Montgomery, Violet Bonham-Carter, Robert Boothby, William Deakin et Harold Wilson viennent lui rendre visite, mais son vieil acolyte Max Aitken, alias lord Beaverbrook, manque cruellement à l'appel : il est mort six mois plus tôt ; décidément, cet autre monde ne peut être si mauvais, puisque tant de compagnons avisés ne cessent de le rejoindre... À lord Boothby, il confie : « Le voyage méritait d'être fait – une seule fois. » « Et ensuite ? » lui demande Boothby. « Un long sommeil, probablement ; je le mérite[36]. » Il est vrai que Churchill n'a jamais vraiment craint la mort, dont il avait coutume de dire : « Elle est si universelle que ce doit être une bonne chose. D'ailleurs, nous nous en exagérons beaucoup l'importance[37] ! » Depuis quelque temps déjà, il l'appelle même de ses vœux : « Chaque fois que je l'ai vu au cours des derniers mois, se souviendra Harold Macmillan, j'ai eu l'impression qu'il attendait avec patience, avec espoir, avec courage, l'heure de la délivrance[38]. » Le 29 novembre 1964, veille de son 90ᵉ anniversaire, une petite foule se rassemble devant le 28, Hyde Park Gate pour l'acclamer ; ce n'est plus qu'une glorieuse épave, toutes écoutilles fermées, toutes chaudières éteintes, mais un drapeau flotte encore bravement au mât de misaine : depuis sa fenêtre, en effet, la frêle silhouette lève le bras et fait le V de la victoire !

Le havre est maintenant bien proche : jusqu'au 10 décembre, Churchill paraît encore à l'*Other Club*, mais au début de janvier 1965, lord Moran le trouve « somnolent et désorienté[39] » ; le 10 janvier, il est frappé par une congestion cérébrale massive et perd connaissance. Pourtant, ce vivant symbole de la résistance refuse encore de se rendre : quatorze jours durant, il respire faiblement, la tête inclinée, les mains ouvertes sur le drap, un gros chat roux couché à ses pieds. Enfin, le 24 janvier, à 8 heures du matin, la respiration ralentit, puis cesse complètement... Le 24 janvier, à 8 heures du matin ? N'est-ce pas une date étrangement familière ? En effet : soixante-dix ans plus tôt, mois pour mois, jour pour jour, heure pour heure, mourait lord Randolph Spencer-Churchill... Ah, ce père, décidément !

Le monde entier sera témoin de la suite : au matin du 30 janvier 1965, un lourd cercueil de chêne, recouvert de l'Union Jack et des insignes de l'ordre de la Jarretière, est placé sur un affût de canon et tiré lentement vers la cathédrale Saint-Paul – exactement comme celui de Wellington cent treize ans plus tôt. Parmi les trois mille personnalités qui assistent à l'office religieux, il y a six souverains, quinze chefs d'État, trente Premiers ministres venus des quatre coins du monde. Après cela, le cortège se dirige vers la tour de Londres, où le cercueil est transféré à bord d'une vedette des autorités portuaires, qui va remonter la Tamise, saluée au passage par des dizaines de grues qui inclinent profondément leurs flèches en hommage au défunt. À Waterloo Station, un convoi spécial, tiré par une vieille locomotive de la classe *Battle of Britain*, emporte la dépouille vers sa dernière demeure : le petit cimetière de Bladon, à moins de deux kilomètres de ce château de Blenheim où Winston Spencer-Churchill a vu le jour un certain 30 novembre 1874. Près d'un siècle, en somme, pour parcourir deux mille mètres ? Certes, mais il y a eu quelques détours en chemin, qui ont changé le destin de l'Angleterre et la face du monde. [40]

CONCLUSION

Arrivé à la fin du voyage, le lecteur aura suffisamment d'éléments pour tirer ses propres conclusions. La première sera certainement qu'il faut de grands cataclysmes pour faire apparaître de grands hommes : Churchill, seul guerrier parmi les politiciens, seul politicien parmi les guerriers, seul politicien-guerrier qui soit également journaliste, est devenu célèbre grâce à la campagne du Soudan, député grâce à la guerre des Boers, figure nationale grâce à la Première Guerre mondiale et héros national grâce à la Seconde. Mais durant les intervalles de paix, il était au mieux oublié, au pire déconsidéré ; ces conflits, si funestes au plus grand nombre, ont donc porté jusqu'aux sommets du pouvoir et de la gloire un Winston Churchill qui, sans eux, aurait sans doute connu une carrière politique aussi éphémère que celle de son père...

La deuxième conclusion sera sans doute que la réussite du personnage est attribuable au moins autant à ses défauts qu'à ses qualités : aux heures les plus sombres, Churchill a certes triomphé grâce à une combinaison tout à fait unique de courage, d'imagination, d'endurance, de pugnacité, de charisme, de conviction, d'énergie, d'inventivité, de passion, de franchise, d'esprit d'organisation, de capacité de concentration, de fascination pour la guerre et de sens intuitif des mots qui portent ; mais en vérité, ses succès s'expliquent presque autant par une impressionnante accumulation d'irréalisme, d'impulsivité, d'amateurisme stratégique, de narcissisme démesuré, d'égocentrisme forcené, de dangereuse naïveté, d'entêtement dans l'erreur, de mépris des conventions, d'autoritarisme confinant au

despotisme, et d'indifférence souveraine aux aspirations populaires... « Il ne faut jamais oublier, écrira lui-même Winston
Churchill, que lorsqu'on commet une grave erreur, elle peut fort
bien s'avérer plus bénéfique que la décision la plus avisée. » Au
moins dans le cas de son auteur, cette affirmation paradoxale s'est
révélée parfaitement exacte.

La troisième conclusion sera peut-être que nous manquons
encore de recul pour apprécier la véritable dimension d'un homme
aussi complexe et riche de contradictions que Winston Spencer-
Churchill : aristocrate devenu l'un des pères de la législation sociale
britannique ; officier subalterne qui a chargé avec la cavalerie en
1898 et pris en 1954 la décision de construire la bombe à hydrogène ; politicien qui haïssait le racisme nazi, mais croyait fermement
à la mission civilisatrice de l'homme blanc dans le monde ; anticommuniste de toujours, devenu l'allié de Staline et l'apôtre de la
détente ; humaniste sentimental, bienveillant et pacifique, mais fasciné par la guerre et ne vivant que pour la victoire. Comment juger
équitablement aujourd'hui un tel personnage ? Chaque génération
voit l'histoire à travers le miroir déformant de ses dogmes éphémères, qu'elle prend pour des vérités éternelles. À l'aube du
XXIe siècle, le nationalisme réducteur, l'internationalisme destruc-
teur, l'électoralisme forcené, l'égalitarisme décérébré, l'anticapita-
lisme doctrinaire, le tiers-mondisme dogmatique, l'intégrisme
fanatique, l'angélisme démagogique, l'antiracisme sélectif, l'antimilitarisme agressif et le politiquement correct outrancier constituent
autant d'obstacles à la compréhension d'un homme si fermement
attaché aux convictions du XIXe siècle qu'il a laissé une empreinte
indélébile sur l'évolution du XXe. Sans doute faudra-t-il attendre
que se dissipent les lourds nuages du conformisme idéologique,
pour pouvoir enfin contempler librement le soleil de la grandeur.

NOTES

Notes du chapitre I. Les caprices du destin

1. R. S. Churchill, *Winston S. Churchill*, Companion, vol. I/1, Heinemann, Londres, 1967, p. 2.
2. A. L. Rowse, *The later Churchills*, MacMillan, Londres, 1958, p. 230.
3. E. Eliot, *Heiresses and Coronets,* McDowell Obolensky, New York, 1959, p. 67-68.
4. W. S. Churchill, *Lord Randolph Churchill*, vol. 1, MacMillan, Londres, 1906, p. 72-73.
5. R. S. Churchill, *W. S. Churchill*, Companion, vol. I/1, *op. cit.*, p. 57.
6. R. S. Churchill, *W.S. Churchill*, vol. 1, Heinemann, Londres, 1966, p. 33.

Notes du chapitre II. Un cancre brillant

1. W. S. Churchill, *Lord Randolph Churchill*, vol. 1, *op. cit.*, p. 90.
2. *Idem*, p. 92.
3. F. Harris, *My life and loves,* Grove Press, N. Y., 1963, p. 485.
4. W. S. Churchill, *My Early life*, R. S., Londres, 1944, p. 12.
5. R. S. Churchill, *Winston S. Churchill*, Companion, vol. I/1, *op. cit.*, p. 37.
6. R. R. James, *Winston Churchill, A study in failure*, Weidenfeld, Londres, 1973, p. 10.
7. W. S. Churchill, *My Early life, op. cit.,* p. 12.
8. *Idem.*, p. 13.
9. *Idem*, p. 11.
10. *Idem*, p. 18.
11. *Idem*, p. 21.
12. M. Baring, *The Puppet Show of Memory*, Heinemann, Londres, 1922, p. 37.

13. R. S. CHURCHILL, *Winston S. Churchill*, Companion, vol. I/1, *op. cit.*, p. 97-99.

14. R. S. CHURCHILL, *WSC*, vol. 1, *op. cit.*, p. 94.

15. H. MARTIN, *Combat, biographie de Winston Churchill*, Hamish Hamilton, Londres, 1942, p. 25.

16. W. S. CHURCHILL, *My Early life, op. cit.*, p. 23.

17. R. S. CHURCHILL, *WSC*, Companion vol. I/1,, *op. cit.*, p. 169.

18. W. MANCHESTER, *Winston Churchill*, vol. 1, R. Laffont, Paris, 1983, p. 142.

19. A. L. ROWSE, *The later Churchills, op. cit.*, p. 288.

20. R. JENKINS, *Churchill*, Macmillan, Londres, 2001, p. 16.

21. R. S. CHURCHILL, *WSC*, Companion, vol. I/1, *op. cit.*, p. 204.

22. W. MANCHESTER, *Winston Churchill*, vol. I/1, *op.cit.*, 145.

23. W. S. CHURCHILL, *My Early life, op. cit.*, p. 25.

24. R. S. CHURCHILL, *WSC*, Companion, vol. I/1, *op. cit.*, p. 108, 135.

25. *Idem*, p. 308, 319.

26. A. L. ROWSE, *The later Churchills, op. cit.*, p. 239.

27. W. S. CHURCHILL, *My Early life, op. cit.*, p. 15.

28. R. S. CHURCHILL, *WSC*, Companion, vol. I/1, *op. cit.*, p. 125.

29. W. S. CHURCHILL, *My Early life, op. cit.*, p. 54,

30. *Idem*, p. 39.

31. *Idem*, p. 9.

32. *Idem*, p. 14.

33. W. S. CHURCHILL, *My Early life, op. cit.*, p. 27.

34. V. COWLES, *Winston Churchill*, Hamish Hamilton, Londres, 1953, p. 32.

35. W. S. CHURCHILL, *My Early life, op. cit.*, p. 27-28.

36. E. CHAPLIN, *Winston Churchill and Harrow*, Harrow School, Londres, 1941, p. 12.

37. *Idem*, p. 11.

38. W. S. CHURCHILL, *My Early life, op. cit.*, p. 36-37.

39. *Idem*, p. 45.

40. R. S. CHURCHILL, *WSC*, Companion, vol. I/1, *op. cit.*, p. 390-1, 393.

41. *Idem*, p. 394.

NOTES DU CHAPITRE III. L'ADIEU AUX LARMES

1. W. S. CHURCHILL, *My Early life, op. cit.*, p. 52.

2. *Idem*, p. 70-71.

3. *Idem*, p. 53.

4. V. COWLES, *Winston Churchill, op. cit.*, p. 33.

5. R. S. CHURCHILL, *WSC*, Companion vol. I/1, *op. cit.*, p. 449.

6. *Idem*, p. 386.

7. W. S. CHURCHILL, *My Early life, op. cit.*, p. 54.

8. A. ROSEBERY, *Lord Randolph Churchill*, Humphreys, Londres, 1906, p. 145.

9. R. S. CHURCHILL, *WSC*, Companion I/1, *op. cit.*, p. 531.

10. W. S. CHURCHILL, *My Early life, op. cit.,* p. 71.
11. W. MANCHESTER, *Winston Churchill,* vol. I/1, *op. cit.,* p. 185.
12. F. HARRIS, *My life and loves, op. cit.,* p. 471.
13. W. S. CHURCHILL, *My Early life, op. cit.,.* p. 71.
14. R. S. CHURCHILL, *WSC,* Companion I/1, *op. cit.,* p. 583.
15. R. S. CHURCHILL, *WSC,* Companion I/1, *op. cit.,* p. 583.
16. W. S. CHURCHILL, *My Early life, op. cit.,* p. 86
17. *Daily Graphic,* 13, 17, 24 et 27 décembre 1895 ; 16 janvier 1896.
18. *Newcastle Leader,* 7 décembre 1895.
19. R. S. CHURCHILL, *WSC,* Companion I/1, *op.cit.,* p. 676.

NOTES DU CHAPITRE IV. LE CASQUE ET LA PLUME

1. R. S. CHURCHILL, *WSC,* vol. 1, *op. cit.,* p. 352.
2. R. S. CHURCHILL, *WSC,* Companion, I/2, *op. cit.,* p. 781.
3. *Idem,* p. 888.
4. W. S. CHURCHILL, *The Malakand field force,* Longmans, Londres, 1898.
5. R. S. CHURCHILL, *WSC,* Companion, I/2, *op. cit.,* p. 924, 948.
6. R. S. CHURCHILL, *WSC,* vol. 1, *op. cit.,* p. 396.
7. R. S. CHURCHILL, *WSC,* Companion, I/2, , *op. cit.,* p. 971.
8. R. S. CHURCHILL, *WSC,* vol. l, *op. cit.,* p. 353.
9. J. B. ATKINS, *Incidents and Reflections,* Christophers, Londres, 1947, p. 125.
10. W.S. CHURCHILL, *My Early life, op.cit.,* p. 264.
11. *Idem,* p. 271.
12. R. S. CHURCHILL, *WSC,* Companion I/2, *op.cit.,* p. 1084.
13. W.S. CHURCHILL, *My Early life, op.cit.,* p. 311.
14. A. HALDANE, *A Soldier's Saga,* Blackwood, Edinburgh, 1948, p. 161.
15. W.S. CHURCHILL, *My Early life, op.cit.,* p. 316.
16. *Idem,* p. 317.
17. *Idem,* p. 319.
18. *Idem,* p. 333.
19. *Idem,* p. 360.
20. R. S. CHURCHILL, *WSC,* Companion I/2, *op.cit.,* p. 1151.
21. *Idem,* p. 1160.

NOTES DU CHAPITRE V. GENTLEMAN FUNAMBULE

1. W.S. CHURCHILL, *My Early life, op.cit.,* p. 379-380.
2. *Morning Post,* 19/2/1901.
3. R. S. CHURCHILL, *WSC,* vol. 2, *op.cit.,* p. 6-10.
4. *Hansard,* 13 mai 1901.
5. R. S. CHURCHILL, *WSC,* vol. 2, , *op.cit.,* p. 32.

6. *Hansard,* 28/5/1903.

7. *Daily Mail,* 23/4/1904.

8. *Hansard,* 16/5/1904.

9. M. GILBERT, *Churchill, a life,* H. Holt, N. Y., 1992, p. 159.

10. *Times,* 28/1/1905.

11. *Hansard,* 28/3/1905.

12. *Hansard,* 24/7/1905.

13. M. GILBERT, *Churchill, a life,* op.cit., p. 173.

14. V. BONHAM-CARTER, *Winston Churchill as I knew him,* R. S., Londres, 1966, p. 15-16.

15. *Idem,* p. 126.

16. K. HALLE, *Irrepressible Churchill,* World Publishing, N. Y., 1966, p. 50.

17. P. STANSKY, Edit., *Churchill, a profile,* Hill & Wang, N. Y., 1973, p. 29.

18. *Idem,* p. 22.

19. W. GEORGE, *My brother and I,* op.cit., p. 211.

20. *Outlook,* 5/2/1908.

21. L. MASTERMAN, *C. F. G. Masterman,* Nicholson and Watson, Londres, 1939, p. 97.

22. N. et J. MACKENZIE (ed.), *The diaries of Beatrice Webb,* vol. 3, Virago Press, Londres, 1984, p. 326-7.

23. *Idem,* vol. 2, p. 285.

24. *The Nation,* 7/3/1908.

25. BIRKENHEAD, *Churchill 1874-1922,* Harrap, Londres, 1989, p. 182.

26. V. BONHAM-CARTER, *Churchill as I knew him,* op.cit., p. 158.

27. *Idem,* p. 160.

28. W. BEVERIDGE, *Power and Influence,* op. cit., p. 87.

29. *Times,* 14/1/1909.

30. R. S. CHURCHILL, *WSC,* vol. 2, op. cit., p. 282.

31. M. SOAMES, Edit., *Speaking, for themselves,* Black Swan, Londres, 1999, p. 13

32. R. S. CHURCHILL, *WSC,* vol. 2, op. cit.,, p. 328.

33. R. R. JAMES, *Churchill revised,* Dial Press, N.Y., 1969, p. 71.

34. R. S. CHURCHILL, *WSC,* vol. 2, op. cit.,, p. 335.

35. V. BONHAM-CARTER, *Churchill as I knew him,* op. cit.,, p. 221.

36. N. MACREADY, *Annals of an active life,* vol. 1, Hutchinson, Londres, 1924, p. 155.

37. R. S. CHURCHILL, *WSC,* vol. 2, op. cit.,, p. 409.

38. J. A. SENDER et C. ASQUITH, *Life of H.H. Asquith,* vol. 1, Hutchinson, Londres, 1932, p. 350.

39. C. ATTLEE *in* P. STANSKY, Edit., *Churchill, a profile,* Hill & Wang, N.Y., 1973, p. 199-200.

40. R. S. CHURCHILL, *WSC,* vol. 2, op. cit.,, p. 387.

41. R. R. JAMES, Edit., *Winston S. Churchill, His complete Speeches,* vol. II., Chelsea House, Londres, 1974, p. 1289.

42. W. S. CHURCHILL, *The World Crisis,* vol. 1, Odhams, Londres, 1938, p. 31.

43. *Idem,* p. 43-45.

44. V. Bonham-Carter, *Churchill as I knew him, op. cit.*, p. 232.
45. R. S. Churchill, *WSC*, vol. 2, *op. cit.*, p. 532-3.
46. W. S. Churchill, *The World Crisis*, vol. 1, *op. cit.*, p. 46.
47. *Idem*, p. 51.
48. *Idem*, p. 52.
49. *Idem*, p. 57.
50. Sir F. Maurice, *Haldane*, vol. 1, Faber, Londres, 1937, p. 287.
51. V. Bonham-Carter, *Churchill as I knew him, op. cit.*, p. 244.
52. W. S. Churchill, *The World Crisis*, vol. 1, , *op. cit.*, p. 123.
53. *Hansard*, 17/3/1914.
54. W. S. Churchill, *The World Crisis*, vol. 1, *op. cit.*, p. 85.
55. L. Masterman, *C.F.G. Masterman, op. cit.*, p. 234.
56. M. & E. Brock, Edit., *Asquith, letters to Venetia Stanley*, O.U.P., Oxford, 1982, p. 45.
57. W. S. Churchill, *The World Crisis*, vol. 1, *op.cit.*, p. 155.
58. W. S. Churchill, *Great contemporaries, op.cit.*, p. 148.
59. M. & E. Brock, Edit., *Asquith, letters to Venetia Stanley, op. cit.*, p. 140.
60. W. S. Churchill, *The World Crisis*, vol. 1, *op.cit.*, p. 175.
61. W. S. Churchill, *The World Crisis*, vol. 1, *op.cit.*, p. 178.
62. M. Gilbert, *Churchill, a life, op.cit* p. 274.
63. M. & E. Brock, Edit., *Asquith, letters to Venetia Stanley, op. cit.*, p. 150-1.
64. M. Gilbert, *WSC*, vol. 3, *op.cit.*, p. 5.
65. R. S. Churchill, *WSC*, vol. 2, *op. cit.*,., p. 710.
66. R. R. James, *Churchill, a study in failure, op. cit.*, p. 65-66.
67. M. Asquith, *Autobiography*, Thornton-Butterworth, Londres, 1920, vol. 2, p. 196.
68. M. Gilbert, *Churchill, a life, op. cit.*, p. 275.

Notes du chapitre VI. L'imagination sans pouvoir

1. *Hobhouse Diary*, 21/8/1914, cité dans J. Charmley, *Churchill, the end of glory*, Hodder, Londres, 1993, p. 101.
2. *Times*, 30/8/1914.
3. *Times*, 5/9/1914.
4. M. Gilbert, *WSC*, vol. 3, *op. cit.*, p. 109.
5. *Idem*, p. 108.
6. M. Gilbert, *WSC*, C.V. 3/1, *op. cit.*, p. 163.
7. M. & E. Brock, Edit., *Asquith, letters to Venetia Stanley, op. cit.*, p. 262.
8. H. Asquith, *Memories and Reflections*, Little Brown, Boston, 1928, p. 51.
9. M. Gilbert, *WSC*, vol. 3, *op. cit.*, p. 115.
10. M. & E. Brock, Edit., *Asquith, letters to Venetia Stanley, op. cit.*, p. 268.
11. *Morning Post*, 13/10/1914, *Daily Mail*, 14/10/1914.
12. H. Asquith, *Memories and Reflections, op. cit.*, p. 54-55.
13. R. Jenkins, *Churchill, op. cit.*, p. 248.

14. R. OLLARD *in* R. BLAKE & R. LEWIS, *Churchill, a major new assessment,* Clarendon, Oxford, 1996, p. 395.

15. W. S. CHURCHILL, *The World Crisis,* vol. 1, *op. cit.,* p. 360.

16. A. J. MARDER, *From Dreadnought to Scapa Flow,* vol. 2, O.U.P., Londres, 1965, p. 187.

17. ADM 116/3454, Personal papers of Admiral of the Fleet Lord Fisher, « The six big Balfourian blunders », lettre non datée.

18. Minutes of the War Council, 13/1/1915, *in* R. R. JAMES, *Churchill, a study in failure,* Weidenfeld, Londres, 1970, p. 68.

19. M. HANKEY, *The Supreme Command,* vol.I, Allen & Unwin, Londres, 1961, p. 265.

20. M. GILBERT, *WSC,* C.V. 3/1, *op. cit.,* p. 410.

21. R. R. JAMES, *Churchill, a study in failure, op. cit.,* p. 69.

22. M. GILBERT, *WSC,* C.V. 3/1, *op. cit.,* p. 516.

23. *Idem,* p. 617-618.

24. A. MOOREHEAD, *Gallipoli,* Harper, N. Y., 1956, p. 57-58.

25. R. R. JAMES, *Failure, op. cit.,* p. 76.

26. V. BONHAM-CARTER, *Churchill as I knew him, op. cit.,* p. 402.

27. W. S. CHURCHILL, *Thoughts and Adventures,* Thornton Butterworth, Londres, 1932, p. 307.

28. M. GILBERT, *WSC,* vol. 3, *op. cit.,* p. 517.

29. *Hansard,* 15/11/1915.

30. A. MOOREHEAD, *Gallipoli, op. cit.,* p. 171.

NOTES DU CHAPITRE VII. L'HOMME-ORCHESTRE

1. W. S. CHURCHILL, *Thoughts and adventures, op. cit.,* p. 101.

2. *Idem,* p. 104-105.

3. V. BONHAM-CARTER, *Churchill as I knew him, op. cit.,* p. 365.

4. M. GILBERT, *WSC,* vol. 3, *op. cit.,* p. 579, 581, 586.

5. W. S. CHURCHILL, *Thoughts and adventures, op. cit.,* p. 114.

6. M. GILBERT, *Churchill, a life, op. cit.,* p. 345.

7. A. D. GIBB, *With Winston Churchill at the front,* Gowans & Gray, Londres, 1924, p. 59, 68-69, 73.

8. M. GILBERT, *WSC,* vol. 3, *op. cit.,* p. 658.

9. *Idem,* p. 672.

10. *Idem,* p. 658-659.

11. M. SOAMES, Edit., *Speaking for themselves, op. cit.,* p. 179.

12. M. GILBERT, *WSC,* C.V. 3/2, *op. cit.,* p. 1333.

13. *Hansard,* 7/3/1916.

14. V. BONHAM-CARTER, *Churchill as I knew him, op. cit.,* p. 454.

15. M. GILBERT, *WSC,* C.V. 3/2, *op. cit.,* p. 1501.

16. H. PELLING, *Winston Churchill,* Macmillan, Londres, 1974, p. 216.

17. M. GILBERT, *WSC,* vol. 3, *op. cit.,* p. 759.

18. A. D. GIBB, *With Winston Churchill, op. cit.*, p. 87.
19. *Hansard*, 24/7/1916.
20. V. COWLES, *Churchill, op. cit.*, p. 214.
21. M. GILBERT, *WSC*, C.V. 3/2, *op. cit.*, p. 1530-1531, C.V. 4/1, p. 5.
22. D. LLOYD GEORGE, *War Memoirs*, vol. III, Nicholson & Watson, Londres, 1936, p. 26.
23. W. S. CHURCHILL, *The World Crisis*, vol. 2, *op. cit.*, p. 1143-1144.
24. M. GILBERT, *Churchill, a life, op. cit.*, p. 374.
25. W. S. CHURCHILL, *Their finest hour*, Cassell, Londres, 1949, p. 215-216.
26. M. GILBERT, *WSC*, C.V. 4/1, *op. cit.*, p. 108.
27. W. S. CHURCHILL, *The World Crisis*, vol. 2, *op. cit.*, p p. 1208-1209.
28. W. MANCHESTER, *Winston Churchill*, vol. 1, *op. cit.*, p. 515.
29. *Idem*, p. 517.
30. W. S. CHURCHILL, *The World Crisis*, vol. 2, *op. cit.*, p. 1257.
31. M. GILBERT, *Churchill, a life, op. cit.*, p. 381.
32. W. S. CHURCHILL, *The World Crisis*, vol. 2, *op. cit.*, p. 1291.
33. *Idem*, p. 1334.
34. W. S. CHURCHILL, *The World Crisis*, vol. 2, *op. cit.*, p. 1344.
35. *Hansard,* 25/4/1918 ; *Times*, 11/12/1917.

NOTES DU CHAPITRE VIII. GARDIEN DE L'EMPIRE

1. K. YOUNG, *Churchill and Beaverbrook*, Eyre & Spottiswoode, Londres, 1966, p. 26.
2. B. LIDDELL HART, *in Churchill revised*, Dial Press, N.Y., 1969, p. 200.
3. *Weekly Dispatch*, 22/6/1919.
4. R. R. JAMES, *Churchill, a study in Failure, op. cit.*, p. 117-118.
5. *Idem*, pp. 107-9.
6. K. HALLE, *Irrepressible Churchill, op. cit.*, p. 80.
7. F. OWEN, *Tempestuous journey*, Hutchinson, Londres, 1954, p. 520.
8. M. L. DOCKRILL & J. D. GOULD, *Peace without promise*, Batsford, Londres, 1981, p. 141.
9. W. S. CHURCHILL, *Thoughts and Adventures*, Thornton-Butterworth, Londres, 1932, p. 225.
10. M. C. BROMAGE, *Churchill and Ireland*, South Bend, Indiana, 1964, p. 66.
11. Lord BIRKENHEAD, F. E., *Earl of Birkenhead*, vol. 2, Eyre & Spottiswoode, Londres, 1935, p. 163.
12. W. S. CHURCHILL, *The World Crisis*, vol. 5, *op. cit.*, p. 369.
13. J. M. MACEWEN, Edit., *Riddell Diaries*, Athlone, Londres, 1986, p. 362.
14. W. S. CHURCHILL, *Thoughts and Adventures, op. cit.*, p. 213.
15. « Mesopotamia and the new government », *Empire Review*, juillet 1923 ; « The three cruisers », *Times*, 26/2/1923 ; « The election », *Daily Chronicle*, 6/11/1922.
16. *Times*, 18/11/1924.

17. A. Sykes & I. Sproa, *The wit of Sir Winston*, Frewin, Londres, 1965, p. 70.

18. *Hansard*, 28/4/1925.

19. J. M. Keynes, *The economic consequences of Mr. Churchill*, Hogarth, Londres, 1925.

20. R. Boothby, *Recollections of a rebel*, Hutchinson, Londres, 1978, p. 46.

21. *British Gazette*, 5/5/1926.

22. *Idem*, 6/5/1926.

23. A. J. P. Taylor, *Beaverbrook*, Hamilton, Londres, 1972, p. 232.

24. K. Middlemass, Ed., *Thomas Jones, Whitehall Diary*, vol. 2, O.U.P., Oxford, 1969, p. 41.

25. R. Ollard *in* R. Blake & R. Lewis, *Churchill, a major new assessment, op. cit.*, p. 387.

26. A.G. Gardiner *in* P. Stansky, Edit., *Churchill, a profile, op. cit.*, p. 49-52.

27. *Hansard*, 7/7/1926.

28. M. Gilbert, *Churchill, a life, op. cit.*, p. 460.

29. M. Gilbert, *WSC*, vol. 5, *op. cit.*, p. 91.

30. BUL, N. C. 2/22, *Diary*, 10/8/1926.

31. M. Gilbert, *WSC*, C.V. vol. 5/1 *op. cit.*, p. 1333.

32. R. R. James, *Victor Cazalet, a portrait*, Hamish-Hamilton, Londres, 1976, p. 86.

33. *Hansard*, 15/4/1929.

34. *Idem*, 26/1/1931.

35. Earl of Birkenhead, *The Professor and the Prime Minister*, Houghton & Miflin, Boston, 1962, p. 134-135.

36. M. Gilbert, *WSC*, vol. 5, *op.cit.*, p. 422-423.

Notes du chapitre IX. Avis de tempête

1. W. E. Langford, *Political life story*, R.S.C., Chicago, 1974, p. 87, 130-131.

2. J. Marchant, Ed., *Churchill, servant of Crown and Commonwealth*, Cassell, Londres, 1954, p. 74-75.

3. CAB 24/224, CP 296 (31) Memo by Lord Londonderry to the Cabinet on the air situation, 26/11/31.

4. G. Pawle, *The war and Colonel Warden*, Harrap, Londres, 1963, p. 49.

5. C. Bright, *Britain's search for security*, 1930-36, PHD dissertation, Yale, 1970, p. 23.

6. A. J. P. Taylor, *English history*, 1914-45, Clarendon, Oxford, 1965, p. 364.

7. CAB 24/229, CP 104 (32), C.O.S. to C.I.D., 17/3/32.

8. CAB 24/229, CP 105 (32) N. Chamberlain to C.O.S., 20/3/32.

9. CAB 23/70, 19 (32) 2, Cab. Minutes, 23/3/32.

10. CAB 23/75, 9 (33) 3, Cab. Minutes, 15/2/33.

11. W. S. Churchill, *The Gathering Storm*, Cassell, Londres, 1948, p. 65.

12. E. Hanfstaengl, *Hitler, the missing years*, Arcade, N.Y., 1994, p. 185-186.

13. W. S. Churchill, *The Gathering Storm, op. cit.*, p. 65.

14. *Hansard*, 23/11/32.
15. *Idem*, 23/3/33.
16. W. S. CHURCHILL, *The Gathering Storm*, *op. cit.*, p. 60.
17. Viscount ROTHERMERE, *My fight to rearm Britain*, Eyre and Spottiswoode, Londres, 1939, p. 119.
18. D. COOPER, *Old men forget*, Hart-Davis, Londres, 1953, p. 205.
19. G. M. YOUNG, *Stanley Baldwin*, Hart-Davis, Londres, 1952, p. 63.
20. LSE, *Dalton diaries*, vol. 23, 14/12/40.
21. W. MANCHESTER, *Winston Churchill*, vol. II, *op. cit.*, p. 163.
22. E. HALIFAX, *Fulness of days*, Collins, Londres, 1957, p. 197.
23. W. S. CHURCHILL, *The Gathering Storm*, *op. cit.*, p. 154.
24. K. HALLE, *Irrepressible Churchill*, *op. cit.*, p. 110.
25. CAB 24/244, CP 264 (33), Review of Imperial Defence policy, 10/11/33.
26. CAB 23/78, 10 (34) 1-5, 19/3/34.
27. K. FEILING, *Neville Chamberlain*, *op. cit.*, p. 258.
28. CAB 16/110, DCM (32), 41st meeting, 3/5/34.
29. CAB 24/250, CP 193 (34), 16/7/34.
30. R. W. THOMPSON, *Churchill and Morton*, Hodder, Londres, 1976, p. 22.
31. B. LIDDEL-HART, *Memoirs*, *op. cit.*, p. 261.
32. W. MANCHESTER, *Winston Churchill*, vol. II, *op. cit.*, p. 133.
33. W. S. CHURCHILL, *While England slept*, Putnam's, N. Y., 1938, p. 109.
34. *Idem*, p. 124.
35. *Idem*, p. 130.
36. *Idem*, p. 150.
37. *Idem*, p. 145.
38. *Hansard*, 2/5/1935.
39. Discours de Wanstead, 7/7/34, dans W. S. C, *While England slept*, *op. cit.*, p. 125.
40. M. GILBERT, *Churchill, a life*, *op. cit.*, p. 535.
41. W. S. CHURCHILL, *While England slept*, *op. cit.*, p. 103.
42. *Idem*, p. 153.
43. *Idem*, p. 181, 190.
44. W. S. CHURCHILL, *The Gathering Storm*, *op. cit.*, p. 99.
45. *Idem*, p. 98.
46. M. SOAMES, Edit., *Speaking for themselves*, *op. cit.*, p. 405.
47. W. MANCHESTER, *Winston Churchill*, *op. cit.*, vol. II, p. 242.
48. *Idem*, p. 188.
49. S. ROSKILL, *Hankey, Man of Secrets*, vol. III, Collins, Londres, 1974, p. 207, note 3.
50. J. KENNEDY, *The business of war*, Hutchinson, Londres, 1957, p. 260.
51. W. S. CHURCHILL, *The Gathering Storm*, *op. cit.*, p. 155.
52. *Ibid.*
53. M. GILBERT, *Churchill, a life*, *op.cit.*, p. 558.
54. W.S. CHURCHILL, *Great comtemporaries*, *op. cit.*, p. 204 ; 210.
55. *Daily Express*, 3/5/1935.
56. W. S. CHURCHILL, *The Gathering Storm*, *op. cit.*, p. 179, 538-42.

57. W. MANCHESTER, *Winston Churchill*, vol. 2, *op. cit.*, p. 202.
58. *Hansard*, 11/11/1936.
59. *Hansard*, 12/11/1936.
60. *Ibid.*
61. W.S. CHURCHILL, *The Gathering Storm*, *op. cit.*, p. 170.
62. R. BOOTHBY, *Recollections of a rebel*, Hutchinson, Londres, 1978, p. 125.
63. *Hansard*, 7/12/1936.
64. H. NICOLSON, *Diary*, vol. 1, *op. cit.*, p. 284.
65. R. BOOTHBY, *Recollections*, *op. cit.*, p. 125.
66. *Times*, 8/12/1936.
67. W.S. CHURCHILL, *The Gathering Storm*, *op. cit.*, p. 171.
68. M. SOAMES, *Clementine Churchill*, Cassell, Londres, 1979, p. 360.
69. W. MANCHESTER, *Winston Churchill*, vol. 2, *op. cit.*, p. 225.
70. W. S. CHURCHILL, *The Gathering Storm*, *op. cit.*, p. 172.
71. *Ibid.*
72. A. EDEN, *The Eden Memoirs*, vol. 2, Cassell, Londres, 1962, p. 445.
73. *Idem*, p. 444.
74. CCAC, Mrgn 1/5, « Chamberlain, a candid portrait », p. 3.
75. BUL, NC2/24, Political Diary 37/40, 19/2/1938.
76. A. EDEN, *The Eden Memoirs*, *op. cit.*, vol. 2, p. 445.
77. *Ibid.*
78. A. L. ROWSE, *Appeasement*, Norton, N. Y., 1961, p. 103.
79. D. COOPER, *Old men forget*, *op.cit.*, p. 200.
80. Lord STRANG, *Britain in world affairs*, A. Deutsch, Londres, 1961, p. 321.
81. A. EDEN, *The Eden Memoirs*, vol. 3, Cassell, Londres, 1965, p. 21.
82. N. WAITES, *Troubled neighbours*, Weidenfeld, Londres, 1971, p. 174.
83. BUL, NC 2/24, Pol. Diary, *op. cit.*, 19/2/1938.
84. K. FEILING, *Neville Chamberlain*, *op.cit.*, p. 403.
85. BUL, NC 2/24 Pol. Diary, *op. cit.*, 19/2/1938.
86. K. FEILING, *Neville Chamberlain*, *op. cit.*, p. 367, 381
87. W.S. CHURCHILL, *The Gathering Storm*, *op. cit.*, p. 270.
88. *Idem*, p. 293.
89. DGFP, Series D, vol. 1, nos 104, 108, 131, 138, 148.
90. N. HENDERSON, *Failure of a mission*, Hodder & Stoughton, Londres, 1940, p. 119.
91. R. MACLEOD, *The Ironside Diaries*, Constable, Londres, 1962, p. 92.
92. M. SOAMES, Edit., *Speaking for themselves*, *op. cit.*, p. 432.
93. W. S. CHURCHILL, *While England slept*, *op. cit.*, p. 353.
94. *Ibid.*, p. 382-383.
95. H. NICOLSON, *Diary*, *op. cit.*, p. 331.
96. *Hansard*, 14/3/1938.
97. P. GUEDALLA, *Mr. Churchill*, Hodder and Stoughton, Londres, 1945, p. 266.
98. W. S. CHURCHILL, *The Gathering Storm*, *op. cit.*, p. 175.
99. M. GILBERT, *WSC*, vol. 5, *op. cit.*, p. 929.

100. E. GÖRING, *An der Seite meines Mannes*, K.W. Schütz Verlag, Göttingen, 1967, p. 176.

101. W. MANCHESTER, *Winston Churchill*, vol. 2, *op. cit.*, p. 300.

102. C. ATTLEE *in* P. STANSKY, Edit., *Churchill, a profile*, *op.cit.*, p. 196.

103. *Hansard*, 5/10/1938.

104. *Hansard*, 17/11/1938.

105. R. W. THOMPSON, *Churchill and Morton*, Hodder and Stoughton, Londres, 1976, p. 148.

106. M. GILBERT, *Churchill, a life*, *op. cit.*, p. 574.

107. *Idem*, p. 574-575.

108. *News of the World*, 24/4/1939.

109. B. LIDDELL HART in *Churchill revised*, *op. cit.*, p. 205-206.

110. *Hansard*, 3/4/39.

111. S. ROSKILL, *Hankey, Man of Secrets*, vol. III, *op. cit.*, p. 397.

112. *Manchester Guardian*, 3/7/1939.

113. W. MANCHESTER, *Winston Churchill*, vol. 2, *op.cit.*, p. 386.

114. E. SPEARS, *Assignment to Catastrophe*, part I, R.S., Londres, 1956, p. 18.

115. M. GILBERT, *Churchill War Papers*, vol. I, *op. cit.*, p. 690.

116. H. NICOLSON, *Diary*, *op. cit.*, vol. 1, 30/6/39.

117. *Hansard*, 10/7/1939.

118. *Hansard* (Lords), 11/6/1939.

119. GILBERT and GOTT, *The Appeasers*, Houghton-Mifflin, Boston, 1963, p. 256.

120. DBFP, Series 3, vol. 6, n°s 176, 222, 327.

121. *Ibid.*, vol. 7, n°s 349, 402, 406.

122. DGFP, Series D, vol. 7, n° 664.

123. G. CIANO, *Journal politique*, vol. 1, La Baconnière, Neuchâtel, 1948, p. 143.

124. *Hansard*, 2/9/1939; L. AMERY, *My political life*, vol. 3, Hutchinson, Londres, 1955, p. 324.

125. DBFP, Series 3, vol. 7, n° 740.

NOTES DU CHAPITRE X. RÉINCARNATION

1. W. S. CHURCHILL, *The Gathering Storm*, *op. cit.*, p. 339.

2. S. ROSKILL, *Hankey, Man of Secrets*, vol. III, *op. cit.*, p. 419.

3. BUL, NC 18/1/1121, Neville Chamberlain to Ida, 17/9/39.

4. W. S. CHURCHILL, *The Gathering Storm*, *op. cit.*, p. 345.

5. Cité dans M. GILBERT, *W. S. Churchill*, vol. 6, p. 164.

6. *Idem*, p. 157.

7. W. S. CHURCHILL, *The Gathering Storm*, *op. cit.*, p. 329.

8. R. R. JAMES, Edit., *Chips, the diaries of sir Henry Channon*, Weidenfeld, Londres, 1967, p. 222.

9. T. JONES, *A Diary with Letters, 1931-1940*, O.U.P., Oxford, 1954, p. 440.

10. *Hansard*, 8/11/1939.
11. FO 371/23657, Note from Industrial Intelligence Committee to C.I.D., 30/8/39.
12. W. S. CHURCHILL, *The Gathering Storm*, op. cit., p. 420.
13. *Idem*, p. 423-424.
14. FO 371/23659, Intelligence dept. of M.E.W., 27/11/39.
15. *Idem*, War Cabinet Meeting, 30/11/39.
16. F. KERSAUDY, *Stratèges et Norvège*, Hachette, Paris, 1977, p. 25-26.
17. W. S. CHURCHILL, *The Gathering Storm*, op. cit., p. 429.
18. *Times*, 6/12/1939.
19. W. S. CHURCHILL, *The Gathering Storm*, op. cit., p. 430.
20. R. MACLEOD, *The Ironside Diaries*, op. cit., p. 185.
21. FO 371/23667, War Cabinet Conclusions 118 (3C), 18/12/39.
22. FO 371/24820, MCC, 20/12/39.
23. J. R. M. BUTLER, *Grand Strategy*, vol. 2, HMSO, Londres, 1957, p. 101.
24. D. DILKS, *Cadogan diaries*, op. cit., p. 239.
25. FO 371/24820, W.C. to P. M., 29/12/39.
26. *Ibid*, War Cabinet Meeting, WM 40, 2/1/40.
27. R. MACLEOD, *The Ironside Diaries*, op. cit., p. 191.
28. *Förspelet til det tyska angreppet...*, Utrikesdept., Stockholm, 1947, p. 22-23.
29. FO 419/34, Telegram from King Haakon VII, 8/1/40.
30. W. S. CHURCHILL, *The Gathering Storm*, op. cit., p. 444.
31. WO 106/1858, Cabinet papers, Norwegian operation, COSC, 16/1/40.
32. SHAT, Hautes Instances, 61 P 4, GQG, Conseil suprême, 5/2/40.
33. FO 371/24818, War Cabinet Meeting, 23/2/40.
34. V. TANNER, *Finlands väg*, Holger-Schildts, Stockholm, 1950, p. 248.
35. R. MACLEOD, *The Ironside Diaries*, op. cit., p. 227.
36. CAB 65/12, War Cabinet Meeting, 12/3/40, Confidential annex, Minute 4.
37. M. GILBERT, *W. S. Churchill*, vol. 6, p. 190.
38. IFZG, Vernehmung General von Falkenhorst, ZS 562. Interview du contre-amiral von Puttkammer (16/8/1974).
39. CAB 83/5, MCC Memo n° 61/1940, 8/3/40.
40. SHAT, Hautes Instances, 61 P 4, GQG, Conseil suprême du 28/3/40.
41. T. K. DERRY, *The campaign in Norway*, HMSO, Londres, 1952, p. 233.
42. CAB 65/6, WC 85 (40), 9/4/40, 8.30 am.
43. CAB 65/6, WC 86 (40), 9/4/40, 12 h.
44. FNSP, Archives Daladier, 3DA 5 DR5, Conseil suprême interallié, 9/4/40, p. 3-12.
45. CAB 88/3, MCC n° 17, 9/4/40, 9.30 pm.
46. FO 371/24830, Tel. by sir C. Dormer n° 205, 12/4/40.
47. CAB 65/12, WM (40), 13/4/40.
48. R. MACLEOD, *The Ironside Diaries*, p. 257-258.
49. CAB 65/12, WM 95 (40), 17/4/40, p. 2.
50. W. S. CHURCHILL, *The Gathering Storm*, op. cit., p. 493.
51. Interview de lord Mountbatten par l'auteur (4/6/1979).
52. CAB 80/105, COS paper 297 (5) 40, Operation Hammer, 19/4/40.

53. W. S. CHURCHILL, *The Gathering Storm, op. cit.*, p. 494.
54. CAB 65/12, WM (98) 40, 20/4/40, p. 1.
55. *Idem*, p. 5.
56. J. WHEELER-BENNETT, Edit., *Action this Day, working with Churchill,* St. Martin's Press, N.Y., 1969, p. 48.
57. WO 106/1859, Battle Summary n° 17, p. 64.
58. W. S. CHURCHILL, *The Gathering Storm, op. cit.*, p. 505.
59. CAB 65/12, WM 104 (41), 26/4/40.
60. WO 106/1827, Memo by C. in C, N.W.E.F., 27/4/40.
61. WO 198/9, « Sickle force », Most secret appreciation of situation by C. in C, N.W.E.F., 27/4/40.
62. CAB 65/12, WM 105 (40), 27/4/40.
63. FNSP, 3 DA 5 –DR 5, SDRC, Conseil suprême, 27/4/40.
64. CCAC, Keyes MSS, 13/12, Keyes to WSC, 28/4/40.
65. *Hansard*, vol. 360, col. 912, 2/5/40.
66. *Ibid.*, col. 1082-3, 7/5/40.
67. R. R. JAMES, *Diaries of sir Henry Channon, op. cit.*, p. 244.
68. N. NICOLSON, *Harvey. Nicolson diaries, op. cit.*, p. 77.
69. L. S. AMERY, *My political life*, vol. 3, *op. cit*, p. 360.
70. *Idem,* p. 361.
71. *Hansard*, vol. 360, col. 1150.
72. H. MACMILLAN, *Blast of war, op. cit*, p. 69.
73. *Hansard*, vol. 360, col. 1266.
74. H. MACMILLAN, *Blast of war, op. cit*, p. 72.
75. *Hansard*, vol. 360, col. 1283.
76. H. MACMILLAN, *Blast of war, op. cit*, p. 75.
77. W. S. CHURCHILL, *The Gathering Storm, op. cit.*, p. 522.
78. *Idem*, p. 523.
79. BUL, N.C., 18/1, Neville to Ida, 11/5/40 ; D. Dilks, *Cadogan diaries,* p. 280.
80. A. EDEN, *The Reckoning, op. cit.*, p. 96-97.
81. W. S. CHURCHILL, *The Gathering Storm, op. cit.*, p. 523-524.
82. Viscount TEMPLEWOOD, *Nine troubled years*, Collins, Londres, 1954, p. 432.
83. W.H. THOMPSON, *I was Churchill's Shadow*, C. Johnson, Londres, 1951, p. 37.

NOTES DU CHAPITRE XI. SOLISTE

1. W. S. CHURCHILL, *The Gathering Storm, op. cit.*, p. 527.
2. J. WHEELER-BENNETT, Edit., *Action this Day, working with Churchill, op. cit.*, p. 49.
3. *Hansard,* 13/5/1940.
4. H. ISMAY, *Memoirs,* Heinemann, Londres, 1960, p. 116.

5. J. WHEELER-BENNETT, Edit., *Action this Day, working with Churchill*, *op. cit.*, p. 49-50.

6. W. S. CHURCHILL, *Finest Hour, op. cit.*, p. 38-39.

7. D. DILKS, *Cadogan diaries*, Cassell, Londres, 1971, p. 286.

8. H. ISMAY, *Memoirs, op. cit.*, p. 127.

9. *Ibid.*

10. *Idem*, p. 127.

11. W. S. CHURCHILL, *Finest Hour, op. cit.*, p. 42-43.

12. D. DILKS, *Cadogan diaries, op. cit.*, p. 285.

13. W. S. CHURCHILL, *Finest hour, op. cit.*, p. 45-46.

14. P. BAUDOUIN, *Neuf mois au gouvernement*, La Table Ronde, Paris, 1948, p. 87.

15. B. BOND, Edit., *The Diaries of lieutenant-General Sir Henry Pownall*, vol. I, Leo Cooper, Londres, 1972, p. 333-334.

16. BUL, NC A 24/2, Chamberlain Diary, 26/5/40.

17. CAB 65/13, Confidential Annexes, WM (40) 139/ f. 151, 179, 26-27/5/40.

18. *Idem*, f. 180, 187.

19. CAB 65/13, WM (40) 145/1, 28/5/40.

20. W. S. CHURCHILL, *Finest Hour, op. cit.*, p. 88.

21. R. JENKINS, *Churchill, op. cit.*, p. 609.

22. CAB. 99/3, Supreme War Council, 13th meeting, 31/5/40.

23. *Hansard*, 4/6/40.

24. R. R. JAMES, *Chips, the Diaries of sir Henry Channon*, Weidenfeld, Londres, 1967, p. 256.

25. E. SPEARS, *Assignment to catastrophe*, vol. 2, Heineman, Londres, 1954, p. 70.

26. CAB 99/3, Supreme War Council, 11/6/40.

27. A. EDEN, *The Reckoning, op. cit.*, p. 116.

28. D. REYNOLDS, *In command of History*, Penguin, Londres, 2005, p. 172.

29. *Ibid.*

30. F. LOEWENHEIM, *Roosevelt and Churchill*, Dutton, N. Y., 1975, p. 99-100.

31. CAB 99/3, SWC, 11/6/40.

32. E. SPEARS, *Assignment to Catastrophe, op. cit.*, p. 205-207.

33. *Ibid.*, p. 210 ; également : P. Reynaud, *Au cœur de la mêlée, op. cit.*, p. 771.

34. *Idem*, p. 773-774.

35. W. S. CHURCHILL, *Finest hour, op. cit.*, p. 162.

36. H. ISMAY, *Memoirs, op. cit.*, p. 142.

37. J. COLVILLE, *Downing Street Diaries*, Hodder & Stougthon, Londres, 1985, p. 157-158.

38. W. S. CHURCHILL, *Finest Hour, op. cit.*, p. 181.

39 J. LEASOR, *War at the Top*, Michael Joseph, Londres, 1959, p. 92.

. CAB 65/7, WM 171 (40), 18/6/40.40. *Hansard*, 18/6/40.

41. W. S. CHURCHILL, *Finest Hour, op. cit.*, p. 559-573.

42. F. LOEWENHEIM, *Roosevelt and Churchill, op. cit.*, p. 94-95.

43. *Idem*, p. 97 et 104.

44. J.-B. DUROSELLE, *L'Abîme*, Imprimerie nationale, Paris, 1982, p. 230.

45. W. S. CHURCHILL, *Finest Hour, op. cit.*, p. 206.
46. A. PEYREFITTE, *C'était de Gaulle*, Fayard, Paris, 1994, p. 145.
47. *Hansard*, 14/7/40.
48. J. COLVILLE, *Downing Street Diaries, op. cit.*, p. 185.
49. Interview du contre-amiral K. J. von Puttkammer par l'auteur, 11 août 1974, Munich.
50. W. S. CHURCHILL, *Finest hour*, Appendix, *op. cit.*, p. 560-589.
51. J. WHEELER-BENNETT, Edit., *Action this Day, working with Churchill, op. cit.*, p. 118.
52. *Ibid.*
53. *Hansard,* 20/8/40.
54. WO 193/387 (Planning). DMO & P. to MOI, 7/8/40.
55. W. S. CHURCHILL, *Finest hour, op. cit.*, p. 214 et 217.
56. S. KJEDSTADLI, *Hjemmestyrkene,* Aschehoug, Oslo, 1959, p. 356.
57. Déclarations du major-général Gubbins à la commission d'enquête parlementaire néerlandaise, dans : Enquetecomissie, Regerings-beleid 1940-45, Den Haag, deel 4 A en B, Bijlage 27, p. 95.
58. *Ibid.*
59. J. COLVILLE, *Downing Street Diaries, op. cit.*, p. 186-187.
60. LHCMA, Alanbrooke papers, personal diaries 5/2 17/7/40.
61. H. ISMAY, *Memoirs, op. cit.*, p. 195.
62. R.W. THOMPSON, *Churchill and Morton,* Hodder and Stoughton, Londres, 1976, p. 54.
63. M. GILBERT, *WSC,* vol. V, *op. cit.*, p. 297.
64. A. MARDER, *Operation Menace*, O.U.P., Londres, 1976, p. 25.
65. C. DE GAULLE, *L'Appel*, Plon, Paris, 1954, p. 97.
66. L. ROUGIER, *Mission secrète à Londres*, Beauchemin, Montréal, 1946, p. 76 et 82.
67. PREM 3/25/1, PM's personal minute, M.254, 1/11/40.
68. C. DE GAULLE, *Mémoires de guerre*, vol. I, Plon, Paris, 1954, p. 88.
69. J. COLVILLE, *Downing Street Diaries, op. cit.*, p. 217.
70. *Idem*, p. 266.
71. *Idem*, p. 323.

NOTES DU CHAPITRE XII. CHEF D'ORCHESTRE

1. W. S. CHURCHILL, *Grand Alliance, op. cit.*, p. 3.
2. W.S. THOMPSON, *I was Churchill's Shadow, op. cit.*, p. 39.
3. J. LEASOR, *War at the Top*, Michael Joseph, Londres, 1959, p. 64.
4. J. COLVILLE, *Downing Street Diaries, op. cit.*, p. 348, 412. J. KENNEDY, *The Business of War*, Hutchinson, Londres, 1957, p. 80.
5. *Idem*, p. 72.
6. *Idem*, p. 61, 73.

7. Voir à ce sujet : J. CULL, *Selling war : the British propaganda campaign against American neutrality in world war II*, O.U.P, Londres, 1995.

8. F. LOEWENHEIM, *Roosevelt and Churchill, op. cit.*, p. 122-125.

9. R. SHERWOOD, *Le Mémorial de Roosevelt*, vol. I, Plon, Paris, 1950, p. 110.

10. F. D. ROOSEVELT, *Public papers and addresses*, vol. 4, N. Y., MacMillan, 1941, p. 638-643.

11. R. SHERWOOD, *Le Mémorial de Roosevelt, op. cit.*, p. 130, 139-140.

12. *Idem*, p. 157-158.

13. C. MORAN, *Winston Churchill, the struggle for survival*, Constable, Londres, 1966, p. 32.

14. W. S. CHURCHILL, *Grand Alliance, op. cit.*, p. 106.

15. *Ibid.*

16. F. LOEWENHEIM, *Roosevelt and Churchill, op. cit.*, p. 137.

17. J. KENNEDY, *The Business of War, op. cit.*, p. 61.

18. W. S. CHURCHILL, *Finest Hour, op. cit.*, p. 629, 543, 634.

19. W. S. CHURCHILL, *Grand Alliance, op. cit.*, p. 59 et 201.

20. F. KERSAUDY, *L'affaire Cicéron*, Perrin, Paris, 2005, p. 12-13.

21. A. B. CUNNINGHAM, *A Sailor's Odyssey*, Hutchinson, Londres, 1951, p. 341-344.

22. J. WHEELER-BENNETT, Edit., *Action this Day, working with Churchill, op. cit.*, p. 200-201.

23. J. KENNEDY, *The Business of War, op. cit.*, p 115.

24. J. COLVILLE, *Downing Street Diaries, op. cit.*, p. 391.

25. W. S. CHURCHILL, *Grand Alliance, op. cit.*, p. 74.

26. H. ISMAY, *The Memoirs of Lord Ismay, op. cit.*, p. 202.

27. W. S. CHURCHILL, *Grand Alliance, op. cit.*, p. 231-232.

28. *Idem*, p. 289.

29. *Ibid.*

30. T. E. EVANS, *Killearn Diaries*, Sidgwick & Jackson, Londres, 1972, p. 174.

31. W. S. CHURCHILL, *Grand Alliance, op. cit.*, p. 292.

32. E. SPEARS, *Fulfilment of a Mission*, Leo Cooper, Londres, 1977, p. 84.

33. W. S. CHURCHILL, *Grand Alliance, op. cit.*, p. 292.

34. A. DANCHEV & E. TODMAN, Edit., *The War Diaries of Field Marshal Alanbrooke*, Weidenfeld, Londres, 2001, p. 161.

35. M. SMITH & R. ERSKINE, *Action This Day*, Bantam Press, Londres, 2001, p. 12.

36. J. KENNEDY, *The Business of War, op. cit.*, p. 114-115.

37. R. R. JAMES, Edit., *Chips, The Diaries of Sir Henry Channon*, Weidenfeld, Londres, 1967, p. 307.

38. J. WHEELER-BENNETT, Edit., *Action this Day, working with Churchill, op. cit.*, p. 69.

39. R. R. JAMES, Edit., *Winston S. Churchill, his complete Speeches*, vol. VI, Chelsea House, Londres, 1974, p. 6408-6423.

40. J. KENNEDY, *The Business of War, op. cit.*, p. 133.

41. J. COLVILLE, *Downing Street Diaries, op. cit.*, p. 195.

42. *Idem*, p. 404.

43. W. S. Churchill, *Grand Alliance, op. cit.*, p. 332-333.
44. R. Sherwood, *Memorial de Roosevelt, op. cit.*, p. 228.
45. A. Harriman & E. Abel, *Special envoy to Churchill and Stalin*, N. Y., Random House, 1975, p. 75.
46. CAB 65/19, WM 84 (41) I, annex., 19/8/41.
47. M. Smith & R. Erskine, *Action This Day, op. cit.*, p. IX à XIII (La note de Churchill est en fac-similé p. XIII).
48. WO 193/800, «Dynamite», Staff study on the establishment of military forces in Northern Norway, 23/8/41.
49. A. Danchev & E. Todman, Edit., *The War Diaries of Field Marshal Alanbrooke, op. cit.,* p. 187-190.
50. J. Kennedy, *The Business of War, op. cit.*, p. 174-178.
51. F. Kersaudy, *Lord Mountbatten, l'Etoffe des Héros*, Payot, Paris, 2006, p. 106-108.
52. A. Danchev & E. Todman, Edit., *The War Diaries of Field Marshal Alanbrooke, op. cit.*, p. 200.
53. W. S. Churchill, *Grand Alliance, op. cit.*, p. 539.
54. C. Moran, *Struggle for survival, op. cit.*, p. 9.

Notes du chapitre XIII. Duettiste

1. A. Danchev & D. Todman, Edit., *War Diaries, op. cit.*, p. 223.
2. R. R. James, Edit., *Winston S. Churchill, Complete Speeches*, vol. VI, *op. cit.*, p. 6559, 6573, 6578.
3. A. Bryant, *The turn of the tide, op. cit.*, p. 293.
4. FDR Hopkins, GR. 24, Cont. 136, WSC, For President from WSC n° 91, 28/5/42.
5. WO 193/807, Note on Operation Jupiter, 28/6/42.
6. CAB, Combined Chiefs of Staff, 28th Meeting, 23/6/42, Section 2, *American-British conversations*, p. 334.
7. A. Danchev & D. Todman, Edit., *War Diaries, op. cit.*, p. 267-268.
8. FDR Hopkins, GR 24, *op. cit.*, Note for FDR from WSC, Secret, 20/6/42.
9. A. Roberts, *Masters and Commanders*, Allen Lane, Londres, 2008, p. 219.
10. R. R. James, Edit., *Winston S. Churchill, Complete Speeches*, vol. VI, *op. cit.*, p. 6645, 6656-6657, 6659, 6661.
11. J. Kennedy, *The Business of War, op. cit.*, p. 255-256.
12. A. Danchev & D. Todman, Edit., *War Diaries, op. cit.*, p. 282-284.
13. W. S. Churchill, *Hinge of Fate, op. cit.*, p. 431-435.
14. *Idem*, p. 438.
15. W. A. Harriman & E. Abel, *Special Envoy to Churchill and Stalin*, Random House, N.Y., 1975, p. 157.
16. D. Dilks, Edit., *The Diaries of Sir Alexander Cadogan*, Cassell, Londres, 1971, p. 471.
17. *Ibid.*

18. W. S. CHURCHILL, *Hinge of Fate, op. cit.*, p. 438.
19. D. DILKS, Edit., *The Diaries of Sir Alexander Cadogan, op. cit.*, p. 471.
20. W. S. CHURCHILL, *Hinge of Fate, op. cit.*, p. 437-438.
21. C. MORAN, *The Struggle for Survival*, Constable, Londres, 1966, p. 66.
22. W. S. CHURCHILL, *Hinge of Fate, op. cit.*, p. 440.
23. C. MORAN, *The Struggle for Survival, op. cit.*, p. 55.
24. B. L. MONTGOMERY, *Memoirs*, Collins, Londres, 1958, p. 108.
25. A. DANCHEV & D. TODMAN, Edit., *War Diaries, op. cit.*, p. 308.
26. *Idem*, p. 309.
27. B.L. MONTGOMERY, *Memoirs, op. cit.*, p. 117.
28. R. MURPHY, *Diplomat among Warriors*, Collins, Londres, 1964, p. 136.
29. *Idem*, p. 135.
30. M. CLARK, *Calculated Risk*, Harrap, Londres, 1951, p. 65-66.
31. *Idem*, p. 54-55.
32. J. HARVEY, Edit., *War Diaries of Oliver Harvey, op. cit.*, p. 165.
33. R. R. JAMES, Edit., *Winston S. Churchill, Complete Speeches*, vol. VI, *op. cit.*, p. 6693.

NOTES DU CHAPITRE XIV. SECOND VIOLON

1. F. LOEWENHEIM, *Roosevelt and Churchill, op. cit.*, p. 251, WC to FDR n° 148, 14/9/42.
2. M. CLARK, *Calculated risk, op. cit.*, p. 107.
3. R. GOSSET, *Algiers 41-43*, J. Cape, Londres, 1945, p. 223.
4. FDR, *Morgenthau diaries*, vol. 5, 12/11/42.
5. J. SOUSTELLE, *Envers et contre tout,* R. Laffont, Paris, 1950, t. II, p. 12.
6. C. DE GAULLE, *L'Unité, op. cit.*, p. 405.
7. W. S. CHURCHILL, *Hinge of Fate, op. cit.*, p. 568.
8. S. SHERWOOD, *Roosevelt and Hopkins, op. cit.*, p. 654.
9. M. R. D. FOOT, *SOE in France*, HMSO, Londres, 1966, p. 221.
10. PREM 3 1208/8, WC to FDR n° 205, 22/11/42.
11. W. S. CHURCHILL, *Hinge of Fate, op. cit.*, p. 567.
12. BM, *Harvey Diaries*, 56399, 26/11/42.
13. *Idem*, 28/11/42.
14. Secret speeches, private archive.
15. UD, U25-1/2, Notat av Utenriksminister Tryge Lie, 9/12/42.
16. *Times*, 17/12/42.
17. J KENNEDY, *The Business of War, op. cit.*, p. 274.
18. *Ibid.*
19. *Ibid.*
20. *Idem*, p. 273-274.
21. W. S. CHURCHILL, *Hinge of Fate, op. cit.*, p. 578.
22. J. SOUSTELLE, *Envers et contre tout, op. cit.*, p. 87.
23. A. DANCHEV & D. TODMAN, Edit., *War Diaries, op. cit.*, p. 346-347.

24. D. D. EISENHOWER, *Crusade in Europe*, Heinemann, Londres, 1948, p. 118.
25. A. HARRIMAN & E. ABEL, *Special Envoy to Churchill and Stalin*, *op. cit.*, p. 216.
26. A. DANCHEV & D. TODMAN, Edit., *War Diaries*, *op. cit.*, p. 349.
27. A. BRYANT, *Turn of the Tide*, *op. cit.*, p. 454.
28. H. MACMILLAN, *War Diaries*, Papermac, Londres, 1985, p. 8-9.
29. R. MURPHY, *Diplomat among warriors*, *op. cit.*, p. 165.
30. R. SHERWOOD, *Roosevelt and Hopkins*, *op. cit.*, p. 678.
31. S. ROSENMANN, *Public papers and addresses of FDR*, 1943, *op. cit.*, p. 83.
32. W. S. THOMPSON, *Sixty minutes*, *op. cit.*, p. 71.
33. J. SOUSTELLE, *Envers et contre tout*, *op. cit.*, p. 124.
34. C. DE GAULLE, *L'Unité*, *op. cit.*, p. 85.
35. A. DANCHEV & D. TODMAN, Edit., *War Diaries*, *op. cit.*, p. 370.
36. D. D. EISENHOWER, *Crusade in Europe*, *op. cit.*, p. 69.
37. W. S. CHURCHILL, *Hinge of Fate*, *op. cit.*, p. 631.
38. D. DILKS, Edit., *The Diaries of Sir Alexander Cadogan*, *op. cit.*, p. 509.
39. W. S. CHURCHILL, *Hinge of Fate*, *op. cit.*, p. 635.
40. M. GILBERT, *WSC*, vol. VII, *op. cit.*, p. 335.
41. Voir J. R. DEANE, *The strange alliance*, J. Murray, N.Y., 1947.
42. W. S. CHURCHILL, *Hinge of Fate*, *op. cit.*, p. 832.
43. *Idem.*, p. 679 et 681.
44. *Idem.*, annex C.
45. R. BOOTHBY, *Recollections of a Rebel*, *op. cit.*, p. 169.
46. C. ATTLEE *in* P. STANSKY, *Churchill, a profile*, *op. cit.*, p.190-191.
47. *Idem*, p. 191.
48. J. KENNEDY, *The Business of War*, *op. cit.*, p. 146.
49. Interview de sir John Colville par l'auteur, 12/4/1980.
50. M. GILBERT, *WSC*, vol. VIII, *op. cit.*, p. 252.
51. F. KERSAUDY, *De Gaulle et Roosevelt*, Perrin, Paris, 2004, p. 255-289.
52. I. JACOB *in* WHEELER-BENNETT, *Action this Day*, *op. cit.*, p. 207.
53. A. HARRIMAN & E. ABEL, *Special Envoy to Churchill and Stalin*, *op. cit.*, p. 205.
54. FO 371/36047, PM to Dep. PM and FS, Pencil 166, 21/5/43.
55. C. MORAN, *The Struggle for Survival*, *op. cit.*, p. 96.
56. LHCMA, *Alanbrooke diary*, 24/5/43.
57. M. MATLOFF, *Strategic planning for coalition warfare*, *op. cit.*, p. 133-134.
58. M. GILBERT, *WSC*, vol. VII, *op. cit.*, p. 414.
59. W. S. CHURCHILL, *Hinge of Fate*, *op. cit.*, p. 729.
60. J. HARRISON, *Cross-channel attack*, Dept. of the Army, Wash. D.C., 1951, p. 90.
61. W. LEAHY, *I was there*, Gollancz, Londres, 1950, p. 232.
62. M. MATLOFF, *Strategic planning*, *op. cit.*, p. 232.
63. F. C. POGUE, *George C. Marshall, organizer of victory*, Viking Press, N. Y., 1973, p. 250.
64. FRUS, *The first Quebec conference*, 1943, p. 942-943.
65. F. KERSAUDY, *Lord Mountbatten*, *op. cit.*, p. 141.

66. R. R. JAMES, Edit., *Winston S. Churchill, Complete Speeches*, vol. VII, *op. cit.*, p. 6821.
67. G. PAWLE, *The War and Colonel Warden*, Harrap, Londres, 1963, p. 250.
68. A. DANCHEV & D. TODMAN, Edit., *War Diaries, op. cit.*, p. 458-459.
69. D. DILKS, Edit., *The Diaries of Sir Alexander Cadogan, op. cit.*, p. 565.
70. A. DANCHEV & D. TODMAN, Edit., *War Diaries, op. cit.*, p. 459.
71. N. BELOFF, *Tito's flawed legacy*, Gollancz, Londres, 1985, p. 101-103.
72. LHCMA, *Alanbrooke diary*, 1/10/43.
73. F. C. POGUE, *George C. Marshall, op. cit.*, p. 244.
74. WO 193/448 A, « Habbakuk », 43-44.
75. A. BRYANT, *Triumph in the West, op. cit.*, p. 64.
76. PREM 3/486/3, FDR to WC, 18/3/42.
77. FRUS, *Conference at Cairo and Tehran*, 1943, Dept. of State, Wash. 1961, p. 491.
78. *Idem*, p. 499.
79. *Idem*, p. 496, 503, 506, 508, 536, 543-544, 547-549, 586-589.
80. LHCMA, *Alanbrooke diary*, 29/11/43.
81. C. MORAN, *The Struggle for Survival, op. cit.*, p. 136.
82. W. S. CHURCHILL, *Closing the Ring, op. cit.*, p. 330.
83. C. MORAN, *The Struggle for Survival, op. cit.*, p. 141.

NOTES DU CHAPITRE XV. FAUSSES NOTES

1. S. CHURCHILL, *A Thread in the Tapestry*, André Deutsch, Londres, 1967, p. 69.
2. C. MORAN, *The Struggle for Survival, op. cit.*, p. 158.
3. LHCMA, *Alanbrooke diary*, 6/1/44.
4. FRUS, 1943, Cairo, Pre-conference Papers, WSC to FDR, 10/11/43.
5. NA, St. Dept., 851.01/12.2243, Secret Memorandum by H.F. Matthews, 22/12/43.
6. FRUS, 1943, Europe, vol. 2, p. 194, FDR to Eisenhower n° 211, 22/12/43.
7. L. WOODWARD, *British Foreign Policy, op. cit.*, vol. III, p. 6.
8. FO 954/8, MacMillan to Eden n° 2784, 23/12/43.
9. FO 3688 2/G, WC to AE, 3/1/44.
10. LHCMA, *Brooke diary*, 7/1/44.
11. J. KENNEDY, *The Business of War, op. cit.*, p. 108.
12. W. S. CHURCHILL, *Closing the Ring, op. cit.*, p. 422.
13. F. LOEWENHEIM, *Roosevelt and Churchill, op. cit.*, p. 477-8, WC to FDR n° 632, 1/4/44.
14. PREM 3 399/6, WC to AE, 16/1/44.
15. J. HARVEY, Edit., *War Diaries of Oliver Harvey, op. cit.*, p. 330.
16. C. HULL, *Memoirs*, vol. 2, MacMillan, N. Y., 1948, p. 1429.
17. L. WOODWARD, *BFP*, vol. 3, HMSO, Londres, 1971, p. 42.
18. M. GILBERT, *WSC*, vol. VII, *op. cit.*, p. 646.

19. J. HARVEY, *War diaries, op. cit.*, p. 339.
20. J. KENNEDY, *The Business of War, op. cit.*, p. 21.
21. A. DANCHEV & D. TODMAN, *War Diaries, op. cit.*, p. 532.
22. *Idem*, p. 451.
23. J. KENNEDY, *The Business of War, op. cit.*, p. 315.
24. R.W. THOMPSON, *Churchill and Morton, op. cit.*, p. 47.
25. H. ISMAY, *Memoirs, op. cit.*, p. 309.
26. L. CASTELLANI et L. GIGANTE, *Histoire de la bombe atomique*, R. Laffont, Paris, 1966, p. 228.
27. W. S. CHURCHILL, *Closing the Ring, op. cit.*, p. 481-485.
28. *Idem*, p. 501.
29. F. KERSAUDY, *Lord Mountbatten, op. cit.*, p. 175-180.
30. J. KENNEDY, *The Business of War, op. cit.*, p. 327-328.
31. A. DANCHEV & D. TODMAN, *War Diaries, op. cit.*, p. 541.
32. B. MONTGOMERY, *Memoirs, op. cit.*, p. 238.
33. *Idem*, p. 250.
34. J. W. WHEELER-BENNETT, *King George VI*, Macmillan, Londres, 1958, p. 601-606.
35. A. EDEN, *The Reckoning,* Cassel, Londres, 1965, p. 453.
36. C. DE GAULLE, *L'Unité, op. cit.*, p. 223-224 ; E. BÉTHOUART, *Cinq années d'espérance*, Plon, Paris, 1968, p. 243.
37. *Ibid.*, p. 224.
38. A. GILLOIS, *Histoire secrète des Français à Londres*, Hachette, Paris, 1973, p. 24.
39. FO 954/9, note to Foreign Secretary, 6/6/44.
40. A. DANCHEV & D. TODMAN, *War Diaries, op. cit.*, p. 557.
41. A. BRYANT, *Triumph in the West, op. cit.*, p. 215.
42. A. DANCHEV & D. TODMAN, *War Diaries, op. cit.*, p. 566-567.
43. A. EDEN, *The Reckoning, op. cit.*, p. 462.
44. A. DANCHEV & D. TODMAN, *War Diaries, op. cit.*, p. 568.
45. Sir Ian JACOB *in* J. WHEELER-BENNETT, Edit., *Action This Day, op. cit.*, p. 201-202.
46. C. MORAN, *The Struggle for Survival, op. cit.*, p. 161.
47. W. S. CHURCHILL, *Triumph and Tragedy, op. cit.*, p. 81.
48. M. SOAMES, Edit., *Speaking for Themselves, op. cit.*, p. 501.
49. F. LOEWENHEIM, *Roosevelt and Churchill, op. cit.*, p. 562.
50. C. MORAN, *The Struggle for Survival, op. cit.*, p. 173.
51. CAB 65/47, WM (44) 95, 24/7/44.
52. C. MORAN, *The Struggle for Survival, op. cit.*, p. 173.
53. W. S. CHURCHILL, *Triumph and tragedy, op. cit.*, p. 959.
54. A. EDEN, *The Reckoning, op. cit.*, p. 476.
55. Sir John COLVILLE *in* J. WHEELER-BENNETT, Edit., *Action This Day, op. cit.*, p. 87-88.
56. C. MORAN, *The Struggle for Survival, op. cit.*, p. 190.
57. W. S. CHURCHILL, *Triumph and tragedy, op. cit.*, p. 198.
58. M. SOAMES, Edit., *Speaking for Themselves, op. cit.*, p. 506.

59. S. MIKOLAYCZYK, *The Pattern of Soviet Domination*, Sampson Low, Marston, 1948, p. 108.

60. C. MORAN, *The Struggle for Survival, op. cit.*, p. 198, 202-203.

61. *Idem*, p. 206.

62. C. DE GAULLE, *Le Salut, op. cit.*, p. 52-53.

63. WC to AE, 7/1/44, *in* W. S. CHURCHILL, *Triumph and tragedy, op. cit.*, p. 250.

64. *Idem*, p. 252.

65. *Churchill and Roosevelt,* t. III, *op. cit.*, p. 452.

66. C. MORAN, *The Struggle for Survival, op. cit.*, p. 214.

67. A. JUIN, *Mémoires,* Fayard, Paris, 1960, t. II, p. 85-86.

68. J. COLVILLE, *Downing Street diaries, op. cit.*, p. 554.

69. A. BRYANT, *Triumph in the West, op. cit.*, p. 245.

70. F. J. HARBUTT, *Iron curtain, op. cit.*, p. 42.

71. J. COLVILLE, *Downing Street diaries, op. cit.*, p. 555.

72. C. MORAN, *The Struggle for Survival, op. cit.*, p. 225.

73. CAB 66/63, WP (45) 57, 4th. Plenary meeting.

74. FRUS, *Malta and Yalta, op. cit.*, p. 286, 573, 629, 760, 899.

75. J. F. BYRNES, *Speaking frankly, op. cit.*, p. 23.

76. C. MORAN, *The Struggle for Survival, op. cit.*, p. 226.

77. CAB 65/51, WM (45) 22, 19/2/45.

78. *Hansard,* 27/2/45.

79. N. NICOLSON, Edit., *Nicolson diaries*, vol. 2, *op. cit.*, p. 439, 1/3/45.

80. I. JUKIC, *The Fall of Yugoslavia*, Harcourt, N. Y., 1974, p. 237.

81. F. LOEWENHEIM, *Roosevelt and Churchill, op. cit.*, p. 671, WC to FDR n° 910, 13/3/45.

82. *Idem*, p. 678, n° 914, 17/3/45.

83. A. BRYANT, *Triumph in the West, op. cit.*, p. 422.

84. *Idem*, p. 438.

85. W. S. CHURCHILL, *Triumph and Tragedy, op. cit*, p. 402.

86. C DE GAULLE, *Le Salut, op. cit*, p. 53.

87. F. LOEWENHEIM, *Roosevelt and Churchill, op. cit*, p. 709, FDR to WC n° 742, 11/4/45.

88. W. H. THOMPSON, *I was Churchill's shadow op.cit*, p. 153.

89. *Correspondance between...*, *op. cit*, p. 331, Stalin to WC n° 439, 24/4/45.

90. W. S. CHURCHILL, *Triumph and tragedy, op. cit*, p. 442.

91. *Hansard,* House of Commons, 1/5/45.

92. W. H. THOMPSON, *I was Churchill's shadow, op. cit*, p. 156.

93. J. COLVILLE, *Downing Street diary, op. cit*, p. 592, 24/4/45.

94. C. MORAN, *The Struggle for Survival, op. cit.*, p. 250.

95. CAB 120/186, WC to H. S. Truman, 12/5/45.

96. BBC, 13/5/45.

97. A. BRYANT, *Triumph in the West, op. cit.*, p. 471.

98. C. MORAN, *The Struggle for Survival, op. cit.*, p. 254.

99. W. S. CHURCHILL, *Triumph and tragedy, op.cit*, p. 512.

100. *Idem*, p. 545.

101. C. MORAN, *The Struggle for Survival, op. cit.*, p. 272.
102. *Idem*, p. 257, 277.
103. H. ISMAY, *Memoirs, op. cit.*, p. 403.

NOTES DU CHAPITRE XVI. L'ÉTERNEL RETOUR

1. A. EDEN, *The Reckoning, op. cit.*, p. 145.
2. C. MORAN, *The Struggle for Survival, op. cit.*, p. 289.
3. M. SOAMES, *Clementine Churchill, op. cit.*, p. 391.
4. C. MORAN, *The Struggle for Survival, op. cit.*, p. 289.
5. R. R. JAMES, Edit., *Chips, the diaries of Sir Henry Channon, op. cit.*, p. 412.
6. Discours du 28/11/1945, *in* M. GILBERT, *Never despair, op. cit.*, p. 173.
7. D. COOPER, *Old men forget, op. cit.*, p. 358.
8. M. GILBERT, *Never despair, op. cit.*, p. 171.
9. R. S. CHURCHILL, Edit., *The Sinews of Peace*, Cassell, Londres, 1948, p. 93-105.
10. *Times*, 20/9/1946.
11. Lord Soames *in* M. GILBERT, *Never despair, op. cit.*, p. 304.
12. D. REYNOLDS, *In Command of History*, Penguin, Londres, 2005, p. 533.
13. R. S. CHURCHILL, Edit, *Europe unite*, Cassell, Londres, 1948, p. 189.
14. M. GILBERT, *Never despair, op. cit.*, p. 338.
15. C. MORAN, *The Struggle for Survival, op. cit.*, p. 324.
16. W. S. CHURCHILL, *Their Finest Hour, op. cit.*, p. 157.
17. C. MORAN, *The Struggle for Survival, op. cit.*, p. 335.
18. M. GILBERT, *Never despair, op. cit.*, p. 514.
19. N. MACGOWAN, *My years with Churchill*, Pan Books, Londres, 1958, p. 101.
20. H. ISMAY, *Memoirs, op. cit.*, p. 453.
21. H. MACMILLAN, *Tides of Fortune, op. cit.*, p. 365.
22. *Hansard*, 6/11/1951.
23. Lord NORMAN BROOK *in* J. WHEELER-BENNETT, Edit., *Action This Day, op. cit.*, p. 40-41.
24. *Hansard*, 5/3/1952.
25. Sir J. COLVILLE *in* J. WHEELER-BENNETT, Edit., *Action This Day, op. cit.*, p. 69-71.
26. D. ACHESON, *Present at the Creation*, Norton & Co., N.Y., 1969, p. 769.
27. R. S. CHURCHILL, *Stemming the Tide*, Cassel, Londres, 1953, p. 220-227.
28. C. MORAN, *The Struggle for Survival, op. cit.*, p. 357.
29. E. SCHUCKBURGH, *Descent to Suez*, Diary 1951-1956, Norton, N.Y., 1986, p. 32.
30. J. COLVILLE, *Downing Street Diaries, op. cit.*, p. 640.
31. *Idem*, p. 663.
32. K. ADENAUER, *Erinnerungen 45-53*, D.V.A., Stuttgart, 1965, p. 505.
33. M. SOAMES, *Clementine Churchill*, Penguin, Londres, 1981, p. 629.

34. C. MORAN, *The Struggle for Survival, op. cit.*, p. 393.
35. J. COLVILLE, *Downing Street Diaries, op. cit*, p. 658.
36. E. SCHUCKBURGH, *Descent to Suez, op. cit*, p. 74.
37. J. COLVILLE, *Downing Street Diaries, op. cit*, p. 665.
38. C. MORAN, *The Struggle for Survival, op. cit.*, p. 438.
39. Eisenhower Diary, 5-6/1/53, *in* C. PONTING, *Churchill*, Sinclair-Stevenson, Londres, 1994, p. 767.
40. J. COLVILLE, *Downing Street Diaries, op. cit.*, p. 658.
41. Dixon diary, 5/5/53, *in* D. CARLTON, *Anthony Eden, op. cit.*, p. 328.
42. K. HALLE, *The Irrepressible Churchill*, Facts on File, N.Y., 1985, p. 266-267.
43. C. MORAN, *The Struggle for Survival, op. cit.*, p. 404.
44. *Hansard*, 11/3/1953.
45. FO 371/ 103665, *Roberts to Strang*, 17/7/53.
46. H. MACMILLAN, *Tides of Fortune, op. cit*, p. 516.
47. J. COLVILLE, *Downing Street Diaries, op. cit*, p. 668.
48. L. MORAN, *The Struggle for Survival, op. cit*, p. 411.
49. M. SOAMES, *Clementine Churchill, op. cit.*, p. 436.
50. Lord NORMAN BROOK *in* J. WHEELER-BENNETT, Edit., *Action This Day, op. cit.*, p. 44.
51. C. MORAN, *The Struggle for Survival, op. cit.*, p. 421.
52. *Idem*, p. 444.
53. *Ibid.*
54. *Idem*, p. 448.
55. *Idem*, p. 460, 464.
56. E. MURRAY, *Churchill's Bodyguard*, Star Book, Londres, 1988, p. 174.
57. C. MORAN, *The Struggle for Survival, op. cit.*, p. 429.
58. *Idem*, p. 477.
59. R. S. CHURCHILL, Edit., *The Unwritten Alliance*, Cassell, Londres, 1961, p. 67.
60. R. R. JAMES, Edit., *Chips, the diaries of Sir Henry Channon, op. cit.*, p. 478.
61. *Idem*, p. 479.
62. *Hansard*, 3/11/1953.
63. C. MORAN, *The Struggle for Survival, op. cit.*, p. 494.
64. A. EDEN, *Full Circle*, Cassell, Londres, 1960, p. 87-89.
65. E. SCHUCKBURGH, *Descent to Suez*, Diary 1951-1956, *op. cit.*, p. 138.
66. CAB 128/27, CC (54) 22/6/54.
67. E. SCHUCKBURGH, *Descent to Suez*, Diary 1951-1956, *op. cit.*, p. 157.
68. R. A. BUTLER, *The Memoirs of lord Butler*, Hamish-Hamilton, Londres, 1971, p. 173.
69. M. SOAMES, *Clementine Churchill, op. cit.*, p. 450.
70. H. MACMILLAN, *Tides of Fortune, op. cit.*, p. 540.
71. Winston à Clementine, 10/8/54, *in* M. GILBERT, *Never despair, op. cit.*, p. 1043.
72. A. EDEN, *Full Circle, op. cit.*, p. 171.

73. Sir J. COLVILLE *in* J. WHEELER-BENNETT, Edit., *Action This Day*, *op. cit.*, p. 137.

74. *Times*, 24/11/1954.

75. M. SOAMES, *Clementine Churchill*, *op. cit.*, p. 447.

76. Eden diary, 22/12/54, *in* R. R. JAMES, *Anthony Eden*, op. *cit.*, p. 394.

77. C. MORAN, *The Struggle for Survival*, *op. cit.*, p. 632.

78. *Hansard*, 1/3/1955.

79. J. COLVILLE, *Downing Street Diaries*, *op. cit.*, p. 706.

80. *Macmillan diary*, 14/3/55, *in* C. PONTING, *Churchill*, *op. cit.*, p. 799.

81. *Idem*, p. 799-800, et J. COLVILLE, *Downing Street Diaries*, *op. cit*, p. 706.

82. *Idem*, p. 707.

83. *Ibid.*

84. C. MORAN, *The Struggle for Survival*, *op. cit.*, p. 643.

85. M. GILBERT, *Winston S. Churchill*, vol. VIII, *op. cit.*, p. 1119.

86. J. COLVILLE, *Downing Street Diaries*, *op. cit.*, p. 708.

87. Reminiscences of J. Colville, 8/6/65, *in* M. GILBERT, *Never despair*, *op. cit.*, p. 1124.

NOTES DU CHAPITRE XVII. RETOUR À L'ÉTERNEL

1. C. MORAN, *The Struggle for Survival*, *op. cit.*, p. 623.

2. CL. SULZBERGER, *Les Derniers des géants*, Albin Michel, Paris, 1972, p. 249-250.

3. *Idem*, p. 251, 254.

4. A. L. ROWSE, *Memories of men and women*, Methuen, Londres, 1980, p. 16.

5. W. S. CHURCHILL, *A History of the English-Speaking Peoples*, Cassell, Londres, 1956-1958.

6. W. S. CHURCHILL, *The Second World War and an Epilogue 1945-57*, Cassell, Londres, 1959.

7. C. MORAN, *The Struggle for Survival*, *op. cit.*, p. 710.

8. *Idem*, p. 688.

9. R. HOWELLS, *Simply Churchill*, Robert Hale, Londres, 1965, p. 162.

10. C. MORAN, *The Struggle for Survival*, *op. cit.*, p. 694.

11. *Idem*, p. 702.

12. *Sunday Times*, 4/1/1987.

13. *Annual Register*, 1986, p. 52.

14. C. MORAN, *The Struggle for Survival*, *op. cit.*, p. 710.

15. R. S. CHURCHILL, *The Unwritten Alliance*, *op. cit.*, p. 295.

16. M. GILBERT, *Winston S. Churchill*, vol. VIII, *op. cit.*, p. 1258.

17. E. MURRAY, *Churchill's Bodyguard*, *op. cit.*, p. 201.

18. M. SOAMES, *Speaking for themselves*, *op. cit.*, p. 601.

19. H. KUSTERER, *Der Kanzler und der General*, Neske, Stuttgart, 1995, p. 52-53.

20. E. MURRAY, *Churchill's Bodyguard*, *op. cit.*, p. 232.

21. C. de GAULLE, *Discours et Messages*, t. III, Plon, Paris, 1970, p. 60.

22. R. R. JAMES, Edit., *Winston S. Churchill, Complete Speeches*, vol. VIII, *op. cit.*, p. 8687.

23. P. LEFRANC, *Avec qui vous savez*, Plon, Paris, 1979, p. 50-51.

24. C. R. COOTE, *The Other Club*, Sidgwick & Jackson, Londres, 1971, p. 110.

25. *Nice Matin*, 21/2/1958.

26. R. BOOTHBY, *Recollections of a Rebel, op. cit.*, p. 65.

27. M. SOAMES, *Clementine Churchill, op. cit.*, p. 656.

28. W. S. CHURCHILL, *His Father's Son*, Phoenix, Londres, 1996, p. 406.

29. *Op. cit.*, p. 692-693, 698, 709.

30. C. MORAN, *The Struggle for Survival, idem*, p. 693.

31. A. MONTAGUE BROWN, *Long Sunset*, Cassell, Londres, 1995, p. 312.

32. F. KERSAUDY, *Churchill et Monaco*, Editions du Rocher, Paris, 2002, p. 94.

33. R HOWELLS, *Simply Churchill, op. cit.*, p. 91.

34. A. MONTAGUE BROWN, *Long Sunset, op. cit.*, p. 312.

35. M. SOAMES, *Clementine Churchill, op. cit.*, p. 481.

36. R. BOOTHBY, *Recollections of a Rebel, op. cit.*, p. 65.

37. C. MORAN, *The Struggle for Survival, op. cit.*, p. 597.

38. *Times*, 25/1/1965.

39. C. MORAN, *The Struggle for Survival, op. cit.*, p. 789.

ARCHIVES

Allemagne

I. Bundesarchiv, Koblenz (BAK).
[Archives fédérales, Coblence.]

II. Militärgeschichtliches Forschungsamt, Freiburg (MGFA).
[Archives du Centre d'Études d'Histoire Militaire, Fribourg.]

III. Institut fur Zeitgeschichte, München (IFZG).
[Archives de l'Institut d'Histoire Contemporaine, Munich.]

Belgique

IV. Ministère des Affaires étrangères, Bruxelles (AEB).

Canada

V. Archives publiques du Canada, Ottawa, (APC).

France

VI. Fondation nationale des Sciences politiques, Paris (FNSP).
VII. Ministère des Affaires étrangères, Paris (AE).

VIII. Service historique de l'Armée de Terre, Vincennes (SHAT).

USA

IX. Franklin D. Roosevelt Library and Archives, Hyde Park, New York (FDR).
X. State Department, National Archives, Washington D.C. (ST. DEPT).
XI. War Department, National Archives, Wash. D.C. (WAR. DEPT).

Grande-Bretagne

XII. Foreign Office, PRO, London (FO).
XIII. Birmingham University Library and Archive, Birmingham (BUL) (Chamberlain Papers).
XIV. Admiralty, PRO, London (ADM).
XV. Churchill College Archive Centre, Cambridge (CCAC).
XVI. Air Ministry, PRO, London (AIR).
XVII. London School of Economics, London (LSE).
XVIII. War Office, PRO, London (WO).
XIX. Cabinet Papers, PRO, London (CAB).
XX. Prime Minister's Papers, PRO, London (PREM).
XXI. Liddel-Hart Centre for Military Archives, King's College, London (LHCMA).
XXII. Bodleian Library, Oxford (BDL).
XXIII. Middle East Centre, Oxford (MEC).
XXIV. British Museum, London (BM).

Norvège

XXV. Utenriksdepartementet, Oslo (UD)
[Ministère des Affaires étrangères, Oslo.]

Pays-Bas

XXVI. Ministerie van Buitenlandse Zaken, Den Haag. (MVBZ)
(Ministère des Affaires étrangères, La Haye)

Suède

XXVII. Svensk Utriksdepartement, Stockholm (SUD).
[Ministère des Affaires étrangères, Stockholm.]

BIBLIOGRAPHIE

Ouvrages de Winston Churchill :

The Story of the Malakand Field Force, Longmans, Londres, 1898
The River War, Longmans, Londres, 2 vol., 1899
Savrola : A Novel, Longmans, Londres, 1900 ; trad. Française : *Savrola*, Éd. du Rocher, Monaco, 1948
London to Ladysmith, Longmans, Londres, 1900
Ian Hamilton's March, Longmans, Londres, 1900
Lord Randolph Churchill, Macmillan, Londres, 1906, 2 vol.
My African Journey, Hodder and Stoughton, Londres, 1908
Liberalism and the Social Problem, Hodder and Stoughton, Londres, 1909
The World Crisis 1911-1918, Thornton Butterworth, Londres, 6 vol., 1923-1931 ; trad. française : *La Crise mondiale 1911-1918*, Paris, Payot, 4 vol., 1925-1931
My Early Life, Thornton Butterworth, Londres, 1930 ; trad. fr. : *Mes Jeunes Années*, Tallandier/Texto, Paris, 2007
Thoughts and Adventures, Londres, Thornton Butterworth, 1932 ; trad. fr. : *Réflexions et Aventures*, Tallandier/Texto, Paris, 2008
Marlborough, his Life and Times, Harrap, Londres, 1933-1938, 4 vol. ; trad. fr. : *Marlborough, sa vie et son temps*, Laffont, Paris, 1949-1951, 4 vol.
Great Contemporaries, Thornton Butterworth, Londres, 1937 ; trad. fr. *Les Grands Contemporains*, NRF, Paris, 1939
Arms and the Covenant, Harrap, Londres, 1938
Step by Step 1936-1939, Thornton Butterworth, Londres, 1939 ; trad. fr. Journal politique 1936-1939, Amiot Dumont, Paris, 1948
The Second World War, Cassell, Londres, 1948-1954, 6 vol.

- I. *The Gathering Storm*
- II. *Their Finest Hour*
- III. *The Grand Alliance*
- IV. *The Hinge of Fate*
- V. *Closing the Ring*
- VI. *Triumph and Tragedy*

Trad. fr. *Mémoires sur la Deuxième Guerre mondiale*, Plon, Paris, 6 tomes en 12 vol., 1948-1954

Édit. abrégée en un volume: *The Second World War and an Epilogue 1945-1957*, Cassell, Londres, 1959

Speaking for Themselves: The Personal Letters of Winston and Clementine Churchill. Edited by Mary Soames, Londres et New York, Doubleday, 1998

Winston Churchill: His Complete Speeches 1897-1963, edited by Robert Rhodes James, Bowker, Chelsea House, New York et Londres, 8 vol., 1974

Les ouvrages concernant Winston Churchill et son temps sont bien trop nombreux pour être mentionnés ici. On ne trouvera donc ci-dessous que quelques titres essentiels:

La biographie « officielle », intitulée *Winston S. Churchill,* se compose de huit volumes (9 000 pages), qui se répartissent comme suit:

CHURCHILL (Randolph S.) :

Vol. I, *Youth 1874-1900,* Heinemann, Londres, 1966, Vol. II, *Young Statesman 1901-1914,* 1967 ; Traduction française : vol. I, *Jeunesse*; vol. II, *Le Jeune Homme d'État,* Paris, Stock, 1968-1969.

GILBERT (Martin) :

Vol. III, *1914-1916,* 1971.

Vol. IV, *1916-1922,* 1975.

Vol. V, *1922-1939,* 1976.

Vol. VI, *Finest Hour 1940-1941,* 1983.

Vol. VII, *Road to Victory 1941-1945,* 1986.

Vol. VIII, *Never Despair 1945-1965,* 1988.

Auxquels il faut ajouter quinze volumes de documents (*Companion Volumes*), soit environ 11 000 pages supplémentaires, ainsi que la nouvelle série intitulée *Churchill War Papers,* à partir de 1939.

Ainsi que :

BARKER (Elizabeth), *Churchill and Eden at war,* Macmillan, Londres, 1978.
BEDARIDA (François), *Churchill,* Fayard, Paris, 1999.
BEST (Geoffrey), *Winston Churchill,* Hambledon, Londres, 2000.
BLAKE (Robert), LOUIS (W.R.), *Churchill, a major reassessement,* OUP, Oxford, 1993.
CHARMLEY (John), *Churchill, the End of Glory,* Hodder & Stoughton, Londres, 1993.
CHASTENET (Jacques), *Winston Churchill et l'Angleterre du XXe siècle,* Fayard, Paris, 1965.
COWLES (Virginia), *Winston Churchill, the era and the man,* Hamish Hamilton, Londres, 1953.
EADE (Charles) Edit., *Churchill by his contemporaries,* Hutchinson, Londres, 1953.
GILBERT (Martin), *Churchill, a Life,* Heinemann, Londres, 1991.
In Search of Churchill, HarperCollins, Londres, 1994.
Churchill and America, Free Press, Londres, 2005.
GRETTON (Peter), *Former Naval Person,* Cassell, Londres, 1968.
GUIFFAN (Jean), *Churchill,* Masson, Paris, 1978.
JAMES (Robert Rhodes), *Churchill : A study in failure,* Weidenfeld, Londres, 1970.
JENKINS, (Roy), *Churchill,* Macmillan, Londres, 2001.
KERSAUDY (François) *De Gaulle et Churchill,* Plon, Paris, 1982.
KIMBALL (Warren F.), *Churchill, Roosevelt and the second world war,* Harper, Londres, 1997.
KIMBALL (Warren F.), *Churchill and Roosevelt, the complete correspondance,* 3 vol., P.U.P., Princeton, New Jersey, 1984.
LAMB (Richard), *Churchill as War Leader,* Bloomsbury, Londres, 1991.
LEWIN (Ronald), *Churchill as Warlord,* Stein & Day, N.Y., 1973.
LONGFORD (Elizabeth), *Winston Churchill,* Sidgwick & Jackson, Londres, 1974.
LUKACS (John), *Five days in London,* Yale University Press, N.Y., 1999.
MANCHESTER (William), *Winston Spencer Churchill, Visions of Glory, 1874-1932,* Michael Joseph, Londres, 1984.
Winston Spencer Churchill, The Caged Lion, 1932-1940, Michael Joseph, Londres, 1988.
MARX (Roland), *Winston Churchill, Enfance et adolescence,* Autrement, Paris, 2000.

MORGAN (Ted) *Churchill, Young Man in a Hurry, 1874-1915*, Simon & Schuster, N.Y., 1982.
PARKER (R.A.C.), Edit., *Winston Churchill, Studies in statesmanship*, Brassey's, Londres, 1995.
PONTING (Clive), *Winston Churchill*, Sinclair & Stevenson, Londres, 1994.
REYNOLDS (David), *In Command of History*, Penguin, Londres, 2005.
ROBERTS (Andrew), *Masters and Commanders*, Allen Lane, Londres, 2008.
ROSKILL (Stephen), *Churchill and the Admirals*, Collins, Londres, 1977.
ROWSE (A.L.), *The Later Churchills*, Macmillan, Londres, 1958.
TAYLOR (A.J.P.), *Churchill: Four faces and the man*, Allen Lane, Londres, 1969.
THOMPSON (Reginald W.), *The Yankee Marlborough*, Allen & Unwin, Londres, 1963.
WHEELER-BENNETT (John), Edit., *Action this Day, Working with Churchill*, Macmillan, Londres, 1968.

Témoignages directs:

AMERY (Leo), *My Political life*, Hutchinson, Londres, 3 vol., 1953-1955.
ASQUITH (Herbert Henry), *Memories and reflections*, Cassell, Londres, 2 vol., 1928.
ATTLEE (Clement) *As it Happened*, Viking Press, N.Y., 1954.
AVON (Lord) [A. EDEN] *The Eden Memoirs*, Cassell, Londres, 3 vol., 1960-1965; trad. française: *Mémoires*, Plon, Paris, 1961-1965.
BONHAM-CARTER (Violet), *Winston Churchill as I knew him*, Eyre and Spott., Londres, 1965.
BOOTHBY (Robert), *Recollections of a Rebel*, Hutchinson, Londres, 1978.
BRYANT (Arthur), *The Turn of the Tide 1939-1943*, Collins, Londres, 1957; *Triumph in the West 1943-1945*, Collins, Londres, 1959.
BUTLER (R.A.B.), *The Art of the Possible*, Hamish Hamilton, Londres, 1971.
CASEY (Richard), *Personal Experience 1939-1946*, Constable, Londres 1962.
CHANDOS (Lord) [Oliver Lyttelton], *Memoirs*, Bodley Head, Londres 1962.
CHARMLEY (John), Edit., *Descent to Suez: The Diaries of Sir Evelyn Shuckburgh 1951-1956*, Weidenfeld & Nicolson, Londres, 1987.
CLARK (Mark), *Calculated Risk*, Harper, N.Y., 1950.

COLVILLE (John), *The Fringes of Power: Downing Street Diaries 1939-1955*, Hodder & Stoughton, Londres, 1985.

COOPER (Alfred Duff), *Old Men Forget, Hart-Davis*, Londres 1954 ; trad. française : *Au-delà de l'oubli*, Gallimard, Paris, 1960.

COOPER (Diana), *Trumpets from the Steep*, Hart-Davies, Londres, 1966.

CUNNINGHAM (Andrew Browne), *A Sailor's Odyssey*, Hutchinson, Londres, 1951.

DANCHEV (Alex) & TODMAN (Daniel), Edit., *War Diaries of Field Marshal Lord Alanbrooke*, Weidenfeld & Nicolson, Londres, 2001.

DILKS (David) Edit., *The Diaries of Sir Alexander Cadogan*, Cassell, Londres, 1971.

EADE (Charles) Edit., *Churchill by his contemporaries*, Hutchinson, Londres, 1953.

EISENHOWER (Dwight D.), *Crusade in Europe*, W. Heinemann, Londres, 1948.

HARRIMAN (Averell), and ABEL (E), *Special Envoy to Churchill and Stalin, 1941-1946*, New York, Random House, 1975.

HARVEY (John), Edit., *The Diplomatic Diaries of Oliver Harvey 1937-1940*, Collins, Londres, 1970 ; *The War Diaries of Oliver Harvey 1941-1945*, Collins, Londres, 1977.

HOWELLS (Roy), *Simply Churchill*, Robert Hale, Londres, 1965.

HULL (Cordell), *Memoirs*, vol. I et II, Macmillan, N.Y., 1948.

ISMAY (Lord), *The Memoirs of General the Lord Ismay*, London, Heinemann, 1960.

JAMES (R.R.), Edit., *« Chips »* : *The Diary of Sir Henry Channon*, London, Weidenfeld and Nicolson, 1967.

JONES (Thomas), *A diary with letters, 1931-1950*, Oxford, Oxford University Press, 1969.

KENNEDY (John), *The Business of War*, Hutchinson, Londres, 1957.

LEAHY (William), *I was there*, Gollancz, Londres, 1950.

MACLEOD (Roderick), KELLY (Dennis), ed., *The Ironside Diaries 1937-1940*, Constable, Londres, 1962.

MACMILLAN (Harold), *Memoirs*, Macmillan, Londres, 6 vol., 1966-1973.

MARSH (Edward), *A Number of People*, Heinemann, Londres, 1939.

MARTIN (John), *Downing Street : the War Years*, Bloomsbury, Londres, 1991.

MC. GOWAN (Norman), *My Years with Churchill*, Souvenir Press, Londres, 1958.

MONTAGUE BROWN (Anthony) Long Sunset : *Memoirs of Winston Churchill's last Private Secretary*, Cassell, Londres, 1995.

MONTGOMERY (Bernard L.), *The Memoirs of Field Marshal the Viscount Montgomery*, Collins, Londres, 1958.

MORAN (Lord), *Winston Churchill, The Struggle for Survival,* Constable, Londres, 1966.

MURPHY (Robert), *Diplomat among Warriors,* Doubleday, N.Y., 1954.

NICOLSON (Harold), *Diaries and Letters 1930-1962,* Collins, Londres, 3 vol., 1966-1968.

PAWLE (Gerarld), *The War and Colonel Warden,* Harrap, Londres, 1963.

SHERWOOD (Robert E.), *The White House Papers of Harry L. Hopkins,* Eyre & Spottiswoode, Londres, 2 vol., 1948-1950.

SPEARS (Edward L.), *Assignment to Catastrophe,* Heinemann, Londres, 2 vol., 1954.

STANSKY (Peter), Edit, *Churchill, a profile,* Hill & Wang, N.Y., 1973.

THOMPSON (Reginald W.) *Churchill and Morton,* Hodder & Stoughton, Londres, 1976.

WEDEMEYER (Albert C.) *Wedemeyer Reports!* Holt, N.Y., 1956.

YOUNG (Kenneth), Edit., *The diaries of Sir Robert Bruce Lockhart, 1915-1965,* Macmillan, Londres, 2 vol., 1973-1980.

ZIEGLER (Philip), Edit., *Personal diary of Admiral the Lord Mountbatten, 1943-1947,* Collins, Londres, 1988.

De même que les souvenirs de ses enfants :

CHURCHILL (Sarah), *A Thread in the Tapestry,* André Deutsch, Londres, 1967.

CHURCHILL (Randolph S.), *Twenty-One Years,* Weidenfeld & Nicolson, Londres, 1964.

SOAMES (Mary), *Clementine Churchill,* Cassell, Londres, 1979.

Winston Churchill, His Life as a Painter, Collins, Londres, 1990.

TABLE DES CARTES

INDEX